中国学术通史

【魏晋南北朝卷】

张立文 主编　向世陵 著

人民出版社

总　序

学无确解。无论是中国哲学、中国思想，还是中国学术，真所谓"仁者见之谓之仁，知者见之谓之知，百姓日用而不知，故君子之道鲜矣"①。因对其学的理解，往往基于诠释者的主体论域、时序结构和价值取向，所以莫衷一是。

一、中国学术史的界说

在中国近现代人文社会科学研究中，哲学、思想、学术及其史的论述，往往出现不需"难得糊涂"而糊涂的情境，如什么是哲学、思想、学术？什么是中国哲学史、思想史、学术史等？若连此都模糊不清，则研究对象、范围何以明？研究对象、范围之不确定，则何以进行研究或诠释？

中国学人之所以面临这种尴尬，一是汉语方块字的一字多义性，而造成词义的不确定、浑沌性；二是像哲学、思想作为学科，中国本来没有，是近现代从西方引进的。西方外来的与中国本土的往往互不契合而有冲突，而成为"哲学在中国"，而不是"中国底哲学"；或"思想在中国"，而不是"中国底思想"。即使说将中国各种学问中"可以西洋所谓

---

① 《系辞传上》，《周易本义》卷3，世界书局1936年版。

哲学名之者,选出而叙述之"①,也可能由于"照着讲"者理解的毫厘之差,而谬以千里,而造成中国哲学合法性危机。中国思想、中国学术何尝不会出现像中国哲学那样的危机?

基于此,我们最近提出走出中国哲学的危机,超越合法性问题。我们主张中国哲学、思想、宗教、学术决不能照猫画虎式地"照着"西方讲,也不能秉承衣钵式地"接着"西方讲,而应该是智能创新式地"自己讲"②。讲述中国哲学、思想、宗教、学术自己对"话题本身"的重新发现,讲述中国哲学、思想、宗教、学术自己对时代冲突问题的艺术化解、讲述中国哲学、思想、宗教、学术自己对时代危机的义理解决,讲述中国哲学、思想、宗教、学术自己对道的赤诚追求等。只有如此,才能真正建构中国底哲学、思想、宗教、学术等学科。

在中西学者没有就中国哲学、思想、宗教、学术是不是、有没有的评价内涵、标准获得共识或取得最低限度的认同的情境下,为了更好地探索中国哲学、思想、宗教、学术"话题本身",直面中国哲学、思想、宗教、学术生命本真,讲述中国哲学、思想、宗教、学术灵魂(精神)的价值,同时也为了探讨中国哲学、思想、宗教、学术的方便和开发中国哲学、思想、宗教、学术的创新能力,必须"自己讲"、"讲自己";又考虑到中西哲学、思想、宗教、学术各有其发生、发育、延续的文化背景、社会环境、价值观念、思维方式、风俗习惯、语言文字的分殊,其哲学、思想、宗教、学术讲述的"话题本身"以及讲述的"话语方式"都大相径庭,而必须自我定义,自立标准。我想这样做有其外内依据的合理性和合法性。

---

① 冯友兰:《中国哲学史》(上册),中华书局 1961 年版,第 1 页。

② 参见拙作:《中国哲学从"照着讲"、"接着讲"到"自己讲"》,载《中国人民大学学报》2000 年第 2 期;《关于"儒家与宗教"的讨论》,载《中国哲学史》2002 年第 2 期;《朱陆之辩序》彭永捷著,人民出版社 2002 年版;《中国哲学的创新与和合学使命》,载《中国人民大学学报》2003 年第 1 期;《中国哲学的"自己讲"、"讲自己"——论走出中国哲学的危机和合法性问题》,载《中国人民大学学报》2003 年第 2 期。

　　我根据自己长期对中国哲学的研究,借鉴前辈学者的研究成果,曾把中国哲学规定为:"哲学是指人对宇宙(可能世界)、社会(生存世界)、人生(意义世界)之道的道的体贴和名字体系"①。把中国宗教规定为:宗教是给出人的精神的理想家园②。至于思想和学术也应依据中国的实际,做出自我定义,自立标准。尽管中国学人、思想家、学问家的各自家庭渊源、学校教育、承传学统、文化素质、学术品格、个人性情及兴趣爱好的差分,对于中国思想、中国学术的体认亦不相同,但可以殊途同归,百虑一致,获得一个大致认同的共识。

　　从史的视阈来观照哲学史(History of Philosophy)、观念史(History of Ideas)、思想史(Intellectual History),前两者英语中是独立名词,可以作为史学研究的对象,而后者是一个形容词,是作为规范、描述某种史学的研究,不能作为独立的史学研究的对象。但在汉语中思想可以作名词使用。思,汉许慎《说文解字》:"思,睿也,从心从囟。"段玉裁注:"睿也,各本作容也。……谷部曰睿者深通川也。引睿畎浍距川。引申之,凡深通皆曰睿,思与睿双声……谓之思者,以其能深通也。"思之上半部作囟,《说文》:"囟,头会脑盖也。"段玉裁注:"上象小儿头脑未合也"。古人以心为思之官,意谓头脑会思虑、思念,所以《集韵·志韵》:"思,虑也",《广韵·之韵》:"思,思念也"。想,《说文》:"觊思也,从心相声。"段玉裁注:"觊各本作冀……觊思者,觊望之思也。"思想两字义近,《玉篇·心部》:"想,思也。"思想,意为思念、思虑、思考。曹植说:"仰天长太息,思想怀故乡。"③ 三国时王朗与文休书云:"托旧情于思想,眇眇异处,

---

　　① 见拙文:《朱陆之辩序》彭永捷著,人民出版社 2002 年版。关于这个哲学定义和"体贴","名字"等概念,在此序中已有解释,不赘述。

　　② 见《关于儒家与宗教的讨论》,载《中国哲学史》2002 年第 2 期。《关于儒学是"学"还是"教"的思考》,载《文史哲》1998 年第 3 期。《生死学与终极关怀》,载《东方论坛》2000 年第 2、3 期。

　　③ 《盘石篇》,《曹子建集》卷 6。

与异世无以异也。"①《尚书·尧典》:"钦明文思安安。"马注:"道德纯备谓之思。"《周书·谥法》:"道德纯一曰思。"以道德高尚纯善为思。《周礼·视祲》:"十曰想。"郑司农注:"想者,辉光也。"这里讲思想便意蕴着道德纯一的辉光之义。

思想是指人对于宇宙(可能世界)、社会(生存世界)、人生(意义世界)的事件、生活、行为所思所想的描述和解释体系。如果说,中国哲学史是中国哲学的历史地展示,中国思想史也可以说是中国思想的历史地呈现,那么,中国哲学史是指把人对宇宙、社会、人生之道的道的体贴,以名字的形式,大化流行地展示出来,并力图把形而上之道和形而下之器统摄到体用一源、理一分殊之中的智慧历程。中国思想史是指人对宇宙、社会、人生的事件、生活、行为的所思所想,以描述和解释的形式,历史地呈现出来的历程②。这些规定,都是为了探讨问题的方便,而不一定妥帖、准确。

既明哲学、思想和宗教的定义及中国哲学史和中国思想史的分别,便可以探讨学术和学术史的问题。学,《说文》:"斅,觉悟也,从教冂,冂,尚矇也。臼声。学,篆文斅省。"段玉裁注:"斅觉叠韵。《学记》曰:'学然后知不足',知不足然后能自反也。按知不足所谓觉悟也。"《说文》认为,学从教,古学、教为一字。《国语·晋语九》:"顺德以学子,择言

---

①　《许靖传》,《三国志·蜀书》卷38,注引《魏略》,中华书局1959年版,第968页。

②　侯外庐等著的《中国思想通史序》中说:"这部《中国思想通史》是综合了哲学思想、逻辑思想和社会思想在一起编著的。"(人民出版社1957年版,第1页)。葛兆光说其《中国思想史》是"一般知识、思想与信仰的历史"。汪祖荣说:"思想史研究之目标与方向,其任务不局限于所谓'思想之历史'(history of ideas),故其视野超越哲学史与学术史之外。思想史亦与文化史(cultural history)有别,后者包罗万象,诸如宗教、艺术、文学、科技等,靡有所遗,而前者以整个文化做背景,注重'历史架构'上之思想与思想间之关系"。(《思想与时代——思想史研究之范畴与方法》,百花文艺出版社1998年版。)

以教子,择师保以相子。"韦昭注:"学,教也。"学为学习,引申为讲学、学识、学问、学说、学科① 等。如果说"学"字有见于甲骨金文,则"术"字不见,而见于简帛。《说文》:"术,邑中道也,从行术声。"段玉裁注:"邑,国也,引申为技术。"术为道路,为人所由的道路,人由道路而达到一定目标,而引申为技术、技艺、办法、方法等,如《孟子·尽心上》:"观水有术,必观其澜。"《广雅·释诂一》:"术,法也。"又可以引申为学说,《正字通·行部》:"术,道术。"《晏子春秋》:"言有文章,术有条理。"② 道术与学术近。"学术"并称或一词,见《礼记》:"德也者,得于身也。故曰:古之学术道者,将以得身也。"郑玄注:"术,犹艺也。"孔颖达疏:"术者,艺也,言古之人学此才艺之道也。将以得身也,谓使身得成也。"③ 这里是指学习与才艺,南朝梁何逊《何水部集·赠族人秫陵兄弟诗》:"小子无学术,丁宁因负薪。"指学问和道术。引申为学说与方法、道理与技艺、学识与办法等。

　　基于此体认,学术在传统意义上是指学说和方法,在现代意义上一般是指人文社会科学领域内诸多知识系统和方法系统,以及自然科学领域中科学学说和方法论。中国学术史面对的不是人对宇宙、社会、人生之道的道的体贴和名字体系或人对宇宙、社会、人生的事件、生活、行为所思所想的解释体系,而是直面已有(已存在)的哲学家、思想家、学问家、科学家、宗教家、文学家、史学家、经学家等的已有的学说和方法系统,并藉其文本和成果,通过考镜源流、分源别派,历史地呈现其学术

---

① 孔子时有六艺之学,公元二世纪汉代设立太学,一直延续,隋立国子监,协调国子学与太学,另有专门学校如算学、书学、医学等。唐国子监的构成如:国子学、太学、四门学、律学、书学、算学、广文学等。宋代国子监的分科为:太学、国子学、小学、医学、武学、律学、算学、书学、画学、道学等。这里除太学、国子学、小学外,其他都属学科。

② 《泯子午见晏子·晏子恨不尽其意第二十六》,《晏子春秋集释》卷 5,中华书局 1962 年版,第 360 页。

③ 《乡饮酒义》,《礼记正义》卷 61,中华书局 1980 年版,第 1683 页上。

延续的血脉和趋势。这便是中国学术史。

辨哲学、思想、宗教、学术之名,析中国哲学史、中国思想史、中国宗教史、中国学术史之义,这是我 1960 年从事中国哲学教学研究以来一直想辨析清楚的,但这一辨名析义是否妥帖,可通过切磋,而使其完善一些。

二、中国学术史演变的阶段

学术和哲学、思想一样,依据社会生活的演替而演替,随时代的变化而变化。因而,各个时代有其所面临的各种问题,特别是主导性问题。人们在化解时代所面临的问题中,有限度地形成了一些共识和相近的进路,而造就了时代的学风、学说。这些学风、学说便体现了这个时代的需要,也展示了这个时代的学术面相。

如果说哲学是哲学史的母亲,哲学史便是哲学的女儿;那么,学术是学术史的父亲,学术史即是学术的儿子。这就是说,学术史是学术的衍生,所以,有怎样的学术,就有怎样的学术史。这可以从两方面看:一是史的学术和学术史。在某个时代中,由于学者面临共同的宇宙、社会、人生等问题,在化解这些问题中取得了一些共识和趋向,形成了大致认同的学风、学说及学术成果,但由于各个学者的师传学脉、价值观念、思维方式、学术思想、学者视阈的不同而不同。换言之,有多少不同的学术观点,就有多少种不同的学术史,因此,在同一个时代的学风、学说及学术成果中有不同的学派门派,而呈现五彩缤纷的多样性、多元性,这是本有的学术和学术史;二是写的学术和学术史。既有当时人对时代学风、学说及学术成果的记录、描述、解释和评价,也有后来学者对前时代的学风、学说及学术成果的再现。这种再现是重新描述、评价、解释的过程,由于解释对象和解释者的时间差和空间差,解释者的解释必须超越时空的局限,才能贴近先前学术文本的意思和原作者的意蕴。但解释者置身于后代社会或现代社会,由于社会的变迁和学术的变化,解释者所处的环境与被解释对象之所在的情境已大不相同,解释者带着他所处的那个时代的学术思想、价值观念、思维方式的潜意识,不免"误读"、"误解"被解释对象,不能再现其本真或本相,而带有解释者所处时代的痕迹,从这个意义上说,一切学术史"都是现代史"。

一切历史都处于"为道屡迁,变动不居"之中,学术史也不例外。梁启超曾"接着"佛说一切流转相为生、住、异、灭四期讲,认为中国学术思潮,"则汉之经学,隋唐之佛学,宋及明之理学,清之考证学,四者而已"①。我们则认为,中国学术思潮可分为六期,即先秦学术、两汉经学、魏晋玄学、隋唐儒释道之学、宋明理学、清代学术。我们之所以分为六期,不是任何人的臆断,而是依据社会的变迁、学术的转换等外缘内因划分的。

先秦是中国学术的原创期。这时,诸侯国林立,他们既统一受周王朝的制约,又互相竞争、兼并,为自己国家的生存和富强而斗争。为此,各国都孜孜以求生存和富强的谋略、理念和方法。因此,呈现出学术多元,百家争鸣的盛况。先秦学术是在夏、商、周三代礼乐文化及其典章制度的人文语境中萌生和创发出来的。按照《汉书·艺文志》的追溯,先秦诸子百家都是从"学在官府"的西周礼乐文化中衍生出来的学术义理形态,其学说是对"古之道术"的创新和发明。比如以孔孟为代表的儒家,出于司徒之官,助人君顺阴阳明教化者也,游文于六经之中,留意于仁义之际,于道最为高。以老庄为代表的道家,出于史官,历记成败存亡祸福古今之道,知秉要执本,清虚以自守,卑弱以自持,此君人南面之术。又如阴阳家出于羲和之官,敬顺昊天,历象日月星辰,敬授民时;法

---

① 梁启超:《清代学术概论》,重庆,商务印书馆1943年版,第1页。梁氏该书写于1920年。

家出于理官,信赏必罚,以辅礼制;墨家出于清庙之守,其长贵俭、兼爱、上贤、右鬼、非命、上同等;名家出于礼官,名位不同,礼亦异数;纵横家出于行人之官,杂家出于议官等①。先秦学术在百家争鸣激荡下,民族意识日益觉醒,道德精神不断独立,形成了以"道德之意"为主导的学术思潮,各家围绕着天道、地道、人道的"三才"之道,而讲阴阳、柔刚、仁义之德,展开思潮言说和交流,使先秦学术呈现百花齐放、绚丽多姿的状态。

秦汉是中国学术的奠基期。秦统一六国,建立了统一的中央集权的郡县制,实现了一次巨大的社会转型,传统学术亦随之转向。先秦那种"百家殊方,指意不同"的"道术将为天下裂"的态势,转变为法、道、儒依次意识形态化的"大一统"语境。汉初为了避免强秦速亡的重演和医治战争创伤的需要,"黄老之术"得以推行,经休养生息,出现了"文景之治"。汉武帝为使刘汉政权"传之无穷",举贤良文学之士以对策的方法,"垂问天人之应"。据董仲舒的理解,汉武帝所追问的"大道之要,至论之极",实际上是《春秋》大一统。他所建构的"天人感应"学说是把先秦天、地、人三才之道的分离贯通起来,使其转变为"王"字,即"王道通三",确立帝王的至尊地位。汉武帝"罢黜百家,独尊儒术",并立儒学《五经》博士,开弟子员,设科射策,劝以官禄,使经学思潮成为学术主潮。两汉学术虽是先秦百家之学的转向,但也是先秦百家之学的继承、吸收和融合。据司马谈的《论六家要旨》的研究和凝练,汉初"黄老之术"是以道家老子为依托,"其为术也,因阴阳之大顺,采儒墨之善,撮名法之要"的和合体;董仲舒虽"独尊儒术",但亦援各家入儒,其《深察名号》是名家手笔,《天地阴阳》是阴阳家的理路,《郊义》和《郊语》② 是儒家章法,因而创新深度薄弱。总体而言,两汉是中华民族富有创造性的

---

① 见班固:《艺文志》,《汉书》卷30,中华书局1962年版,第1728—1742页。
② 见董仲舒:《春秋繁露》。

学术繁荣的时代，无论是典章制度、文学艺术、理论思维，还是经学、史学，天文、历算、农学、医药等，其辉煌已处世界领先地位，为中华民族学术奠定了基本规模和范式。

魏晋南北朝是中国学术的会通期。这时，国家长期分裂，政权频繁更迭，战争时起时伏，社会充满杀机，生命朝不保夕。在这种社会制度结构危机中，个体价值独立，主体意识觉醒，学术思想活跃，哲学创新涌现，佛道两教兴盛，被边缘化了的名士"清谈"，转变为主流的玄学思潮。何晏注《论语》，援引老庄诠释孔孟，开启玄冥之风。王弼注《老子》、《周易》，横扫两汉象数感应方法，主张"以无为本"，回归自然。然后向秀、郭象注解《庄子》、发挥"逍遥之义"，辨名析理以达忘言、忘象的"玄冥之境"，展露出儒道会通的趋势。竹林七贤的叛逆和任诞，虽对名教富有批判精神，但对生命智慧亦有消解作用。名教束缚的解脱给学术思想带来了清新的自然气息，文学创作与义理运思的巧妙结合，成为这时人文语境中最引人注目的故事情节。陶潜的田园诗篇和《桃花源记》属极富义理内涵的文学精品，郭象的《逍遥游注》和"玄冥之境"是最有文学韵味的哲理佳作，都给玄学思潮增光添彩。然而，生命智慧的刻意消解给玄学思潮的义理学术抹上了幽暗的哀伤色彩，孤独感与虚无感的并置是魏晋人文语境最令人感慨的叙述风格。曹操的《短歌行》："对酒当歌，人生几何?"[①] 让人忧思难忘。阮籍的《咏怀诗》："终身覆薄冰，谁知我心焦"[②]! 叫人痛心疾首。干宝的《搜神记》和葛洪的《抱朴子》，"张皇鬼神，称道灵异"，为新的神道设教积累着资料。玄学学术思潮，从学术学风到学术内涵，意蕴着与两汉经学学术思潮反其道而行之的追求。

---

① 曹操:《短歌行》,《曹操集》,中华书局1959年版,第5页。

② 阮籍:《咏怀诗·其六十三》,《阮籍集》,上海古籍出版社1978年版,第122页。

隋唐是中国学术的融突期。盛唐之际,经济繁荣,社会开放,儒、释、道三教兼容并蓄,冲突融合。儒教自汉"独尊儒术"以来,守成有余,开拓不足,虽在典章制度、明经科举、朝纲吏治、百姓日用等方面维持伦理教化职能,中间曾有韩愈、柳宗元等"古文运动"的儒学复兴,但在学术思想层面仍陈陈相因,缺乏新意。道教因与李唐王朝的姓氏因缘,独得皇室青睐,《道德真经》几乎成了朝野必读经典。可是王权的推崇并不是学术创新的充分条件。从学术义理形态上讲,隋唐道教不仅无法与佛教分庭抗礼,而且总是暗渡陈仓,在概念范畴和思维方法上吸取佛教。因此,隋唐时代学术思潮的主潮体现为佛教的中国化创新上,别具特色的"中国佛性论",是佛教般若智慧的民族结晶。儒道两教推本"性情之原",成为隋唐学术思潮的基本话题。

天台、华严、禅宗三宗,都主"一切众生悉有佛性",仔细分殊,又有差异。天台宗倡性具说,认为一切诸法悉具佛性;华严宗主性起说,认为众生本来就是佛,佛性不离众生心;禅宗重即心即佛,佛性平等,不分南北;人性本净,无须坐禅,自性若悟,众生是佛。湛然又提出"无情有性",墙壁瓦石亦有佛性。与佛教不同,儒家以善恶品位统论性情体用。孔颖达奉诏编撰《五经正义》,以水体波用、金体印用比喻性体情用。韩愈以"仁义礼智信"等儒教伦理规范为性,以"喜怒哀乐爱恶欲"等社会心理表现为情,依上、中、下等级分三品,经李翱的综合,成为"性善情恶"论,要复性,必须"教人忘嗜欲而归性命之道"。

在学术领域值得称道的还有"西天取经",主动吸收外来学术文化,使佛教经典沿着艰难曲折的丝绸之路在东土大唐安家;"古文运动"使儒教义理从烦琐的章句训诂中复活,仁义道德在主体精神的"性情之原"扎下了新的根系。面对应接不暇的异域风情、博大精深的般若智慧和微妙难解的涅槃实相,中华民族的一流人才几乎都致力于佛学的中国化创新。在"玄冥独化"的心智上树立起通向"极乐世界"的思想路标。中国化的佛学超越其发源地印度佛学,而成为世界佛学的中心。

　　宋明是中国学术的造极期。唐末藩镇割据,五代十国混战,社会再次陷入大分裂、大动乱局面,针对纲常失序、道德沦丧、理想失落、精神迷茫的价值颠覆与意义危机,学者在"佑文"的文化氛围中,"先天下之忧而忧,后天下之乐而乐",着手重建伦理道德、价值理想和精神家园。宋明新儒学完成了儒、释、道三教长期冲突融合而和合转生,把三教的兼容并蓄的学术整合落实到"天理"上。程颢"自家体贴"出的"天理"二字,开创了理学学术新思潮、新时代。理学学术思潮所关注的是理、气、心、性问题的义理探究,这一理学学术的转向,使"道德之意"成为道德形上学;让"天人感应"转换为天人本无二的"天人合一";使"玄冥之理"成了"净洁空阔底世界";让"性情之原"转变为"心统性情"。体现了宋明学术的"致广大,尽精微,综罗百代"的恢弘态势,映射出激荡融摄、心智精进、实现理想、生机勃勃的精神气象。或以性即理,或以心即理,或以气即理,理学各派争奇斗妍、相得益彰;濂、洛、关、涑、新、蜀以及道南、闽、湖湘、象山、金华、永嘉、永康等学派,各呈异彩、绚丽多姿。这是中国学术史上学派最盛、学术水准最高时期。

　　北宋在重文的学术环境中,在尊师重道的激荡下,民族精神和生命智慧释放出来,打破了汉唐以来"疏不破注"的"家法"、"师法"的网罗,破除了《五经》为圣人之言的迷信,揭起了"疑经改经"的大纛,以义理解经的宋学取代以训诂考据解经的汉学,换来了经学的新时代。在文学艺术上,既有与唐代并称的唐宋八大家,又有堪与唐诗媲美的宋词、元曲、明小说。宋明兴建学校,培养士子;广开书院,讲学授徒,成为尊师重道和各学派立言、研究和传播学说的基地。学者们以深沉的忧患意识和崇高的历史使命,激发出"为天地立心,为生民立命,为往圣继绝学,为万世开太平"的豪迈气概,把宋明学术推向造极的境域。

　　清是中国学术的延续期。清入主中原,被一些学者认为是"天崩地裂"的时代,黄宗羲、陈确的老师刘宗周绝粮殉明,不食夷族。清为稳定其统治,继承元明,仍然以程朱道学为国家意识形态。程朱道学进一步被权威化、教条化。就维护纲常伦理的垄断地位而论，存理灭欲成为其学术的话语霸权，程朱道学沦为"以理杀人"的工具。清统治者为了泯灭汉族知识分子的民族正统感和文化优越感，以及对清统治的不满或反抗意识，便大造文字狱，实行文化恐怖主义，可谓文网密密，丝毫不漏。康熙初年的庄氏《明史》案，戴名世《南山集》案，株连之广，杀戮之惨，恐怖气氛，笼罩朝野；雍正短短13年，有案可查的文字狱就有20多次；乾隆时文字狱更是层出不穷，如伪造孙嘉淦奏稿案，他们捕风捉影，罗织罪名，把许多作品扣上"悖逆"、"肆行狂吠"等帽子，株连所及，老师学生，亲朋好友，都在所难免。文人学子在文字狱的血雨腥风中，只得躲入训诂、考据的古纸堆中，逃避敏感的学术追求。正如龚自珍所说："避席畏闻文字狱，著书都为稻粱谋。"① 因而乾嘉汉学兴盛；另从学术内在演替的理路而言，清初学者在检讨、反思明亡原因时，往往归咎于陆王心学的空疏不实，"由蹈空而变为敷实"，这也是为什么讲求实证的考证之学独盛的原因之一。由于宋时"佑文"的宽松的学术环境已失，学术创新的生命智慧便枯萎了。由于知识精英们都投身于考证之学，所以清代经学和考证之学亦取得空前的成果，为学术的承传和繁荣做出特殊贡献。

然而从清到民国，内忧外患接连不断，民族精神备受蹂躏，生命智慧浑浑噩噩。洋务派、早期改革派、戊戌变法派虽满腔热情，救国救民，但回天无力，依然王朝。惟价值准则的生离死别，精神世界的人去楼空，却无法弥补。"孔家店"一经打倒，中国学术创新既无得心的言说话语，又无应手的书写符号，一大批志士仁人，只好背井离乡，远渡重洋，寄人篱下，拾人牙慧，以"寻找救国救民的真理"聊以自慰。因而，近现代中国学术奉行"拿来主义"。虽标榜"新学"，实是一种"中西会通"的新学，或曰新瓶装旧酒的新学，即"中体西用"之学。

---

① 《咏史》，《龚自珍全集》第九辑，中华书局1959年版，第471页。

中国学术经此原创期、奠基期、会通期、融突期、造极期、延续期而至现代20世纪。20世纪中国学术风云多变,前半个世纪,继续着鸦片战争后的中西、古今、新旧之辩,因而有中学派、西学派、古学派、今学派、新学派、旧学派,其间有分有合,分分合合。有接着古代儒道佛墨讲,或接着宋明理学讲;有接西学各派讲,或接着原苏联讲,各讲其是,各是其是。后半个世纪又可大致分为前25年与后25年,因为学术仍处在延续之中,故现代学术史待后再撰。

三、中国学术史的"自己讲"

学术文本和学术事件、成果的记载,是学术言说的符号踪迹,是智慧觉解的文字面相,是主体精神超越自我的信息桥梁。"学而不思则罔,思而不学则殆。"学术家必须凭借对一定文本和历史记载的学习、思索和诠释,才能准确把握时代精神的学术思潮的主流话题,全面融入民族精神及其生命智慧的学术语境,为学术思想的不断创新打上属于自己的名字烙印。

从表现形式上看,学术的创新总是由一系列具有智能创造性的学问家、经学家、思想家、哲学家、科学家、宗教家、文学家、史学家等来完成的,创新的学说和方法也总是以他们的姓氏命名的。从生成结构上看,学术创新不是无中生有的面壁虚构和凭空杜撰,而是依据生生之道"化腐朽为神奇",通过对历史学术文本的智慧阅读,尤其是对元典文本的创造性的诠释及其诠释方法的推陈出新而获得的。诠释文本(hermeneutical text)的转换,是中国学术创新的特征之一,是学术流派创立的文献标志。

海德格尔讲过,西方哲学是柏拉图的注脚。这一说法未免笼统,却道出了人文学科历史变迁的解释学机缘。其实,柏拉图的对话是用苏

格拉底的名义写成的,就此而言,柏拉图倒是苏格拉底的注脚。问题的
关键在于注脚的学术水平是不是超越于文本。如果远远超越于文本,
那么,以注脚的书写方式进行学术思想的创新,有何不可! 诚如陆九渊
所说:"学苟知本,《六经》皆我注脚。"① 在"我注《六经》,《六经》注我"
的解释学循环中,有时很难说清究竟谁是谁的注脚。"人说郭象注庄
子,我说庄子注郭象。"只要有学术的创新,眉批、脚注和夹注、插入语,
仅是书写格式的分殊,是无关宏旨的技术细节。朱熹的《四书章句集
注》,谁都不否认他是借注解《四书》来阐述自己理学思想的专著,被后
世推为科举考试的教本。

这就是说,各个时期具有学术创新性的学问家、经学家、思想家、哲
学家、科学家、宗教家、文学家、史学家等的学术宗旨,治学思路、方法、
范围、成就,学术源流、派别,以及各个时期有代表性专门学术、学术事
件、活动的记录,汇聚成的各个时期的学术思潮及其演变的总和,构成
了学术史研究的对象。郑樵《校雠略》认为,"类例既分,学术自明"。黄
宗羲在《明儒学案·自序》中说:"于是为之分源别派,使其宗旨历然。"他
们把学术史定位在学术宗旨和分源别派上,因而以"目录体"或"学案
体"为其表现形式。黄宗羲借陶石篑与焦弱侯书批评周汝登的《圣学宗
传》从伏羲、神农、黄帝、文、武、周公、孔、孟至王栋、罗汝芳共 84 人,是
"扰金银铜铁为一器,是海门一人之宗旨,非各家之宗旨也"②。但是陶
望龄在《圣学宗传·序》中说:"宗也者,对教之称也,教滥而讹,绪分而
闰。宗也者,防其教之讹且闰而名焉"③。是讲分源别派的宗旨的。他
又批评孙奇逢的《理学宗传》:"锺元杂收,不复甄别,其批注所及,未必
得其要领,而其闻见亦犹之海门也。"④ 孙氏共列 161 人,较周氏多列

① 陆九渊:《语录上》,《陆九渊集》卷 34,中华书局 1980 年版,第 395 页。
② 黄宗羲:《凡例》,《明儒学案》卷首,《国学基本丛书》本。
③ 周汝登:《圣学宗传》,刘承干集资依明刻原本影印本。
④ 黄宗羲:《凡例》,《明儒学案》卷首,《国学基本丛书》本。

77 人。他把中国学术史的演变按《周易·乾卦·卦辞》:"元亨利贞"分为四个阶段:"先正曰:'道之大原出于天'。神圣继之,尧舜之上,乾之元;尧舜而下,其亨也;洙泗邹鲁,其利也;濂洛关闽,其贞也。"①《理学宗传》眉端批注,揭示宗旨,指明脉络。虽以程朱、陆王为大宗,无分轩轾,但其总注仍有扬朱抑陆意味,因而,有黄宗羲的"其批注所及,未必得其要领"之评。这两部《宗传》,是"祖述尧舜,宪章文武"的儒学学术史,也是理学道统学术史。梁启超认为:"大抵清代经学之祖推炎武,其史学之祖当推宗羲,所著《明儒学案》,中国之有学术史,自此始也。"② 尽管梁氏在《中国近三百年学术史》中认为"《理学宗传》二十六卷,记述宋明学术流派"③,但不以其为中国有学术史之始。

这是与梁启超对于学术史应具的条件的体认有关。他说:"著学术史有四个必要的条件:第一,叙一个时代的学术,须把那时代重要各学派全数网罗,不可以爱憎为取;第二,叙某家学说须将其特点提挈出来,令读者有很明晰的观念;第三,要忠实传写各家真相,勿以主观上下其手;第四,要把各人的时代和他一生经历大概叙述,看出那人的全人格。"④ 梁氏认为,《明儒学案》具备了这四个条件,所以其为中国学术史之始。梁氏此四条件有其合理性。

今吾人著中国学术史,不能依傍西方的,西方也无"学术史"的概念,而只能"自己讲",讲述中国学术自己的"话题本身"。如何"自己讲"?怎样"自己讲","讲自己"?即如何、怎样讲中国底学术史。

一是整体性。要整体地而不是局部地、全面地而不是片面地呈现中国学术各个时期的历史面相及其演变的内在理路。既要把每个时期

① 孙奇逢:《理学宗传·叙》卷首。
② 梁启超:《清代学术概论》,重庆,商务印书馆 1943 年版,第 11 页。
③ 梁启超:《中国近三百年学术史》,重庆,中华书局 1943 年版,第 41 页。
④ 梁启超:《中国近三百年学术史》,重庆,中华书局 1943 年版,第 48—49页。

的学术各派各宗尽数地分源别派,而又探赜索隐其殊途同归、百虑一致之理。就整个中国学术通史而言,不是各个时期的学术各不相关的凑合,犹如传统中药铺中一屉一屉的中药材,而是整体相对相关的融合,要凸显其"一以贯之"的内在逻辑的联系性。宋明理学学术思潮是以义理之学直接孔孟"性与天道"之道,批判汉唐名物训诂之学的陈陈相因,乾嘉汉学批判理学"性与天道"心传的空谈心性,以考证之学求"经世致用"之道。其终极的目标,都是求道或明道,这便是殊途同归之理,体现了中国学术变迁史的整体性、贯通性。

二是时代性。每个时代的学术思潮都是由每个特定时期的外缘内因促成的,都有其发生、存在的合理性。这是因为每个时代的学术思潮都是对于这个时代所面临的冲突、问题、危机提出的化解理念和救治方法,并有相当程度地获得各学者的认同,而汇聚成时代的学术思潮。从这个意义上说,时代的学术思潮是表现这个时代现实需要或诉求的,是这个时代精神的体现。基于此,本书倡导思潮史与学问史的融合。之所以这样,是鉴于"学案体"的中国学术史长于人物与资料的结合,其弊在以人、派为主,难以打通;"思潮体"的中国断代学术史,如对汉代的阴阳五行说、封禅学、神仙说与方士,以及经学问题、古史系统的整理,长于阔大,弊在与思想史(特别是广义思想史)分不清楚;以问题为纲的中国学术史,如以"求是与致用"、"官学与私学"、"学术与政治"等问题为线索,长于对某一时代学术主要问题说得较清楚,弊在学术发展大势及各家观点不系统。凡此种种,各有其长,亦各有其弊,本书取以学术思潮为纲,以学问为条贯,分源别派,大化流行。既不是"目录体"、"学案体"的现代版,也不是与哲学史、思想史混一不二,而是依据我们自己对于中国学术史的体贴,及其与哲学史、思想史的差别而撰写的。梁启超说:"凡'思'非皆能成'潮',能成'潮'者,则其'思'必有相当之价值;而又适合于其时代之要求者也。凡'时代'非皆有'思潮',有思潮之时代,必文化昂进之时代也。"① 凡时代思潮，必因"环境之变迁，与夫心理之感召，不期而思想之进路，同趋于一方向，于是相与呼应汹涌，如潮然"②。时代思潮，必是时代精神的显示。

　　每个时期的学术各宗各派，以及构成各宗各派的学者的学说，是这个时期时代思潮和时代精神的展开。所以，只有将他们放顿于时代思潮中，在时代精神的观照下，才能贴近于各个时期各宗各派学术的本来面目，以及其学者学说的本意。对于经典文本的解释，以及各个时代对解释者的解释的本义和本意，亦应做如是观。

　　三是超越性。中国学术史的"自己讲"、"讲自己"中国学术"话题本身"，讲的主体无疑是自己。讲述的主体自己面对错综复杂的各宗各派的学说和方法论，以及各种学术事件的记录及成果，讲述的主体自己应如何定位？是"入"于其中，抑还"出"于其外。若讲述主体"入于其中"，讲述主体便带着现代性的"前见"或"前识"，以自己的感受性或同情心而作出陈述，有可能产生"不识庐山真面目，只缘身在此山中"之弊。所以，中国古人认为"旁观者清"，只有超越一些，讲述主体不仅自己头脑清醒，而且对讲述对象也看得清；若"出"于其外，不入其垒，而不能见其短长。譬如韩愈不入佛，并批评柳宗元入佛。"儒者韩退之与余善，尝病余嗜浮图言，訾余与浮图游"③。柳宗元指出，韩愈排佛而不知佛，"退之忿其外而遗其中，是知石而不知韫玉也"④。正由于如此，所以韩愈提出"人其人，火其书，庐其居"⑤ 的简单粗暴的应对方法。朱熹由此亦批评韩愈说："盖韩公之学见于《原道》者，虽有以识夫大用之流行，而于本然之全体则疑其有所未睹，且于日用之间，亦未见其有以存养省

---

① 梁启超：《清代学术概论》，重庆，商务印书馆1943年版，第1页。
② 梁启超：《清代学术概论》，重庆，商务印书馆1943年版，第1页。
③ 柳宗元：《送僧浩初序》，《柳宗元集》卷25，中华书局1979年版，第673页。
④ 同上书，第674页。
⑤ 韩愈：《原道》，《韩昌黎集》卷11，《国学基本丛书》本。

察而体之于身也"①。既未睹"本然之全体"的形而上之体，又未见"存养省察"形而下工夫之用，即于体于用都没有本真的体认。

讲述主体只有既入又出，出入相合，才能发挥两者之长，而免两者之短，而转生为新的学术思潮。宋明理学家无论是周、张、二程，还是朱、陆、王守仁，都是出入佛老，才能超越佛老，摆脱对佛老情感的冲动，在儒、佛、道三教的冲突融合中，转生为新的和合体——宋明理学。讲述主体亦要随之出入中国学术史对象，然后超越对象，才能比较贴近体识"庐山真面目"。

四是真实性。凡史学著作，都要求真，即符合历史的真实，而不可伪造或任意解释、演义、戏说，以免偏离历史的真实。中国学术史作为史，亦不例外。因此黄宗羲说："学问之道，以各人自用得著者为真。"②梁启超认为黄氏的《明儒学案》"虽有许多地方自下批评，但他仅在批评里头表示梨洲自己意见，至于正文的叙述却极忠实，从不肯拿别人的话作自己注脚。"③ 这符合梁启超提出的著学术史的第三个条件，即"要忠实传写各家真相，勿以主观上下其手"。要撰写、研究中国学术史，就要进入中国学术史研究对象，与研究对象直接对话，而且要全面对话，才能见其学术精神。黄宗羲批评那些只抄几条语录便以为掌握其学术精神的做法："每见抄先儒语录者，荟撮数条，不知去取之意谓何，其人一生之精神未尝透露，如何见其学术"④？ 黄氏纠此偏颇，而与学术研究对象全面对话，"从《全集》纂要钩元"。只有如此，才能把握"各家真相"，否则犹如瞎子摸象，不明真相、全相。

研究者、解释者在与学术研究对象对话中，既要"无我"，又要"有

---

① 朱熹：《与孟尚书书》，《昌黎先生集考异》卷5，上海古籍出版社1985年影印本，第199页。
② 黄宗羲：《凡例》，《明儒学案》卷首，《国学基本丛书》本。
③ 梁启超：《中国近三百年学术史》，重庆，中华书局1943年版，第49页。
④ 黄宗羲：《凡例》，《明儒学案》卷首，《国学基本丛书》本。

我",是无我与有我的和合。"无我"就是在与学术研究对象对话中,不抱成见、囿见,不带"前识"、"前见",不杂情绪、情感,恭听研究对象的倾诉和心声,聆听研究对象的不满和牢骚,倾听研究对象的诅咒和谩骂。将其放在时代环境和具体学术氛围中,多角度、多层面来观察,而探赜其学术宗旨要领,掌握其学术精神实质,揭示其学术意蕴内涵,这样才能贴近学术研究对象的真相、真实,做到如梁启超所说"正文的叙述却极忠实"。毕竟,学术史是现代人写的学术史,研究者、解释者与学术研究对象的对话是现代的研究者和解释者,他们有自己的体认、宗旨和价值评价,而与前人、别人不同,而显现其"有我"的独特性,这便是梁启超所讲《明儒学案》中"有许多地方自下批评,但他仅在批评里头表示梨洲自己意见"。这就是说,把"有我"的自下批评的意见与对学术研究对象的叙述的"无我"分开。这样既体现了学术研究对象的真实性,又显示了研究者、解释者对研究对象的尊重和评价,这是时代变迁所构成的真实性。"有我"与"无我"的和合,构成了中国学术史生生不息的长河。

五是和合性。每一种学术思维形态,都有与其相适应的方法。从某种意义上说,一切学说的探索,归根到底都涉及方法的探索;一定研究、解释方法的完善程度在一定意义上体现着该学说的成熟程度,一种学说的创新亦往往以方法的创新作为它的先导。学术就是学说、学问与方法的融突而和合,因而,方法是学说、学问内涵的应有之义。

"和实生物,同则不继"。或事物、或学说,都是多元、多样的元素、因素冲突、融合,并在冲突、融合的动态过程中和合为新事物、新生命,为此而生生不息,永葆生命智慧的活力。如何"和实生物"?《国语·郑语》、《周易·系辞传》都有深刻的阐述。"天地细缊,万物化醇,男女构精,万物化生"①。天地、男女,即为阴阳、乾坤,是两极,是冲突;细缊、构精是结合,是融合。细缊、构精是不断选择的过程,冲突融合的和合

---

① 《系辞传下》,《周易本义》卷3,世界书局1936年版。

而创造了新和合体,即万物的化生,或新生命的诞生。《左传》曾记载晏婴与齐景公一段关于和同的对话,譬如"和羹",济以五味,是"和"。"同"犹"以水济水,谁能食之?若琴瑟之专一,谁能听之?同之不可也如是"①。和是不同的味料、声音的融突而和合成美味、美声;"同"犹以水济水,就不能食,不能听。学术也一样,是不同学术在对话、冲突、吸收、融合中和合生生不息,若"以水济水",学术的生命智慧就枯竭了;学术史的撰写也应遵照和合的方法。梁启超讲著学术史有四个必要条件,第一个条件就据引黄宗羲《明儒学案·凡例》第八条来说明。黄宗羲说:"此编所列,有一偏之见,有相反之论,学者于其不同处,正宜著眼理会,所谓一本而万殊也,以水济水,岂是学问。"② "以水济水,岂是学问"?与"以水济水,谁能食之"一样,讲出了学问融突"和合"的必要和重要。

和合方法是"生生法",它是"逝者如斯夫"的"流",而不是"止于"某一界域或止于"一"。换言之,和合生生法犹如"土与金、木、水、火杂,以生百物"的"杂",汉韦昭注:"杂,合也"③。是讲多样、多元的融突协调法、和谐法,故"和实生物"。它标示着新事物、新生命、新学术的不断化生,这便否定着中西传统思辨方法的理论性前提"一"。和合生生法的价值目标、终极标的,并不追求一个惟一的、绝对的、至极的形而上本体,也不追求一个否定多样、多极的"中心"或实体的统一性。

和合方法又是创新法,它不是一方消灭一方,一方打倒一方的单一法、惟一法,而是"万物并育而不相害,道并行而不相悖"④ 的互补法、双赢法。各种不同的学说、学问及其方法,都可并行不悖,共同发育,共

① 《左传·昭公二十年》,《春秋左传注》,杨伯峻著,中华书局 1981 年版,第 1420 页。

② 《凡例》,《明儒学案》卷首,《国学基本丛书》本。

③ 《郑语》,《国语》卷 16,《四部丛刊初编》本。

④ 《中庸章句》第 30 章,上海,世界书局 1936 年版,第 15 页。

同流行,互动互补,相得益彰。相害、相悖地不断斗争,只能两败俱伤,百害而无一利,最终要导致衰落和毁灭。和合创新法在并育、并行、不害、不悖中圆融无碍,互补、双赢地创造学术完美境界①。

"自己讲"、"讲自己"中国学术史"话题本身",讲述中国学术史自己对"话题本身"的重新"解读"。自己讲自己的学术史,立中国学术主体之道,走中国学术自己之路,建构中国学术自己的理论体系和范式,把中国学术推向世界,让更多世人了解、理解中国学术,这确实还有很多的路要走,"路曼曼其修远兮,吾将上下而求索"。在这个求索中,我们撰写了这部《中国学术通史》,它若能在这个求索中起一点微薄的作用,这对于我们来说就非常幸运了。

2001 年年初,人民出版社编审方国根征求我的意见,能否承担《中国学术通史》的主编,并说明这是中国新闻出版总署的重点课题,但我不敢马上答应。一是我对中国学术史究竟是什么? 它与中国哲学史、中国思想史有什么区别? 这些问题未搞清楚前,担任主编,便是一种对学术不负责任的态度。因此,我自己需要研究思考,对中国学术史需有一个基本体认,即对我所主编的对象的性质、特点、范围、内容、方法、范式有一自己初步的想法,才敢答应;二是我当时工作紧张,科研任务繁重,没有时间顾及其他,不愿做挂名的主编。后方先生和人民出版社陈鹏鸣博士到陋舍,又谈及此事,我亦谈了我对中国学术的一些看法,陈鹏鸣博士同意我的一些设想和规划,这样我才答应下来,并根据中国学术发展的特点,分为六个阶段,即先秦、秦汉、魏晋南北朝、隋唐、宋元明、清,聘请对每一阶段学有专长、造诣高深的学者担任撰稿。几年来在人民出版社领导的大力支持、帮助下,在各卷教授、博导的精诚合作、刻苦研究下,特别是陈鹏鸣、乔还田二编审,严格把关,反复斟酌,精心

---

①　参见拙作:《和合方法的诠释》,《中国人民大学学报》2002 年第 3 期,《新华文摘》2002 年第 8 期转载。

编审后对各卷均提出诸多宝贵意见，各卷又做了修改，我对于诸位教授、编审的对学术认真负责的态度，谨表谢忱。

张立文

2003 年 8 月 19 日于中国人民大学孔子研究院

目　录

第一章　魏晋南北朝学术的变迁

公元 220 年,汉献帝刘协无奈地禅位于魏王曹丕,400 年汉祚至此告终,汉灭而魏兴。两汉大一统的国家政治架构,也随之被多王朝和分裂割据的社会现实所取代。直到公元 589 年,隋帝杨坚灭陈、俘后主陈叔宝,重新建立起统一的隋王朝止,首尾共计 370 年,史称魏晋南北朝。

在中国古代的整个帝王更替年表中,魏晋南北朝是以分裂和动乱为其特色的。作为国家的整体来说,魏晋南北朝时期的综合国力显得十分虚弱,这尤其是当它和位于其前后的汉、唐两大强盛王朝比较起来,就更是如此。但是,魏晋南北朝又有它特殊的价值,有它自身存在的合理性。它在中国学术文化发展中的独特地位并不会因汉、唐盛世而湮没,反之,中国学术史正因为有了这一期学术而显得更富魅力和更加丰富多彩。

一、时代的话题

以玄学的兴衰和儒、释、道三教初步融合为标识的魏晋时代的学术,在整个中国学术史上扮演了一种非常有个性的角色,对中国学术文化的影响是非常深远的。如此独具个性的学术能在这一时期生成、发展和流行,并不是一个简单的偶然事件,而是有着深刻丰富的思想内容、文化内涵和历史机遇的。

1、历史的回溯

中国学术曾经是以"道术"的面目呈现的。《庄子·天下篇》云"道术将为天下裂",并因其裂而将天下道术分成了墨家、宋尹派、彭蒙田骈慎到派、关尹老子派、庄子派和以惠施为代表的名家等。在这里,除了墨家和惠施名家外,其余都统属于道家。尽管后来慎到被归于法家,但《史记·孟荀列传》说他本是学黄老道德之术的。由此可见先秦道家兴盛的局面。当然,《天下篇》对学派的概括与它本来基于道家立场而描述"天下"有关。因而,尽管其中未提及儒家,儒家的存在和发展却是不能忽视的。

自孔子创立儒家开始,先秦儒家学派虽然号称"显学",但其实只是百家之一,在当时的整个社会思潮中并不占有主导的地位。孔子死后,儒家因其分裂而势力明显衰落,所谓天下之言不归杨则归墨。后来韩非子概括为儒分为八,但其中真正具有影响的不过是孟子和荀子两家。司马迁作《史记》,在"仲尼弟子"而后,只为"孟子荀卿"作传,便是最明显的证明。虽说孟子"辟杨墨"有再造儒家之功。但是孟子的努力并不能从根本上扭转战国儒家传承的颓势。《汉书·艺文志·六艺略》记述说:

> 昔仲尼没而微言绝,七十子丧而大义乖。故《春秋》分为五(《左氏》、《公羊》、《穀梁》、《邹氏》和《夹氏》),《诗》分为四(毛、齐、鲁、韩),《易》有数家之传。战国纵横,真伪纷争,诸子之言,纷然淆乱。至秦患之,乃燔灭文章,以愚黔首[1]。

内部的纷争加上外部的打压,使得儒学发展在整体上一直处于不景气的状态。直至"汉兴,改秦之败"[2],儒家学术才开始出现了转机。

与儒家的消沉和再兴相伴随的战国后期到汉初这一阶段,在中国

---

[1] 《汉书》卷30。

[2] 同上。

整个学术发展史上却具有非常重要的意义。自那时开始,在中国社会出现了一批对后来学术文化的发展有深刻影响的标志性成果,其中便有阴阳家邹衍"五德终始"的尚变之说,《中庸》"车同轨,书同文,行同伦"的尚同之说,董仲舒"天、道不变"和"独尊儒术"的将不变与同一熔铸为一体之说等。这些看起来前后似乎并没有什么连续性的主张,却既对维持中国政治架构的运转,也对中国学术发展的路向,起到了非常特殊的定向的作用。

"五德终始"的核心是尚变。在中国历史上,它第一次以理论的形式说明,任一历史朝代的合理性都不是永恒的。如同阴阳五行的盛衰消长一样,每一朝代都有自己发生、发展和消亡的历史,并必然地为反映德运要求的新生的朝代所代替。在这里,变虽然是针对不变(常)而言,但它作为必然的存在,本身就又具有"常"的意义。因而,"常"不仅仅是指尚具有合理性而存在的朝代自身,也是指它必然为新的朝代所取代的"变"的大势。

秦的统一王朝的诞生是以"同"为标识的,从墨家的"尚同"到法家讲"要在中央",为"三同"的实现提供了必要的政治和权威的基础。"车同轨,书同文,行同伦"所突出的"同",虽然要求规范统一的社会国家秩序,但它又不是僵化不变,而是以经济文化的普遍交流为前提的。其中尤其是"同文"、"同伦"二"同",对形成统一的中国学术文化的作用,是无论怎样估计也不会过分的。

从哲学上说,"同"通常是与"和"相对立的范畴,但二者的对立并不具有绝对的意义。它们中也存在着相互的交流,原因就在于"变"的调节机制。从"变"出发,"和"便可以适用于"同"与"和"的概念本身。"同文"、"同伦"正是以不同之文、不同之伦的和合为基本的前提的。当然,如此的"同"文化又是附着于常在不变的规范管理秩序上的,一世、二世、以至万世。虽然秦仅二世而亡,但"汉承秦制",不常中又有常,中央集权的国家制度继续了下来。

　　但是,以法家思想为主导的强大的秦帝国仅二世而亡,带给中国人的思维教益是十分深刻的。汉初流行的是刚好对应于严酷秦法的清静无为的黄老政治,司马谈总结当时的学术,便有阴阳、儒、墨、名、法、道德六家的划分,其中道家处于六家的集大成者的地位。所谓"因阴阳之大顺,采儒墨之善,撮名法之要"①也。在司马谈、迁父子,虽说是"先黄老而后六经",但与《庄子·天下篇》相比,毕竟已有了很大的不同。儒家尽管还不及道家,但却能在从百家概括出的六家中,占有了自己的一席之地。

　　与此相应,汉初以陆贾、贾谊、郦食其等为代表的一大批儒生,一直在对秦亡汉兴和汉的长治久安问题进行认真的思考。从汉高祖刘邦得天下开始,陆贾等针对刘邦以为天下乃"马上"得之、哪里需要儒家说教的观点,提出了一个十分尖锐的诘难,即"马上得之,宁可以马上治乎?"②这一诘难及由此而来的对儒学功能的相关系统论证,对刘邦和随后的汉统治者带来的思想震动是非常大的,促使他们对治国之策重新进行思考,最终明白了"马上得之"不能"马上治之",得天下与治天下面临的是不同的社会矛盾、因而需采用不同的国策这样一个根本性的道理。从而,治国指导思想实现了又一次影响深远的变革。

　　在这一过程中,汉武帝和儒家思想代表董仲舒起到了十分重要的作用。作为秦亡汉兴之后的儒家大师,董仲舒为了统一国家的长治久安,认真地总结秦专任法家而亡的教训和汉初黄老无为政治流行所带来的流弊。他从"《春秋》公羊学"的"微言大义"入手,推重阴阳五行学说以复兴儒学,最终将以"同"为标识的法家思想改造为以"统"为特色的儒家学说,并为此构造出了一整套以天人感应为基调的哲学理论,成为当时的"儒者宗"。与此同时,他从维护社会等级秩序的目标出发,吸

____

① 《史记》卷 130《太史公自序·论六家之要旨》。
② 《汉书》卷 43《陆贾传》。

收包括法家在内的各家主张,概括出了处理君臣、父子、夫妇关系所必须遵循的"王道之三纲"。三纲是永恒的绝对原则,其实质是以等差的形式来实现君权和国家的"一统"。三纲之义源出于天,"天不变,道亦不变"①。董仲舒坚守天、道不变的信念和主张,因为天是宇宙的根基,而道则是据于天而生的社会政治制度,如此的制度本是至善,"万世亡(无)弊;弊者,道之失也"②。有弊者也就不是道了。

但是,"万世亡弊"的不变之道,在更大程度上还是理想,因为不变(常)毕竟是与变相伴而生的,董仲舒深知,从来不可能有绝对不可变更的事物存在。他已看到"春秋之道""有常有变",变与常"各止其科,非相妨也"③。变与常各有自己的适用范围,不仅不互相妨碍,而且正好相互发明。其所以如此,在于董仲舒本是春秋公羊学家,他必须面对一年四季天道变化的现实,"天地之理,分一岁之变以为四时"④。四时之常本是在天地之理的变化中形成的,五行的变化在这里起着至关紧要的作用。由于天人感应的内在机制,天变必然要反映到人事上来。"五行变至,当救之以德"。他为此提出了因应木、火、土、金、水各变而采用不同的救变方法的主张。事实上,无论任何存在,都是要在变中求生存的。"人主以好恶喜怒变习俗,而天以暖清寒暑化草木"⑤。只有如此,才能反映客观之"势"的要求,适应天道变化的本性。

从而,天、道的不变只是一种总体的样态,它实际上仍是由变化来支撑的,甚至天变还需要人事的救助才能转危为安。那么,从五德德运的终始变化,到五行之变而救以人事,思想家们都已意识到天并不存在不变的可能性。事实上,"弊者,道之失也"本也披露了道的可变性;而

① 《汉书》卷56《董仲舒传》。
② 董仲舒:《举贤良对策三》,同上书。
③ 董仲舒:《春秋繁露》卷2《竹林》。
④ 《春秋繁露》卷7《官制象天》。
⑤ 《春秋繁露》卷11《王道通三》。

道有变,作为其根基的天自然就动摇了起来。到东汉后期,随着政治腐败的加剧和社会矛盾的尖锐化,黄巾起义爆发,而起义的领导者们正是以天变、变天作为其口号和政治纲领的。"苍天已死,黄天当立",也就是五行德运之木运(色尚苍)已绝而土运(色尚黄)当兴。德运在这里越过了代表汉王朝的火运(色尚赤),是因为作为起义理论指导的道教典籍《太平清领书》已经把木、火直接联系在了一起。火既为木生,"厌木"则"衰火"①,而土却可以克火。从而引出了"汉行已尽,黄家当立"② 的革命性结论。

以"黄天"代"苍天",可以说是五德终始理论的实践和检验。农民起义虽然未能得到正果,自身之天没有能够确立起来,但毕竟以"黄天"瓦解了"苍天","黄天"与"苍天"实际上是同归于湮灭。这说明以"德运"的机制来解释社会治乱和统治的兴衰,虽然具有相对的性质,但它毕竟打破了"不变"之天不可变的神话。人对于天不是无能为力,而是可以主动地选择。由此给后来的学术发展,提供了一个非常难得的机遇。这就是既然汉天子"大一统"的不变权威可以被推倒,依赖于这一"天"的支持的道,也就没有理由说不能变化。从而,学术的发展步入多元的格局,由"天不变,道亦不变"走向它的反命题:天变则道亦变。

可是,变与不变(常)又不是绝对对立的东西。变是相对于烦琐僵化的汉代经学而言,它的特点是破旧,但破旧总是与立新共生的。同时,变也有自己内在的制约机制,这就是各家各派都要求以自己的思想去规范和治理天下,即变中又有不变的一面。鉴于汉代经学沉溺于现象比附甚至是荒唐比附的研究方法已经走到尽头,学术要想发展,就必须另辟蹊径,另寻出路,超越现象层面的研究而契入到背后的根源和抽象的义理,寻求永恒的不变。

---

① 参见万绳南:《魏晋南北朝史论稿》,安徽教育出版社1983年版,第5页。
② 《三国志》卷1《魏书·武帝纪》注引"《魏书》"。

　　结合历史的发展来说,另寻出路并不是无中生有,历史的发展具有它自身的连续性。一代学术总是站在前人提供的思想资源的基础之上,在对过去历史的继承中走向前进的。只是这种继承的重心不断经历着重新的选择。

　　在形式上,变与不变的纠结,又表现为一统与分殊的轮替。秦、汉无疑都实现了国家的政治和思想统一,秦以法家,汉以儒家,两朝所尚学术不同,但排他而专一的价值观却完全一样。只是秦的"三同"变成了汉的"大一统"。对于或"同"或"统"而与其他学派发生的矛盾,秦王朝采取了焚书坑儒的极端措施来解决,汉王朝虽然没有走向这一极端,但其"独尊儒术"的国策与秦的"一断于法"在本质上并没有两样。秦汉时期学者企盼的一致百虑、同归殊途的学术理想,实际上并没有真正实现。

　　从客观层面说,汉代的统治秩序是按照儒家的理想建立起来的,其基本的"软件"就是纲常名教。作为国家政治运转的指导原则,纲常名教是有为,是具体,但具体有为的纲常名教由于统治者自身的怠慢和破坏,其声誉已是江河日下,日趋衰落,这就使得人们对儒家学说的权威性和有效性产生了怀疑,不约而同地发出了变革的呼声。具有广泛的社会基础和深刻的思辨性的道家学术,由此获得了新的生机并重新确立起理论的生长点。与此相应,农民起义对汉家政权的反抗,本来也意味着对作为其思想基础的儒家纲常本身的批判。而批判的武器,就是道家的虚无玄远之道。

2、玄之又玄与"性与天道"

　　老子说过,"玄之又玄,众妙之门。"① 意味众妙亦即万物生成的门径是虚无玄远。同时,老子这一对后来影响深远的经典语句,还可以引

---

　　① 《老子·一章》。

出另一方面的联想:那就是只有那些在历史上处于"玄"乃至"又玄"层次的学术和思想,才可能为后人留下再诠释和出"众妙"的空间。诸子百家的思想学术,实际上都可以看做是这"众妙"的不同表现形式。一种思想学术要想得以流传,往往不在于它本身说明了什么,而在于它的叙述可能为后人暗示着什么,从而激发后来者的求知欲和好奇心,并由此使可能断裂的历史和学术传承了下来。

站在这一角度看,以纲常名教来维系的社会政治秩序,由于其本来的身分只是"众妙"的组成部分,所以它们自身不能作为自己存在的理由,它们只是无为之道的具体末节和表现,是自然之糟粕或"糠秕"。显然,直接从这些"糠秕"中是很难找到圣人思想的精髓的。圣人思想的精髓在糠秕之外,在"性与天道"。

《论语·公冶长》中有孔子学生子贡的一段感慨:"夫子之文章可得而闻也,夫子之言性与天道,不可得而闻也。"这一段话历来解释各异,但字面上的意思还是清楚的。即它是说孔子的言谈举止是弟子们可以感知到的,但孔子关于"性与天道"方面的知识,弟子们却未听说过。在这里,可以引申出来的一个问题,就是包括孔子言论在内的儒家经典与"性与天道"是不相干的,它们本属于不同的层次,即"微言"不可得而知也。但如此的理解不可以绝对化,因为圣人似乎还有更多的考虑。在儒家经典《周易·系辞上》中,便有圣人所谓"立象以尽意"、"系辞焉以尽其言"之说。它可以简单解释为《周易》的卦象已充分揭示了圣人立卦之意,《周易》的卦爻辞则充分表达了圣人想说之话。合起来,即《周易》的象、辞与圣人内心所想是完全统一的,不存在象、辞之外的意或性命之理。

然而,对《周易》所载孔子的这一段谈论,也可以做出不同的理解。汉魏之际的学者荀粲,便结合《系辞上》同处的孔子所谓"书不尽言,言不尽意"阐发说:

　　盖理之微者,非物象之所举也。今称立象以尽意,此非通

　　于意外者也,系辞焉以尽言,此非言乎系表者也;斯则象外之
　　意,系表之言,故蕴而不出矣。①
荀粲这番使"当时能言者不能屈也"的话表明,事物内在的本性或《周易》所说的"性命之理",并不是外在的物象能够揭示出来的。既然叫"立象以尽意",那就是说该意并不包含那些象外之意;既然叫"系辞焉以尽其言",亦就是说该言并不包含那些辞外之言。而这象外之意、辞外之言,总而言之即言外之意,本深藏于圣人心中而并未表达出来。而且,正是因为如此,它才显示了自己的独特价值,即圣人不曾言说的部分才真正是其"大义"所在,也就难怪子贡们见闻不到"性与天道"了。而所能见闻到的东西,譬如儒家经典,由于未能摄入隐微的性理即圣人思想的精华,所以只能归之于"糠秕"一类了。那么,问题的中心,也就不能不由言中取意走向言外寻意。

　　在这里,荀粲所谓"非物象之所能举"的"理之微者",或他所追求的言外之意,实际上也就是先秦老子所说的"非常道"的"道"。所谓"粲诸兄并以儒术论议,而粲独好言道"② 已说明,只有在"道"上有所突破,才能适应时代的要求。当然,道"玄之又玄",不能直接感知,它只能通过内心的直觉反观才可能与之合一即达到所谓"玄同"。但道之可道不可道,人之可闻不可闻,本身也是相对的,它们应适应于老子自己关于有无相生、难易相成、前后相随的对立互反的规定,道与器的鸿沟正是因此而可能被跨越。也就是说,"可道"是"不可道"的必要的和必须的补充。无论道的形上性怎样被强化,它总可以有接近和把握的办法,所以孔子才可能以"闻道"为最高的价值指向和终极的理想。

　　不过,既然问题已集中在"不可得而闻"的玄理的探求上,那以六经为代表的原始儒家典籍就只有《周易》符合这一选择,其他五经也就不

―――――――――

　①　《三国志》卷10《魏书·荀彧传》注引何劭《荀粲传》。
　②　同上。

得不被割爱。《周易》主要是《易经》,原本是一种公共资源,后来成为儒家的六经之一。事实上,儒家经典中也只有它具备了从中发掘出"众妙"的最大可能而享有与《老子》、《庄子》相折衷的资格,以共同体现那虚无玄远之道、性命之理。所以,《周易》与《老子》、《庄子》这"三玄"①,就顺理成章地取代了儒家经典的至上地位而成为人们争相谈论的主题。

3、儒学沉沦与学术的转向

"三玄"替换儒家经典,如此文本转换的意义,无疑是巨大的,它意味着当时的整个社会从两汉经学的证实走向了魏晋玄学的尚虚。而这一转换所以可能,是与儒家自身在学术研究中的沉疴分不开的。早在西汉初,司马谈在《论六家之要旨》中说明,儒家"经传以千万数,累世不能通其学,当年不能究其礼,故曰'博而寡要,劳而少功'。若夫列君臣父子之礼,序夫妇长幼之别,虽百家弗能易也"。即儒家的长短表现在经学的烦琐和礼义伦常的必要。但这两方面,后来都向恶性发展,又焉能不被司马谈所赞之作为各家之总结者的道家所取代呢?

就经学的烦琐化来说,汉时有不少思想家都对此提出了尖锐的批评。两汉之际的桓谭,在他的《新论》中就已经揭露了当时经学家烦琐学风的登峰造极,即他们解释《尚书》的"尧典"二字就用了 10 万字,解释开篇的"曰若稽古"亦花了 3 万字。之所以如此,无非在于所谓的"微言大义"。但他们的做法,其实刚好是背道而驰,"大义"不是靠章句的诂训,而是靠思想的发挥才能真正有所创获的。后来,班固在《汉书·艺文志》中总结说:与古之学者三十而五经立的情形相比,"后世经传既已

---

① 尽管"三玄"是魏晋时期讨论的主题,但"三玄"的称谓似乎出现较晚。南北朝时颜之推在《颜氏家训·勉学》中回顾"何晏、王弼祖述老庄",以为"洎于梁世,兹风复阐,《庄》、《老》、《周易》,总谓'三玄'"。

乖离,博学者又不思'多闻阙疑'之义,而务碎义逃难,便辞巧说,破坏形体。说五字之文,至于二三万言,后进弥以驰逐。故幼童而守一艺,白首而后能言。安其所习,毁所不见,终以自弊。此学者之大患也。"之所以会如此,就在于学者对本来不懂的问题妄加附会,肆意穿凿,而且专好在一些偏冷生僻之处巧言立说,以逞其己意。甚至不惜拆散、破坏汉字本有的字义和形体,而从根本上丢弃了孔子慎重、严肃的"多闻阙疑"的学风。

同时,经学家也缺乏真正的探求学问的精神,只是固守自己熟悉的旧套,对于不熟悉的则妄加毁伤,这就最终使得学术的发展越来越陷入了死胡同。因而,从东汉初年开始,传统的经学道路便已经出现了危机,历史提出了变革的要求。章句训释开始由繁杂向简明转化,整个经学研究的删繁就简已逐渐成为一般的趋势①。

当然,危机的暴露和由繁化简的趋势并不是一蹴而就的。从整个社会的大模样说,经学在当时还是很盛的,尽管这只是浮华的表面现象。因为治学者其实真心并不在乎学问本身,而在于从国家的优厚俸禄中获得好处。亦即班固所言:"自武帝立五经博士,开弟子员,设科射策,劝以官禄,讫于元始,百有余年,传业者浸盛,支叶蕃滋,一经说至百余万言,大师众至千余人,盖利禄之路然也。"② 国家以官禄相劝,师弟子欣然而往,如此盛大的经学场面,在国家能集中丰富财力的情况下尚无问题,即使这种学问不一定为国家所切用。但一当中央政权衰弱,国家财力不济时,便很难维持下去了。

而从另一方面即本为儒家所长的人伦纲纪方面看,到东汉后期的"桓、灵之间,君道秕僻,朝纲日陵,自中智以下,靡不审其崩离"③。就

---

① 参见罗宗强:《玄学与魏晋士人心态》,浙江人民出版社 1991 年版,第 56页。

② 《汉书》卷 88《儒林传·赞》。

③ 《后汉书》卷 79 下《儒林传·论》。

是下愚之人,也能看出当时儒家所维护的纲纪秩序的衰颓。但是,由于经学"所谈者仁义,所传者圣法也。故人识君臣父子之纲,家知违邪归正之路"①,强大的惯性使得人们仍然小心翼翼供奉着昏主(汉献帝),谁也不愿背上大逆不道的篡逆恶名,弃汉而另立新朝。范晔总结说:"迹衰敝之所由致,而能多历年所者,斯岂非学之效乎! 故先师垂典文,褒励学者之功,笃矣切矣。"② 这直到汉实在是维持不下去了,"人神数尽",袁术、曹操一辈人才最后顺势终结了汉祚。

在这里,讲求纲常人伦的博学儒生不敢离圣人之书半步,然其固执、迂腐的治学态度又使得他们很难有真正的成就。而那些真正正直之人,在当时恶劣的政治环境下,得到的往往只能是悲惨的结局。譬如,反对宦官专权、重视名节并以天下名教是非为己任的"党人"范滂宁死不屈,但在临刑前,却对其子辈说:"吾欲使汝为恶,则恶不可为;使汝为善,则我不为恶。"③ 意思是说,我想让你做恶事,但恶事不可做;我想让你做善事,则我就是榜样——因做善事而被杀。其言之悲切可见。其时"行路闻之,莫不流涕"。可以说,品行正直的清流名士,大都落到了同样的下场。这说明儒家的纲常名教虽然给清流们以力量,但却不仅无力挽救当时的社会,而且连自身的性命也无法得全。

因而,汉学的失败,其教训是深刻的。它不但导致了儒学的沉沦和于事无补,而且由于人的心灵的扭曲而造成了对于学术发展的动力的窒息。在此情形下,大批的儒生也就只能走向了东躲西藏、明哲保身的道路。而从社会批判的角度来说,既然气节凛然的党人、清流无法挽救社会,作为全部社会苦难的最终承受者的下层农民,起来杀宦官、烧官署就成为了必然的选择;而对此进行镇压的士族豪强的起兵割据,也成

---

① 《后汉书》卷79下《儒林传·论》。
② 同上。
③ 《后汉书》卷67《党锢列传·范滂传》。

为了当然的补充。这两种社会力量虽然目的不同,但手段却一样,即都抛开了于事无补的儒家礼义。所以,"唯才是举"的曹操,他的《求贤令》就完全跳出了被选者是否是"廉士"的窠臼。道理很简单,是否是"廉士"与能否辅助他完成平定天下的"大业",并没有必然的联系。

同时,对于作为学术研究主体的人才来说,其评价标准就不可能再执著于儒家的纲常,而必须更多地将人的才识考虑在内。学术的传承,也就不能仅以一般的连续性来考量,而是也应将后来者对先前者的反叛和断裂行为包容于其中。完全的循规蹈矩是不会有学术的发展的,断裂和创新是学术发展的内在灵魂。建安曹氏集团在政治上和学术上的登台,正是这一必然性的真实写照。

在那个时候,品评人物最有名气者是许劭及其堂兄许靖,他兄弟二人"俱有高名,好共核论乡党人物,每月辄更其品题,故汝南俗有'月旦评'焉"[1]。许劭盛名远播,无人不想得其品题。尚未当政的曹操,亦经常"卑辞厚礼,求为己目"。但许劭因不满曹操的为人,而不愿评之。曹操暗中伺机胁迫许劭,许劭不得已,只好说:"君(曹操)清平之奸贼,乱世之英雄。"曹操获其品评,"大悦而去"[2]。曹操要干一番平治天下的大事业,而这品题正应了"乱世"遇"英雄"的传言,所以他并不介意将他与奸贼联系在一起。反之,正可以利用许劭的评价来壮大他的名声。而对于他自己所征求的人才,则是公开宣称"负汙辱之名,见笑之行,或不仁不孝而有治国用兵之术,其各举所知,勿有所遗"[3]。被污辱、见笑甚至不仁不义之人,只要有才,就会被任用。这说明,儒家选拔人才的价值标准已经不能制约曹操的言行。作为一国的统治者,曹操的行为直接影响着社会的风气。魏晋之际的傅玄曾言此情形说:"近者魏武好

---

① 《后汉书》卷68《许劭传》。
② 同上。
③ 《三国志》卷1《魏书·武帝纪》注引《魏书》。

法术,而天下贵刑名;魏文慕通达,而天下贱守节。"① 说明的正是当时社会的实际情况。

而所谓刑名法术,在司马迁的时候就已经认为是与老庄一脉相承的,所以他将申、韩与老、庄放在了一起,以为申韩之学都是本于黄老的。的确,韩非是第一个注解《老子》之人,可以察觉他对老子及其学说的推崇。但是,老庄与申韩毕竟有重大的差别。司马迁自己亦清楚说明老庄尚无为自然,申韩重名实是非,可最终仍以"皆原于道德之意"而将其统合为一体。事实上,如果从老庄、申韩都反对仁义教化来说,倒是上下一以贯之的。那么,曹氏父子贵刑名法术,在客观上也呼应了自汉末以来的道家思想的流行。

4、尚俭与中庸

魏晋时期,道家的主张为历史所选择并成为玄学的主要思想来源,是在与其他各家学派、学说的比较中,在社会的实际需要中脱颖而出的。但是,这并不就意味着社会对其他各家学术思想的排斥。事实上,曹魏并不单纯贵刑名,社会的需要也不就限于老庄,除了儒家仍在社会和学术上保留有自己的确定地盘之外,墨家在这时的一定程度的复兴,也是一个值得注意的现象。

曹操所以需要取墨,是因为墨家提倡的兼爱、尚贤有利于广征人才,而其尚俭的主张则有助于节省民用和匡正世风。汉魏之际的社会,是"魏承汉乱,风俗侈泰"②,于立国创业十分不利。故曹操以身作则,带头节俭。史称他"雅性节俭,不好华丽,后宫不衣锦绣,侍御履不二采,帷帐屏风,坏则补纳,茵蓐取温,无有缘饰"③;又说他"憨嫁娶之奢

---

① 《晋书》卷 47《傅玄传》。

② 《三国志》卷 23《魏书·和洽传》注引孙盛曰。

③ 《三国志》卷 1《魏书·武帝纪》注引《魏书》。

侈,公女适人,毕以皂帐,从婢不过十人。"① 在这里,曹操倡俭,除了在思想学说方面由墨家的兼爱节俭而引起的共鸣外,更重要的是他看到了"生民废业,饥馑流亡,公家无经岁之储,百姓无安固之志,难以持久"② 的严峻现实。所以, 对四方贡献的财物,他力求 "与天下共之" 而不纳为己有, 尤其是对基于礼制的繁文缛节十分反感。"常以送终之制,袭称之数,繁而无益,俗又过之,故预自制终亡衣服,四箧而已"③。

在曹操的身体力行的号召下,主管举用人才的毛玠"务以俭率人,由是天下之士莫不以廉节自励,虽贵宠之臣,舆服不敢过度"④。曹操对此情形颇感欣慰,叹曰:"用人如此,使天下人自治,吾复何为哉!"⑤但是,简单地搬用墨家的节俭并不足以解决复杂的社会问题,早在司马谈那里,就已指出了单纯或过分地节俭是有问题的。故有必要对此加以改造,将节俭与自然无为联系起来。身为曹操丞相府属官的和洽便及时提出,过分节俭,约束自身是可以的,但以此来责求百官,则恐怕得不偿失:"夫立教观俗,贵处中庸,为可继也。今崇一概难堪之行以俭殊涂,勉而为之,必有疲瘁。古之大教,务在通人情而已。凡激诡之行,则容隐伪矣。"⑥ 事实上,当时的朝廷已经出现了假充廉节以作伪的风气。在这里,和洽注入了从儒家提取的"处中庸"、"通人情"的指导方针,而不赞同"一概难堪"的过分简约。但他的"处中庸"、"通人情"又不简单是儒家的思想,他看到了"民穷于役,农业有废"而不利于国家统治的情形,这特别是在魏明帝之时是如此。所以,"方今之要,固在省息劳

---

① 《三国志》卷 1《魏书·武帝纪》注引《傅子》。
② 《三国志》卷 12《魏书·毛玠传》。
③ 《三国志》卷 1《魏书·武帝纪》注引《魏书》。
④ 《三国志》卷 2《魏书·毛玠传》。
⑤ 同上。
⑥ 《三国志》卷 23《魏书·和洽传》。

烦之役,损除他余之务,以为军戎之储。"即采取的措施,应当是减少国家干预,崇尚自然无为,而这也正是他所理解的"中庸"。

那么,由墨家的节俭到奢与俭之持中的儒家的中庸,再联系到道家的自然无为,说明从节省财用、爱护民力层面出发的治国的大政方针,其重点已向儒道和合的情势转移。当时以"清介"知名的沐并,他的思想脉络便明白地披露了这一趋势。在他为后事所做的安排中,虽其基本点仍在节葬,但其指导思想,却首先是儒墨的和合。他强调:"夫礼者,生民之始教,而百世之中庸也。故力行者则为君子,不务者终为小人,然非圣人莫能履其从容也。是故富贵者有骄奢之过,而贫贱者几于固陋,于是养生送死,苟窃非礼。"① 圣人从容中道,不奢不陋,是实践礼的典范。如此的讲法,显然已由墨家向儒家过渡。

但是,沐并的最终导向却不是儒家而是道家。因为儒家中庸的"拨乱反正、鸣鼓矫俗之大义"固然重要,但更重要的,却是"穷理尽性、陶冶变化之实伦"。而后者在他眼中,便是由道家所提供的。所以,"若能原始要终,以天地为一区,万物为刍狗,该览玄通,求形影之宗,同祸福之累,一死生之命,吾有慕于道矣。"② 在他这里,《易》、《老》、《庄》"三玄"已合而为一。道之当慕,在于其玄通恍惚、变化无形,道已使"身沦有无,与神消息,含悦阴阳,甘梦太极"。因而,沐并之节葬,已经不限于节省财用,而是已推广到因循自然,生死与天地同流上。虚伪的厚葬礼制,实际上才是对死者的真正桎梏。

当然,道家的因循自然、适时变化能够被看中,其实不仅仅是一种人生的选择,对于统治者而言,它更是一种积极的政治谋略。起初,曹操在与袁绍谈论如何平定天下、并展望其事业的前景时,袁绍认为若事不济,可以凭借其山河之险退而固守。曹操却不以为然,因为他对前途

---

① 《三国志》卷 23《魏书·常林传》注引《魏略·沐并传》。
② 同上。

充满了信心。声称"吾任天下之智力，以道御之，无所不可。"① 曹操的信心来自依道而任智，他已将法家的法术与道家的权术融合在了一起。道与智都属无形，而险与固却都是有形，无形可超越有形，所以无难不可以克服。他的道理在于，"若以险、固为资，则不能应机而变化也。"② 险、固既已成形，则不能再变化；而只有变化才可能求得发展，使事业获得成功。在这里，变化需要"应机"，说明了此变化不能是人刻意为之，而是应当适应形势，顺从自然。

可以说，在曹魏统治集团中，注重道家的思想是始终一贯的，并以此去克服纯用法制所带来的弊病。他们从事实层面明白了"法令滋彰，犯者弥多；刑罚愈众，而奸不可止"③ 这些老子早已指出的道理。譬如，严刑峻法在曹叡看来，"非所以穷理尽情也"④。那么，曹魏的重道，也就有以此克服专任法制的弊病的意味。而作为对严刑峻法的调节的儒家仁爱思想，与道家的无为虽然有积极和消极的区别，但也正因为如此而有了合作的可能。重要的是，不能以法律为陷阱而专与民作对。

而且，对于社会风气的变化，儒家是有着自己的特长的。"世之质文，随教而变"也⑤。国家必须要施行教化来引导和稳定社会。所以，即便是曹操本人，也已看到了这一点。他下令要求各地兴办学校，置任校官，选俊秀青年以教学之，以求重兴仁义礼让之风。到曹丕，则进一步任用孔氏后裔，重新修复孔庙和兴办儒学。这都可以看出，尽管儒学相对于道家无为已下降到次要的地位，但曹操却不可能离开孔子和儒学而使国家得到治理。

---

① 《三国志》卷1《魏书·武帝纪》。
② 《三国志》卷1《魏书·武帝纪》注引《傅子》。
③ 《三国志》卷3《魏书·明帝纪》。
④ 同上。
⑤ 同上。

在这里,一个根本的问题在于如何正确看待才与德的关系。曹氏前期的"唯才是举"是战乱时期"特求贤之急时"的政策,随着国家统一的逐步实现,社会稳定、上下一心的任务提到了日程的首位。这就使德的方面日益受到注重,而才则要求受到德的制约。明帝时,侍中卢毓于人才选用的标准,已经是"先举性行,而后言才"了。他的道理是:"才所以为善也,故大才成大善,小才成小善。今称之有才而不能为善,是才不中器也。"① 才只是手段,善才是目的。才如果不能为善,则对社会国家不但无益,而且有害。换句话说,在战乱时期不拘一格选人才是可行的,因为重心本在"变"上;而在平时,则应当循名责实,保持稳定,因为重心已转向为"常"。

进一步,如果是惟才是举、不拘一格,在理论上就只能是重实而轻名,即名、尤其是虚名无法解决紧迫的实用问题,所以曹叡以为,名不过如"画地作饼,不可啖也"②。但卢毓却提出了相反的意见。在他看来,名即一定的价值规范,它是相对稳定和容易操作的。故以名为标准,虽然有可能扼杀不符合该标准的个别奇才"异人",但是它却可以擢用大批符合规范的"常士"。而且,常士的"畏教慕善"在日常的政治生活中,显然对国家的治理要更为重要。"循名案常"能够使人们知道行为的准则和前进的方向,对于引导人民遵守道德法制,对于社会的治理,都更具有普遍的意义。当然,卢毓的重"常"也没有完全否定异常即变的意义,二者事实上应当结合起来。说到底,执著于任何一方都有缺陷。理想的状态,是变常兼备的"无名"的中庸。

在当时的名理学名著《人物志》中,作者刘绍已经把中庸之德改造成了变化无名、无所不适应的治世处世之方。他说:"夫中庸之德,其质无名,故咸而不碱,淡而不醨,质而不缦,文而不缋,能威能怀,能辨能

---

① 《三国志》卷 22《魏书·卢毓传》。
② 同上。

讷,变化无方,以达为节。是以抗者过之,而拘者不逮。"① 显然,与从俭奢折衷论中庸有别,这里是从有无之际出发,对中庸之德所做的又一次推广,使其真正成为具有普遍适应性的指导思想。

中庸的本来状况是无名,但此"无名"又并非偏于无一方,而是不执著于任何名。事实上,不论是咸还是碱,淡还是醲,质还是缦,文还是缋,威还是怀,辨还是讷,都是一种特定的名,都是执著于一方,不是抗者(过),就是拘者(不及),因而也就都有缺陷。中庸的完美,就在于它变化无方,通达不滞,无不适应。那么,道家的无名与儒家的有为也就结合了起来。无名的结果是能威能怀、能辨能讷的无不"名"。因为只有如此,才能随任变化而无往不胜。

5、变化致一

变化观念在当时深入人心,一个明显的表现,就是学者们已开始自觉地运用它来评价人才,并实际上将它当做了最高级别的标准。曹操的养子、魏晋玄学的开创者之一何晏,曾对包括自己在内的当时的三位名人进行过评论,其言曰:"唯深也,故能通天下之志,夏侯泰初(玄)是也;唯几也,故能成天下之务,司马子元(师)是也;唯神也,不疾而速,不行而至,吾闻其语,未见其人。"② "唯深"、"唯几"、"唯神"三段话均出自《周易·系辞上》,意味正是因为易道深奥,所以才能通晓天下人的志向;正是因为易道隐微,所以才能成就天下人的事业;正是因为易道神妙,所以才能迅速变化、不现形迹,以响应天下人的要求。

结合这三人来说,夏侯玄是当时的名人高官,于人才选拔和国政分析都非常深刻,所以说他能够通达天下人的志向;司马师作为司马懿的

---

① 《人物志》上卷《体别第二》,李子熹:《中国识人学》本,河北人民出版社1995年版。

② 《三国志》卷9《魏书·何晏传》注引《魏氏春秋》。

长子,机敏狡诈,擅权有谋,是司马氏集团的主要代表之一,所以说他能成就天下人的事业。但他二人却未做到迅速变化、不现形迹。只有"唯神"者通志而成务,是"唯深"、"唯几"的统一,达到了最高的境界。何晏以为此人尚未出现,实际上,"盖欲以神况诸己也"①。自己才是真正做到了神妙莫测的。但在总体上,三人所以能以"深"、"几"、"神"的品格"名盛于时",在于其中贯穿的非常明显的倾向性,那就是都不再止步于现象层面的事务管理,而是进入到超越层面的境界追求,而何晏自己又尤以此为自足。

不过,所谓神妙莫测、应机顺化,并不就意味着不要确定的指向。这个确定的指向,就是主要由先秦道家而来的强调玄默冲虚的形上追求。其实,作为魏国显要、又是司马氏重臣的王昶,曾以此思想为指导给自己的孩子和侄子取名字:名"默"者字"处静",名"沈"者字"处道",名"浑"者字"玄冲",名"深"者字"道冲"。如此名字的意蕴,按他所说,是"欲使汝曹立身行己,遵儒者之教,履道家之言,故以玄、默、冲、虚为名,欲使汝曹顾名思义,不敢违越也"②。玄默冲虚是儒道和合的产物。

所谓"遵儒者之教"、"履道家之言",实际上涉及到问题的两个层面:第一是社会现实生活。在这里,儒家的思想仍然居于主导的地位:"夫孝敬仁义,百行之首,行之而立,身之本也。"③ 行孝敬仁义是为人之本。谓之为"本",不仅是因其理论,更在于它的实践。如果不行仁义而贪图富贵,是"背本逐末",必然对己身和国家带来祸害。但是,在社会生活层面对儒家仁义的重视,并不妨碍在哲学理论上对道家虚无的推崇,这即第二个层面。玄默冲虚为道家所主,以此为名,为的是"顾名思义",时时以此衡量自己的品行,而不能有稍微的触犯。仅此而言,这

---

① 《三国志》卷9《魏书·何晏传》注引《魏氏春秋》。
② 《三国志》卷27《魏书·王昶传》。
③ 同上。

似乎仍可归为儒家以名正实的"正名"思想，故王昶所说的"道"，并不为道家所专有，亦是融入了儒家的因素在内。

所以会是如此，在于王昶注重的儒道和合，主要还不是出于哲学理论建构的自觉思考，而是更多地在权术的意义上运用。道家的"柔弱胜刚强"在这里具有深刻的影响："夫人有善鲜不自伐，有能者寡不自矜，伐则掩人，矜则陵人。掩人者人亦掩之，陵人者人亦陵之。故三郤为戮于晋，王叔负罪于周，不惟矜善自伐好争之咎乎？故君子不自称，非以让人，恶其盖人也。夫能屈以为伸，让以为得，柔以为强，鲜不遂矣。"① 贵柔守雌无疑是老子哲学的重要特征，但它却不是孤立地发挥作用，而是受以道、以无为本原的宇宙观的制约的。王昶的贵柔守雌只能限于权术、技术的层面；他的"履道家之言"虽有多种，却并未及于哲学的本体；他以宝身、全行、显父母为人之三大善，却不知众善有合；他以崇道笃学、兴考试、重治绩、励廉耻、绝侈靡等为"治略五事"，却不知万事有统。而所有这些，只是在玄学的代表人物那里才予以实现的。

何晏在解释孔子的"一以贯之"时说："善有元，事有会，天下殊途而同归，百虑而一致。知其元，则众善举矣。故不待多学，而一知之。"② 强调归元致一，是何晏从时代的要求出发，从哲学理论上为"殊途同归"的社会政治需要进行的论证。因为只有如此，才可能将纷繁杂陈的诸家理论整合成一个整体。

可以看出，历史在这里似乎绕了一个大圈子又回到了原来的起点：即秦皇、汉武分别依法家、儒家主张而走出的求"同"求"统"、也即求"一"的道路，在取得了相当成效之后，于汉末又趋于瓦解，由同一走向差别，由同一走向多样，并激起了新一波的诸子各家的争

---

① 《三国志》卷27《魏书·王昶传》。
② 《论语集解·卫灵公》，《十三经注疏》本。

鸣；可是，很快，思想家、政治家们又不约而同地做出了新的由多致一的选择。然而，汉末的情形又与秦皇、汉武时期的一家统众家不同，它不再执著于从各家之中选择和推行某一家的学术，而是发出了不同理论都需要有一个共同的根基的呼吁，要求寻求一个将各种理论贯通起来的最终的本体。这个本体就是善之元、事之会。故百家之统合不在于学派的门户，而在于是否能够从理论上说明致极归一、以一会众的道理。只有符合如此要求的理论，才能为时代所选择而得到发展壮大。这一点，从汉魏之际到整个魏晋时期，已经成为了当时学者的共识。

不过，何晏的重"一"主要是从会归的角度，注重的是自然的走向。王弼则在此基础上有所推进，他更为强调主体的自觉。他对孔子"吾道一以贯之"中"贯"字的定位是"统"："贯，尤统也。夫事有归，理有会。故得其归，事虽殷大，可以一名举；总其会，理虽博，可以至约穷也。譬犹以君御民，执一统众之道也。"① 殊途同归在这里，已被替换为以君御民、执一统众之道。王弼从更为积极的角度，与何晏一起呼唤致"一"的时代的到来。如何致一？"能尽理极，则无物不统"②。这个所谓"理极"，也就是"本"。"由本观之，义虽博，则知可以一名举也"③。末节之义虽博，但一本却可以举众义，统万名。

王弼与何晏改造道家而得出的"主必致一"思想，逐渐成为了当时解释不同社会现实的根本的指导。后来到西晋王朝建立，同样也是认同这一基本的原则的。《世说新语》记载："晋武帝始登阼，探策得'一'。王者世数，系此多少。帝既不说，群臣失色，莫能有言者。侍中裴楷进曰：'臣闻天得一以清，地得一以宁，侯王得一以为天下贞。'帝说，群臣

---

① 《论语释疑(辑佚)·里仁》，《王弼集校释》(楼宇列校释)，中华书局1980年版，第622页。

② 同上。

③ 《周易略例·明象》，《王弼集校释》，第591页。

叹服。"① 精通玄理的裴楷,其近于谄媚的进言,不但使司马炎兴奋,而且能为群臣普遍接受并由衷叹服。原因就在于,由于玄学的推动,老子的思想已经深入人心。一般大臣囿于帝王世系的具体考虑而产生了惊慌,陷入了量(年寿)的桎梏中而不能自拔。一旦裴楷从具体政治上升到抽象理论、即从哲学上做出解释时,一个极端敏感的问题却顷刻涣然冰释,自然得解。这是玄学肇兴二十多年后,对于从宇宙本体的高度去解释具体社会政治问题而总结出的"执一统众"之道的功能的一次最典型的检验,它说明了以一多、本末等形式构成的玄学思辨,已经成为了当时人们共同的思想文化背景和一般认识的前提。

二、玄谈的风气

魏晋是玄学的时代,玄学是玄谈的产物,玄谈之风吹拂了整整一个时代。但从汉魏晋学术发展的脉络来看,是先有清谈而后有玄谈,由清谈而至玄谈。

1、清谈的兴起

清谈之风最早起于汉末品评人物和讥评朝政的清议,其品评者通常被称为清流名士。他们的品评活动虽然已开始与正统儒学的规范拉开了距离,但在总体上仍属于儒学的范畴,注重的是人们的道德素质和精神风尚。如《后汉书·荀淑传》称荀淑是"少有高行,博学而不好章句,多为俗儒所非,而州里称其知人"。高行即德行高尚,但博学却已开始与章句注疏脱钩,故不容于正统的俗儒。如果说章句之学要求的是专

---

① 《世说新语笺疏(修订本)》上卷上《言语第二》(余嘉锡笺疏,周祖谟、余淑宜、周士琦整理),上海古籍出版社 1993 年版,第 81 页。

才的话,博学则显然已经将重心移至通才,正因为如此,才的问题也就显得比德更加受到人们的关注。

荀淑生活于东汉中后期,他的八位儿子时皆有名,号称"八龙"。而其中最有声名者,便是汉末的经学大师荀爽。荀爽是与稍后的许劭齐名的汉魏之际的清谈名士,后来身为魏太子的曹丕,曾有"荀公之清谈,孙权之妩(妖)媚,执书嗢噱,不能离手"① 之言。然荀爽之清谈,主要是谈礼:"礼者,所以兴福祥之本,而止祸乱之源也。"② 所以他试图"略依古礼尊卑之差",去纠正"臣僭君服,下食上珍"的已经完全混乱的社会政治秩序;吴主孙权表面上对魏称臣,斩、送关羽头颅,心里却觊觎天下。二者之间,一者脱离实际,一者虚情假意,其共性都在名实相分。所以,在以实为据的曹丕看来,都是极为可笑之举。又有名人"孔公绪,清谈高论,嘘枯吹生"③。孔公绪(名伷)巧辩能量之大,以致轻嘘气能使枯萎者得生,重吹气则能使生者枯萎。虽说他"并无军旅之才,执锐之干"④,与实际的社会政治军事才能相脱节,然其清谈巧辩却反映了正在兴起的社会需要,受到符融等清谈名流的极力推崇。这说明,在东汉末年,处理实际问题的才干虽然还被放在优先的位置,但与实相分而专务于名的风气已经开始蔓延起来。

也正因为如此,符融、李膺及郭泰(林宗)等一辈清谈名流在文化人中也就受到了普遍地欢迎。连埋头于实务的大臣官吏,亦有闲情来听他们的高谈阔论。而在名流们圈内,则更是惺惺相惜,互相抬举和推重:李膺本为清谈的领袖人物,但在"幅巾奋袖,谈辞如云"的符融面前,亦只是"捧手叹息";郭泰因符融"一见嗟服"而被引荐于李膺,被李膺品评并被待之以师友之礼,一时名震京师。而郭泰本人的言论品行,则刚刚

---

① 《三国志》卷 13《魏书·钟繇传》注引《魏略》。
② 《后汉书》卷 62《荀爽传》。
③ 《后汉书》卷 70《郑泰传》。
④ 同上。

好是反映当时清谈名士言行举止和生活态度的一个典型。

郭泰据说有"夜观乾象,昼察人事"的本领,但他却并不以此来应仕,而是以此来保身。他的行为在当时十分引人注目,所谓"隐不违亲,贞不绝俗,天子不得臣,诸侯不得友"①,本极易引起非议,然在汉末的动乱年代,他却能脱险避祸,宦官擅政不能伤,党祸起而能免。为什么?就在于他"虽善人伦,而不为危言覈(实)论"②。言谈虚而不实,不触及权贵的具体利益,因而能够明哲保身。事实上,郭泰对不同当政者都能投其所好,善于因应事故,对人之品评都是在奉承中寓有褒贬,评语亦可以灵活解释,所以虽然名声大噪却又不招人忌恨。

例如,他品评袁奉高(袁阆③)、黄叔度(黄宪)说:"奉高之器,譬之汇滥,虽清易溢。叔度之器,汪汪若千顷之陂(池),澄之不清,扰之不浊,不可量也。"④ 对袁阆虽贬其小器,但又有所赞许;对黄宪虽赞其大量,但又有所保留。黄宪其人,得到名士荀淑、袁阆、郭泰及大臣陈蕃、周举、王袭等的共同推崇,被誉之为颜渊。他亦曾从政为官,但并无什么政绩,故后来范晔编《后汉书》时评论说:"黄宪言论风旨,无所传闻,然士君子见之者,靡不服深远,去玼(疵)吝。将以道周性全、无德而称乎?"⑤ 黄宪如此知名,但在范晔却未能收集到有他"言论风旨"的任何直接材料,于是只能以黄宪道周备、性纯全,德大而无能名称、形容来予以评价。

范晔如此评价,当然也受到他的曾祖父、曾任安北将军的范汪的影

① 《后汉书》卷 68《郭太(泰)传》。
② 同上。
③ 袁阆,各本多作袁闳,此据中华书局标点本《后汉书》卷 53《黄宪传》及卷后《校勘记》改。
④ 见《后汉书》卷 68《郭太(泰)传》注引《谢承书》,又见卷 53《黄宪传》引郭泰语。
⑤ 《后汉书》卷 53《黄宪传·论》。

响,范汪以为:"(黄宪)隤然其处顺,渊乎其似道,浅深莫臻其分,清浊未议其方。若及门于孔氏,其殆庶乎!"① 即在范氏祖孙眼里,黄宪是按老子道家的处世方式生活的,柔弱周全又不露任何形迹。这说明,虽然汉末社会的主导倾向仍然是实政,但毕竟虚无之风已经在吹拂,并在上层圈子中开始赢得附和和响应。但范氏以为这正是其缺陷的方面,以黄宪之才,如能服膺于儒门,本来是大有作为的。

不过,由老庄而来的虚无之风,主要侧重的是内容方面,而汉末醉心于品评人物及其爱好的清谈风尚,通常并不涉及义理的内容。就其根底,这是与先秦名家之学重形式、虚内容的治学方式的复兴分不开的。换句话说,汉末魏初的清谈向魏晋玄谈的转化,其尚虚贵无的风气的来源,在内容方面无疑是老庄,但在形式方面,却明显是受刑名之家的影响。

近人汤用彤先生总结说:

> 魏初清谈,上接汉代之清议,其性质相差不远,其后乃演变而为玄学之清谈。此其原因有二:(一)正始以后学术兼接汉代道家之绪,老子之学影响逐渐显著,即《人物志》已采取道家之旨。(二)谈论既久,由具体人事以至抽象玄理,乃学问演进之必然趋势。汉代清议,非议朝政,月旦当时人物。而魏初乃于论实事时,且绎寻其原理。如《人物志》,虽非纯论原理之书,然已是取汉代识鉴之事,而总论其理则也。②

清议只是品评人物和褒贬朝政,与学术思想并无直接的联系。但其敢于揭露政治的黑暗腐败,注重道德情操,倡导名实的相符,仍对学术风气有良性的诱导作用。没有敢作敢为的勇气和毅力,学术也无法正常

---

① 《后汉书》卷53《黄宪传·论》。

② 汤用彤:《魏晋玄学论稿·读〈人物志〉》(汤一介等导读),上海古籍出版社2001年版,第13页。

发展。但清议的风气只是提供了学术发展的一定机遇和环境,学术发展的原因,则在于社会思潮的整体变化。而这一变化首先便表现在学者学术兴趣的多样性和子学的复兴。尽管诸子学有多家为汉魏晋人士所垂青,但最盛者仍在老庄和刑名两家。清谈逐渐走向了谈名析理。

2、名实之间

人物的品评虽然是品其名,但名本出于实,由实而得名,故名与实是否相符的问题已是清议所议的内容之一。《后汉书·符融传》记载,其时有晋文经、黄子艾二人"恃其才智,炫耀上京",品评人物,一时声名大噪。但在符融,却看出他们是"空誉违实",故通报于李膺,提醒当细加审查。结果,晋、黄二人"果为轻薄子",并无真才实学。在这里,名实相副是评价人才的根本。但因为实本身只是事实存在,它的意义只能通过名才能得以彰显。"建安七子"之一的徐幹曰:

名者,所以名实也。实立而名从之,非名立而实从之也。故长形立而名之曰'长',短形立而名之曰'短'。非长短之名先立,而长短之形从之也。仲尼之所贵者,名'实'之名也,贵名乃所以贵实也。[1]

徐幹所持的实际上是先秦墨家以来"取实予名"的以实为第一性之思路,他并将孔子的"正名"思想统一到这一轨道上来。以为孔子所以贵名,实质上是贵实,名是因实而生而不是相反。

因而,一般"俗士"以为的善辩,在徐幹看来并称不上"辩"。为什么? 因为"辩"的目的在于服人之心,而不是为逞一时之快而屈人之口:"俗士之所谓辩者,非辩也。非辩而谓之辩者,盖闻辩之名,而不知辩之实,故目之妄也。"[2] 所以,名言的辩论不能停留于"辩"之本身而空洞

---

[1] 徐幹:《中论》卷下《考伪》,见台湾商务印书馆《四部丛刊·正编》第18册。
[2] 徐幹:《中论》卷上《覈辩》。

无物。其实,所谓"辩",无非就是"别"的意思:"故辩之为名,别也。为其善分别事类而明处之也,非谓言辞切给而以陵盖人也。"① 人们需要名辩,目的在认识的清晰性,以使事物类别、条理能得以区分,使人知所当云,明所当处,而不是凭其能说会道而有意搅乱是非,务在口头上压倒别人。

但是,如此以实为第一性、名服从于实的重实学风,一方面是对人材品题中重视实绩考核的传统的发扬,但另一方面,也是对当时已经开始出现的重视名理、要求辞胜的趋向的一种警觉。徐幹作为"建安七子"之一,已经处在汉魏过渡之际。他的以实正名的愿望,反映了清议对名辩的要求。晚他不多的刘劭,则更直接地将名辩分成了理胜和辞胜两家。他说:

> 夫辩有理胜,有辞胜。理胜者,正白黑以广论,释微妙而通之;辞胜者,破正理以求异,求异则正失矣。②

"理胜"是说使事物如白黑都得到恰当的区分和明确的规定,阐释事物的微妙之道而终使人通晓明白;"辞胜"则是强词夺理,以求标新立异。但在刘劭看来,此异(辞)之立,也就是正理之失。

在这里,问题实际上有两个层次。墨子当年阐发他的"取实予名"思想时曾强调说,名实的相合主要不是理论的问题,而是实践的问题。譬如瞎子并不是不知道白、黑之名,但将白与黑的东西放在一起,瞎子却不能做出选择。这说明脱离实之名,只能是空名,没有任何真实的意义。故就知识来说,只有名实相符之知才能算是真知。但在刘劭,问题已经深入到白与黑的概念本身,要求阐明其内含的微妙之理。这种微妙之理也就是使白黑能得以明确区分的事物的内在规定性,只有通晓了这些规定性,才能使人的认识有所前进。

---

① 徐幹:《中论》卷上《覈辩》。
② 刘劭:《人物志》上卷《材理》,第61页。

结合到人才问题，"能"与"宜"的不同就应当区分清楚。以烹牛之鼎器去烹鸡，这不是不能，但却是不宜。概念总是有它的确定性的，"夫能之为言，已定之称，岂有能大而不能小乎？"① 凡"能"大者必能小，但"宜"大者则不一定宜小。适宜于治理国家者，不一定适宜于处理具体事务，即人的能力大小与处事是否适宜不是同一码事。"推此论之，人材各有所宜，非独大小之谓也"②。如此细致的概念分析，无疑是继承了先秦名家的辩名精神。不过，就其学术倾向来说，刘劭大约是属于惠施主同一路的，故对于公孙龙派的主异而破正理之方，持批评的态度。《太平御览》载有他的《赵都赋》，其中言有"辩论之士"的"论折坚白，辨藏三耳"之说③。"离坚白"、"藏（臧）三耳"都是公孙龙一派的命题，但他是如何折、辨的，则不得而知。

公孙龙的名辩在当时似乎还有相当的拥护者，《魏书·邓艾传》注引荀绰《冀州记》说："翰子俞，字世都，清贞贵素，辩于论议，采公孙龙之辞以谈微理，少有能名。"④ 直到后来张湛注《列子》时，仍感慨"白马非马"，"此论见在，多有辩之者"。只是毕竟时间久远，"辩之者皆不弘通，故阙而不论也"⑤。但在这里，由于作为先秦名家思想总结的《墨辩》著作时间不甚确定，如若把它系于墨子，则惠施、公孙龙便成了墨子名辩思想的继承者，晋鲁胜注《墨辩》便是持这样的观点。并且从孔子的正名开始，将墨子、惠施、公孙龙及反对墨子的荀子和庄子视做为一个前后相关的统一整体，再加上从邓析到秦时的名家一系，鲁胜实际上是以名学的发展来揭示了先秦学术发展的整体的概貌。

---

① 《人物志》中卷《材能》。
② 同上。
③ 《太平御览》卷46《人事部·辩下》，中华书局1985年影印本。
④ 见《三国志》卷28。
⑤ 张湛：《列子注·仲尼篇》，《列子集释》（杨伯峻撰），中华书局1979年版，第142页。

　　但是,虽说"名者所以别同异,明是非,道义之门,政化之准绳也"①,谈论形名、名理对汉魏之际的学术转向具有重要的推动作用,但自先秦以来的实践看,名家与善于辩名、但重在内容和大道的老庄走的却不是同一条道路。同时,名家之辩名,固然在概念的清晰性上发挥了所长,一时名理之学亦蔚为壮观,可名理一方后来显然不敌玄谈一方。论其原因,固然是多方面的,从历史的经验来总结,不能不说他们自身也存在着缺陷。那就是日常语言概念固然可以通过辩论而走向清晰,但对于"道可道,非常道"的大道,对于"不可得而闻"的性与天道,对于与有名有形对立的无名无形,清晰的要求事实上已变得不可能。在这里,语言对于直接描述本原、本体已经是难以胜任,语言的使用也有捉襟见肘之时。实际上,《周易》的"言不尽意"的说法,已经暗含了"尽意"的诉求所不可避免遭遇的理论障碍。

　　相传公孙龙在与邹衍、庄子的交锋中曾败下阵来,这或许能给我们以某种启示。公孙龙的辩才本来是"困百家之言,穷众口之辩"的,但邹衍"言至道,乃黜公孙龙"②;而公孙龙听说了庄子之言,乃茫然不知所措,魏公子牟讲述的庄子的境界实在使他所不能及③。后者虽然属于寓言故事,但所谓"论之不及"与"知之弗若"④ 也在一定程度上反映了他们理论层次不同。结合邹衍的胜利,可以明显感到谈论宇宙的"至道"、"有无"即"本"的问题,是名家所不擅长或为其所短的。那么,魏晋复兴的形名、名理终究不敌玄谈,也就在情理之中。

　　荀氏是当时的一大族,其成员多好"儒术论议"。而与他人有别的"独好言道"的荀粲,其所言称的"象外之意,系表之言,故蕴而不出矣"

---

① 　鲁胜:《墨辩叙》,见《晋书》卷94《鲁胜传》。
② 　见《史记》卷76《平原君虞卿列传》。
③ 　见《庄子·秋水》。
④ 　同上。

之论,便使"当时能言者不能屈也"①。名理之学贵在辩"名",而对于属于道之层次的名(言、象)外之"意"的追寻,显然就力不从心。按汤用彤的归纳,"汉末玄风渐起,其思想蜕变之迹,当求之于二事:一为名学,一为易学。"② 而名学与易学所以共肇的"思想蜕变"之迹,正在于从名中取意转向言外寻意。

荀粲曾与当时善谈名理的大家傅嘏辩论,"嘏善名理而粲尚玄远",道各不同而"时或有格而不相得之意"。荀粲对傅嘏说:"子等在世涂间,功名必胜我,但识劣我耳!"傅嘏回答说:"能胜功名者,识也。天下孰有本不足而末有余者邪?"荀粲再言曰:"功名者,志局之所奖也。然则志局自一物耳,固非时之所独济也。我以能使子等为贵,然未必齐子等所为也。"③

傅嘏是当朝高官,自然功名远胜不善与常人交接的荀粲,但荀粲却自以为其"识"在傅嘏之上。所谓"识"是指对虚无玄远之根本道理的洞见,它与仕途功名的成就本不是一码事。但在傅嘏,功名成就正是识之优长的证明。识与功名可以适用于本末关系的范畴,从功名成就之末可以证其本之不误。如此的推论是有道理的,可荀粲以为并不必然如此。在他看来,功名之成就固然可以联系到识之优劣,但这只是一个片面,识之本可以从不同末去予以发明。如使傅嘏地位高贵者,未必就会认同傅嘏的所为。因而,判定识之优劣,应当从识之本身去加以探讨。

但是,一进入识、本的层次,不论是荀氏诸兄的"儒术论议",还是傅嘏的"善名理",似乎都止步不前了。因为儒术、名理的共性是有,是看得见摸得着的具体物事和名言概念,深藏于背后的本识则是看不见摸不着的虚无,而谈虚道无者却是玄谈派所长。其时调和荀粲与傅嘏矛

① 《三国志》卷10《魏书·荀彧传》注引何劭《荀粲传》。
② 见《魏晋玄学论稿·王弼大衍义略释》,第56页。
③ 《三国志》卷10《魏书·荀彧传》注引何劭《荀粲传》。

盾的裴徽，便是二者兼顾的，所以他能受到论辩双方的欢迎。

《三国志》注引说："冀州裴使君(徽)才理清明，能释玄虚，每论《易》及老庄之道，未尝不注精于严、瞿之徒也。"又说："吾(裴徽)数与平叔(何晏)共说《老》、《庄》及《易》，常觉其辞妙于理，不能折之。又时人吸习，皆归服之焉，益令不了。相见得清言，然后灼灼耳。"①裴徽才理清明又能释玄虚，所以他能为荀、傅双方所接受。但是，就一般规律来说，面面兼通者就某一面而言，便不及一面之专通者，所以他在解读"三玄"方面就赶不上何晏。同时，一种学说要想得到普遍响应，一种学风思潮要能得到推广，必然有赖于这一学说、思潮的倡导者们自身的创作和贡献，而且也只有他们自身即专长于此者才能以新的视角去解读经典文本、解构习以为常的语境框架。

由于《易传》在传统看法是孔子所作，而孔子与老子作为儒、道的两大代表，自先秦以来就已走上了正相对立的重"有"与崇"无"的学术道路，那么，"三玄"要将二者统合，就必须要有人出来说明二者的关系，即如何将对立的儒、道沟通起来。在这里，问题同样是由作为兼通者和引路人的裴徽所引起的。

《三国志·钟会传》注引何劭《王弼传》说：

> 时裴徽为吏部郎，弼未弱冠，往造焉。徽一见而异之，问弼曰：'夫无者诚万物之所资也，然圣人莫肯致言，而老子申之无已者何？'弼曰：'圣人体无，无又不可以训，故不说也。老子是有者也，故恒言无所不足。'

裴徽以无者"诚"万物之所资说明，由于清谈的流行，谈虚说无在汉魏之际已是普遍的风气，而且世人似都认可了源于老子的以无为宇宙本原的观点。但从文本和权威的角度来说，仍受到人们普遍敬仰的孔子却都谈论的是"有"。如何使孔子与崇尚虚无的风气联系起来，从而在实

---

① 《三国志》卷29《魏书·管辂传》注引《辂别传》。

质上为新的学术铺平道路,就成为一个时代的学术转向最迫切需要解决的问题。而这正是以王弼为代表的领时代风气之先的人物所提供的。

王弼说明,圣人以无为本,这首先肯定了无的本体地位,但也正因为如此,它也就不可言说,这不论是从孔学的"性与天道不可得而闻"还是老学的"道可道非常道"来看,都是一个已经预设好的前提。与人们通常从现象的层面看问题,只视孔子为有、老子为无的片面见解不同,王弼看到了问题的另一面,即孔子谈礼乐讲仁义,正是知无不可谈。同时,孔子既已言"有",本体层面之无则已在其中。这一推论是可以从孔子的"礼云礼云,玉帛云乎哉!乐云乐云,钟鼓云乎哉"① 的感叹来获得支持的。而老子虽然无处不言无,五千言本身却实实在在是有。王弼的这一番对孔老异趣的新解,不但有助于弥合长期以来儒、道的分歧和对立,而且实际上解构了传统的经学框架②,它使人们看到了孔老、有无等问题还可以这样来解释。从而,学术的发展,也就从逗留于文本语句的现实、现象的层面,转向为探索文本背后的本体世界的新的境地。

3、天人之际与儒道和合

王弼是以圣人体无又不说无开始阐发他的理论的。圣人的典范作用已经从传统的人伦教化之父的角色,转变为追求虚无玄远之学的开路先锋。由此带来的问题,便是与人们一般公认的圣人品格的背离。在此境遇下的圣人显然已经有些"不近人情",对此思维导向加以强化的是与王弼同领玄学时尚的何晏及钟会等人。何劭《王弼传》记载说:

> 何晏以为圣人无喜怒哀乐,其论甚精,钟会等述之。弼与

---

① 《论语·阳货》。
② 参阅徐斌:《魏晋玄学新论》,上海古籍出版社 2000 年版,第 123 页。

不同，以为圣人茂于人者神明也，同于人者五情也，神明茂故能体冲和以通无，五情同故不能无哀乐以应物。然则圣人之情，应物而无累于物者也。今以其无累，便谓不复应物，失之多矣。①

钟会是当时一位"全才"似的人物，自幼在其母亲的教导下刻苦学习，终于获得声誉。所谓"及壮，有才数技艺，而博学精练名理，以夜续昼，由是获声誉"②。后来，他既是统领兵马的大将军，又是名理派中的一位佼佼者，曾著有《四本论》以统合名理派论才性同、异、合、离的四家，惜失而不传。

在政治上，钟会与何晏不是同路人，但对于何晏的圣人无喜怒哀乐的观点他则是认可的。还在他弱冠得意之时，他母亲就曾告诫过他在人情问题上要"自足"和适可而止，以避免灾祸。这不能不对他产生一定的影响，尽管他后来似乎忘记了这一教导。在这里，人的喜怒哀乐之情不能仅从人的情感欲望的角度去理解，必须要结合到玄谈的思辨色彩进行分析。因为"五情"是现实人的感性表现，它并不直接有助于说明"体冲和以应无"的神明的境界。同时，圣人作为学术典范的意义既然在"体无"，那就与人的情感表现无关，所以何晏可以说神人"无情"。但何晏、钟会的这一观点，在王弼眼中却显然未深入到问题的实质。

就此而言，回顾一下何、王之间的差异是很有必要的。《世说新语·文学》有两条记载何晏由注《老子》改为作《道德论》事③，因为他自感对老子思想的发掘训释不及王弼深刻，乃至不敢称注《老子》而易其书名。为什么会是如此呢？刘孝标注引《文章叙录》可以作参考。其言曰："自儒者论以老子非圣人，绝礼弃学。晏说与圣人同。著论行于世也。"④

---

① 见《三国志》卷28《魏书·钟会传》。

② 同上。

③ 《世说新语笺疏》，第198、200页。

④ 同上（第200页）。

何晏注《老子》意在发明孔、老同一的道理,这本也是玄学得以兴起的基本前提。虽然何晏注文的具体内容不详,但结合他的圣人无喜怒哀乐的思想来看,大约是说老子亦讲"道德",孔子亦称"无名",孔、老并作为圣人,是以无名为名,无誉为誉①。而无名无誉也就是道,放任人的喜怒情感就是违背道的。譬如,对于孔子最中意的学生颜回的评价,何晏便认为是:"凡人任情,喜怒违理,颜回任道,怒不过分。"② 颜回虽不是严格意义的圣人,但也离圣人不远,喜怒任情既是凡人的特征,圣人无名无誉而任道,当然也就超越于情。如此的谈论不能说不"精",所以钟会等才子都予以了认同。

当然,如果纯粹就情来讲,何晏有时也承认圣人是有情的。颜回死,孔子既连声嗟叹"天丧予,天丧予",又痛哭不已。何晏注说:"'天丧予'者,若丧己也;再言之者,痛惜之甚。"又引孔安国《疏》说:"不自知己之悲哀过。"显然,圣人也是有情且有"甚"有"过"的③。但此"甚"与"过"乃是非常状态下不得已之特例,非为圣人所从容采取。如果从容"应物",则有混于物(有)而不能超脱之嫌,故圣人无情应该是圣人之常态。

此外,在当时也确有一些名士以圣人无情的态度来指导其生活的。《晋书·嵇康传》描述嵇康是"土木形骸,不自藻饰";又引曾官至晋司徒的"七贤"之一王戎的评价,说他与嵇康"居山阳二十年,未尝见其喜愠之色"。尽管这可能只是嵇康的一种外在的掩饰,但也在一定程度上说明圣人、这里实际上是老庄的人生态度,已经深深地影响到士人的行为举止和生活方式。

---

① 参见《列子集释·仲尼篇》注引何晏《无名论》,中华书局1979年版,第121页。

② 《论语集解·雍也》,中华书局影印《十三经注疏》本。

③ 罗宗强以为,说圣人无喜怒哀乐之情,并非是说圣人就无情,而是指圣人能以礼节之。参见所著《玄学与魏晋士人心态》第78页及162页注解。

　　但是,如果以无情、有情为标准而将圣人与凡人区别开来也是有问
题的。因为在圣人与凡人间拉开距离,不仅会造成圣人对于凡人即社
会大众的疏远和难以接受,还会造成圣人体无与凡人重有的矛盾,并使
无与有分割开来,最终导致解构以无为有之根本的玄学的基本主张。
所以王弼对此观点表示了反对。

　　王弼借回答荀融难其《大衍义》发挥说:

　　　　夫明足以寻极幽微,而不能去自然之性。颜子之量,孔父
　　　之所预在,然遇之不能无乐,丧之不能无哀。又常狭斯人,以
　　　为未能以情从理者也,而今乃知自然之不可革。……故知尼
　　　父之于颜子,可以无大过矣。①

明足以"寻极幽微"即其智慧已能寻求虚无玄远之本,但这本并不能脱
离自然之性。孔颜之乐,不仅仅是一种道德理想的境界,也是精神追求
的共鸣。故孔子失颜,其痛楚是难以名言的。孔子虽倡中庸,在这里却
不能自已,说明"理"对于"情"的节制并不是绝对的原则。情也有自身
的独立价值所在, 这就是"自然"。而不可以削足适履, 强求"革"情去
适理。

　　在这里,王弼为圣人有情辩护,并不等于倡导情之本身,他与何晏
派的基本点并没有根本性的不同,即都认定圣人不能"累物"。但何晏
等据此将理与情分割开来,并无助于说明圣人不能无哀乐的现实,反而
会使圣人之理、之神明变得难以理解,违背了"自然"的本性。所以,正
确的道路是既承认圣人有情应物,又坚持神明通无、无累于物的原则,
使有与无双方在遵循"自然"的前提下沟通起来。也正因为如此,何晏
才可能对王弼"神伏",并认为王弼有资格与他谈论"天人之际"。但如
此的"天人之际",显然已经不是董仲舒式、甚至也不是司马迁式的以感
性直观为底蕴的天人关系了。而是已进入到对有无之辨的诉求,进入

----

　　① 《三国志》卷28《魏书·钟会传》注引何劭《王弼传》。

到有情与无情、常道与非常道的"性与天道"的层面。

如此通有无、同孔老、合儒道的学风，反映了当时学术发展的大势，故何晏、钟会等名士都对王弼给予了高度的信赖和推崇。事实上，从何晏没有再对王弼的驳论进行回应并结合他赞王而抑己的态度，也可理解为何晏与王弼最终站到了一起，二人合力促成了玄风的大盛。

不过，虽说讲有无之辨的玄学是儒道和合的产物，但从概念结构和思想资源上说，道家的一方无疑扮演着更为抢眼的角色。《老子》不只讲无之本原，亦讲"有无相生"，并在其一开篇便肯定了无名与有名、常无与常有的同源共生关系①，而且也正是它们构成了"玄"的内涵。但此"玄"却不能执著，它必须要不断地深化，故谓之"玄之又玄"。王弼发挥说，"玄"之名非定名，它其实只是对冥默无有的本体状态的一种形容，是"不可得而谓之然"的。故必须要再以"玄"来规定之，即"玄之又玄"也。② 引而申之，虽说是孔老、儒道一致，然只有"玄之又玄"的道家至道，才有资格作为两家合会的最后根据。

汤用彤说：

> 圣人体无，故儒经不言性命与天道；至道超象，故老庄高唱玄之又玄。儒圣所体本即道家所倡，玄儒之间，原无差别。……然孔子经书，不言性道；老庄典籍，专谈本体。则老庄虽不出自圣人之口，然其地位自隐在六经以上。因此魏晋名士固颇推崇孔子，不废儒书，而其学则实扬老庄而抑孔教也。③

儒道和合而又抑儒而崇道。所以如此，在于儒家圣人体无虽然崇高，但既不言性、道本体，也就不能适应学术理论发展对形上本体的追

①　参见《老子》前两章。
②　参见《王弼集校释》第 2 页王弼《注》及第 4 页楼宇烈附注。
③　《魏晋玄学论稿·言意之辨》，第 33 页。

求。圣人体无如果换一个角度讲，也就是圣人只言有，这在理论层次上就低于了讲有无相生、玄之又玄的老庄。"可道"虽非"常道"，但"常道"又离不开"可道"。一种理论、学术，如果完全"可道"，就不但不能充作本体，也使人失去了进一步追寻的兴趣；而如果完全"不可道"，则又实际上消解了它存在的价值和被认识的可能。所以，能够满足学术发展要求的道家玄谈成为了新时代学术的主体，也是顺理成章的。

当然，儒道和合是一个历史的选择，而非一蹴而就的结果。侯外庐等著《中国思想通史》认为，魏晋思想界好谈同异离合，并依照当时"才性四本"的套路，也将此儒道同异概括为"四本"，即：儒道同、儒道异、儒道离、儒道合。不过，虽说是"四本"或四派，但实际上只有儒道同与儒道异是当时流行并居于统治地位的思想学说①。这里所谓同、合，不是指儒、道的平等掺合或以儒为主，而是以道家取代儒家、玄学取代儒学（儒家经学）成为时代思潮的支配者为标志的。

表现在文本的解读上，向秀、郭象《庄子注》的完成和风行是一个典型的事件。《晋书·向秀传》说向秀解《庄子》，"发明奇趣，振起玄风，读之者超然心悟，莫不自足一时也。"奇趣"的发明和"玄风"的振起，集中体现在以《庄子注》为代表的新的思想和学术风气上。它们满足了人们对"奇"、"玄"境界亦即形上本体追寻的理论需要，使不满于传统经学研究的繁杂肤浅的知识阶层，终于感受到了精神的充实和自足。到西晋中期，郭象据向秀本"又述而广之，儒墨之迹见鄙，道家之言遂盛焉"②。郭注本的推出和流行，最后完成了魏晋学术思潮由儒家经学向玄学的转型。

---

　　① 见《中国思想通史》第3卷，人民出版社1957年版（1980年第三次印刷），第197、201页。

　　② 《晋书》卷49《向秀传》。

这一转型在中国学术史上的意义是巨大的。历史,这里主要是学术史、思想史的发展,总是以新的思潮取代旧的思潮并在社会占据支配地位为标识的。玄学取代经学,后来再有佛学取代玄学,理学取代佛学,都说明了学术史的发展是连续性和断裂性的统一,在其中必然存在有学术自身运作变化的规定性和规律性。当然,参与这些历史活动的人物本身,也不一定会预料到他们的行为活动的意义。向秀准备注《庄子》时,嵇康曾质疑这样做的必要性,担心注解的结果会导致《庄子》文义的歧解,并妨碍时人的达生任性和取《庄子》"作乐"。嵇康所以会有这样的担心,在于他自己的生活态度就是以庄子的自然无为、任性自得来指导的。《晋书》说他"常修养性服食之事,弹琴咏诗,自足于怀","其高情远趣,率然玄远"①。然当向秀坚持注《庄》并将自己的成果展示给嵇康看时,他终于自信自己已成功地阐释了《庄子》的"旨统"。从历史的角度说,向秀是可以感到宽慰的,因为他已经站在了学术发展的前列,引领着时代的风向了。

三、学术的嬗变

魏晋士人以谈玄尚虚之风取代了两汉学术的注经求实,既是汉代经学的断裂,又是魏晋玄学的新生。这一新生,不仅新在文本的转换及相应的研究方法上,而且新在以变化的观点和兼容的心态来看待周围世界和学术的发展。从魏晋到南北朝,学术领域呈现出一种令人目不暇接的多样性和丰富性。正是在这种宽松的学术氛围中,本土宗教道教得以成型,外来的佛教则站稳了自己的脚跟,中国学术从此奠定了儒释道三教论争和合的总体格局。

---

① 《晋书》卷49《嵇康传》。

1、名士性情

玄学依赖的文本是"三玄","三玄"作为学术研究的资料,以王弼、韩康伯注《易》,王弼、何晏注《老》,向秀、郭象注《庄》为代表。由此,并非是"三玄"的元典本身,而是阐释元典的方法和意趣托出了新的学术。

不过,玄学虽然是这一时期学术发展的主线,但学术的发展却不是只有玄学这条单线。道家学术不是只与儒家结合而有"儒道兼综"的玄学,它也与秦汉时期的神仙方术结合,并从而促成了中国最大的本土宗教——道教的产生。

道家与道教本是两个不同的概念。道家是学术派别而非宗教,《老子》、《庄子》、《淮南子》等本是哲学著作而非神学经典,但道教在理论上却是紧紧依托于道家,与道家有着不解之缘。这不仅仅是因为道家提出了以"道"为本原的系统的哲学理论,与道教之崇道有不可分割的联系;而且在于老子提出了"谷神不死"的"玄牝之门"① 和"长生久视之道"②,庄子推出了"不食五谷,吸风饮露,乘云气,御飞龙,而游乎四海之外"③ 的神仙境界,《淮南子》通过"食气者神明而寿,食谷者知(智)慧而夭,不食者不死而神"④ 的描述而对人生寿夭的缘由做出了预测,这些都成为道教讲求长生不死可资利用的思想资料。道家学说为道教学术提供了规范和成型的桥梁。

道教的基本宗旨是长生,长生之说在魏晋以后得到了充分的发展。长生又与日常养生有着不可分割的联系。养生学并不仅仅是道教的内容,它也是整个中国学术的一个十分独特的组成部分。不过,养生的基本点虽然在追求长生,而长生却是神仙理论的核心内容。所以,尽管玄

---

① 《老子·六章》。
② 《老子·五十九章》。
③ 《庄子·逍遥游》。
④ 《淮南子》卷 4《地形训》。

学家与神仙家有着若干的共性,但双方的学术旨趣是不相同的。对于玄学家来说,问题实际上有两个方面,即一是情欲的问题,二是形神的问题。这两个问题都不是魏晋时期才出现的,它们有着自己理论的连续性,而且儒道两家都同样给予了关注。

在儒家,对情欲的探讨最早可以《郭店楚墓竹简》儒家著作部分为代表。所谓情,也就是发于外之性。竹简认为:

> 喜怒哀悲之气,性也。及其见于外,则物取之也。①
>
> 凡至乐必悲,哭亦悲,皆至其情也。②

喜怒哀乐就其内在性讲是性,表现于外则谓情。而所以"见于外",乃是因外物的感触引诱,"弗取不出"也。竹简对人情给予了充分的肯定和赞美,以为"凡人情为可悦也。苟以其情,虽过不恶;不以其情,虽难不贵"③。情本在使人快乐,从真实的人情出发,所追求之物当然地符合本性的需要。即便有过分的举动,也不应简单否定。反之,如果不是出于本性所需,即使是难得之货,也不会被看重。

当然,任情太多也会对生命造成损害,故对情欲也有节制的需要。好的养生之道,应当是"节乎脂肤血气之情,养性命之正,安命而弗失,养生而弗伤"④,才能使生命得到善待和保养。

与竹简的思想有别,庄子在与惠施的辩论中发挥了他的"人故无情"的观点。《庄子·德充符》记载说:

> 惠子谓庄子曰:"人故无情乎?"庄子曰:"然。"惠子曰:"人而无情,何以谓之人?"庄子曰:"道与之貌,无与之形,恶得不谓之人?"惠子曰:"既谓之人,恶得无情?"庄子曰:"是非吾所谓情也。吾所谓无情者,言人之不以好恶内伤其身,常因自然

---

① 《性自命出》,《郭店楚墓竹简》,文物出版社 1998 年版,第 179 页。

② 同上书,第 180 页。

③ 同上书,第 181 页。

④ 《唐虞之道》,《郭店楚墓竹简》,第 157 页。

而不益生也。"

"人故无情"作为一般的命题是难以说通的,故庄子需要对此进行限定。说明他所说的无情是指人不因为好恶思虑而伤害身体,因循自然而不加益于生,亦即不有意于情。这与竹简的有意而节欲便不相同,养生需要的是顺应自然而不是刻意补益。

在这里,情与神是相关的,惠施"外乎子之神,劳乎子之精,倚树而吟,据槁梧而瞑"①,如此劳神,于身体是十分不利的。所以,在《养生主》中,庄子正面阐发了他的"养生"观点。

庄子提供的养生之方,参照后来道教的解释,既有属于神的善恶的层面,也有属于形的气血的层面。在前者,他推崇的人生态度应当是不善不恶,远离刑赏名誉,顺承一中之道,保全本真之德,如此便可以保身全生。而在后者,则有所谓"缘(循)督以为经(常)"。按照医家的讲法,人身以脊椎居中,循脊椎而上,身后之中脉曰督脉,身前之中脉则为任脉,任、督二脉主导呼吸和气血的运行。人如能居静,内视反观沿任、督二脉的清微纤妙之气的运行,做到脉通无碍,顺中以为常,则定会有养生延年之效。但是,不论从那一层面说,庄子"养生"的本旨,还是"依乎天理"、"安时而处顺",并不刻意发挥人的意志努力在养生中的作用。因循自然的庄子,他本无意去超越自然而追求长生,只要能终其天年就算是最大的满足了。

到汉初,司马谈从形神关系的角度对他所推崇的道家的养生说予以了发明。他认为:

> 凡人所生者神也,所托者形也。神大用则竭,形大劳则敝,形神离则死。死者不可复生,离者不可复反,故圣人重之。由是观之,神者生之本也,形者生之具也;不先定其神形,而曰

---

① 《庄子·德充符》。

"我有以治天下"，何由哉？①

人生实际上不在"形"生而在"神"生。精神是人生命之根本，形之凋敝和死亡只是神之疲惫枯竭的后效，所以"形"虽直接体现着人的生命存在，但这只是在定神而定形的前提之下。一句话，养形（人）贵在养生。

司马谈形神统一的养生说在魏晋时期遇到了挑战。由何晏、王弼开始的圣人无情有情的讨论，逐渐扩展到了一般的人生态度特别是如何养生的问题。这一问题所以在魏晋显得尤为突出，是与当时恶劣的社会政治环境分不开的。

《晋书·阮籍传》载阮籍事迹说："籍本有济世志，属魏晋之际，天下多故，名士少有全者，籍由是不与世事，遂酣饮为常。"阮籍是竹林名士的主要代表人物之一，他的酣饮任情显然是不得已的保全保生之策。他曾以60天超长纪录的醉酒推掉了司马氏的联姻，又数次以其"酣醉"躲过了钟会构置的陷阱。在天下名士去其半的司马氏大加杀戮之中，终得以幸存下来。

阮籍行事往往有惊世骇俗之举，这其实是他既重情又避嫌的保全之道。史载他闻知母亲去世，先是豪饮大啖，后则"举声一号，吐血数升"；临下葬时，又是"举声一号，又是吐血数升，毁瘠骨立，殆至灭性"②。对母亲"至孝"以至"灭性"，实际上是他在那个时代得不到正常抒发的悲愤心情的迸发。阮籍不只对母亲是如此。邻家女有才色，未嫁而先死，阮籍虽不识其父兄，却径往哭之，尽哀而还。又说他"时率意独驾，不由径路，车迹所穷，则恸哭而返"③。如此之类，都说明阮籍是以身践他的率性任情之说。

---

① 《太史公自序·论六家之要旨》，《史记》卷130。

② 《晋书》卷49《阮籍传》。

③ 同上。

　　嵇康是与阮籍齐名的"竹林七贤"的领袖。① 如果说对时政的抗议,阮籍是以至情、灭性来表达的话,嵇康则或许可以说是相反方面的至性而灭情,所谓"未见喜愠"也。所以,嵇康虽然是"常修养服食之事,弹琴咏诗,自足于怀"②,却终究也是锋芒毕露,"非汤武而薄周孔",丢了性命③。相较而言,阮籍未论"养生"而得生,嵇康却两撰"养生"而不得生,实令人唏嘘不已。

　　嵇康仰慕神仙之道,"尝采药游山泽,会得其意,忽焉而忘反。时有樵苏者遇之,咸谓之神"④。在山中,嵇康遇见了好《易》鼓琴的隐逸孙登而与他同游,孙登虽然"沉默自守,无所言说",但当嵇康离去时,孙登却说:"君性烈而才隽,岂能勉乎!"⑤ 已经预感到嵇康必因性烈而遭灾。因为至情者,情已外现,即便醉酒两个月,对于司马氏的统治也没有任何威胁,故可予以容忍;而至性者,性本内在,其正直不为外境所弯,统治集团深忧其性不可测,钟会便以为嵇康是"卧龙"也,提醒司马

---

　　① "竹林七贤"之称,《三国志·王粲传》(卷21)注引《魏氏春秋》曰:嵇康"与陈留阮籍、河内山涛、河南向秀、籍兄子咸、琅邪王戎、沛人刘伶相与友善,游于竹林,号为七贤。"《晋书·嵇康传》(卷49)等各本亦多载此类说法,并已相沿成俗。然据陈寅恪认为,"竹林七贤"之名乃是后人附会的结果。其言曰:"西晋末年,僧徒比附内典、外书的'格义'风气盛行,东晋之初,乃取天竺'竹林'之名,加于'七贤'之上,成为'竹林七贤'。东晋中叶以后,江左名士孙盛、袁宏、戴逵等遂著之于书(《魏氏春秋》、《竹林名士传》、《竹林七贤论》)。"见《陈寅恪魏晋南北朝史讲演录》,万绳南整理,合肥,黄山书社1987年版,第49页。
　　② 《晋书》卷49《嵇康传》。
　　③ 阮籍得保全而嵇康被杀,鲁迅先生曾有生动的分析。他以为"这大概是吃药和吃酒之分的缘故:(嵇康)吃药可以成仙,仙是可以骄视俗人的;(阮籍)饮酒不会成仙,所以敷衍了事。"嵇康被杀,名义是不孝,"但倘只是实行不孝,其实那时倒不很要紧的。嵇康的害处是在发议论;阮籍不同,不大说关于伦理上的话,所以结局也不同。"见《而已集·魏晋风度及文章与药及酒之关系》,《鲁迅全集》第3卷,人民文学出版社1981年版,第510~512页。
　　④ 《晋书》卷49《嵇康传》。
　　⑤ 同上。

昭须提高警惕以待之，"顾以康为虑耳"。终被司马昭所杀。

　　竹林七贤之一的王戎之子去世，王戎悲不自胜，山涛子山简不以为然地说："孩抱中物，何至于此?"王戎却回答说："圣人忘情，最下不及情，情之所钟，正在我辈。"山简被说服，"更为之恸"[1]。王戎的上智圣人忘情，大致属于何晏的圣人无情的范畴，但比何晏又有所发展。他把下愚也归到了无情一类，故此无情也就有了新的意义。即一是圣人的超脱于情，一是愚人得不懂得情；而既未超脱又懂得情的便是他们这些名士之类。所以山简膺服其言。

　　就此来说，魏晋的学风与汉魏之际有了很大的不同。当年孔融与祢衡"跌荡放言"曰："父之于子，当有何亲? 论其本意，实为情欲发耳。子之于母，亦复奚为? 譬如寄物瓶中，出则离矣。"[2] 父母子女的亲情不但被彻底摧毁，封建时代最需要维护的孝道亦成为被嘲弄的情欲的产物和附寄于身的累赘。如此的反性悖情之言竟出自孔子嫡传后裔之口，可见"情"之一字在汉魏之际的士大夫中，是没有自己的地位的。

　　然而，时过境迁，到了魏晋时期，重情养生之风已在士人中普遍流行，嵇康与向秀还专门就此问题展开了讨论。《晋书·向秀传》说向秀与嵇康"论养生，辞难往复，盖欲发康高致也"。嵇康承庄子的《养生主》而写了《养生论》，但与庄子意在发明养生以"依乎天理"为主有别，嵇康是在神仙理论早已流行的时代，直接论证长生不死之理。他从形神的相互依赖出发，重点论证通过养生去养神、养形。他认为，对养生来说，精神比形体更为要紧，故必须安神安心才能全身。如何安神？关键在超脱于喜怒哀乐之情。"修性以保神，安心以全身。爱憎不能栖于情，忧喜不能留于意，泊然无感而体气和平"[3]，以使人回归于纯粹自然的状

---

① 《世说新语》下卷上《伤逝》，《世说新语笺疏》，第467页。
② 《后汉书》卷70《孔融传》。
③ 《养生论》，《嵇康集译注》，夏明钊译注，黑龙江人民出版社1987年版，第46页。

态。然后,在意识的引导下控制自己的呼吸,吐故纳新,再辅之以服药养生,便能达到形神相亲、表里俱济的佳境。

在这里,嵇康养生说的中心在寡欲,但他之寡欲不是对人性的强制,而是生命本身的需要。保持一种无思无为而忘情的状态。他谓:

> 清虚静泰,少私寡欲。知名位之伤德,故忽而不营;非欲
> 而强禁也。识厚味之害性,故弃而弗顾;非贪而后抑也。外物
> 以累心不存,神气以醇白独著。旷然无忧患,寂然无思虑;又
> 守之以一,养之以和,和理日济,同乎大顺。[①]

放纵自己的情欲是不善养生的反映,其结果只能是损毁人的形、神。但强制性的禁欲在嵇康看来并不可取,因为它既无必要,又不可能,所以为他不取。自然无为是嵇康养生的基本指导,“无为自得”在他是最符合人的本性的需要。他欣赏的,是“忘欢而后乐足,遗生而后身存”的境界[②]。

嵇康对情欲的超脱,在放达的竹林名士中是颇有些不合时宜的。如“旷达不羁,不拘礼俗”的阮籍,“纵酒放达或脱衣裸形”的刘伶,“纵情越礼,素幸姑之婢”的阮咸等。在他们之中,与嵇康在理论上展开讨论的则是向秀。

向秀以为,情欲是与人共在的,绝情也就无生。所以,只要是讲有生,就必然要顾及情。他说:

> 夫人含五行而生,口思五味,目思五色,感而思室,饥而求
> 食,自然之理也。但当节之以礼耳。

> 且生之为乐,以恩爱相接。天理人伦,燕婉娱心,荣华悦
> 志,服飨滋味,以宣五情;纳御声色,以达性气。此天理自然,
> 人之所宜,三王所不易也。[③]

---

① 《养生论》,《嵇康集译注》,第46页。
② 同上。
③ 向秀:《黄门郎向子期难养生论》,见《嵇康集译注·养生论》附录,第55~56页。

"天理"是《庄子·养生主》中提出的概念,本指天然的生理结构,"依乎天理"也就是因循自然,天理在这里尚不具有典型的哲学意义。但在《礼记·乐记》中,情况却有了变化。天理已成为与后天的好恶情感相对应的先天本性,并且还产生了对后来影响深远的"灭天理而穷人欲"的天理人欲绝对对立观。之所以如此,除了外物的引诱外,关键还在好恶无节,流荡作恶,从而导向天下大乱。

向秀当然也继承了《乐记》以礼节欲的观点,但他不是简单地继承而是进行改造,即把人含情而生的"自然之理"与恩爱相接的"天理人伦"嫁接在一起,形成了"天理自然"的概念。如此的天理自然,在他就是为人的情欲的正当性做辩护的,强调的是"为乐"和"欲心",并以为是"三王"不易的人间通行的一般规律。

如果不是顺从人情,而是相反予以抑制,则会使人的身心受到极大的伤害:"苟心识可欲而不得从,性气困于防闲,情志郁而不通,而言养之以和,未之闻也。"① 更重要的是,人生一世本在于以享受亲情和欢乐为最高的价值,如果养生要以禁绝人的情感欲望为代价,"约己苦心","无丧而疏食,无罪而自幽",这样活着,即便是长生也没有任何意义。"言悖情失性而不本天理也。长生且犹无欢,况以短生守之耶"?② 不能带给人欢乐的长生是不值得羡慕的,更不用说短生而禁欲了。向秀为情辩护在于享受人生的欢乐,所以他讲欢乐养生而不求长生,这在他本来也属于天理的范畴。他之所以在嵇康被杀后屈从于司马氏,也与他的这种不愿抑制自己的情欲、丢不开对人生的眷恋有关。

但是,嵇康的看法却与此不同。他虽然也肯定情欲为人所自生,但这并不意味着自生者的价值就是正面的,就具有当然的合理性。他举

---

① 向秀:《黄门郎向子期难养生论》,见《嵇康集译注·养生论》附录,第55～56页。

② 同上。

例说：

> 夫嗜欲虽出于人，而非道之正，犹木之有蝎，虽木之所生，而非木之宜也。故蝎盛则木朽，欲胜则身枯。然则欲与生不并久，名与身不俱存，略可知矣。而世未之悟，以顺欲为得生，虽有厚生之情，而不识生生之理，故动之死地也。①

情欲对于养生，首先要做的是判定它的合理性。其标准，一是道正，二是适宜。蝎虽生于木，但它既非道正，又非木宜，所以只能被否定。在这里，嵇康提出了与"厚生之情"对应的"生生之理"的问题，"理"才是生命的本质。生命的寄生物如蝎、虱等虽也附着于树木人身，但并不代表着生生的方向，不但没有任何价值，反而是对生命的最大危害。

同时，嵇康强调，对于智慧在养生中所起的作用应当予以正确的估价。他提出"性动"与"智用"不同。"性动"者是为满足本性的需要，是合理的。但是如果运用智力，积极追求感官享受，就只能给人带来祸患。他以为，老子的"乐莫大于无忧，富莫大于知足"便说的是这一道理。在这里，嵇康看到了养生之不易，他说：

> 养生有五难：名利不灭，此一难也；喜怒不除，此二难也；声色不去，此三难也；滋味不绝，此四难也；神虚精散，此五难也。②

这五难实际上都是讲基于人情的对物欲的追求。而所有这些对物欲的追求，不但不能使人长生，反而会使人减寿。"清虚清泰，少私寡欲"是嵇康始终予以坚守的。

嵇康与向秀的讨论还涉及到神仙学的一个重要的问题，即"导养"对于养生、特别是长生的作用。导养即导引养生，意指通过人的外部形体动作如"熊经鸟伸"等来引导人的内在呼吸运动并调节气血的运行，

---

① 《答难养生论》，《嵇康集译注》，第58页。
② 《答难养生论》，《嵇康集译注》，第75页。

这对神仙家来说,是重要的养生长生之方。然向秀却否定导养对于长生的意义。在他看来,世上有长寿者如木之有松柏,但那是因为"自特受一气",非为导养之功。而且,圣人穷理尽性,不疏于导养,却生命有限。所以,"顾天命有限,非物所加耳!"① 即人力是不可能干预天命的。

对向秀的责难,嵇康回答说,圣人寿命有限,但也是因导养才尽其天年的。同时,还在于圣人为了天下大众而不辞辛劳、牺牲了自己的缘故。向秀以未见有千岁、数百岁之人而否定人可以长生,也是站不住脚的。道理很简单,你怎么能判别某人是不是活了千岁呢:

> 欲校之以形,则与人不异;欲验之以年,则朝菌无以知晦朔,蟪蛄无以知灵龟。然则千岁虽在市朝,固非小年之所辨矣。②

在这里,嵇康与向秀的争论所涉及到的,不仅仅有自然知识方面对人的寿命的认定问题,而且有学术思想方面如何辩证理解生命长短的问题。向秀的基本点,是质的特异性决定生命体的寿命长短,而所以有不同之质,则在于有不同之气。寿命长短属于必然性、即天命的领地,人力是无可奈何的。嵇康的反驳显然选择了另一个支点,即庄子以来的"小知不及大知,小年不及大年"③ 的观点。人作为有限的生命体,他的感知官能的有限性使得他既无力辨知人可能的预期寿命,又因其自身的毁灭而根本不可能对长生做出判断。

从个人的经验说,生命、生命史或一般历史是因其叙述和学习的互动而代代流传的,但后人的学习对前人的叙述大都是以信念为基础,如相信某某人生于某某年的"历史"记载。由于历史的不可逆性,人并不

---

① 《黄门郎向子期难养生论》,《嵇康集译注·养生论》附录,第56页。
② 《答难养生论》,《嵇康集译注》,第69页。
③ 《庄子·逍遥游》。

能亲身去证实长寿于己身的物体的寿命。就是到今天,人们也无法对"灵龟"的寿命做出准确的认证,因而也难以否定"灵龟"的长命千岁的问题。

就向秀与嵇康言,他们虽然在情欲、养生与长生等问题上观点相反,但在神仙是否可由学习而得来的问题上,二人却是一致的。即都认为神仙是不可学得的。"似特受异气,禀之自然,非积学所能致也"①。究其所以然,在于嵇康、向秀虽然在具体学术观点上有别,但他们都是玄学家而非神学家,他们的学术研究是立足于人而非神,神仙不可学致也就是人是人,神是神,人不可能变成神,这反映了中国世俗学者的最一般的信念。但是,世俗学者不认可的人与神的过渡,在道教学者却认为是理所当然,东晋道教理论家葛洪便是这样一位典型代表。

2、人神之际

葛洪的任务,首先是要解决神仙的可信度问题。向秀以感觉经验否定长生和神仙的可能,嵇康已进行了驳难,葛洪继续嵇康的思路,肯定感觉的有限不足以否证无限,同时又进一步予以深化和推广,以便最终做出自己的结论。

葛洪认为,生命和体能的有限决定了感知范围的有限,从而使人不可能对经验现象做到完全归纳,得出的结论也就具有或然性。所谓"虽有至明,而有形者不可毕见焉。虽禀极聪,而有声者不可尽闻焉。虽有大章、竖亥之足,而所常履者,未若所不履之多。虽有禹、益、齐谐之智,而所尝识者,未若不识之众也。"② 宗教之为宗教,本来倡导的是信仰,但为了使人信仰,又必须要借助理性,从而形成为理性与信仰结合、共同为宗教做论证的景象。

---

① 《养生论》,《嵇康集译注》,第 45 页。

② 《抱朴子内篇·论仙》,《抱朴子内篇校释》(增订本),下略,第 12 页。

事实上，葛洪察觉到由于手段的限制，人对于其实践范围外的物体是无法取得正确的认识的：

> 夫目之所曾见，当何足言哉？天地之间，无外之大，其中殊奇，岂遽有限！诣老戴天，而无知其上；终生履地，而莫识其下。形骸己所有也，而莫知其心志之所以然焉。寿命在我者也，而莫知其修短之能至焉。况乎神仙之道理，道德之幽言，仗其短浅之耳目，以断微妙之有无，岂不悲哉！①

建立在短浅之耳目基础上的人的认识能力，实际是非常有限的，连我自身拥有和直接体验的东西都无法弄明白，又怎么能指望它去获取幽深微妙的神仙之道呢？因而，人不见神仙，不知仙道，并不等于神仙就不存在，这本是两个完全不同的问题。

但是，只是推论神仙存在的可能尚不足以说明问题，因为传统的天命氛围容易使人相信有神。关键在于，神仙境界再美好也只是天"上"的事情，人对他们只有顶礼膜拜之分，而无以身企及之途。因而，人如果不能与神相通，不能变为神，神仙境界与人生人世无涉，道教理论也就从根本上丧失了吸引力。再加上作为士人代表的嵇康、向秀都不相信神仙可以学致，就使问题变得更为尖锐。葛洪也就要首先设法来解决。

葛洪运用的基本手段就是历史悠久的变化观念，尚变是中国学术的特点和优点。既然一切都可以变化，由"物各自有种"而导出的"神仙有种"的不变观就是站不住脚的。葛洪为此进行了多方面的论证。当然，人仙之变与纯自然的变化不同，它需要人的自觉努力和持之以恒的学习践履。在此前提下，"达其浅者，则能役用万物；得其深者，则能长

---

① 《抱朴子内篇·论仙》，《抱朴子内篇校释》(增订本)中华书局1985年版，第15页。

生久视"①;"亦有以校验,知长生之可得,仙人之无种耳"②。人仙之变可以说是传统变化观发挥到极致的结果,使人过渡为神,使有死变成了无死。这一步的跨越对思想史和文化史的意义是巨大的。它是在人神相分数千年之后,双方又重新结合了起来。

按《国语·楚语下》的记载,在黄帝之子少皞金天氏的末年,由于"九黎"乱德,致使"民神杂糅,不可方物",在社会造成了混乱。颛顼即位以后:

> 乃命南正重司天以属神,命火正黎司地以属民,使复旧
> 常,无相侵渎,是谓绝地天通。……其后,三苗复九黎之德,尧
> 复育重、黎之后,不忘旧者,使复典之。

这两次"绝地天通"都是为拆毁天梯,解决"民神杂糅"、人可以登天的问题,而最后的结果是使神权专营、人神相分,人均可以与天神相通的局面从此结束。其后,天神虽然还可以不时地下到人间,但人却再无法也不可能通过"天梯"直达天庭了③。他们只能通过祭祀、祈祷乃至牺牲来求得与天神的沟通和感应。虽然不同时代的天人感应论者强调天人的相通,但那只能限于精神的层面,作为形神统一的现实人类,却是无法企及神仙的境界的。

然而,道教的兴起却使这已传延上千年之久的观念再一次发生了变化,"天梯"重新被架设了起来,尽管它的基础已经代换成人的学习和艰苦卓绝的努力。葛洪实现的这一根本性的倒转,意义是巨大的。当然,它不可能是原始的"民神同位"④ 的简单回复。

可以说,人们自古以来便怀有长生不死的愿望,这一愿望从秦皇、

---

①　《抱朴子内篇·对俗》,第46页。

②　《抱朴子内篇·至理》,第110页。

③　参见袁珂:《中国古代神话》,中华书局1960年版,第43、84页及其相应注释。

④　《国语·楚语下》。

汉武以来又表现得尤为明显。道教思想家必须要满足这一愿望,才能使自己的理论获得大众的信任。但自"绝地天通"实现神权专营和人、神隔离以后,神的权威地位受到削弱,影响力大为下降。人民既然不能直接联系到神,也就只能按自己的意愿而不是神的旨意进行生活,神的生存的必要性及其作为民族统一的秩序的心里根基便发生了动摇。所以,汉代道教的肇兴,上层贵族和下层百姓共同的造神运动,实际上反映了在"绝地天通"导致人神关系中断数千年之后,需要重新将人与神联系起来的特定要求。葛洪的理论正是顺应这一要求的结果。

当然,葛洪着力论证的,只是人神相通的可能,它的实现则是非常困难的:"万夫之中,有一人为多矣。故为者如牛毛,获者如麟角也。"①但也正因为如此,道教的基础才能变得更为稳固:人若不能成仙,则仙道没有意义;人人都能成仙,仙道同样没有意义。对信教的一般民众而言,抽象的成仙可能与现实的不可能是相互发明的。这一点,儒家其实早就是如此来办理的。故尽管先秦儒家的两大派孟子和荀子都宣称"人皆可以为尧舜"、"涂之人皆可以为禹",但在事实层面,孔子以后无人再能成圣。所谓衍圣、亚圣、复圣云云,其实正好说明他们都不是圣。这一价值导向的魅力,就在于将所有的人都吸引到为圣、为神的进路中而不敢有所懈怠,从而终生为之努力。如曰:

> 彼莫不负笈随师,积其功勤,蒙霜冒险,栉风沐雨,而躬亲洒扫,契阔劳艺,始见之以信行,终被试以危困,性笃行贞,心无怨贰,乃得升堂以入于室。②

人通过自己的不懈努力,通过自己的主动性的发挥,总是有希望进入到理想之途的。

在这里,起支配作用的是人的精神,精神活动对于形体的生存实际

① 《抱朴子内篇·极言》,第239页。
② 同上。

上具有决定性的意义。人向神的过渡，不是"此人"向"彼神"的过渡，而是同一人身神与形的关系得到最恰当的协调处理的结果。他云：

> 夫有因无而生焉，形须神而立焉。有者，无之官也。形者，神之宅也。故譬之于堤，堤坏则水不留矣。方之于烛，烛糜则火不居矣。身劳则神散，气竭则命终。[①]

葛洪的前提是魏晋玄学的本末有无之辨，而其思想来源，无疑是老子的"有生于无"和"有无相生"。故神虽然是本，形是由神来支配的，但另一方面，无形则神无所居，二者又是一个统一的整体，是一荣俱荣、一丧俱丧的关系。从而，长生首先在于养生，在于安定形神，"苟能含正气不衰，形神相卫，莫能伤也"[②]。

但是，神仙境界和人神的过渡虽然能够在一定程度上满足人们的美好愿望，但现实的无情和社会的苦难，带给人们的往往是短寿而不是长生，人们头脑中产生的是与美好愿望相反的对现实的幻灭感。这从道教理论本身难以做出有说服力的解释，也因而影响到道教学术的推进。相形之下，与道教大致产生于同一时间的中国佛教，却在与玄学的附会中获得了长足的发展。佛教对人生和形神问题给予了极大的关注，并提供了一套完全不同于本土学术的解决方案。随着时间的流逝，佛教的方案越来越深刻地影响到中国人的思想和学术的发展。

3、人生与形神

人生问题是中国社会、也是中国学术的基础，而在魏晋南北朝时期又显得尤为突出，故佛教自然也不能回避。但对于长生与否的认识，佛教的看法则完全不同。东晋后期，作为南方佛教的领袖人物，慧远针对当时社会流行的"长生久视"之说提出了自己的批评。

---

① 《抱朴子内篇·至理》，第110页。
② 《抱朴子内篇·极言》，第244页。

《高僧传》记载说：

> 先是中土未有泥洹常住之说，但言寿命长远而已。远乃叹曰："佛是至极，至极则无变；无变之理，其有穷耶？"因著《法性论》曰："至极以不变为性，得性以体极为宗。"①

寿命长远是"常"，但此常与"泥洹"（涅槃）之常却完全不在一个层面。从佛教的眼光来看，前者实际上是"变"而非"常"，后者才是真正的常即不变。因为"至极"的法性或体此性而证得的涅槃已经超越了生死轮回之变而进入到最高的理想境界。故并非是追求长生、而是"至极"或"不变"才是佛教学术的宗旨所在。

慧远的"法性论"，实际上也就是本无论。法性是本、是无，而因缘所生则是末、是有。他云：

> 无性之性，谓之法性，法性无性，因缘以之生。生缘无自相，虽有而常无。常无非绝有，犹火传而不息。②

法性之无性也就是空，空与无在这里已是一家。但与绝对的无不同：空从本上看是无，从末即缘生现象上看又是有；无又不脱离有，这就如同火接燃于木柴常在不熄一样。由此看来，生命的长久已经变得没有意义，而且没有"自相"的东西也是不可能持久的。

可以说，慧远提出的"至极"和"不变"的本体，是玄学以无为本思维的继续和深化。因为玄学的本无只涉及客观层面的宇宙本体，慧远的"至极"则引向了最高的精神追求。对于厌倦了人世的纷争和无常的士大夫来说，这不啻为一针精神清醒剂，使他们看到了相较于人的长生还有另外的一种永恒。他们迫切需要了解在恍惚不定的人生人世背后、在日常生活实践"之上"的另一重世界，而这也只能由佛教来予以满足。

---

① 慧皎：《高僧传》卷6《慧远传》（汤用彤校注、汤一介整理），中华书局1992年版，第218页。

② 慧远：《大智论抄序》，载僧祐：《出三藏记集》卷10（苏晋仁、萧炼子点校），中华书局1995年版，第390页。

在此意义上，可以说佛教超越了原始的儒、道。故当慧远从学道安、闻听道安讲《般若经》后，"豁然而悟，乃叹曰：'儒、道九流，皆糠秕耳。'"①

所谓"糠秕"，固然也有立于佛教而贬低儒、道两家的宗教立场，但它同时也说明了一个道理，那就是要跳出"糠秕"而返求本性。这可以说是自荀粲以六经为儒家之"糠秕"而推出"性与天道"之后，中国学术对于形上追求的再一次呼唤。但与上一次是中国文化自身的觉醒不同，这一次是百多年后外来文化作为触媒冲击本土学术的结果。本来作为基础的传统思想资源，整个地置于被否定的地位。如果说，上一次对儒家经学的否定和思想的转型，是将学术的关注点从现象推向本体的话；这第二次对儒家、同时也是对道家道教的否定，则进一步将学术的中心从今生推转到死后、从真实的人生推向幻灭空无。

孔子讲过"未知生，焉知死也"②，强调"知"的对象在"生"。孔子一生，尽管并不讳言谈"死"的问题，但毕竟汲汲于为"生"而奔走，以至于"发愤忘食，乐以忘忧，不知老之将至云尔"③。孔子所以"发愤"知生，可能有多方面的考虑，至少可以举出三方面的道理：一是死的道理蕴含于生中，生死本是一气聚散，故若能知生也就自然知死，而无须对"死"独立考虑；二是"生"的道理本无穷尽，终身从事于斯尚不能知其究竟，根本没有闲暇去"知死"；三是死作为人的最后的归宿，也是从实践层面立论的终极的境界，故未及知生，其知识水准就不足以知死。这三个方面归结起来，就是人本在"生"中，不可能超脱生去知死；而生又是一辈子事，故事实上不可能停止知生。但不论孔子的原意如何，有一点是确定的，那就是孔子不主张有意识地去"知死"，而将使老年人平安适意地生活、朋友之间能够充分地信任、年轻人则能够感怀恩德作为他持之终

---

① 见《高僧传》卷6《慧远传》，第211页。
② 《论语·先进》。
③ 《论语·述而》。

生的抱负①。

儒家不重知死，道教讲求长生，同样也不以死为务。从而，死后的世界就成为了外来佛教施展身手的最好的地盘。因果报应、超脱轮回、涅槃境界都是讨论死后的问题；空无的法性是决定因缘轮回的本体，涅槃境界则是主体对法性的证悟和体认，最终是涅槃与法性融合为一。

然而，佛教既然关注人的死亡，那就必须要回答一个更为根本的问题，这就是报应也好、轮回也好，在人已经死亡之后，究竟是谁在接受报应和负担轮回？惟一的答案就是人的精神。最早的中国佛教典籍牟子《理惑论》便称：

> 魂神固不灭矣，但身自朽烂耳。身譬如五谷之根叶，魂神如五谷之种实；根叶生必当死，种实岂有终亡？得道身灭耳。②

种实与根叶的关系就是精神与形体的关系。种实是根叶的结晶，又是未来新生根叶的前提，所以双方是可分可合的关系。就此观点而言，由于儒家认为形尽神逝，同归于亡；道教主张形神俱存，长生久视，一则有死，一则无死，故讲求半有死半无死（"人"死神不死）的佛教，自然将矛头对准了儒、道两家又首先是道教。而对于善于从内部来瓦解对方的慧远来说，在玄学流行的背景之下，他很方便地利用了对道家思想资料的采撷和再解释来反对道教。他引证说：

> 文子称黄帝之言曰："形有靡而神不化，以不化乘化，其变无穷。"庄子亦云："特犯人之形而犹喜之。若人之形，万化而未始有极。"此所谓知生不尽于一化，方逐物而不反者也。二子之论，虽未究其实，亦尝傍宗而有闻焉。③

----

① 《论语·公冶长》：子路曰："愿闻子之志。"子曰："老者安之，朋友信之，少者怀之。"

② 见《弘明集》卷1，《大正藏》卷52，并参台湾商务印书馆《四部丛刊》本。

③ 慧远：《沙门不敬王者论·形尽神不灭》，《弘明集》卷5。

慧远的引述,当然不在文子、庄子的原意,他的目的,在于说明形变而神不变的道理。即不变之神不过是碰巧遭遇到了"人形",故绝不应该执著于其形而以为能长生不死。其实,"不化"之神乘变化之形的形化过程"未始有极","形"变是永无终期的。这样一种结构保证了既有主导服从、又有相互依赖的形神间动态的整合关系。

由此,慧远不同意儒道两家关于人的生命只有一次、形尽神灭而二者不能分割的观点,着力阐明了佛教的"神不尽于一化"的新说。他认为,生命不会因为一次变化就会完结,神可以不断地与新化生出来的形相结合,这就如同一薪燃尽而另薪续燃一样,可以绵延无穷。可是,主张形生"同尽"的儒道学者,"不寻方生方死之说,而惑聚散于一化;不思神道有妙物之灵,而谓精粗同尽,不亦悲乎!"[①] 生死本是相对而言的,生命不会如同聚散之气一样,一化而了结。神道的灵验已体现在它对物形的奇妙支配上,根本不会随化去的形体而尽。

在此意义上,慧远以为,历来人们将《庄子·养生主》之"指穷于为薪,火传也,不知其尽也"的说法"曲从"为养生之谈,如郭象《庄子注》便以为是"明夫养生乃生之所以生也",仍然考虑的是身(形)心(神)协调和养心安身(益生)之道,并没有真正理解庄子的本意。庄子的本意其实就在于说明形(薪)尽而神(火)不灭的道理。换句话说,佛教既反对长生,也就必然排斥养生。因为养生的基本点就在于形神的统一,而且其统一是形神的互相依赖、互相扶持、同存与共,歌颂的是生命的美好;而在佛教,现实的人身虽也是形神的统一,但此统一只是双方的暂时同居,生老病死都是苦难的象征,欢乐只能寄希望于死亡之后。因此,不是重生养生,而是重死无生[②]成为了佛教"人生观"的指南。

---

① 慧远:《沙门不敬王者论·形尽神不灭》,《弘明集》卷5。

② 参见:明僧绍:《正二教论》(《弘明集》卷6):"论曰:泥洹、仙化各是一术,佛号正真,道称正一。一归无死,真会无生。"北周道安:《二教论·仙异涅槃五》(《广弘明集》卷8):"问:释称涅槃,道言仙化。释云无生,道称不死。"

　　在这里,慧远对养生说的批评,也可以看作是从佛教的角度对道家道教和玄学对于养生和形神关系的思考的一个总结,说明对人生问题的关注和学术的重心,已从整体的养生向形神分说和重神转化,神不灭论成为这一时期佛教建构自身独立的理论形态的开路先锋。它表明,佛教学术在经历了几百年的初期发展之后,在通过与玄学的附会而壮大自己的力量以后,已经自觉地选取了形神关系作为其与儒道分立、独自成家的理论突破口。从此,佛教不再使自己被玄学所包裹,开始争得自身独立的话语权。

　　事实上,自晋入南北朝,各家各派的学者都被形神问题所吸引,形神关系取代有无关系成为南北朝学术争论的中心。然而,尽管佛教学者希望借此争论而将佛教的因果报应、三世轮回、天堂地狱等一整套说教灌输给中国的大众,但是由于玄、道、儒、佛交融的大文化、大学术背景的影响,中国形神关系论的发展,仍然呈现出多样化的特色。譬如,稍后于慧远的晋宋时代的著名诗人陶渊明,便既不认可道教的长生不死说,亦不赞同慧远的形尽神不灭论,而是以玄学家的自然主义为指向。他的《形影神诗》说:

　　　　大钧无私力,万物自森著。人为三才中,岂不以我故!与君虽异物,生而相依附。结托既喜同,安得不相语!三皇大圣人,今复在何处?彭祖爱永年,欲留不得住。老少同一死,贤愚无复数。日醉或能忘,将非促龄具?立善常所欣,谁当为汝誉?甚念伤吾生,正宜委运去。纵浪大化中,不喜亦不惧。应尽便须尽,无复独多虑![1]

大自然生成万物是公正无私的,繁茂是自繁茂。天地人三才而人居其中,道理就在于有“我”即人的精神。推重精神是中国学术的共性,为儒

――――――――――――

　　[1]　《形影神三首·神释》,见孙钧锡:《陶渊明集校注》,中州古籍出版社1986年版,第65页。

释道各家所倡,但如此的共性并不能掩饰相互间的分歧。在陶渊明,精神虽与形、影有别,但又生死相依,并不能独立存在。所以,他反对佛教的形神相分、形尽神不灭之说。但在同时,他也不赞成道教的长生不死。不论是玄学家的醉酒,还是儒家学者的立善;不论是为今生"消忧",还是为来世"遗爱",由于行为主体形、神俱灭,都是没有意义的。而且,过分的思虑本身就会伤害现实的生命。

因此,根据陶氏对于自己的人生价值的掂量,正确的选择,应当是以不喜不惧的无为态度顺应自然,当尽则尽,无复多虑,在自然的大化流行中,去寻得自己的恰当位置,增添生活的乐趣。

与陶渊明从玄学的无为和自生立场批评慧远不同,南朝著名的反佛教思想家范缜,则主要是站在儒家的角度并吸收道家的方法,对形神相分、形灭神存的观点进行了系统的批判。范缜理论的基本点,是主张形神相即(不离)、形质神用。认为:"形者神之质,神者形之用。是则形称其质,神言其用。形之与神,不得相异。"[1] 形神双方的关系,犹如同一事物的形质与作用的关系一样,是一体共存而不可分离的。为了使他的理论更具有说服力,并为克服以往以烛(薪)火比喻形神的理论缺陷,范缜通过缜密的思考,提出了著名的"刃利之喻":

> 神之于质,犹利之于刃;形之于用,犹刃之于利。利之名
> 非刃也,刃之名非利也。然而舍利无刃,舍刃无利。未闻刃没
> 而利存,岂容形亡而神在?[2]

显然,锋利不能离开刀刃而独立存在;那么,也就没有理由说精神在身体死亡后还有独立存在的可能。在此基础上,范缜还阐明了特定的质决定特定的用、故只有活人才有精神作用;精神虽有不同的形式,但都统一于一人之身等重要的观点。范缜通过对神灭的系统论证,对争论

---

① 范缜:《神灭论》,见《弘明集》卷9。
② 同上。

了上千年的形神关系做出了比较圆满的解决。

但是,范缜神灭论的确证,是以人本身的现实存在为前提的,这从人的正常思维来说本来没有问题。但是,如果站在否定或根本不承认人的现实性的立场上,双方就变成了两股道上跑的车,因其不在一条线而无法交集,至少是无法有效地交集。所以,佛教一方仍然可以依照自己的信仰而继续前行。

从佛教理论自身来说,人身(形)不过是地、水、火、风四大基本物质元素和合的结果,缘聚而生,缘散而灭,本来无常。这本也适用于神之自身,故曰"无我"。但在中国,为了因果报应理论的需要,将无常只归结于形之一方,对于"神"则多方予以回护。《维摩诘所说经》曰:"四大合故,假名为身;四大无主,身亦无我。"[①] 身不过是一假名而已。但否定身并不等于否定神,神是可以"非身"而存的。郗超说:"神无常宅,迁化靡停,谓之非身。"[②] "无我"对"我"的否定,实际上变成了"我"对"身"的否定,"我"实际是不灭而常在的。

同时,由于范缜天才的辩驳,形灭神存说在理论的发展上不得不终结。但范缜的辩驳本身也澄清了一个事实,那就是要使佛教更容易地融入中国社会并获得发展,最简捷有效的途径就是尽量利用中国本土的思想资源,这在当时就是利用玄学并通过"格义"的方法来争取人们理解。因而,从慧远到北周道安,都始终一贯地坚持"神驰六道"、"形尽一生"之说,并以为世人"若能览三报以观穷通之分,则尼父不答仲由,断可知矣。"[③] 意味孔子不答子路"事鬼"、"知死"之事,正在于要他体会鬼神不死、由穷转通的道理,并以为真正对学问负责的态度,是不去谈论那些自己所不能及的今生今世之外的事情。道安以此讥讽神灭论

---

① 《维摩诘所说经》卷中《问疾品》,《大正藏》卷 14。

② 郗超:《奉法要》,《弘明集》卷 13。

③ 道安:《二教论·教旨通局十一》,《广弘明集》卷 8,《大正藏》卷 52,并参台湾商务印书馆《四部丛刊》本。

者对神不灭论和因果报应论的否定。

　　而从理论上说,道安实际上避开了与神灭论者作正面的交锋。他坚持"聚虽一体,而形神两异;散虽质别,而心教弗亡"① 的形亡神存观和"济神"而非"救形"的立场,通过对始自庄子的以天下聚散一气释存亡有无的观点的整合,重点阐述了"佛法以有生为空幻,故忘身以济物"的思想,即由"形灭"走向了"忘身",由一世的生死走向了终极的"无生"即涅槃,从而开始跳出了形神存灭的旧有框架。其言曰:"涅槃者,常恒清凉,无复生死。心不可以智知,形不可以像测,莫知所以名,强谓之寂。其为至也,亦以极哉!"② 达到涅槃的清净理想境界,当然就不可能再有身和有生了。

　　道安总结说:

　　　　释典曰:"识神无形,假乘四蛇。形无常主,神无常家。"斯
　　皆神驰六道之明证,形尽一生之朗说。③

从无常主、无常家来讲形神之尽与不尽,就使二者的关系出现了更多的变数。实际上,这一问题的重心已经不在形神本身,而是向佛教学术的内核——二谛义转化了。形神关系作为佛教学术在中国本土传播开先锋的代表,从更为通俗和大众化的层面帮助了人们理解真性与假相"二谛"及其间的关系。

　　可以说,从坚守不变法性的慧远开始,东晋后秦时僧肇以万物本性"非真"言性空,提出"不真空"的观点统一真假二谛,成功地对般若空宗各派的思想进行了总结,使其最终脱离了玄学的轨道。与此相呼应,东晋南朝的竺道生则对佛性进行了更适合中国传统思想的改造。佛性在他由仅限于主体的成佛的可能,向宇宙本体和人的性善本质转化,成佛

---

　　① 　道安:《二教论·归宗显本一》,《广弘明集》卷8。
　　② 　道安:《二教论·仙异涅槃五》。
　　③ 　道安:《二教论·教旨通局十一》。

实际上意味着主体和性善本质的合一。如果说,僧肇解"空"注重于澄清佛教的本来面目,慧远、道生论"有"(性)则更为强调适应中国社会的需要。二者不仅在佛教学术本身是一种互动互补的关系,而且对于中国大众接受佛教也起了相得益彰之功。实际上,佛教学术主要的也就是分为这样两大部分,所以自然地成为中国学者关注的中心。

道安在《二教论》的结尾,以童子之口道出了"始知释典茫茫,该罗二谛"[①] 的简洁的概括。如此的概括,是经由对形神论的总结而得出的。最终的经验,就在佛性要契合于人生。佛性与人生的统一,是佛教在中国社会和中国学术立足的最根本的标志,它意味着儒释道的和合在事实上成为可能。儒释道三家虽有不同的主张,但最终都统一在性善的基础之上。同时,这又不妨碍他们之间争主流、争正统,力求发挥本宗本教的更大作用和获取更大的利益。道安曰:"子谓三教虽殊,劝善义一;余谓善有精粗,优劣宜异。"[②] 正是不同学派教派之间的争精争优,推动着整个中国学术的发展,并使他们各自在隋唐统一国家的背景下,出演更为波澜壮阔的篇章。

---

① 道安:《二教论·依法除疑十二》,《广弘明集》卷8。
② 同上,《二教论·归宗显本一》,《广弘明集》卷8。

第二章　玄学的肇始

玄学是魏晋时期占主导地位的学术思潮。自汤用彤先生始,学界已习惯于统称魏晋思想为"魏晋玄学"①。然据学者考证,现存三国两晋典籍中并无"玄学"之称,甚至"玄"字在当时学者的著作中亦不如"道"、"无"等字多见。作为一种专门学术和通行的称谓,"玄学"产生的确切年代尚待考察,但至迟不晚于南朝宋文帝元嘉十三年(436年)②。

"玄学"之名的相对晚起,并不影响玄学思潮在魏晋时期的出现并成为这一时期主流学术的事实。这一先有学术之实而后有相应之名的现象,本来也正是中国传统学术的一大特点。在一定程度上,它说明了集中体现着时代精神和理性传统的学术思想,需要经过一定时间的选

---

① 汤一介、孙尚扬:《〈魏晋玄学论稿〉导读》,载汤用彤《魏晋玄学论稿》,第4页。

② 王葆玹据《宋书》、《南齐书》等史料认为,"玄学"的产生虽有三个相关的时间,即宋元嘉十三年、十五年和十九年,但从十五年甚至十九年起算更为妥当。王氏判定的标准是由国家建立的正式学科,并且要儒、玄、史、文"四学并建"且统属于国子学(见所著《正始玄学》,齐鲁书社1987年版,第2～4页)。其实,《宋书》卷66《何尚之传》已讲得非常清楚:"(元嘉)十三年,彭城王义康欲以司徒左长史刘斌为丹阳尹,上不许。乃以尚之为尹,立宅南郭外,置玄学,聚生徒。东海徐秀,庐江何昙、黄回,颍川荀子华,太原孙宗昌、王延秀,鲁郡孔惠宣,并慕道来游,谓之南学。"那么,"玄学"的称谓在元嘉十三年已经是一个事实的存在,后来的"四学并建"及国子祭酒的设置等并不影响"玄学"之先出。又,汤一介先生据《晋书》卷54《陆云传》述陆云"本无玄学,自此(梦与王弼游后)谈《老》殊进"的记载,推测西晋时人恐已使用了"玄学"这一名称(见所著:《郭象与魏晋玄学(修订本)》,北京大学出版社2000年版,第10页)。

择整合,才能为历史以特定的称谓予以认定。在中国学术史上,魏晋玄学是如此,八九百年后的宋明理学同样也是如此。

一、历史准备与理论来源

中国传统学术,按其本来的内涵而言,主要就是指文、史、哲三家。而作为魏晋时期的学术代表的,则是文与哲两家。从建安文学到魏晋玄学,分别体现了前后密切衔接的两个时代的特色,在中国学术发展史上具有非常重要的地位。东汉末的"建安",与东汉初开国皇帝刘秀的"建武"一首一尾(短暂的"延康"忽略不计),是东汉持续时间最长的两个年号,然刘秀的"光武中兴"与献帝刘协的大权旁落、曹魏继起已不可同日而语。汉政权的衰亡与魏政权的新生,在历史上留下了浓墨重彩的一笔,这就是紧随建安文学的辉煌成就之后的魏晋玄学的兴起。

1、玄学的历史准备

玄学的"玄"之一字,固然源出于《老子》的"玄之又玄"一语,但《老子》主要是在讲道而非讲玄,虽说玄与道自始便有着不可分割的联系。在《老子》,"玄"只是对道的存在状貌的一种形容,而并非是一个典型的哲学概念。在学术渊源上,最早将"玄"直接作为哲学概念来论述的,是西汉末扬雄的《太玄》。

扬雄曰:"玄者,幽摘万类而不见形者也,资陶虚无而生乎规,神攡明而定慕,通同古今以开类,摛错阴阳而发气。一判一合,天地备矣。"① "玄"成为了支配主宰万物变化的最后根据。如此之"玄",如果

———————

① 扬雄:《太玄摛》,《太玄校释》(郑万耕校释),北京师范大学出版社 1989 年版,第 260 页。

替换为道的概念，可以说没有任何的理论困难。而"道"从《周易》以来，已经是天道、地道、人道"三道"的和合，故扬雄《太玄图》又云："夫玄也者，天道也，地道也，人道也。兼三道而天名之，君臣、父子、夫妻之道。"[1] 扬雄这里明显是模拟《周易》而来，但又不尽相同。《周易·说卦传》的"三道"是专为发明圣人作"易"的"性命之理"的，即通过具体的阴阳、柔刚、仁义的属性来展示抽象的道。而扬雄的做法却似乎刚好相反，是从抽象演绎具体，从玄道推向君臣、父子、夫妇。如此的"三道"自董仲舒和《白虎通》以后，已经成为了不变的天道，所以扬雄以"天"来名之。两汉之际的桓谭，对扬雄的《太玄》十分欣赏，他在其所著《新论》中说：

> 扬雄作《玄书》，以为玄者，天也，道也。言圣贤制法作事，
> 皆引天道以为本统，而因附续万类、王政、人事、法度，故宓羲
> 氏谓之"易"，老子谓之"道"，孔子谓之"元"，而扬雄谓之"玄"。
> 《玄经》三篇，以纪天地人之道。[2]

扬雄以天道为"本统"来推演人事，桓谭以为这是圣人一贯之传统，他已将扬雄放在了孔、老一般的圣贤的地位上。由此可以看出，桓谭的思想倾向是认为"玄"是如同道、元一样的天地生成之源，天地人均由玄而生出。故桓谭的推崇《太玄》，同时表明了他是认同以玄为宇宙的本原的。

东汉中期，同样推崇《太玄》并以为可"与五经相拟"的科学家张衡，曾运用此书去推论汉代帝位的年寿，即认为汉家天下在《太玄》前后200年，共计400年而终，而汉代之终则正是《太玄》显于世的时候。

不过，《太玄》受到当时学者的推崇，主要还是以为此书含藏了天道

---

①　扬雄：《太玄图》，《太玄校释》，第358页。
②　《后汉书》卷59《张衡传》注引该书。

人事转运之理,意在以天道来窥测人事,与西汉以来流行的天人感应学说有不可分割的联系。汤用彤说明,"扬雄、张衡之所谓天道,虽颇排斥神仙图谶之说,而仍不免本天人感应之义,由物象之盛衰,明人事之隆污。稽查自然之理,符之于政事法度。其所游心,未超于象数。其所研求,常在乎吉凶(扬雄《太玄赋》曰:'观大易之损益兮,览老氏之倚伏。'张衡因'吉凶倚伏,幽微难明,乃作《思玄赋》')"①。那么,此时人士之贵玄,也就不是重在哲学理论的探求,而是现实的社会人事的考虑。这是与汉代学者普遍重视天人之学、注重对天道的研究的情形相吻合的。

那么,扬雄对汉魏之际学术变革的影响,一方面固然是他揭橥了"玄"论,另一方面则在于他融贯《周易》、《老子》而谈玄的方法。因为《易》、《老》都是讲天道、讲倚伏幽微的"玄"理的。也正因为如此,这两部书成为了玄学兴起的最基本的典籍。一句话,《太玄》为"玄"解《周易》和《老子》起了先行者的作用②。

在这里,我们有必要回顾一下当时易学发展的情形。自汉到三国的易学研究,按其地域的不同,汤用彤将其划分为三派,即:江东以虞翻、陆绩等为代表的一派;荆州以宋忠③等为代表的一派和北方以郑玄、荀融等为代表的一派。在这三派中,北派最旧,大多传习汉儒的象数;荆州一派见解最新,江东一派亦颇受荆州的新经义的影响。而这作为中心的荆州一派,就是从《太玄》下来的。后来的王弼则又是上承荆州一派易学的新经义的大师。那么,王弼之家学渊源,就可以上溯荆州,出于宋氏。

夫宋氏重性与天道,辅嗣好玄理,其中演变应有相当之连

---

① 汤用彤:《魏晋玄学流别略论》,《魏晋玄学论稿》,第43页。

② 当时习《易》的诸家,大都兼修《太玄》。参汤用彤:《王弼之〈周易〉、〈论语〉新义》及《魏晋思想的发展》,《魏晋玄学论稿》,第78、113页。亦可参王葆玹对此的进一步说明,详见其所著《正始玄学》,第17～19页。

③ 宋忠,又称宋衷,后者因避隋文帝父杨忠讳改。

系也。又按《三国志·王肃传》说王肃"年十八,从宋衷读《太玄》,而更为之解"。张惠言说,王弼注《易》,祖述肃说,特去其比附爻象者。此推论若确,则由首称仲子(宋衷),再传子雍(王肃),终有辅嗣,可谓一脉相传也。①

这是汤用彤依据蒙文通《经学抉原》所述而做出的一番推论②。

对于宋忠——王肃——王弼的学术传承的谱系,朱伯崑认为值得商榷。因为王肃虽曾从宋忠学,但他的《周易注》,是在其父王朗的旧稿的基础上写成的,这与宋忠的《太玄注》很难说有什么联系。扬雄虽为古文经学派的人物,但他的《太玄》乃卦气说的一种形式,宋忠既然为该书作解诂,也就表示他并不排斥汉易中的象数之学。而王肃解《易》则是排斥象数之学的。为说明自己的观点,朱伯崑就流传下来的宋忠《易注》举例说,泰卦六四爻《象辞》言"翩翩不富",宋忠注解说:"四互体震,翩翩之象也。"这是以互体说易,而王肃和王弼都是排斥互体的。"总之,王弼易学乃其所处的时代,所谓'正始之音'的产物,归之于其祖父所处的学术环境,是缺乏说服力的"③。他并认为,《隋书·经籍志》以王肃、王弼均传古古文经学的费氏易的观点,是符合"历史实际"的。

这种所谓"历史实际",也就是王弼祖父的汉末的时代与正始之音的时代,不论在易学史还是哲学史上,都已经是两个时代,前者是象数之易,后者是超脱象数的义理之易,而义理之易溯其源,乃是承继费氏古文易的传统,抛开汉易的象数,以《易传》观点解《易经》经义,重在发挥义理,王肃便是这一派的大师,而王弼则颇受王肃的影响。因而,问题的关键,其实不在于王肃、王弼是否接受过宋忠一系的经学,而在于他们是否排斥以互体、卦气、卦变、纳甲等为代表

① 汤用彤:《王弼之〈周易〉、〈论语〉新义》,《魏晋玄学论稿》,第79页。
② 参见蒙文通:《经学抉原·南学北学第六》,《蒙文通文集》第3卷,巴蜀书社1995年版,第80~81页。
③ 朱伯崑:《易学哲学史》上册,北京大学出版社1986年版,第239页。

的汉代象数之易，这成为朱伯崑判定二王之易学不承宋忠荆州易学的一个根本的标准①。

在这里，能够抓住学术的前后承传世系无疑是重要的，但更重要的是，后来者是照搬前人，还是自主创新。由于宋忠的著作并没有流传下来，也就无法窥得其全貌，但从李鼎祚《周易集解》所引用的情况看，他之解易不脱汉象数则是无疑的。那么，说他"重性与天道"，也就难有其论据来支持。因为象数学的天道乃是汉学的宇宙论的天道，而性命义理的天道、即本体论的天道，多半是宋忠所无力提供的。宋忠之理路，可能仍停留于《太玄》的框架上。故他之所谓"新经义"，也就要大打折扣。那么，学术的传承与流变，就必须要辩证来看。玄学所以是"新学"，就在于它能够超越汉象数的旧说。象数之学，无论怎么样繁杂精细，它也只是停留于现"象"的层面，只能说明形而下的现象世界的生成变化，而无力追溯形而上的世界、即现象世界存在的根据、本体。易学的义理学取代象数学，在哲学上便意味着本体论取代生成论成为主导，其意义是巨大的。而从文本和范畴的角度说，这只能是在将《老子》的道、无、玄等吸收进来并整合成一个理论系统时，才可能发生的。故易学与老学的结合，便是"新学"的创生所以可能的最基本的前提。

从历史上看，《周易》与《老子》的结合，在魏晋之前就已开始。汉时的易学、道家和道教哲学都已经有不少在做这一方面的工作。虽然在他们那里的易、老和合尚没有取得突破性的成果，但毕竟由此启动了这一学术思想发展史上的重大变革的过程。

起初，张衡在继承扬雄《太玄》以"玄"为宇宙本原的基础上，已尝试将《易》、《老》的玄、无、道、乾坤（元气）等范畴结合起来，他在所著《玄图》中说："玄者，无形之类，自然之根，作于太始，莫之与先。"又说："玄

---

① 朱伯崑：《易学哲学史》上册，第 237～239 页。

者,包含道德,构掩乾坤,囊龠元气,禀受无原。"① "玄"的规定性,就其
性质而言,是无形、自然之根和天地之始;就其内容而言,则是由道德、
乾坤、元气所构成。那么,"玄"在张衡,就是一种有着丰富内涵的宇宙
统一体, 这一统一体在时间中的逐渐剖判分化, 才最后生成了现实的
世界。

这整个的生成过程,联系到张衡的《灵宪》来说,也就是"自无生有"
的过程。如此"无生有"的特点在于,它不是由不存在到存在,而是由不
可象到象,由无形到有形。那么,这样的天道已经与时间的过程产生分
离了。

如果说,扬雄、张衡以"玄"为本原是从宇宙生成的角度开始了有无
之辩的话,王充则是从天道自然的角度消解了天人感应的神学基础,纳
天道入自然:"天地,含气之自然也。"② "自然"的概念虽然出于老子,
但只是在王充以后才获得了它最为充分的意义。因为王充将自然无为
的性质与元气的质料基础结合在了一起,为自然无为的宇宙本原性质
的判定,提供了坚实可信的基础。"谓天自然无为者何? 气也。恬淡无
欲,无为无事者也。"③

那么, 王充天道自然观对于汉魏之际哲学变革的意义,就突出地
表现在它对汉代占主导地位的从现实世界之外寻求其生成原因的思维
传统的消解。当然, 万物生成的本身, 王充还是要讲的,但由于自然
无为的因素的制约, 生成论的中心已经是"自生"。所谓"天地合气,
万物自生。犹夫妇合气,子自生矣。"④ "自生"就是无目的、无原因,
反对神性的天道。这对后来玄学裴頠、郭象等的自生论具有根本性的
影响。

---

①　《太平御览》卷1《天部一》。
②　王充:《谈天篇》,《论衡》,上海人民出版社1974年版,第166页。
③　《自然篇》,《论衡》,第278页。
④　《自然篇》,《论衡》,第277页。

　　王充的创造精神并未到此止步。与"自生"相发明,他又提出了"不生"的思想。他说:"天地不生,故不死;阴阳不生,故不死。死者,生之效;生者,死之验也。夫有始者必有终,有终者必有始。唯无终始者,乃长生不死。"① 既然天地不生不死,生成论问题也就从根本上丧失了自身存在的合理性。王充的"自生"与"不死"理论,实际上宣告了哲学的转向从这里已经正式开始。当然,这一转向表现为一个渐进的过程。在不同思想家那里,对此问题的觉悟程度是不相同的。

　　如果说,王充的自然无为、自生不死的理论观点,重在对天道的谋划的话,稍后的王符则是从天道到人道、从具体问题的探讨走向本末范畴的概括的。王符的理论亦是将道与气合为一体。他虽然还要讲生成,并提出了一个规范的元气一元论,但在道器关系上,重心已经向二者的相互作用转移。

　　　　是故道德之用,莫大于气。道者,气之根也。气者,道之
　　使也。必有其根,变化乃生;必有其使,变化乃成。是故道之
　　为物也,至神以妙;其为功也,至强以大。②

在这里,"根"与"生"的说法虽然不脱生成的意味,但道气双方更多的是决定与被决定、支配与被支配的关系。道之"为物"、"为功"的神妙、强大,已经可以不谈时间,而从本末体用的角度去解释了。

　　道有天道和人道的区别。如果说,天道的作用在自然无为、元气自化的话,人道则有所不同。人应当自觉地抓道崇本。故他又云:

　　　　人君之治,莫大于道,莫盛于德,莫美于教,莫神于化。道
　　者,所以持之也;德者,所以苞之也;教者,所以知之也;化者,
　　所以致之也。民有性有情,有化有俗。情性者,心也,本也。
　　化俗者,行也,末也。末生于本,行起于心。是以上君抚世,先

---

① 《道虚篇》,《论衡》,第115页。
② 王符:《本训》,《潜夫论笺》,中华书局1979年版,第367页。

其本而后其末,顺其心而理其行。①

人持道包德而施行教化,道德教化就是人道的最典型的代表。而在这道德教化之中,却有本末之不同:道德是本,教化是末;情性是本,化俗是末。情性在内为心,化俗在外为行。心之本决定着行之末,所以,人君治世,应先本而后末,以心而制行。王符之论,已不限于具体的道德人事范围,而是提升到了一般的以本统末、循道教化的思辨上。

恰当应对"本末消息之争",在王符是一个刻不容缓的问题。他所提出的"明君莅国,必崇本抑末"② 的观点,已经具有了从全局着眼的治国指导方针的意义。当然,作为儒家的思想代表,王符仍然需要立足儒家的思想资源来谋划治国的方略,他所运用的本末的范畴,也尚未上升到探讨虚实有无的一般本体论思辨。然而,思想变革的闸门已经开启,新思想的产生已经不再是问题。

东汉末年,仲长统已经深感汉代正统思想的不合理性,公开地呼唤学术思想的变革。他说:"作有利于时,制有利于物,可为也;事有乖于数,法有玩于时者,可改也。故行于古有其迹,用于今无其功者,不可不变。变而不如前,易而多所败者,亦不可不复也。"③ 仲长统要求对既有思想进行审查,看其是否符合于时代的需要,只要不适于今者便当进行变革。当然,变革本身只是手段而非目的,故若变革后的结果不如以前时,亦是可以恢复的。问题的中心是能否于今有利有功。

以此为标准,仲长统的态度比之前人就更为激进。对于天道,他不是像王充那样以自然无为取代神性的吉凶感应,而是要求根本抛弃如此的天道之学。道理就在于如此的天道之学毫无用处。两汉的两位开国君主刘邦和刘秀,所以能够建功立业、留名百世者,"唯人事之尽耳,

---

① 《德化》,《潜夫论笺》,第 371 页。
② 《务本》,同上书,第 23 页。
③ 《昌言·损益篇》,《后汉书》卷 49《仲长统传》附。

无天道之学焉。然则王天下做大臣者,不待于知天道矣。"① 虽然他有时也给天道留下一定的空间,如谓"人事为本,天道为末"等等。但既然是末,也就不能把重点放在天道一边:"大备于天人之道耳,是非治天下之本也,是非理生民之要也。"② "本"与"要"都不在天而在人,在人事本身。

对人事而言,最紧要的问题是"名实不相应",刑法尺度混乱,轻重无品,使得社会百弊丛生。仲长统于是要求整顿过时的法制,以"令五刑有品,轻重有数,科条有序,名实有正"。③ 仲长统的名实之论,不重品评人物的清谈,而是要求名实相副,罪刑相当,量才授官,人尽其职。即他注重的是紧扣社会政治层面的刑名之辩,以求建立一种"帝王之通法,圣人之良制"。显然,仲长统已经把儒家的正名实与法家的名法制度联系在了一起。如此的名法制度,在理论上是以一多关系为特色的。他说:

> 《易》曰:"阳一君二臣,君子之道也;阴二君一臣,小人之道也。"然则寡者,为人上者也;众者,为人下者也。一伍之长,才足以长一伍者也;一国之君,才足以君一国者也;天下之王,才足以王天下者也。愚役于智,犹枝之附干,此理天下之长法也。④

在这里,伍、君、王之名分别对应治理一伍、一国、天下之才。如此源于《周易》的君臣上下之道,在形式上也就是以寡治众、以智役愚、以一制多之道。社会国家的事务纷繁复杂,在上者不可能事必躬亲,一一处之,必须是"治国以分人,立政以分事",人各司其职,负其责,君主也就可以从具体事务中解脱出来,无为而无不为,社会才有可能走向太平。

---

① 《群书治要》,严可均校辑《全后汉文》卷 89。
② 同上。
③ 《昌言·损益篇》,《后汉书》卷 49《仲长统传》附。
④ 同上。

因而,虽然对于国政之积极谋划来说,必须要儒家的有为,但要自如地应付复杂的国政,又需要引进无为,追求和保持一种玄虚高远的心态。用仲长统的话,就是:"安神闺房,思老氏之玄虚;呼吸精和,求至人之仿佛。与达者数子,论道讲书,俯仰仁义,错综人物,弹《南风》之雅操,发清商之妙曲。逍遥一世之上,睥睨天地之间。不受当时之责,永保性命之期。"① 贵老思玄,逍遥天地,表明仲长统亦希望摆脱儒家名教"当时之责"的束缚,追求心性的畅达已经成为了现实人生道路上的选择。

后来范晔在叙述完王充、王符和仲长统三人的学术思想后总结说,"百家之言政者尚矣。大略归乎宁固根柢,革易时弊也。夫遭运无恒,意见偏杂,故是非之论,纷然相乖。"② 汉末之"时弊"已是百家共睹的事实,但救弊之方却由于各家的基点不同而纷争不止。范晔以为,对时弊的痛加针砭和剖析其根由都是容易做到的,故"数子之言当世失得皆究矣",但更进一步的任务在于克服基于自身学派的一孔之见,而提出整体的方案。而这在三人乃至其他各家的情况,却是:"然多谬通方之训,好申一隅之说。归清静者,以席上为腐议;束名实者,以柱下为诞词"③。各家纷争,对于打破旧的思想的束缚,解放思想,固然有自身的意义;但寻求"通方之训",使儒、道、名、法各家贯通起来,"殊途同会",则是更高的要求。然而,这已不是汉代思想家们所能完成的任务了,时代召唤着新的方案和新的思想代表。

2、玄学的理论来源

学术思想的发展不可能无中生有,前人的思想资料和学术成果是

---

① 引自《后汉书》卷 49《仲长统传》。
② 《后汉书》卷 49《王充王符仲长统传》附《论》。
③ 同上。

后人进行研究的基本理论来源。中国学术所具有的经典注疏或曰解释的传统,从汉代经学的产生就已经开始了。后来者对于先前者的思想,是在继承的形式下进行的创新,故前后思想的连续性在中国传统学术发展中表现得特别明显。孔子讲他治学的基本主张就是"温故而知新"(《论语·为政》),这一主张后来实际上成为了整个中国学术发展的最为重要的方法论原则。它说明的是,任何从事学术活动的主体,都应当在对过去经验的分析总结中,发现并提炼出新的教益,以满足新的时代的需要,并进而作为下一步发展的指导。

在这里,注解过去与发现未来是一致的,继承与创新本是同一学术活动的两面。因而,尽管作为整体的中国学术的连续性要远胜于断裂性,几千年的中国学术也正是有赖于此才能顺畅地传承下来。但从学者和学术研究的方向来说,中国学术不是向后看而是向前看的,只有创新才是有生命力的。

《周易·说卦传》言:"数往者顺,知来者逆,是故《易》逆数也。""数往"与"知来"并重。然"知新"在"温故"之中,"知来"也就在"数往"之中。说到底,"温故"是为"知新"、"数往"是为"知来"服务的。人所以要"温故"、要"数往",根本的目的也正在于此。所以,《周易》最终提倡的还是"知来"的"逆数"。

但是,孔子和《周易》提倡的这样一种继承和创新相结合又以创新为主的治学原则和方法,在汉经学家那里却是相当地模糊了。经学家对儒家元典的注解,经师们的繁杂考释,对于弄清先秦人的思想无疑有巨大的帮助,单纯从学术的角度说也取得了丰硕的成果;但在另一方面,由于着眼点往往拘泥于过去而缺乏创新的精神,且容易使人陷入故纸堆的泥潭而不能自拔。而就成果本身来说,经学家们对六经的详加条释,也使得后人很难在注解上有所超越。学术要想发展,就必须要放开眼界寻找其他有助于发挥自己心得的思想资源。

从而,六经之外的《论语》、儒学之外的《老子》、《庄子》进入了人们的眼界;《周易》虽然是六经之一亦在汉时得到了充分的研究,但终究又落在了象数的一方。汉易的研究,实际上只发挥了先秦易学"取象说"这一半而扔掉了"取义说"的另一半。但正是这"取义说"的另一半,与《老子》、《庄子》和《论语》沟通了起来。因为其中贯穿着的是一条儒、道圣人都共同关注的"性与天道"的学脉。由此,既抓住了儒家的经典,又引进了道家的资源;既延续了思想的历史,又解开了文本的羁绊,并将《周易》取义的方法提升为一般的指导原则,推广运用于对《周易》、《论语》、《老子》、《庄子》等不同文本的研究。如此文本和方法的适时变革最终促成了新的学术思想的产生。

《周易》:在整个中国学术典籍中,《周易》的历史连续性是最突出的,自它问世以后便从未间断过。两汉时期的《周易》研究,总体上都采取的是象数学的方法,这是汉易的主流。但其中也有不同的特点:西汉易学,包括取象说、卦气说和阴阳灾变说等,虽然主流是象数学,但其中也有不重象数的费直一派的易学,他们以《易传》解经,强调义理,后来成为魏晋义理派易学的开端;而道家以黄老思想解《易》又影响到儒家,扬雄的《太玄》可以说就是《周易》与《老子》思想结合的产物。

东汉中期以后,经学大师马融、郑玄、荀爽、虞翻等人,主导思想虽然仍属于象数一派,提倡卦变说、五行说等,但显然也受到了费氏易学的影响,表现出对于探寻义理的兴趣;道家易学在这一时期已替换为道教易学,汉末炼丹家魏伯阳的《周易参同契》进一步使《易》与黄老融合,将卦气说与炼丹术结合了起来。到魏末晋初,经学大师王肃排斥汉易的象数方法而继承了费氏易学的传统,以《易传》义理解经,批评一代宗师郑玄不合孔子之教,破坏了古文经学的家法,在当时具有非常大的影响。

可以说,汉代易学走到汉魏之际,作为其理论代表的互体、卦气、卦变、纳甲诸法,实际上已经成为了易学学术进一步发展的阻碍。易学、哲学要发展,就必须要有新的思路,社会普遍地出现了要求变革的呼声。正始时期的何晏、王弼、钟会等名士,吸取古文经学派和王肃的以《易传》义理解经的精神,特别是由道家而来的自然无为、简洁明快的治学风尚,正式开始了学术的变革。

就文本而言,道家学术对儒学的影响,在汉代最为明显的动向,就是从易学发源的、通过《周易》这一部儒道共同崇奉的经典,使在社会政治思想方面互相对立的儒道两家,在易学研究上却站到了一起。可以说,魏晋时代所有《周易》方面的著作,都是儒道兼综的结果。《周易》研究为玄学的兴起,埋下了最初的伏笔。

从理论上说,《周易》本是圣人为"顺性命之理"而作。立"三才"之道于一"易"之中,通天道以谋人事,"继善成性"、"穷理尽性"以会通天人。《易传》作者发明的这一《周易》的本质,虽然不为汉代的易学大师们所认同,但却为魏晋玄学家们所吸取。以王弼为代表的魏晋易学的变革,在学术史上影响深远。东晋名士孙盛曾评论说:

> 《易》之为书,穷神知化,非天下之至精,其孰能与于此?世之注解,殆皆妄也。况(王)弼以傅会之辨而欲笼统玄旨者乎?彼其叙浮义则丽辞溢目,造阴阳则妙颐无间,至于六爻变化,群象所效,日时岁月,五气相推,弼皆摈落,多所不关。虽有可观者焉,恐将泥乎大道。[1]

孙盛不满于王弼的《周易注》,但其所言王弼对爻变、卦气、五行等象数易的"摈落"却是实情。至于由此将"泥乎大道",则在于孙盛与王弼的立足点有所不同:王弼是倡"忘象得意"的,故须"摈落"易象;而孙盛则是主张"易象妙于见形"的,故不能离开象、形。[2] 所以他认为王弼之论桎梏了《易》之大道。但不论是王弼还是孙盛,他们所由讨论的形、象、

---

① 《三国志》卷28《魏书·钟会传》附。

② 见《世说新语》上卷下《文学第四》,第238页;亦可参见《晋书》卷82《孙盛传》。

意的本身,就已经是建立在对汉易的变革的基础上了。

《老子》:《老子》虽在"道"出性与天道方面与《周易》相互发明,但在仁义教化方面与《周易》的主旨却是背道而驰的。如何使这中国哲学本体论思维的两大源头相互契合,并为儒家的圣人预留出地盘,就成为一个首先需要解决的问题。而从社会发展对理论的需要看,《老子》反对儒家积极入世的治国方略,倡导无为自化,虚静自守,集中体现了当时人们对僵化的纲常礼教的反感和企盼"自然"自适的心理需求。因为直接的名言教化,都是要求人们对号入座、各安其分。这种"有"的政治是不会使人们感到心情舒畅的。

可从另一方面说,为了维持社会的正常运行,又不能不循规蹈矩。否则便必然与其他地位名分的人事发生冲突。那么,解决这一矛盾的最恰当的办法,就是引进"无"的机制来统合各种不同的愿望要求。"无"是不会与任何"有"发生冲突的,在现实中的各种苦闷,可以到"无"的境界中去消解、去取得安慰。这本来也是出于人的自然本性的要求。换句话说,积极有为之"有"对于入世治世有利,而消极退守之"无"则对安慰调适心灵有益。故所谓内圣外王,实际上也就是内"无"而外"有",二者虽亦有高下,然又终不可一缺。

因而,从《老子》的虚玄无为的背景中寻找现实社会秩序的心理基础,以满足人的一时的精神需要;从玄之又玄的无为之道中寻求建构合理的社会秩序的本体论基础,探求"道德"的本质和天人和谐的关键,以满足社会国家协调上下等级名分而使各守其责、各安其位的需要。这些都促成了提供满足这些需要的《老子》一书的流行和对它的广泛的研究。

《老子》一书的流传与《周易》有所类似,即自秦汉以来400年连续不断地被人研究,但研究者又同样是未能充分发掘作为《老子》理论根本的道、无之义,大多是止步于章句注疏,与《周易》研究之只重象数而忽视义理,可以说是异曲同工。这说明学术思想和哲学理论的变革,是需要一定的时间和理论准备的,非到社会迫切需要之时是不可能出现于世的。

当然,客观之"势"亦需要主观方面积极地响应才可能搅起惊天的波澜,故杰出人物的作用应当予以充分地肯定。何晏首发《周易》和《老子》之义并登高倡言,"以无为本","有恃无以生",由此开始的有无之辩在根本上否定和剥夺了汉易学和汉老学延续了400年的话语权,并开始以新的义理话语体系取代旧学,从而揭开了汉代天人感应之学向魏晋天人本体之学转变的序幕。魏晋玄学也正是从何晏、王弼、钟会等人议《老子》,解"道德"起步的。

《庄子》:《庄子》作为玄学的理论来源,比之《周易》、《论语》和《老子》显然是后起的。"三玄"起初亦只是"二玄",有了"二玄"即《周易》与《老子》,便可以搅起玄学之波澜。"二玄"一则以有、一则以无,"有无相生",从而使魏晋学术开始了根本性的变革。但是,如果只有《易》、《老》,有无之辩则很难深入下去。因为孔子与老子作为儒道两家的圣人,王弼虽然以"圣人体无"和"老子是有"在最高的有无观上划分出了等次,但对于常人来说,其层次和境界都太高,难以仿效和遵从。有、无的最高范畴适用于本体论的探求,但难以成为人生观的指导,故必须要有次一级的层次,从日常生活层面讲自然无为、讲放逸旷达、讲有之自生、独化的问题。而这就只有《庄子》最为合适。

东晋初中期,太尉虞亮曾问年仅18岁的孙盛之子孙放,为何"不慕仲尼而慕庄周"? 孙放回答说:"仲尼生而知之,非希企所及;至于庄周,是其次者,故慕耳。"① 一席话使得在座者以为即便是王弼在世,亦不能胜之。从王弼安顿孔老高下、郭象习称"庄老"、再到孙放列孔庄亲疏,说明了庄子地位的上升和孔、老、庄是分别适应不同的理论需要的,不可互相替代。

① 《世说新语》上卷上《言语第二》,第109~110页。

　　《庄子》书在魏晋时期的影响,事实上还在向秀、郭象的时代,注《庄
子》者就已经有几十家了。到东晋,则不但是继续从道、从儒出发注"庄
子",亦有从佛出发去注解,儒释道三教学者都对《庄子》发生了浓厚的
兴趣。

　　当然,《庄子》比之《易》、《老》后出后兴,也是有缘由的。何晏、王弼
史载均"好老庄言",但又均未注解《庄子》。按照后来东晋名士王坦之
的归纳,庄子因其言论多失于片面,是不能与孔、老相比的,故非难庄子
本来就是既有的见解。"荀卿称庄子'蔽于天而不知人',扬雄亦曰'庄
周放荡而不法',何晏云'鬻庄躯放玄虚,而不周乎时变',三贤之言,远
有当乎!"① 即庄子的放荡玄虚在天下善人少、不善人多的情况下,是
"利天下也少,害天下也多";"虽可用于天下,不足以用天下人"②。事
实上,《庄子》中大量的诋毁尧、舜、禹、汤、孔子之言,如果不得到妥善处
理,是很难满足社会各阶层人士的需要的。或许,嵇康一类贤士,也正
是过于沉溺于庄子的玄虚而未能解决好如何应对险恶的社会现实问
题,才终招致其不测的命运。

　　那么,向秀入洛回答司马师的"巢、许狷介之士,不足多慕"③,固然
可以认为是他的软弱和自甘沉沦;但从另一方面讲,亦何尝不可以看做
是他在严酷的环境下,最终意识到了"玄虚"如何才能"周乎时变"的问
题。向秀实际上已处于嵇康向郭象转移的过程之中,他在《难养生论》
中提出的"天理自然"的概念和以理节欲的思想,实际上已经开始了对
《庄子》"放荡"思想的限制和改造,与后来乐广的"名教内自有乐地,何
必乃尔"④ 的观点,可以说分别是从道家和儒家的立场出发对儒道思
想的折衷,由此再到郭象消解山林与庙堂、自然与名教的矛盾而使其互

<hr>

① 《晋书》卷75《王坦之传·废庄论》引何晏语。
② 同上。
③ 《世说新语》上卷上《言语第二》,第79页。
④ 《晋书》卷43《乐广传》。

相冥合,也就是顺理成章的。

《论语》:《论语》虽不属于六经,但作为孔子思想最真实的纪录,在汉代便已随着儒家地位的上升而成为经典,当时所谓"七经"之中便已经包含有《论语》;而班固的《汉书·艺文志》则在六经之外加《论语》、《孝经》和"小学""序六艺为九种",实际上已经将《论语》置于"九经"之列。

《论语》是"三玄"之外玄学最重要的思想资源。这不但是因为它提出了在魏晋时期及其以后建构本体理论的原始话头——不可得而闻的性与天道问题,而且在于通过它可以将儒家圣人对形上之道的理论追求,与儒家着力维护的上下尊卑的等级名分和社会政治需要密切联系起来,从儒学正统和思想资源的角度,为玄学名教与自然之辩的名教一方的合理性,提供最直接的理论根据。

从学术自身看,在《论语》中,孔子身体力行,倡导"志于道,据于德",循此要求不懈努力,便能进达圣贤之域。然而,一方面,圣人人格的高尚和境界的难以企及,是一个令儒家学者十分挠头的问题;另一方面,孔子虽倾心于道并以为"闻道"可死,但又从未明确说明什么是道——性与天道不可得而闻也。这种有道又无道以及无法达道的困惑,为追求虚无玄远的玄学思辨和理论建构,打开了一扇最为方便的大门。何晏便以"志,慕也,道不可体,故志之而已"① 的既以道为本体、又规定"不可体"的有与无的和合来阐发其理论的。

道不只是天道,也是人道,而人道是建立在上下尊卑的秩序名分基础上的,针对的是不安本分的犯上作乱之举。孔子以"立本"、"正名"的主张来解决这一最为迫切的社会现实需要。而名分的端正就要从加强自我的道德责任入手,自觉以是否符合礼作为自身行为的标准,这对于由于道家思想的流行而带来的追求本性自适、倾心无为荡逸的心态,正好是约束的法宝。

---

① 《论语集解·述而》。

　　当然，在经历了汉末社会的大动乱和外在强制性纲常人伦普遍招致反感的情况下，孔子君臣父子的正名主张又必须要与老庄的自然无为调和适应，而这也正是玄学家们所要从事的工作，即对《论语》的思想进行改造。玄学家们力求说明，玄学要解决的等级名分的各正其位，正是道之自然，而圣人则提供了现实的范例。例如尧之德行美好，就在于他无偏无私，天化自然，"不私其子而君其臣，凶者自罚，善者自功"①。如此之自罚自功，虽然并非孔子的本意，但它的安守本分的结果，却正是《论语》正名精神的体现，最终为儒道两家的磨合，指出了合力所在的方向。因此，《论语》作为玄学思想资料的作用，也就不可小觑。

　　《列子》：《列子》不算是玄学的主要文本，通常所谓"魏晋玄学"的概念，并不包括《列子》研究的思想在内。魏晋玄学大家何晏、王弼、嵇康、裴頠、郭象等亦不研、注《列子》。《列子》对时代思潮发生影响，当在郭象以后②。此时佛教思想已开始广为传播。故与《易》、《老》、《庄》和《论语》完全属于民族学术传统本有的资源不同，《列子》及其注解作为玄学的资源，还是在佛教思想刺激下的产物。

　　从历史的角度看，《列子》和《列子注》在两晋的出现，实际上意味着玄学的思潮和学风力图继续下去而在资源开发上所做的最后一次努力。相应地，《列子》的研究，不是如同"三玄"和《论语》那样，重在阐释和加工方法的变革，而是它本身就是对包括儒释道在内的既有思想资料进行"阐释加工"的结果，并又对此结果再加解释，以图在理论上对从王弼到郭象的玄学理论进行修补，使"独化"向"至虚"转化。从而，作为尾声，《列子》及其注解，完成了玄学理论发展的最后一环。

――――――――

　　①　《论语释疑·泰伯》，《王弼集校释》，第 626 页。
　　②　本书不讨论《列子》书的真伪问题。而只是从学术思想发展着眼，将《列子》和张湛的《列子注》放在郭象及其独化论之后来考虑。

二、正始之音

"正始"是魏废帝、齐王曹芳的年号(公元240~249),魏晋玄学在这一时期正式兴起。虽然其历时只有短短的十年,然以何晏、王弼为代表的正始名士,辩名析理,金声玉振,不论在理论水平还是思维方式上,对中国学术的影响都十分深远,是即所谓"正始之音"也[①]。"正始之音"标志着中国哲学思维从此进入了以义理思辨为主导的新的阶段。

1、何晏论道

何晏本为魏晋玄学开风气的人物,但因其著作多不传[②],也就难以窥其思想全貌。现只能根据一些片断的资料略做分析。

玄学作为儒道兼综而搅起魏晋学术变革波澜的产物,首要的问题是如何将孔、老二圣统合起来。自先秦诸子百家争鸣、秦崇法、汉尊儒以来,中国学术的不同派别、尤其是对立的派别,其间虽也有相互的吸取,但大都是吸取于己有用的思想材料,作为整体的学派和学术思想,则没有两大学派自觉和合之情景。

就司马谈所概括的六大学派而论,儒墨、儒法的对立,秦汉以后已不存在,惟一剩下的就是儒道的对立。东汉后期学术发展的趋向,已经

---

① 《世说新语·赏誉第八》载王敦对谢鲲道:"不意永嘉之中,复闻正始之音。"刘孝标注引《(卫)玠别传》王敦谓僚属曰:"昔王辅嗣吐金声于中朝,此子(卫玠)今复玉振于江表。微言之绪,绝而复续。不悟永嘉之中,复闻正始之音。"(见《世说新语笺疏》,第450页)王敦虽是直接称赞西晋名士卫玠,但也在客观上肯定了自正始"发音"60年后,玄谈再兴的史实。

② 何晏著作的相关情况,王葆玹考证较详。参见所著《正始玄学》,第129~139页。

是以"道"去消解儒、替代儒。不过,儒家的困窘和道家思想的流行,固然是不争的事实,然同样重要的事实是,儒家、儒学由于植根于现实社会这一深厚的底蕴,它终究不可能被道家所完全取代。道家自然无为学说自身的特点,规定了它可以调节、休养社会,但却不能规范、治理好社会。事实上,自西汉独尊儒术而使儒学取得统治地位、并从而取代了黄老清静无为之学后,儒学不管遇到多么大的危机,都没有也不可能从学术舞台上消失,它所维护的纲常人伦的上下尊卑名分,已经深深地嵌入到社会肌体的内部,与社会存在本身已融为一体。从这个意义说,天不变、道亦不变是反映了历史的真实的。

然而,儒家的这个天道毕竟又是有缺陷的,仅凭自己的力量已无力应付汉末以来复杂的社会变化,也满足不了人们针对这个道的合理性而提出的种种疑问。换句话说,道需要为自己的合理存在地位进行论证。在这里,复杂的社会矛盾如何才能安然消解?作为宇宙根本的道对这纷繁杂陈的现象世界到底是何关系?它对世界的意义,在理论和现实层面如何得以证明?这些都是儒家自身难以说明的。由于道家与儒家单独解释现存社会和化解矛盾都捉襟见肘,时代的发展也就提出了儒道和合的要求。

从历史的角度看,儒道两家自相并立以来,为仁求智与绝礼弃学的尖锐矛盾,一直左右着双方理论的发展,老子非圣人亦是道家难解的心结。学术要发展,首先必须在这里走出第一步,找到一条既不回避孔老的对立冲突、又能将双方引向互补共济的新路。何晏便是这样一位探路者。魏晋学术的变革,也正是由此而开始。

《世说新语·文学》言何晏注《老子》因不及王弼,而改为《道德论》①。刘孝标注引《文章叙录》说:"自儒者论以老子非圣人,绝圣弃

---

① 　何晏《道德论》,又有称《道德二论》、《道德论》二卷等。参见《世说新语·文学第四》"何平叔注《老子》条"及余嘉锡《笺疏》引注。

学,晏说与圣人同,著论行于世也。"① 这一简短的记录说明了学术史上一个很重要的问题,那就是长期以来的儒家对于老子及其学术的贬斥。"老子非圣人,绝礼弃学"的观点如果不从根本上予以改造,则孔、老永无弥合之可能。但若要弥合,《老子》书中大量的"绝礼弃学"的言谈又是事实,不能否认。这就造成了一个二难的处境,非得有卓越的才识才能解此疑难。何晏的著作虽然不传,但他显然做到了这一点。否则,其论老子与孔子同之"著论",是不可能"行于世"的。

由于刘孝标注引紧接于何晏作《道德论》之后,故所谓何晏行于世的"著论",很可能就是指这《道德论》而言。《道德论》作为何晏因其所注《老子》不及王弼而改名的著作,既说明何晏的注解不如王弼精详,又披露其论"道德"颇有长处,故而予以保留,使得由对《老子》的通论转而为其专论。如此的专论"道德",预示着何晏已经超越了传统的仁义礼法的视界,而转从"道"的间架去看待孔、老的相容相通,故而影响深远。

何劭《王弼传》曰:"何晏以为圣人无喜怒哀乐,其论甚精,钟会等述之。"② 此即所谓"圣人无情"说。其意虽语焉不详,但从不赞同此论的王弼所批评的"今以其(情)无累(物),便谓不复应物"来看,显然是指圣人任道而无为。即不论外物如何引诱,都不会为外物所感所累。因为圣人之心已与天道合一,而不会再对外物有情感的响应。如果将钟会等名士对此论的传播,与何晏论圣人与老氏同之论行于世的情况相互参看,可以说明何晏对孔、老之同的判定,是从他们都本于道、依于无的立场去进行发挥的。既然是以道以无为指导,当然就超越了现象层面的情感反映。

何晏在注《论语》孔子所谓"毋意,毋必,毋固,毋我"的"四毋"时说:

① 《世说新语笺疏(修订本)》,第 200 页。
② 《三国志》卷 28《魏书·钟会传》注引。

"述古而不自作，处群萃而不自异，惟道是从，故不有其身。"① 何晏把孔子禁绝的四种意志品行引领到圣人"不自作"、"不自异"上。因为圣人只顺从于道，而不再有其身。那么，圣人既然已经"无身"，当然是不论身在何处，都不会为外物所感所累，一切都自然顺适。主观之情的问题也就随而消解，与老子的无知无欲走向了一致，所以孔、老可合也。

何晏又联系孔子评价颜渊的"不迁怒"发挥说："凡人任情，喜怒违理；颜回任道，怒不过分。迁者，移也。怒当其理，不移易也。"② 颜渊境界未及圣人，还不能达到完全无情，但已能做到任道守中，怒不违理，故怒也就是不怒，喜怒在颜渊已"不移易也"。不过，不怒或无情其实不限于圣人，它可以泛指君子或圣贤的修养境界，即所谓"君子不怒"也。那么，"圣人无情"说作为何晏圣人人格理论的集中表述，立足点就不仅仅是在圣人人格塑造的本身，更重要的是要通过圣人的无情而与本体层面的道、无范畴打通，在"以道为度，故不任意"③ 的基础上，解决"孔老同"这一历史性的任务。

因而，接下来，何晏从圣人无情进入到无名，进一步阐发他的孔老同、儒道合的主张。他以为："为民所誉，则有名者也；无誉，无名者也。若夫圣人，名无名，誉无誉，谓无名为道，无誉为大。则夫无名者，可以言有名矣；无誉者，可以言有誉矣。然与夫可誉可名者岂同哉？"④ 积极治世的儒家圣人因其德行普施，可以说是有誉有名的。但在圣人自身，由于与道为体而无喜怒哀乐，无名无誉才是大道。故能够以无名为名，无誉为誉。这种以无名无誉制有名有誉的立场，与常人执著于有誉有名的情形是完全不相同的。在这里，孔、老二圣实际上已融为一体，

①　何晏：《论语集解·子罕注》，《十三经注疏》本。

②　何晏：《论语集解·雍也注》。

③　何晏：《论语集解·子罕注》。

④　张湛：《列子注》卷4《仲尼篇》注引何晏《无名论》，见杨伯峻撰《列子集释》，中华书局1979年版，第121页。

共同参与了何晏的无名有名之辩。何晏说：

> 道常无名，故老氏强为之名。仲尼称尧"荡荡无能名焉"，下云"巍巍成功"，则强为之名，取世所知而称耳。岂有名而更当云无能名焉者邪？夫惟无名，故可得遍以天下之名名之，然岂其名也哉？①

在何晏看来，孔、老都是主张道本无名而强为之名的。其思路，显然是取老子的道不可名又不得不名，完全不名，民又如何得以知称呢？这与孔子所谓尧功德与天大、民无法以名言形容之本来不是一码事，但却被何晏熔铸在了一起。为何只能是无名而不是有名？答案其实也很简单，就是只有"无名"才具有最大的适应性，能包容普天下之名而不会与任何名相冲突。由此，何晏披露的有无关系的最大秘密，就在于有与有不能无冲突，规定性就是限制性，对任一事物的肯定同时就是对另一事物的否定，所以有不能作为万物统一的根据，只有完全无所有的道才能与一切有同济共处。

他又说："夫道者，惟无所有者也。自天地已来皆有所有矣，然犹谓之道者，以其能复用无所有也。"② 天地万物的现实存在无疑是"有所有"，但所以还能把这种有归结为"无所有"的道，关键就在于道与天地万物的关系已不是先后的生成关系，而是相互依赖的本体和现象的关系。即在物在名一方，万物万名均以无为本，故任何时候都可以反推无有无名的道；而在道一方，则是"虽处有名之域，而没其无名之象"③。道与有名万物同在，但又隐迹于万名万物之中，没有名象可以执著。

那么，无名有名也就不仅仅是可否察知和称谓的问题，而是表述了

---

　　① 出处同上引杨伯峻本第 212 页。然此处据中国社会科学院哲学所中国哲学史研究室编《中国哲学史资料选辑·魏晋隋唐之部上》标点，而不取杨伯峻《列子集释》标点。

　　② 同上。

　　③ 同上。

更为重要的无与有双方的一般存在关系问题，它反映了魏晋玄学本体论创立所昭示的最为深刻的内涵。何晏又谓：

> 有之为有，恃无以生；事而为事，由无以成。夫道之而无语，名之而无名，视之而无形，听之而无声，则道之全焉。故能昭音响而出气物，包形神而章光影；玄以之黑，素以之白，矩以之方，规以之员（圆）。员方得形而此无形，白黑得名而此无名也。①

自老子讲"有生于无"以来，道与物的关系就是在无有交往的定位上被人所理解的。何晏之说，形式上同样在讲生成，但此生成的蕴含并不相同，它已经转移到无与有的相对关系上了。有凭借无而生成，意味着有的存在根据要从无中去寻找，没有无之本，则一切事物现象便失去了存在的可能。这个作为本的无，就是无语、无名、无形、无声的纯全之道。

所谓"纯全"，其意有两个方面：一是说道的性质的形上性，即它是一种纯粹的无，不能为人所感知和称道；二则是说道的存在和作用的普遍性，道可以说无处不在，不论是音响、形影、黑白还是圆方，都有道贯穿于其中并决定着它们各自特殊的规定性。如此纯全的两个方面，都表明道对万物不再具有生成的义务。在此前提下，将道的性质的形上形与作用的普遍性整合起来，得到的正是哲学本体的概念。何晏为魏晋玄学本体论的创立，铺下了最初的基石。

与生成论看重的母子先后关系不同，何晏的以无为本，重在从本末体用的角度对道和万物的关系进行梳理。他说："天地万物皆以无为本。无也者，开物成务，无往而不存者也。阴阳恃以化生，万物恃以成形，贤者恃以成德，不肖恃以免身。故无之为用，无爵而贵矣。"② "无"

---

① 张湛：《列子注》卷1《天瑞篇》注引何晏"道论"，见杨伯峻：《列子集释》，第10页。

② 此段话《晋书》卷43《王衍传》记载为"何晏、王弼等祖述老庄，立论以为"云云，不甚确定为何晏之语；而《资治通鉴》卷82《晋纪四·惠帝元康起年》所引同段话，则采用"何晏等祖述老庄，立论以为"的说法，更直接标明为何晏的观点。

是开物成务、无往不存者,同时又是无爵而贵者,故对它不能再从高居于万物之上的造物者的角色去分析,而只能从无处不在的万物对无、对道的依赖作用去判定。因为万物恃无以化生成形、成德免身,显然已将双方放在了本体和现象的本末体用关系的位置上。可以说,如此的"以无为本"的命题的提出,在学术史上具有划时代的意义,它意味着汉代宇宙论视域下的天人之学,已经转向为魏晋本体论语境中的天人之际问题的探讨。

何晏通过与王弼的交往,深为王弼天人视野的见解称奇,感叹说:"仲尼称后生可畏,若斯人者,可与言天人之际乎!"① 何晏之所以愿与王弼讨论,在于王弼会通孔老而从整体上展示了新的学术发展方向。"天人之际"虽然有些玄妙,但中心仍不离"道"、"德"。或者可以说,老氏之道德,即儒家之天人。所以,何晏与王弼交谈后的一个具体举动,便是改易他自己的《老子注》为《道德论》。说明他对道德问题的研究,仍比王弼有所长。魏晋新思潮的掀起,所以能令人"精奇",正赖于有此扬长避短、相互切磋的学术风气和思想渊源。

就现有的资料看,何晏对于在玄学受到高度关注的"性与天道"问题,的确进行过研究。他在解释子贡"不可得而闻"的性与天道时说:"性者,人之所受以生也;天道者,元亨日新之道,深微,故不可得而闻也。"② 所谓天人之际,实际就是天道与人性之际,由于人性是从天道而禀得,故而称之为"德"。如此在天人背景下理解的道、德,因其深微莫测,于是便有了子贡的"不可得而闻"。在这里,相对于人世间的有形事物活动来说,性与天道都属于无形无名的存在,双方之间,一属于有,一属于无;前者为末,后者为本。天人之际的问题,已经转向为如何处理作为本体一方的本、无与现象一方的末、有的关系,这显然已经超越

---

① 《三国志》卷28《魏书·钟会传》注引何劭《王弼传》。
② 《论语集解·公冶长》,《论语注疏》卷5。

了汉代粗糙的天人之间的现象比附,进入到了本体论思辨的新的领域。

按何劭《王弼传》记载,王弼是以其圣人"体无"、老子"言无"的既会通孔老,又排定其高下的观点为世人所瞩目的。这不但说明天人之际问题的内涵,已经转向为有无关系的探讨,更说明了王弼作为后起之秀,不但抓住了孔老之同,而且注意到了如何协调融通孔老之异。只有将孔老之异的问题安排在一个世人都能接受的框架内,才能使统合儒道的工作建立在更为合理的基础之上。而这对于何晏来说,则是他所没有能够注意到的。他的任务,在于使孔老和合去发明"以无为本",并由此推动实现学术风气的转向。但在这转向之后的新的理论大厦的建立,则只能靠可畏的"后生"去完成了。

2、王弼复本

天人关系作为中国哲学的基本问题,是无论哪一位哲学家都无法回避的问题。但如何恰当地处理它以适合时代的需要,却直接反映着学术发展的水平。先秦哲学作为巨大的思想宝库,为后来可能的发展,提供了充分的可供解释的文本和思想发挥的空间。相较而言,汉代的感应型的天人关系模式所以不能再继续,是因为它所能包含的理论意蕴已被充分发掘而暴露无遗,无法再引起人们的理论兴趣,人们迫切需要的,是超越这直接夸张的感应现象层面,返回深入到问题的根本。

其实,作为一种思想资源和思维方式,老子早就提出了返归本根的问题。《老子·十六章》曰:"致虚极,守静笃,万物并作,吾以观复。夫物芸芸,各复归其根。归根曰静,静曰复命,复命曰常。"作为直接经验现象的万物并作,并不是思想家们所要留意的对象,思想家的高人一等,正在于观复归根而识其虚静之本。那么,一是复的方法,一是虚静的根本,这是学术思想发展必须抓取的资源。而复其虚静之本,实际上也就是复归于无,所以《老子·十四章》又说要"复归于无物"。

但是,《老子》中揭示的这样一种复归返本、返无的理论指向,却没有能为汉代思想家们所认识。他们停留于万物芸芸并作的现象本身并由此去比附天人。汉代的天人感应,尽管也适应了汉代社会的理论需要而绵延了几百年之久,但就现象解释现象的理论模式毕竟是粗浅的,它除了将原因归咎于天意外,并不能提供对事物变化的究竟的合理的说明。特别是当天已不再神秘而无力再支持天人之间的感应时,回到世界自身,探求存在和变化的本来的根据,也就是势所必然。

而从道理上讲,万物芸芸并作,已经是现象展开之后,它显然只能是结果而不是原因。所以,只有归静复本,才可能探求到事物存在变化的最后根据。王弼的理论造诣所以居人之上,也正是他敏锐地抓住了这一问题的实质和学术发展的关键。

王弼解释“吾以观复”条说:“以虚静观其反复。凡有起于虚,动起于静,故万物虽并动作,卒复归于虚静,是物之极笃也。”①“反复”不是循环,而是回归其虚静之本,运行万变的现象归结为虚静不变的根本,这是物之最真实的存在,是“性命之常”。“常”的意义在“不偏不彰,无皦昧之状、温凉之象”②,实际上就是无。王弼在理论上的一大突破,就是将“复”从回返循环的动作本身,推进到向虚静或无的本体回归,并从此去把握物的真实本性。他将一个整体的反复循环运动,别解为从现象反求本体。立足于此“复”的方法,天地万物尽管众多,却都不出于它的囊括之外,故曰“唯此复,乃能包通万物,无所不容”③。显然,如此的方法已非汉代的宇宙论所能包容,它已经站在了本体论的架构之上。

进一步,王弼将“复”的方法运用于《周易》,将复之方与本、与无、与对天地之心的认识联系在了一起。他说:

　　复者,反本之谓也。天地以本为心者也。凡动息则静,静

① 王弼:《老子道德经注·十六章》,《王弼集校释》(楼宇烈校释),中华书局1980年版,第36页。下引该书只注篇目和页码。
② 同上。
③ 同上。

非对动者也;语息则默,默非对语者也。然则天地虽大,富有
万物,雷动风行,运化万变,寂然至无是其本矣。故动息地中,
乃天地之心见也。若其以有为心,则异类未获具存矣。①

《周易》"复其见天地之心"一语,既可以理解为从复卦去窥视天地之心,
也可以解作"复"的运动正是天地之心的表现,王弼正是抓住了后者来
做文章的。

"天地之心"概念的重要性,在于引出天地究竟以什么为"心"。王
弼以为这就是"本"。而复者,复归其本也。这个所谓本,其实就是无。
天地实际上是以无为本的。所谓动息、语息的静、默,不是相对于动、语
而言的现象态的不动、不语,而是超越于现象的绝对的静止,也就是他
接着讲的"寂然至无"。为什么需要以静默至无为心为本、而不能以有
为心为本? 关键就在于,运动变化的天地万物,虽然极大而富有,但此
有与彼有之间,因其特定的规定性和喜怒爱憎,彼此间相互排斥,不能
够各自相安相容。而且,动者进取也,"异类"各自进取,必然是相互排
斥,当然也就不能实现彼此的"具存"统一。所以,动必须要"息"于地
中,才可能揭示出天地之心即宇宙的本体。

"是以天地虽广,以无为心;圣王虽大,以虚为主。故曰以复而视,
则天地之心见。"② 天地、圣王是天人双方之最广大者,然其所谓广大,
不论是空间范围,还是权势地位,本身并不能成为天地人事统一的根
基,只有回复到背后的虚无,才能协调理顺一切事物活动。天地之心概
念的意义,就是突出以无为本。

因而,提出和确立以无为本的意义就是巨大的。《老子》虽然以其
"有生于无"论最先揭橥"无"的意义,但"无"在老子并没有专门作为哲
学基本概念来使用,它更多地是作为名言概念的否定性修饰语出现,以

---

① 《周易注·复》,第 336～337 页。
② 《老子道德经注·三十八章》,第 93 页。

表征老子否定性的批判性思维。故所谓"贵"无,就是通过对老子思想的重新诠释加工,将在老子那里尚不明晰和相对零散的本无的思想集中概括并使之系统化,从而创造性地构筑起一套依凭于"无"的玄学理论体系。有了这样一套体系,就不仅可以满足哲学理论自身的发展,更重要的是可以由此去实现异类诸有的共存统一。

从历史上看,秦汉虽然实现了国家的政治统一,但从其指导思想而论,秦以法家,汉以儒家,两朝所尚学派虽然不同,但其共同点都是主"有"的统一、排他性的统一,故此统一也就必然与其他学派的主张发生矛盾。秦王朝采取了焚书坑儒的极端措施来解决矛盾,汉王朝虽然没有走向这一极端,但其"独尊儒术"的国策与秦的"一断于法"在实质上并没有两样,战国末和汉初学者企盼的一致百虑、同归殊途的学术理想,实际上都遭到了扼杀。故东汉以后诸子学的复兴,都把矛头对准了儒学。要实现使各学派融会贯通并服务于社会国家的目的,惟一可行的办法就是去末而取本、去有而取无。因为无的统一必然是包容性的,而不会与任何有相冲突。何晏已经涉及到这一问题,王弼则进一步予以推进。这可以说是以无为本最重要的方法论。从此方法出发,就可以既兼容了万有的存在,又确定了无的最终本体。故虽然是以无为本,但有无双方又互不相碍。

> 然则,四象不形,则大象无以畅;五音不声,则大音无以至。四象形而物无所主焉,则大象畅矣;五音声而心无所适焉,则大音至矣。故执大象则天下往,用大音则风俗移也。①

大象、大音即无象、无音的道或无,道或无虽然是无象无音,却又离不开现象态的四象五音;四象五音虽然体现了道或无,但又不能自己作为宗主,执著于具体的现象。它们实际上都依赖于道的支配作用,由道来统一贯穿,所以,只要抓住了道,就会收到"天下往"、"风俗移"的社会国家

---

① 《老子指略(辑佚)》,第 195 页。

得到协调治理的整体效果。从而,一切具体的社会政治文教措施,都会在道的作用下得到最充分的落实。所谓"守母以存其子,崇本以举其末,则形名俱有而邪不生,大美配天而华不作。"①

王弼不反对曹魏的形名法术,但认为当认识到这形名法术是有是末,它必须置于守母崇本的大前提下。从崇本出发去举末,则本末都能各得其所,一切奸邪浮华都自然被消弭,这样便能使社会各种利益集团的利益都能得到兼顾和协调,从而取得最好的社会效果。王弼从哲学理论的高度,为后来国家天下的一统做出了论证。

王弼为代表的复本贵无理论,不仅满足了知识阶层的理论需要,而且更重要的是适应了社会发展的客观要求。它说明,理论思维水平的提高和深化,并不意味着就远离了社会现实,它由于在更大程度上解决了统治阶层的理论困惑,而最终被社会所选择。那么,玄学取代经学和天人感应神学,成为时代的主流和社会占统治地位的学术形态,也就是不言而喻的了。

三、贵无之方

贵无哲学是玄学理论最初出现的也是最基本的形态,它的典型理论命题就是"以无为本"。以无为本的思想可以追溯到《老子》。《老子》书的"道生万物"、"有生于无"本来也可以理解为以无为本之意,所以《晋书·王衍传》会有何晏、王弼"祖述老庄"而立"天地万物皆以无为本"之语。而"天地万物皆以无为本"既然从老子开始,老子的生成论思维模式也就自动带入了玄学。但玄学之为玄学,其重心又不在生成论而在本体论,并进而将万物生成的根源,改造为事物存在和变化的"宗

---

①　《老子道德经注·三十八章》,第95页。

主",力求在以无为本的前提下又将本末统一起来。故王弼曰:"《老子》之书,其几乎可一言而蔽之。噫! 崇本息末而已矣。观其所由,寻其所归,言不远宗,事不失主。"①

1、崇本得意

《老子》书的思想可以"崇本息末"一言以蔽之,意味着王弼的基本观点也可以"崇本息末"来代表。但此"崇本息末"似乎不能按其通常的字面意义,一断为尊崇本而止息末,因为倘如此,则不但已是有为,而且从根本上违背了要以"无"之本来包容统合各家之具体主张(末)的初衷。所以王弼又有"崇本举末"之说,使本和末尽管有主次之分,但又都能得到恰当发展。由此,"息"之义不当限制于止息,而应解释为生息,当然这不能是有意去助长,从而使息末与举末一致起来。

同时,从方法上说,王弼既然讲以无为本,那这个"无"也应当适用于崇本的主张本身,即"崇"并不就意味着积极有为地去尊崇,这与"无"的本意是背道而驰的。正确的态度,应当是"顺自然而行,不造不施,故物得其至,而无辙迹也。"② 也就是说,此处的"顺自然而行,不造不施"就是崇本,而"物得其至,而无辙迹"便是举末或息末。因为制定行为活动是否是崇本息末的标准只有一个,那就是看它是否合于"自然"。万物当生长就生长,人事当活动就活动,各家学说当采纳就采纳,而不能人为地予以止息之,这才是符合自然的本性的。所谓"道不违自然,乃得其性"③ 也。

王弼的任务,不仅仅在于树立起"无"的本体,而且在于这一本体能对万事万物发挥主导的作用,以使不同的学说主张都能找到自己的位

---

① 《老子指略(辑佚)》,第198页。
② 《老子道德经注·二十七章》,第71页。
③ 《老子道德经注·二十五章》,第65页。

置,发挥自己的影响。所以,作为道之常态的"无为",本质上就是"顺自然也";而道之"无不为",则是"万物无不由'为'以致以成之也"①。否定、止息了"为"之一方,无为之道的本体也是建立不起来的。对这一点,王弼给予了充分的注意。

因为,本末作为一对密切联系社会现实的本体论范畴,它就其本来意义讲是本体与现象、道与事物、无为与有为的相互发明和统一。一方面,道决定万事万物的生长成就,一切事物现象都依赖从属于道;但在另一面,道的决定作用又是无形无为无言的,它必须要通过具体的事物现象才能得以体现。所谓"道以无形无名成济万物,故从事于道者以无为为君,不言为教,绵绵若存,而物得其真。与道同体,故曰'同于道'。"②

因而,王弼贵无论的重要特点,就在于他不仅要确立起无作为本体,而且要论证这个本体发生作用的形式和结果同样也是无。万物对于决定自身存在变化的缘由是"无"从而知,它也不需要对那生成了自己的"无"有任何的感恩。王弼对作为老子生成论基础的"无名天地之始,有名万物之母"进行发挥说:

> 凡有皆始于无,故未形无名之时,则为万物之始。及其有形有名之时,则长之、育之、亭之、毒之,为其母也。言道以无形无名始成万物,万物以始以成而不知其所以然,玄之又玄也。③

有始于无,也即有生于无,本是一个生成论的命题。这固然说明了王弼本体论的非纯粹性,但王弼理论的重点,其实不在于重新确认无乃有的生成根源,而在于阐明"有"的世界的一切活动都是由无来决定的,这个

---

① 《老子道德经注·三十七章》,第91页。
② 《老子道德经注·二十三章》,第58页。
③ 《老子道德经注·一章》,第1页。

无所不在的"无"同时还不能被确切地规定和体认。即重要的不在于"生成"了有之一方的万物的功能、功德,而在于万物对于"无形无名"的无的"不知"。正是因其既"无"又"不知",所以才有"玄之又玄"。

从此意义来说,这个"无名"而又"不知"的所以然,其实说明的正是本体概念之本义,即它是"不可道"、"不可名"的"无言"的存在。本体既然无言,执著于言当然就不能够与之感通,"性与天道"表征的圣人真意"不可得而闻"也就没有什么奇怪了。

那么,崇本息末、崇无息有的前提的确立,实际上就意味着对既有之言——传统汉学经典的否定。只有否定这些经典,才能够走向超言绝象的本体之无。贵无不只是崇本体,也意味着一种全新的治学之道的成立。从而,与考据实证研究方法相反,忘言忘象以知意,也就顺理成章地成为了接通本体的惟一可能之道。

忘言得意的问题由来已早。《庄子·外物篇》曰:"筌者所以在鱼,得鱼而忘筌;蹄者所以在兔,得兔而忘蹄;言者所以在意,得意而忘言。吾安得夫忘言之人而与之言哉!"在庄子,目的是第一位的,手段从属于目的。目的既然在鱼、在兔、在意,那筌、蹄、言本身就没有自己独立存在的价值,它们的价值只在于引出鱼、兔、意来。因而,"忘言之人"本来所指不过就是"得意"之人,忘言与得意只是正反说而已。至于"意"之为何,庄子没有明言,但它不表露于外而藏于内的特点,可以说是与道相通的。

与《庄子》大致处于同一时代的《周易·系辞上》则载有两段孔子关于言意问题的见解。一段曰:"子曰:'书不尽言,言不尽意。然则圣人之意,其不可见乎?'"紧接着的另一段则曰:"子曰:'圣人立象以尽意,设卦以尽情伪,系辞焉以尽其言,变而通之以尽利,鼓之舞之以尽神。'"

在第一段,与庄子之"得意"与否不同,孔子讲的是"不尽意"。"不尽意"在字面上虽与"得意"有别,但毕竟说明了言能够表达意,只是不能穷尽其意而已。可是,当与后半段"然则圣人之意其不可见乎"联系起来看,孔子的重心仍在言外的不尽之意部分,不尽之意乃是意的根本所在。这一部分意之不得,也就导致了圣人之意在整体上的不可见即不得意,从而又与庄子站到了一起。

第二段话在形式上与前一段话有很大差别。在前一段,言意本身是主体;而在后一段,则言意只是圣人一系列主体性活动的组成部分。它表明,圣人是可以立象设卦以尽情伪的。因为圣人本与天地合德,它就是天道本身,故其言象与意之间,理当统一。那么,这两段看似矛盾的话也就可以统一起来。因为前者是孔子评议圣人而论,说明的是常人能否通过语言沟通圣人之意的问题;后者则是讲的圣人自身,这当然就不会再有言意之尽与不尽的问题。尽管如此,这两段话毕竟形式上分述了言之尽意与不尽意的两种对立的情形,故也从文本上开启了后来论争之端。

汉末魏初,荀粲以那段"子贡称夫子之言性与天道不可得而闻,然则六籍虽存,固圣人之糠秕"的名言,实际上已经揭开了魏晋玄学的序幕。荀粲与其兄荀俣作为争论的双方,力图通过对孔子言论的别解来追求新的思想意义。荀俣以为,《周易》既然说圣人"立象以尽意"、"系辞焉以尽其言",都讲的是"尽","则微言胡为不可得而闻见哉"[①]? 荀俣所持的,大致仍是汉学的实事求是的研究方法,按此方法,《周易》之卦爻象、卦爻辞以及全部六经,就是圣人思想的真实的反映。圣人所以要"立"象"系"辞,目的也正是体现在这里。所以,荀俣不同以荀粲据子贡之言而做出的"然则六籍虽存,固圣人之糠秕"的惊世骇俗的结论。

荀粲所以做出这样的结论,原因其实并不复杂,即他与汉人的言经不同,"独好言道"。"独"字说明荀粲乃是开风气的人物,而"道"字则说明他之所好已经走向了子贡所谓的不可得而闻之一方。在此前提下,

---

① 《三国志》卷 10《魏书·荀彧传》注引刘劭《荀粲传》。

可得而闻的儒家典籍,当然也就不屑一顾了。故而答复荀侯道:

> 盖理之微者,非物象之所举也。今称立象以尽意,此非通
> 于意[象]① 外者也,系辞焉以尽言,此非言乎系表者也;斯则
> 象外之意、系表之言,固蕴而不出矣。②

在二人的争论中,所谓象、辞、言、意的具体涵义,固然是指《周易》之卦
爻象、卦爻辞与圣人作《易》想要表达而又实难表达之言、意。从作为一
般的认识工具的语言符号和所要表达的思想意义来讲,象、辞、言三者
可归并为一,而意则成为它们所共具而又与它们保持一定距离的一方
属性而存在,从而,荀粲别解"立象以尽意"、"系辞以尽言"为此意非为
象外之意,此言非为辞外之言。如此的象外之意、辞外之言,均可归结
为他之所谓"理之微者"或所谓道。

　　当然,若要进一步分析,言和象又是有差别的。就《周易》之"本义"
而论,朱熹后来的解释不妨作一参考,其曰:"言之所传者浅,象之所示
者深,观奇偶二画,包含变化,无有穷尽,则可见矣。"③ 言之表述有限
而象之变化无穷,所以二者间是浅深的关系。但不论其浅深如何,荀粲
以为它们都属于外在的物象,都无法表达"蕴而不出"的圣人作《易》之
真意。荀粲此论,显然已经超出了固守汉人注经循规蹈矩的思维框架
所能容纳的程度,由此,"及当时能言者不能屈也"④。

　　荀粲提出的"象外之意"的问题,其实重点不在于这个象外之意是
什么,而在于缘何提出这样一个"问题"以及他否定传统经学典籍的目
的。事实上,只有否定了传统经典,新的经典才有可能问世;只有重新

----

①　据上下文,"意外"当为"象外"。参见王葆玹:《正始玄学》,第325页该条
注。

②　《三国志》卷10《魏书·荀彧传》注引刘劭《荀粲传》。

③　朱熹:《周易本义·系辞上注》(苏勇校注),北京大学出版社1992年版,第
149页。

④　《三国志》卷10《魏书·荀彧传》注引刘劭《荀粲传》。

考虑过去被忽略的问题,学术才有可能被推向前进,而新的阐释方式也才有了用武之地。

当时著名的术数之士管辂,曾就其术数的精微神妙而难与"言论"发表见解说:"非言之难,孔子曰'书不尽言',言之细也,'言不尽意',意之微也,斯皆神妙之谓也。"① 对于"细"言和"微"意来说,由于都属于"不尽"的宾词,故其区别已趋于模糊,管辂也就可以一并归之于"神妙之谓"。这与荀粲的思想可以相互发明。因为不论其直接载体为"书"还是"言",对于阅读经典的学者来说,他是不能指望从外在的语言物象中直接穷尽圣人作《易》之深意的。这些"神妙之谓"乃是超言绝象的存在。

在这里,管辂较之荀粲又有特点,即他没有停留在以言说困难解释不能穷尽的旧有水平上,而是能够进一步深化。因为言说理解的困难是因人而异、受主体的制约,是相对的。譬如愚者的困难对智者则不构成困难。相反,"神妙之谓"对言象的超越,具有绝对和客观的性质,它不论其被人理解与否,都保持其自身的神妙即形而上性不变。联系到子贡的不闻性与天道,也就不是子贡能否理解孔子之微言大意的问题,而是这些微言大意本来就神妙不测,它的存在变化非日常语言所能限定和穷尽。

由言不尽意论所带来的日常语言不能穷尽圣人之意的问题,成为了魏初思想界的一大热点,它在学术史上的意义,在于说明人的正常认识活动和手段是有局限的,它无法直接到达超言绝象的本体的领域。由此向前引申,就是对于这个超言绝象的本体或性与天道,人们还有没有认识把握他的可靠方法呢? 管辂实际上对此问题已有所感悟,他对言意关系"可以性通,难以言论"的性质定位,也可以看做是对此问题提供的一种解决办法。与此相呼应,他还提出了"苟非性与天道,何由背

①　《三国志》卷 29《魏书·管辂传》注引《辂别传》。

爻象而任胸心乎"① 的观点。那么,这里的"可以性通"、"背爻象而任胸心",都说明要接通性与天道,需要转向一条与正常的由表及里的认识活动有别的道路,为这可以背离爻象而直舒心性。

但是,管辂毕竟不是一名哲学家,他的言谈也失之简单。究竟如何才能直舒心性,他还提不出一套系统的理论和可供操作的办法。但从荀粲到管辂,已经促使这一问题浮出水面。在后来学者针对这一问题提出的一系列解决方案中,王弼的得意忘象说集中体现了时代的精神,也因而为历史所接受和选择。

王弼说:

> 夫象者,出意者也。言者,明象者也。尽意莫若象,尽象莫若言。言生于象,故可寻言以观象;象生于意,故可寻象以观意。意以象尽,象以言著。故言者所以明象,得象而忘言;象者所以存意,得意而忘象。犹蹄者所以在兔,得兔而忘蹄;筌者所以在鱼,得鱼而忘筌也。然则,言者象之蹄也,象者意之筌也。是故,存言者,非得象者也;存象者,非得意者也。象生于意而存象焉,则所存者乃非其象也;言生于象而存言焉,则所存者乃非其言也。然则,忘象者,乃得意者也;忘言者,乃得象者也。得意在忘象,得象在忘言。故立象以尽意,而象可忘也;重画以尽情,而画可忘也。②

王弼这一大段话,不论在易学史还是哲学史上,都具有经典的意义。他第一次从玄学思辨的高度,系统地提出和论证了有别于传统学术的新的视角和新的研究方法。而视角和方法的变换,同时就意味着新的学术时代的开始。王弼掀起连天波澜的言意之辩,也因之成为了思想变革的标志性事件。

---

① 《三国志》卷 29《魏书·管辂传》注引《辂别传》。
② 《周易略例·明象》,第 609 页。

当然，王弼并不是完全抛弃传统哲学的认识方法和一般正常的思维活动，而是有所继承和采纳。因为言、象所以被制作出来，目的就在于揭示圣人想要表达的易卦的内在的涵义，不然，它们就没有存在的必要了。那么，作为本体一方的意，在王弼就是能够把握的。而且，寻言、象而观意尽意的观点，说明王弼并不赞同流行的言不尽意说，而是站在了维护孔子的立象系辞以尽意尽言的立场上。

但是，王弼的"象者出意"、"寻象观意"、"意以象尽"等肯定言、象尽意的观点，并不意味着完全不考虑言不尽意论的合理性。言不尽意对于王弼的理论具有廓清之功。只有言不尽意论的流行，才有可能留下有关性与天道的本体追求的话头，才有可能突破汉人沉溺于象数以钩沉圣人之意的窠臼。然而，又不能反过来将言不尽意绝对化，因为倘若如此，王弼的贵无、崇本就失去了讨论的基础：无和本如果全在言象之外的话，那又如何能去贵、去崇呢？换句话说，言不尽易在破旧上是必要的，但在立新上却有否定一切、而难以建立起新体系之嫌。所以，王弼绝不能停留于此，而必须有所创新，这就是他的得意忘象、忘言之说的提出。

其实，王弼要贵无崇本，除了言象之外，不可能再有别的手段，所以强调言象意的一致性是他必须要坚持的原则。但是，这个一致性的成立又是有条件的，言象在他，只是手段而非目的。人们需要言象，在于通过这一有效手段、桥梁而迅速走向目的。如果不是这样，执著于手段、桥梁而不肯舍弃，一致性的链条也就中断了，意之本体世界也就永远不可能到达。换句话说，本体与现象的联系是本体能够被把握的前提，但这一前提又是只有在本体尚未被把握而需要这一联系时才有意义。存言存象的主张意味着止步于现象世界，这与把握本体的要求是不相容的。实际上，言不尽意论的流行，在理论上已经回答了这一问题，抛弃言象自然就成为了必然的选择。

同时，在王弼，得意忘象忘言不但是理论本身的要求，也有功用上的考虑。因为任何言象都是具体有限的,而本体则是全体无限的,前者在任何意义上都只是后者的一个枝节片断。汉象数对爻象的附会,以至于互体、卦变或五行等等,都只是统属于言象手段的不同枝节,并不具有全体无限的意义;全体无限乃是道的本性,道统属支配万物,又不具有任何形象。王弼曰:"道者,无之称也,无不通也,无不由也。况之曰道,寂然无体,不可为象。"① 无所不通是与无体无象相互发明的,故停留于有象之域也就不可能真正把握道。事实上,既然孔子已经明言立象的目的在于"尽意","意"一旦得"尽","象"也就完成了自己的使命,如果执著不放,只能造成对本体的干扰。所以,崇本息末的方法必须要坚持。

王弼坚信,只要崇本,就可以统末,而忘言忘象正是崇本的表现。事物现象虽然繁杂万变,但凡事都有一个中心,都有自己存在的理由:"物无妄然,必由其理,统之有宗,会之有元,故繁而不乱,众而不惑"②。抓住了事物的根本,就不会被繁杂的汉象数弄迷糊了双眼。韩康伯接续王弼注《系辞上》曰:"夫非忘象者,则无以制象;非遗数者,无以极数。"③ 要"制象"、"极数",就必须要忘象、遗数,不能让象数干扰本体。一句话,"得本以知末,不舍本以逐末也"④。

2、大衍一多

崇本息末的贵无论固然是王弼学术理论的核心,但王弼之论本末有无,又是与一多关系分不开的。如果说,有与无的纠结主要缘起于《老子》的话,一多关系的思辨则主要来源于《周易》。由《老子》而来的本体范畴是道、是无,由《周易》而来的本体范畴则是太极、是一。太极

---

① 《论语释疑·述而》,第 624 页。
② 《周易略例·明象》,第 591 页。
③ 《周易注·附》,第 550 页。
④ 《老子道德经注·五十二章》,第 139 页。

与道作为儒、道两家贡献的中国哲学最为重要的哲学范畴,在王弼这里打下了它们最为坚实的基础。

自《周易·系辞上》开始的太极范畴,本是一个典型的宇宙生成论的范畴。作为宇宙的本原,它一而二、二而四、四而八……地变化生成为丰富多彩的宇宙。在这里,最有特色的地方,就是所谓"大衍之数五十,其用四十有九"的"大衍义"。"大衍"是一个典型的一多关系的构架,其具体含义,汉代象数学已有非常细致以致繁琐的解释,而作为玄学理论奠基人的王弼,又是如何来看待这一问题并运用到自己的理论上的呢?

何劭《王弼传》曾记云:"弼注《易》,颍川人荀融难弼《大衍义》,弼答其义。"① 荀融如何难王弼《大衍义》,已不得而知。但王弼注《易》,荀融专拣其《大衍义》发难,可推知此义集中体现了王弼易学不同于汉易学的特点,我们也就可以从此入手,去观察王弼的易学和玄学思想。

韩康伯续注《周易》,引王弼之言说:

> 演天地之数,所赖者五十也。其用四十有九,则其一不用也。不用而用以之通,非数而数以之成,斯《易》之太极也。四十有九,数之极也。夫无不可以无明,必因于有,故常于有物之极,而必明其所由之宗也。②

对于王弼这一段话,历来有不同的理解,其争执点在于这个作为太极的"一",是在四十九之先还是之中,由此以判别王弼的理论是属于生成论还是本体论。其实,王弼这一段话既是在论"大衍(演)",有生成的意味也就是无可置疑的。由五十之数演至天地之数及其所象征的天地万物,反映的正是由始向终、由少到多的生成过程。

但是,以此为生成,并没有掩盖它在本体论上的价值。因为一和四十九双方,乃是相互依赖的存在,本身并没有前后生成的问题。在这

---

① 《三国志》卷28《魏书·钟会传》附。
② 《周易注·附》,第547~548页。

里,用凭"不用"而通,数因"非数"而成,这个"不用"或"非数"也就是太极。此处的太极不再是那个生两仪、四象、八卦的太极,它主要已不是生成的始基,而是为具体的"用"、"数"提供原因、根据而发生作用,后者已经属于典型的本体论的范畴了。

具体而论,不用的"一"或太极作为"非数",也就是无,既然是无,其作用就无法为人所直接认识,所以必须要通过具体的数即"有"才能为人所明白把握。反之,另一端的四十九却代表了一切具体的数,它虽然是被决定者,但又是太极即"一"之存在的现实证明,为认识太极本体提供了唯一可能的途径,这即是所由形成的一与四十九相互依赖的格局。在此意义上,由于太极之"一"或"无"只能存在于具体事物之中而不是之外,并通过"有"而得以发明,王弼有关象者出意、立象尽意的方法论原则,在"大衍义"中得到了进一步的贯彻和体现。

当然,在王弼,本体和现象双方的相互依赖并不等于其地位的相等,本体一方作为决定者和事物活动的主导,无疑扮演着更为重要的角色。"因有以明无"的机制所提供的,是现象或有之一方作为载体和表现的作用,它们并不表明有或杂多的事物现象比一、比无更要紧。事实上,一切杂多的现象都是由"一"来统率的。"故自统而寻之,物虽众,则知可以执一御也;由本以观之,义虽博,则知可以一名举也。"① 以一统众既是本体论的要求,也是现实政治的需要。道理在王弼本人已讲得很明白,那就是"夫众不能治众,治众者,至寡者也"②。"至寡"也就是一、道、无、太极,理论的最终归结点与社会政治的最高统治权力是合为一体的。当然,这个最高统治权力是不定的,变化的,它是重在"位"而非人,任何人哪怕是原来居于下位者,只要能上升到此一最尊之位,就是理所当然的最后决定者。换句话说,尊卑贵贱的社会地位是可以改

---

① 《周易略例·明象》,第 591 页。
② 同上。

变的。王弼所谓"故阴爻虽贱,而为一卦之主者,处其至少之地也"①
的观点,实际上既可以看作是对曹氏代汉的既有事实的认定,更可以被
认为是对已经在实施的司马氏代魏的"阳谋"在哲学上给予的证明。

但是,王弼作为开新风的玄学大师,他对一多关系的阐发,又不只
是在社会政治关系上,而是有着更为深远的理论意义。在这里,一之所
以能作为主,本有其生成论的根据,即万物为一所生。王弼曰:

> 一,数之始而物之极也。各是一物之生,所以为主也。物
> 皆各得此一以成,既成而舍一以居成,居成则失其母。②

一是数之初始,万物的开端,所以它具有"主"的资格。这说明,王弼贵
无玄学的主导倾向虽然是本体论,但生成论的一方也有它存在的价值。
它可以方便地从生成的根源入手,为现实的本体性主宰提供论证。另
一方面,一旦万物已经存在,它又可以相对独立,而不必再联系到原来
的母体。此时的本或主已随物之产生而转移到自身之中,生成的根源
就如同割断了的脐带一样不再有意义,所以王弼可以言舍弃。万物"皆
各得一以成"也就可以从事物现象皆各受其同一本体作用的意义上进
行解释了。

从而,即使在老子是典型的生成论命题的"道生一,一生二,二生
三,三生万物",王弼也可以从容地进行改造。他说:"万物万形,其归一
也。何由致一? 由于无也。由无乃一,一可谓无。已谓之一,岂得无言
乎?"③ 王弼这里已不再是从一到多,而是从多归一,它意味着杂多的
现象都必须以一为其本。这个归本的"一"也就是无,而不可能再是具
体的数。因为按王弼的"有形则有分"的方法论原则,任何有形的具体
数,都是不可能作为万物存在的共同根源即本体的。所以,可能"致一"

---

① 《周易略例·明象》,第 59 页。
② 《老子道德经注·三十九章》,第 105～106 页。
③ 《老子道德经注·四十二章》,第 117 页。

者,必然只能是"无"才能承担;"故能为品物之宗主,苞通天地,靡使不经也。"①

在王弼,不论是"致一"还是"归一",能够从杂多的事物现象返回到惟一的本体,不只是一个数由多到少的问题,更是一个从有到无的问题。正是因为这个"一"是无,它才能够将万有统一起来。但一与无双方,又不是完全等同,否则就没有必要再分为二了。"无"说明的是本体的性质,"一"揭橥的则是本体的作用表现。所以,从性质上讲,"一"可以叫做无;但从作用上看,一之统一本身又是有的展开,故又不能停留于无。无言与有言也就是相互发明的。

王弼在注解孔子的"吾道一以贯之"时,曾明确将此"贯"解释为"统","譬犹以君御民,执一统众之道也"②。君民关系与时间先后无关,他们是同时共存的决定与被决定的关系,这正是本体与现象的关系在社会政治领域的恰当说明。当然,这个"一"的统一作用是依赖于它的"无"的性质的,只有性质为无,才可能具有统率万民的作用。例如:"毂所以能统三十辐者,无也。以其无能受物之故,故能以寡统众也。"③ "无"的性质是统贯作用发生的前提,因为它能够"受"有,不与任何有相冲突,故能以其寡(一)统一治理众。在此意义上,"一"的作用说到底是"无"的作用,"故言无者,有之所以为利,皆赖无以为用也"④。有给人们带来的实际利益,是依赖无之特性和主导才可能发生的。

如此的执一统众、以寡治众之道,当然具有权术的意义。但在王弼,又不是为权术而权术,而是他崇本息末的本体论哲学在社会政治领域的运用和推广。以使从母到子、从本到末的关系得到最为合理的处理。所谓"守母以存其子,崇本以举其末,则形名俱有而邪不生,大美配

---

① 《老子指略辑佚》,第195页。
② 《论语释疑辑佚》,第622页。
③ 《老子道德经注·十一章》,第27页。
④ 同上。

天而华不作。故母不可远,本不可失。"① 一方面,母子虽有先后,但相互依赖也是无疑的。历史上母子相依为命的说法,形象地揭示了双方互不可离、一损俱损的关系。本与末的相互依赖也正与此类似。另一方面,母子、本末关系又有主次之分,母、本仍是居于主导的地位。从功用和效果上看,"远"母"失"本则不但是母、本尽失,子、末也无法得以保全。同时,以"母不可远"修饰"本不可失"还有一层意义,那就是不能完全抛开生成的根源来谈本体。在整个传统哲学中,生成论可以独立存在,本体论却很难做到而且也缺乏其文化基础。在"打破沙锅纹(问)到底"的思维传统和潜意识支配下,本体论兼容生成论并以此为自身存在的合理性做论证,就是极其自然的。

老子曾以"谷神"、"玄牝"等概念来说明他以无为天地之根的思想,王弼在揭示了"谷神"的虚无特性之后发挥说:"本其所由,与太极同体,故谓之'天地之根'也。"② 万有虽由太极生成而来,但又不脱离开太极,它与太极"同体"共存,相互依赖。从而,生成论也就变形为本体论。这种生成与本体相互支持的景象,在王弼看来,正是作为"天地之根"的太极或道的范畴的深意所在。

结合道德论来说,道德本身就表现为一个生成的序列,老子所谓"失道而后德,失德而后仁"云云便是如此。王弼则从贵无论出发对此进行了改造,并将比本末范畴具有更鲜明的本体论色彩的体用范畴引了进来。他说:"万物虽贵,以无为用,不能舍无以为体也。舍无以为体,则失其所以为大矣,所谓'失道而后德'也。"③ 万物不论有多么贵重,也只能是在无的支持下才能成立,即凭借无而发挥出自己的作用的。无作为体,也就是道,而万物则属于"德"的序列,尽德不能离道,舍

---

① 《老子道德经注·三十八章》,第 95 页。
② 《老子道德经注·六章》,第 17 页。
③ 《老子道德经注·三十八章》,第 94 页。

无也就不能有体。舍无为体乃是失大得小,弃道取德,万物之用是不可能发挥好的。

当然,要真正做到不舍无以为体,也是有难度的。韩康伯据王弼思想进一步发挥说:"圣人虽体道以为用,未能至无以为体,故顺通天下,则有经营之迹也。"① 就体用双方来说,圣人已经做到了在用中体道这第一步的要求,但尚未进达与无同体的最高境界。因为圣人是以"经营"安定天下为己任的,其"顺通"天下之功虽在效用上与有形万物相容而无分,但毕竟因其入世的活动而有"迹",故与无之体拉开了距离。就此而言,无之可"贵"就不仅贵在它是万有的本体,亦表现在它的高妙而不露形迹上。

王弼曾以"圣人体无"和"老子是有"来排定孔、老的高下,他之所谓"体无"实际就是韩康伯的"至无以为体"。韩康伯说圣人未能至无以为体,是将圣人与道直接相比而得出的结论,并不就意味着他要颠倒孔老的座次而排定道在儒上。即所谓道鼓动万物而万物不知,圣人忧虑天下却天下知圣人。事实上,圣人之为圣人,就体现在以功用去发明道上。所以,他紧接着便讲明"圣人,功用之母,体同乎道,盛德大业,所以能至。"② 如此之"体道""能至",已经将圣人放在了最高的境界,与王弼的体无、贵无最终又统一了起来。

---

① 《周易注·附·系辞上》,第 542 页。
② 同上。

第三章　玄学的兴衰

　　魏晋玄学在中国学术发展史上,无疑是以其哲学模型的转换和理论的创新为特色的。哲学思维就其本性来讲,是整个学术思潮中距离社会现实最远的理论形态,但中国社会的特点又制约着哲学的发展,使它无时无刻不与社会现实发生着密切的关联。思想家们都力图从哲学理论的高度去观察和解释现实的社会,为直接维持社会秩序运转的社会政治原则和伦理规范做出论证。由于如此的论证源出于哲学家们各自的生活背景和理论架构,故尽管他们关注的是同一类的问题,其答案也会是非常的不同。集中体现魏晋时期学术发展特色的思想大辩论,不论是反映哲学与社会政治伦理关系的名教与自然之辩,还是构成哲学理论自身发展阶段的贵无、崇有、独化之辩,可以说都是如此。魏晋玄学的走向高潮,正是以这不同学术观点的充分展开为标志的。

一、名教自然之间

　　名教即名分教化,它最早可以追溯到孔子要求端正君臣父子等级名分的"正名"思想。正名的目的在维持社会秩序的稳定,而其手段,由于孔子倡导"德治",主张"导之以德,齐之以礼",主要是采用说服教育的引导的办法。由此而形成的一整套礼法制度和伦理规范,可以说都属于名教的范畴。如此的名教,在汉代已经被封建国家规范为三纲五常的不变天道;然进入魏晋,"不变"名教的地位却由于与自然本性的纠葛而受到了质疑。

"名教"生于儒家,"自然"却产于道家,老子大量地使用了"自然"一词来揭示天道的无为。与此相应,道家的"人道"亦非为儒家的人为,而是说人应当效法天道,为"无为"而顺自然。可以说,与儒家积极有为的名分教化相对立的一切顺应、放任人的本性的活动,都不妨归属于自然的范畴。那么,本来对立的名教与自然双方,到了魏晋玄学家这里,又如何会走向重新认识和协调它们间的相互关系这条道路的呢?

1、名教本于自然

玄学的名教与自然之辩开始于王弼,不是没有理由的。这是他忘象得意、崇本息末的方法贯彻于名教与自然关系的思辨所必然引出的结果。"自然"的概念虽然出于老子,但它在老子,尚不具有实体的意义,而是对天道无为的本性或本来状态的描绘,一般属于状态或属性的范畴。但也正因为如此,它也就与实体有了不可分割的联系,魏晋玄学正是在这一基础上对自然概念进行改造和定位的。

王弼以为:"自然者,无称之言,穷极之辞也。用智不如无智,而形魄不及精象,精象不及无形,有仪不及无仪,故转相法也。"① "自然"是无法再予以解说的最高称谓,是到底的言辞,对它也就无法进行确定的规定。能够做的,只是从功用的角度来侧面发明,即它是比一切有智、有象、有形、有仪的存在更高的无智、无象、无形、无仪的存在。所以,道亦需要通过"法自然"来获得自己作为"无"的证明。所谓"道不违自然,乃得其性,法自然也。"②

一般的哲学史或思想史著作,对此"自然"概念的处理,大多只说到

---

① 《老子道德经注·二十五章》,《王弼集校释》(下略),第65页。
② 同上。

"自然而然"便止步,不再进一步解释,似乎再进行解释会影响到道的本原或本体地位的稳固。然而,正是由于此类的顾虑,使得在相当程度上削弱了《老子》及其注解的思想意义。其实,在王弼这里,道与自然是相互发明的,道是自然的实体化存在,自然则是对道的本性的规定。道是在"自然"的规定和约束下,才生成了自己的思想意义的,即所谓"得"其性也。"道不违自然"是反说,从正面讲即是在圆法圆、在方法方,"法自然也"。只有在如此的规定状态下,道之无形、无名、无为才可能成为现实。

同时,道本自然,万物由道而生,也就自动地被赋予了"自然"的属性。王弼称:"万物以自然为性,故可因而不可为也,可通而不可执也。物有常性,而造为之,故必败也。物有往来,而执之,故必失矣。"① 自然是万物的本性、本体,"因循自然"就是尊重万物的本性。本性是"常性",是不变,它是不能由人为去加以改变的。与"常性"对应的就是"变物",现象事物都处在不断的变迁之中,如果执著于末节而不能因循本性,必然导致事业的失败。

道有天道有人道,因循自然对于天道来说是没有问题的,但在人道,情况却发生了变化。因为人道本是天道离散的结果,人类社会的礼法制度、等级名分都依赖于这一基本的前提,所谓"真散则百行出,殊类生,若器也。圣人因其分散,故为之立官长。"② 各种各样的道德品行和具体事物作为道之离散的产物,是本于自然而生成不同的所在的。圣人根据这不同的分散所在,相应设立官长、排定尊卑:"始制官长,不可不立名分以定尊卑,故始制有名也。"③ 原始的自然状态自人类社会产生、有了尊卑等级以后,也就不存在了,人道的自然是赖于名分的相

---

① 《老子道德经注·二十九章》,第77页。
② 《老子道德经注·二十八章》,第75页。
③ 《老子道德经注·三十二章》,第82页。

对的自然。

名分之必要,在于它是维持社会秩序运转的必要条件,只有在名分的约束下,各地位不等的社会成员才能共处于同一的社会架构之下,保持社会的稳定和谐。但是,正因为如此,名分的必要性就是被说明的,是相对的和有限的,它不能违背自然的本性而必须要"知止",知道自己活动作用的界限,而不能倒过来以名分为本,"任名以号物","争锥刀之末"。后者从根本上破坏了名分制度的合法性,"失治之母",终使整个社会陷入危险混乱之中。

那么,王弼在这里实际上是说明,只要能"知止",名分即"子"的发挥作用限定在一定的界限内,自然之本或治之"母",就是可以不失的。名分既来源于"朴散始为官长"之时,它之本于自然就是题中应有之义,母子、本末双方孰轻孰重也一目了然。不过,由于"以无为本"的理论定位,"自然"亦是属于"无"的范畴:"自然,其端兆不可得而见也,其意趣不可得而睹也。"① 那么,对于这不可得而闻的"自然",按照由王弼的本体论导出的"崇本以息末,守母以存子"② 的结论,又如何才能有所认识、如何才能有效地去"崇"、去"守"呢? 那就只能是与他忘象得意的方法论相协调的亡名教而得自然。

当然,名教既然为社会国家的统治所必须,忘名教也就不是不要名教,而是指以"无为"行教化之意,所谓"用不以形,御不以名,故仁义可显,礼敬可彰也"③。不用形名方显形名,不教仁义方有仁义。王弼对于名教一方显然是给予了肯定的,只是这种肯定是有条件的。要达到"形名俱有而邪不生,大美配天而华不作"④,不能从强化形名本身入手,而是通过所崇、所守的自然无为去发生作用。王弼所揭示的,是不

① 《老子道德经注·十七章》,第41页。
② 《老子指略》,第196页。
③ 《老子道德经注·三十八章》,第95页。
④ 同上。

离名教,又不有意于名教,这样才能安居无为之本,吸引万民归顺。他说:"大人在上,居无为之事,行不言之教,万物作焉而不为始,故下知有之而已,言从上也。"① 下民从上,也就是末之从本、名教之从自然,这即是王弼着重论述的中心思想。

事实上,王弼对名教的肯定总是十分勉强,而相反,他对名教的限定却是无处不在强调:"圣人不立形名以检于物,不造进向以殊弃不肖,辅万物之自然而不为始,故曰'无弃人'也。"② 王弼的精明,在于看到了事情的反面。要收到好的社会效果,强化名教不如弱化名教,而弱化名教也就是顺其自然。只有这样,才能使物尽其才,人尽其用。真正好的政治是尚无而非尚有的政治。所谓"善行无辙迹"、"善言无瑕谪"、"善数不用筹策"、"善闭无关键"、"善结无绳约","此五者,皆言不造不施,因物之性,不以形制物也。"③ "不以形制物"就是息末忘象,"因物之性"就是崇本得意。王弼崇本息(举)末的思想落实于名教与自然之变,必然就是名教本于自然、不违自然的结论。

2、越名教而任自然

名教与自然的关系,就如同其思想母体儒家与道家的关系一样,魏晋时期的主流趋向是双方的兼综融合,尽管这一融合的具体缘由和程度有所差别。在这一主流趋向之外,还有一种在当时影响颇大的以二者为不相容的冲突关系的观点,这就是嵇康提出的"越名教而任自然"。

嵇康年龄略长于王弼,但其思想发生影响却是在正始十年(249)王弼去世以后。正始十年发生的"高平陵之变"使统治权力由曹氏之手转移到了司马氏手中,严酷的政治斗争对当时的学术发展产生了深刻的

① 《老子道德经注·十七章》,第40页。
② 《老子道德经注·二十七章》,第71页。
③ 同上。

影响。何晏直接死于此次事变,嵇康、阮籍等名士的思想也因之发生了重大的变化,由前期对儒家名教的相对认可转向为后期所持的激烈的批判态度。他们对名教的批判意识是何晏、王弼所不曾具有的,表现出他们思想的新的特色,从而使玄学的名教与自然之变进入到一个新的、即要求超越名教而听任自然的阶段。

名教所以应当被超越,是因为不论就起来源还是现实作用看,在嵇康眼中它都是不合理的。嵇康先依据老庄思想设定了一个理想的至德之世,在这个至德之世中,是没有仁义礼教存在的价值的。他称:"鸿荒之世,大朴未亏。君无文于上,民无竞于下,物全理顺,莫不自得。饱则安寝,饥则求食,怡然鼓腹,不知为至德之世也。若此,则安知仁义之端、礼律之文?"① 美好的盛世是完全不需要名教的。在这里,人人都依凭于自己的本性生活。但是,所以有至德之世,是因为有至人,一旦"及至人不存,大道陵迟"以后,社会便发生了根本性的变化。终至"造立仁义,以婴其心;制为名分,以检其外;劝学讲文,以神其教。故六经纷错,百家繁炽,开荣利之涂,故奔骛而不觉。"②

如此的论述,从形式上看,与王弼的朴散为官长、立名分之论有一定的相似性,但从实质上说则是有明显区别的。因为王弼尽管以为名教的状态不如自然状态完善,但毕竟肯定了其存在的合理性。朴散为器在他是一个必然的过程,而不是一个源出于圣人作为的道德论的选择。而且,这在王弼举末、存子的方法论指导下,朴散的意义也是正面的。设立官长的目的,是"以善为师,不善为资,移风易俗,复使归于一也"③。能够在顺从自然本性的前提下实现全社会的和谐统一。而在嵇康,名教取代自然,正是开启了社会混乱之源,本身就是不合理的,其

---

① 《难自然好学论》,《嵇康集》,第143页。
② 同上。
③ 《老子道德经注·二十八章》,第75页。

价值是否定的。嵇康不是从源而是从流来进行分析的。立足于现实的社会效果,对名教就根本无法给予肯定的评价。

他说:"下逮德衰,大道沉沦,智慧日用,渐私其亲。惧物乖离,攘臂立仁,名利愈竞,繁礼屡陈;刑教争施,夭性丧真。"① 仁礼刑教显然都是与自然天性相乖戾的东西,与大道本身扯不上干系,所以没有值得肯定的价值。在这里,嵇康之非仁礼刑教,在于仁礼刑教乃是出于为政者私利的需要,而不是从根本上反对道德教化。事实上,他之评价的本身,就是一种道德导向论。现实礼法不合正义,在他心中留下了一道永远抹不去的阴影。

另一方面,从社会历史的总体趋向看,由于人类的发展距大道越来越远,故社会在整体上是退化的。按他的描述,是:

> 季世陵迟,继体承资,凭尊恃势,不友不师;宰割天下,以奉其私。故君位日侈,臣路生心,竭智谋国,不吝灰沉;赏罚虽存,莫劝莫竞。若乃骄盈肆志,阻兵擅权,矜威纵虐,祸崇丘山。刑本惩暴,今以胁贤;昔为天下,今为一身;下疾其上,君猜其臣;丧乱弘多,国乃陨颠。②

历史退化论是中国社会一种长期流行的历史观,其表现形式在不同时代不尽相同,但一般特点都是立足于道德理想来评价具体历史的进程,理想和现实的矛盾也就在所难免。在他们眼中,伴随着历史发展的,是道德的日益退步和社会政治的日趋黑暗。由此而产生对社会现实的批判——这在魏晋时期也就是对名教的批判,是不难理解的。

嵇康对名教政治的批判,固然是他认为名教的现实状况与理想政治相差太远,但从理论上来分析,与他立足于社会公正对私利展开批判是分不开的。从公私的角度审视自然与名教的关系,是嵇康思想的一

---

①　《太师箴》,《嵇康集》,第 196 ~ 197 页。

②　同上书,第 197 ~ 198 页。

大特点。在他看来,理想政治是"为天下"的公的制度,而现实的名教则是"为一身"的私的制度,一切的人为可以说都是因私而生。各自都奉其私,自然之公当然就荡然无存了。

在嵇康的理想中,上古圣人是为天下的典范,他们"以万物为心,在宥群生,由身以道,与天下同于自得,穆然以无事为业,坦而以天下为公"①。自然作为天道的本来状态,只有"天下为公"才能与之相符,"自得"为自然,与天下同于自得则天下自然。自然状态是尚公、尚同的,今日之名教却完全是尚私、尚异,"凭真恃势,不友不师","下疾其上,君猜其臣"。这又怎么能让嵇康给予肯定的评价呢?

嵇康的公私之辩无疑具有一般的批判现实的意义,但更主要的还是针对司马氏集团的虚伪名教。在他眼中,"论公私者,虽云志道存善,心无凶邪,无所怀而不匿者,不可谓无私;虽欲之伐善,情之违道,无所抱而不显者,不可谓不公。"② 这对司马氏集团的伪善之心可以说是辛辣的讽刺。所以,要他接受山涛的举荐去司马氏朝中做官,不啻是将自己送进了桎梏手脚的囚笼,这纯粹是山涛的一厢情愿。他在《与山巨源绝交书》中,一下子列举了自己不适宜做官、即不愿为名教所束缚之"七必不堪"后,又作为归结而着重指出了自己与当政不合之"二甚不可",所谓"每非汤武而薄周孔,在人间不止此事,会显世教所不容,此甚不可一也;刚肠疾恶,轻肆直言,遇事便发,此甚不可二也。"③

就历史朝代的替代看,如果排除了农民起义的因素,历来只有两条道路可走:一是"革命"的道路,即商汤王、周武王采用的用暴力的手段推翻前朝统治;一是禅让的道路,即周公、孔子所倡导的用仁义的手段和平地实现政权交接。但不论汤武还是周孔,改朝换代才是问题的实

① 《答难养生论》,《嵇康集》,第 58 页。
② 《释私论》,《嵇康集》,第 122 页。
③ 《与山巨源绝交书》,《嵇康集》,第 274 页。

质。现在嵇康却既反暴力以揭露司马氏血腥手段的残酷,又反禅让以嘲讽司马氏大倡仁义忠孝举止的伪善,这等于是断绝了司马氏取得统治权力的一切可能;再加上他的刚肠疾恶、宁折不弯的倔强性格,当然也就不会为司马氏所容了。

但也正因为如此,嵇康之"非汤武而薄周孔"就不等于否定儒家圣人本身,也不是一般地诋毁仁义君道,"先王仁爱,愍世忧时"本也是他理想政治的一部分。然而,他考虑问题的基点是君道自然、无是无非,当政者只有在此前提下才是值得肯定的。为此,他提出了一个他理想之中的君子模样:"夫称君子者,心无措乎是非,而行不违乎道者也。何以言之?夫气静神虚者,心不存乎矜尚;体亮心达者,情不系于所欲。矜尚不存乎心,故能越名教而任自然;情不系于所欲,故能审贵贱而通物情。物情顺通,故大道无违;越名任心,故是非无措也。"① 是非、矜尚都是心系于名教的结果,理想的君子应当越名任心,从礼法桎梏中解脱出来。可以说,嵇康的观点既是对自己的一种激励,也是为救助时政而开出的药方,但这样的药方是明知没有接受的指望的,剩下的就只有以他自己的生命为代价,去殉他的抱负和理想了。

3、名教自然相冥

名教与自然关系的争辩,作为从学术的层面探讨治国方案和道路的一个缩影,体现了思想家们是如何去看待必要的社会政治规范与个人本性的关系的,并由此对二者的关系进行适当的协调,为解决矛盾冲突指明方向。王弼采取名教本于自然的立场,从根源上考虑双方的统一;嵇康则径直越名教而任自然,用自然取代名教的办法来消解双方的紧张。但不论是王弼还是嵇康,都是立足于理想来考量现实,故不能从

---

① 《释私论》,《嵇康集》,第120页。

根本上理顺名教与自然的复杂关系。这就必须要有一种全新的视角，从更高的角度来着手处理，才有可能最终消除双方的尴尬。郭象哲学也就应运而生。

郭象的学术是在向秀成果的基础上"述而广之"，故他的《庄子注》实际上反映了他和向秀两人的思想①。郭象以为，所谓"自然"，"即物之自耳"②，意味物的存在本身。郭象的"自然"观，重点在反对造物主的概念，即物非为它造，乃"自已而然，则谓之天然。天然耳，非为也，故以天名之，所以名其自然也，岂苍苍之谓哉！"③　自然也就是天然，但天然的概念，不是指头顶上一望无际的深蓝色的天穹，而只是在强调无为自化的意义。正因为如此，以天然来诠释的自然概念，就不只是限于天之一方，在人事同样也有自然存在。"固知君臣上下，手足外内，乃天理自然，岂真人之所为哉！"④　君臣上下的名教政治，就如同手足外内一样，是天然生成的社会自然秩序，如此的自然秩序乃是天理，决非是由某位真人人为设立的结果。

那么，郭象也就与作为他的思想来源的庄子有了很大的不同。庄子的基点是分离天人，天命与人事完全是两个范畴，所以在答复"何谓天，何谓人"之问时，其观点便是："牛马四足，是谓天；落（络）马首，穿牛

---

①　郭象是否将向秀的《庄子注》"窃以为己注"，历来有不同的说法。有兴趣的读者，可以参看《世说新语·文学第四》、《晋书》之《向秀传》（卷49）与《郭象传》（卷50）。今人著作，则见侯外庐主编：《中国思想通史》第3卷第6章《向秀与郭象的庄注疑案与庄义隐解》，人民出版社1957年版，第208～224页；许抗生著：《三国两晋玄佛道简论》第4章《向秀、郭象的玄学崇有派哲学思想》，齐鲁书社1991年版，第126～140页；汤一介著：《郭象与魏晋玄学（修订本）》第6章《郭象与向秀》，北京大学出版社2000年版，第127～148页。本书不对此问题进行讨论，而采郭象《庄子注》在总体上也反映了向秀思想的一般看法。

②　郭象：《庄子注·知北游》，见郭庆藩：《庄子集释》（下简称《集释》），中华书局1961年版，第764页。

③　《庄子注·齐物论》，《集释》，第50页。

④　同上。

鼻,是谓人。故曰:无以人灭天,无以故灭命。"① 庄子的立足点在牛马
即自然本身,天人之间完全是对立的关系。人对自然的一切作为,实际
上都是为了满足自身的需要,为了满足这一需要,不惜采取了灭天、灭
命的破坏自然本性的做法,所以庄子提出了相反的忠告。其实,这不仅
是庄子的观点,王弼、嵇康在根本上也是站在这同一的行列之中的。

可是,这样来认识问题,是显然有违于人类文明的发展的,也无助
于解决天人之际的问题。要想取得认识的突破,视角的变换也就具有
决定的意义。郭象不是从牛马、而是从人、从人为对自然的改变可以在
顺从自然本性的前提下进行的角度,诠释出了新的意义。郭象说:"人
之生也,可不服牛乘马乎?服牛乘马,可不穿落之乎?牛马不辞穿落
者,天命之固当也。苟当乎天命,则虽寄之人事,而本在乎天也。"② 郭
象的观点,可以说是对庄子将自然状态和人为状态分离开来、并推崇前
者而贬低后者的思想的一种解构。在这里,判断人为是否符合天理自
然的关键,不在于人为本身,而在于这种人为是否被自然所接受,只要
接受就是天命,就是自然。郭象不是从动机、而是从效果去看问题的。
他的创造性在于,历来只着眼于其由来而被判为对立双方的人为与自
然的关系,从此出现了相互融通的可能,这就是从牛马不辞穿落证明了
天命之固当。一句话,人为可以符合于自然。

如此的人为在郭象,包括两个方面的任务:一是内对自身,二是外
对外物,天人双方都是如此。他说:"知天人之所为者皆自然也,则内放
其身而外冥于物,与众玄同,任之而无不至者也。"③ 不仅是天命,包括
人为,在这里都归属了自然。郭象的"大"自然观实际上已经为名教冥
合于自然的问题预留好了地盘。在此趋同的前提之下,内之与外,人之

---

① 《庄子注·秋水》,《集释》,第 590～591 页。
② 《庄子注·秋水》,《集释》,第 591 页。
③ 《庄子注·大宗师》,《集释》,第 224 页。

与物,也就不再有差别,也就可以听其作为而无违于自然了。由此,郭象就不再需要谨守作为老庄学术基本精神的无为的立场,而是将其改造为任性自为、即积极的作为。所谓"无为者,非拱默之谓也,直各任其自为,则性命安矣。"①

在郭象,任其自为与性命安是一个问题的两面。人生在世,社会境遇各别,但这并非是谁有意为之,而是天然生成,人当安而无为;但安又不是消极静守,而是充分发挥本性所具的职分,自觉而安,这才是郭象所需要的。譬如:

> 夫人之一体,非有亲也;而首自在上,足自处下,腑脏居内,皮毛在外;外内上下,尊卑贵贱,于其体中各任其极,而未有亲爱于其间也。然至仁足矣,故五亲六族,贤愚远近,不失分于天下者,理自然也,又奚取于有亲哉!②

人并非亲头而疏脚,亲腑脏而疏皮毛,但这上下内外却自然有分,各个部分都尽自己所能,自觉安于本分,这就是天理自然。人身内部如此,人身外之仁义忠孝同样如此。玄学不是不讲礼义,而是不像儒家那样执著于礼的名号,以致有违于真性。故又说:

> 夫知礼意者,必游外以经内,守母以存子,称情而直往也。若乃矜乎名声,牵乎形制,则孝不任诚,慈不任实,父子兄弟,怀情相欺,岂礼之大意哉!③

《庄子》书中记载,对于子桑户死、其朋友却"临尸而歌"这件事,儒、道表现出完全不同的立场。其症结即在于双方对"礼"的看法各异。郭象强调外力与内情(性)本当相符,不看重礼之形制、名声,不等于就否定了仁义忠孝的名教规范。因为这些名教规范本为自身情性所有,人

---

① 《庄子注·在宥》,《集释》,第 369 页。
② 《庄子注·天运》,《集释》,第 498 页。
③ 《庄子注·大宗师》,《集释》,第 266 页。

所当做的是循性直往,真情"诚""实",这才是社会急需的名教"大意"所在。

在这里,"守母以存子"固然是王弼的讲法,但双方的理论目的已经不同。王弼是"崇本息末",郭象则是"游外以经内",注意了"经内"、"存子",而且这种经、存的功夫是建立在人的本性真情、而非虚情假意的基础上的。这说明经过魏晋之际"自然"的充分宣泄之后,学术思想的发展,既要考虑向名教回归的社会形势的需要,又要尊重既有"自然"之辨提供的历史教益,使仁义名教既在其根源性、更在其现实性上能够与自然相合。

事实上,郭象也正是如此来实践的,仁义在他已经不再外于自然、外于人性,而是成为了人自身的组成部分。如云:"夫仁义者,人之性也。人性有变,古今不同也。故游寄而过去则冥,若滞而系于一方则见。见则伪生,伪生而责多矣。"① 郭象哲学是尚变的哲学,古今不同,仁义亦须变,随变任化才能真正使外内相冥。如果执著于某一不变的陈规,那就必然与自然本性相冲突而不可能获得社会的认同。

因而,郭象的任务,也就不是去论证自然或名教的必要,而是重在发明这必要的双方的协调和冥合。人的社会地位或等级名分属于人的天性,是人天生亦即"自生"的结果,人没有理由去反对那天然合理且系他"自生"的名分地位。他应当做的,就是自觉地安于性命,尽分守责。郭象强调说,从安于性命、尽分守责来说,不论是在上的君主还是在下的臣仆、朝廷的当政还是山林的隐士,大家都是平等的,都以外内相冥作为同一的人生选择。他云:

> 夫理有至极,外内相冥,未有极游外之致而不冥于内者也,未有能冥于内而不游于外者也。故圣人常游外以冥内、无心以顺有,故虽终日见形而神气无变,俯仰万机而淡然

---

① 《庄子注·天运》,《集释》第519页。

自若。①

人都有自然性和社会性的两重身份,王弼、尤其是嵇康更多地看到了两者的冲突,而没有看到双方可能的冥合统一。其实,人的生存实践本身就说明外与内是可以冥合、在现实中也无人不是冥合的。只是这种冥合的程度在不同人士可能有差,圣人、帝王则是其中的佼佼者。他们作为冥合的典范,是身在朝廷不离于日常事务的繁杂,心却超然于外体验着山林隐士的清静。一句话,俯仰万机而又心中淡然。

郭象寻求《庄子》的"述作大意"而总结出的"游外冥内之道",就是名教与自然的相互冥合之道,这既是郭象为君主和名教的合法性进行的论证,也是他对名教与自然之辨做出的总结。

二、有无之辨

"玄学"之为玄学,正是以"玄之又玄"的有无之辨为其理论特色的。自何晏、王弼倡"以无为本"以来,贵无之风在魏晋时代普遍流行,已渗透到社会生活的各个层面。贵无论者倡导的以本统末、以无制有的谋略,虽然也取得了一定的社会效果,但是随着时间的推移,也暴露出了不少的弊病;而且,从学术的层面说,贵无哲学内含的生成论的因素使得它越来越难以自圆其说,已经在根本上阻碍着理论的发展。这就迫切需要对此加以检讨,重新审视有无之间的关系,重新定位"有"的价值。完整意义的玄学思辨,也就由此而开启。

1、裴頠的崇有

"崇有"是"贵无"的对立面,它的出现是贵无哲学发展到一定阶段

---

① 《庄子注·大宗师》,《集释》,第268页。

必然的结果。"无"作为本体,固然如王弼所言有它在哲学上的合理性,不然它也就不会为历史所选择。但以无为本的合理性又不是完全充分的,它的缺陷随着理论的展开而逐步暴露了出来。

王弼的以无为本,从逻辑的推演来说,与老子的"有生于无"存在着内在的联系。王弼明确以《老子·四十章》有生于无的思想为据,去解释《老子·一章》的有无论说,其言曰:

> 凡有皆始于无,故未形无名之时,则为万物之始。及其有形有名之时,则长之、育之、亭之、毒之,为其母也。言道以无形无名始成万物,万物以始以成而不知其所以然,玄之又玄也。①

显然,有形有名的"有"(万物),生成于无形无名的"无"。无之对有,就如同母之对子一样,既为之生,又为之养,只是这一"母"是玄之又玄而看不见、摸不着的。王弼此论,固然方便了论证无形无名之本的意义,所谓"有之所始,以无为本"②也。但也由此带来了一个问题,那就是:"母"是还须有母才能得以生的。无论这一步走到哪里停止,在它的前面总会有一个无穷的序列。

更为要紧的是,这个什么都没有的"无"如何能越过无与有的界限而产生出原来并没有的"有"来呢?无论在理论还是实践的层面,这都是不可能得以解决的。事实上,早在《庄子·齐物论》通过"有始"、"未始有始"、"未始有夫未始有始"等一连串例证的反诘,就已经披露了这一矛盾的窘境。因而,如此以母子关系来类比的"以无为本",在逻辑上是不成立的。主张"济有者皆有"的裴頠的"崇有"之说,也就呼之欲出。

裴頠(267~300)生活的西晋中期,贵无哲学势头正盛,"风教陵迟"。在那时:

---

①　《老子道德经注·一章》,《王弼集校释》,第65页。
② 《老子道德经注·四十章》,同上书,第110页。

> 虚无之言,日以广衍,众家扇起,各列其说。上及造化,下
> 被万事,莫不贵无,所存金同。情以众固,乃号凡有之理皆义
> 之埤者,薄而鄙焉。辩论人伦及经明之业,遂易门肆。①

贵无的结果自然是贱有,谈论有之理乃是"义之埤(卑)"者,是遭人鄙弃的。上下造化万事都由无一以统之,各家争相论无,何晏、王弼的开山之功显然已大见成效。

贵无论所以能被社会所选择而风行天下,以致儒生们都改换门庭去投奔老庄、玄学,在理论和实践上都是有它的理由的。即便是对此现象痛心疾首的裴頠,也在理论上给予了相对的认可,肯定《老子》与《易》义有相合之处。他称:"老子既著五千之文,表撅秽杂之弊,甄举静一之义,有以令人释然自夷,合于《易》之损、谦、艮、节之旨。"② 老子言"道德"为的是离杂而入纯、抑动而举静,从而使人心气平和无争,这与《周易》四卦所倡导的减损、谦逊、静止、节制之德是完全吻合的。

《老子》与《周易》义合,在裴頠,实际就合在减损欲望以保全性命上。故裴頠与嵇康一派的寡欲主张有所类似,并以为这正是贵无论兴起的自然哲学基础,从而具有一定程度的合理性。他说:

> 夫(于)有非有,于无非无;于无非无,于有非有。③ 是以
> 申纵播之累,而著贵无之文。将以绝所非之盈谬,存大善之中
> 节,收流遁于既过,反澄正于胸怀。宜其以无为辞,而旨在全

① 裴頠:《崇有论》,见《晋书》卷35《裴頠传》。
② 同上。
③ 此四句十六个字,历来解释不一。冯友兰先生以为是该文的抄写者抄错了地方,而且搞得次序颠倒错乱,故重新排列这十六个字的次序并移动其在全文中的位置,从而句读为:"夫有,非有于无,非有。于无,非无于有,非无。"见所著《中国哲学史新编》中册,人民出版社1998年版,第498页。此说得到汤一介先生的支持,见所著《郭象与魏晋玄学(增订本)》,北京大学出版社2000年版,第159页。但冯说并未为如此大的改动提供任何文献的证据,故本文不取,仍采传统观点。

有,故其辞曰:"以为文不足。"①

意思是说,执著于生(纵欲)并不有益于生,主张无欲也不是否定生(害生);如果知道无欲不是否定生,对于欲望也就不会执著了。那么,既然讲明了纵欲的危害,贵无(无欲)之说也就自然被提了出来。贵无对于绝非、存善、收过、反正是有必要的,但这一必要,裴𬱟又给予了新解。即"以无为辞"的宗旨在于"全有",只停留于谈论"无"的价值是远远不够的。"夫盈欲可损而未可绝有也,过用可节而未可谓无贵也"。贵无只是"一方之言"、片面之理,"若谓至理信以无为宗,则偏而害当矣"②。最高最完备的理,只能是有而绝非是无。

贵无所以是偏而不是全,在于"无"所引出的静守并不能解决人们的生计和带来实际的效用:"是以欲收重泉之鳞,非偃息之所能获也;陨高墉之禽,非静拱之所能捷也;审投弦饵之用,非无知之所能览也。"③这些本来都是最显而易见的道理,但却被贵无论者弄得模糊不清了。似乎只要一讲以无为本,人们的生产生活问题就自动地解决了,其实远不是这么回事。必须将无统一到有上,才能维持社会的正常运作。"惟夫用天之道,分地之利,躬其力任,劳而后飨;居以仁顺,守以恭俭,率以忠信,行以敬让,志无盈求,事无过用,乃可济乎!"④ 裴𬱟虽强调仁义,强调名教对社会的调节作用,但此仁义名教是与无求无过之无为联系在一起的。裴𬱟是注意吸取贵无论提供的理论教益的,无为的学说已经成为他崇有理论的重要组成部分。

但是,贵无论的特点主要还不在于描述现象世界的无为无欲,而在于论证以无为宇宙的本体。如此之无在裴𬱟是坚决反对的,因为它在道理上根本说不通。回顾王弼以无为本论的理论目的,无非在于以无

---

①　裴𬱟:《崇有论》。
②　同上。
③　同上。
④　同上。

统有，以无为制有为，以使各家各派的"有"——诸种治国方案能够为我所用。但如果真要追寻这种最终之无，则只能陷入恶的无穷之中，结果反倒是怠慢了以无制有的主题。退一步说，就算最后的无、母真的能够被抓住，也解决不了任何问题。因为必然出现的疑问是，这最后的"母"是有还是无呢？如果是有，只能说明它还不是最终的答案，因为"凡有皆始于无"的原则是一以贯之的，即在它前面必然还有无；如果是无，那就变成无生无，可无生无等于是什么都没有生，仍然停留在问题的出发点，实际上是否定了生成论的意义。

由此，有生于无的问题实际上是陷入了逻辑的怪圈，必须从这个怪圈跳出来，重新寻找突破口，才可能将学术推向前进。裴頠有鉴于此，于是干脆抛弃了"有生于无"的命题，而采来了"自生"的概念。他说：

> 夫至无者无以能生，故始生者自生也。自生而必体有，则有遗而生亏矣。生以有为己分，则虚无是有之所谓遗者也。故养既化之有，非无用之所能全也；理既有之众，非无为之所能循也。①

至无、绝对的无，根本就不可能有"生"的功能，故始生者，都只能是"自生"。"自生"的概念不是裴頠率先提出来的，还在东汉王充批判天人感应、倡导天道自然时就已经在使用了。王充认为，"天地合气，万物自生。犹夫妇合气，子自生矣。"② 天地间元气交合，万物自生于其间，就像夫妇交合施气、子自生一样。在这里，元气对于万物和子女的产生来说，无疑是根本的原因。但由于元气"恬淡无欲、无为无事"的特点，万物、子女的产生仍然是自然无为的过程，均系偶然碰巧而得生。

王充以后，向秀立足玄学立场引入了"自生"的概念。他称：

> 吾之生也，非吾之所生，则生自生耳。生生者岂有物哉？

---

① 裴頠：《崇有论》。
② 王充：《论衡·自然篇》。

（无物也，）故不生也。吾之化也，非物之所化，则化自化耳。
化化者岂有物哉？ 无物也，故不化焉。若使生物者亦生，化物
者亦化，则与物俱化，亦奚异于无？ 明夫不生不化者，然后能
为生化之本也。①

在向秀，生者并非是被物所生，生只是"自生"。万物虽然生生不息，但
并不存在一物生成另一物的关系，正因其"不生"，所以才有"自生"。若
有"生物者"存在并生物，它本身就必然是被生，从而同于物，这就否定
了它之生物者的地位。因而，只有保持不生不化的地位和特性，即超脱
生死变化，才能被考虑为万物生化的根本。

可以说，向秀虽然接过了王充"自生"的概念，但与王充已经有了重
大的区别。因为王充的自生只是反对有意志目的的生成，并不反对"合
气"这一生成的前提；而向秀在理论上则跨越了一大步，径直以"不生"
来说明"自生"，否定生物者的存在地位。道理很简单，如果保留"合气"
这一原因的话，根本就不可能有真正的"自生"。

但是，向秀的"自生"论在理论上是有缺陷的。因为他没有解释"不
生不化"的根本，是如何使得万物生生化化的，存在着与贵无论者类似
的由无如何跨越到有的理论困难。所以，到裴頠讲自生，第一步就是取
消这个"不生不化"的绝对无的存在地位，认定"至无"者无以能生，"始
生"者都是"自生"。而所以能够"自生"，在于都是以"有"为体。裴頠彻
底放弃了以无为本的老路，只讲有之自生，即有产生有。所谓"自生而
必体有"、"生以有为己分"，是说只要能产生出有的东西，它自身也一定
是有；同理，无要是能产生出有来，它本身就已经是有而不是无了。

无或虚无的范畴也不是没有必要，但这只能是在现象而非本体的
意义上去讲。作为本体的无既没有存在的可能——任何有都不需要这

---

① 张湛：《列子注·天瑞篇》引，《列子集释》（杨伯峻撰），中华书局 1979 年版，
第 4 页。

样的无;也没有存在的必要——有自然地产生着有。由此而观,"济有者皆有也,虚无奚益于已有之群生哉"? 有能够自相扶助,虚无之体也就被逐出了本体论的舞台,惟一剩下的就是现象无的意义了。即所谓"虚无是有之所谓遗者也",无只是指现象有的消失状态而言。

"济有者皆有"的命题在裴頠的意义是双重的,一方面是对无作为本体存在的必要性和可能性的否定,另一方面也说明有之"自生"不具有绝对的意义,它是有条件的,它需要外物即他有的资助。《崇有论》开篇即说:"夫总混群本,宗极之道也。方以族异,庶类之品也。……夫品而为族,则所禀者偏;偏无自足,故凭乎外资。"总括万有的本身就是最根本的道。由于具体事物类别品级各异,它们各自都只秉承了道的一个片面、部分,都具有也只具有局部的合理性,不能圆满自足,所以需要它有的资助。裴頠此论,并不只是抽象的有无思辨,而是始终联系着社会政治的需要的。名教就是最重要的"外资"。"贵无"、"贱有"是不需要外资的,它从根本上抛弃了社会国家的制度规范,而"遗制则必忽防,忽防则必忘礼;礼制弗存,则无以为政矣"。所以,基于强烈的现实责任感,裴頠大声疾呼贵有、崇有。

但是,裴頠的"崇有"论在理论上也有自身的不足。他所崇之"有"既是宗极的本体,又是"著分"的形象。如此的观点固然使一切事物现象都统一在一个"有"的总体之中,但这不同"有"之间的关系到底如何定位,如何恰当把握总体与个别、隐微与显著的不同"有"的存在,他都没有能做出理论的分析。而且,"自生而必体有"云云,是因为个别事物禀道之不全,故只能在现象有的相互依赖中、即通过"凭乎外资"而始生自生的。正因为如此,它们的变化,因为有其条件性,故都是"生而可寻"的。然而,"总混群本"的道自身并没有"凭乎外资"的问题,它还适用不适用"始生""自生"的规定,它还在不在"生"的序列之中,裴頠也都没有予以说明,恐怕也是无法说明的。这些问题都不得不留待了后人去解决。

2、郭象的独化

郭象与裴頠大致生活于同一时代,二人的哲学可以说均是针对贵无而发的崇有。但从理论递嬗的角度说,郭象的独化论解决了裴頠崇有论的矛盾,应当完成于裴頠之后,是对向秀、裴頠理论进一步提炼和系统化的结果。

裴頠崇有是以"外资"、"济有"为特色,群有都是道的一偏,都不具有自足性。这一理论虽然对贵无论造成了冲击,"然习俗已成,(裴)頠论亦不能救也"①。这种"不能救"虽然有贵无论已普遍流行的背景,但更重要的是裴頠理论自身尚不完备、周密。"外资"、"济有"固然与"有生于无"在本原是有还是无上不同,但在"有"的性质认定上,双方又十分相似。即凡"有"均不能自足自立,均需要他者来支持。只是这个他者由无转换成了有。但由此一来,使分置于本末双方的无与有的关系,变成了同一序列的有与有自身的关系。本体与现象混一不分,从思辨的角度说,这实际上并没有前进,反而是退化了。学术要发展,就必须要再前进一步,使有自身能够独立自足起来,或者说使自生彻底化,郭象哲学所承担的正是这一角色。

郭象继承了裴頠崇有的立场,但这是与对王弼贵无的采撷密切关联的。王弼已讲明"有形则有分",郭象的"物有际,故每相与不能冥然"② 也表达了同样的含义,故有之济有实际上是难以如愿的。但有之济有没有可能,根本原因是本来不需要这样的外来之"济"。他说:

> 无既无矣,则不能生有,有之未生,又不能为生。然则生生者谁哉? 块然而自生耳。自生耳,非我生也。我既不能生

---

① 《资治通鉴》卷82《晋纪四·惠帝元康七年》。
② 《庄子注·知北游》,《集释》,第754页。

物,物亦不能生我,则我自然矣。①

"生"的概念如果是就创始来讲的话,它是既不适用于无——无既是非有,非有又如何能有呢? 也不适用于有——有如果未生,那它又如何能得生呢? 双方在道理上都是说不通的,也不能给予任何事实的证明。郭象所需要的,正是这样一种不论我与物均不能相济相生的结果,从而为他的"自有"论开辟道路。

他说:

> 夫有之未生,以何为生乎? 故必自有耳,岂有之所能有乎! 此所以名有之不能为有而自有耳,非谓无能为有也。若无能为有,何谓无乎? 一无有则遂无矣。无者遂无,则有自欻生明矣。②

自生实际上是靠"自有"来支持的,"自有"概念的确立,与有生有、无生有都划清了界限。"无有"就是没有,是完全绝对之无。那么,回头看看现在的日新其化的万有,当然就都是自生的了。

可是,庄子屡以"无"为宇宙之初的无生有的观点又当如何来解释呢? 郭象对此并不是简单地否认,而是重新诠释说:"然庄子之所以屡称'无'于初者,何哉? 初者,未生而得生,得生之难,而犹上不资于无,下不待于知,突然而自得此生矣,又何营生于已生以失其自生哉!"③要解决有生于无的难题,根本点其实就在如何对待宇宙之初,郭象将庄子的泰初之无解释为"未生而得生",即无造物者而自然得生。当然,要真正解释清这一问题无疑是困难的,但这一困难正好被郭象抓住并利用它来说明,既然连得生之初都是"不资""不待"而突然自生,已生之后的自生就更不需要外来的作为了。

---

① 《庄子注·齐物论》,《集释》,第 50 页。
② 《庄子注·庚桑楚》,《集释》,第 802 页。
③ 《庄子注·天地》,《集释》,第 425 页。

由此，造物主的概念在郭象也就没有任何的意义了，不得不被最终抛弃。郭象云：

> 请问：夫造物者有耶？无耶？无也，则胡能造物哉？有也，则不足以物众形。故明众形之自物，而后始可与言造物耳。……故造物者无主，而物各自造，物各自造而无所待焉，此天地之正也。①

"天地之正"就"正"在物各自造。所谓造物的问题，实乃有物之后才出现，即追问这些物最终从何而来，这是人受求知欲、好奇心的驱使而出现的问题。但对这样的问题，是不能指望有最终的解决办法的。在这里，无虽是一般，但不能越过无与有之界；有作为个别，又不能满足世界的丰富多彩。所以，只能以物的自生自造来解决，任何他物的接济，都是不需要的。如果套用裴頠的话头，那就是"济有者皆自有也"。

可以说，自王充基于天道自然的立场提出"自生"的范畴、以经验论和偶然论为武器应对天人感应论和神学目的论以来，到同样利用道家思想的郭象这里，最终从逻辑上完成了对造物主概念的否定并使自生得到了最为彻底的贯彻。同时，自生在于自有，也是郭象对裴頠崇有论的一个重大改进。郭象不但扭转了"济有者皆有"的思路，连"虚无是有之所谓遗者也"的对有无现象间的转换关系也一并予以了否定。所谓"非唯无不得化而为有也，有亦不得化而为无矣。是以夫有之为物，虽千变万化，而不得一为无也。不得一为无，故自古无未有之时而常存也。"②

从道理上说，如果承认有可以化为无，那无也一定可以生而有。要使自生严格化，就必须同时否定无生有和有化无。而就有自生来说，它不论形态如何变化，都永远是有而不是无。时间上的永恒为有之彻底

---

① 《庄子注·齐物论》，《集释》，第 111～112 页。
② 《庄子注·知北游》，《集释》，第 763 页。

化提供了最切实的保证——自古长存的东西哪里还需要他物来生成和扶持呢?

因而,郭象虽然承认甚至在不少情况下十分强调万物的变化,但这所有的变化在他都是"自有"的变化,与他物是毫不相干的,如此的变化就是所谓的"独化"。"独化"是郭象用以解释事物存在和变化的最重要的范畴。他在分析庄子关于道之"可得"的思想时说:

> 然则凡得之者,外不资于道,内不由于己,掘然自得而独化也。夫生之难也,犹独化而自得之矣,既得其生,又何患于生之不得而为之哉! 故夫为生果不足以全生,以其生之不由于己为也,而为之则伤其真生也。[1]

"得(道)"之本意是由外而有、由外而得,如庄子所举之伏羲、黄帝、颛顼、彭祖都是如此。但在郭象,情况却有了根本性的变化,即"得"不但不能得于外,也不能得于己,它是完完全全的"自得"即独化。独化是自得的前提和条件,"为生"反不能"全生",独化才能有"真生"。

基于独化,郭象肯定变化的普遍性,但却反对变化的连续性。变化日新在他,说明的不是前后事物活动的连续,而是这些事物活动的断裂。正是这种断裂性保障了独化,构成了古今不同的历史。郭象说:

> 故不暂停,忽已涉新,则天地万物无时而不移也。世皆新矣,而自以为故;舟日移矣,而视之若旧;山日更矣,而视之若前。今交一臂而失之,皆在冥中去矣。故向者之我,非复今我也。我与今俱往,岂常守故哉! 而世莫之觉,横谓今之所遇可系而在,岂不昧哉![2]

由于变化,事物每一天、每一时刻都在新生,人们头脑中的"我"或"今"的概念,也就不可能执著。因为一当其执著时,就已经成为过去了。这

---

① 《庄子注·大宗师》,《集释》,第 251 页。
② 《庄子注·大宗师》,《集释》,第 244 页。

一原则不只是对"今"、对任一时刻自"故"也同样适用,希冀"常守"在今还是故上,都是不可能的。世俗观点所以认为事物活动都可以联系到过去和将来,正是因为不能真正懂得变化"日新"的缘故。

注重变化本是中国学术的一大特点,但在郭象以前,人们似乎更多地是注意到了物与物之间的连续性的方面,如果继续这一思路只讲连续性,生生不息的深刻道理就只能是一团淡然无为的历史陈迹。世界之所以变得这样丰富多彩,关键不在于守故,而在于开新。新作为故的否定,也就是故的断裂,正是这种以"新"为标识的断裂,才充分显示出了生生的价值和历史的意义。从此角度说,历史对于后人的价值,其实不在于它之连续,而在于它之断裂。断裂才有新生,才推动和创造了历史。郭象的观点正是突出了问题的这一方面。

郭象从断裂来解日新,体现了他通过否定连续性来否定造物主的新的思考。他以为,"日夜相待,代故以新也。夫天地万物,变化日新,与时俱往,何物萌之哉? 自然而然耳。"[1] 所以无物"萌之",在于物均"与时俱往"而变化"日新",也就没有任何事物可以存留而作为另一物的原因根据。如此的独化乃是自然本身的状态,既不会有原因也不会有结果。要找原因,独化否定了造物主的存在,物日新其化皆是自新自化;寻求结果,无原因条件或无待本来就是独化的秉性,有结果便不可能有独化。

郭象在评价庄子关于坐下与起立是否有待、有原因的设问时说:"言天机自尔,坐起无待。无待而独得者,孰知其故,而责其所以哉? 若责其所待而寻其所由,则寻责无极,率至于无待,而独化之理明矣。"[2] 就坐下与站起的行为来说,往往是一种随其天性的本然动作,所以是无待。如此的无待可以从追寻原因到最后境地、却发现竟无可追寻来证

---

[1] 《庄子注·齐物论》,《集释》,第 55 页。
[2] 《庄子注·齐物论》,《集释》,第 111 页。

明。而既然原因条件都无可追寻,独化作为结果自然也就成立了。"无待"在庄子还只是一种模糊的猜测,郭象则大大向前推进了一步,将"所以然"的问题彻底泯灭。事实上,也只有进到这一步,独化才可能"独"得起来。

但是,排斥所以然的独化,却可以容忍所当然即必然。人生在世,死生存亡,穷达贫富,总是无法避免的,这些既定的社会境遇在人就是一种至当、必然。他称:

> 其理固当,不可逃也。故人之生也,非误生也;生之所有,非妄有也。天地虽大,万物虽多,然吾之所遇适在于是,则虽天地神明,国家圣贤,绝力至知而弗能违也。故凡所不遇,弗能遇也,其所遇,弗能不遇也;凡所不为,弗能为也,其所为,弗能不为也;故付之而自当矣。①

必然性虽然也是一种原因,但对此原因却只有遇不遇而没有认识不认识的问题。人的知识、智慧在这里是没有意义的,即无待也可以从"不知"待去理解。

由此,郭象虽然肯定"至理"的范畴,强调"物无妄然,皆天地之会、至理之所趣"②,但却与同样强调这一问题的王弼有显著不同。王弼的"物无妄然,必由其理"告诉人们的,是理可明可知,故尽管忘象、忘言,但却没有忘掉主体,"忘"是我在忘;而郭象则根本否定了主体的地位和作用。因为要无待,就必须要"忘"掉自己,"己"可以说是无待要清除的最后一块地盘:"人之所不能忘者,己也,己犹忘之,又奚识哉! 斯乃不识不知而冥于自然。"③ 那么,无待而独化,也就不全是客观层面的问题,多半是自动放弃主体意识与"自然"冥合的结果。"冥"之方就不只

---

① 《庄子注·德充符》,《集释》,第 213 页。
② 同上书,第 219 页。
③ 《庄子注·天地》,《集释》,第 429 页。

是适用于自然与名教的社会政治关系,它也适用于构建独化的哲学理论,并通过它去化解有待"相因"与无待独化之间原本存在的矛盾冲突。

"相因"本是谓事物之间的相互依赖关系,从概念上说,相因与独化不能不说是一对矛盾,所以郭象需要非常慎重地处理它们,以使双方能够得以和谐共存。"故彼我相因,形景俱生,虽复玄合,而非待也。"① 如此的"相因",显然并不是相互的依赖,作为暗合,各自只是俱生而凑合在一起的关系,其间一物并不能影响另一物。"是以诱然皆生而不知所以生,同焉皆得而不知所以得也。今罔两之因景,犹云俱生而非待也,则万物虽聚而共存乎天,而皆历然莫不独见矣。"② 暗合的机制使得被合之双方互不知情、互不相待;而正是这种互不相待才使得它们能够和谐共处,从而共聚成自然天道的整体。在这整体之中的不同个别事物,又莫不各自独化而自现。

因此,相因的意义也就非常有限,它不能突破独化的总体框架。郭象说:

> 夫相因之功,莫若独化之至也。故人之所因者,天也;天之所生者,独化也。人皆以天为父,故昼夜之变,寒暑之节,犹不敢恶,随天安之。况乎卓尔独化,至于玄冥之境,又安得而不任之哉! 既任之,则死生变化,惟命之从也。③

相因说到底出于人的本能的依赖感,而如此的依赖感最突出地体现在对人之生存最必须的天道上。但是即便如此,亦应当看到天道、天命也是以独化为其特征的。所谓"玄冥之境",意在说明卓绝独化的最终状态,而这种最终状态可以说就是一种有无的和合:"玄冥者,所以名无而非无也"④。只是此一和合是一种玄妙深远的暗合,暗合既为独化理论

---

① 《庄子注·齐物论》,《集释》,第 112 页。
② 同上。
③ 《庄子注·大宗师》,《集释》,第 241 页。
④ 同上书,第 257 页。

所必须,也适应了社会现实的需要。即在这里,"名无"说明此境本虚以排斥造物主,"非无"则说明它又立足在现实以解决民心之归顺。简言之,现实人生听任虚无之命,就是独化于玄冥之境的最好注脚。

如此的注脚,在郭象可以说是最为理想的,因为它既不违背人物本性,又保证了各具体有之间互不冲突,和谐共处。有无和合而自足其性,所以无物不自逍遥:"夫小大虽殊,而放于自得之场,则物任其性,事称其能,各当其分,逍遥一也,岂容胜负于其间哉!"[1] 人物放任于自得之场,实际上也就是独化于玄冥之境,本体再抽象也脱离不开社会现实的要求。在这里,物之任性、称能的足性独化,始终是与"当分"相协调的。"当分"也就是从命,共守此一前提,才可能保有各自的逍遥。

在小与大之间,其才性之殊用不着遮掩,关键在于如何去看待。即"才"不是用在强调自身的特殊性上,而是体现在自身的随遇而安上:"夫天命事变,不舍昼夜,推之不去,留之不停。故才全者,随所遇而任之。"[2] 差别或客观性的方面郭象始终是承认的,但差别只是在物与物之间是如此,就物自身而论,每一物都是自足完满。郭象虽然主张消解主体,但随遇而安又刚好是从主体的角度自我抚慰而得到的结果,并由此去消融社会矛盾和实现心性的逍遥。

他又说:"庖人司祝,各安其所司;鸟兽万物,各足于所受;帝尧许由,各静其所遇。此乃天下之至实也。各得其实,又何所为乎哉? 自得而已矣。故尧、许之行虽异,其于逍遥一也。"[3] 存在的就是合理的。各自所处的地位和境遇均是自己独化而成,因而也最为合理。而从哲学上说,"天下之至实"属于崇有,"又何所为乎"则归贵无,自足其性而自得逍遥,则是对崇有和贵无两派观点在社会现实关系上最为恰当的

---

① 《庄子注·逍遥游》,《集释》,第 1 页。
② 《庄子注·德充符》,《集释》,第 213 页。
③ 《庄子注·逍遥游》,《集释》,第 26 页。

总结和调和。

3、张湛的至虚

郭象的独化论可以说是达到了玄学理论的高峰,如果将郭象的思想看做是向秀思想的发挥,那么《晋书·向秀传》所称誉的向秀《庄子注》之"发明奇趣,振起玄风,读之者超然心悟,莫不自足一时也"①,也可适用于这里对郭象玄学的评价。但是,在这"自足一时"之后,随着社会环境的变化和形势的发展,特别是佛教思想的开始流行,人们的欣赏口味逐渐变得多样化,对郭象玄学也就感到不满足了。正是在这一形势下,张湛《列子注》走上了玄学舞台,对玄学理论进行了新的修补。

张湛(生卒年不详)生活的东晋中期,玄谈之风仍然盛行。张湛在其中虽不知名,但他的《列子注》却是这一时期玄学理论的最主要的代表。《列子》一书的真伪历来争议颇多,现一般认为是晋人的作品。当然,张湛自己认为它是流传有据的真品。只是因为其流传多有错失,最后经他手"参校有无,始得完备"②。按他的概括,《列子》之书:

> 大略明群有以至虚为宗,万品以终灭为验;神惠以凝寂常全,想念以著物自丧;生觉与化梦等情,巨细不限一域;穷达无假智力,治身贵于肆任;顺性则所之皆适,水火可蹈;忘壤则无幽不照。此其旨也。然所明往往与佛经相参,大归同于老庄,属辞引类特与庄子相似。③

如此的"大略",其实并非《列子》的原意而是张湛的阐发。"群有"与"万品"对举,可以说来源于裴頠;但谓之"至虚"、"终灭"、"神惠(慧)"、"凝寂"等等,则多半与佛教相关;而"觉梦"、"顺性"一类,则显然是从庄周

---

① 《晋书》卷49。

② 张湛:《列子序》,《列子集释》(下简称《列子》),第 279 页。

③ 同上。

到郭象的思想。因而,张湛《列子注》可以说是在佛教思想帮助下,对玄学各家折中总结的产物,而其中心,就是所谓"至虚"。

"虚"的概念与"无"自然是有密切联系的,但二者又不尽相同。"无"主要是一种否定性的客观存在,而"虚"则主要说明主体无物我的心理状态。张湛折中《列子》"贵虚"与"虚者无贵"之说云:

> 凡"贵"名之所以生,必谓去彼而取此,是我而非物。今有无两忘,万异冥一,故谓之虚。虚既虚矣,贵贱之名,将何所生?①

"贵"这个词不为张湛所取,因为一言贵就已经是有而不是无了。真正的无,需要有无两忘,差别消融,而这正是虚的意义。虚一旦彻底,也就无所谓贵贱有无。

在张湛,群有、万品都是有,"有"有灭有不灭,有灭者为万品,不灭者为至虚。不断生灭的具体事物,实际上正是在不断验证着至虚之宗的存在地位。这是从客观面讲。从主观面看,神慧、想念也都是神,但又有全有丧。全者是因为神思凝寂,不为外物所扰,丧者则在于逐物逞能,与物同归于灭。故而不假智力、顺性皆适、忘壤无忧等等,都意在说明作为张湛学术基本点的虚无的导向。

但是,张湛的尚虚,又不是郭象的"忘己",因为"神慧"的存在不容置疑,"忘壤"亦是"我"在忘。有无在张湛实际上都属于"壤"的一方,忘壤、忘外为的是得己。他说:"夫虚静之理,非心虑之表,形骸之外,求而得之,即我之性。内安诸己,则自然真全矣。故物所以全者,皆由虚静,故得其所安;所以败者,皆由动求,故失其所处。"② 理虽然以虚静为特色,但却是真实的存在,是我的本性。人只有内心安静,才能求得其理。因而,虚静不只是本体的状态,也是主体的原则。动也就只能是失理。

---

① 《列子注·天瑞篇》,《列子》,第28页。
② 同上书,第29页。

　　可是,张湛又是承认世界的运动变化的,那这个变化的世界与至虚的本体又如何能协调呢? 张湛在《列子》开篇的题注中说:

　　　　夫巨细舛错,修短殊性,虽天地之大,群品之众,涉于有生之分、关于动用之域者,存亡变化,自然之符。夫惟寂然至虚凝一而不变者,非阴阳之所终始,四时之所迁革。[①]

"有生"、"动用"的领域是以差别变化为特征的。这实际上也正是自然本身的符验。但是存亡变化在张湛又不是世界的全体,在阴阳四时的终始迁革之外,存在着寂然、至虚、凝一、不变的本体。在这本体的四重规定中,至虚才有寂然,不变才能凝一,反之也是一样。如有动作生成,那就是复杂多变的现象世界了。那么,张湛所要说明的,就是不生不变者决定变化生成者,所谓"不生者,固生物之宗;不化者,固化物之主"[②]也。

　　以不生不化为变化的宗主,在张湛实际上可以有两个层面,即一是将注意力直接集中到变与不变的关系上,二则是因不变是变化有形的决定者,故不变与变的关系也可理解为生物者与被生的关系。玄学的发展,从贵无论到独化论,虽然一讲有生物者(无生有),一讲无生物者(独化自生),但前提都是因为"有"因其分际而不能彼此相合。张湛继续利用这一思维成果,但却发挥为形生者必有终、只有生生者才能不化。即他不再停留于有之分际,而是推进为"有"有终始、而须赖无以生成。所谓"夫尽于一形者,皆随代谢而迁革矣。故生者必终,而生生物者无变化也。"[③]

　　张湛将有际改造为终始,意味着生物者问题的讨论,已经从空间向时间迁移。就时间看,宇宙间有没有永恒? 张湛的回答是肯定的。但

　①　《列子注·天瑞篇》,《列子》,第1页。
　②　同上书,第2页。
　③　同上书,第10页。

是,一切生者形者都不具有永恒的资格,只有不生不形、永不变化的生生物者才能享有。如此的生生物者,也就是无:"至无者,故能为万变之宗主也。"① 从而,至无与至虚不但沟通了起来,而且可以利用无来为虚做论证。既然是绝对的虚无,本来就无所谓变化。而正是这不变化,最终防止了它与万品一样趋于"终灭",永远享有群有万变之宗主即本体的地位。

可是,在裴𬱖、郭象已经证明"至无者无以能生"之后,张湛就必须讲清无为什么能生以及怎样生的问题。对这一问题,张湛采取了模糊的策略,而将重心转移到对无之本体的探究上。他说:

> 形、色、生、味皆忽尔而生,不能自生者也。夫不能自生,
> 则无为之本。无为之本,则无当于一象,无系于一味;故能为
> 形气之主,动必由之者也。②

"生"之义本是多样的,它可以指无作为造物者对有之生,也可以指形象声色在本体作用下的一般变化表现,张湛主要是指后者而言。无之为本,它是不被具体形色所局限的,正是凭借这一品格,它才能作为哲学的本体,支配一切活动变化。

那么,张湛此论,无疑是利用了王弼对无有、本末关系的界定,他之"无当于一象,无系于一味,故能为形气之主,动必由之者也"的说法,完全可以看做为王弼论证"以无为本"的翻版。但是,张湛毕竟又在自生论普遍流行之后,故他所讲之"无为之本",又与王弼有所不同。因为他肯定有与无不能相生。如云:

> 谓之生者,则不无;无者,则不生。故有无之不相生,理既
> 然矣,则有何由而生?忽尔而自生。忽尔而自生,而不知所以
> 生;不知所以生,生则本同于无。本同于无,而非无也。此明

---

① 《列子注·天瑞篇》,《列子》,第10页。
② 同上。

有形之自形,无形以相形者也。①

张湛这里的论述,形式上与上一段话明显抵牾。就其缘由,仍在于生与不生、有与无可以从不同角度去理解。事实上,他在这里所面对的问题,是生成论而非本体论。就生成论而言,无生有这条界限是难以跨越的,故现实的生成,只能是有之自生。

不过,张湛的自生并非是它理当如此,而是说对于生成不能够给出它的原因即"不知所以生"。既然不知所以生,生与不生的差别也就趋于消解,从而使有与无找到了过渡的契合点。但是,这一生成论之过渡所导致的"本同于无",只能限于生成而不能逾越到本体,故又曰"同于无而非无"。因为此处他要说明的,只是有形物之自形独化,无须他物辅佐而形,与本体之无并没有关系。也正因为如此,他可以很坦然地既继续自生独化,又大讲有恃无以生。

在前一方面,他以为:"夫有形必有影,有声必有响,此自然而并生,俱出而俱没,岂有相资前后之差哉? 郭象注《庄子》论之详矣。"② 在郭象的独化已经阐明了习惯上以为有前因后果、而实际上并无这样的因果之后,再谈"形动而影随,声出而响应"的前后联系就没有意义了。张湛是充分尊重前人的思维成果的。但是,肯定郭象的独化,并不意味着就要放弃以无为本,二者在他完全可以通融。故随后一方面又说:"'有之为有,恃无以生';言生必由无,而无不生有。此运通之功必赖于无,故生、动之称,因事而立耳。"③

在这里,生成与本体的两种"生"表述得非常清楚,"恃无以生"绝不等于"无生有"。张湛引何晏而来的有"恃"无以生,意在说明有之生长变化的原因、根据在无,无支配着有的变化发展,这与无作为母体产生

---

① 《列子注·天瑞篇》,《列子》,第 6 页。
② 同上书,第 18 页。
③ 同上。

出有来,在理论的序列上完全是不相同的。无的运化通达之功,只有通过物才能得以表现,故依赖者同时又是被依赖者,双方是共时相依的关系。所谓"生、动之称因事而立",也说明张湛清楚地知道什么地方需要讲生成,什么地方用得着动静(本体)。双方各有自身的适用场所和范围。

因而,尽管张湛对生成问题非常重视,但是他讲生成,重点已不在生物者与被生者之间逗留,而是将重心移到了生成之理即生成过程的必然性上。所谓"生者非能生而生,化者非能化而化也,直是不得不生、不得不化者也"①。能生能化的母体在这里是不存在的,生化都是由其必然性支配的客观过程。而这种必然性,也就是理。他说:

> 夫生必由理,形必由生。未有有生而无理,有形而无生。生之与形,形之与理,虽精粗不同,而迭为宾主。往复流迁,未始暂停。是以变动不居,或聚或散。抚之有伦,则功潜而事著;修之失度,则迹显而变彰。②

自王弼讲"物无妄然,必由其理"以来,理作为事物变化的客观根据,玄学家们大都是予以认可的。从"理"而论,凡有生均有理在支配,凡有形都从无形化来。不论生聚死散,往复变迁,都有"理"贯穿在其中。如此而论生成,实际上已带有相当的本体论的色彩了,所以也才有精粗迭为宾主之说。他以为,如果掌握了一定的规律和方法,就能使潜在之理彰显出来。

当然,这一任务由于本体的隐微恍惚而并不那么容易完成。张湛强调说:

> 神道恍惚,若存若亡;形理显著,若诚若实。故洞鉴知生灭之理均,觉梦之涂一;虽万变交陈,未关神虑。愚惑者以显

---

① 《列子注·天瑞篇》,《列子》,第2页。
② 《列子注·周穆王篇》,《列子》,第100页。

昧为成验迟速而致疑,故窃然而自私,以形骸为真宅。熟识生化之本归之于无物哉?[1]

形的变化是人们随时可以感知到的,但却不能以形的变化来左右人们的神思。不论是生死还是觉梦,决定它们的理其实都是同一的,只不过有显昧迟速之差也。因而,决不能执著于形骸的变迁而不放,要善于在变中发现不变。尽管无处不是在生生化化,但生化之本却只能归于"无物"。

张湛对于把握"无物"之本是充满着信心的,这信心来自于本体与现象的相互发明。当然其主体已由愚惑者换成了至人。在他看来:

> 夫无言者,有言之宗也;无知者,有知之主也。至人之心豁然洞虚,应物而言,而非我言;即物而知,而非我知;故终日不言,而无玄默之称;终日用知,而无役虑之名。故得无所不言,无所不知也。[2]

无为有之宗主,这一点必须要坚持。但坚持的目的不在于双方的分离,而在于双方的融合。在这里,无言无知与有言有知之间,经由圣人豁然洞虚之心而终相调适和合。就此合而言,我与物与知已融为一体。不言便是言,用知而无名,由此也就无所不言,无所不知。

那么,从张湛的神慧神思到圣人之心的豁然洞虚,就是张湛从圣心出发,合无与有以修补贵无、崇有关系的新的努力。即他已开始对无与有的存在进行改造,使其从客观事实向主观观念转换。很明显,这正是佛教思想浸润和发酵的结果。

4、支遁的逍遥

张湛玄学虽然利用了佛学的资料,但其立论的基础毕竟是属于玄学而非佛学的范畴。大致与他同时,佛教学者支遁则从佛学的立场出

---

[1]　《列子注·周穆王篇》,《列子》,第90页。
[2]　《列子注·仲尼篇》,《列子》,第126页。

发来谈玄学,对庄学进行了不同于向秀、郭象之义的发挥。玄学从何、王到张湛,不论其理论是否已掺入佛教的学术主张,但就玄学家本身而言,都属于世俗名士的学问,而支遁则是以出家僧侣的身分参与到玄学阵营之中,并且以其阐释《庄子·逍遥游》的新颖独特的"支理",卓然跃居于向、郭二家之上。

支遁(约 313～366),字道林,本姓关,东晋著名佛学家,六家七宗之即色宗的主要代表。由于"家世事佛"的缘故,支遁"早悟非常之理",青年时的造诣,就被人许之为不减王弼。事实上,他后来治学的重心,也的确在玄理而不在文字章句上。东晋清谈领袖之一的谢安评论说:"此乃九方堙(皋)之相马也,略其玄黄,而取其骏逸。"①　九方皋是秦穆公时人,由伯乐推荐给秦穆公为其相马。但九方皋之相马,是只知"骏逸"而不知"玄黄",略去毛色的迷惑而直取马的本质,最终使怀疑的秦穆公得到了真正的千里马。谢安以九方皋相马比支遁之治学,在他这里,支遁的才理已远远超越了常人泥于文辞的浅薄见识。

那么,当支遁以深厚的佛学底蕴融会玄学义理时,他已经比世俗圈子中的名流站在了更高的起点上。其中最引人注目的,就是有关《庄子》"逍遥"之辩。刘孝标注《世说新语·文学》引《支法师传》说:"法师研十地,则知顿悟于七住②;寻庄周,则辩圣人之逍遥。当时名胜,咸味其

---

①　慧皎:《高僧传》卷 4《支遁传》(汤用彤校注、汤一介整理),中华书局 1992年版,第 159 页。

②　十地、七住:"地"与"住"同义,佛典以"地"能生长万物喻菩萨行能生长功德;"住"则谓心安住于真谛之理。"十地(住)"在大小乘有不同的说法,通常指十个大乘菩萨修行的阶位或菩萨所证得的地位,按《华严经》为:欢喜地、离垢地、发光地、焰慧地、(极)难胜地、现前地、远行地、不动地、善慧地、法云地。在这十地中,七地以前为"渐",到第七地则已进入真如之境,悟得佛教空寂无相或"无生"之理,故为"顿"。但七地之后,仍需要渐修至第十地。此种修行功夫虽亦谓之"顿悟",但在佛教属于渐修顿悟(小顿悟)类,与后来禅宗所说的顿悟不同。参见后第5 章竺道生处大、小顿悟义。

音旨。"① 这里把"知顿悟"与"辩逍遥"共作为支遁名于世的学术专长，可见支遁不仅是当时佛学界、也是玄学界的知名学者。虽然支遁玄谈的全貌今已不可得而知，但根据散见于各家记载的残篇，仍可以看出其学术旨趣和风范的端倪：

> 太原王濛，宿构精理，撰其才词，往诣遁，作数百语，自谓遁莫能抗。遁乃徐曰："贫道与君别来多年，君语了不长进。"濛惭而退焉。乃叹曰："实缁钵之王、何也。"

> 郗超问谢安："林公谈何如嵇中散?"安曰："嵇努力裁得去耳。"又问："何如殷浩?"安曰："亹亹论辩，恐殷制支，超拔直上渊源，浩实有惭德。"②

在前一例，王濛是东晋名士，在清谈家中本以长于义理知名，且又"宿构精理，撰其才词"，即经过充分准备后去与支遁辩论，结果支遁根本看不上眼而被奚落了一番。然王濛却能知耻而退，承认自己不如，而将支遁比做为王弼、何晏再世③。在后一例，郗超、殷浩和谢安一样，都是当时的清谈名流和权贵，谢安、殷浩还是领袖级的人物。然就其才学来说，支遁实不在他们之下，当然更不用比嵇康。也正因为如此，支遁才能受到"白黑(僧侣)钦从，朝野悦服。"④

在这里，支遁所以能够"直上渊源"，在于他之谈名析理突破了本土玄谈的框架，其形上思辨已经将般若学的新思维融摄了起来。而且，这不只是一种个人学术的爱好，它反映了整个社会的清谈风气和学术重

---

① 见《世说新语笺疏》，第 223 页。

② 同上书，第 161 页。

③ 此条记载与《世说新语·文学》所记支、王事同，但恐有不确。因王濛卒于永和三年(公元 374 年)，而支遁因晋哀帝召请入都时，王濛早已辞世。参见《世说新语笺疏·文学》第 228 页该条注引程炎震云；又见《高僧传》卷 4《支遁传·校注》，第 165 页。

④ 《高僧传》卷 4《支遁传》，第 161 页。

心,已经由儒道兼综的玄谈本身,向玄佛合流的新的学术发展方向转移。在此氛围下,停留于既有的玄学思维模式或曰向秀、郭象的水准,自然就只能居于下风了。在支遁与世俗名流的论辩中,又以他对《庄子·逍遥游》的新解最为知名。

《高僧传》记载说:

> 遁尝在白马寺与刘系之等谈《庄子·逍遥篇》,云:"各适性以为逍遥。"遁曰:"不然。夫桀、跖以残害为性,若适性为得者,彼亦逍遥矣。"于是退而注《逍遥篇》。群儒旧学,莫不叹服。①

《世说新语》曰:

> 《庄子·逍遥篇》,旧是难处。诸名贤所可(共)钻味,而不能拔理于郭、向之外。支道林在白马寺中,与冯太常共语,因及《逍遥》。支卓然标新理于二家之表,立异义于众贤之外,皆是诸名贤寻味之所不得。后遂用支理。②

"逍遥"是自庄子以来道家、玄学所推重的理想的境界。但是,对于究竟何为逍遥,从庄子到郭象的流行的观点,都是以"适性"来解释。然而,以"适性"为逍遥是有暗含的前提的,那就是性不能为恶。就儒道两家看,儒家自汉以后人性论的主体是性善论,从性善论出发是可以讲适性的,当然儒家自身不是讲适性而是讲尽性;而道家从自然天性出发,也是可以讲适性的,当然这种天性仍不能是恶。如果性为恶或者性有恶,那"适性"便不再可行。

在这里,值得注意的是,一当支遁以桀、跖之性恶而否定"适性"为逍遥时,群儒旧学居然是"莫不叹服"。这说明了什么问题呢?至少,一则说明了支遁确实能抓住问题的要害,提出了群儒们过去从来没有想到过的问题;二则说明了性善论的基点在玄谈风气劲吹之后,已不再为

---

① 《高僧传》卷4《支遁传》,第160页。
② 《世说新语》上卷下《文学》,《世说新语笺疏》,第220页。

人们所信奉坚守,性有善恶的观点反倒有了流行的市场。之所以如此,这在一定程度上与佛教宣扬的众生的苦、罪、恶的价值判断的风行分不开的。既然人生皆苦,性与恶也就很难脱离干系。佛教固然讲众生皆有成佛的可能,但这成佛的可能或佛性,却是融于人身这一现实罪恶之渊薮中的,与生俱生而不能选择。而在儒家一方,如果是与生俱来者,便可以归属于性的范畴,所以讲桀、跖性恶也就能够得到名士们的认同。

支遁"标新理"、"立异义"而能够超越于众贤所止步的向、郭的水准,在于他开辟了一条不只是儒道兼综,而且是玄佛合流的新的谈玄的道路。那么,他的观点较之向、郭,究竟区别点在什么地方呢?支遁《逍遥篇》原文不存,难以窥其全貌,仅以刘孝标的两条注引来察看其端倪。

> 向子期、郭子玄《逍遥义》曰:"夫大鹏之上九万,尺鷃之起榆枋,小大虽差,各任其性。苟当其分,逍遥一也。然物之芸芸,同资有待,得其所待,然后逍遥耳。唯圣人与物冥而循大变,为能无待而常通,岂独自通而已。又从有待者不失其所待,不失,则同于大通矣。

> 支氏《逍遥论》曰:"夫逍遥者,明至人之心也。庄生建言大道,而寄指鹏、鷃。鹏以营生之路旷,故失适于体外;鷃以在近而笑远,有矜伐于心内。至人乘天正而高兴,游无穷于放浪,物物而不物于物,则遥然不我得,玄感不为,不疾而速,则逍然靡不适。此所以为逍遥也。若夫有欲当其所足,足于所足,快然有似天真。犹饥者一饱,渴者一盈,岂忘蒸尝于糗粮,绝觞爵于醪醴哉?苟非至足,其所以逍遥乎?"此向、郭之《注》所未尽。[①]

向、郭之义的基点,是以任性、当分为逍遥。就逍遥的主体而论,则有物之逍遥和圣人之逍遥的不同。物、亦即常人之逍遥是有待的逍遥,"待"

---

① 《世说新语》上卷下《文学》,《世说新语笺疏》,第220页。

在这里是问题的关键。由于性、分的差别，不同物之"待"在小大上是不一样的。但是因为小大只是就量而言，在"各任其性"即质上却是一样的，所以"得其所待"可以也应当从"足性"的角度去给予解释。换句话说，只有立定了"足性"的前提，才能"得"其所待而逍遥。

圣人之逍遥则不同，他是无待之逍遥。无待不只是"自通"即自我足性，而是常通、是无所不足。因为圣人是与天地大变相冥合的，无所不适应，所以也就根本取消了有待的问题。那么，圣人就可与一切所遇者为待而不会失去任何物，从而完全混同于天地大通之中。

但是，向、郭的上述"足性"逍遥说，在支遁看来却是"未尽"。因为足性讲的是以我"得"物，可大鹏却不得不依赖巨大的空间、云气等等，身体才能舒展开来，又怎么可能真正逍遥呢？这是由于外在的原因使其不能逍遥。在另一面，尺鷃讥笑大鹏有失于外，亦不过是内心执著的结果，而既执著也就同样谈不上逍遥。可以说，不论是得其所待还是适性自足，都是以具体的有作为逍遥的尺度的。但具体的有的满足总是有限的，如饥者饱食、渴者足饮的满足只不过是一时的口腹之欲，并非就能真正足性。事实上，心性的高尚精神需求在这里是被忽略的。心性不能真正满足，又怎么谈得上是逍遥呢？

所以，是否逍遥不能从物的角度、而应当从心的角度去论。此心当然不可能是常人之心，而是圣人之心。圣人之心不是有得而是顺物，是乘天地之正而在无穷的宇宙中畅游，无为而又无不适，这才是真正的逍遥。"足性"的前提在这里已被消解，即被无为而无不适所取代。

仅就此结论而言，当然也是向、郭所追求的。但关键的区分，在于向、郭的基点在物，支遁的基点却在心。在物则"足于所足"，只是有限；在心才能超越时空，无不自足。东晋名士孙绰曾将支遁与向秀相比，认为二人都是"雅尚老庄"，"风好玄同"①；又叙支遁"玄道"的特点说："支

---

① 孙绰:《道贤论》,《高僧传》卷 4《支遁传》引，第 163 页。

道林者,识清体顺,而不对于物。玄道冲济,与神情同任。此远流之所以归宗,悠悠者所以未悟也。"① 这就是说,向秀与支遁虽然都是尚老庄、好玄同,但向秀还是"对于物"、执滞于物者,谈不上是真正的逍遥;支遁则已是神、识与玄道同游,心不会再受物的牵累,这才是真正的逍遥。在这里,一方面是佛教各家无不归宗向往,另一方面则是世俗众人未能有悟也。它意味着佛学开始打出了自己不同于玄学为代表的世俗学术的发展旗号。支遁以佛入玄的"逍遥",实际上不是对玄学的救助,而是预告了佛学对玄学的行将超越。

支遁与张湛是同时代人,虽然二人生活背景不同,但都共同走向了玄佛合流的道路。这一趋势说明,玄学已经不能再领导学术发展的潮流了。随着玄学与佛学附会合流的加深,佛学在利用玄学思辨来形成自己独立的思想体系的同时,也逐渐剥蚀着玄学理论本有的特色。亦佛亦玄、亦玄亦佛的结果,是佛教羽翼的逐步丰满。由于佛教学者的加入而导致的玄学阵营的扩大和形式上的风光,实际上只能看做是玄学的回光返照。佛学家谈玄的目的仍是在弘佛,只不过借用了玄学的论辩手段。但这一手段如同捕鱼之筌、捕兔之蹄一样,佛教一旦抓住了鱼、兔,站稳了脚跟,也就可以最终弃之不顾了。

当然,之所以会是如此,也与玄学自身相对狭窄的视域有关。面对新的社会需求来说,玄学不论在社会政治功能、哲学理论建构还是对人生问题的关注上,都是有所不足的。玄学家们追求玄远超越的精神境界,在上层圈子中固然有一定的市场,但对于下层的普通民众来说,则缺乏儒家那种人伦道德上下一贯的制约力量。名教虽说与自然相通,但那只是一般的原则,对于涉及人们日常生活的大量礼节仪式、长幼秩序和等级名分,玄学由于受无为思想的指导,是注意不够的。特别是到东晋十六国和南北朝时期,中国社会进入了长期分裂动荡的局面,如何

---

① 孙绰:《喻道论》,《高僧传》卷4《支遁传》引,第163页。

解决以血缘、人伦关系为纽带的社会和人心的凝聚问题，成为了学术发展的迫切需要，而这已不是玄学所能承担的任务了。

从哲学理论说，玄学不论是贵无、崇有还是独化，基本点都是以有、无为客观真实的存在，对于这样的有、无是否可能只是主观观念甚至幻象的问题，并没有也不可能予以深究。佛教哲学以色、空释有、无，强调有非真有、无非真无，有无皆是幻象，因因缘而生灭聚散。这在理论上显然已经超越了玄学思辨所可能容纳的范围。此外，佛教还有高超的想像力和巧妙的诱人的方法，有神不灭论和因果报应论，有天堂、地狱对人死后做"公平"的赏罚，更有神通广大的法术等等，这不论对上层统治者还是下层民众，都是一种从未有过的新的诱惑，在这样的诱惑面前，玄学逐步丧失了原有的学术魅力。

第四章 中国佛教的形成

佛教学术是中国学术的主要组成部分之一，但它却不属于中国学术固有的传统，是中国主流文化形态中惟一外源性的成分。佛教的传入，是中国学术发展史上最重大的事件之一，自它的传入起，中国本土的学术文化在与外来的佛教文化的碰撞磨合中，自身开始发生了深刻的变革。

从两汉之际到整个魏晋南北朝时期，一方面是作为外来文化的佛教如何在为融合进中国社会并争取其学术发展的话语主导权而努力，另一方面则宣示了中国佛教这种既有别于印度佛教、又不同于中国固有思想的新的独立学术形态的逐步形成。中国佛教是兼容性和独立性一身而二任，不具兼容则不能在中国社会立足，而不能独立则不必在中国社会立足，更遑论其传播和发展。经过佛教僧众和佛教支持者的共同努力，使在西晋以前基本上还游离于主流学术圈之外的佛教，在东晋以后取得了长足的进展，最终使自己在中国学术舞台上挺立了起来，整个中国学术也因之而变得更加丰富多彩。

一、文化交流与佛教的传入

中外文化的交流，从比较确定的意义来说，开始于张骞通西域。张骞出使西域，使东方的中国与"西"方的各国在有组织的意义上，开始了经济、文化、思想等各方面的相互交流。作为中国"汉"文化向西、向外传播相并行的过程,佛教文化经由西域传到了中国。在这一过程中,大月氏扮演了十分重要的作用。

作为张骞第一次出使的目的国的大月氏,是当时由陆路西行印度的必经之道。由于受到匈奴的压迫,大月氏转而向西发展,势力逐渐强盛,先取大夏,后入天竺(印度),建立起了盛极一时的贵霜王朝。而还在这之前,印度佛教文化已经流传于西域诸国,大月氏的领地正好将中国与印度连接了起来。"汉通天竺,以其地为枢纽。佛法之传布于西域,东及支那,月氏领地实至重要也。"① 事实上,文献记载佛教传入中国的最初情景,往往都是与大月氏分不开的。

1、佛教的初传

佛教究竟什么时候传入中国,在中国学术史上,是一个争论了若干年而又未能得到解决的问题。最早记载佛教传入史实的《魏略·西戎传》说:

> 昔汉哀帝元寿元年(公元前 2 年),博士弟子景卢受大月氏王使伊存口受(授)《浮屠经》,曰复立(佛陀)者其人也。《浮屠》所载临蒲塞、桑门、伯闻、疏问、白疏问、比丘、晨门,皆弟子号也。②

此条记载是有文献可依的佛教初传时间的上限,虽然据现代一些学者考证它颇有值得生疑之处③,但毕竟还未见有确切的否定意见,故仍然是值得参考的。当然,此时传入的佛教尚未对中国社会发生影响,所以北齐魏收作《魏书》在引用了这条史料后,便加上了一句至关紧要的话:

---

① 汤用彤:《汉魏两晋南北朝佛教史》,北京大学出版社 1997 年版,第 34 页。
② 《三国志》卷 30《魏书·乌丸鲜卑东夷传·评》注引。
③ 参见吕澂:《中国佛教源流略讲》,中华书局 1979 年版,第 19 页。

"中土闻之,未之信了也。"①

　　距伊存授经60多年后,东汉明帝永平八年(公元65年),诏令天下可以用缣(细绢)赎买死罪,楚王刘英因此而交纳缣贡,但明帝并不收取,降诏给刘英说:"楚王诵黄老之微言,尚浮屠之仁祠,洁斋三月,与神为誓,何嫌何疑?当有悔吝?其还赎,以助伊蒲塞、桑门之盛馔。"② 在佛教史上,汉明帝的这份诏书说明了什么呢?它说明在这时佛教不但已经传入中土而且事实上在发生作用了。这里,人们将佛与黄老等同看待,一并当做为祭祀的对象,对佛的信仰乃是"与神为誓",利用神灵来警戒自身。而更重要的是,这时已经有了居士和出家人的不同僧众团体,并需要吸引社会的赞助。那么,将此视作佛教传入的下限是可以成立的。

　　但是,与此相呼应的一些材料,其真实性则存在一定问题。如牟子《理惑论》等史料记载汉明帝派人西行求法取经之事,不少学者便有疑问,吕澂先生便以为这是据《后汉书》明帝诏书事附会编造出来的。《理惑论》云:

　　　　昔孝明皇帝梦见神人,身有日光,飞在殿前,欣然悦之。明日,博问群臣:"此为何神?"有通人傅毅曰:"臣闻天竺有得道者,号之曰佛,飞行虚空,身有日光,殆将其神也。"于是上悟,遣使者张骞③、羽林郎中秦景、博士弟子王遵等十二人,于大月支(氏)写佛经四十二章。藏在兰台石室第十四间。④

此条记载在两晋南朝的不少史籍中互有引用,虽不能确信为真,但它也

---

　　①　《魏书》卷114《释老志》。

　　②　《后汉书》卷42《刘英传》引。又:"伊蒲塞"或"临蒲塞",通译"优婆塞",指男居士;"桑门",通译"沙门",即佛教僧侣。

　　③　此张骞非汉武帝时出使西域的张骞。后来的典籍如《高僧传》、《魏书·释老志》等已将此张骞替换为"蔡愔"。

　　④　《理惑论》,载梁僧佑编《弘明集》卷1。

从一个侧面说明,人们在继续将佛与"神人"相联系的前提下,开始有了求取佛法的自觉要求,并已知道这佛位于何处。那么,汉使者受命前往大月氏求取佛经并实际抄回《四十二章经》,也不是不可理解的。

从历史事实来说,自张骞通西域以后,中国与西域各国的交往日益频繁。这种交流的主要承担者,在当时并非国与国之间往来传递信息的使者,而是商人,商品交换和流通在基础的层面推动着社会的交往。其时佛教在西域各国已经流行,商人中信佛的人士亦不会少,他们顺道将佛教的信仰带到了中国。但因他们并不是专门学者,在中国的主流社会中不受重视,事迹未被记载下来,影响也就很小①。

按照正式的文献史料的记载,初传佛教的影响,主要还不在"教"而是在"佛"。与汉代流行的神仙方术一样,人们看重的,是佛的飞升变化、无所不能的神异所在。汉明帝就已认定佛乃是"神人",此神人之"神"在《理惑论》中有生动具体的描绘。所谓"佛之言觉也,恍惚变化,分身散体,或存或亡,能小能大,能圆能方,能老能少,能隐能彰,蹈火不烧,履刃不伤,在污不染,在祸无殃,欲行则飞,坐则扬光,故号为'佛'也。"② 东晋袁宏作《后汉纪》时,更具体描绘出了佛的身长和外形:"佛身长一丈六尺,黄金项,中配日月光,变化无方,无所不入,故能化通万物而大济群生。"③ 如此之类的"神"佛,虽然已开始有了"觉"的内涵的规定,但其引人注目之处,却并非在"觉"而是在其特定的外形和所谓"神力无穷"。

吕澂先生于是推想,佛教的传入,首先传来的不是佛经,而是佛像,不论是《理惑论》中的"神人",还是《后汉纪》、《后汉书》中的"金人",其实都是指佛像而言。当时的印度正当月氏贵霜王朝时期,由于受到希

① 此说据石峻教授讲课记录。参见向世陵:《石峻教授追忆》,载《中国人民大学校刊》1999 年 6 月 15 日。

② 《理惑论》,《弘明集》卷 1。

③ 《后汉纪》卷 10,见《四部丛刊·史部》。

腊传来的绘画雕塑艺术的影响,开始了佛像的创制;而在此之前,印度佛教并无佛像,只有象征性的脚印、法轮等图案。同时,佛像的创制和传播,也是与信仰需要有所寄托的心理特征分不开的。在这之后才有了经文的摘抄和译经,《四十二章经》等才由之产生。[①] 这也在一定程度上说明,即便是在后来佛教已普遍流行的时代,对中国绝大多数信佛、拜佛的大众来说,使他们感兴趣和对他们有意义的,都主要是佛的形象和神力,与佛经则基本上没有什么关系。作为一种社会需求的反映,这或许从一开初就制约着佛教及其衍生物的不同的传播顺序。

而从佛教教义来说,当时的人们认为它和黄老道术并没有什么实质性的区别,或者根本就是另外一种道术而已。这不论是对佛教徒还是普通信众,可以说都是如此。如果站在一种文化圈外而又想要进入其中,外表的相似性是一种最可靠也最有效的凭借手段。从而,将佛教与黄老等同看待而一并予以祭祀,以祈求福愿,就是佛教初传时所受到的最一般的"待遇"。

东汉后期,"善天文阴阳之术"的襄楷上书,要求生活奢侈的桓帝改邪归正。其言曰:

> 又闻宫中立黄老、浮屠之祠。此道清虚,贵尚无为,好生恶杀,省欲去奢。今陛下嗜欲不去,杀罚过理,既乖其道,岂获其祚哉![②]

襄楷利用皇宫中为老、佛立祠祭祀为据来规劝桓帝,言辞已是非常激烈。但这却披露了一个基本的事实,那就是佛教经过从楚王英到汉桓帝的一百多年的浸润,已经使对佛之信仰在上层社会中稳稳地扎了根,并进而可以作为学者立论的根据了。同时,它也说明包括襄楷在内,当

---

① 吕澂:《中国佛教源流略讲》,第 20 页。另:关于汉末到三国时的佛教传入,参见任继愈主编《中国哲学发展史·魏晋南北朝卷》第 449～451 页记载的相关考古发现。

② 《后汉书》卷 30 下《襄楷传》。

时人们对佛教的认识仍止步于黄老的附庸的地位。清虚无为、好生恶杀是他们对于佛教教义的最一般的理解。

但是，"无为"在这里不是原因，而是效果，是当时的佛教信仰者修行所达到的境界。它的前提是灵魂不灭和生死报应，以此来激励善男信女们的宗教修炼。袁宏说："又以为人死精神不灭，随复受形。生时所行善恶，皆有报应，故所贵行善修道，以炼精神而不已，以至无为，而得为佛也。"[①] 按袁宏的概括，当时人们对佛和佛教的认识，已经确立了精神不死这一基础。只有精神不死，报应才有对象。报应在这里，不是由谁来支使的，它完全是自身的行为所招致。所以，人必须随时约束自己的行为，行善修道，炼精神不已，这样才可能达到无为的境界而成为佛。

"无为"本是老子提出的一种治国的主张，是他所认为的救治"有为"造成社会国家混乱的有效的方法。故"无为则无不治"[②] 也。同时，无为也是向虚静之本回归的惟一手段。完全恢复到虚静即绝对的无有状态，也就把握了最终的常道，与天地长久而"没身不殆"。这也就是当时人们对佛教涅槃境界的认识[③]。

无为在佛教作为终极境界之可能，源于报应观所引起的深刻的自我反省。报应之奖善或罚恶，在传统思想中有可资利用的资源。《周易·文言传》称："积善之家，必有余庆。积不善之家，必有余殃。臣弑其君，子弑其父，非一朝一夕之故，其所由来者，渐矣。由辨之不早辨也。"善与恶都有一个量的积累问题，但这个"余庆"、"余殃"的善恶报应，乃是属于"前人栽树后人乘凉"似的前后传承的类型，福祸所及的主要是其子孙，善恶的制造者本人并不一定就能"享受"到回报。故它与佛教

---

①　见《后汉纪》卷10。

②　《老子·三章》。

③　汤用彤说，"无为"乃是涅槃之古译，而其义实出于《老子》，所谓顺乎自然也。见所著《汉魏两晋南北朝佛教史》，第63页。

的"精神不死,随复受形"的自我来生受报是不相同的。但如此明显的差别在当时却并未引起人们的过多关注。其原因,一是可能袁宏作《后汉纪》时已在东晋,其时佛教的因果报应说已经流传开来,不以为怪,也就没有给予专门的记载;二是既然佛教在汉代被当做类似于黄老的另一种方术,也就没有引起人们的特别警觉,即便对当时的名家来说也是如此。汤用彤先生曰:"考汉代学人,仅张衡、襄楷述及佛教。《后汉书·方技传》谓张衡为阴阳之宗,而襄楷亦善术数之学,二人之知佛教,固又可证浮屠方技关系之密切也。"① 学人尚且如此,一般民众对于佛教教义之不明也就在情理之中了。

　　那么,外来的佛教依傍其道术而在中国社会扎下根来,其作用就是双重的。一方面,道术帮助了佛教在中土落户,而使其没有在一开始就遭到排斥;另一方面,也因之使得佛教教义开初并没有表现出它的"本来面目",而是作为黄老道术的附庸,以至于后来不少佛教学者将佛教的传入推延到了汉末魏晋之时。如东晋道安云:"佛之著教,真人发起,大行于外国,有自来矣。延及此土,当汉之末世,晋之盛德也。"② 道安所谓的当汉之末世、晋之盛德,实际上已跨越了两个世纪,时间是相当模糊的。不过,他的本意还是清楚的,那就是以"盛德"来称颂东晋佛教的大发展。但要恰当理解东晋佛教学术何以能兴盛,还需要从其源头来稍加分析。

　　佛教最初所传虽然是"金人"、佛像,但到东汉末年,佛像的礼敬与佛经的研读已经开始结合,佛教在教义的层面开始进入了中原。《三国志·刘繇传》便记载了东汉末笮融(？　～195)事佛的情况。说笮融"乃大起浮屠祠,以铜为人,黄金涂身(即'金人'),衣以锦采,垂铜槃九重",下

----

　　① 汤用彤:《汉魏两晋南北朝佛教史》,第64页。
　　② 见[梁]僧祐:《出三藏记集》卷5《新集安公注经及杂经志录》(苏晋仁、萧鍊子点校),中华书局1995年版,第226页。

为重楼阁道,可容三千余人,悉课读佛经,令界内及旁郡人有好佛者听受道,复其他役以招致之,由此远近前后至者五千余人户。"① 这里除了立佛祠和佛像本身是对既有风俗的继续外,笮融的创新在于:一是不再以佛与黄老并祠同祭,说明佛教的信仰已开始区别于黄老而有了自己的独立地位;二是以除徭役为手段招徕听众,并且取得了实际的成效。五千余人户如果属实,那在当时已是一个不小的数目;三是三千余人全被课读佛经,不但人数众多,而且带有强制性,说明笮融已不满足于单纯的祭祀祈福,而是对于佛教教义、对佛教作为一门独特的宗教本身是什么,有了了解的要求。而这就离不开对佛经的研读。

佛经的传入,从伊存授经、中土知佛开始,到笮融强制性地灌输佛教,时间间隔差不多是两个世纪。在这 200 年中,佛经的传播和翻译一直在缓慢地发展。虽然佛经的绝对数量,史载多有出入,但三四百卷可能还是有的。② 而佛经的初期传(抄)本,学者通常认为是《四十二章经》最早③。

《四十二章经》是因抄译四十二章佛经而得名,属于小乘佛教系统,主要是讲述人生无常和爱欲之蔽的道理。襄楷在给汉桓帝的那封上书中,曾提及:

> 浮屠不三宿桑下,不欲久生恩爱,精之至也。天神遣以好女,浮屠曰:"此但革囊盛血。"遂不眄之。④

所述与《四十二章经》恐有渊源关系,《四十二章经》原文有:

---

① 《三国志》卷 49《吴书·刘繇传》附。

② 参见任继愈主编:《中国佛教史》第 1 卷,中国社会科学出版社 1981 年版,第 155 页。

③ 现当代著名学者中,汤用彤先生力主《四十二章经》出世甚早,认为东汉时有此经无疑,见《汉魏两晋南北朝佛教史》第 3 章《四十二章经考证》;任继愈先生等认同此说,见《中国佛教史》第 1 卷,第 155～156 页;吕澂先生则断定《四十二章经》抄出于东晋初年,见《中国佛学源流略讲》,第 21～23、276～282 页。

④ 《后汉书》卷 30《襄楷传》。

一曰：

　　日中一食，树下一宿，慎不再矣。使人愚蔽者，爱与欲也。

二曰：

　　时有天神献玉女于佛，欲以试佛意、观佛道，佛言：革囊众
秽，尔来何为？以可诳俗，难动六通①。去！吾不用尔。

这说明"好学博古，善天文阴阳之术"② 的襄楷，应是读过《四十二章
经》的。但吕澂先生不同意此说，而以为只是"异常类似"而已，所引可
以是别的经典，不必非是《四十二章经》③。由于迄今为止并没有更新
的史料，实不易对这一问题做出明确的结论。但若换一个角度，我们如
果认同《四十二章经》为佛教初传的经典，要更加容易解释晋宋以后佛
教学者对《四十二章经》和引述它的牟子《理惑论》的推崇，以及这两部
书对后来佛教文化传播的重要作用和影响。

　　《四十二章经》是对域外佛经的抄译，牟子《理惑论》则是中国学者
研究佛教学术思想的成果，它反映了东汉末三国(吴)时期人们对佛教
所持的立场和对佛教教义的理解。由汉入魏晋，玄学肇兴，玄学在思想
实质上是儒道兼综，但就文本形式而言，主角仍是老庄。佛教的传入则
使这一情形发生了根本性的变化，"二教"变成了"三教"。所以，《理惑
论》要弘扬佛教，就必须要处理好与儒、道二教又主要是儒家的关系。

　　《理惑论》的基点是以"道"的概念来统一三教，佛教由此也就成为
"佛道"。而牟子之于佛道，首先是依照老子对于道的规定来进行描绘
的。何为道？

　　道之言导也，导人至于无为，牵之无前，引之无后，举之天
上，抑之天下，视之无形，听之无声，四表为大，蜿蜒其外，毫厘

---

　　①　六通：谓佛的六种神通，各经纶所述略有差异，其一为神境通、天眼通、天
耳通、他心通、宿住通、漏尽通。
　　②　《后汉书》卷30《襄楷传》。
　　③　吕澂：《中国佛学源流略讲》，第279页。

为细,间关其内,故谓之道。①

这与老子的无为之道并没有实质性的区别。由于老子无为之道与孔子有为之道明显有差,如此的"佛道"在儒家学者就很难接受。后者以为"孔子以五经为道教,可拱而颂,履而行。今子说道,虚无恍惚,不见其意,不指其事,何与圣人言异乎?"② 这就促使牟子不仅从虚、无,还要从实、有的角度去刻画道,以为道是"有物混成","可以为天下母","居家可以事亲,宰国可以治民,独立可以治身"。如此"立事不失道德"和"天道法四时,人道法五常"之道,当然又统属于有的范畴。

由此而构筑的有无之辩,在向中国民众灌输"佛道"的概念和缓解佛教传入中土所面临的理论困难方面有自己的历史作用,但它却未说明佛教究竟是什么。如果佛教只是简单重复儒、道两家的有无观的话,它就没有自己的理论地位,也不会被中国学术所接受和认可。由于道家、主要是老子的思想被牟子引为同道,佛与老相互发明,故外来文化与本土学术的冲突,首先和主要表现在儒佛之间。

佛教独特的理论价值,或者说它与儒家的理论冲突,一是形式上的,如"圣人制七经之本,不过三万言","今佛经卷以万计,言以亿数";"佛道至尊至大,尧舜周孔曷不修之";"佛有三十二相、八十种好,何其异于人之甚也",等等。二则反映在内容的层面,按牟子的概括,这主要集中在两个基本问题上,即灵魂转世与弃人伦纲常。佛教要在中土站住脚,这两大基本问题也就必须要解决好。

先看灵魂转世。作为牟子对立方的儒家学者认为,"人死当复更生"没有事实根据。牟子对此,先据中国传统的祖先神崇拜予以回答:

牟子曰:人临死,其家上屋呼之。死已,复呼谁? 或曰:呼其魂魄。牟子曰:神还则生,不还,神何之乎? 曰:成鬼神。牟

---

① 《理惑论》,载僧祐:《弘明集》卷1。
② 同上。

子曰:是也。魂神固不灭矣,但身自朽耳。身譬如五谷之根叶,魂神如五谷之种实;根叶必当死,种实岂有终亡,得道身灭耳。①

某家有人死,其家人要上到屋顶对天大呼死者的名字,其目的,一方面是祈祷死者的魂灵得到安宁,另一方面则是希望这死去的亲人的魂灵能够保佑尚健在的后人。这说明,人死成为鬼神在传统思想里就有,并非是外来的异端。牟子利用这一传统而将其与佛教的"身朽神不灭"嫁接在一起,巧妙地完成了从传统旧说向佛教新说的转移。

在牟子,种实与根叶的关系,就是身形与精神的关系。这在理论上本来不能成立,因为萌发根叶之种实,与新生根叶所结之种实,已经不是同一的种实。旧有的种实是伴随着根叶的新生而朽坏的,并不存在种实不亡的现象。牟子利用了前后种实的外形同一掩饰了内涵的根本改换。在此前提下,神不灭论作为中国佛教理论的根基,也就正式以理论的形式登上了中国的学术舞台。

但从学术发展的要求来说,仅仅以民间信仰的形式来论证"得道身灭"的重大理论课题,是远远不够的。所以牟子又继续引证老子的观点来予以发明。他说:"《老子》曰:吾所以有大患,以吾有身也,若吾无身,吾有何患!"又说:"功成名遂身退,天之道也。"②老子的有身、无身、身退,本是从入世与出世的角度讲以自然无为之心对待自身所受之荣辱得失,即置身于荣辱得失之外之意。因为作为人道效法的对象,天道本有阴晴圆缺、四时代谢,所以人们就不能只知执著进取,而不知退守保全。

那么,不论是讲无身还是退身,可以说与牟子想要说明的得道灭身

---

① 《理惑论》。

② 参见通行本《老子·十三章》:"吾所以有大患者,为吾有身,及吾无身,吾有何患!"《老子·九章》:"功遂身退,天之道。"

都没有任何的关系。老子在根本上是看重人的自然生命的。他希望
"使民重死而不远徙,虽有舟舆,无所乘之;虽有甲兵,无所陈之;使人复
结绳而用之。甘其食,美其服,安其居,乐其俗。"[①] 而且,正是为了人
的自然生命的保全,才需要及时从社会中抽身。

　　牟子将老子的退身以保身改换为退身即灭身,说明初期佛教虽然
在总体上混同于黄老,但在具体问题上已经开始了对黄老的改造,使之
适合于佛教自身发展的需要。就此而言,佛教与珍爱生命的整个中国
传统思想、包括儒家、道家和道教在内,都是处于直接的对立状态的。
即便是庄子的"妻死而歌"[②],亦不过是视生死如同春夏秋冬四时的顺
序流转,人生是自然的时遇,人死则是顺从自然本身的变化。庄子反对
的是人为对自然过程的干预,而非否定生命的本身。正是因为如此,问
难者一方也就很难理解,而提出了"为道亦死,不为道亦死,有何异乎"
的疑问。死亡作为对生命的否定,对一切人物都是同等的;而既然都是
死亡,人生道路的选择还有多大意义,人们还有必要扬善而祛恶吗?

　　对此,牟子回答说:

> 所谓无一日之善,而问终身之誉者也。有道虽死,神归福
> 堂;为恶既死,神当其殃。愚夫暗于成事,贤智预于未萌。道
> 与不道,如金比草,善之与福,如白方黑,焉得不异,而言何异
> 乎?[③]

就是说,虽然有道无道都是死,但这只是肉体的生命,精神却是不死的。
正是这不死的精神,来生将遭遇或福或殃的报应,所以求道兴善的人生
价值在佛教仍然能得以体现。

　　再看弃人伦纲常。如果说,善恶报应在《周易》等传统经典中还能

---

① 《老子·八十章》。
② 见《庄子·至乐》:"庄子妻死,庄子则方箕踞鼓盆而歌。"
③ 《理惑论》。

找到一定的根据的话,出家修行抛弃伦常却完全是佛教带来的新事物,所以遭遇到了儒家学者的强烈的反抗。儒家学者的反抗包括两个方面,一是立足孝道的诠释:沙门剃头"违于身体发肤之义",弃妻子,终生不娶,"何其违福孝之行也";二是坚守礼仪的原则:沙门"见人无跪起之礼,威仪无盘旋之容止"。

就孝道而言,儒家的"身体发肤,受之父母,不敢毁伤"① 其实没有涉及到孝道的实质,孝道的实质在于维护上下尊卑的等级秩序,它并不受剃发与否的权变所左右。譬如,牟子举例说:"先王有至德要道,而泰伯短发文身,自从吴越之俗,违于身体发肤之义。然孔子称之'其可谓至德矣',仲尼不以其短发毁之也。由是而观,苟有大德,不拘于小。"② 泰伯是周朝祖先古公亶父的长子,本应继承君位,但古公亶父预见到少子季历的儿子姬昌(周文王)今后会有出息,就有意立季历为嗣,以便后来君位能顺利地传给姬昌。泰伯为了父亲顺利实现这一心愿,便与二弟仲雍一起出走到了吴越荆蛮之地,并适应当地的风俗而断发文身。泰伯的行为从形式上看违背了"身体发肤"的教训,但在实质上却通过对父意的顺从和对上下尊卑等级秩序的维护实现了最大的孝,所以孔子赞扬泰伯"其可谓至德也已矣!"③

而就弃妻不娶以"违福孝之行"来说,对立方所持是"夫福莫逾于继嗣,不孝莫过于无后"的基本立场。可以说,自孟子提出"不孝有三,无后为大"④ 以来,儒家学者一直将它视为最基本的家庭伦理原则。其道理,孟子已说得很清楚,那就是无后就意味着无孝。因为无后事实上否定了种的延续,从物质基础上根本否定了孝之存在的可能。简言之,一切孝的原则和规范都是建立在"后"的基础上的。

---

① 《孝经》卷1。
② 《理惑论》。
③ 《论语·泰伯》。
④ 《孟子·离娄上》。

对此孝道的基本原则,牟子自然不可能直接反对,而是采取了有退有进的办法,承认任何思想学术都不是万能的,"夫长左者必短右,大前者必狭后"。也正因为如此,"许由栖巢木,夷齐饿首阳,孔圣称其贤曰:'求仁得仁者也。'不闻讥其无后无货也。"① 许由不受尧之禅让而逃遁隐居,夷齐"义不食周粟"而饿死首阳山,孔子均赞其为仁,而未曾讥其无后不孝。牟子据此认为,任何人、包括佛教徒在内,其品行都不可能是全方位均善的,都有有所不足的方面,对他们的评价也就应当抓住其主流而不是注意那些细枝末节。事实上,"沙门修道德以易游世之乐,反淑贤以贸妻子之欢,是不为奇,孰与为奇,是不为异,孰与为异哉!"② 佛教修炼道德,节欲守静,其德行要远高于世俗的百姓,所以是值得人们钦佩而不是诋毁的。

再从礼仪来看,沙门不行跪拜礼,没有儒家那一套应对进退的繁文缛节,这在形式上有怠慢抹杀儒家全力维护的上下尊卑的等次之嫌,后来亦多次引起儒佛之间的冲突。牟子为此将儒道的思想整合了起来进行回击,强调形式并不是决定性的因素,关键还是要看实质。所谓"上德不德,是以有德;下德不失德,是以无德。"③ "不德"不死守形式,才是真正的有德。也就是说,上圣上德之人无为于礼节仪式,正说明他们已经与德行融合为一,只有无德之人才会斤斤计较于具体礼节的得失。《理惑论》又说:

> 修闺门之礼数、时俗之际会,赴趣间隙,务合当世,此下士之所行,中士之所废也。况至道之荡荡,上圣之所行乎? 杳兮如天,渊兮如海,不合阃墙之士,数仞之夫,固其宜也。彼见其门,我睹其室;彼采其华,我取其实;彼求其备,我守其一。④

---

① 《理惑论》。
② 同上。
③ 《老子·三十八章》。
④ 《理惑论》。

下士只到圣人门墙之外,看不见圣人宫室的美好。礼节仪式在现实社会中,往往还成为了迎合当政、粉饰虚伪的手段,上圣已经远远地超越了它们。下士采花,上士取实,下士求全,上士专一。所以,问题的关键不在于循守世俗的礼节仪式,而在于是否提供了把握至道的精神实质。

从方法上说,"守一"本来是守静、抱朴之意,但与"求备"对应,它又具有了专长对完备的关系。不论是泰伯的"断发文身",还是夷齐的饿死首阳,以致或采花或取实,都在于说明凡事都有特例,事物的评价标准是多方面的。求全责备,即便在儒家也是根本行不通的。只要有所长,就应当予以肯定,"尧舜周孔修世事也,佛与老子无为志也",本来也是各有所长。如果一定要求全责备,则尧舜周孔无佛老之长,是否也应当被置于被否定的地位呢? 所以这是完全说不通的。事实上,佛老不弃周孔,周孔也不外佛老。"君子之道,或出或处,或默或语,不溢其情,不淫其性,故其道为贵。在乎所用,何弃之有乎!"如果与道合一,就不会在乎"用"道的形式;而不论形式如何,都是道的具体表现,所以尧舜与周孔之教实质上是一致的。

至于儒家学者以佛教为"夷狄之术"而予以排斥,更没有什么站得住脚的理由。从历史事实看,"禹出西羌而圣哲,瞽叟生舜而顽嚚,由余产狄国而霸秦,管、蔡自河洛而流言。《传》曰:'北辰之星,在天之中,在人之北。'以此观之,汉地未必为天中也。"① 地域本身不是判定正道的标准,夷狄有圣贤,汉地有顽逆,况且本来也没有一个真正的"天中"正土。各家学术互有所长,可以并行不悖。"金玉不相伤,精魄不相妨"。谓佛为夷狄惑人,根本就是被狭小的见识所局限而看不到外面的世界,"可谓见礼制之华而暗道德之实,窥炬烛之明未睹天庭之日也。"②

---

① 《理惑论》。
② 同上。

按牟子的看法,"道有九十六种,至于尊大,莫尚佛道也。"① 以佛道为最尊。但就其眼界来说,牟子显然超越了传统儒家狭隘的学术正统观。即他在树立佛教的正面形象的同时,并不直接反对儒家的学说,而是对儒家的经典文本重新进行开发,对一些人们已熟视无睹的经典的"原意"重新进行解释。尽管这些"原意"恐非其本来面目,可它们却为初入中土的佛教,提供了最初的庇护所和最有效用的论据。

从总体上说,牟子《理惑论》反映了佛教传入中国后儒佛之间的第一次交锋。它实际上涉及到了魏晋南北朝时期儒佛论争的几乎所有的问题,不但为后来佛教的发展方向和融入本土文化的路径提供了现实的蓝本,也为如何协调儒佛乃至三教关系埋下了最初的伏笔。

2、安世高的译经

佛教自两汉之际传入中国后,佛教的经典也逐渐随传入者携带了进来。但由于中"西"之间不同的语言和文化系统,佛教的经典并没有及时地翻译出来。《四十二章经》相传是最早的汉译经典,但在严格意义上,它只能算是一种摘译汇编本,而不是完整系统的经典的翻译。一直到东汉后期的桓、灵帝时期,佛经才开始有了正式的汉译文本,而译经的主要代表人物,就是安息人安世高和月氏人支娄迦谶。

安世高原是安息国的太子,后因受佛教"苦"、"空"理论的影响,厌弃了世俗生活,让王位于其叔,出家修行。这一情形与释迦牟尼当年的景况是很有些相似的。二人都出自王室,又都博学多才,只是在任务使命上,释迦牟尼是说经创教,安世高则是译经传教。一种学术文化,再新、再有生命力,也必须要融入当地社会。安世高译经便是这一过程的开始。

安世高所译经典,历史记载多有出入,一般以僧祐《出三藏记集》据

---

① 《理惑论》。

道安《经录》的记载为准,计有 34 部、40 卷,都属于小乘上座部系统,其中最重要的是《阴持入经》和《安般守意经》。与此相应,安世高的学术,道安评价他是"博闻稽古,特专阿毗昙学,其所出经,禅数最悉"①。这实际上也正是安世高译经的指导思想。"阿毗昙"是梵文的音译,意义为对法(以圣智对观佛理)、无比法(成就佛教智慧无比)或"论"(论说佛法基本义理)等。而所谓"禅数",也就是"定慧","定"即坐禅入定的心性锻炼实践,"慧"则是由此生成的佛教智慧,在这里即是对"数"的认识。"数"或"数法"是指佛教对佛法名相概念分门别类的研究,因其有三科、五阴(蕴)、十二处、十八界等众多名相概念的分类辨析之"数",故名。

《阴持入经》重在分析小乘佛教的阴(蕴)、持(界)、入(处)三个基本概念,它们是佛教基本的修养途径,亦是佛教各派关于宇宙人生的基本看法,后来则具体体现为"三科":

一是蕴(阴),共有五蕴,即色、受、想、行、识。"蕴"指蕴集、类聚之意,即认为宇宙人生乃多种现象关系(因缘)蕴集而成,这些现象关系包括物质对象(色)和主观精神(受、想、行、识),共计五类。整个世界、主要是人都是这五蕴聚合而成的,不具有客观实在性。具体来说,色:相当于物质,指由眼、耳、鼻、舌、身五官("五根")构成的人的身体和分别作为五官对象的色、声、香、味、触"五境";受,人的感受,指外境作用于五官和人心引起的苦乐不等的主观感受;想,观念存想,指执取色、声、香、味、触、法(现象)种种外境之相并形成名言概念的思维过程;行,动机、意志、意欲等心理行为,也泛指除受、想之外的一切心理活动;识,对外境的识别能力,包括认识功能及其结果。五蕴本身是否真实,一般小乘佛教是给予肯定答案的,但在大乘,对其真实性则予以了否定。

二是处(入),共有十二处。在内和在外各有六处,双方各自相互对

---

①　见《出三藏记集》卷 6《安般注序》,第 245 页。

应。内在于"我"的是眼、耳、鼻、舌、身、意,各自分别对应外境的色、声、香、味、触、法。显然,内之处就是六根,外之处也就是六境。根对境的关系是佛教解决主体对对象的关系的基本理路。根虽然形式上是指五官和心器,但并不具有真实的物质感官和思维器官的意义,只是指其抽象的认识功能而已;境虽然是指外界的对象,但同样与真实的物质世界无关,它们只是那些认识功能的心理感受和体验的结果而已。

三是界(持),共有十八界(类)。在十二处的基础上再加上眼、耳、鼻、舌、身、意"六识"而成。六识与六根的区别,在于六根只是指五官和思维器官本身,六识则是六根和六境综合作用、发生关系后的产物。这有些类似于日常所说的感官(根)与感觉(识)、思维器官与思维的关系。那么,从六根、六境到六识,佛教认为已经穷尽了宇宙间的一切事物现象,这实际上是建立在人的生理反应基础上的认识结构论和认识分类学说。

可是,为什么要这样来分类,其理由何在呢? 理由就在纠正人们依据日常经验而执著于"我"之实有,破除"我执"而确立"无我"。可以说,一切苦难都是执著于"我"而产生的,若能循三科一层层分析下去,就会发现所谓"我"或任一个人都不过是聚集起来的不同类别成分,而这些成分又是由别的成分作用而成,所以本来就不可能执著。当然,人有情愚利钝,颖悟程度有不同,并不是所有的人都要学习这三科的全部道理。事实上,佛正因为心知肚明这一点,才需要分说这"一界一处一蕴"的道理。后来所出的《阿毗达磨俱舍论》说:

《颂》曰:"愚根乐三故,说蕴、处、界三。"《论》曰:所化有情有三品故,世尊为说蕴等三门。传说有情愚有三种:或愚心所总执为我,或唯愚色,或愚色心。根亦有三:谓利、中、钝。乐亦三种:谓乐、略、中及广文故。如其次第,世尊为说蕴、处、界三。①

————————

① 世亲著、玄奘译:《阿毗达磨俱舍论》卷1《分别界品》,《大正藏》卷29。

这可以说是对蕴、处、界三科的一个补充发明。在一定程度上也可以看作是佛教对汉唐时期流行的儒家性三品说的某种程度的回应。

《安般守意经》是重在分析"安般守意"的禅法的。"安名为入息,般名为出息,念息不离是名为安般"①。入息即吸气,出息即呼气,那么,所谓"安般守意",就是通过调节控制人的呼吸(数息)的办法而使心意平定下来,这与道教神仙术呼吸吐纳的调息养生之功颇为类似,但二者的目的并不相同。道教是为养生长生,佛教则在于把持自心而使其去染成净、修成涅槃。其具体内容,包括数息、相随、止、观"四禅"和再加上还、净的"六事"②,每一禅实际意味着不同的修行阶段和要求。三国吴僧人康僧会在注解《安般守意经》时具体进行了概括,分阶段表述如下:

一禅:"数息"阶段的要求。"系意著息,数一至十,十数不误,意定在之"③。将注意力完全集中到循环往复地"数"一至十的呼吸次数上去,以使心神排除他念安定下来。

二禅:"相随"阶段的要求。"已获数定,转念著随。蠲除其八,正有二意,意定在随"。意定之后不再数一至十之数,而是将心神转向一呼一吸的自然过程,即意在"随"上。

三禅:"止"阶段的要求。"又除其一,注意鼻头,谓之止也。得止之行,三毒、四趣、五阴、六冥诸秽灭矣"。一呼一吸再进为只注意鼻头一点,"止"意于此。达到"止"的境界,实际上已经超脱了。

四禅:"观"阶段的要求。"还观其身,自头至足,反覆微察,内体污露,森楚毛竖,犹睹脓涕。于斯具照天地人物,其盛若衰,无存不忘,信佛三宝,众冥皆明"。在止的基础上反观其身,人身实在只是污秽一团。

---

① 见《安般守意经》卷上,《大正藏》卷15。

② 同上。

③ 康僧会:《安般守意经序》,《出三藏记集》卷6,第242~243页。以下各禅出处同。

以此心观照天地人物,盛衰存亡无物可执。只有信仰佛、法、僧三宝,才能由冥而明,使众生最终得以觉悟。

五"还":"摄心还念,诸阴皆灭,谓之'还'也。"心意已回返于念头本身,五阴(蕴)早已不存,超脱了生死。

六"净":"秽欲寂尽,其心无想,谓之'净'也。"污秽和欲念已彻底清除,心无任何思虑,进入最为纯净的涅槃状态。

"安般守意"的核心在守意,守意的目的在于通过人的心性锻炼和意志努力,使"意使人"转变为"人使意"。但是,"人使意"虽然是要求从佛教的立场出发来支配引导意识的活动,但并不等于提倡人的自主自觉的思维。为此,佛经的翻译采用了道家"无为"的概念来表述这样的心性活动过程。当然,二者之间的差别又是必须要注意的。《安般守意经》说:

> 何等为无为? 报:无为有二辈。有外无为,有内无为。眼不观色,耳不听声,鼻不受香,口不味味,身不贪细滑,意不志念,是为外无为;数息,相随,止,观,还,净,是为内无为也。①

"外无为"为道家原有,"内无为"则是佛教的创造。外、内"无为"之间,外无为只是手段,为的是心神专一,意念宁静;内无为即有意识地引导思维走向去染成净以达涅槃的目的。其实,这样的无为无非是其他不为而佛则专为。

3、支娄迦谶的译经

与安世高同时或稍晚的另一译经代表人物是月氏人支娄迦谶(支谶)。但与安世高所译传的小乘佛教经典不同,支谶所译主要是大乘的

---

① 《安般守意经》卷下。

经典①。《出三藏记集》记载他共译出佛经 14 部、27 卷,其中最重要也是在当时影响最大的是《道行般若经》。

全本《般若经》分量庞大,后来唐玄奘的《大般若波罗蜜多经》有洋洋 600 卷之多。如果单就卷数来说的话,相对于玄奘本的庞大,其他所有先前的译本,包括所谓的"小品"、"大品"两类,不妨都算作为"小品",因为各本所译都只是玄奘本的部分内容。东晋时佛教高僧道安曾评价(大品)《放光般若经》说:"言少事约,删削复重,事事显炳,焕然易观也。而从约必有所遗,于天竺辞及[反]腾每大简焉。"② 而作为第一个《般若经》译本的支谶的《道行般若经》,在后来的佛教学者眼中,就更是不完备的。但是,即便如此,《道行般若经》毕竟走出了将《般若经》及其学说介绍给中国学术的第一步,其意义仍然是非常重要的。

"般若"是梵文的音译,意译即是智慧,但却是指引导人成佛的特殊的智慧。"般若"与"波罗蜜(多)"的"到彼岸"合起来,便是谓人应当如何学、如何思、如何做,才能最终到达彼岸的涅槃世界。由于这一修习过程对众生都是平等的,人人都可以循此道路而修习成佛,所以属于"大乘"的范畴。而这种修习者便被称作"菩萨"。菩萨是"自觉"同时又能"觉他"之人,修习的法门和相应的功德众多,如有布施、持戒、忍辱、精进、禅定、般若"六波罗蜜多"即所谓"六度",但只有学习弘扬般若经典是最佳途径,收效也最大。

《道行般若经·功德品》载护法神帝释天向佛讨教道:般若是重要,

---

① "小乘"、"大乘":"乘",乘载,一般解释为运载工具、车船,但也有道路或事业的意思。大乘佛教兴起后,指斥前期佛教(原始佛教和部派佛教)的专求个人解脱只是小道,是为"小乘";自己才能普渡众生、运载大众到达幸福的彼岸,故为"大乘"。但前期佛教学者并不承认自己是什么小乘,而坚信本派才是佛教的正统。所谓"大乘"乃是杜撰,非佛所说。参见方立天:《佛教哲学》,中国人民大学出版社 1986 年版,第 13、24 页;黄心川:《印度佛教哲学》,载任继愈主编:《中国佛教史》第 1 卷,第 539 页。

② 道安:《合放光光赞略解序》,《出三藏记集》卷 7,第 265 页。

但是否就是只行般若而不修他法呢？佛回答说:大乘各法当然都应当行,但"般若波罗蜜出上。持戒、忍辱、精进,一心分布诸经教人,不及菩萨摩诃萨行般若波罗蜜也。"① 其他各"波罗蜜"虽然也更重要,但却不能独立成行,它们都是在般若智慧的支配下而发生作用的,般若智慧处于中心的地位。而且,从果报层面说,"过去当来今现在佛,皆从般若波罗蜜出生。"② 有了般若智慧也就有了一切。

在这里,小乘的一佛——释迦牟尼佛在大乘已经变成了千千万万佛。由于般若智慧为成佛之因,它实际上已居于佛的地位之上,为"诸佛之母"。如此对智慧的推崇,在中国本土思想中是少见的。孔子提到过"上智",但那只是对天生圣哲如舜之"大智"而言;到孟子则智慧门槛虽然降低,但其价值亦降低,所谓"虽有智慧,不如乘势"③ 也,智慧并不包含历史发展规律及对如何利用规律的思考;而老子则完全反其道言"智慧出,有大伪"④,智慧的作用被从否定方面给予了宣示。

从而,尽管中国哲学自始就是爱智慧也是智慧的产物,但对智慧作自觉阐发并赋予智慧至高无上的地位,却是佛教的创造。以支谶译出《道行般若经》为发端,中国佛教学者开始了对般若类佛经的普遍研究并逐渐成为风气,最终形成了魏晋南北朝时期蔚为壮观的"般若学"热。

般若学的中心是讲"缘起"、"性空"。"缘起"是佛教各派所共有的理论,如安世高传译的小乘佛教就以"十二因缘"为中心讲"业感缘起"。"缘"是指各种事物现象生起的条件或关系,各种事物现象因"缘"而生起,故名"缘起"。对缘而言,所生起的各种事物现象都是结果,"缘"则是这不同结果的原因,联系到众生,也就是所谓"业",即行为或造作之意。世间的一切生成变化,也就成为众生业力感召的结果。如此因缘

---

① 《道行般若经》卷2,《大正藏》卷8。
② 《道行般若经》卷9《累教品》。
③ 《孟子·公孙丑上》。
④ 《老子·十八章》。

与结果的联系,意味着一对新的范畴——因果关系的范畴增添到了中国学术的领域。

佛教将整个的宇宙都置入到因果连锁之中。因果双方的关系不是凝固不变,而是相对和变化的,对一果是因者同时又是另一因之果,各种因缘关系最终和合为整个宇宙。在这里,条件和关系是第一位的,一切均因条件和关系而变。

将此因果观运用于观察人生,便有所谓"十二因缘"。它是指众生从生到死、生死流转的整个过程,即无明、行、识、名色、六处、触、受、爱、取、有、生、老死十二个阶段。每一前者均为生起后者之"缘"。

(1)无明(缘行):即愚昧无知。愚昧无知而缘生种种世俗的意志行为。

(2)行(缘识):托胎受生时,意志行为牵引心识向与该意志行为相应的处所投生。

(3)识(缘名色):识使名(心,精神)色(肉体)"结生",一刹那"有身"而有胎儿的生成。

(4)名色(缘六处):胎儿身心发育而有五官的分工和思维器官的形成。

(5)六处(缘触):胎儿降生,"六根"活动而与外境接触发生作用,产生触觉,进入幼儿阶段。

(6)触(缘受):由触觉而有苦、乐、不苦不乐三种感受,进入童年阶段。

(7)受(缘爱):由三种感受引生对世俗世界的渴望、贪爱、贪欲"三爱",进入青年阶段。

(8)爱(缘取):由贪爱而追求执取一切可供享受之物,普遍执著于世间事物不放,进入成年阶段。

(9)取(缘有):种种执取不放的思想行为成为能招致来世报应的既定的存在(有)。

(10)有(缘生)："有"的不同行为(业)一定引起相应的果报和来世的再生。

(11)生(缘老死)：有生便有老死，这是必然的过程。

以上是为从无明到老死的全部生命现象的总和。它说明了人从"无"到"有"再到"无(老死)"，都无时不处于因果联系之中。

十二因缘的学说，将全部人生解释为一整个顺序接转、相互联系的因果链条，目的在于突出这链条的最初开端——无明，正是无明才造成了后来全部的人生苦难。人要想解脱苦难，就必须要修习佛典，记颂佛说，克服愚昧无知的世俗认识，以便最终能从十二因缘的束缚中解脱出来。另一方面，十二因缘缘起说的基本点，在于对虚幻不实的现实人生的否定，用佛教的术语来说就是所谓"空"。佛教大小乘都讲空，但双方的差别却是明显的。小乘的缘起主要是就人而言，讲"人无我"或"人我空"，即通过分析的方法将人物分解为不同的部分或因素，以求说明人物均没有自性，所谓"人我"不过是"五蕴"和合的产物，始终处在因缘聚散、流转生灭的循环之中；大乘则将言说的界域从"人"扩展到"法"，即在一切事物现象上讲"法无我"、"法我空"。在这里，已不需要对事物现象进行分解，现象既然都是因缘和合的产物，本来就没有自性，现象自身便是"空"。

《道行经》说：

> 贤者明听：譬如箜篌，不以一事成。有木、有柱、有弦，有人摇手鼓之，其音调好自在。欲作何等曲？贤者，欲知佛音声亦如是。……其法皆从因缘起，亦不可从菩萨行得，亦不可离菩萨行得；亦不可从佛身得，亦不可离佛身得。贤者，欲知佛身音声，共合会是事，乃得佛耳。复次，贤者，譬如工吹长箫师，其音调好，与歌相入。箫者以竹为本，有人工吹。合会是事，其声乃悲。

又说：

> 贤者欲知佛身,因缘所生,用世间人欲得见佛故。……世
> 世解空,习行空。一切生死,无死生为因缘。佛智悉晓本无死
> 生,本亦无般泥洹者,佛作是,现世间作是说。①

在这里,箜篌之音不能够以一事成,有在物方面的木、柱、弦,有在
人方面的人、手、鼓,这诸多因缘"合会"成音,并没有一个支持自
身的实在根据或曰"自性"。如果将"合会"成音的众多因缘分拆开
来,所谓的"箜篌之音"就只能是一个"无"。然而,此无又不是绝
对的虚无,讲"无"并未否定木、柱、手、鼓等众因缘的存在,而是
就因缘本身讲无自性、讲性空,这与小乘的灭尽十二因缘方能求取涅
槃的道路,是明显不同的。

对世人是如此,对"佛身"亦是如此。佛无从来,无所去,无持
作,并没有一个实实在在的"佛"。佛之现于世,乃是出于为众生说
法的需要。不但一切生死、无生死均为因缘,就是作为修习最高阶段
的涅槃,也不是像小乘那样执著为一个终极的实在,而是就因缘法而
体现的般若性空境界。至于因缘法所生起的世界,本是一个"幻化"
即假有的世界,"幻与色无异也,色是幻,幻是色"②。"色"或事物
现象的存在都是虚幻的假有。当然,由于假有毕竟是因缘所生,故又不
是没有。

如此说法,一方面表现了佛教思辨的机智所在,另一方面也可看出
佛教理论的不得已之处。因为若将"空"贯彻到底,佛、佛教本身便没有
了存在的可能。所以讲无、讲空都主要是"破"的功夫,破除一切非佛所
说的理论、信仰和人生执著,以便为佛教理论和信仰留下地盘。正因为
如此,因缘本身不能空,它是佛教"立"教的最后根据。"贤者欲知过去

---

① 《道行般若经》卷 10《昙无竭菩萨品》。
② 《道行般若经》卷 1《道行品》。

当来今现在诸佛,皆从数千万事,各各有因缘而生。"① 有了因缘,佛才可以显现,佛教才得以挺立。由此,般若学与老庄的理论虽然都同样使用了"无"的语词,但在思想内涵上,从一开始就存在着差异。

联系到支谶,他之传译佛教在理论上的重要创新或曰"误导",就是构造了"本无"的概念来表述佛教哲学对本体的思辨,这一概念对整个魏晋时期的佛教学术产生了重大的影响,以致形成了以此概念为标识的东晋六家七宗的第一大宗——"本无"宗。当然,从佛教自身的理论发展来说,后来鸠摩罗什重译《小品般若经》时,已改译"本无"为"性空",更为准确地表达了大乘空宗的思想。

从更为一般的道理说,缘起性空思想的传入,对中国学术发展的影响是深刻而持久的,它促使人们看到了以前一直被忽视的问题。例如,人们惯常信守事物都有自己的内在本质或自性,但如此的思维定势却遭遇到了严峻的挑战,因为所谓本质、自性,按照缘起说的观点,都是可以再拆分的;而既然可以再拆分为不同的元素、成分,原来设定的最后根据也就不能成其为"最后",从而最终消解了本质、自性的观念。反过来,缘起说将事物现象的存在归结为诸多条件和关系的支持,而这些条件和关系的本身,又只能在普遍联系之中才能成立。连续性和多样性是支撑事物存在和保持事物稳定性的最根本的理由。然而,这些无处不在的事物现象并不等于就是客观的实在,眼见为实其实并不实,它之可能存在只是由于多成分或多因缘的聚合。

在这里,连续性与断裂性本来是事物状态的两极,"两极相通"这一法则在这里得到了最好的体现。事物的连续性是由于条件间的因果连锁而起,无处无因果、无联系。同时,连续性又不能离开断裂性,正是因为事物都被"断裂"成不同的因缘条件和生死环节,它们才需要依赖普遍联系而求得生存。任何一个单独的个体都不可能生存,而且也根本

————————
① 《道行般若经》卷10《昙无竭菩萨品》。

不存在这样单独的个体。可以说,没有事物不在断裂中,没有事物不能分解,也就没有事物不归结为因缘聚散。

二、三国两晋的求法与译经

三国两晋时期,佛教在中国已站稳了脚跟并与中国固有思想有了互动和融合的需要。不仅继续有来自西域的僧人到内地传译佛法,并形成了魏都洛阳、吴都建业、前后秦之长安等译经中心,内地的僧人亦开始有了西行求法、到域外亲自考察并弄清佛典原委的需要。从魏时的朱士行开始,西行取经求法几百年不息。正是这样的双向交流,为东晋南北朝及至隋唐的佛教繁荣,起到了重要的先导作用。

1、西行求法

中国佛教学者开初只是被动地接受西域传来的佛经,随着时间的推移,对于所接触到的佛经,不论从数量还是从质量上都感到了不满足。在求取真经、弄清佛教本来面目的渴求新知的欲望推动下,与由西入东的来华僧人相对应,掀起了由东去西的西行求法取经运动的热潮。

朱士行是中国汉地第一个正式出家受戒的和尚,以研读和传播《般若经》为己任。可在魏地,佛经数量有限而且翻译质量低下。支谶所译《道行般若经(小品)》乃是依据天竺僧竺朔佛口传而译,对于其难以理解之处辄加省略,直接跳过,由此造成"意义首尾颇有格碍"的弊病[1]。故朱士行虽在洛阳宣讲《小品》,但常常觉得道理讲不通,"每叹此经大

---

① 　此处对《出三藏记集·朱士行传》"初,天竺朔佛,以汉灵帝时出《道行经》,译人口传,或不领,则抄撮而过"一段文意的叙述,参照汤用彤《汉魏两晋南北朝佛教史》第106页的解释。

乘之要,而译理不尽,誓志捐身,远求《大品》"①。朱士行在自己宣讲《般若经》的实践中,越来越切身体会到已译小品经的不完善,为了求得真实完整的般若,他立志西行求取《大品》真经。

魏高贵乡公(曹髦)甘露五年(260),在中国学术史上是一个值得留意的日子。这一天朱士行开始踏上了西去的道路。中国学术在经历了数千年以我为中心的自我发展之后,第一次真正感觉到了域外学术的清新和魅力。要使自己的学术能得以长进,就必须要向"西方"学习。中华文化自此开始了绵延至今的西行留学"取经"之路。

朱士行辗转跋涉,来到了当时的佛教重镇于阗(今新疆和田一带),寻得了般若"正品梵书胡本九十章,六十余万言"。朱士行一方面要寻取《般若》原本抄写,一方面又要克服佛教小乘僧众的阻挠,后感到自己年事已高,难以返回故乡,遂遣弟子于晋太康三年(282)将所抄写的经文送回洛阳。又过了十年,该经方由河南居士竺叔兰和在汉地的西域高僧无罗叉等合作译出,是为《放光般若经》20卷,即般若经的第四个译本。朱士行本人则以80高龄终老于于阗,为佛教学术文化的传扬贡献了他的一生。

《放光般若经》译出之前,有于阗僧祇多携来的《般若》梵本,由竺法护译出,称为《光赞般若经》。这两部《般若经》源于同一个梵本,故二本都称为《大品般若经》,但《光赞》本长期未得流传。《大品般若经》的译出和流行,为两晋般若学的兴盛准备了最基本的文本,起到了直接的先导作用。

竺法护比朱士行稍晚,亦走上了西行求法之路。竺法护祖先为月氏人,后世居敦煌,传记说他"博览六经,涉猎百家之言",文化底蕴非常深厚。自年少出家后,便从外国高僧学习佛法,但当时的汉地虽然寺庙佛像林立,系统的经典却难觅,老师所教亦不能使他感到满足。于是他

---

① 《出三藏记集》卷13《朱士行传》,第515页。

与老师一同到西域诸国求经。西域36国语言各异,竺法护先学习各国语言文字,广收佛教典籍,后携经回返,"自敦煌至长安,沿路传译,写以晋文"①。竺法护将一生精力倾注于此,"终身译写,劳不告倦。经法所以广流中华者,护之力也"②。竺法护共译经150多部,是三国两晋时期译经最多的一位佛教学者。

竺法护的译经,质量已大为提高,当然也有他自己的特点。如所译《光赞般若经》,道安的评价是"言准天竺,事不加饰,悉则悉矣,而辞质胜文也。……考其所出,事事周密耳,互相补益,所悟实多。"③ 竺法护的翻译虽仍是以"质"为主,但却是在经过了重"质"的安世高、支谶和重"文"的支谦之后的"质",显然已站在了更高的层次上。在当时的情况下,"言准天竺,事不加饰"是非常难得的。力求尽量准确地理解佛经的本义,应当是译经的指导思想。竺法护论"事""周密"而且能"互相补益",可使人恰当、准确地领悟般若经典的究竟。而从量的角度看,竺法护的译经范围很广,大乘佛教的主要经典,基本上都涉及到了。当然,其"辞质胜文"也有使译文呆板生硬的弊病。

由于竺法护的佛学造诣和他对中华文化的深刻了解,使他在当时的学者群中获得了很高的声望。所谓"德化四布,声盖远近,僧徒千数,咸来宗奉"④。东晋名士孙绰著《道贤论》,书中以天竺七僧比竹林七贤,以竺法护比魏晋名士山涛(巨源),曰:"护公德居物宗,巨源位登论道,二公风德高远,足为流辈。"以致僧祐在引述这段话后感叹说:"其见美后代如此。"⑤ 孙绰以"德宗"来评价佛教高僧,并将自己一辈玄学清谈家放到了其后人的位置,可见竺法护的影响已不限于

---

①　《出三藏记集》卷13《竺法护传》,第518页。

②　同上。

③　《出三藏记集》卷7《合放光光赞略解序》,第266页。

④　《出三藏记集》卷13《竺法护传》,第518页。

⑤　同上书,第519页。

佛学圈内。

朱士行、竺法护虽然开西行求法之风，但二人终究未到达真正的"西天"印度（天竺）。按比较确切的记载，实际到达印度留学多年又携经返归中国者，东晋法显当为第一人。法显求法与先前学者重在搜寻佛"经"有别，他的主要目的在求取戒律类典籍。法显从北天竺到中天竺，查访佛教旧迹，学习梵文梵语，亲自抄写经、律典籍。他在天竺和师子国（今斯里兰卡）寻求到大批律藏和经籍后，从海路回国。法显留学取经前后历时十三四年，其间所遭遇的艰辛，实无前人能比。他根据自己十多年的游历始末、留学见闻写成《佛国记》一书，详细记载了当时西域、印度诸国的风土人情，为中外文化交流史留下了光彩的一笔。

法显归国后，与外国来华禅师佛驮跋陀罗（觉贤）合作译经百余万言，"其中《摩诃僧祇律》（《大众律》）为佛教戒律五大部之一，而其携归之《方等》、《涅槃》，开后来义学之一支"①。就佛教学术的发展来说，法显携归并于东晋义熙十三年(417)译出的六卷本《涅槃经》，对南北朝时期成为佛教界争论的中心的涅槃佛性问题，起了重要的促成和推进的作用。

2、支谦、康僧会的译经

佛经的传译，虽然从东汉后期就已经开始，但其时的翻译大量采用"胡音"音译，理解又很不准确，故水平是比较低的。缘起于此，后来的佛教学者，一方面是不断研究前人的译经，另一方面则是因其不满于既有译经的质量而不断重译，以致一部经典被反复翻译多次。如支谶所译《般若经》，一百余年间就出了四个版本。这既说明了译经的水平在不断提高，也说明了后人比之前人，在对佛教教义的理解并使其更适合

---

① 汤用彤:《汉魏两晋南北朝佛教史》，第 268 页。

于中国学术的土壤方面,提出了更高的要求。力求更为准确地把握佛教经典的本义,是支持推动这股重译之风的最根本的动力。三国吴时的支谦、康僧会等便是重要的代表。

支谦虽祖上为月氏人,但在其祖父或父亲的时代,其家族就已经移居汉地。故他学汉文化在先,知晓西域六国语反倒在后。他曾向支谶的弟子支亮学习,故为支谶的再传。支谦译经的数量是整个三国时期最多的。

康僧会祖先是康居人,又曾世代居于天竺,后因其父经商的缘故,举家移往交趾。康僧会于父母双亡后出家,吴赤乌十年(247)到达吴都建业,与安世高弟子韩林、皮业、陈惠友善,相互切磋交流。康僧会译经亦有不少,惜大多未能流传下来。

支谦、康僧会译经的方法和风格已与前人有了重大的区别。其主要的特点可以概括为以下四个方面:

一是改译。支谶所译《道行般若经》,亦即《摩诃般若波罗蜜经》,后来佛教学者批评颇多。译经由于采用音译,对于初习佛典的中国研习者来说,实在容易使人产生困惑。故支谦重译此经便改为意译,他在书名上便下了功夫:不用"摩诃"而用"大",不用"般若"而用"明",不用"波罗蜜"而用"度",一改原名为《大明度无极经》,完全使用了中国原有的语言概念,这对于接引佛学初入门者来说,是大有裨益的。

改译有全改也有部分删改,如删改支谶所译《首楞严经》便是如此。支愍度《合首楞严经记》道其缘由说:"恐是越(谦又名越)嫌谶所译者辞质多胡音,所异者,删而定之;其所同者,述而不改。二家各有记录耳。此一本于诸本中辞最省便,又少胡音,遍行于世,即越所定者也。"[1] 支谶的译本因受西域文化背景的影响,多采用直译、音译,未加修饰,虽然是尊重原意,但却缺乏文采,难以理解。这对于有良好的汉文修养的支

---

① 支愍度:《合首楞严经记》,《出三藏记集》卷7,第270页。

谦来说,显然是生硬难通,故他对支谶本重新进行了删改和文字润色,从而使得这一文辞简洁的译本能够流行于世。

二是编译。编译的方法还在支谶的时候就已经开始,编译的一大特点是紧扣主题而选译其相关部分,并重加编排而成。当然,这里也有一个视角的问题。如竺朔佛、支谶所译《道行般若经》,后来道安的评价是"经既抄撮,合成章指","颇有首尾隐者。古贤论之,往往有滞"①。这就与道安对支谶的翻译非常不满、讥其"抄经删削,所害必多"② 有关,并不完全是事实。

康僧会的《六度集经》也属于编译。他按大乘佛教修习的六种"度"达彼岸的方法的次序,取各种佛经 91 篇按类编排,概论大乘佛教度人和拯救众生的精神,以便将他所传承的安世高的小乘教法与大乘义理结合起来。康僧会的翻译,大量使用了中国固有的元气、灵魂、恻隐、仁道、孝亲等概念,并以儒、道的理论来注疏经典,而且其注疏与翻译往往夹杂在一起。因而,康僧会的译经重点已不在翻译本身,而在自己的撰述,尤其是义理之阐发。这与魏地正盛之玄学思辨,可以说是相得益彰。就此倡玄之方而言,康僧会如此,支谦更是如此。如《了本生死经》虽在汉末便已有了译本,但因其"雅邃奥邈,少达旨归",了解的人很少;到支谦"为作注解,探玄畅滞,真可谓入室者矣"。③ 汤用彤更视支谦为"佛教玄学化之开端也"。④

三是会译。"会译者,盖始于集引众经,比较其文,以明其义也。"⑤会译方法一般认为是从支谦开始。在支谦看来,当时佛教的传播是"大教虽行而经多胡文,莫有解者。(谦)既善华戎之语,乃收集众本,译为

---

① 道安:《道行经序》,同上书,第 264 页。
② 同上。
③ 道安:《了本生死经序》,第 251 页。
④ 汤用彤:《汉魏两晋南北朝佛教史》,第 268 页。
⑤ 同上书,第 93 页。

汉言。"① 即将不同经典按类归并相合,相互参校,以发明经义大蕴。在支谦之前翻译的各本,虽然质量不高,但亦有所取,"其中文句参差,或胡或汉音殊,或随义制语,各有左右,依义顺文,皆可符同"②。"依义顺文"的目的,在于使"朴直"之旧义变得更"雅",所谓"曲得胜义,辞旨文雅"③ 也。所以,支谦合《微密持经》、《陀邻尼经》、《总持经》三经为一,以《陀邻尼经》为大字正文,称为"上本";余二经列为注,则称为"下子(本)"。

其实,对会译作为译经方法来说,它重点不在如何由梵文、西域文译成汉文,而是一种在各经典文本之间的校读、研究和整理的方法。中国传统的注疏经典的方法与会译可能没有直接的关联,但这并不排除双方可能感受到的对方的影响。中国经学通行的"集解"、"集注"的注经方法,正是在这一时期起步就不是偶然的,它在一定程度上反映了学术研究和学术思想发展的某种固有的规律。当然,集解是集各家注解以诠释某一部经典,如何晏的《论语集解》;而会译则是直接参校各篇经文,以一经发明另一经,形式上有不同。但就都是利用其他经典和他人的见解来帮助理解某经经义这一基本点来说,双方却没有什么原则性的区别。

四是注经。注疏传统经典是中国学术自汉以后经久不衰的基本研究方法,中国学术也因之在一定意义上被叫做注疏或诠释经典的学术。汉人注经强调保守原义,要求回到先秦古人,而不求发挥自己的思想。支谶译《道行般若经》所信守的,正是"因本顺旨,转音如已,敬顺圣言,了不加饰也"④ 的原则,这可以说是汉学方法在佛经译注上的翻版。但保守原义的结果,往往使后人、今人难以了解其义,也就无法满足不

① 《出三藏记集》卷13《支谦传》,第517页。
② 同上书卷7《合微密持经记》,第279页。
③ 《出三藏记集》卷13《支谦传》,第517页。
④ 道安:《道行经序》,《出三藏记集》卷7,第263~264页。

同社会时代的要求。从而造成了不断地改译、编译和会译的情况的发生。

从总体上看，与本土经典的注疏相比较，佛经同一版本的不断再翻译，实际上也就是后来者对前人成果的不满足而对原典进行的重新诠释，从支谶开始的《般若经》的翻译是如此，从支谦开始的《维摩诘经》的翻译同样也是如此。这些经典有若干个同异不等的注释版本，与儒、道的经典不断被重加阐释，可以说是异曲同工。

从学术的发展来说，既有经典不断地被重加翻译和解释，说明了推动学术发展的动因无非在"厚古"与"厚今"两大方面。因为"厚古"，就要求译著符合原义，保持经典的本来面目，不能允许有违禁典本义的今人思想的发挥；因为"厚今"，注释者就可以发挥自己的想像和创造性的才华，使经典文本符合时代的需要，使古人的思想能为今人所把握。可以说，汉学求实与玄学求义的两大方法，在佛经的翻译和研究中都得到了再现。

就"厚今"一方来说，由于它不要求严格信守原义，一方面导致了后人有意无意地把经文和经文的注疏混同在一起的情况发生，如安世高名下的《安般守意经》，便杂入了不少后人的注疏；二是此杂入的注疏在不少地方实际上改变了本来经典的思想，如《安般守意经》便将佛教的禅定与道教的求仙术混同在一起，从而与《阴持入经》所批评的视禅定为成仙的手段的观点明显矛盾。但这混同却在康僧会等人那里得到了继承和发扬。汤用彤便认为《安般守意经》是译文与注疏合而为一的，而其注疏部分，则怀疑是康僧会与陈慧二人所共作。[1]

以支谦、康僧会等为代表的佛教学者，为使外来佛经适合于中国本土思想，做出了巨大的努力，后人在相当程度上要得益于他们所做的工

① 汤用彤：《汉魏两晋南北朝佛教史》，第96～97页。

作。后来的佛教发展,其总体演进趋势,仍是从厚古与厚今两条路走下来的。厚古的思维导向使得在中土的佛教学者不满足于被动地接受域外传来的佛典,而要求到佛教原产之地去寻求真经;厚今的思维导向则直接引导了佛教与本土玄学的融合交汇,最终迎来了东晋时期以六家七宗的出现为标志的佛教发展的第一个高峰。

3、道安、鸠摩罗什等的译经

东晋时期,佛经的翻译继续保持着红火的势头,并出现了以道安、鸠摩罗什为代表的一大批佛教史上著名的翻译家和思想家。

道安是常山扶柳(今河北冀县)人,少年出家,拜当时著名僧人佛图澄为师。初期学问得之于安世高禅法为多,后则潜心于般若空无之论。道安是东晋最博学的佛学家,从北到南弟子众多,为扩大影响,他分遣弟子到各地传扬佛法,为佛教学术在全国范围的推广起了重要的促进作用,成为当时佛教界的领袖人物。

在道安以前,佛经翻译虽然也是集体合作的产物,但这还属于民间的行为。自道安开始,则是由国家出面组织的大规模的译场来译经。当时主要的中外僧人都参加了进来,相互之间详细推敲,使佛经的翻译质量大大提高。在译经过程中,道安对前期译经进行了系统的校阅、考订和整理,并为之作序以评说其得失。僧祐记述说:

> 初,经出已久,而旧译时谬,致使深义隐没未通。每至讲说,惟叙大意,转读而已。安穷览经典,钩深致远。其所注《般若》、《道行》、《密迹》、《安般》诸经,并寻文比句,为起尽之义,及《析疑》、《甄解》,凡二十二卷。序致渊富,妙尽玄旨。条贯既叙,文理会通,经义克明,自安始也。[1]

先前的翻译多采用音译,既不易懂又难以发掘佛经之"深义"。后人讲

---

① 《出三藏记集》卷15《道安传》,第561页。

经,由于不能通晓经义究竟,只能叙述其"大意",相当于将经典"转读"了一遍。从而不论是讲经者还是求学者,都很难有真正的收获。要予以改进,就要大量阅读各类经典文本,寻文比句,详加研讨,才能真正明白佛经的深义。所以,道安对《般若》诸经的注解,都是出于他自己"钩深致远"、"析疑甄解"的心得体会。更重要的是,道安不只是一名翻译家,他也是一名哲学家,深谙魏晋玄学和佛学义理之妙蕴,所以他的翻译能达到"序致渊富,妙尽玄旨,条贯既叙,文理会通"的极高的境界。所谓"经义克明,自安始也",不但意味着佛教的宗教教义、而且也意味着佛教的哲学义理,只是从道安以后才真正大明于中华。

回溯以往,自汉以来的各种版本的翻译,从数量上讲已经不少,但各本汉译经典的译者,所译年代等往往混淆不清。"又自汉暨晋,经来稍多,而传经之人,名字弗记。后人追寻,莫测年代。安乃总集名目,表其时人,铨品新旧,撰为'经录'。众经有据,实由其功。"[1] 道安在朝廷的支持下,广收各种经籍,对所收版本详加考订,分门别类,标明年代和译者,由此撰成《综理众经目录》一卷,使后人能得以知晓汉以来各经译传之情形。[2] 道安以严肃的态度对待此经录的撰述,所谓"值残出残,遇全出全"[3],决不虚应敷衍故事。此经录后虽不存,但主要内容已保存在僧祐的《出三藏记集》中。

道安晚年在长安主持译经一百多万言,但他译经的贡献主要不是在量上,而是在质上。道安既作经录又作经序,经录为中国目录学史开辟了一片新的天地,而他为各经所作的经序,则为后人理解所译经典的

---

① 《出三藏记集》卷15《道安传》,第561~562页。

② 在道安"经录"前,支愍度已有《传译经录》,南朝梁慧皎时尚行于世(见慧皎《高僧传·康僧渊传》,《高僧传》第151页)。但此经录内容不详,汤用彤推论它不如道安经录谨严完备;又道安未必得见此经录,亦无可凭借,故僧祐仍以道安经录为始。参见《汉魏两晋南北朝佛教史》,第148页。

③ 《出三藏记集》卷5《新集安公注经及杂经志录》,第228页。

由来和对佛教教义、概念的阐明,提供了重要的入门向导。此外,在方法上,自支谦开始的会译之方,由于对佛经文字和经义的发明大有裨益,支愍度、竺昙无兰、支遁和道安等佛教学者继承了下来并继续推向前进。

　　支愍度在为传译佛经作《经录》时,已深感同一经典的不同译本差别过大。其曰:

　　　　先后译传,别为三经,同本、人殊、出异。或辞句出入,先后不同;或有无离合,多少各异;或方言训古,字乖趣同;或其文胡越,其趣亦乖;或文义混杂,在疑似之间。①

各本的差别有言辞文字的差别,但更有义理的差别,因而有必要将它们统合起来。先前已各有三个版本的《首楞严经》和《维摩诘经》,经支愍度手而各集为一本。这两部经典的母本都是支谦所译,而子本则分别是竺法护、竺叔兰所译,"今以越(谦)所定者为母,护所出为子,兰所译者系之,其所无者辄于其位记而别之。或有文义皆同,或有义同而文有小小增减,不足重书者,亦混以为同。虽无益于大趣,分部章句,差见可耳。"②

　　如此以一本为中心(母本)、将其他各本(子本)统一到该本,并具体记载母本所无而补进别本、别本文义又稍有出入的经典整理方法,可以说是中国传统经典整理方法的继续。譬如《论语》的整理便是如此。先是西汉末安昌侯张禹以《鲁论语》为母本、混合《齐论语》而为《张侯论》,到东汉末郑玄又以《张侯论》为母本、混合《古论语》而成为流行至今的今本《论语》。那么,会译是指过程和方法,而合本则是指会译方法的具体成果。

――――――――――――

　　① 《出三藏记集》卷8《合维摩诘经序》,第310页。又:《出三藏记集》"支愍度"作"支敏度"。

　　② 《出三藏记集》卷7《合首楞严经记》,第270～271页。

同时,中国传统经典的研究整理,又有以大字正文为母、以小字注文为子而与母相配的流行的经典注解和撰著方法,佛教学者同样予以了吸取。东晋僧人竺昙无兰在为所译《三十七品经》作《序》时指出:"又诸经三十七品文辞不同,余因闲戏寻省诸经,撮采事备辞巧便者,差次条贯伏其位,使经体不毁,而事有异同者,得显于义。……又以诸经之异者注于句末也。"又于《序》末自注云:"序二百六十五字,本二千六百八十五字,子二千九百七十字。凡五千九百二十字。除后六行八十字不在计中。"①

陈寅恪在引述了这一段话后评论说:

> 据此,可知"本""子"即母子。上列比丘大戒二百六十事中,其大字正文,母也。其夹注小字,子也。盖取别本之义同文异者,列入小注中。与大字正文互相配拟。即所谓"以子从母","事类相对"者也。六朝诂经之著作,有"子注"之名,当与此有关。②

如此之"母子"相配,当然也称作"合本",但与前述实际将各本合为一本的体例有别,因为母子双方都被保留了下来,在文字上并不做统一工夫。这可以说是典型的中国经典注解的方式,它体现了古籍整理中的尊经的传统。譬如郑玄的《论语注》便是此等意义的《论语》注解的合本,魏何晏则更进一步将各家注解汇集到一起而成《论语集解》。而佛教的合本,则主要还是立足于文字的校勘。在支愍度、竺昙无兰、支遁、道安诸人之中,陈寅恪以为支愍度在合本方法上最具代表性。③

道安虽然校研群经,但他最为注重者还是《般若经》。他将"大品"《般若》的两个版本《放光般若》和《光赞般若》进行了会译研究,并"随

①　《出三藏记集》卷10,《三十七品经序》,第371页。
②　《支愍度学说考》,《陈寅恪文集之二·金明馆丛稿初编》,上海古籍出版社1980年版,第163页。
③　同上书,第162~165页。

略"为之注解。道安的指导思想,是"宜精理其辙迹,又思存其所指,则始可与言智已矣"①。但由于此书已佚,不知究竟是合本还是二本的摘抄注解。与道安同时的支遁(道林)则有《大小品对比要抄序》,是节抄《放光般若》和《道行般若》加以对比发明。所谓"标二品以相对,明彼此之所在,辨大小之有先。虽理或非深奥,而事对之不同。故采其所究,精粗并兼,研尽事迹,使验之有由。故寻源以求实,趣定于理宗。"② 道安是两个同类译本相互比较,支遁则是先后不同版本的比较,二者虽然在具体的会译形式上有别,但强调寻其根由、以义理为主,则表明了围绕《般若经》的经学研究,已经向深入其内在义理的"般若学"的学理研究转移。

鸠摩罗什(344~413)是中国佛教翻译史上的一位著名的人物。他祖籍天竺,生于龟兹(今新疆库车一带),少年出家后长期在西域各国学习佛学,后因其佛学造诣而"道震西域,声被东国",前秦苻坚派兵迎请,然即因苻坚被杀,国政动乱,直到后秦姚兴弘始三年(401)才到长安。此后,直到他去世,一方面主持译出了大批经典,被誉为中国佛教四大翻译家之一;另一方面,又带出了一大批著名的学生,其中僧肇对般若空宗在中国的发展做出了重要的贡献。

鸠摩罗什在长安译经,由后秦国主姚兴亲自主持。姚兴尊罗什为国师,为他组织了大规模的国家译经场,甚至在罗什译"大品"新经时,直接参与校雠。其时译经事业之隆盛,仅此可见一斑。罗什译经,众弟子一同参正助译,译场不只是单纯的译经场所,也同时就是讲坛和师生研讨教义的场所。对于学生提出的中肯的意见,罗什能适时地吸收采纳。例如,竺法护原译《正法华经·受决品》有云:"天见人,人见天。"罗什新译至此,以为"此语与西域义同,但在言过质"。参与译经的学生僧

---

① 《出三藏记集》卷7《合放光光赞略解序》,第265页。
② 《出三藏记集》卷8《大小品对比要抄序》,第303页。

叡提议道："将非'人天交接，两得相见'？"罗什高兴地予以采纳①。

　　鸠摩罗什译经以意译为主，但又不是离开经文随意发挥，僧叡在《大品经序》中评述罗什的译经说：

　　　　其事数之名与旧不同者，皆是法师以义正之者也。如"阴
　　入持"等，名与义乖，故随义改之。"阴"为"众"，"入"为"处"，
　　"持"为"性"，"解脱"为"背舍"，"除入"为"胜处"，"意止"为"念
　　处"，"意断"为"正勤"，"觉意"为"菩提"，"直行"为"圣道"。诸
　　如此比，改之甚众。②

罗什改译、重译了大量的经典，对旧有的"事数"名相重新进行了厘定。但就原则来说，却是在充分尊重佛经本义的基础上遣词正字，力求准确。罗什除译出《大小品般若经》、《维摩诘经》、《法华经》、《阿弥陀经》、《金刚经》等中国佛教尊奉的主要经典外，还译出了大乘中观学派的重要论著《大智度论》、《中论》、《十二门论》和《百论》这"四论"。"四论"的特点，僧叡在《中论序》中概括说：

　　　　《百论》治外以闲邪，斯文（指《中论》）袪内以流滞，《大智
　　释论》（《大智度论》）之渊博，《十二门观》（《十二门论》）之精
　　诣。寻斯四者，真若日月入怀，无不朗然鉴彻矣。③

《百论》是折服佛教外部的各派学说的，《中论》则在疏通佛教内部的歧义阻塞，《大智度论》的特点在所引资料的广博，《十二门论》则将《中论》的思想提炼得更为精致。这"四论"尤其是《百论》、《中论》和《十二门论》"三论"对后来影响很大。经过僧肇等罗什弟子的集中阐扬，"三论"的"诸法性空"思想成为了隋唐三论宗的直接理论来源。罗什又译有《成实论》，因其为小乘有部向大乘空宗过渡的作品，适应了南朝佛教发

----

①　慧皎：《高僧传》（汤用彤校注）卷 6《僧叡传》，中华书局 1992 年版，第 245页。

②　僧叡：《大品经序》，见《出三藏记集》卷 8，第 293 页。

③　僧叡：《中论序》，见《出三藏记集》卷 11，第 401 页。

展之大势,故影响一时反在《般若》"三论"之上。

鸠摩罗什共译经 30 多部,此外又有《实相论》、《大乘大义章》等著作,阐发其哲学思想。罗什哲学的中心,是以中观宗之非有非无论"毕竟空"、论"无定相",发明本体即"无体"的佛教本体论思辨。可以说,从鸠摩罗什开始,特别是经由他的弟子对"中观"义、涅槃义等的具体阐发,中国佛教已经脱离了对本土玄学的附会,走上了按其本义而自主发展的道路。

4、三国两晋的译经方法论

中国佛教兴起之基本条件——佛教文本的输入和翻译,自汉末开始,到东晋佛教发展迎来第一个高潮时,已经取得了巨大的成功,佛教的基本经典这时已经翻译为汉文。在翻译的过程中,前后译经者不辞艰辛,不断摸索经验,吸取教训,斟酌得失,逐步总结出一套译经的方法论原则,为后人如何跨越中外学术交流的最大屏障——中外语言文化的差别,提供了十分宝贵的教益。

汉末译经是中国译经事业的正式开始,但那时的译经者在经典翻译的方法上,还没有自觉的思考。支谦所作的《法句经序》①,是第一篇正面阐述译经原则和方法的论文。支谦首先指出了由于中印文化背景和语言文字的不同,翻译着实不易:"又诸佛兴,皆在天竺,天竺言语与汉异音,云其书为天书,语为天语,名物不同,传是不易。"② 中国之"人"理解天竺之"佛",既是文化背景的巨大跨越,又要通过语言文字这一难关。而且,当时翻译者手中的佛经,又不完全是梵文原本,不少是转译的西域文字。西域各国的差别虽不是很大,但毕竟36国各有其语

---

① 《法句经序》见《出三藏记集》卷7,僧祐标明"未详作者",汤用彤先生考订为支谦所作。见所著《汉魏两晋南北朝佛教史》,第 91~92 页。

② 《出三藏记集》卷7《法句经序》,第 273 页。

言。如此通过西域来了解印度,无疑是增添了翻译的难度,谓之"天书"、"天语",实不为过。

当时译经的通行的做法,是由来华的域外僧人与汉地佛教学者合作翻译,以克服其障碍。但由此的结果,"善天竺语"者,则"未备晓汉,其所传言,或得胡语,或以义出音,近于质直。"[①] 佛经的翻译,最初大都以音译、直译为主,即便是以义出音,总体的风格仍是近于"质直"。这对于重文饰的支谦来说,显然感到不满足。他着力对各方意见进行综合,以恰当地归纳总结出最为适宜的译经经验和方法。他说:

> 仆初嫌其辞不雅,维祇难曰:"佛言'依其义不用饰,取其法不以严。'其传经者,当令易晓,勿失厥义,是则为善。"座中咸曰:"老氏称'美言不信,信言不美';仲尼亦云:'书不尽言,言不尽意。'明圣人意深邃无极。今传胡义,实宜径达。"是以自竭,受译人口,因循本旨,不加文饰,译所不解,则阙不传。故有脱失,多不出者。然此虽质朴而旨深,文约而义博,事均众经,章有本故,句有义说。[②]

竺将炎译出的《法句经》,因对汉语不甚精通,故词语不雅。携《法句经》来汉地的天竺僧人维祇难却认为,关键不在语词而在实义,翻译的文本好不好,可以拿是否明白易晓和不失原意这两条基本标准去衡量,"雅"的标准显然就太高了。在座人士所引老子的"美言不信,信言不美",亦说明对"雅"而言,"信"是更为基本的,可以说是翻译的第一大原则。如果为了美、雅而失去信实,那就得不偿失了。在这里,信虽然是最基本的要求,但从孔子的"书不尽言,言不尽意"可知,要真正做到信,完整充分地表达佛经原有的义蕴,是并不容易做到的。

也正是在这一时期,北边的曹魏已是玄谈风行,言不尽意说搅起了

---

① 《出三藏记集》卷7《法句经序》,第273页。
② 同上。

言意之辨的巨大波澜。佛经的翻译虽未进入言意之辨的论域。但外在之言与内在之意的关系却是翻译者们必须要考虑的问题。直译的思想指导实际上就是言尽意，在此前提下，改言则改意，故不可；而意译则正相反，由于言不能完全地反映意，就可以换用不同之言来表达原有言辞已不能表达之意。这样虽然言辞有改，但反倒可能更接近本来的经义。

所以，翻译不是只有信的要求就够了，语言通达明白才易于直取本义，故"达"也是应当予以考虑的要求。不然，译文即使符合原意，但译出来的经文却不能为人所理解或者走向歧义，也是没有意义的。换句话说，言尽意的主张有可能违背其初衷而走向文不达意。那么，信与达的标准就应当结合起来。而在支谦此篇序文中，后来严复总结的信、达、雅的翻译三原则和标准，显然都已提出来了，虽然其重心仍放在信实的基点上。因为在当时，只有"因循本旨不加文饰，译所不解则阙不传"，才可能尽量完整地将中国人不熟悉的学术文化传译进来。

当然，支谦本人是力图贯彻"辞朴而旨深，文约而义博"的主张的，所以他希望自己的翻译不是单纯地守信，而是也符合更高的达、雅的标准。支愍度在《合首楞严经记》中评价支谦的译经境界时说：

> 越（谦）才学深彻，内外备通，以季世尚文，时好简略，故其出经，颇从文丽。然其属辞析理，文而不越，约而义显，真可谓深入者也。①

支谦因其能"属辞析理"，有玄学思辨的精神，故其译文讲究文雅；同时又能做到简约而义显，未违背信的要求。就此来说，从东汉到三国，译经的水平已大大前进了一步。

但是，到晋代道安，由质向文方向转移的译经风气重又进行了调整，要求重视质的一方，道安本人便是其代表人物之一。其时，主持译《鞞婆沙经》的官员赵政，对前之译经者"多嫌胡言方质而改适今俗"的

---

① 　支愍度：《合首楞严经记》，见《出三藏记集》卷7，第270页。

风气进行了批评,这得到了道安的认可和支持。道安自己"遂案本而传,不令有损言游字,时改到句,馀尽实录也。"① 佛经所以需要翻译,无非是架设一座由西至中的桥梁,使人们能借以明白彼方语言文字的含义。所以,人们如果能够领悟佛经的"辞趣",文字质朴一点是不要紧的。倘若"传事不尽",翻译者应当自感惭愧。至于翻译能否出彩出巧,则不是必须要求的。

又如道贤译《比丘大戒》时,慧常笔录,道安因有感于先前所译戒律"其言烦直,意常恨之";而现在新译亦因直译"淡乎无味",故要求"斥重去复",以适应汉语的表达习惯。慧常当即表示了反对,并以中土经典同样守其朴直而传为例说:

> 此土《尚书》及与《河》、《洛》,其文朴直,无敢措手,明祇先
> 王之法言而慎神命也。何至佛戒,圣贤所贵,而可改之以从方
> 言乎？恐失四依不严之教也。与其巧便,宁守雅正。译胡为
> 秦②,东教之士犹或非之,愿不刊削以从饰也。③

道安被说服而予以赞同。"于是案胡文书,唯有言倒,时从顺耳"④。即除在主谓结构上按汉语语法顺序颠倒过来外,其他则按原文直译。

当然,道安重视质朴即信实的主张,主要是想纠正为使译文通达而损坏本义的弊病,并不就是要回到汉末时的完全的直译。为此,他在主持昙摩蜱、佛获二人会译《摩诃钵罗若波罗蜜经抄》时,总结前人译经的经验,提出了著名的"五失本,三不易"的译经原则和方法。下面略做分析:

(1)五失本。道安称:

> 译胡为秦,有五失本也:一者胡语尽倒,而使从秦,一失本

---

① 道安:《鞞婆沙序》,见《出三藏记集》卷10,第382页。
② 译胡为秦:胡,胡文、胡言,泛指西域和印度等域外语言文字;秦,秦文、秦言,指汉语言文字。
③ 道安:《比丘大戒序》引,见《出三藏记集》卷11,第413页。
④ 道安:《比丘大戒序》,见《出三藏记集》卷11,第413页。

也。二者胡经尚质,秦人好文,传可(适合)众心,非文不合,斯
二失本也。三者胡经委悉,至于叹咏,叮咛反覆,或三或四,不
嫌其烦,而今裁斥,三失本也。四者胡有义说,正似乱辞,寻说
向语,文无以异。或千五百,刈而不存,四失本也。五者事已
全成,将更傍及,反腾前辞,已乃后说。而悉除此,五失本
也。①

"失本"即失去梵文(胡语)本来的一些特点而适应汉语(秦文)的表达习
惯和规范。具体归结起来有五类情况:一是语法应符合汉语的结构,把
相反者颠倒过来,二是质朴必须有一个确定的限度,完全直译既不必
要,又无可能;三是过于细致以致咏叹反复,不厌其烦,故须裁减;四是
"义说"复述,言语累赘,删去亦不损文意;五是前面已说,后言及相关情
况时,又将前已说者再行复述,亦须删除。

"五失本"说明,翻译的目的在于简单明了地发明对方语言中所要
表达的意蕴,如果在己一方已经明白了对方的意思,就不需要再反复言
说了。而且,译过来的文字既然是汉语,就理当要符合汉语的表达习
惯。所以,"失本"并没有失去梵文佛经的本义,反倒是更好更简明地进
行了表达。

(2)三不易。道安云:

然若《般若经》三达之心,覆面所演,圣必因时,时俗有易,
而删雅古以适今时,一不易也。愚智天隔,圣人叵(不可)阶,
乃欲以千岁之上微言,传使合百王之下末俗,二不易也。阿难
出经,去佛未久,尊者大迦叶令五百六通(五百罗汉)迭察迭
书。今离千年,而以近意量裁。彼阿罗汉乃兢兢若此,此生死
人而平平若此,岂将不知法者勇乎? 斯三不易也。②

---

① 道安:《摩诃钵罗若波罗蜜经抄序》,见《出三藏记集》卷8,第290页。
② 同上。

佛经是佛因时制宜演说而成,但时代和风俗人情都在变化,要使久远的时俗适合今天的习惯,是一不易;佛与常人的智慧本相去天远,却要求已历时千百年的佛之"微言"在今世的愚人中得到理解,是二不易;佛经第一次结集时,直接听佛教诲的大智大贤们尚且要相互详察校写,去圣久远的今天由平常人来传播翻译,其难度就可想而知了,是三不易。

如果说,"五不失"是翻译中要掌握的原则方法,那这原则方法却是从"三不易"艰辛的翻译实践中总结出来的,它们表明了以道安为代表的译经师们对待翻译这门学术的慎重态度和探索精神。道安说:"涉兹五失,经三不易,译胡为秦,讵可不慎乎!正当以不闻异言,传令知会通耳,何复嫌大匠之得失乎?是乃未所敢知也。"[1] 道安所总结出的经验教益,对后来整个的译经事业都产生了重要影响,至今仍具有一定的参考价值。

鸠摩罗什译经的原则方法,由于他更为强调意译,故与道安有别。罗什曾与僧叡论说西方辞体,商略同异。他说:

> 天竺国俗甚重文藻,其宫商体韵,以入弦为善。凡觐国
> 王,必有赞德;见佛之仪,以歌叹为尊。经中偈颂,皆其式也。
> 但改梵为秦,失其藻蔚,虽得大意,殊隔文体。有似嚼饭与人,
> 非徒失味,乃令呕哕也。[2]

印度的文风本是重藻饰的,韵律节奏十分明显,风行的是咏叹赞颂的文体,这特别是在尊王和敬佛的场合下。佛经中的偈、颂也正是在这样一种背景下形成。对此而言,如果简单按梵音直译,即使原来的"大意"能得以保存,也已经失去了本来的文采。在完全不同的文体条件下,这就好比是把嘴里嚼过的饭再吐出来给人吃,不但不再有原来的风味,反而还会使人呕吐。

---

[1] 道安:《摩诃钵罗若波罗蜜经抄序》,见《出三藏记集》卷8,第290页。
[2] 《出三藏记集》卷14《鸠摩罗什传》引,第534页。

鸠摩罗什的这一分析是相当深刻的。他已经看到了单纯强调直译的内在弊病,那就是直译的本意无非是使读者能够准确地理解原文,但直译作为手段又导致人们难以理解译文的含义,这样就背离了直译的初衷和译经的目的。因而,翻译这门学术,不是简单地因袭照搬梵文,而是一种在充分尊重原文文意基础上的再创造,从而在更高的程度上接近了原文。

弟子僧肇在《维摩诘经序》中说:

> 什以高世之量,冥心真境,既尽环中,又善方言。时手执胡文,口自宣译。道俗虔虔,一言三复,陶冶精求,务存圣意。其文约而诣,其旨婉而彰,微远之言,于兹显然。①

罗什的学识和视野是相当宽广的,对"空"义的阐发非常准确,这为他的译经事业打下了良好的基础。但罗什所以能译出高质量的经典,还在于他精益求精的治学态度,这使他能达到"约而诣"、"婉而彰"的非常高的境界,连那些隐微、深远的言语文字,最终也能得以彰显明白起来。

僧叡描述老师译经的特点,是"胡音失者,正之以天竺;秦言谬者,定之以字义。不可变者,即而书之。是以异名斌然,胡音殆半。斯实匠者之公谨,笔受之重慎也。"② 即用天竺音正西域音,根据字义确定恰当的语言表达,对于不能意译的专有名词,则以音译之。这充分表明了罗什在佛经翻译中的严谨慎重的态度。事实上,鸠摩罗什对于译经事业的贡献,也正有赖于此。

与鸠摩罗什同时的慧远,主要是一位佛学家而不是翻译家,但他也派弟子西行取经并亲自主持了翻译工作。毗昙学和禅法的经典在江南的流行,与他的努力是分不开的。故慧远对译经也有自己的看法。他总结汉以来的译经情况说:

---

①　僧肇:《维摩诘经序》,见《出三藏记集》卷 8,第 310 页。
②　僧叡:《大品经序》,见《出三藏记集》卷 8,第 293 页。

自昔汉兴,逮及有晋,道俗名贤,并参怀圣典,其中弘通佛
教者,传译甚重。或文过其意,或理胜其辞,以此考彼,殆兼先
典。后来贤哲,若能参通晋胡,善译方言,幸复详其大归,以裁
厥中焉。①

参怀圣典、传译佛经的人士虽然不少,但或者是"文过其意",或者是"理
胜其辞",都是偏重于一面,而不能相互折中考量、兼二者之长。

慧远又从根由上来进行分析说:

于是静寻根由,以求其本,则知圣人依方设训,文质殊体。
若以文应质,则疑者众;以质应文,则悦者寡。是以化行天竺,
辞朴而义微,言近而旨远。义微则隐昧无象,旨远则幽绪莫
寻,故令玩常训者牵于近习,束名教者惑于未闻。若开易进之
路,则阶藉有由;晓渐悟之方,则始涉有津。②

偏重于一面的弊病,一是若过分强调文,就不能保证准确地表达了原
意,也就难免引起诸多的怀疑,佛经的可信度也就成了问题;二是如过
分强调质,则译文生硬,望之使人却步,佛经的影响力便会成为问题。
这可以说是慧远对长期以来译经者或文或质、不能把握其中道的弊病
的尖锐批评。

在这里,慧远的深刻性在于,他认识到割裂文、质这两大弊病不是
佛教传入中土后才有的,而是在天竺就已经开始了。因为佛对弟子说
法,乃是"依方设训"即依时依人而言,可说是佛教版本的"因材施教"。
故或文或质,各满足其所需。但后来者往往不明白其事理,抓住一端而
不及其余,就造成了文与质的相互割裂。抓住辞之质朴的一方,大义隐
微暗昧,难以揭示出来;讲究浅近明白即意译的一方,发挥离题,以致丢
掉了佛经的本旨。事实上,从学术的传承发展来说,不论是"牵于近

① 慧远:《三法度经序》,见《出三藏记集》卷 10,第 380 页。
② 慧远:《大智论抄序》,见《出三藏记集》卷 10,第 391 页。

习”,还是“惑与见闻”,都不是恰当的学术态度。而作为翻译者所肩负的使命,就是要开辟一条既容易践履、又有确定的方向,使众生能够由此一步步走向彼岸的道路。

当然,恰当准确地翻译和表达佛经的大义,又是需要译经者的知识智慧和学术素养的。慧远以为,他自己对《大智度论抄》的处理,便达到了这一目标:“远于是简繁理秽,以详其中,令质文有体,义无所越。辄依经立本,系以问论,正其位分,使类各有属。”① 慧远对于按自己总结方法所译的经典是非常自信的,以为“虽不足增辉圣典,庶无大谬。如其未允,请俟来哲!”② 的确,不论慧远组织译出的经典质量如何,他所贡献的直译和意译兼顾,既简洁易懂、又不越原作大意的方法论原则,一直为后人所遵循。近人鲁迅曾云:“凡是翻译,必须兼顾着两面,一当然力求其易解,一则保存着原作的风姿。”③ 鲁迅自然也看到了二者之间存在着矛盾,即会使人“看不惯”,但这一原则作为对包括佛经翻译在内的传统翻译理论的总结的成果,毕竟是翻译事业应当遵循的恰当正确的方法。

三、般若学与六家七宗

顾名思义,般若学是因对《般若经》的研究而兴起的。但《般若经》早在汉末便已传入,般若学作为一种学问、学术,却并未也不可能与之同步,它是在《般若经》不仅仅作为一种特定的宗教经典,而且也是作为一种被社会普遍接受的新的学术资源的基础上才可能产生的。而后者

---

① 慧远:《大智论抄序》,见《出三藏记集》卷10,第391页。
② 同上。
③ 鲁迅:《“题未定”草(二)》,《鲁迅全集》第6卷,人民文学出版社1981年版,第350页。

是在晋代才开始出现的情景。

般若学在晋代的出现,一个显而易见的学术背景就是玄学的流行。作为晋代学术的主流,玄学对这一时期的其他学术,无疑发挥着重大的影响;而其他学术、这里主要是以般若学为代表的佛教学术,要想得到社会的承认并得以推广,也就必须要利用这一现成的思想资源和理论工具。尽管玄学和般若学学术宗旨迥异,入世与出世是两个完全不同的境界,但双方在理论构建和思辨方法上,却又是相互发明的。可以说,共同的理论发展需要,暂时掩盖了本来显而易见的学术分歧。

然而,对《般若经》有不同的理解,玄学也有不同的学派,双方的结合使般若学自身产生了分化。换句话说,般若学形成的同时就是其分化的开始。般若学的概念,实际上就是当时研究《般若经》的各派学术汇集而成的思潮的总称。那么,在这一总称下,般若学到底是由哪一些学派所构成的呢? 般若学的分派,最早是由后秦僧叡在《毗摩罗诘提经义疏·序》中提出来的。僧叡曰:

> 自慧风东扇、法言流咏以来,虽曰讲肆,格义迂而乖本,六家偏而不即。性空之宗,以今验之,最得其实。然炉冶之功,微恨不尽,当是无法可寻,非寻之不得也。①

僧叡在这里提出的格义、六家和性空之宗几个重要的概念,都与般若学派的构成相关,需要具体地予以阐释。

1、格义

僧叡对当时的格义之风显然是不满意的,所以才有“迂而乖本”之说。那么,什么是格义呢?《高僧传·竺法雅传》记载,东晋僧人竺法雅“少善外学,长通佛义”,即年少时喜读老庄等“外书”,成年后才转向并通晓佛义。如此的经历使得他对玄学与佛学都有较为深刻的了解。所

---

① 见《出三藏记集》卷8,第311页。

以他对于弟子们的"未善佛理"，便结合自己的经验，与同学诸人提出了"格义"的方法：

> 雅乃与康法朗等，以经中事数，拟配外书，为生解之例，谓之"格义"。及毗浮、相昙等，亦辩格义，以训门徒。雅风采洒落，善于枢机。外典佛经，递互讲说。与道安、法汰每批释凑疑，共尽经要。①

由此，"格义"就是指"以经中事数，拟配外书，为生解之例"。所谓"事数"，《世说新语·文学》云："殷中军被废，徙东阳，大读佛经，皆精解，唯至'事数'处不解。"刘孝标注说："事数：谓若五阴、十二入、四谛、十二因缘、五根、五九、七觉之声。"② 即佛教的基本概念都是由"事"——阴、入、谛等和"数"——五、十二、四等所构成的。至于"生解"，陈寅恪先生认为即是"子注"："因为'生'与'子'，'解'与'注'，都是可以互训的字。所谓'子注'，是取别本义同文异之文，列入小注中，与大字正文互相配拟。这叫做'以子从母'，'事类相对'。这样的本子叫'合本'。"③

结合上述见解来看，所谓"格义"，就是指以佛经（内典）中的名相概念去与中国固有的典籍（外典）中的概念范畴进行比较，将在义理上可以互通的相互搭配，并以此作为讲授和教训门生的范例。"格义"的方法虽然广泛引入了外书、外典尤其是《庄子》来解佛经，但对于"未善佛理"的门生来讲，还是有必要的。因为它本来就产生于教学实践的需要。

作为一种一般的认识和解释佛教名相概念的方法，格义与佛经翻译中作为各本比较的"合译"或"合本"的方法是不相同的。陈寅恪说："'格义'的比较，是以内典与外书相配拟，'合本'的比较，是以同本异译的经典相参校。二者不同，但形式颇有近似之处，所以说'以经中事数

---

① 《高僧传》卷4，第152~153页。
② 见《世说新语笺注》第240页。
③ 陈寅恪：《清谈误国（附"格义"）》，载《陈寅恪魏晋南北朝史讲演录》，第61~62页。

配外书,为生解(子注)之例'。"① 他又说:"格义"与"合本"二者,"其所用之方法似同,而其结果迥异。故一则成为傅会中西之学说,……一则与今日语言学者之比较研究法暗合。"②

就当时格义之实践说,由于社会的主要学术背景是玄学思辨的深入人心,玄学所讨论的本末、有无等问题很自然地就被引入到了般若学的研究中,以帮助理解心、性、色、空等范畴,这已成为当时流行的风气。当然,格义之方在现实中究竟是如何进行的,由于文献方面的缺失,已难以详知。尽管如此,它在佛教初传时期的影响却是非常深刻的。而且不限于学术理论的层面,后来还渗透进了戒律实践。南北朝时颜之推在阐述他的儒佛"一体"观时曾云:"内典初门,设五种禁,外典仁义礼智信,皆与之符。仁者,不杀之禁也;义者,不盗之禁也;礼者,不邪之禁也;智者,不酒之禁也;信者,不妄之禁也。"③ 陈寅恪在引述了颜之推话后加按语说:"颜之推'以经中事数拟配外书',虽时代较晚,然亦'格义'之遗风也。"④ 内典五戒与外书五常拟配,在这里可谓得到了最形象的揭示。

而从学术研究方法来说,格义的基本特征就是比附。比附的方法,一方面说明它的可行性依赖于概念形式的类似,如有与无之对应色与空,但正因为着眼点在形式的相似性上,故格义在拉近玄学与般若学的距离的同时,也造成了对于般若学本身的理解和认识的分化。另一方面,比附本身的确切与否也是一个问题。与竺法雅、法汰"每披释凑疑"的道安,又与僧先(一作光)"共披文属思,新悟尤多"。经过道安认真思

① 陈寅恪:《清谈误国(附"格义")》,载《陈寅恪魏晋南北朝史讲演录》,第61～62页。

② 《陈寅恪文集之二·金明馆丛稿初编》,第165页。

③ 《归心篇》,《颜氏家训集解(增补本)》,王利器撰,中华书局1993年版,第368页。

④ 《陈寅恪文集之二·金明馆丛稿初编》,第151页。

考而得出的"新悟",其一就是"先旧格义,于理多违"①。承认先前的格义并没有真正达到准确理解佛理的目的。但道安此语究竟是说过去所格之义不准确而需要检讨,还是对格义方法本身提出了怀疑甚至反对,并由此跳出自己先前亦热心的格义的框架,则难以得出确切的结论。

《高僧传·慧远传》云:

> (远)年二十四,便就讲说。尝有客听讲,难实相义,往复移时,弥增疑昧。远乃引《庄子》义为连类,于是惑者晓然,是后安公特听慧远不废俗书。②

汤用彤先生据此推论,道安通常令弟子废俗书,而"废俗书者,亦与反对格义同旨也。"③ 但道安之反对格义,并未见有确切的根据。而且,慧远引《庄子》义为"连类"解读实相并运用于辩论之中,终使听者恍然大悟,实际上披露了格义方法已得到人们的普遍认可。道安所以能"特听"慧远不废"俗书",说明了他终究还是格义方法的拥护者。

格义作为理解佛经义理的入门向导,对于将般若学融入整个中国文化的背景之中而为中国人所接受,起到了积极的先导作用。然而,由于它存在的理由是基于中国人对般若学的不理解,所以这一利用不是始终有效的。一旦人们跨进了般若学的门墙,格义所得来之理与佛经本义的偏离就引起了人们的警觉和不满,并逐渐失去了它存在的价值。所以僧叡才给予了严肃的批评。

但是,僧叡的批评是将"格义"与"六家"对举而言双方之偏失的。即在僧叡,格义是六家分殊的方法论基础。由于六家史料的残缺流失,不知道格义是如何具体造成不同学派的形成及其思潮的流行的。而且,僧叡眼中的格义之方并不始于竺法雅,而是前推倒了中土之有佛经

---

① 《高僧传》卷5《僧先传》,第195页。
② 见《高僧传》卷6,第212页。
③ 见《汉魏两晋南北朝佛教史》,第168页。

的开始,中国人"望文生义"了解佛经的开始。这是一种比竺法雅创造的格义更为宽泛的格义观。事实上,竺法雅与康法朗只是把他们的研究方法"谓之"格义,并不排斥在他们之前还有别的格义。就此而言,汉末以来直至东晋,以中土本有的语词概念去解读、领会外来佛教学术的研究方法,总体上都可以叫做格义[①]。也正是在此格义观的指导下,催生出中国佛教学术的第一批阶段性成果——六家七宗的形成。

2、六家七宗

僧叡虽然提出了"六家"的概念,但除了表明六家是"性空"之宗的反衬外,对于六家为何却语焉不详。从转引的材料看,刘宋时的昙济曾作有《六家七宗论》,但此论今亦不存,梁朝的宝唱在所著《续法轮》中引用过该论。宝唱之后,陈朝慧达在为《肇论》作《序》[②] 时提到了六家七宗,唐代元康作《肇论疏》,便是通过对慧达《序》的疏解而道出了昙济六家七宗的究竟。

《肇论疏》曰:

> 宋庄严寺释昙济作《六家七宗论》。论有六家,分成七宗。
> 第一本无宗,第二本无异宗,第三即色宗,第四识含宗,第五幻化宗,第六心无宗,第七缘会宗。本有六家,第一家分为二宗,

---

① 陈寅恪曰:"又晋孙绰制《道贤论》,以天竺七僧方竹林七贤。以竺法护匹山巨源(山涛),白法祖匹嵇康,法乘比王浚冲(王戎),竺道潜比刘伯伦(刘伶),支遁方向子期(向秀),于法兰比阮嗣宗(阮籍),于道邃比阮咸。乃以内教之七道,拟配外学之七贤,亦'格义'之支流也。"据此,可知"格义"影响于六朝初年思想界之深矣。"见所著:《支愍度学说考》,《陈寅恪文集之二·金明馆丛稿初编》,第152页。

② 相传慧达除为《肇论》作《序》外,还作有《肇论疏》。但吕澂先生认为此疏是后出的,说慧达作并不可信。见所著《中国佛教源流略讲》第46～47页;石峻先生亦认为该《肇论疏》作者是谁存在疑问,但因日人安澄已有引称,著作问世"决在唐前,故《肇论》章疏,当推此为最早"。见《肇论思想研究》,载《国故新知:中国传统文化的再诠释》(汤一介编),北京大学出版社1993年版,第235页。

故成七宗也。①

七宗各自的代表人物,在元康之前的隋朝吉藏那里已进行了揭示,吉藏作《中观论疏》,阐明了各家的代表人物及其观点,使六家七宗的面貌最终能为后人所知。吉藏所说的六家七宗是:

六家	七宗	代表人物	备注
本无	本无(性空)	道安	
	本无(本无异)	琛法师②	僧肇所破
即色	关内即色	(不详)	僧肇所破
	支道林即色	支道林	
心无	心无	温法师	僧肇所破
识含	识含	于法开	
幻化	幻化	道壹	
缘会	缘会	于道邃	

　　显然,从形式上看,六家之本无、即色各分出二宗,实际已是八宗。但因吉藏将二本无合为一宗,故仍算作七宗。如此之七宗与昙济的七宗不完全相同,即在本无和即色上有区别。昙济明确将本无区分为本无与本无异,吉藏则无此区分,但也承认二本无确实不同。僧肇所破者乃是后者而非前者。就此而言,也可以理解为第二本无也就是本无异。

　　即色的情况则有所不同。昙济的一宗变成了二宗,而且以地域为标准划分出了关内即色与(关外)支道林(支遁)即色。这两大即色在当

---

①　元康:《肇论疏》卷上《序》,见《大正藏》卷45。

②　日人安澄《中论疏记》(《大正藏》卷65)断定此"琛"应作"深",即竺法深,名(道)潜。《高僧传》卷4有传(竺法潜)。《世说新语·文学》刘孝标注引庾法畅《人物论》曰:"法深学义渊博,名声蚤著,泓道法师也。"见《世说新语笺疏》,第218页。而"琛法师"乃是另一人,即后来北土三论师之一。

时显然已自立门派,故被分立为二宗。按吉藏所说,本无宗、二即色宗和心无宗这四宗在晋时便已经成立,故到宋昙济著《六家七宗论》时,这四宗仍然是主要的派别。吉藏又云:"什师未到长安,本有三家义。"[1]这本无、即色、心无三家四宗大概就是鸠摩罗什未至长安前,原有的三家般若学派。由于这三家与般若性空之义的关系尤为密切,也就成为后来僧肇批判的靶子。

(1)本无家——本无宗、本无异宗

顾名思义,本无宗的"本无"概念源自玄学的"以无为本",无作为玄学的本体概念,其无形无象之义与佛教的真如、性空等可以相通,故般若学者遂从本无讲性空。本无宗的具体理论,有道安本无和琛法师本无。而道安本无,也就是性空之宗。

吉藏《中观论疏》云:

> 一者释道安明本无义,谓无在万化之前,空为众形之始。夫人之所滞,滞在未(末)有;若诧(宅)心本无,则异想便息。叡法师云:格义迂而乖本,六家偏而未济。师云:安和上(尚)凿荒途以开辙,标玄旨于性空。以炉冶之功验之,唯性空之宗最得其实。详此意,安公明本无者,一切诸法本性空寂,故云本无。此与《方等》经论,什、肇山门义无异也。[2]

昙济《七宗论》云:

> 第一本无宗曰:如来兴世,以本无弘[3] 教。故《方等》深

---

① 吉藏《中观论疏》此语,一般从汤用彤先生断作"什师未至,长安本有三家义"。今杨惟中博士断作"什师未至长安,本有三家义"(见《陕西师范大学学报》2002年第1期《六家七宗新论》)。考其前后叙述,笔者以为较之汤文要更为合理,故采其说。

② 《因缘品》,《中观论疏》卷2《末》,《大正藏》卷42。

③ "弘"原作"佛",按汤用彤据慧达《肇论疏》校改。见所著《汉魏两晋南北朝佛教史》,第169页。

经,皆备明五阴本无。本无之论,由来尚矣。何者? 夫冥造之
前,廓然而已。至于元气陶化,则群像禀形。形虽资化,权化
之本,则出于自然。自然自尔,岂有造之者哉! 由此而言,无
在元化之先,空为众形之始,故称本无。非谓虚豁之中,能生
万有也。夫人之所滞,滞在未[末?]有,苟宅心本无,则斯累豁
矣。夫崇本可以息末者,盖此之谓也。①

昙济虽人在吉藏之前,但该传记恐出于昙济之后,其叙述亦像是对吉藏
之论的再阐发,故二论可以合而观之。

　　昙济以"崇本息末"为道安本无宗旨,崇本息末出于王弼,但王弼并
无反对造物主的"自然"之说。那么,昙济显然是把王弼和郭象的思想糅
合在一起的。如此之"本无",也就是本体论而非生成论,它与"虚豁之中
能生万有"的"无生有"说是严格区别开来的,玄学本体论的印迹非常明显。

　　但般若学又不直接等于玄学,它毕竟是从性空的角度来讲本无的,故
又有自己的特点。这一特点表现在两个方面:一是与群像众形相对应的寂
然无形(空),此无形乃众形之本,故为本无;二是心无执滞、熄灭烦恼杂念
的心"空"状态,即本无通过了"心无"来发明。那么,所谓"一切诸法本性空
寂",实际上是既讲无形象之空,又讲心住于无相之空:无形象之空,否定的
是元气陶化的现象世界的真实,因为五阴(蕴)本来无有;心住于无相之
空,则肯定心若能熄灭烦恼杂念,便能走向寂然安定的空境、佛境。性空
也就既是一种般若学的本体理论,又是一种禅定的宗教实践。正是在这
种禅定之中去体验空无,从而做到以无御有、实现本末双方的统一。

　　同时,由于玄学在理论上已经论证了以无制有的必要性和合理性,
故道安以为会通二者其实是并不费力的功夫,所谓"夫执寂以御有,崇
本以动末,有何难也?"②

　①　《名僧传抄》卷16《昙济传》,《续藏经》第1辑第2编乙,第7套第1册。
　②　《出三藏记集》卷8《安般注序》,第245页。

　　道安的"性空之宗"，从吉藏到元康，都统属于本无宗内，然道安弟子僧叡却将"性空之宗"放在六家之后单列，而别成为高于六家的一宗。吕澂先生认可这一观点①，但学界大多仍将道安视为本无宗的代表，因为除僧叡说之外的其他材料未见有支持这一观点的。僧叡以为"性空之宗"较之六家"最得其实"之论，多半是有意抬高其老师的地位之举②。

　　与道安本无义有别的琛法师的本无义或本无异宗，吉藏引述其观点说：

　　　　琛法师云：本无者，未有色法，先有于无，故从无出有。即无在有先，有在无后，故称本无。此释为肇公《不真空论》之所破，亦经论之所未明也。③

又，日人安澄《中论疏记》引有《二谛搜玄论》"十三宗"中论本无异宗的《制论》，其曰：

　　　　夫无者何也？豁然无形，而万物由之而生者也。有虽可生，而无能生万物，故佛答梵志：四大从空生也。

再引《山门玄义》第五卷《二谛章下》所载竺法深云：

　　　　诸法本无，豁然无形，为第一义谛。所生万物，名为世谛。

　　故佛答梵志：四大从空而生。准之可悉。④

在这三条大同小异的材料中，不难看出，所谓"本无异宗"，也就是本无派之另一宗，因为它与作为本无派主流的道安本无不同。就其思想而论，一方面，本无异宗无疑主张本无，但此"本无"却首先给人以老子宇宙生成论的无在有先、有生于无论的印象。四大从空生，也就是有生于无。可是，另一方面，本无异宗毕竟是产生于玄学思维已充分浸润的学

---

① 见《中国佛学源流略讲》，第53页。
② 参见许抗生：《三国两晋玄佛道简论》，第197页。
③ 《因缘品》，《中观论疏》卷2《末》。
④ 见《大正藏》卷65。

术环境下,所以又强调无不是绝对虚无,而是一种深暗无形的存在。无形与有形万物的关系,成为第一义谛与世谛的相互发明的关系。在此意义上,四大从空生也可以解释成色法寄生于性空,从而与般若学的观点有所靠近,与老子无生有的观点则拉开了距离。

可以说,这种无形"生"万物的无生有之论,既不是典型的宇宙生成论,也不是严格意义的般若学,而是一种经过玄学化改造、带有般若学色彩的以无为本论。此论与道安本无论虽然有别,但因均主张以无为本,故略去差别而被类归于一家。

(2)即色家——关内即色、支道林即色

即色虽有二家,但与本无宗、本无异宗从理论观点分宗为二不同,即色家的划分只是在地域上,理论上并没有明显的区别。由于关内即色资料太少,又乏代表人物,故一直未见有专门的分析。吉藏述关内即色义为:

> 明即色是空者,此明色无自性,故言即色是空,不言即色是本性空也。此义为肇公所呵。①

安澄云:

> 此师意云:细色和合,而成麁色。若为空时,但空麁色,不空细色。望细色而麁色,不自色故。又望黑色而是白色,白色不白色。故言即色。②

从上面的简短引述来看,关内即色的理论基础是因缘和合说。色无自性,因因缘而起,所以说"即色是空"。即色宗是紧扣"空"义的,虽然是以"色"名宗,但就空与色的关系而言,重心都落在了空之一边。至于麁(粗)色与细色之间,由细色和合而成麁色,空麁色而有细色(因缘)。但不论麁色还是细色,黑色还是白色,都没有生成自己的根据(自性),所

---

① 《中观论疏》卷2《末》。
② 《中论疏记》卷3(之末),《大正藏》卷65。

以是即色说空,色不自色。

色不自色也可以说就是无色,但是说无色又不是根本否定色。"空都非无色,若有色定相者,不待因缘,应有色法。又麤色是有定相者,应不因细色而成,此明假色不空义也。"① "空"与色法其实是可以统一的。这个问题可以倒过来看:即若有色定相,就当不待因缘而起;但既然色已因因缘而起,那就说明它又有假色即"不空"的一面。

由于关内即色资料太过零散,相互间亦有矛盾之处,故后来学者便以为吉藏等人的记述"实误",由此将关内即色合并于支道林即色、即合两家即色为一来论述。

支道林即辩《庄子》逍遥义之支遁,与道安同时但比道安年寿短少。一般所谓即色宗,都是指支道林即色而言。

支道林著作编为《支道林集》,其中《妙观章》云:

> 夫色之性也,不自有色。色不自有,虽色而空。故曰:色即为空,色复异空。②

吉藏曰:

> 次支道林著《即色游玄论》,明即色是空,故言"即色游玄"论。此犹是不坏假名,而说实相,与安师本性空故无异也。③

安澄引《山门玄义》第五卷(第八)支道林著《即色游玄论》云:

> 夫色之性,色不自色。不自,虽色而空。知不自知,虽知而寂。④

从上述三条材料可见,即色宗的实质,就在于不自有色,色均因因缘而有,而不能自有。换句话说,"色"并没有自己的本体存在,本体只是空而不是色。所谓色不自色与即色是空,实乃一话两说。但具体而

---

① 《中论疏记》卷3(之末)。
② 《世说新语》上卷下《文学》,第222页。
③ 《中观论疏》卷2《末》。
④ 《中论疏记》卷3(之末)。

论,色与空的关系有两个层面,即所谓"色即是空"与"色复异空"。

"色即是空"说的是,色乃是假名,空则是实相,但假名与实相互不相碍。看问题的角度可以不同,但都从不同侧面展示了般若学的原理。另一方面,既谓之为"色",从名言上讲它就不是空,色与空在概念形式上终究是对立的两极。如果双方在形式上都完全合一的话,色与空的称谓便失去了本有的意义——即色宗也就可以叫做即空宗了。所以二者的区别还是必须注意到的:讲色是承认眼前有事物现象(哪怕是假名);讲空则是揭示作为本质的究竟,二者相互发明,缺一不可,而非绝对的同一关系。

由于即色宗仍是以空无为本体,故吉藏以为支道林即色与道安本无是一码事。的确,支道林讲即色并不就意味着他不能讲本无,重视"本"或崇本是魏晋时期普遍性的理论思维导向,本末之辩可以说人人能详,支道林同样也不例外。他说:

> 夫物之资生,靡不有宗,事之所由,莫不有本。宗之与本,万理之源矣。本丧则理绝,根朽则枝倾,此自然之数也。未绍不然矣。[1]

本之重要在于它是"自然之数"。"自然"的本来状况就是重本,有本才有理、才有末,而这本也就是无。所谓:

> 明诸佛之始有,尽群灵之本无,登十住之妙阶,趣无生之径路。何者? 赖其至无,故能为用。夫无也者,岂能无哉?[2]

"无"在支道林乃是"至无","至无"虽然是万物赖以用者,但它却是一种空寂的"无物",是《般若经》的真性所在:

> 至无空豁,廓然无物者也。无物于物,故能齐于物;无智

---

① 《出三藏记集》卷 8《大小品对比要抄序》,第 302～303 页。其中"未绍"一词,汤用彤疑为"未始"之误。见该书第 319 页注 45。

② 同上书,第 298 页。

于智,故能运于智。是故夷三脱于重玄,齐万物于空同。[①]

"至无"可以说是绝对的无,这种绝对的无对有的关系,适用于玄学无与有之间的相容关系,无物而齐物,无智亦运智。支道林这里所走的,实际上是郭象"独化于玄冥"的路子。在后者,"则化与不化,然与不然,从人之与由己,莫不自尔,吾安识其所以哉! 故任而不助,则本末内外,畅然俱得,冥然无迹。"[②] 畅然自得、冥然无迹也就是齐万物于空同,但所谓"夷三脱"云云又不完全是玄学,而是玄学化的佛学,因为它要表达的中心,是即物说玄、齐色(万物)于空的主题。无、本虽然重要,但又不能与有、物(末)相脱离,注重色与空、物与无之间的相互联系。

支道林的"即色有玄",表明了他不离色而崇本的理论追求。比起道安"据真如、游法性、冥然无名者,智度之奥室也"[③] 的单纯强调本无的一面,向着准确理解般若性空之义又前进了一步。支道林已有"不偏言无自性边"[④] 的自觉意识。他的《善思菩萨赞》亦说:"能仁畅玄句,即色自然空,空有交映迹,冥知无照功。"[⑤] 在这里,贵无崇本已经不是主观着力的产物,而是自然顺畅的暗合,这与他前面所说的"知不自知,虽知而寂"的思想是完全一致的。可以说,支道林的"即色自然空"、"空有交映迹"已经与僧肇的"不真空"说非常接近了。所以,《山门玄义》以为支道林之论"即同于不真空也"[⑥]。当然,支道林还没有走到直接正面地对不真空的有无双遣义进行阐发的那一步。

(3)心无家——温法师,支愍度

般若学各派虽然都讲空无,但讲的角度却有不同。有从本体讲如

---

① 《出三藏记集》卷8《大小品对比要抄序》,第298页。
② 郭象:《庄子注·齐物论》,《庄子集释》第112页。
③ 道安:《道行经序》,《出三藏记集》卷7,第263页。
④ 安澄:《中论疏记》卷3(之末)。
⑤ 见《广弘明集》卷15。
⑥ 见安澄:《中论疏记》卷3(之末)。

道安,也有从主体讲如心无一派。心无派的代表人物,有温法师、支愍
度等人。

吉藏曰:

　　第三温法师用心无义。心无者,无心于万物,万物未尝
无。此释意云:经中说诸法空者,欲令心体虚妄不执,故言无
耳。不空外物,即万物之境不空。①

安澄引《山门玄义》第五云:

　　第一释僧温,著心无二谛论云:"有有形也;无无像也。有
形不可无,无像不可有。而经称色无者,但内止其心,不空外
色。"此壹公破,反明色有,故为俗谛;心无,故为真谛也。②

又引《二谛搜玄论》云:

　　晋竺法温为释法琛法师之弟子也。其制《心无论》云:"夫
有有形者也;无无像者也。然则有像不可谓无,无形不可谓无
[有]"③。是故有为实有,色为真色。经所谓色为空者,但内
止其心,不滞外色。外色不存,余情之内,非无如何? 岂谓廓
然无形,而为无色乎?④

《二谛搜玄论》认为温法师即琛法师的弟子,倘属实,则意味着般若学的
发展从重客体的本无义向重主体的心无义的转化。心无的特点既然在
主体、在心,立足于否定主体的自觉意识,那外物外境是否存在就不是
一个需要考虑的问题。所以说是"无心于外物,外物未尝无"。至于佛
经上讲的色的空无,并非是说色本身是空无,而是从心无执著、不滞外
色来说的。故与本无论以假有性空言俗、真二谛不同,心无论是从色

---

①　吉藏:《中观论疏》卷2《末》。

②　安澄:《中论疏记》卷3(之末)。

③　此"无"字按汤用彤先生意见更正为"有"字。见《汉魏两晋南北朝佛教
史》,第189页。

④　《中论疏记》卷3(之末)。

有、心无去进行俗、真二谛的区分。

由此，可以说心无宗是般若学中承认外物、外境为有的学派。色空与色有的概念都可以成立，但要看发生在什么前提之下。色空是说心不执色，这意味着对心而言，外色不存；色有则是讲形象不可无。既然"有"就是讲有形，各种形象的外物又都存在着，那又怎么说这个"有"是无呢？换句话说，色、有的概念就是讲明有形有像的存在的，如果说色、有是空是无，保留这色、有的概念本身就是矛盾。所以，有像就不可叫无，无形则不可谓有。相较于本无，心无宗更为注重概念的清晰性，有与无必须要区分清楚。

心无宗不是温法师一家，在学术上影响更大的是支愍度的心无义。支愍度是晋代名僧，心无义的创始人之一，著有《译经录》，当时即行于世。但就心无宗而言，其创始缘由却与其他宗不同，带有鲜明的"投机"的色彩。《世说新语》记载：

> 愍度道人始欲过江，与一伧道人为侣。谋曰："用旧义在江东，恐不办得食。"便共立"心无义"。既而此道人不曾渡，愍度果讲义积年。后有伧人来，先道人寄语云："为我致意愍度，无义那可立？"治此计，权救饥尔，无未遂负如来也！①

这里所谓"旧义"、"无义"，按刘孝标注为：

> 旧义者曰："种智有是［是有②，而能圆照。然则万累斯尽，谓之空无；常住不变，谓之妙有。"而无义者曰："种智之体，豁如太虚，虚而能知，无而能应。居宗至极，其唯无乎？"③

"种智"或"一切种智"，指无所不知的般若智慧。一方面，从主体言，它已摒除一切牵累执滞而展现出"空无"的境界；另一方面，从本体言，又

---

① 《世说新语》下卷下《假谲》，《世说新语笺注》，第859页。
② 原文"有是"，按吕澂先生所引校正。见《中国佛教源流略讲》，第48页。
③ 同上。

不受主观和他物的影响而保持其不变"妙有"的特性。

显然,这种"旧义"与心无义已经具有一定的相似性,它已经从智慧和本性的双重层面来认识问题。但在支愍度看来,"旧义"在西晋玄学有无之辨风行的背景下是可以讲通的,但在玄学思辨尚不发达的江东地区,便难以获得士人的认同。所以,"旧义"要修正为"新义",即强调般若智慧不只是主体,也是本体,它既绝对虚无,又无不能知、无不顺应,"心无"的色彩一下子突出起来。

心无义的一个重要理论设定,就是它看问题是从绝对虚无又无不顺应的心体出发的。因而,对于对象层面的一切境、物本身是有是无的问题,已经被超越而弃置一旁。元康《疏》述支愍度心无义观点说:

> 无心万物,万物未尝无。谓经中言空者,但于物上不起执心,故言其空。然无是有,不曾①无也。②

"空"是主客相关时的心"无"的状态,达此状态即是"新义"。此新义与(物)不都是无、亦是有的论断,是可以兼容的。

心无义在六家七宗中因容忍了物的存在,纷纷受到责难。《高僧传》记载了一场十分生动又充满火药味的论战:

> 时沙门道恒颇有才力,常执心无义,大行荆土。(竺法)汰曰:"此是邪说,应须破之。"乃大集名僧,令弟子昙一(壹)难之。据经引理,析驳纷纭。恒仗其口辩,不肯受屈,日色既暮,明旦更集。慧远就席,设(一作攻)难数番,关责锋起。恒自觉义途差异,神色微动,麈尾扣案,未即有答。远曰:"不疾而速,杼轴何为?"座者皆笑矣。心无之义,于此而息。③

竺法汰、昙一(壹)、慧远都属于本无一派,对于承认外物存在的心无派

---

① 此"曾"字不是"曾经"而是"都"义。安澄《中论疏记》卷1引述此一段话后注曰:"所言曾者,犹是'都'也。"

② 元康:《肇论疏》卷上。

③ 慧皎:《高僧传》卷5《竺法汰传》,第192~193页。

来说,自然是攻伐不遗余力。但这里既然谓大集名僧,显然又不止于本无派的僧俗。

汤用彤推论说,前述《山门玄义》提及的破温法师心无义的"壹公",不是上面的道一,而是幻化宗的道壹。因为幻化与心无两家,对有无的看法刚好相反。他并强调,《高僧传》认为心无义由于慧远等人的攻难而息,与史实不符。因为心无义直到东晋末年的桓玄和刘遗民那里还在研讨,甚至可能还延续到了刘宋时的僧弼[1]。当然,从理论上说,僧肇对心无宗的批判可以视为心无义理论潜力的了结。

(4)识含家——于法开

六家七宗的原始材料保存下来的都比较少,但本无、即色、心无三家由于成为代表般若正统思想的僧肇的批判对象而为人们所瞩目。相形之下,识含、幻化、缘会三家则不被僧肇所重视。对此现象,传统的解释是后三家可以在不同的层面归并于前三家,如"即色、识含、幻化以至缘会四者,悉主色无";加之这几家特色不鲜明,影响也不大,僧肇就不需要专门提举出来加以批判[2]。今有学者提出新见,认为后三家本属于小乘佛学流派,不在般若空宗范围之内,立足维护般若正统的僧肇,自然就不会对他们发生兴趣并进行分析研究[3]。此说有一定道理,但似乎还应提供更多的论据来支持。至少,后来名列《肇论》第一的《物不迁论》,就已经将小乘佛教纳入了其批评清理的范围。说明僧肇的视野还是非常宽阔的。

《物不迁论》虽然是讲动静、常变观,但"不真空"却是它的本体论基础,二者密切关联,互为发明。何以僧肇一则有兴趣、一则无兴趣,这样无常行呢? 当然,本书不打算深究这一问题,只是在事实层面描述后三家的学术思想。

---

① 参见汤用彤:《汉魏两晋南北朝佛教史》,第189、187页。

② 参见:汤用彤:《汉魏两晋南北朝佛教史》,第192～193页;任继愈主编:《中国佛教史》第2卷,第237页。

③ 见杨维中:《六家七宗新论》,《陕西师范大学学报》2002年第1期。

　　于法开是当时与支道林齐名并反复相与论辩的学者。《高僧传》说他"每与支道林争即色空义。庐江何默申明'开'难,高平郗超宣述'林'解,并传于世。"① 刘孝标说"于法开才辩纵横,以术数弘教",开初以"义学"著名,后与支遁有竞,曾遣弟子与支道林辩论并折服了后者。后来支遁居剡县时,还向于法开学习医术,说明于法开的学识非常渊博②。他所主张的识含义,按吉藏所说:

　　　　第五于法开立识含义:三界为长夜之宅,心识为大梦之主。今之所见群有,皆于梦中所见。其于大梦既觉,长夜获晓,即倒惑识灭,三界都空。是时无所从生,而靡所不生。③

安澄引《山门玄义》第五云:

　　　　第四于法开著《惑识二谛论》云:"三界为长夜之宅,心识为大梦之主。若觉三界本空,惑识斯尽,位登十地。今谓其以惑所睹为俗,觉时都空为真。准之可悉"。④

由此,所谓"识含",仍然是在讲空,但却是立足于主体的意识状态说空,空与有二者都有其合理性。有尽管出于惑识,但作为俗谛,也有自身存在的价值。而从追求的境界来看,梦幻长夜的三界不值得留念,梦醒乃真,悟空成佛才是正确的方向,故色空在于心空。那么,就其认定三界群有为虚幻来说,与本无、即色相通;但从心空才有色空的主体决定论来说,又与心无宗有些关联。

　　然而,作为一个独立的宗派的成立,其要件主要不在于与其他宗派的同一性,而在于相反方面的区别于其他宗派的差别性。独特的理论价值是一个学派或宗派成立的当然基础。识含宗在这方面显然是有所

　　①　《高僧传》卷4《于法开传》,第168页。
　　②　见《世说新语·文学》刘孝标注引《名德法门题目》和《高逸沙门传》所云,《世说新语笺疏》,第229页。
　　③　吉藏:《中观论疏》卷2《末》。
　　④　安澄:《中论疏记》卷3(之末)。

欠缺的。

(5)幻化家——道壹

幻化家的理论代表,吉藏只称之为"壹法师",但"壹法师"当时有两人,一是受竺法汰命攻道恒心无义的昙壹,二则是道壹。安澄认为此"壹"便是道壹。幻化家的观点,吉藏引述说:

> 第六壹法师云:"世谛之法皆如幻化。是故经云:从本已来,未始有也。"①

安澄引《山门玄义》说:

> 第一释道壹,著《神二谛论》云:"一切诸法皆同幻化。同幻化故,名为世谛。心神犹真不空,是第一义。若神复空,教何所施? 谁修道? 隔凡成圣,故知神不空。准之可悉。②

佛教的基本主张就是以幻化来解释世间万物的存在,幻化宗自然是继续了这一思想并切实贯彻,断定一切事物现象均为幻化生成。

但是,如此的幻化世界却有一个特例,那就是它不包含心神在内,万物均空而神不能空。幻化宗触及到了一个佛教理论在中土传承发展的关键性问题,这就是大乘空观若贯彻到底,佛本身的存在和人对佛的追求都成了问题。主体的被否定实际等于中国佛教全部价值乃至佛教本身的被否定。道理很简单,神若空,佛教"教"谁? 又由谁来修? 幻化家使这一问题尖锐化了,并提出了心不空法空、以保留心神主体的解决办法和新的思路。这一解决办法和思路当然不是幻化宗独立贡献的,其他派别也在思考这一问题。他们的思考与作为先秦以来中国哲学基本问题之一的形神关系的讨论相结合,最终催生了中国佛教"神不灭论"的新的学术成果。

此外,幻化宗在理论上也有自己的不严谨性。吉藏当时便已指出:

---

① 吉藏:《中观论疏》卷2《末》。
② 安澄:《中论疏记》卷3(之末)。

"若一切法全同幻化者,实人幻人,竟何异耶?"[1]"一切诸法皆同幻化"的观点实际上是无法贯彻到底的。毕竟佛教僧侣是实人而非幻人,修道亦是僧侣自身在修。否定了实人同幻人的区别,实际上与否定心神主体的一切皆空一样会走向荒谬。同时,幻人的概念本身就是与实人、真人相对而言的,否定了实人真人,幻人本身亦没有了任何意义。

(6)缘会家——于道邃[2]

因缘会聚生成世间万象本是佛教最一般的观点,并不专于般若。以"缘会"名家名宗,又有什么特点呢? 吉藏概括说:

> 第七于道邃,明缘会故有,名为世谛。缘散故即无,称第一义谛。[3]

安澄《中论疏记》卷3(之末)曰:

> 言第七于道邃等者。《玄义》云:"第七于道邃著《缘会二谛论》云:缘会故有,是俗;推拆无,是真。譬如土木合为舍,舍无前体,有名无实。故佛告罗陀,坏灭色相,无所见。准之可悉。"

因缘会聚为有,因缘消散为无;因其会聚而有是俗谛,因其消散而无是真谛。仅就这两条单薄的材料看,缘会宗维护的可以说是佛教的一般观点,作为学派、宗派立足的特点并不突出。但于道邃所言与般若空宗对因缘聚散的解释还是有不同的,即他把会聚与推散双方割裂开来。

譬如,聚土木为房舍,房舍只是一个名,房舍拆散便只有土木。那么,或者如俗谛执著于房舍之有,或者如真谛坏灭房舍讲无,可是却没

---

① 吉藏:《中观论疏》卷2《末》。

② 于道邃是当时有名的学者。年31去世后,郗超为他画像,支遁为他作铭赞。孙绰曾将其与阮咸相比,有人不同意,称"咸有累骑之讥,邃有清冷之誉",即邃"清净"于咸。孙绰曰:"虽迹有洼隆,高风一也。"见《高僧传》卷4《于道邃传》,第170页。

③ 吉藏:《中观论疏》卷2《末》。

有考虑到包括他在内,佛教徒都是坐在房舍之"有"中讲无的有无合一的情景。所以,吉藏批评说是"经不坏假名而说实相,岂待推散方是真无? 推散方无,盖是俗中之事无耳。"① 假名与实相在般若空宗是一而二、二而一的关系,真无就在假有之中,而不是推散假有去求真无,这是佛教中观之论无与世俗常人之论无最根本的区别。

六家七宗的成立,是中国佛教发展的第一个高峰,但由于第一手资料的缺失,六家七宗的学术显得十分单薄和零散,这又特别在识含、幻化、缘会三家是如此,本无、即色、心无三家则由于重现在批判者的论著之中而得以流传,后者也成为人们认知晋代佛教最接近于原始状态的材料。

在这里,尽管六家七宗的概念不见得包含了当时所有的佛教派别及其思想,但他们毕竟反映了佛教学术发展的大势,即作为主导的趋向是可以成立的。不同的佛教宗派在相互的争鸣中不断走向折衷融合,有价值有特色的思想得到选择和保存,故本无、即色和心无三家成为主要的代表也就不是偶然的,它们本身就是历史选择的结果,集中展示了中国人对于大乘空宗学术的理解及其自己的理论创造。

四、僧肇对般若学的总结

僧肇(384~414)是鸠摩罗什弟子中一位才华横溢的学者,年少时在长安一代便已崭露头角。为了探求佛教真理,闻听鸠摩罗什来到姑藏(今甘肃武威),千里迢迢赶来向鸠摩罗什求教,后随罗什返回长安。僧肇协助罗什译出了多种佛教经纶,并为不少经纶做了注释和序文。僧肇一生短短的 30 年,在准确理解和揭示般若学派的学术思想方面做

---

① 吉藏:《中观论疏》卷 2《末》。

出了重要的贡献。

僧肇的贡献,除了像同时代的其他名僧一样表现在译经、注经和作序之中外,更重要的是他为了正面宣传大乘空宗的思想和破除人们对般若学的曲解,撰写了一系列的佛教哲学论文。这些论文被后人编为《肇论》一书,其中最主要的是《不真空论》、《物不迁论》和《般若无知论》三篇。僧肇的学术造诣,得到了老师和同学朋友的普遍赞誉,并将他与魏晋玄学的创始人何晏媲美①。事实上,大乘中观学派的思想,直到僧肇才展示出了它的本来面目。

1、不真空论——对有无观的总结

作为对大乘空宗学术传入中国以来的一个阶段性的总结,《不真空论》是僧肇全部论文中最重要的一篇,它集中探讨了本末有无这一般若学和玄学的根本理论,其中心则在于如何看待"空"的问题。

在僧肇的时候,谈空者已有多家观点,对空的解释也众说纷纭,而在僧肇看来,这正是问题的症结所在。关键在于要确立一个能够为各家所认同的最基本的理论出发点,这一出发点就是"至虚":"至虚无生者,盖是般若玄鉴之妙趣,有无之终极者也。"② 至虚作为空宗的最高范畴,它既是无生灭的哲学本体,又是般若智慧深远观照的对象和真理,即存在的本体与认识的真理二者是合一的。如此的合一不是人为的规定,而是自然本身如此,"即万物之自虚"也。

"至虚"既然是"自虚",又不生不灭永恒存在,那么,从此出发去看流行的心无、即色、本无三家的学说,就会发现问题,僧肇分别对此进行了评判。

(1)心无宗。僧肇引述和评论其观点说:

---

①　参见《高僧传》卷6《僧肇传》。

②　《肇论·不真空论》(本节僧肇引文全同,下略),见《大正藏》卷45。

　　心无者,无心于万物,万物未尝无。此得在于神静,失在
于物虚。

心无或神静是值得肯定的,心不执滞于外物,无所不通,无不顺应,就能在混杂纷争的世界中保持心灵的纯净,从而生起般若智慧,洞照佛之真性而成佛。但心无宗之失,在于不知道物之虚无乃是"自虚",不是因为心虚而虚、因为"无心于万物"而无。

　　而且,"至虚"本来就否定了任何条件,也就不存在"无心于万物"的前提;同理,"万物未尝无"的结论也不可能从"至虚"的最高本体中推出,即不可能存在不具虚性之物。换句话说,如果认可"至虚"是般若学的最高本体,那就必然否定万物归根为有的命题。但是,论敌方如果不承认这一本体,那又如何来论证虚无或性空之理呢?僧肇选取了名实关系和彼此相对关系来进行发明。他说:

　　夫以名求物,物无当名之实。以物求名,名无得物之功。
物无当名之实,非物也;名无得物之功,非名也。是以名不当
实,实不当名。名实无当,万物安在?故《中观》云:"物无彼
此。"而人以此为此,以彼为彼,彼亦以此为彼,以彼为此;此彼
莫定乎一名,而惑者怀必然之志。然则彼此初非有,惑者初非
无。既悟彼此之非有,有何物而可有哉?故知万物非真,假号
久矣。

　　名实关系的特点在名与实是否相符的问题。自孔子要求"正名"之时开始,名实之间的关系常常是不相符。这也正是僧肇论证的出发点。因为名不过是一种称谓、符号,物则本来不是一定符合这名的要求的实在,故任何名都没有当然地占有某物的功能。那么,物不是符合名之要求的实在,它也就不是物——非物;名又没有当然占有某物的功能,它也就不是名——非名。名实双方既然互不相符,所谓万物——这本身就是一名号,又在哪里呢?僧肇论辩的特点,是将名与实的相符问题与万物是否真实存在的问题混同起来,并以对前者的否定来证明后者的

非真实性。

进一步,从名与实的关系来看,彼之与此是相对性的称呼,人都以自己为此,而将对象方称之为彼,不同人从不同方出发,也就会有不同的彼此。既然作为对象的彼方并不具有确定性,那万物——总起来就是一个"大彼",当然也就不真实了。僧肇从彼此的相对性论证万物非真,似乎离题更远了,而且也违背了他在上面名实论辩中预设的前提。因为既然名实均不相符,也就不能由名去证明实,无论表达者采用什么名称(彼或此),与万物本身的真假没有任何关系;可他在这里又正是以彼此之"假号"(名)去证明实之不真实的。

(2)即色宗。僧肇引述和评论其观点说:

> 即色者,明色不自色,故虽色而非色也。夫言色者,但当色即色,岂待色色而后为色哉?此直语色不自色,未领色之非色也。

即色宗的特点是讲明(事物现象)没有自性,没有一个物质体来支持,所以即便是使用了"色"这一名称,也要知道这不过是一种方便说法,并不真有"色"这么一种物质现象。

僧肇认为,所谓"色",就是人们面对的事物现象,而不是等待人们以"色"这个概念去指称它随后才有"色"。后者实际上已经默认了一个被指称的对象的先在了——只是因为它为空,才又说色是"不自有色"。这是只看到了色因为没有内在实体、本体支持而为空,而没有觉悟到色本来就是说空,故无所谓色。

僧肇批判的立足点,是他的色"自虚"论:"以其即万物之自虚,不假虚而虚物也。故经云:'甚奇世尊,不动真际,为诸法立处。'非离真而立处,立处即真也。"色或万物自身就是虚,与依凭一个虚空的本体才说它是虚,在理论意义上是不同的。以本末有无论,前者是即本即末,后者则是崇本举末,崇本举末虽然也是本末并用,但毕竟又区分本末为二,贵无的色彩浓厚。而般若中观的真正精神,就在于指明不变的真性本

身,就是诸法诸色之成立处。反过来讲也是一样。所以触色就是遇真,
不是离真而去言色。

即色宗的失误,从理论上说,其实是过分执著于因缘起灭的缘故。
即色宗说空,是囿于缘起故有、缘散则无的理路。由于缘起,物没有真
实的自性,所以是空。这一道理本来不错,但是仅到此,认识并不完全,
故还需要进一步深入。

> 故经云:"色之性空,非色败空。"以明夫圣人之于物也,即
> 万物之自虚,岂待宰割以求通哉? 是以寝疾有不真之谈,《超
> 日》有即虚之称。然则三藏殊文,统之者一也。

空不是因为缘散色败才是空,色或万物这些概念只是换一种表达来告
诉我们"不真""即虚"的道理。维摩诘居士以称病为由谈病之"非真",
《超日经》讲述四大皆空的道理,都贯穿着"即物自虚"的同一精神。甚
至全部佛教典籍之经、律、论三大部,都是因此而统一起来的。

事实上,性空自虚不仅可以从因缘起灭谈,也可以从真假谈。真假
是同时的存在又互不相碍,这就从根本上避免了落于色或空之一头的
弊病。即色宗虽以"色"命宗,但实质上是以空来否定色。空之与色,无
之与有,道理其实都是一个:"虽无而非无,无者不绝虚;虽有而非有,有
者非真有。若有不即真,无不夷迹,然则有无称异,其致一也。"无不是
断灭的无,有不是真实的存在,如果知道说有(色)不是说真有,说无
(空)不是说灭迹,那说有与无、色与空也就没有什么不同。

(3)本无宗。僧肇引述和评论其观点说:

> 本无者,情尚于无多,触言以宾无。故非有,有即无;非
> 无,无亦无。

本无宗的基本观点是对无的崇尚,分析认识问题都要以无为本。
这一观点包括两个方面,即非有与非无。前者是否定"此有",这是从玄
学的以无为本走过来的,有既为无所生,也就没有独立自存的根据,而
应当被否定;后者是否定"彼无",亦是从玄学、但却是从崇有论无走过

来的。今人一般将这里的"非无"也解作"无",与本无之无是同一所指。但这在语言上似乎并不好通。其实,僧肇的概括,已将"无"作为"彼无"即"此有"的对立面来看待,那么,也就可以将这种相互对置的有无联系到裴頠以现象消失之无来规定"无"的理论定位,即"虚无是有之所以遗者也"。由此出发,"非有,有即无;非无,无亦无"便可以表述为:没有有,因为"此有"乃是由无而生;没有无,因为"彼无"乃是由有化去。剩下来的,就只有一个孤立高悬的本体的"无"了。

那么,本无宗有无观的特点,就在于否定现象生灭变化(亦是有无)的意义。相对于玄学的以无为本尚能崇本举末来说,本无宗"贵无"是更为彻底化了。究其缘由,在于玄学不论多么玄远清高,它也是世俗的、入世的学术思想,所以尽管轻视、贬低有的价值,但有本身的作用并未予以否定;本无宗作为宗教的、出世的学术和信仰,是从因缘法无自性的角度来看待现实世界的生灭变化的,推崇无之本乃是出于否定现象世界的存在价值的宗教立场。现实世界作为虚假的幻象,其本性是无,是空,所以被置于否定的地位。

以如此之"本无"来理解般若性空,显然是僧肇所不同意的。如果说,针对心无、即色,僧肇主要是发明无、空之义的话;针对本无,他则主要是发明有之义的一方,强调完整准确地理解因缘聚散的道理。他说:

> 寻夫立文之本旨者,直以非有非真有,非无非真无耳,何必非有无此有,非无无彼无?此直好无之谈,岂谓顺通事实,即物之情哉!

僧肇首先提出了"寻夫立文之本旨"的任务,即要求弄明白佛经所讲无的本意。这个本意是什么呢?就是他随后所言的"非有非真有,非无非真无",即以真假的观点来释有无。他认为只有这样,才能"顺通"事理实情,符合万物变化的本来状况。僧肇的要求,是就万物变化自身来说明佛教的真理,而不是抛弃事物现象不顾。换句话说,问题的关键在如何恰当理解缘起性空或因缘法的道理。

因缘法作为佛教学术的一般方法论,般若各派大都认可:诸法皆无自性,事物现象都是因缘和合的产物;而因缘聚散又生灭变化无常,从而识其性空之义。但是,各派学者在做出这样的认识的时候,往往自觉不自觉地偏向了无、空的一边,将佛教从否定层面观察现实世界的特点推向了绝对。这样就既曲解了般若理论的本意和窒息了空宗的活力,也限制了般若学适用的范围,难以在世俗社会为常人所理解并赢得尊敬和追随者。所以僧肇需要正本清源,引经据典阐发"因缘"的本义。

僧肇说:

故(宝积)童子叹曰:说法不有亦不无,以因缘故,诸法生。

《中观》云:物从因缘故不有,缘起故不无。

故《摩诃衍论》云:一切诸法,一切因缘,故应有。一切诸法,一切因缘,故不应有。一切无法,一切因缘,故应有。一切有法,一切因缘,故不应有。

僧肇引来这些中观学派的观点,集中讲述了如何正确看待因缘和有无的关系。要想明白有非真有、无非真无的观点,就需要从不有不无的观点去理解因缘。

首先,物既从因缘而生,没有独立自性,本质为空,所以不是真实的存在,可以说是"不有"或"无"。

其次,无既得因缘而生,它就是现实的存在,尽管说它是虚幻,但却无法否认这虚幻本身,所以它又可以说是"不无"或"有":"譬如幻化人,非无幻化人,幻化人非真人也。"你只能说幻化人是假,却无法说幻化人是无。真假与有无是不同层次的问题,所以绝对的无是不存在的。

第三,从上述两方面可知,因缘法的意义就不是单向而是双向的,是不有不无的统一体。同一因缘,既支持着不有,也说明着不无,去掉任一面都不是对因缘的完整的把握。

那么,从此对因缘的恰当理解入手,对于有无真假的问题就可以得出正确的答案。他说:

> 夫有若真有,有自常有,岂待缘而后有哉?譬彼真无,无
> 自常无,岂待缘而后无也?若有不自有,待缘而后有者,故知
> 有非真有。有非真有,虽有不可谓之有矣。不无者,夫无则湛
> 然不动,可谓之无。万物若无,则不应起,起则非无,以明缘
> 起,故不无也。

在僧肇看来,有无、真假关系以及因缘等问题其实是很容易弄明白的,通过相应的反问就可以达到所需的目的。即真有就不应待缘而生,真无则不依靠缘散而无,这就推出第一个结论:不存在真实的有无。再接着往前推:有非真有,则虽有而无;无非真无,则虽无而有,从而推出第二个结论:存在着有无。那么,这种既有既无同时又是非有非无,双方互不相碍的中道观,就是般若学对于有无关系的最恰当的理解。

由此,僧肇的般若空观就不止是对般若三家的批评,也是对性空宗旨的正面阐发和对空宗学术的一个理论总结。僧肇的总结,既是般若学自身发展的新的阶段,也从根本上终结了玄学的本末有无争辩。玄学虽然提出并深入讨论了本末有无的问题,使人的认识不只停留于现象,而是深入到本质、深入到宇宙背后探求其存在变化的原因根据,贵无、崇有、独化便是其理论成果。但是,玄学家对"本体"的界定以及这个本体究竟是有是无的问题,都是以我们的观念真实地反映和把握了对象实体为假设的前提的。这一前提是否当然如此,玄学家并没有进行过自觉的思考。对于所执著的或有或无的本体,究竟是客观真实的反映,还仅仅是头脑中产生的幻象,以及如何会产生这样的幻象(观念)等问题,是包括玄学在内的整个中国本土学术所没有能说明、或者说根本没有意识到的。

玄学的思辨已经止步于有无存在的肯定与否定或有无如何存在的问题,佛教、这里主要是般若学派将真假代入有无,就使中国的理论思维大大向前推进了一步。从真假的角度来看待有无,就不仅出现了有无本身的真假,还出现了由真假而导致的存在的不有不无问题。但六

家七宗的观点执著于一端,不能把持中道,也就不能从根本上超越玄学。只有把有与无、非有与非无贯穿起来,才能真正懂得诸法不有不无的道理。用僧肇的话说,是有非真有,无非真无,有无皆为一心所生,均是幻象。不论所接触的是万物的现象还是所谓的本体,一切都不真,所以为空:

> 故言其事,有非真生;欲言其无,事象既形。象形不即无,
> 非真非实有。然则不真空义,显于兹矣。

"不真空"义由此得到阐明。

2、物不迁论——对动静观的总结

"迁"即运动变化,《物不迁论》,顾名思义,就是论证物的静止不动、不变的道理的。就此"静"观而言,可以说是对王弼以静为天地的本性以来、中国学者讨论动静问题的思辨的一个总结。当然僧肇立足的不是玄学而是佛教,佛教从小乘到大乘,对动静问题的看法多异,也需要进行系统的梳理,以便从中道的角度处理动与静、变与不变的关系。

首先,在魏晋时期,发掘静的价值已成为儒释道三家一种共同的思维导向。玄学本是儒道兼宗的产物,王弼通过对《易传》和《老子》的注解,从本体论出发探讨了动静问题。王弼说:

> 复者,反本之谓也。天地以本为心者也。凡动息则静,静
> 非对动者也;语息则默,默非对语者也。然则天地虽大,富有
> 万物,雷动风行,运化万变,寂然至无是其本矣。故动息地中,
> 乃天地之心见也。若其以有为心,则异类未获具存矣。[1]

天地是以"本"为心的,这个本(根本)就是"无",也就是"静"。不过,"本"虽然说自身是静,却可以通过"动息地中"的卦象彰显出来。就是说,下卦震虽然象征着动,但这"动"却止息于静止的大地之中,"动息则

---

[1] 《周易注·复》,《王弼集校释》,第336～337页。

静",寂然无为,所以天地之心不属于动、而属于静的范畴。在这里,王弼并不是否认宇宙万物的运动变化,他是肯定天地间"雷动风行,运化万变"的现实的。但作为一名哲学家,他又想要超越这变化万千的现象世界,寻找深藏于它们背后的不动的本体。只有以静、以无为心,万物不论类别、亲疏和等次,彼此才能相安相融。道理很简单,你可以任意设想动物与动物之间的冲突,却很难设想动物跟不动之物如植物发生冲突。这就如同"有"与"有"之间可以相互冲突,而"有"跟"无"却不可能发生冲突一样。

王弼不只注解《周易》,他也注解《老子》。事实上,他据于复卦的"天地之心本静"的思想,也可以看作是从《老子》的"归根曰静"中推导出来的。老子曰:

　　致虚极,守静笃,万物并作,吾以观复。夫物云云,各复归
其根。归根曰静,是为复命。①

就是说,万物品类虽然众多,生态虽然各异,但最后都只有"复"归到它的根本上才能开始生长。而这个根本也就是"静"。所以,老子用了大量的篇幅来宣扬他的静的思想,要求"守静"、"观复"。个中缘由,不论在老子还是王弼,似乎并不复杂,在日常生活经验中也是容易证明的。那就是,有(一切具体的存在物)总是产生于无,动总是产生于静,从无到有、自静而动可以说是一个普遍的规律。这是从"顺"的方面看。逆向而观,则是有归于无、动息则静。那么,不论从哪一方面看,静总是占有着更根本的位置。大至宇宙,小至我们身边的任一具体存在,只要你能"反本"思考,都不难走向这样的结论。

但是,人生在世,又无不是以"动"为特征的,那他如何才能守静呢?老子提出的基本主张,就是"不(无)欲以静"②。其道理在于,人生的一

----

① 《老子·十六章》。
② 《老子·三十七章》。

切活动都是以利益为基本的支点的,都以满足自己的利益需要为活动的目的,这在伦理学上也就叫做欲望。因此,如果人祛除了欲望,完全顺从自然,便会回归到本始之静的状态。而这种静,正是万物长久生存之本。王弼在注恒卦上六爻辞时曾曰:"夫静为躁君,安为动主。故安者,上之所处也;静者,可久之道也。"① 静安为躁动之君主,所以动必须以静为归依。

与王弼贵无而论动静不同,郭象是讲自生独化的。他借《庄子》书中刖人王骀死生大变亦不动心发挥说:"彼与变俱,故死生不变于彼。斯顺之矣。明性命之固当,任物之自迁。以化为命,而无乖迕,不离至当之极。"② 庄子的"不与物迁"已被"任物之自迁"取代,但后者仍给人以迁流变化的印象,那又如何来看待其不迁呢? 郭象于是进一步推论说:

> 体夫极数之妙心,故能无物而不同;无物而不同,则死生变化,无往而非我矣。故生为我时,死为我顺;时为我聚,顺为我散。聚散虽异,而我皆我之。则生故我耳,未始有得;死亦我也,未始有丧。③

"妙心"在这里是问题的关键,只要"我"不执著于物,就无物能够扰乱我心。死生"为一","玄同彼我",一切差别变异也就自然消解,这个"我"也就不会有任何的利害得失,而得以释然自存。在这里,郭象是通过不以变为变来消解变化的,"不迁"之义也由此得解。

郭象这种"去生如脱屣,断足如遗土"④ 的近乎绝对的不执著观,从其视变与不变为一来看,是一种连续性的思维方式。但在郭象,更多的是从对立方即断裂性的角度处理变与不变的关系的。他认为:

① 《周易注·恒》,《王弼集校释》,第380页。
② 《庄子注·德充符》,《庄子集释》,第189～190页。
③ 同上书,第192页。
④ 同上。

当古之事,已灭于古矣,虽或传之,岂能使古在今哉! 古
不在今,今事已变,故绝学任性,与时变化而后至焉。①
既然古、今是不同的时间,当然古就不是今,今也不是古,"传"的言语延
续并不能使"古"在"今"重现。古对今是如此,今对古同样也是如此,它
们都断裂亦即独化于各自的时间段,连续性在这里是不存在的,希冀
"学"而使古今联系起来也就不可能。因而,郭象的"与时变化"也就有
了他的特定含义,即随古而古,在今即今,才能真正符合事物的本性。

那么,既讲连续性,又讲断裂性,郭象的体系是否如此矛盾呢? 首
先可以说,这种矛盾正是郭象体系本身的要求。按其独化论思维,连续
是连续,断裂是断裂,"各自成体"②,本来就不要求统一。其次,从旁观
者的角度说,所谓矛盾又是可以统一的。即论本体时,连续性对于保证
本体的恒常不变是必要的;但转向现象,发明现象间的断裂则成为思维
的主导。可以说,从王弼到郭象,玄学破变而明不变的思辨哲学及其成
果,对于玄思繁富的僧肇来说,是一份不可多得的理论财富,所以他大
量地予以了采纳。

僧肇对"物不迁"的论证总体上包括三个方面,即:动静不异;物不
迁;变即"无相"。

第一,动静未始异。动静不异是僧肇总的指导性的方法。早先,王
弼注《周易》和《老子》,是从动中取静、归动于静的方法入手去论证"静"
的本体的,目的在以静制动。但是僧肇与王弼不同,他的目的在证明动
的世界的非真实性。他说:

夫生死交谢,寒暑迭迁,有物流动,人之常情。余则谓之
不然。何者? ……寻夫不动之作,岂释动以求静? 必求静于
诸动。必求静于诸动,故虽动而常静;不释动以求静,故虽静

---

① 《庄子注·天道》,《庄子集释》第492页。
② 《庄子注·知北游》,同上书,第764页。

而不离动。然则动静未始异,而惑者不同。①

从人之"常情"论,世界是流动变化的世界,那么,佛教是否要与这种"常情"对立起来呢? 僧肇是肯定这种对立的现实的,因为他本来的目的就是要纠正人们常识的错误。但僧肇又不是简单否定了事,而是强调辩证看待这一问题。因为动静都不能离开对方去谈论,否定动的世界最终会导致对静本身的否定,所以既无可能又无必要。关键是要有一个恰当的态度和方法。这就是承认不动存在于动中,动静一体,故虽动而常静。那么,所谓"动静未始异",也就不是说动与静完全等同,而是说动静不异体,它们是相互依赖、同体共存的。他并以此去阐明即动即静的道理。

就此而言,僧肇之动静与常人所说的动静的区别,在于看问题的方法:

> 夫人之所谓动者,以昔物不至今,故曰动而非静。我之所谓静者,亦以昔物不至今,故曰静而非动。动而非静,以其不来;静而非动,以其不去。然则所造未尝异,所见未尝同。

昔是昔,今是今,昔不至今,意味今是昔的改变,过去没有延续到现在,所以是动而不是静。但这只是常人的看法。在僧肇,则抓住这昔不至今做文章:既然过去没有延续到现在,不能在往昔找到今天,事物也就没有变动。这可以说是动静未始异的第二层含义,即客观"所造"不异,而主观"所见"有别。

第二,物不迁。物不迁是僧肇的核心论题。如果说动静不异讲动静的联系是顺从常人见解的话,物不迁讲动静的差别则是立足于佛教自身的立场。在这里,自生独化的玄学方法得到了最为充分的运用,甚至连语言都十分地相似:

> 求向物于向,于向未尝无;责向物于今,于今未尝有。于

---

① 《肇论·物不迁论》(下略,只注非《物不迁论》引文),见《大正藏》卷45。

> 今未尝有,以明物不来;于向未尝无,故知物不去。覆而求今,
> 今亦不往。是谓昔物自在昔,不从今以至昔;今物自在今,不
> 从昔以至今。故仲尼曰:回也见新,交臂非故。如此,则物不
> 相往来,明矣。

这一论证是他前一论证的继续,但是将动静换成了有无,并引入了事物的空间存在,即从时空统一的角度去看待迁与不迁的问题:过去有此物,今日无此物;既然过去与今天分别是有与无,那就知道过去之物是过去之物,今天之物是今天之物,昔物与今物没有任何联系,"物之不相往来"亦即物不迁的结论也就得以推出。

僧肇所引孔子对颜回的谈论,源自《庄子·田子方》。其意是说变化迅速,一臂之交事物便已更新,故任何现象都不可执著,只能是紧跟时间的流变。僧肇据此说明,人既然要紧跟时间的变化,就是说过去的永远过去了,事物之间的联系或连续性是不存在的,时空实际上表现为一个个"独化"断裂片断。我们肯定时空连续性的基本参照,是物质现象的同一性,如果这种同一被分割成无数的古今片断的话,连续性也就很难得到证明。而既然事物现象都各自停留于确定的时间段,"即动而求静"也就变得容易了:"然则旋岚偃岳而常静,江河竞注而不流,野马飘鼓而不动,日月历天而不周,复何怪哉?"承认旋岚偃岳、江河竞注、野马飘鼓、日月历天的巨大变动与坚持常静、不流、不动、不周的佛教立场可以相容共存,可以说是动静未尝异的第三层含义。当然,这最终要落实到僧肇自己的不动观上。

僧肇为形象地说明物不迁,又举例道:

> 人则谓少壮同体,百龄一质。徒知年往,不觉形随。是以
> 梵志出家,白首而归,邻人见之曰:昔人尚存乎?梵志曰:吾犹
> 昔人,非昔人也。邻人皆愕然,非其言也。

人之少壮同体,只是一种不能随形迁而迁的执著。实际上,人之一生是由少壮老的不同质体组成的,少在过去而老在今日,虽然"形"似同一

人,但实际上只有存在于不同时期的不同的少壮老。所以梵志说他既像过去的梵志,又不是过去的梵志。对于这一表述佛教真理的言论,邻居们当然是不会懂得的。僧肇可以说是聪明地利用了"变"的手法来论证不变,他的变只是断裂的变,所以以变又是不变。

在僧肇,这不仅对常人经验是如此,对于作为佛教基本理论的因果轮回来说同样是如此:

> 故经云:三灾弥纶而行业湛然。信其言也。何者? 果不
> 俱因,因因而果。因因而果,因不昔灭;果不俱因,因不来今。
> 不灭不来,则不迁之致明矣。

灾报是以变动为特征的,但引起灾报的业因却没有丝毫变化,行业的不灭也成为僧肇论证物不迁的重要理论根据。但就因果关系来说,双方本来是一个时间的序列,是以从因到果的连续性为特色的。但僧肇将其视角进行了调换,说明因不是果,果不是因;因不至于今,果不在于昔;因果各在其所,所以"不迁"之义遂得以发明。

第三,变即无相。僧肇论证物不迁,并不仅仅限于动静观本身,而是密切联系到性空、无相的本体的。动静不异在这里的意义,也就是要发明变即无相。时有庐山隐士刘遗民在闻知僧肇的学说后,对之非常赞誉,但又存在一些理论困惑,其中之一就是变之现象与无相本体之间的关系,遂以信问难,曰:

> 谓以先定圣心所以应会之道,为当唯照无相耶? 为当咸
> 睹其变耶? 若睹其变,则异乎无相;若唯照无相,则无会可抚。
> 既无会可抚,而有抚会之功,意有未悟,幸复悔之。①

无相是般若之真谛,它与变化的万有本是相互对置的。"圣心"之观照如果只是专注于无相之真谛,那流变不已的假有世界便不在接触的范围;反之,如果所面对的正是变化的现象世界,那又与无相的本体世界

_____
① 《肇论附·刘遗民书问》。

区别了开来。那么,这对于自认为能把握迁流变化的假有世界的佛教来说,是怎样一回事呢? 故要求僧肇给予解答。

僧肇回答说:

> 谈者似谓无相与变,其旨不一:睹变则异乎无相,照无相则失于抚会。然则即真之义,或有滞也。①

一般学者的观点,是把"变"的现象世界与无相的涅槃佛性(本体)对立起来,以为二者必居其一。其实这并没有真正弄懂佛教的本义。在僧肇,色空、有无相即不异,不能割裂色与非色(空)。所谓"非色不异色,色即为非色。故知变即无相,无相即变,群情不同,故教迹有异耳"②。非色本为空,但空却不异色,因此无相也就是变,变即是无相。而所以又有"变"与"无相"的不同称谓,不过是佛的说教因"群情"不同而有所权变罢了。故"考之玄籍,本之圣意",变与无相并没有本质的区别。"是以照无相,不失抚会之功;睹变动,不乖无相之旨"③。

僧肇所谓"圣意",就是要求在变而不变,即物而自虚:

> 是以圣人乘千化而不变、履万惑而常通者,以其即万物之自虚,不假虚而虚物也。④

不变的基础是必须要坚守的,但这坚守不应与变化的世界对立起来。变即不变的道理,本来也是要说明有相与无相是无法执著的:

> 欲言有在,今见无相。欲言无在,向复有相。犹幻化无定,莫知所在也。⑤

从而不可能在二者之中强取其一。惟一的办法,是将无相的本体与变而不迁的现象世界贯通起来。僧肇虽然提出了"物不迁论",但他的重

---

① 《肇论附·答刘遗民书》。
② 《肇论附·答刘遗民书》。
③ 同上。
④ 《肇论·不真空论》。
⑤ 僧肇:《注维摩诘经》卷6《观众生品》,《大正藏》卷38。

点还是强调不落两边,主张变现象与无相本体的相即不异,由此出发统一般若各派,并使佛说与世俗的矛盾能得以更好的调和。

3、般若无知论——对知识智慧观的总结

般若学是因般若经而起的。自般若经传入中土以来,引起了各家各派无数次的讨论,但包括僧肇所批评的三家在内,所有的讨论似乎都集中在性空的本体层面,缺乏对般若(智慧)本身的认识。而对中国佛教来讲,"般若"一词更重要的是在后者,即洞照性空、达致佛的境界的宗教直观,这在僧肇又被称为"圣智"①。

僧肇阐发般若寓意,可以说是单刀直入。他直接从"无知"着手,将自先秦以来一直萦绕着中国学术的知识、认识与智慧的矛盾,更加鲜明地突出了出来。老子曾以智慧为"大伪"的祸首,"无知无欲"才是天下大治的前提;儒家圣人虞舜是"大智",但"大智"的内涵在孔子眼中却是"无知"。僧肇讲成佛之智是"无知",既是对般若本义的发挥,亦是对中国传统智慧的深入,它实际上预示着作为中国学术主体的儒释道三家,虽然都很关注此一问题,但却首先是由佛教来进行总结的。

首先,僧肇力求将般若智慧与日常的认识活动区别开来。他认为,日常的认识活动都是有缺陷的、不完备的。他说:

夫有所知,则有所不知。以圣心无知,故无所不知。不知之知,乃曰一切知。故经云:圣心无所知,无所不知,信矣。②

僧肇的思路,显然利用了玄学有无之辨的思维成果,即凡有都是有限,只有无可以包容一切。换句话说,"无知"并不是不要知,而是正相反,无知才可能获取一切知。

---

① 参见方立天:《僧肇评传》,《魏晋南北朝佛教论丛》,中华书局1982年版,第142页。

② 《肇论·般若无知论》(下略,只注非《般若无知论》引文),《大正藏》卷45。

僧肇所谓的"一切知",重点在日常知识所达不到的无相真谛:"圣智幽微,深隐难测,无相无名,乃非言象之所得。"言象所能得者只限于日常知识,无相真谛作为无名的存在,是超越于言象之外的,只有能通达这一领域的般若,才可能与它合一。

是以圣人以无知之般若,照彼无相之真谛。真谛无兔马之遗,般若无不穷之鉴。所以会而不差,当而无是,寂怕无知,而无不知者矣。

在主体一方是般若无知,在对象一方则是真谛无相。真谛既是佛教哲学追寻的对象,也代表着佛教修养境界的完满。与兔、马过河不能到底不同,它不会留下一丝的遗漏。般若玄鉴无所不照,与对象的结合最为完美,即由无知导出的是无不知。

这种无知无不知的理论,从方法上说,与老子的无为无不为的思辨方式十分相似。说明后被儒家同视为异端的佛与老两家,在理论上确有相通之处。"故经云:'圣智无知而无所不知,无为而无所不为。'"[1]正因为是无知无不知,故无论是以有知还是无知作为问题的立足点都是说不通的,圣智不落有无之任何一边。《不真空论》中的非有非无之辩,如果从人的认识角度去考察,就是无知无不知:"故经云:'般若于诸法,无取无舍,无知无不知。此攀援之外,绝心之域,而欲以有无诘者,不亦远乎?"

僧肇的无知无不知,不是说主观有意去知或不知,而是指般若圣智已经超越了诸法万有,这一境界不是常人凭借自己的感知而能达到的。玄学的有无之辨虽然也是僧肇借助的手段,但从根本上说,它已经落后了,而刘遗民则尚未从玄学的框架中走出来。般若"无知"论所要说明的,是"体性清净"的般若,已经不是执著于世俗的"感取之智"所能规定的了。所以,它要以"无知"来表明自己"无惑知":

---

① 《肇论附·答刘遗民书》。

> 然经云般若清净者,将无以般若体性清净,本无惑取之
> 知。本无惑取之知,不可以知名哉? 岂唯无知名无知,知自无
> 知矣。

无惑知是保持般若清净本性的自然结果。因为心"净"本来也就是"无知",排除了一切现象的惑乱干扰,因而成为圣智无不知的前心理准备状态。就此而言,与荀子当年倡导"虚壹而静"以走向"大清明"的思路有某种程度的相似性。当然,二者的水平已不在一个层面上。

在僧肇,他之区别般若圣智与日常惑智,还在于要将清净智体从因缘法的世界中解脱出来。圣智如果陷在因缘法中,就永远掉进了惑智的泥潭,不可能履行自己的使命——洞照真谛而引导成佛了。佛教的智慧观是与境界观相互发明的,所以僧肇必须要把心智主体"空"出来,以为完成其职责准备条件。他故又说:

> 夫智以知所知,取相故名知。真谛自无相,真智何由知?
> 所以然者,夫所知非所知,所知生于知。所知既生知,知亦生
> 所知。所知既相生,相生即缘法。缘法故非真,非真,故非真
> 谛也。故《中观》云:物从因缘有,故不真;不从因缘有,故即
> 真。今真谛曰真,真则非缘。真非缘,故无物从缘而生也。

智慧从本来的意义讲,是用来了解把握"所知"即对象的,"知"之一词也正是产生于这种主观对客观的"取相"活动,但这样的认识取相只能属于惑知而非圣智、"真智"的范畴。因为作为真智的对象的真谛本来是无相,无相则自然无从执取。也就没有日常的所谓知。

进一步,作为日常认识对象的"所知",其实并不是真实的存在,它只是缘起于"知"的主观心理作用,即虚妄执著于外境的结果。或者说正是因为有了因缘变化的假象世界,才缘起了虚妄执著的主观心理。那么,知与所知也就是相互缘生的。而既然是相互缘生,也就不可能达致真实的本性、达致真谛。真谛之谓真谛,前提就是它已超脱于因缘,真谛与因缘是不可同在的。作为最高的真理,只有真智才能与它相通。

但这种相通并不属于"知"的范畴:

> 是以真智观真谛,未尝取所知。智不取所知,此智何由知? 然智非无知,但真谛非所知,故真智亦非知。

真智观照真谛的活动,与日常认识中能知执取所知的活动在形式上有相似性,但实质上是不同的。因为真智本身并不构成为实际的认识对象,它只是真智洞鉴性空的结果,所以不能用日常的认识论范畴去规定它。道理很简单,如果局限于日常的认识架构,那是无论怎样也观照不到性空真谛,成不了佛的。

其次,般若智慧既超脱于因缘世界又包容万有。般若虽以真谛为观照对象,但对于惑知所执取的现象界又不是简单地抛弃,前述"变即无相"已经对这一问题有所揭示。即这两个世界虽然有别,但又都统属于所知对象一方;同时,"知"执取所知,真智观照真谛,实际上都属于人的对象性活动,即不论他们间有多么大的区别,但从人的思维活动的进行及其目的——主观摄入客观并使主客观融合为一来说,说到底是一致的。而如果结合玄谈的有无关系来分析,双方也是相互发明的:

> 夫圣心者,微妙无相,不可为有;用之弥勤,不可为无。不可为无,故圣智存焉;不可为有,故名教绝焉。是以言知不为知,欲以通其鉴;不知非不知,欲以辨其相。辨相不为无,通鉴不为有。非有,故知而无知;非无,故无知而知。是以知即无知,无知即知。

微妙无比的"圣心"仍需要利用有无之辨来进行发明。僧肇的论证主要包括两方面的含义:一是从其存在的特性看,本体存在的微妙不可相属于无,而其作用的无所不在属于有。有无范畴在僧肇可以说是运用得得心应手,它既可以保护作为佛教心性论主体的圣心、圣智不致被消解,又可以方便地指称一切名言教化都不是真实的存在。二是从其作用功能看,不以常人惑智为知,正是为了张扬般若的独鉴之明。"辨相"的作用过程说明圣心是有,而通鉴无相的特性又说明它是无;既然有无相依而互发,知与无知也就不能割裂。

如此无与有的关系,在僧肇同时又是内与外的关系。他说:

> 内有独鉴之明,外有万法之实。万法虽实,然非照不得,内外相与以成其照功,此则圣所不能同,用也。内虽照而无知,外虽实而无相,内外寂然,相与俱无,此则圣所不能异,寂也。是以经云:诸法不异者,岂曰续凫截鹤,夷岳盈壑,然后无异哉? 诚以不异于异,故虽异而不异也。

万法或外有的实在性,对于以性空为本体的般若学来说,本来是一个假问题。但因世俗惑智对此的执著,使得僧肇有必要对双方的关系进行调整。

他以为,所谓万法之"实",其实只是实"性"而非实"法"。性空之性实而不虚,但它得以明白,却是赖于般若独鉴之明观照的结果。一方面,独鉴虽是"内"鉴,但又不是离开万有外法去观照,而是即万法而照性空,内外相交接以成其照功。这是圣智之谓圣智在作用层面区别于惑智的特点。另一方面,内鉴虽明,但因心体虚寂,得无所得,故是无知;外法虽实,但实性无相,外内不异。内鉴外法相寂共无,这是从寂无本体出发对圣智与惑智进行的统一。

那么,可以说,生起于不同因缘的诸法所以是不异,不是采用截长续短、损高益低的人为措施去使其一律,而是站在独鉴圣智的立场上"极象外之谈"的结果。在此境界上,寂体与动用、无知与有法的差别也就趋于消融,般若的"无知"也就最终铺就了一条由常人惑智走向成佛的圣智的道路。

第五章 佛教学术的转向与发展

僧肇对般若各派的理论总结，意味着大乘空宗的思想以比较准确的形式为中国人所理解，这可以说是佛教初传所结出的最重要的成果。"空"的思维模式对以汉学为代表的拘泥于"实"的中国传统学风，不啻是巨大的冲击；而对于流行一时的玄学贵无思潮，又是理论的承接与后继。这就使得佛学这种全新的学术，从进入中土的开始，就是在与传统固有学术的相互碰撞和吸纳中向前推进的。

与此同时，玄学由贵无转向崇有的学术发展轨迹，事实上已经为以空释无的佛教理论思辨给予了启示，那就是它亦应当在破除了执因缘流变为真实的世俗见解之后，召唤佛性的真实，解决佛性之有的问题。学术发展有自己内在的动力，中国人需要和接受佛教，不是为了破除一切，而是为了获得安身立命的依托并以之为精神追求的境界。佛教在中国的发展，正是受到这一民族传统和思维特性的制约的。从而，以空无为导向的否定性思维转向了对有的重塑的肯定性思维，转向了对涅槃佛性和西方净土的追寻。

一、佛性与顿悟

般若学虽因僧肇的精到理解和阐发而大彰，僧肇本人后亦被推为隋唐三论宗之初祖，但从东晋南北朝佛教发展的总体趋势来说，却是讲诸法性空的般若学向讲涅槃佛性的涅槃学转换。而作为僧肇同学的竺道生,在其中起了主要的作用。

汤用彤先生说:

> 晋宋之际佛教上有三大事。一曰《般若》,鸠摩罗什之所弘阐。一曰《毗昙》,僧伽提婆为其大师。一曰《涅槃》,则以昙无谶所译为基本经典。竺道生之学问,盖集三者之大成。于罗什、提婆则亲炙受学。《涅槃》尤称得意。至能于大经未至之前,暗与符契,后世乃推之为《涅槃》圣。[①]

提婆所译传的《毗昙》,乃小乘佛教一切有部典籍的总称,而《般若》和《涅槃》则反映了当时佛教发展的两大主要潮流,道生能通达这三者,自然可谓集其大成。但集大成并非没有学术重心,从《般若经》的翻译到《涅槃经》的研习,道生学术兴趣的转移,集中体现了佛教学术发展的总体趋势。

般若学是讲"诸法性空"的,但性空之真空又是与万象之假有相互发明的,并通过"中道"概念的贯彻,使论辩走向了不有不无、亦真亦假之义。《中论》云:"众因缘生法,我说即是无(空),亦为是假名,亦是中道义。"[②] 那么,诸法之实相、本体就不能简单说是空,因为从俗谛去看它又是有;反之也是一样。总之是不着两边而归于中道。以空假互发来讲说的中道实相论,目的一方面在扫除世人对我、对境的执著,明白眼前的世界本来是空。可另一方面,明白世界本来是空又实在不能算是最后的目的。联系到信仰和境界来说,"空"是为了显实相之理,空是为有、为涅槃境界准备条件的。

既如此,就不能只讲空无而不讲有。这一点,从般若学到涅槃学,本来也是一以贯之的。《大般涅槃经》云:"有诸外道,或说我常,或说我

---

① 见《汉魏两晋南北朝佛教史》,第 425 页。
② 《中论》卷 6《观四谛品》,《大正藏》卷 30。

断。如来不尔,亦说有我,亦说无我。是名中道。"① 又云:"若有说言,佛说中道。一切众生,悉有佛性。"② 在这里,"名"中道的"如来"已经与佛性打通,"佛性者即是如来",所以说是"从般若波罗蜜出大涅槃"③。中道指向佛性,就为解决佛教的理论目的和人生的信仰追求,提供了最基本的保障。

当然,般若学与涅槃学毕竟重点是不一样的。般若学立足于破,涅槃学则侧重于立。不破不立,先破后立,破后必立,这一一般的学术发展规律,也适用于解释佛教由般若性空到涅槃妙有的转向。

1、涅槃佛性说

"涅槃"是佛教追求的最高理想境界,而《涅槃经》则是佛教的基本经典。佛教虽有小乘涅槃和大乘涅槃的两大系统,但对中国佛教僧众而言,影响他们的主要是大乘涅槃的思想理论。大乘《涅槃经》有不少译本,其中最重要的,是东晋法显与佛驮跋陀罗(觉贤)所译的六卷本《大般泥洹经》、北凉昙无谶所译四十卷本《大本(北本)涅槃经》和慧观、谢灵运等人在此基础上参照六卷本体例改治而成的三十六卷本《南本涅槃经》。由于后二种的差别主要是形式上的,故大乘《涅槃经》的主要代表,可以说就是六卷本《泥洹经》和四十卷的《大本涅槃经》。虽然从结构上看,六卷本实际上是四十卷本的初分(前十卷),但就其学术旨趣来说,两部经典却存在有不小的差距,其中症结就在佛性的普遍性和彻底性问题上。

那么,什么是佛性呢? 对这一至关紧要的基本概念,佛教各家有不同的解释。吕澂以为:"'佛性'起源于'心性本净'的思想。'心性本净'

① 《大般涅槃经》卷7《如来性品》,《大正藏》卷12。
② 同上。
③ 《大般涅槃经》卷14《圣行品》。

反转过来说即是'性净之心'。众生都具有这个性净之心,也就都有成佛的可能,所以叫做'佛性'。"① 完整的佛性不只包括作为成佛动因的内在的心性,也包括作为成佛的实现条件的外在的境、法、实相等等。成佛是主客观因素交互作用的结果,但因为各家的不同取舍和侧重,讲论佛性者相应分成了不同的派别。隋代吉藏作《大乘玄论》对此进行了总结,包括他自己的观点在内,一共列出了十二家佛性观。这些观点是:

第一家,以众生为正因② 佛性。又言一切众生悉有佛性。故知众生是正因也。

第二家,以六法为正因佛性。言六法者即是五阴及假人也③。故知六法是正因佛性也。

第三家,以心为正因佛性。以心识异乎木石无情之物,研习必得成佛。故知心是正因佛性也。

第四家,以冥传(生死轮回)不朽为正因佛性。今直明神识有冥传不朽之性。说此用为正因耳。

第五家,以避苦求乐为正因佛性。一切众生无不有避苦求乐之性,故知避苦求乐之用为正因佛性也。

第六家,以真神为正因佛性。若无真神,哪得成真佛。故知真神为正因佛性也。

第七家,以阿梨(赖)耶识自性清净心为正因佛性也。

第八家,以当果为正因佛性,即是当果之理也。

第九家,以得佛之理为正因佛性也。

第十家,以真谛为正因佛性也。

第十一家,以第一义空为正因佛性。佛性者名第一义空。故知第

---

① 吕澂:《中国佛学源流略讲》,第 120~121 页。
② 正因:指起主要、决定作用之原因。
③ 即以色、受、想、行、识"五阴(蕴)"及假名之人为"六法"。

一义空为正因佛性也。

第十二家,河西道朗与昙无谶以中道为佛性释佛性义。尔后诸师,皆依道朗义疏讲涅槃乃至释佛性义。

前十一家中,又可归为三类:即第一、二家之"假实"义;第三至七家之"心识"义,第八至第十一家之"理"义。[1] 吉藏作为三论宗的大家,十分强调无我、性空之义,故第三类之以"理"为佛性最为合理。而吉藏自己则是第十二家中道义的继承者。[2]

事实上,初期的竺道生,的确是从般若学的诸法性空出发讲佛性的。他认为:

> 法者,无非法义也。无非法义者,即无相实也。[3]
> 空似有空相也,然空若有空则成有矣,非所以空也,故言
> 无相耳。既顺于空,便应随无相。[4]

法是无处不在的,但法之无处不在,不是说"法相"而是说"法空",而法空即是无相实相。所以,"相"是必须要破的,空与无相是道生佛性论的基本前提。

在这里,空不仅仅是法空,也是我空。但所谓"我"之空或无我,否定的只是"我"这样一种实体意识,并引向随顺自然的"佛性我"状态而已:"理既不从我为空,岂有我能制之哉? 则无我矣。无我本无生死中我,非不有佛性我也。"[5] 理并不因"我空而空,""我"也不能强制使理空,那么结果就是有理而无我。可是,这种所谓无我,不过是说明生死轮回中的"我"之自体的虚幻不实,并不是要将本有的佛性之我抛弃掉。显然,这是立足非有非无、即假即真的中道观对佛性的普遍性做出的说明。所以,说

---

① 吉藏:《大乘玄论》卷3《佛性义十门·异释门》,《大正藏》卷45。

② 参见吕澂:《中国佛学源流略讲》,第121页。

③ 僧肇:《注维摩诘经》卷2《方便品》引。

④ 同上书卷3《弟子品》引。

⑤ 《注维摩诘经》卷3《弟子品》引。

法空也好,说无我也好,都不意味着要将法、我彻底废弃:"以体法为佛,不可离法有佛也。若不离法有佛是法也,然则佛亦法矣。"① 不能离法而言佛性,佛性就在万法之中,否定了法也就从根本上否定了佛性。

可以说,道生对般若性空义的研习,是他走向佛性的普遍性的跳板,故当六卷本《泥洹经》译出后,他很快便由般若学转向了涅槃学,直接正面地宣扬佛性本有说。他说:

> 本有佛性,即是慈念众生也。②
>
> 一切众生,莫不是佛,亦皆泥洹。③

众生皆有佛性,当然也就能走向涅槃而成佛。可是,为什么众生终究还是众生而不是佛呢? 对这一问题,道生的解答是:"良由众生,本有佛知见分,但为垢障不现尔。佛为开除,则得成之。"④ 众生本有佛性,但却因为情欲垢障而不能显现出来。只要将此垢障清除,便能成佛。"涅槃惑灭,得本称性"⑤。如果说,佛性的本有和成佛的可能在佛教学术圈内还需要为自身的合法性进行论证的话,对于在圈外感受佛性论的中国固有学术传统来说,却是最容易理解的。因为"所谓涅槃佛性学说,其实就是佛教的一种人性论"⑥。作为儒家人性论主体的性善论和由此导出的"人皆可以为尧舜"成圣的可能性,早就从世俗的角度为佛性的本有和成佛的可能准备好了土壤。

孟子道性善是基于人性中本有的仁义礼智四德,故人性是善的。《大般涅槃经》说涅槃也有四德,这就是常(法身永恒)、乐(寂静永乐)、

---

① 《注维摩诘经》卷8《如不二法门品》引。

② 《大般涅槃经集解》卷18《如来性品》,《大正藏》卷37。

③ 《妙法莲花经疏》卷下《见宝塔品》,见《续藏经》第1辑第2编乙,第23套第4册。

④ 《妙法莲华经疏》卷下《方便品》。

⑤ 《大般涅槃经集解》卷51《德王品》。

⑥ 石峻:《肇论思想研究》,《国故新知:中国传统文化的再诠释》,第243页。

我(不变自在)、净(纯净无染),佛教追求的最高精神境界。如果从因果关系的角度看,儒家的四德是善因,是人之成圣的先天根据;涅槃四德则是善果,但这涅槃善果终究能证得、显现的前提,便是人人都有佛性,都天生具备成佛的可能。故因之与果又是相互发明的。

当然,佛性与人性、宗教与世俗的矛盾也并不总是容易消融的,对此也需要认真对待。人性的范畴是建立在人的真实存在基础上的,是人之为人的本质属性,这一规定在中国哲学已为各家各派所公认,而佛性是什么则显然要更为复杂。开初是心和境,后来则有吉藏概括的十二家。但是,如果不拘泥于宗教层面的特定理解,从总体趋势上看是向儒家人性概念靠近还是可以成立的。

就道生而论,他的佛性概念,按方立天先生的概括,共有五方面的含义,即:一是本性,二是善性,三是自然,四是法,五是理。① 在这五方面的含义中,本性、善性、自然和理在一般的意义上可以为各家所认同,其中本性和善性尤为中国人性理论所垂青,二者之间亦可以相互发明:本性是讲性本体或本质的当然存在,善性则是对这种当然本性的道德评价和社会认可。"自然"在道生,实际就是讲天生如此、恒常不变亦即本体之义。"理"则是本有不变、善和原因等义的结合,后来宋明理学以本体和理的概念来解释的人性,应当也是于此有所取。至于"法"作为佛性,与儒学无疑有一定距离,儒家、即便是后来的理学家亦是用事、用物而不用法,但佛教的即法即性、即体即用的思维方式,对后来中国哲学的发展是有重要影响的。

总起来看,佛性之五义,说到底可归结为一义,即本性,其他各义可以说都是从不同层面对本性的阐发。比方对中国人性论影响最大的本性、善性和理的范畴,在道生正是联系在一起的:"善性者,理妙为善,反本为性也。"② 当然,所谓"本",在理论上有本体和本原之不同,这一问

① 方立天:《论竺道生的佛学思想》,载《魏晋南北朝佛教论丛》,第171~172页。
② 《大般涅槃经集解》卷51《德王品》。

题放大开来,亦即本土哲学之本体论与生成论的关系,在佛性即是所谓本有与始有的关系问题。这一问题虽然在后来引起了较多的关注,但就道生一辈人而言,二者似乎是兼通而非排斥的关系:就其为众生生来所具之成佛根据而言属于本有,就其只有在成佛之果位实现方得以彰显来说又沟通了始有。如同本体论与生成论可以相通一样,佛性之本有说与始有说也不是不可以调和的。而且,如果承认佛性是普遍必然的这一基本观点,佛性本有和始有的区分并不具有太大的意义。

从理论来源看,道生论佛性的无处不在、众生本具无疑与《涅槃经》密切相关。但是,道生事实上并不完全依赖于经典的文本,在许多方面能跳出经典而发挥己说。还在他接触到《涅槃经》以前,便已有了"闻一切众生,皆当作佛"① 的一切众生皆有佛性的思想。究其缘由,在于他勤于思索,深谙王弼以来得意忘言论之精髓。《高僧传》云:

> (道)生既潜思日久,彻悟言外,乃喟然叹言:"夫象以尽意,得意则象忘。言以诠理,入理则言息。自经典东流,译人重阻,多守滞文,鲜见圆义,若忘筌取鱼,始可与言道矣。"②

道生"潜思"的结果,是得意忘言,道在言外。语言图像都只是明白佛理的工具,但常人的弊病却是滞塞于经典文字本身,不知"忘筌取鱼"乃是读解佛经的根本。这就难怪他们只是抱残守缺,不能求得"圆义"。而道生自己,则是他的忘筌取鱼方法的实践者,这集中体现在如何创造性地理解六卷本《泥洹经》经文的问题上。

《高僧传》记载说:

> 又六卷《泥洹经》先至京师,(道)生剖析经理,洞入幽微,乃说阿[一]阐提人皆得成佛。于时"大本"未传,孤明先发,独

---

① 《妙法莲华经疏·譬喻品》。

② 慧皎:《高僧传》卷7《竺道生传》(汤用彤校注),中华书局1992年版,第256页。

见忤众。①
道生通过对六卷本《涅槃经》的认真研读，"孤明先发"其未发之理——
一阐提人皆得成佛。所谓"一阐提"是梵文的音译，意为断绝善根之人。
既然是断绝善根、不具佛性之人，当然也就不能成佛。但道生却反其道
而行之，倡一阐提人也能成佛，从而在佛教内部引起了激烈的争论。道
生的"独见"被判为"邪说"，以致遭到"摈遣"的处罚。但道生并不因此
而改变自己的主张，继续按自己的理解讲学传法，"后《涅槃大本》至于
南京，果称阐提悉有佛性，与前所说合若符契。……于是京邑诸僧内惭
自疚，追而信服。"②

　　那么，这一段佛门恩怨说明了什么呢？它说明六卷本与道生和"大
本"在认定一阐提人能否成佛问题上是明显有矛盾的。这种矛盾，一方
面缘于对一阐提人本身的性质认定存在差别，另一方面或者说是更重
要的方面，在于一阐提人之所以是一阐提，在于他们自身缺乏灭罪成佛
的动力。譬如，六卷本曰：

　　　　如一阐提懈怠懒惰，尸卧终日，言当成佛？若成佛者，无
有是处。③

　　　　一切众生皆有佛性在于身中，无量烦恼悉除灭已，佛便明
显，除一阐提。④

　　　　彼一阐提于如来性所以永绝，斯由诽谤作大恶业。⑤

　　从此几段话看，一阐提人所以是善根断绝，不具佛性，其实并非天
生所成。如果反用佛性本有还是始有的争论套路，可以说他们的无佛
性并不是本有的，而是始有的。不论是源于懈怠懒惰、尸卧终日，还是

---

①　慧皎：《高僧传》卷7《竺道生传》（汤用彤校注），中华书局1992年版，第256页。
②　同上书，第256～257页。
③　《大般泥洹经》卷3《四法品》，《大正藏》卷12。
④　《大般泥洹经》卷4《分别邪正品》。
⑤　《大般泥洹经》卷6《菩萨品》。

诽谤作大恶业,其实都属于自觉性的问题而非本源性的问题。就是说,如果他们不是消极放弃或有意作恶的话,他们本当是具有佛性的。事实上,即便是明言"除一阐提"的第二段,其正面所讲的"一切众生悉有佛性"亦是由其果位的"烦恼悉除,佛便明显"来支持的。倘若烦恼不能除尽,佛不明显,那是否也不具有佛性、也不能成佛呢?

如此的理论间架,或许可以借用孟子的"不能"、"不为"说来略加阐发。即在孟子,齐宣王所以不能实现王天下的目标,并不是客观上不具备必须的条件——"不能",而是主观上不愿意按照这样去做——"不为"①。在这里,一阐提人不能成佛,关键同样不在不能——客观上不具佛性,而在不为——主观上不作善功。如果一阐提人向善努力,本来是可以悉除烦恼、还其佛性本来面目而成佛的。道生之所以"孤明先发",是否受儒家传统性善论的影响不得而知,但若不是拘泥于佛典言辞的本身,而是透过一阐提人不能成佛的"明言"而"彻悟言外"之理,一阐提人可以成佛也是有迹可循的。

那么,《大本涅槃经》对于一阐提人能否成佛的问题又进行了什么样的修正呢? 亦引几段来相互参看:

(不定者)如一阐提,究竟不移,犯重禁者,不成佛道,无有是处。何以故? 是人于佛正法中,心得净信,尔时即便灭。一阐提若复得作优婆塞者,亦得断灭②。于一阐提犯重禁者,灭

①　《孟子·梁惠王上》:"王之不王,不为也,非不能也。"

②　此引"是人于佛正法中,心得净信,尔时即便灭。一阐提若复得作优婆塞者,亦得断灭"一段,近年来通行各佛教史、哲学史著作均断作"是人于佛正法中,心得净信,尔时即便灭一阐提。若复得作优婆塞者,亦得断灭"。但倘若此,上句等于是说"人灭一阐提"、"人灭人",不仅不合情理,而且一阐提作为"灭"之宾词被整体否定,又如何能成佛呢? 而下句"若复得作优婆塞者,亦得断灭"又缺乏必要的主词。其实,"一阐提"当断作连接下句"若复得作优婆塞者"之主词,而"尔时(即)便灭"则为前"心得净信"之再强调,与后面的"亦得断灭"正相互发明,"灭"均指灭烦恼罪垢而言。如此理解,可能文意要更顺畅。

此罪已,则得成佛。是故若言必定不移,不成佛道,无有是处。①

一切众生悉有佛性,烦恼覆故,不知不见。是故应当勤修方便,断坏烦恼。②

彼一阐提,虽有佛性,而为无量罪垢所缠,不能得出,如蚕处茧。③

一阐提等,悉有佛性。何以故? 一阐提等,定当得成阿耨多罗三藐三菩提(无上正等觉)故。④

从以上几段文义来看,已将原来未发之言充分发出,一阐提人的"无有是处"不在客观而在主观,成佛不是不能而是不为。"一切众生悉有佛性"是普遍性的论断,它同样适用于一阐提人。这不仅仅是从前提、原因上看,也是从结果即所谓"当果"去看。一阐提人只要勤修方便,断坏烦恼,灭诸罪垢,即得成佛。

当然,从可能性讲的能够成佛,与从现实层面讲的终难成佛又是一个问题的两面。这与儒家的人皆可以为尧舜而事实上又无人能成为尧舜的观点,可以说有异曲同工之妙。哲学学术的一大魅力,就在于把外在条件的差距,归结于主体自身的努力,将主动权落实到人之自身。而且,如果说"必定不移"的话,并不就限定于一阐提,一切众生都可能成不了佛,都只能处于"下愚"的状态。《涅槃经》之与中国学术,或许正是在这里找到了最为恰当的契合点。

不过,《涅槃经》的上述思想,大都属于"言外"之意,它是经由中国学者的再创造而昭示于天下的。外来的学术与本土已有的思想资源在相互磨合中重新被解读和重组,从而不断被赋予了新的思想意义。这

---

① 《大般涅槃经》卷5《如来性品》第四之二,《大正藏》卷12。
② 《大般涅槃经》卷7《如来性品》第四之四。
③ 《大般涅槃经》卷9《如来性品》第四之六。
④ 《大般涅槃经》卷27《狮子吼菩萨品》第十一之一。

样就不仅使佛教信众、也使普通百姓能够予以接受和认可。道生所作的,正是这关键性的工作。

比方,就性善与气化的关系来讲,中国传统的性善论自汉代以后,已开始从禀气出发来进行解释,儒道两家都是如此。但是只有在完美协调的机制下,阴阳"二仪"才可能是善的。否则便会因阴阳不齐和清浊厚薄不等而生成为不同的善恶。而道生的观点则要更为彻底。从残留下来的文字看,他径直以二仪为善。"道生曰:禀气二仪者,皆是涅槃正因。阐提是舍[含]生,何无佛性事!"又云:"一阐提者,不具信根。虽断善,犹有佛性事。"① 含生即含气而生之物类,既然阐提与其余众生都同禀作为涅槃正因的二仪,当然也就同有佛性。道生之论的意义,在于将常识以为矛盾的"不具信根"与"犹有佛性"两端沟通了起来。说明阐提之断善,不是佛性上断,而是"信"义上断,即不能坚信佛法而放荡邪侈,以致不能成佛。这就既维护了佛性的普遍性和平等性的原则,又没有忽视个体自身应对能否成佛承担责任。

2、顿悟成佛说

如果说,道生的涅槃佛性论为解决众生能不能成佛提供了一般的根据的话,作为他的另一学术成就的顿悟成佛说,则具体发明了如何成佛的道路和方法。

如何才能成佛,或曰成佛的道路问题,自佛教传入中土以来,已经提供了多种选择。如果以时间和阶段为标准,总体上可以划分为渐修和顿悟两条。佛教传统的修行实践观主张渐修,但顿悟说在支遁、道安的时候也已经开始流传。不过,道生以前的顿悟,是指在长期修行实践中的一定阶段相机发生的悟境,它通常还需要后续的进修工夫。如此

---

① 　[日]宗性:《名僧传抄》附《名僧传说处》,载《续藏经》第1辑第2编乙,第7套第1册。

的工夫在佛教史上被称为"小顿悟"。与小顿悟对应的,就是竺道生的
"大顿悟"。吉藏引述说:

> 又同大顿悟义,此是竺道生所辨。彼云:"果报是变谢之
> 场,生死是大梦之境。从生死至金刚心,皆是梦。金刚后心豁
> 然大悟,无复所见也。"又有小顿悟义,明七地悟生死无所有。
> 此出《大论》(《大智度论》)。①

道生顿悟说的详情,由于其著作大多散失而难以确知。就后人所
转述的上述观点看,道生的大顿悟与小顿悟在共性的方面是要超脱生
死。因为在生死之中即是在因缘流变场中,如同大梦一般,是无法证得
涅槃的。但小顿悟执著于无生死的确定言象,将"顿悟"看作为全部悟
境中达到一定量后的具体阶段。谓之为"小",说明顿悟被分割成了不
同的阶段,这也就不能真正叫做"顿"悟。顿悟之为顿悟,乃是犹如金刚
利断之豁然大悟,是整体性的彻底了断,证得涅槃。在此之前,则可以
说都是执留于生死梦境场中而不能言悟。

在道生,顿悟是悟理成佛的惟一正途。"竺道生法师'大顿悟'云:
夫称顿者,明理不可分,悟语照极。"② 对于不可分之整体佛理来说,凭
借正常的概念分析、辨名析理的手段不可能达到彻悟的目的。辨名析
理的日常认知只能是由表及里、由粗入精,由片面到全面、先支离而后
统合的分阶循序是它的典型特征,所以就难以证得整体的涅槃。后者
只能是一刹那的全体完成。这种以"不二之悟"契合"不分之理"的"顿
悟"③,实际是主客体之间的一种直观的冥符。故他又说:"夫真理自
然,悟亦冥符。真则无差,悟岂容易? 不易之体,为湛然常照,但从迷乖

---

　　①　吉藏:《二谛义》卷下,《大正藏》卷45。

　　②　参见慧达《肇论疏》引述道生顿悟说。见《续藏经》第1辑第2编乙,第23
套第4册。

　　③　同上。

之,事未在我耳。"①

那么,(大)顿悟的意义,就不只是限于整体彻悟、冥符直通的具体成佛方法,而且体现在推动佛教发展进入了一个新的阶段。"悟则众迷斯灭"②,这实际上已经否定了经由传统渐修方法通达佛性、佛理而成佛的可能。佛性既在言外,本来也不能指望寻言观象而能有所获。觉悟成佛之不易,不在于进阶的艰难长远,而在于湛然常照之觉悟境界不能经由日常思维途径而取得。

当然,作为顿悟义的初创者,道生的顿悟又不是完全否定渐修的。渐修作为常人的一般认识方法和最终觉悟成佛的理论准备,也有它自身的作用。所谓"一念无不知者,始乎大悟时也。以向诸行终得此事,故以名焉。以直心为行初,义极一念知一切法,不亦是得佛之处乎?"③大悟或顿悟是无所不知的,然无所不知之大悟又在一念之中,这可以说是顿悟的最具特色之处。然它之所以可能,又是有赖于先前的渐修工夫的。只是这里的渐修既然是作为顿悟的准备,也就与非顿悟的渐修在一开初就有了差别。"直心"之发端终究是为了"义极一念",得佛之处正在于斯。

与道生同时的著名诗人谢灵运,作为《大般涅槃经》的修改人之一,亦持顿悟说④。但谢灵运似乎比道生在顿悟观上更为绝对,他根本否认日常的认知活动对于觉悟佛理的作用。道生则对他的观点提出了批评,曰:

　　以为苟若不知,焉能有信?然则由教而信,非不知也。但

① 《大般涅槃经集解》卷1《义疏序》,《大正藏》卷37。
② 同上。
③ 《注维摩诘经》卷4《菩萨品》。
④ 陆澄:《宋明帝敕中书侍郎陆澄撰法论目录序第一》称:"沙门竺道生执顿悟,谢康乐灵运《辩宗》述顿悟,沙门释慧观执顿悟。"见《出三藏记集》卷12《法论》第九帙,第441页。

　　　　资彼之知,理在我表,资彼可以至我,庸得无功于日进? 未是

　　　　我知,何由有分于入照? 岂不以见理于外,非复全昧,知不自

　　　　中,未为能照耶?①

就是说,信奉佛教需要以知为前提,佛教僧侣也正是在佛教教义的浸润
下树立起对佛教的信仰的。尽管通过外在的教和学的手段并不能真正
达到领悟言教之外的"理"的目的,但它毕竟为我开启了认识佛教的大
门,对于境界提升是有切实功用的。如果缺乏先前的知识储备,人则很
难达到洞照佛的本性的境界。公允地说,一方面,教、学以知佛使我们
摆脱了愚昧;另一方面,这种对佛的知解由于不是出于内在的体验(顿
悟),所以又终不能洞照佛性而成佛。

　　竺道生的阐提具有佛性和顿悟成佛说影响深远。《高僧传》记载
说:"时人以(道)生推阐提得佛,此语有据;顿悟、不受报等,时亦为宪
章。"② 一阐提人可以成佛与顿悟成佛说,二者一论佛性,一说顿悟,侧
重点不同,但又是缺一不可和相互发明的。顿悟之可能,前提就是包括
一阐提人在内的众生皆有佛性,只是这佛性或真如实相被烦恼罪垢所
迷而不能显现。一旦断惑,本性显现,便是解脱成佛。所以觉悟者乃是
自觉悟,所谓"反本为性"也。③ 这是儒家性善论与佛家佛性说之所以
能统合的最深厚的根源。可以说,佛性准备了基础,顿悟则实现了佛
性,成圣和成佛不是由于外力的驱使,而是基于自我善良本性提出的要
求。既然人人本有同一的佛性,则一旦觉悟便可成佛,又何用支离分阶

---

　　①　《广弘明集》卷 18《答王卫军书》。

　　②　《高僧传》卷 7《竺道生传》,第 257 页。

　　③　汤用彤先生以为:"总而言之,生公顿悟,大义有二:(一)宗极妙一,理超象
外,符理证体,自不容阶级。支道林等谓悟理在七住,自是支离之谈。(二)佛性本
有,见性成佛,即反本之谓。众生禀此本以生,故阐提有性。反本者真性之自发自
显,故悟者自悟。因悟者乃自悟,故与闻教而有信修者不同。谢灵运分辨顿悟与
信修,多用生公之第一义,于第二义则无多发挥。"见《汉魏两晋南北朝佛教史》,第
475 页。

之顿悟呢？

当然，在道生当时及以后，反对顿悟而主张渐悟者亦不乏其人。推重顿悟的宋文帝、宋孝武帝等为反击主渐悟的僧徒的诘难，曾召集道生弟子和后学入京申述弘扬顿悟之学。在朝廷的支持和弟子后学的大力推动下，顿悟成佛说虽然于典无明载，却并不妨碍中国佛教学者提出自己的新见解。经过一代代学者的努力，顿悟成佛说终得以发扬光大。

二、净土与易行道

中国佛教在自己的实际流传中，逐步形成了两个大的走向，即或者侧重于理论辨析，或者侧重于宗教实践。二者之间虽然有分，但毕竟不能完全割裂，理论与实践从来就是相互发明的。即便是崇尚理论辨析的学派，也终究是要为其信仰服务的。而对于注重宗教信仰和实践的派别来说，情况就更是如此。他们对整个中国社会的影响，实际上要更为深远。其中一个主要的代表，就是净土思想。

净土思想是因其信仰人死后往生佛国净土而得名。谓之为"净"，是相对于尘世之"秽"、"染"而言。它主要包括弥勒兜率天净土和阿弥陀西天极乐净土两大类。净土经典的传译亦始自汉末安世高、支娄迦谶时期，其后主要的佛经翻译家大都译有属于净土类的经典，到南北朝时净土经典的翻译便已经完成。其中最主要的，属于弥勒信仰的有《弥勒下生经》、《弥勒上生经》和《弥勒成佛经》这"弥勒三部经"及《弥勒所问经》等；属于阿弥陀信仰的有《无量寿经》、《观无量寿经》和《阿弥陀经》这"净土三部经"及《无量寿经优婆提舍愿生偈》（《往生论》）等。

弥勒净土和阿弥陀净土在中国社会都发生过广泛的影响。虽然作为宗派的净土宗到唐代善导时才正式创立，但作为一种特定的佛教学术思想和信仰，在东晋时期就已经开始传播，其时中国佛教的两位高僧

——道安、慧远师徒,便是分别立誓往生弥勒净土(道安)和阿弥陀净土(慧远)的。不过,就在中国社会和中国佛教的总体情况看,弥勒净土的影响后来远不及阿弥陀净土,净土宗便是阿弥陀净土信仰光大的产物。

信仰本身只是宗教实践而非学术,但就对中国社会影响深远的净土信仰来说,它又与学术思想发展有密切的关联,这主要有两个问题紧扣佛教学术的中心而需要考量,即成佛的难易与自力和他力的问题。

1、易行与他力

中国学术自汉代经学向魏晋玄学、汉代象数学向魏晋义理学转化的一个关键理由,就是烦琐的经典注解及其意义钩沉严重地阻碍了人们钻研学术的积极性。按传统学术的目的来说,学者,学为圣人。《周易·蒙卦·象辞》称:"蒙以养正,圣功也。"可是,如果这种"圣功"沉陷于长年累月的经典研习而难以自拔,实际就束缚了人们走向圣人境界的手脚。所以,学术思想发展的必然要求,就是尽可能探索出一条化繁就简的道路。

佛教学术的发展与本土自有学术的发展有相类似的情况。佛经从汉到南北朝,已是汗牛充栋。不用说世俗百姓,就是出家僧侣,要想通过吃透佛经、辨明佛理的办法成佛,实在是力难企及的。而且,在实践层面的长期艰难修行,亦容易使人视成佛为畏途。本来,成佛是为了解脱人间的烦恼苦难,成就无上光明。可它的代价若是长年累月地陷于弄懂佛经繁奥词义的泥潭中而不能跳出,多数人是忍受不了的。曾被推为净土宗初祖的北魏昙鸾,就是因为昙无谶所译之《大集经》太难读懂,奋力注解以致染疾。如此学佛法使"年命促减"显然是不合算的,于是一度转向了道教的长生不死之方。那么,学佛成佛的难易问题在佛教思想家也就不得不考虑。

竺道生的顿悟成佛说是为成佛由难转易而提供的一条出路。按其理论发展的内在脉络,它是可以导致最终抛弃全部佛经和苦行修炼的,后来的禅宗事实上正是走的这一条道路。但作为顿悟成佛之果位的"佛"到底给人带来的是一种什么样的图景,成佛比之于丰富生动的现实人生,其必要性到底表现在那里,顿悟成佛本身并没有予以说明。在中国学术,由于道教对于其神仙境界的着力宣扬,人们大都了解,人若成仙可以使他享受到无比的欢乐而且长生不死。即道教提供了一个憧憬人世生活美好的理想境界——仙界的蓝图。尽管佛教可以贬斥道教的仙(天)界并未超脱轮回,但佛教自己也必须要认真考虑并提供给众生一个超脱轮回的佛国天界,才能在最低程度上满足世俗大众信仰佛教的最现实的要求——来世幸福美满的生活。而这也正是净土教法后来普遍流行的最为深厚的基础。

史载昙鸾见印度来华僧人菩提流支,问佛法中是否有长生不死之法,是否能胜中土之"仙经"。此"仙经"为当时著名道士陶弘景所授,昙鸾视为宝贝。可菩提流支却当即予以唾斥,认为中土所谓"仙经"根本不配称为"长生法",因为成仙并不能超脱轮回生死。遂授昙鸾《观无量寿经》,说:"此大仙方,依之修行,当得解脱生死。"[1] 昙鸾受到震动,烧掉所携仙经,从此笃信净土。

由此,昙鸾实际上是烧掉了陶弘景的仙经,又接受了菩提流支的仙方。"仙方"从道教转向佛教,说明佛教也是具有相当的"仙气"的。"仙气"对于学术的影响,由此可见一斑。事实上,昙鸾终其一生,并没有真正抛弃道教的神仙术。《续高僧传》对他的描绘,实际上便类同一位仙人。所谓"神宇高远,机变无方,言晤不思,动与事会,调心练气,对病识缘,名满魏都,用为方轨,因出《调气论》。"[2] 昙鸾"名满魏都",道教的仙方医术,可能起了更为重要的作用。而从理论上说,昙鸾统合佛道二教的仙方,目的仍在于使成佛的道路简化,他之自号"有魏玄简大师"亦

---

① 道宣:《续高僧传》卷 6《昙鸾传》,《大正藏》卷 50。
② 同上。

能说明问题。"玄"则不重诂训,"简"则背弃繁杂,由玄简之方而最终引向解脱。

既谓之"玄",当然也就要说理,昙鸾对中观"四论"和佛性问题"弥所穷研",说明他也是性空义和佛性(法性)义的继承者。作为净土教法而讲性空,是为了消解因缘之有、因缘之生,以说明所谓往生不是因缘世界之肉体往生;"有"亦是佛性之有,从而以此与道教的肉体成仙区别开来。昙鸾的基本理路,就是将中观学派的"无生"概念嫁接了过来,将往生解释成"无生之生":

> 是故观彼净土庄严功德成就,明彼净土是阿弥陀如来清净本愿无生之生,非如三有虚妄生也。何以言之?夫法性清净,毕竟无生言生者,是得生者之情耳。[①]

法性清净无生,乃是无三界生死之生,而有清净本性之生。只有真正懂得了这一从无生去言生的法门,才算真正明白了净土往生之义。

昙鸾讲无生的净土,主要在于将佛国净土与三界生死区别开来,以说明三界之安乐由于最终摆不脱生死而不能说是真正的安乐,真正的安乐只能是以"净"为特色的。所谓"安乐净土,诸往生者无不净色、无不净心,毕竟皆得清净平等无为法身;以安乐国土清净性成就故。"[②] 既然谓之净土,当然一切都是以清净为标识,故能进到此之往生者也就一切清净而不再有任何形色和烦恼,这可以说是一种最为奇妙的空与有的结合。由此清净心性而来的欢乐是最高的欢乐,是极乐,限于三界之中的道教的天界远不能与之相比。也正因为如此,龙树、世亲这些大乘空宗、有宗的代表,都成为了阿弥陀净土的住

---

① 昙鸾:《无量寿经优婆提舍愿生偈注》卷下,《大正藏》卷40。

② 同上书,卷上。

③ 《无量寿经优婆提舍愿生偈注》卷下云:"此菩萨愿生安乐净土,即见阿弥陀佛。见阿弥陀佛时,与上地诸菩萨毕竟身等法等,龙树菩萨、婆薮槃头(世亲)菩萨辈,愿生彼者,当为此耳。"由此亦可见净土较之其他教派更为"开放"的心态。

客③。即从实践和理想境界的层面回答了大乘佛教与净土融合的问题。

那么,如何才能达到这极乐的净土呢? 为了从艰难的渐悟畏途中解脱出来,在昙鸾之前已经有了小顿悟、大顿悟之说,它们实际上从宗教实践的角度,揭示了佛教学术弃难从易的问题。佛教学术的优劣及其活力,从宗教实践提出的要求来说,其实不在教义本身的繁奥,而在操作层面的难易问题。只有易行才真正具有生命力。龙树《十住毗婆沙论》的第九品即是《易行品》,其中便重点讨论了修行境界的难行易行问题。昙鸾引述并发挥其思想说:

> 难行道者,谓于五浊之世,于无佛时求阿毗跋致为难。此难乃有多途,粗言五三以示义意:一者外道相(似)善,乱菩萨法;二者声闻自利,障大慈悲;三者无顾恶人,破他胜德;四者颠倒善果,能坏梵(净)行;五者唯是自力,无他力持。如斯等事触目皆是。譬如陆路,步行则苦。易行道者,谓但以信佛因缘,愿生净土。乘佛愿力,便得往生彼清净土。佛力住持,即入大乘正定之聚,正定即是阿毗跋致(不退转)。譬如水路,乘船则乐。此《无量寿经优婆提舍》①,盖上衍(乘)之极致,不退之风航者也。②

所谓五浊之世,实际上是昙鸾针对传统教法的弊病而指出其"难行"的缘由,以为净土易行教法的弘扬打下铺垫。在这浊世之中,各种外道伪装佛教善道,搅乱大乘教法;小乘教派则只知自利,阻碍大乘慈悲普度;肆无忌惮的恶人恣意破坏他人的善德;世道善恶颠倒,毁坏清净无欲的行为;只凭自力而不相信他力的扶持。诸如此类的污浊不堪,在昙鸾看来是"触目皆是"。对世道和佛教发展的前景如此悲观的估量,实际上

---

① 即《无量寿经优婆提舍愿生偈》,1 卷,世亲著,菩提流支译。

② 《无量寿经优婆提舍愿生偈注》卷上。

反映了一些佛教学者对于所谓末法① 时代来临的普遍不安的心理。

但是，不论是浊世还是末法时代，其实影响的都只是"难行道"一方，对于"易行道"即净土教法的流行反而提供了机遇。因为只要乘佛愿力，凭借佛力住持，就可以很容易地到达"正定"的境界。这就如同陆行跋涉为苦，舟行顺流而乐一样。净土教义也就是佛教教法之最上乘义，是使人不再退转回三界生死而永生净土的顺风顺水之航。

那么，在昙鸾，所谓难行、易行，关键就在修行之立足点位于何处。如果"唯是自力，无他力持"，则必然是苦。净土教义在学术上的特点，就是认定"自力"实际上是不可信、不可靠的，以此突出佛的愿力的伟大和无所不能。因为只有如此，对佛的信仰才能更为深刻和牢固。

2、心想则佛现

人不能靠自力得救，从形式上说，不但与佛教其他教派、而且与中国本土儒家学术的价值导向也是迥然不同的。儒家主张"自强不息"，在宇宙间则提倡"生生不息"，"不息"之义可以说是儒家学术的一个基本点。而之所以如此，则是基于对学则必以致圣的坚定的信念。不论自身先天条件和社会境遇如何，只要坚持下去，人一己百、人十己千，终究能得以成就。

但是，自强不息既然重在信念的层面，它主要也就是一种鼓励人奋发向上的精神，而并不以实际取得的成果来衡量，即它的文化底蕴是重过程而非结果的。孔子所谓"知其不可而为之"便点出了这一进取精神的鲜明特征。如此的精神在儒家学术氛围中是当然之义，但运用于作为宗教信仰的佛教则会产生问题。因为后者必须要给信仰者一个在心灵上得到满足的答复，从而才可能对世俗大众具有吸引力。这自然就

---

① 末法，佛教划分历史发展的"三时"之一，位于正法、像法之后，此时佛法衰颓，不能修成正果。

要求佛教学术的发展,从难向易的方向转化:或者依赖顿悟讲"归极得本",将成佛的最高理想变成为一念之间的易事;或者依赖佛之愿力而自动接引,往生西方乐土。这两条易行之道后来又趋于合一。可以说,自玄学在思辨哲学的层面抛弃烦琐象数、开出简易之方以来,弃繁就简的学风最后是以佛教在宗教实践的层面做出呼应而予以了结的。

就净土而言,它在理论上其实并不排斥顿悟。信自心自性顿悟与他力扶持成佛,看似矛盾,实际上可以相通。净土经典本身,对这一问题已经做出了回答。《观无量寿经》中佛讲如何是"想佛"时说:

> 诸佛如来是法界身,遍入一切众生心想中。是故汝等心想佛时,是心即是三十二相、八十随行好。是心作佛,是心是佛。诸佛正遍知海,从心想生。

不难看出,《观无量寿经》的出发点是以心为本,"心想"则"事"成,心想佛即有佛。佛已经不是西天的外在存在,它就系于人之一心。昙鸾解释说:

> 言诸佛如来是法界身者,法界是众生心法也。以心能生世间、出世间一切诸法,故名心为法界。法界能生诸如来相好身,亦如色等能生眼识,是故佛身名法界身。是身不行他缘,是故入一切众生心想中。心想佛时,是心即是三十二相、八十随形好者。当众生心想佛时,佛身相好显现众生心中也。譬如水清则色像现,水之与像不一不异,故言佛相好身即是心想也。是心作佛者,言心能作佛也。是心是佛者,心外无佛也。譬如火从木出,火不得离木也。以不离木,故则能烧木。木为火烧,木即为火也。诸佛正遍知海、从心想生者,正遍知者,真正如法界而知也。法界无相,故诸佛无知也。以无知故无不知也。无知而知者是正遍知也,是知深广不可测量,故譬海也。①

---

① 昙鸾:《无量寿经优婆提舍愿生偈注》卷上。

从修行方法来说,此处《观无量寿经》和昙鸾的注解都属于"观想"念佛,即在心中观念佛的种种"相好"、神力。昙鸾虽然大讲称颂阿弥陀佛名号的"称名"念佛,但观想念佛在他,也是不可或缺的。在学术思想上,昙鸾把"是心是佛"发展为"心外无佛",心不但具有"作佛"的能力,而且佛也只存在于人之心中。按他的比喻,心与佛之间就如同清水中现佛像、火之燃木一样。木为火烧,言木即是言火,二者是一而二、二而一的关系。净土的这种心佛一体论,后来实际上成为中国佛教的一个根本性的观点。

那么,所谓他力扶持、佛之愿力接引,由于佛或他力本在心中,故又可以说是自扶持、自往生,西方净土明显已转化为心中净土。但从理论上讲,净土经、论对这一问题的论述并不十分清楚,而且,作为一种终极理想,西方极乐世界仍然是有影响力的。后来禅宗责难"东方人造罪,念佛求生西方;西方人造罪,念佛求生何国"[1] 的不合理性,要求将死后往生安放到此生此世,"随所往处常安乐",才对这一问题做了彻底地了断。道理很简单,如果自己不断"恶心","何佛即来迎请"? 相反,若悟禅宗顿法,"见西方只在刹那"[2]。

三、佛教史的初步总结

南北朝时期,佛教的传入已有五百年的历史,佛教学术的发展呈现出蓬勃的生机。这一方面是佛教经籍的译传在这一时期继续保持其强劲的势头,所译出的经籍部类和参加译经的僧众数量之多,都是前所未有的。北方的昙无谶、菩提流支;南方的佛驮跋陀罗(觉贤)、求那跋陀

---

① 惠能:《坛经·三七(惠昕本)》。
② 同上。

罗、真谛等都是当时著名的译经高僧。昙无谶(385～433)所译《大般涅槃经》、菩提流支所译《十地经论》、佛驮跋陀罗(359～429)所译《大般泥洹经》和《大方广华严经》、求那跋陀罗(394～468)所译《楞伽经》和《杂阿含经》、真谛(499～569)所译《俱舍论》和《摄大乘论》等经典,不仅在当时,而且对后来中国佛教唯识宗、华严宗与禅宗的形成和发展,都具有深刻的影响。尤其是真谛,后还被誉为中国佛教的四大翻译家之一。这些译经僧和他们的弟子、友人承前启后,在朝廷的大力支持下,成为佛教发展的重要推动力量。

与此同时,佛教学术发展进入南北朝以后,几百年的发展历史使人们感到有必要对佛教传播的源流、佛教经籍的译传及所译出的经籍的名目、中国佛教代表人物的生平事迹、佛教与其他各教的争辩等等,进行系统的了解和总结。这可以说是佛教发展到一定阶段的必然的产物,即不但要看别人讲了什么,更要注意自己做了什么,中国佛教学者如何通过自己卓有成效的工作,才最终促使佛教学术的面貌蔚为大观的。

1、文献史传的整理

中国佛教史籍和传记的研究整理,在魏晋时期就已经开始。像对已译经典的收集整理和编目、不同译本的得失比较、译经中的经验教训、译经者的生平事迹及其学术贡献等等,已经越来越为人们所关注。人们通过对典籍的注疏并"经序"、"经录"等形式将其提供给后人作为借鉴,从而在目录学方面涌现出了一大批成果。而对初期佛教学者事迹的收集、考订和撰述,则为后人提供了了解那一时期与佛教学术发展密切相关的译经传教者个人生平的最基本的史料。其中对后来影响最大的,就是齐、梁僧祐的《出三藏记集》和梁代慧皎的《高僧传》。

(1)《出三藏记集》

《出三藏记集》是齐、梁僧祐的著作。僧祐(445～518)祖籍属于彭

城,但到其父辈时已移居建业。僧祐的佛学造诣主要在律学,故慧皎在
《高僧传》中将他归入"明律"类。僧祐在当时的地位显贵,受到皇帝和
王侯极高的礼遇,僧俗弟子上万人,可谓壮观。但就对后人的影响来
说,僧祐的学术贡献却不在他所倾心的律学,而在于他所编撰的两部重
要的佛教史文献——《出三藏记集》和《弘明集》。

《出三藏记集》又因僧祐之名而简称《祐录》。对于该书的缘起,僧
祐自己有一个解释。他说:

> 昔安法师以鸿才渊鉴,爰撰《经录》,订正闻见,炳然区分。
> 自兹以来,妙典间出,皆是大乘宝海,时竞讲习。而年代人名,
> 莫有铨贯,岁月逾迈,本源将没,后生疑惑,奚所取明?祐以庸
> 浅,豫凭法门,翘仰玄风,誓弘大化。每至昏晓讽持,秋夏讲
> 说,未尝不心驰庵园,影跃灵鹫。于是牵课羸恙,沿波讨源,缀
> 其所闻,名曰《出三藏记集》。①

可以看出,僧祐对于道安的《经录》十分推崇,所以他在自己的著作中将
收集到的《经录》尽数引入。可是,自道安撰《经录》以来,已经一个世纪
了。这一期间,大量新的佛经译出并迅速传播,广为讲论,结果又造成
了新经译出的年代及译者等方面情况的混乱。而且,随着时间的推移,
要弄清历史的真相也就越来越困难。有鉴于此,他也就不揣浅陋,"翘
仰玄风,誓弘大化",昏晓冬夏,从不间断,以至希望自己就像在庵园、灵
山亲听佛讲法一样。从而有他搜寻汇集各方求得之材料并考订连缀、
加工整理而成之《出三藏记集》。

《出三藏记集》一部十五卷。但为什么是"出三藏记集"这几个字,
僧祐其实并未给予解释,或者说在他看来本不需要解释。这就给今人
的理解造成了困难。陈垣先生对此书名有一个简要的说明。他说:"三

藏者,经、律、论。《出三藏记集》者,记集此土所出翻译经、律、论三藏也。"① 一句话,即"记集"中国本土所出之三藏。

全书的内容,僧祐分为四个部分,即"撰缘记"、"铨名录","总经序"、"述列传"。四部分中,"缘记撰则原始之本克昭,名录铨则年代之目不坠,经序总则胜集之时足征,列传述则伊人之风可见。"② 就是说,四部分的任务和目的各不相同:"撰缘记"是为解决佛经原本及译本的缘起;"铨名录"则在审定接续历代译出经典的名目;"总经序"是为总集各个译经之前后记、序以为后人备考,"述列传"则是记述译经人的生平事迹。那么,这样一些目的任务,僧祐是如何落实的呢? 下面具体分析一下:

"撰缘记"一卷(卷1):

本部分除全书《序》之外共有文5篇,前3篇依据《大智度论》、《十诵律》、和《菩萨处胎经》的相关记载,讲述佛灭度后,大迦叶、阿难等诸佛弟子结集经、律、论三藏的情况;后2篇则说明胡(梵)、汉两种文字的起源与变革、音义的同异、前后不同译本中译名概念的对照等。

从前后不同的译名看,这些译名一方面反映了译经水平的提高和译名的更合理,如"背捨"意译为"解脱","除馑男"、"除馑女"音译为比丘、比丘尼等。但另一方面,前后译名之间,又不简单是一个水平由低到高的递进关系,有不少在相当程度上是各有所长,可以相互发明补充。例如,"天竺语称'维摩诘',旧译解云'无垢称',关中译云'净名'。'净'即'无垢','名'即是'称',此言殊而义均也。旧经称'众祐',新经云'世尊',此立义之异旨也。"③ 从第一例来看,"维摩诘"是音译,"无垢称"和"净名"是意译;"无垢"是从否定方面译,"净"则是从肯定方面

---

① 陈垣:《中国佛教史籍概论》卷1,上海书店出版社2001年版,第1页。
② 《出三藏记集》卷1《出三藏记集序》,第2页。
③ 《出三藏记集》卷1《胡汉译经文字音义同异记》,第14页。

译,各义正好互为解说。而在第二例,译者的"立义"随着环境变化和佛教的发展已有了很大的不同:"众祐"的重心在"祐",佛为众生所依,为众生赐福;"世尊"的重心则在"尊",突出的是世道诸教的敬奉,是于世独尊。显然,"世尊"的称号反映了佛教随着自身势力的发展和影响的扩大,已不再安于与其他"外道"平行共处的宗教心态。

"铨名录"四卷(卷2~卷5):

本部分是在道安名录的基础上扩充增补而成。僧祐说:

> 爰自安公,始述名录,铨品译才,标列岁月。妙典可征,实赖伊人。敢以末学,响附前规,率其管见,接为新录。兼广访别目,括正异同,追讨支、竺,时获异经。安录所记,则为未尽,今悉更苞举,以备录体。发源有汉,迄于大梁,运历六代,岁渐五百,梵文证经四百有十九部,华戎传译八十有五人,鱼贯名第,略为备矣。①

僧祐继承了道安名录的成果尤其是道安的方法,广寻新经。从汉明帝遣使写经到梁武帝天监年间,五百年中各类译经、译人,僧祐已大致搜罗完备,并整理归类。他又对几百年来各类经典的"身分"进行辨认,逐项梳理,析出各类异出经、古异经、律部、抄经、疑伪经、注经等部类,使不同经典的身分得到澄清和确认。

僧祐这一部分撰著的体例方式,陈垣先生认为:"此方式等于外学之'艺文志',但不以经之内容分类,而以时代、撰人分类。其次则为异出经、古异经、失译经及律部。又此则为失译杂经、抄经、疑经、注经等。异出经者,胡本同而汉译异者也。失译经者,遗失译人名字者也。律为僧祐专门,故特详律部。抄经者,撮举诸经大要者也。注经者,经有注解者也。疑经者,真伪未辨者也。"②

---

① 《出三藏记集》卷2《序》,第22~23页。
② 陈垣:《中国佛教史籍概论》卷1,第2页。

　　僧祐通过自己细致的工作,不但增补了道安录所没有的大量的经典,充实了原有史料不完备的缺陷,而且订正了不少的错讹之处。如支谦译有《了本生死经》1 卷,道安注明是出自《生经》,但经僧祐详查后订正说:"五卷《生经》无此名也。"后面接着的《首楞严经》2 卷、《龙施女经》1 卷、《法镜经》2 卷、《鹿子经》1 卷、《十二门大方等经》1 卷、《赖吒和罗经》1 卷共 6 部 8 卷支谦所译经,都是道安所无、僧祐据《别录》补进的。①

　　又如竺法护译譬喻经类,僧祐注说:"安法师在《竺法护经目》有《譬喻经三百首》二十五卷,混无名目,难可分别。今新撰所得,并列名定卷,以晓览者。寻此众本,多出大经,虽时失译名,然护公所出或在其中矣。"②

　　再如佛驮跋陀罗译出《大方广佛华严经》50 卷,僧祐根据自己的考察,详细注明其由来说:"沙门支法领于于阗国得此经胡本,到晋义熙十四年(408)3 月 10 日,于道场寺译出,至宋永初二年(422)十二月二十八日都讫。"③ 出经时间地点都一目了然,十分清晰。

　　"总经序"七卷(卷 6 ~ 12):

　　本部分收人所译各经的前后序、记共 120 篇。中国人向来有为书作序、记之传统,以向读者交待作者的情况、写作的缘起及评价著作的价值等等,经序可以说正是这一传统的最好的体现。同时,由于是外来的佛经,所以还需要交待经籍的译、传的情况,以为学者提供了解经典与译者的必须背景材料。

　　本部分卷六至卷十一是大小乘各部经、律、论之序言与前记后记,这些序、记不但对读者起到了阅读经典的一般的向导作用,而且通过对

---

① 《出三藏记集》卷 2《新集撰出经律论录》,第 30 ~ 31 页。
② 《出三藏记集》卷 4《新集续撰失译杂经录》,第 175 页。
③ 《出三藏记集》卷 2《新集撰出经律论录》,第 53 ~ 54 页。

译者本人的佛学见解、治译经方法、译经的历史以及译经中的概念字义的解释等方面的介绍,为后来人了解中国早期佛教学者准备了不可多得的第一手资料。其中除部分载于今《大藏经》中而外,大多数情况下惟有通过此书才能使人一览当时佛教著述的情景,所以非常宝贵①。

例如,卷五《四十二章经序》记叙了汉明帝派张骞等使者西行大月氏写取《四十二章经》的情况,虽然这一说法的真伪至今有不同意见,但僧祐本人坚信它是无疑的。随后关于《安般守意经》的三篇序,不但对《安般守意经》佛经本身的义理的认识开启了一条入门之路,而且对译者、注者本人的简历、思想的了解,都起到了很好的引介的作用。如道安的《安般注序》便以"夫执寂以御有,重本以动末"为标识,充分表明了他的本无与本寂和合的玄佛合流思想。事实上,作为道安学术思想的主要代表的他所写的各篇经序,正是由于被僧祐选编入集才使后人能得以窥其大貌。至于所载僧叡的多篇论文,则对般若经和中观学派著作的流传翻译情况作了充分的说明。僧叡对于般若六家和道安"性空"的认定,对于中观"四论"治外、祛内、渊博、精诣特点的揭示,至今为人们所首肯。

卷十二则是序所谓"杂录",即僧祐所收集到的其他"非正统"的佛教论著目录。计有宋陆澄的《法论目录》、齐竟陵王萧子良的《法集录》、僧祐自己所撰的《法集总目录》、《世界记目录》、《萨婆多部师资记目录》、《法苑杂缘原始集目录》、《十诵律义记目录》等各记集目录及序。这部分资料不仅有序,而且有目录本身,虽然所著录的著作本身已大部不存,但人们依据这些目录可以知道晋宋齐梁时期佛教著述的兴盛和佛学研究涉及的范围、以及书的大致内容所在。这些都是留给后人的

---

① 参见苏晋仁:《出三藏记集·序言》(第16页)云:"(序、记)凡一百一十篇,其中三十三篇见于现存的大藏各经中,七十七篇则只见于本书,故这一部分是极为难得的文献。"

宝贵的资料财富。

"述列传"三卷(卷13～15)：

本部分为佛教历代译经者的传记。由于中国正史并不特意为佛教僧侣立传,佛教学者自己编撰的传记也就弥足珍贵,僧祐此书则开为佛教僧侣立传之端。全传正传立传者32人,附见者16人,共计48人。卷十三、十四主要记载域外来华高僧,卷十五则记中土佛教高僧。作为中国历史上最早的佛教僧传,僧祐为后人提供了了解外来和本土佛教僧侣生平事迹和译经传教活动的第一手资料,其体例亦为后来各佛教僧传体史书所本。

《出三藏记集》作为今存第一部佛教目录、史传类文献典籍,具有十分重要的历史价值。书中第二部分"铨名录"为后来主要的经录体著作所继承和发展;第三部分"总经序"的主干实际上相当于世俗社会的文集汇编,是了解作者及译者生平事迹、学术活动与学术思想的重要资料,同时又有一般目录学中书目解题、书目提要类著作之作用,故清代严可均辑全三国六朝文时全数收入;第四部分"述列传"为慧皎《高僧传》所采用,僧祐创造的体例为后来独立的高僧传记的编撰奠定了基础。此外,本书所载若干帝王与佛教高僧交往的情况,实可补正史所载史实之不足。

僧祐编撰此书是按译者、年代为序,并注意辨别同异译、失译等情况,但对佛教经籍的大小乘系统、经律论三藏的类别等并未予以特别的关注。这反映了他所在时代的佛教主要还是作为一个整体去思考与儒、道的关系及与世俗社会的融合,对于佛教自身的类别、内部派系的关系及矛盾的协调等,在僧祐的头脑中还不是一个显得很迫切的问题。

(2)《高僧传》

《高僧传》是晚僧祐半个世纪的慧皎的著作。慧皎(约497～554)是会稽上虞人,其事迹在唐道宣的《续高僧传》卷6《慧皎传》中有载。道宣说慧皎"学通内外,博训经律,住嘉祥寺,春夏弘法,秋冬著述,撰《涅槃义疏》十卷及《梵网经疏》行世。又以唱公所撰《名僧传》颇多浮沉,因遂开例成广,著《高僧传》一十四卷。"① "学通内外,博训经律"充分显示了慧皎学识的渊博。慧皎所作虽然是佛教高僧的传记,但若不博闻广求、吸取各相关史籍知识,是不可能获得成功的。而对佛教经律又尤为需要多方贯采并详加考辨,才能真正有所创获。道宣提及的两部"义疏",应当是慧皎在博采前提下取约的结果,约以博为基础而绝不是相反。这在慧皎,已经是一种自觉的研究方法。

慧皎在为译经高僧作传后的总结中,叙述了佛教经籍传译的艰难,进而批评当时"学徒"的不实学风说:

> 当知一经达此,岂非更赐寿命,而倾世学徒,唯慕钻求一典,谓言广读多惑,斯盖堕学之辞,匪曰通方之训。何者? 夫欲考寻理味、决正法门,岂可断以胸襟而不博寻众典?②

在当时佛教典籍蔚为壮观的氛围下,慧皎仍然强调"博寻",显然是有感而发。当时的佛教界面对如此众多的佛典而出现了有选择地研究、精通一典的学术风气,并以此一典来"考寻理味、决正法门",这意味着佛教学者已经意识到不同佛典可以开出不同的理路,实际上孕育了为后来佛教宗派形成作经典准备的苗头。但在慧皎,即便是如此,佛教教义和学派源流的梳理,也必须以广博的史料为根据,不能仅凭义理的辨析就"断以胸襟"。

同时,慧皎既作"义疏",自然也是注重辨析佛经义理的。但是,"若能贯采禅律,融治经论,虽复祇树息阴,玄风尚扇,娑罗变叶,佛性犹彰。"③ 那么,这个一典与众典又可以从单限于经论与广采禅、律并融通共治的意义上来解,阐玄风、彰佛性的义理思辨,只有在内学经、律、

---

① 道宣:《续高僧传》卷6《慧皎传》,《大正藏》卷50。
② 慧皎:《高僧传》卷3《译经下·论》,第142~143页。
③ 同上书,第143页。

论各部打通和外学各门知识兼取的前提下,才可望做出大的成绩。事实上,他的《高僧传》也正是如此来作的。

慧皎在《高僧传序》中说:他"尝以暇日,遇览群作。辄搜捡杂录数十余家,及晋、宋、齐、梁春秋书史,秦、赵、燕、凉荒朝伪历,地理杂篇,孤文片记。并博谘古老,广访先达,校其有无,取其同异"[①],终成此书。显然,广博是《高僧传》的最大特点。慧皎所收的"杂录"至晋以来共十七家,还有大量的前代史传、地理、杂记,及他的实地调查访谈。当然,广博不等于不加分析全盘照录,而必须有自己的选择鉴别标准。慧皎是以批判性的眼光去审视他所收集到的资料的。他以为,所有这些史籍传记:

> 各竞举一方,不通今古,务存一善,不及馀行。逮于即时,亦即有作者。然或褒赞之下,过相揄扬,或叙事之中,空列辞费,求之实理,无的可称;或复嫌以繁广,删减其事,而抗迹之奇,多所遗削,谓出家之士,处国宾王,不应励然自远,高蹈独绝。寻辞荣弃爱,本以异俗为贤。若此而不论,竟何所纪?[②]

慧皎的指导思想,一是全面性,不能只存一善而不及余行;二是恰当性,即便是当褒奖之人事,亦不能过分;三是求实性,反对脱离实际的空疏之谈;四是整体性,不能任意删削传主的事迹;五是清高品行,强调为真正的出家避俗之士立传纪事,这一点对慧皎,尤为显得重要。因为在他看来,其他的传记往往忽略了特立独行以至避世远遁的高僧的事迹。他所以要改前人称"名僧"的惯例而谓之曰"高僧",其间便暗含着对僧祐学生宝唱《名僧传》的批评。宝唱的《名僧传》可以说是慧皎《高僧传》的重要资料来源之一,其中多数人物两书是相同的。《名僧传》中还保留了不少宝贵的佛教思想资料,惜后来全文不存,只有作为其摘抄的

---

① 《高僧传》卷 14《高僧传序录》,第 524 页。
② 同上。

《名僧传抄》传留下来①。

　　至于"名僧"和"高僧"的区别,慧皎说:

　　　　自前代所撰,多曰名僧,然名者,本实之宾也。若实行潜
　　光,则高而不名;寡德适时,则名而不高。名而不高,本非所
　　纪;高而不名,则备今录。故省名音,代以高字。②

以宝唱为代表的前代《名僧传》所以不为慧皎所取,以"名"而不以"高"
是一个重要原因。名者,名于世也,总是与世道、社会相关的。从名实
关系说,名只是实之宾词,是实的反映,由于实隐而不显,也就没有
"名";但是,没有名不等于没有德,没名者反而可能有"高"德。而有
"名"者却相反,适于时用而有名者可能正是寡德钻营者,所以慧皎取
"高"而不取"名"。史传中的这种由"名"到"高"的变化,可能展示了魏
晋南北朝学术发展的某种趋势:魏晋有名士,南北朝称高僧,由士到僧
固然反映了学术重心由世俗向僧侣的转化,但由名到高则说明了德行
操守的更受重视,正是这一点,成为了佛教与中国本土文化相互认同融
合的最深厚的基础。

　　《高僧传》的撰写及内容,按慧皎自己所说是"始于汉明帝永平十年
(公元 67 年),终于梁天监十八年(519),凡四百五十三载,二百五十七
人,又傍出附见者二百余人。"③　其体例是分科按类编撰,共分为十科,
每一科末有专论进行评说。所撰各科是:

　　(1)译经:分上中下三卷,正传、附见共收东汉至齐译经者 65 人。
包括印度来华僧人、西域僧人和汉地僧人。译经是佛教学术正式进入
中国的基本的标志,也是为中国学术所添加的完全新的成分。由于译
经者的创造性劳动,佛教学术才可能为中国人所认识和接受。同时,译

<hr>

① 　《名僧传抄》,日人宗性撰,载《续藏经》第 1 辑第 2 编乙,第 7 套第 1 册。
② 　《高僧传》卷 14《高僧传序录》,第 525 页。
③ 　同上书,第 524 页。

经活动本身又为中外学术文化交流架起了第一座桥梁。

(2)义解:分一至五共五卷,正传、附见共收自晋至梁解义高僧 266人。这是全传中分量最重的部分,不少佛教思想家的生平事迹都是因此传才得以为后人所了解和把握的,如东晋名士、高僧支道林便是如此。入传高僧是南北朝时期佛教义理研究和传播的主要承担者,佛教义学一派也是由于他们而发展起来的。慧皎将此集中为一体,说明他已有自觉的对佛教学术进行分类总结的意识。

(3)神异:分上下两卷,正传、附见共收有"神异"之功的高僧 32 人。慧皎无疑是反对道教的神异方术的,但是因为"悯锋镝之方始,痛刑害之未央"①,故需要大彰"神化"以救世。也正缘于此,佛图澄一传就因其神异而成为全书中文字最多的一篇传记。

(4)习禅:与"明律"合为一卷,正传、附见共收 32 人。禅是"无法不缘,无境不察"② 的,是修行的最基本的功夫,佛教各家均不可离。禅又与智慧相辅相成,"以禅定力,服智慧药"③,才能修成佛道,教化众生。

(5)明律:与"习禅"合为一卷,正传、附见共收 21 人。慧皎以为佛教之律犹如儒家之礼一样,礼出于忠信之薄,律则起于防非之要。这说明佛教的修持也是需要外在的律法来强制维持的。"当知入道即以戒律为本,居俗则以礼义为先";"是故随有犯缘,乃制篇目"。④

(6)忘身:与"诵经"合为一卷,正传、附见共收 15 人。专载以身殉佛和舍身解救乡亲的僧人传记。当然,在慧皎,僧人勇于献身的精神支柱,乃是"体三界为长夜之宅,悟四生为梦幻之境"⑤ 的佛教基本教义

---

① 《高僧传》卷 10《神异下·论》,第 398 页。
② 《高僧传》卷 11《习禅·论》,第 426 页。
③ 同上。
④ 《高僧传》卷 11《明律·论》,第 443、441 页。
⑤ 《高僧传》卷 12《亡身·论》,第 456 页。

深入僧人之心的结果。"忘身"的义举被慧皎誉为"千秋尚美,万代传馨"①。

(7)诵经:与"忘身"合为一卷,正传、附见共收 32 人。讽诵既是佛教史也是中国整个传统经典教学的重要组成部分,讽诵的目的不在经义的理解或智慧的增进,而在于情感的熏陶,在于"精神畅悦"②,对宗教修炼也就显得尤为重要。

(8)兴福:与"经师"、"唱导"合为一卷,正传、附见共收 17 人。为建塔造像高僧所立。建塔造像是中国佛教文化最引人注目的现象,在信奉者心中,佛像如同佛身,敬佛像即是敬佛。因而,建塔造像之福德便被誉为智慧之基:"故入道必以智慧为本,智慧必以福德为基。譬犹鸟备二翼,倏举千寻;车足两轮,一驰千里。"③ 鸟二翼、车两轮的比喻,在佛教后来常用于指智慧观照与禅定修习不可偏废。慧皎在此运用它,是将福德视做了普遍意义的宗教实践。没有福德之行,智慧之知无基无依,也就不可能有所创获。

(9)经师:与"兴福"、"唱导"合为一卷,正传、附件共收 34 人。为诵读音声纯正、"协谐钟律"而专精于梵音"规矩"的僧人所立的传记。所谓"言之不足,故咏歌之也"④。故此"经师",不是"讲"经之师,而是"咏"经之师。

(10)唱导:与"兴福"、"经师"合为一卷,正传、附件共收 17 人。为斋集法会时宣唱法理之僧人而作。所谓"唱导者,盖以宣唱法理,开导众心也"⑤。由最初的宣唱佛名到后来的唱辩佛理,庐山慧远实为其宗师。

---

① 《高僧传》卷 12《身亡·论》,第 458 页。
② 《高僧传》卷 12《诵经·论》,第 475 页。
③ 《高僧传》卷 13《兴福·论》,第 496 页。
④ 《高僧传》卷 13《经师·论》,第 507 页。
⑤ 《高僧传》卷 13《唱导·论》,第 521 页。

在这里,"经师"与"唱导"均以唱为特色,区别在一则重在妙音歌叹,一则重在情理抑扬,"当尔之时,'导'师之为用也,其间经师转读,事见前章。皆以赏悟适时,拔邪立信。其有一分可称,故编高僧之末"①。

每一科传记后,都有慧皎所写的《论》作为该传的概论,《论》融前序、后记与点评为一体,其后在前八科还附有《赞》辞。全部《高僧传》共14卷,前13卷是传记,末一卷是《序录》,即慧皎为全书所作的《序》与《目录》,后面附有文士王曼颖与慧皎的两篇书信和僧果的题记。《高僧传》作为完整流传至今的第一部高僧传记,不仅开创了后来佛教纪传体史书所依循的先例,留下了十分难得的佛教史资料,而且对于补正两晋南北朝正史之不详,亦有重要的学术参考价值。

3、佛教论著的汇编——《弘明集》

中国佛教学者的论著,自牟子《理惑论》算起,到南朝梁时期已经非常丰盛,其中不少是直接反映佛教在传入过程中与中国本土学术发生的冲突和争论的。在这些冲突和争论中,佛教学术逐渐发展和壮大了起来。也正因为如此,这部分历史文献就具有特殊的历史价值。故僧祐在编撰《出三藏记集》的同时,出于卫法弘道的目的,编撰了这第一部佛教论著集。

僧祐在《弘明集序》中说明,他编撰此书的基本的用心,就是回应儒道两家对佛教提出的挑战:"至于守文曲儒,则拒为异教;巧言左道,则引为同法。拒有拔本之迷,引有朱紫之乱,遂令诡论稍繁,讹辞乱炽。"② 儒道两家对佛教的态度,从一开初就是不一样的。儒家是排斥,以佛教为异教,认为佛教会动摇名教的统治基础;道教则是曲解,将佛教歪曲成左道方术,从而阻碍了人们对佛教教义的正确理解。这两

---

① 　《高僧传》卷13《唱导·论》,第522页。
② 　载《出三藏记集》卷12,第492页。

种见解流传极广,如不破除,佛教便无法正常发展。这就促使他要来编这样一部《弘明集》:

> 遂以药疾微间,山栖余暇,撰古今之明篇,总道俗之雅论。其有刻意剪邪,建言卫法,制无大小,莫不毕采。又前代胜士,书记文述,有益三宝,亦皆编录,类聚区分,列为十卷。夫道以人弘,教以文明,弘道明教,故谓之《弘明集》。①

按僧祐所说,《弘明集》主要包含两个部分,一是佛教思想家直接的卫道护法之作,一是有益于佛教的名士的名篇。实际从皇帝到名士的文字都有,涉及作者一百多人。但今本《弘明集》则不止僧祐自编的十卷,而是后又有增补扩充,共为十四卷。人当弘道是儒家的传统主张,但儒家的弘道是主体人对客观道的关系,绝无教对教的关系,僧祐之明教则是引道而入教,护教而卫道,故而有弘道卫教之《弘明集》。

首先,《弘明集》既然是以弘道明教为己任,何谓佛道、佛教就是事先需要明白的问题。故从一开篇的牟子《理惑论》到后面刘勰的《喻道论》(卷3)、郗超的《奉法要》(卷13)等,都是以通俗易懂的文字宣传佛教的基本教义、教规、戒律的论文,着力说明自域外传入的佛教与中国本土学术文化的区别和联系。讲清佛教之理、之道、之法并不是什么异端怪论,它也讲善行孝道,讲赏善罚恶,讲正己修身,与儒家圣人之教不但不矛盾,而且相得益彰,所以是值得信赖的。

其次,佛教教义在中国人之理解的难点,在主张神不灭和轮回报应,而这两个问题都与形神关系相关。《弘明集》收集了从两汉之际桓谭开始的讨论这一问题的不少文章,可以说,当时几乎所有的儒、佛两家的思想代表都对这一问题给予了特别的关注。而从理论渊源来讲,自桓谭以烛(薪)火喻形神以来,佛教各家大都改造利用了这一比喻以发明形神相分的道理。其中,最有名的代表是慧远的形尽神不灭论,即

---

① 载《出三藏记集》卷12,第492页。

以薪尽火传解释神不灭和轮回报应说。与此相呼应,慧远又因俗人疑
"善恶无现验"而作《三报论》和《明报应论》,阐明三世轮回之说①。此
外,有郑鲜之著《神不灭论》,但不以传薪来支持火不灭,而认为"火理"
自古永存,不论有无薪都是如此。"火本自在,因薪为用耳",火之与薪
是相互利用的关系,故"薪是火所寄,非其本也"②。又有宗炳著《明佛
论》,而"明佛"之关键,仍集中在人死而神不灭上,故该文同样也称《神
不灭论》③。

　　其时有僧慧琳作《均善论》(即《白黑论》),对佛教的若干基本观点
提出了质疑。儒家学者何承天作《释均善论》支持慧琳,指斥福善祸淫
的报应说的虚妄;又作《达性论》、《报应问》等,从自然天道观出发批评
宗炳的观点。认为"形毙神散犹春荣秋落,四时代换,奚有于更受形
哉?"④ 坚持形尽神灭之说。颜延之对此予以反对,《弘明集》卷4汇集
了何、颜双方往返辩难的论文。

　　神灭神不灭的争辩到齐、梁时期达到了高潮。由于齐竟陵王萧子
良与梁武帝本人的积极提倡和直接参与,神不灭论在当时的学术界获
得了广泛的响应。有鉴于此,范缜为代表的儒家学者积极应对,坚持神
灭,与梁武帝、曹思文、萧琛等为代表的一方展开了激烈的争论,《弘明
集》将正反两方面的文章都收集了进来。范缜在所著《神灭论》及其进
行的辩论中,以新创的"刃利之喻"取代传统的"薪(烛)火之喻"发明形
神的统一,在理论上填补了薪火之喻暗含的形神有分的漏洞,达到了非
常高的理论思维水平。

　　第三,僧祐所收文字有很大一部分是讨论三教关系的,上述《理惑
论》、《喻道论》也都涉及到这一问题。在这一讨论中,不少学者持三教

① 见《弘明集》卷5。
② 同上。
③ 见《弘明集》卷2。
④ 何承天:《达性论》,载《弘明集》卷4。

一致的观点。例如,《均善论》对儒释道三教都予以了认可,以为三教之修养方法是各有所长,"殊途而同归"。孔、老、释迦均是圣人,三教论善殆同,各自只是教化天下的途径不一,目的却是一致的。"但知六度与五教(五常)并行,信顺(道教)与慈悲齐立耳。"① 何承天站在慧琳一边,宗炳等坚决反对,并反复与何承天论辩。这些讨论都记载在《弘明集》卷3中。

在三教的争辩中,道、佛两家都力图拉拢儒家,而相互攻讦。道教更是以中土文化传统的卫护者自居,以夷夏之辩攻击佛教。道士顾欢之《夷夏论》便是典型的代表。其曰"虽舟车均于致远,而有川陆之节;佛道齐乎达化,而有夷夏之别",进而严厉批评当时"舍华效夷"的社会风气②。由此引发了佛教学者的激烈反抗。谢镇之、朱昭之、朱广之、明僧绍、慧通等均著文写信进行反驳,强调"佛明其宗,老全其生,守生者蔽,明宗者通"③,贬低道教。其时又有道教信仰者作《三破论》,攻击佛教破国、破家、破身,佛教一方则极力反击。刘勰的《灭惑论》、僧顺的《析三破论》等都是反驳道教的观点的。

佛教的反击同样是拉拢儒家,肯定佛与儒"检迹异路而玄化同归",但最终仍是以佛又高于儒来进行阐发的。佛之与儒,差别在高低:"况佛道之尊,标出三界,神教妙本,群致玄宗。以此加人,实尊冠胄。冠胄反礼,古今不疑,佛道加敬,将欲何怪?"④ 而佛之与道教,那差别就在真伪了:"校以形迹,精粗已悬;核以至理,真伪岂隐? 若以粗笑精,以伪谤真,是瞽对离朱,曰我明也。"⑤

当然,一般地说,道教与佛教并不是完全否认对方存在的合理性,

---

① 慧琳:《均善论》,载《宋书》卷97《夷蛮·天竺迦毗黎国传》。

② 见《南齐书》卷54《顾欢传》引。

③ 明僧绍:《正二教论》,《弘明集》卷6。

④ 刘勰:《灭惑论》,《弘明集》卷8。

⑤ 同上。

而是都予以了一定程度的认可。但一到如何看待和排列双方的地位时，道教与佛教都是抬高自己而贬低对方。就总体发展趋势而言，道教虽然也有自己的兴旺发达时期，但大多数时候是被佛教发展的光彩所遮掩，不得不居于下风。

第四，与夷夏之辩相呼应的，是出世的佛教如何处理与世俗王权和积极入世的儒家伦常的关系。这一问题对于佛教的生存也是至关紧要的。如果说神不灭论是论证佛教立教的理论基础的话，与世俗王权和纲常人伦的关系则是解决佛教成立的社会基础。虽然说从牟子《理惑论》开始，佛教就非常注意这一问题，但仍常常因此一问题而引起尖锐的社会矛盾，所以佛教思想家必须要从理论上认真予以解决。东晋后秦时期，以慧远为中心发生的激烈的争论，是这一问题第一次在最高统治层面展开。相关论文都收集在《弘明集》卷十一、十二之中。

先是东晋成帝时期执政庾冰，主张沙门见君主应行跪拜礼，因为不敬君主则有损名教，废弃国家大法。何充等予以反对，认为前代沙门不跪君主并无损王法，如若跪拜则破坏了佛家规矩，将带来更多的忧虑。更重要的是，要看到沙门不但不会损害名教，反而有助于名教、维护着王法："寻其遗文，赞其要旨，五戒之禁，实助王化！"[1]

此后，到东晋末年桓玄执政时，又重新提出沙门礼敬王者的问题。他评价庾、何二人争论说："庾竟在尊主，而理据未尽；何出于偏信，遂沦名教。"[2] 桓玄重新挖掘之理虽然谈不上新，但仍有一定的分量，即沙门既受君主为代表的国家的供养，理当礼敬君主。所谓："沙门之所以生生资存，亦日用于理命，岂有受其德而遗其礼，沾其惠而废其敬哉？既理所不容，亦情所不安。"[3] 而事实上，更为要害的问题是，不礼敬君

---

① 何充：《何充等执沙门不应敬王者奏》，《弘明集》卷 12。

② 桓玄：《与八座论沙门敬事书》，《弘明集》卷 12。

③ 同上。

主,等于否定了儒家纲常人伦的绝对权威,并有可能由此动摇社会的统治根基。但若反过来敬王,佛教的根本教理就会被动摇,出世修行便不可能。所以不论敬与不敬,问题都非常尖锐。

桓谦、王谧等文武官员认同沙门不敬王者。慧远为代表的佛教学者的答辩,则是将佛教分为二科来处理,即"一者处俗弘教,二者出家修道"①。处俗即在家信佛,当遵守世俗的礼教敬君尊亲;出家则是"方外之宾","不得与世典同礼"②。但这并非就是不敬君尊亲,反而因其出家而使人成全功德,"道洽六亲"。还能"协契皇极,大庇生民"③。一句话,对国家统治是大有裨益的。这可以从佛教自汉以来流传四百年并无损于社会国家安定的实践来证明④。与此相应的,还有何无忌(镇南)与慧远之间,就沙门袒服而破坏儒家礼制引起的儒佛的冲突而进行的辩论。

这一部分,还载有何尚之与宋文帝关于如何看待佛教的社会作用的问答,肯定佛教息刑戒善使风俗醇化,故而能坐致太平。后秦主姚兴多次下诏要道恒、道标还俗以"赞时益世"而遭到拒绝,姚兴与二人及相关僧人谈论此问题的书信等亦载入其中。

总之,《弘明集》作为第一部中国佛教的文选总集,保存了许多在后来已不存的佛教文献资料。僧祐紧扣佛教发展这一主线,所选文献涉及到形神、报应、三教冲突、佛教与社会国家的关系等多个方面的问题,而这些问题也的确是佛教作为宗教和学术理论,要在中国社会获得发展所必须要解决的问题。

在这里,僧祐虽然在主观上是出于护法、卫教、辨诬的理论目的,所谓"余所集《弘明》,为法御侮。通人雅论,胜士妙说,摧邪破惑之冲,弘

① 慧远:《答桓太尉书》,《弘明集》卷 12。
② 同上。
③ 同上。
④ 参王谧:《答桓太尉书》,《弘明集》卷 12。

道护法之堑,亦已备矣。"[1] 但由于他的开放的眼光,不只收录了佛教文献,而且将与佛教辩难的儒道两家的对立方的文章也汇集在其中,这对于完整了解和把握当时佛教发展的内部和外部理论环境、各方的学术观点及代表人物的思想,都有着非常重要的意义。可以说,僧祐之"总释众疑,故曰'弘明'"对于今人"释"当时佛教发展有关背景资料之"疑",的确起到了"弘明"的作用。

4、正史中的佛道专志——《魏书·释老志》

由于中国正史的编撰者都出自世俗人士并以儒家学者为主体,而儒家在夷夏之辩的总的框架视野下,是排斥佛老于"异端"的。所以中国的纪传体正史,通常没有为佛老的事迹留下专门的空间。但在南北朝时期,由于佛教的影响日渐增大,从朝廷到乡间,无处不有佛教活动的痕迹。这就促使当时的一些史学家产生了认真考虑和记叙佛教活动的需要。《魏书·释老志》就是典型的一例。

《魏书》是魏、齐时人魏收(506~572)所撰。魏收是钜鹿下曲阳(今属河北)人,从北魏到北齐,一直以极大的精力从事国史的编修。魏收修史以北魏和东魏为正统,主观好恶明显,书成之后议论纷纷,后亦长期引起争论,曾有"秽史"之称。但在多种《魏书》中,惟魏收此书最终获得承认,说明它还是具有历史合理性的。

《魏书》全书共有十二纪、九十二列传、十志,《释老志》便是十志之一。魏收作此志乃是因为释老已为"当今之重",故他较为详细地记载了佛道二教发生发展的源流。不过,全部《释老志》中,《老志》只有 1/4 略强,《释志》则几占 3/4 的篇幅,所以虽名为《释老志》,其实主要是《释志》。究其缘由,这与魏收由于家庭与佛教名僧的交往而自幼受到佛教的影响分不开,当然,更主要的原因还在于他本人对佛教教义的较为深

---

① 《弘明论后序》,《弘明集》卷14。

刻的认识和了解。魏收对佛教的介绍,主要分为以下几个方面:

首先,佛教传入中国的过程。魏收认为,佛教传入中国的上限,不会早于西汉武帝初期。其时汉武帝派遣霍去病征讨匈奴,休屠王被杀后,其所拜"金人"为汉军所获。汉武帝"以为大神,列于甘泉宫"①。此乃佛教进入中国的开始。之后,张骞通西域,使中土人士知道了天竺国和"浮屠之教"。但到西汉末,即使有了大月氏王使伊存口授的《浮屠经》,"中土闻之,未之信了也"②。直至东汉明帝时派蔡愔、秦景等出使天竺,携僧人摄摩腾、竺法兰返洛阳,同时带回了抄写的《四十二章经》与佛像,"中国有沙门及跪拜之法,自此始也"③。显然,魏收的说法,反映了南北朝时人士对于佛教传入过程的一般性的看法。此后,又有章帝时楚王英喜为浮屠斋戒、桓帝时襄楷谏以佛陀好生恶杀之典型事例。魏嘉平中,天竺僧昙柯迦罗入洛阳宣译戒律,则"为中国戒律之始也"。④

其次,对于佛教基本教义戒律的理解。魏收说明,"佛(佛陀)"即"净觉"之义,佛教主张神不灭和三世报应。但魏收释佛的基点是讲儒佛教义相通,故佛教"修心"之佛、法、僧"三归(皈依)",就如同儒家君子之畏天命、畏大人、畏圣人之言的"三畏";去杀、盗、淫、妄言、饮酒的"五戒","大意"与儒家的仁、义、礼、智、信"五常"同也。又介绍了佛教的十戒、具足戒和出家制度,并以根器高低分小乘、中乘和大乘"三乘",各自分别行四谛法、受十二因缘和修六度,最终登临佛境。佛有过去、现在和未来佛,法身有真实身和权应身,"明佛生非实生,灭非实灭也"。"涅槃译云灭度,或言常、乐、我、净,明无迁谢及诸苦累也"。⑤

———————————

① 《魏书》卷114《释老志》。
② 同上。
③ 同上。
④ 同上。
⑤ 同上。

再次,佛教经典的撰集和译传。由佛涅槃后最初撰集时著录的三藏十二部经,到后来佛教学者"傍诸藏部大义"而著论的《摩诃衍》、《大小阿毗昙》、《中论》、《十二门论》、《百法论》、《成实论》等,披露了魏晋南北朝时期佛教经纶实际流传的情况。

佛经的翻译,魏收从支谦讲起,但对支谦的译经却评价甚低,以为未究"微言隐义"。而着重介绍了道安、浮(佛)图澄、鸠摩罗什及其弟子僧肇等人。认为"道安所正经义,与罗什译出附会如一,初无乖舛,于是法旨大著中原"①。鸠摩罗什译经则"辞义通明,至今沙门共所祖习";僧肇撰译"皆有妙旨,学者宗之"。② 可见魏收对于般若空宗一系尤为垂青。

西行求法的介绍则突出了法显的事迹。法显所游诸国的传记已流行于世,而法显与佛驮跋陀罗合译"辩定"的《僧祇律》作为佛教的主要戒律之一,一直为沙门所持受。又专记北凉沮渠蒙逊时昙摩(无)谶与智(慧)嵩的事迹活动及其译《涅槃经》等数部经典事。还记载了北魏平北凉后,迁徙其国人于京邑,"沙门佛事皆俱东"③。从而大大推进了北魏佛教的发展。终其整个北魏东魏,"佛经流通,大集中国,凡有四百一十五部,合一千九百一十九卷"④。

最后,北魏佛教的发展。这是全书中分量最重的部分,约占全部《释志》的 2/3,其中记载了佛教发展史中的重要事件——魏太武帝灭佛事。魏太武帝(拓跋焘)原本亦信佛,后则从寇谦之改信道教。因为发现长安沙门聚敛兵器,疑与盖吴谋反有关,并藏有大量酿酒器具和金银财宝,又有暗室"与贵室女私行淫乱",于是下诏诛杀长安沙门,禁毁佛塔、佛经、佛像,祸及各地沙门。由于太子暗中保护,沙门性命与财产损

---

① 《魏书》卷 114《释老志》。
② 同上。
③ 同上。
④ 同上。

失不大,但佛教寺院宫塔则几乎全部被毁。这是中国历史上第一次大规模的灭佛事件,佛教的损失是惨重的。魏太武帝灭佛持续七八年之久,直至文成帝(拓跋濬)时,佛教才得以恢复发展。时又重置"道人统"(后更名"沙门统")等僧官,批准设立"僧祇户"、"僧祇粟"、"佛图户"(寺户)等依附于寺院的民户及粮食储备,使寺院在制度上有了稳定的经济来源。

魏收在《释志》中引用了大量的帝后的诏书和臣下的奏章,集中反映了当时统治者大兴佛教的政策。孝文帝曾亲自主持剃发、赐僧服的佛事活动,并与僧徒讨论佛教教义。在他的大力扶持下,北魏佛教此时(太和)已有寺院 6478 所,僧尼 77258 人。度为僧尼数,大州 100 人,中州 50 人,下州 20 人。后这一数字又有大幅度的增加。又订立《僧制》47 条,设立监福曹(后改为昭玄),备有官属,以断僧务。到宣武帝延昌中时,佛寺已有 13727 所,"徒侣逾众"。

自孝明帝(拓跋诩)以后,一方面,由于国家徭役的繁重,大批民众托逃入寺院避役,所谓"假慕沙门,实避调役,猥滥之极,自中国之有佛法,未之有也"[1]。另一方面, 佛教自身亦多有 "侵夺佃民, 广占田宅" 的弊端出现。针对这些 "释氏之糟糠, 法中之社鼠", 又有限制佛教之举, 但终因社会的动乱而中止施行。到东魏末年, 僧尼已达 200 万人, 佛寺 3 万有余, 世俗官吏们已经越来越感到国家负担的沉重。寺院经济的发展与国家政治和社会经济的矛盾, 以后长期成为一大问题。

魏收《释老志》作为中国纪传体正史中讲述佛老事迹的"专志",是空前绝后的。就《佛志》部分而论,魏收对佛教传入过程和北魏佛教发展状况的记叙,保留下来了难得的佛教史料。他本人作为当时的"三才"之一,文笔在常人之上,著作又"博访百家谱状,收采遗轶,包举一代

---

[1] 　《魏书》卷 114《释老志》。

始终,颇为详细"①。故所作史志虽有若干缺陷,但最终还是得到了社会的承认和选择。

---

①　《旧本魏书目录叙》,《魏书》卷 114 附。

第六章　道教学术的规范与创新

　　道教与佛教大致是同一时间出现在中国的土地上的。作为中国本土民间宗教信仰、神仙方术和道家的思想学说等多方面因素融合的结果，道教的产生，给人的印象是杂乱而多元。道教没有像其他主要宗教那样有一个统一教主的创教过程，一开初也没有规范系统的宗教理论，相对于佛教学术的"精致"而言，道教创教显得十分地"粗放"。"杂糅"各家是道教学术最突出的特点。同时，道教在东汉时期的产生和形成，往往是与下层民众发泄对社会的不满和需要组织起来表达自己意愿的过程联系在一起的，更多地体现了历史选择的力量，这对于稳定社会的要求而言，明显是一种不利的因素，也因之越来越受到统治者的打压。为了摆脱原始道教粗俗的面貌而走向规范和系统，克服道教创教时期理论准备的先天不足，道教的革新就势在必行。

　　道教学术的规范化是与整个道教的改革创新联系在一起的。魏晋南北朝时期是道教思想体系的规范和成型时期，是道教学术发展的第一个高潮。道教在这一时期摆脱了粗俗迷信的纠缠，理性的手段受到了普遍的尊重并得以广泛运用，从而使道教与儒家和佛教并立为三，构成为中国学术不可或缺的重要组成部分。

一、神仙理论的系统奠定

道教是追求"长生久视"、"肉体成仙"的宗教。但是,对于人如何才能实现不死而成仙的理想,在学术理论上却始终是一个问题,以致怀疑神仙的真实存在者大有人在。道教要想取得更大的发展,就必须借助理性的力量,讲出有说服力的理由,而不能仅仅依靠宗教信仰。而且,要使社会大众特别是统治者接受道教的宗教信仰,也必须要从理论上证明成仙之可能。换句话说,如果能通过理性去证明信仰,这样的信仰或宗教就会具有更大的影响力。适应这一历史需要的葛洪的神仙理论也就应运而生。

1、玄道的理论基础

葛洪(283~363)①,字稚川,自号抱朴子,丹阳句容(今属江苏)人。一生著作宏富,但作为道教思想家,最有名者当属《抱朴子内篇》。在此之前的道教著作虽已有不少,但却缺乏系统的神仙理论论证,不能为道教学术发展提供必须的食粮。葛洪通过对前期道教学术的总结,充分借鉴玄学思维的成果,为道教仙学打下了较为坚实的理论基础。

葛洪仙学的理论根基可以说是"玄道"学。"玄道"就其概念而言,自然是"玄"与"道"的结合。以"玄"名学并作为魏晋阶段性学术的代表,"玄"之意无疑得到了充分的展开,基本的特点就是"玄"与"道"的互动促发,以共同发明宇宙万物之本。但是,玄学无论多么玄妙,它也属

---

① 葛洪卒年向来有公元343年(61岁)与363年(81岁)二说,今采363年说。参见王明:《抱朴子内篇校释(增订本)》,中华书局1985年版,第382~383页所注按语。

于世俗学术,而非宗教神学。所以葛洪既需要利用玄学,又不能指望它能直接论证神仙信仰,而是必须要进行改造,以使其为信仰服务。那么,在葛洪,服务于信仰的玄、道又何谓呢?他说:

> 玄者,自然之始祖,而万殊之大宗也。……乾以之高,坤以之卑,云以之行,雨以之施。胞胎元一,范铸两仪,吐纳大始,鼓冶异类,回旋四七,匠成草昧,辔策灵机,吹嘘四气,幽括冲默,舒阐粲尉,抑浊扬清,斟酌河渭,增之不益,挹之不匮,与之不荣,夺之不瘁。故玄之所在,其乐不穷。玄之所去,器弊神逝。①

显然,“玄”作为宇宙的“祖”、“宗”,是现实一切存在的最后根据,无论何物,都是在“玄”的支配和作用下生存发展的。正因为如此,保有玄就保有了一切,丧失玄也就丧失了一切。人生的追求,也就理所当然地以自觉融通玄为最大的快乐。

在葛洪,玄作为本原表现的不再是一副冷冰冰的深邃莫测的面孔,而是已经活了起来,具有明显的精神人格的意味。与此玄相合,就不再止步于知性的了悟,而是更重在价值与快乐的人生主题的追寻。这样的玄,其实也就是道,所以他又统称为“玄道”;“其唯玄道,可与为永。”②

如此的玄道,显然已不是单纯的无,而是已经统合进神妙的有,是“因兆类而为有,托潜寂而为无”③的有无的和合。正缘于此,葛洪讲无而又不“贵无”,讲有而又不“崇有”,而是统贯有无而言其神奇:“道者涵乾括坤,其本无名。论其无,则影响犹为有焉;论其有,则万物尚为无焉。”④涵括乾坤的玄道,作为无只是在“无名”的意义上,而非对存在

---

① 《抱朴子内篇·畅玄》,《抱朴子内篇校释(增订本)》(下略),第1页。
② 同上。
③ 同上。
④ 《抱朴子内篇·道意》,第170页。

本身的否定,但又不能反过来简单地断定为有。即从影响和作用可推知其当有,从原来没有又可推知其本无,故所谓玄道,既是对有无、又是对非有非无作为本原的整合。这可以说是道教针对玄学"贵无"、"崇有"皆有其弊而在理论上实现的超越。

有无的和合是葛洪仙道学所打下的最重要的理论基石。因为玄道无论多么神奇,它最终还在于为人所把握。玄道如果是无,则人得无所得,而不会去求取;如果具体实有,又丧失了神妙本性,人得之无意义而不必去求。所以它必须是有无兼备,人才能既有所取,又得之用之有益。葛洪云:

> 夫玄道者,得之乎内,守之者外,用之者神,忘之者器,此思玄之道之要言也。得之者贵,不待黄钺之威。体之者富,不须难得之货。高不可登,深不可测。乘流光,策飞景,凌六虚,贯涵溶。出乎无上,入乎无下。①

道之玄妙使得得道之人同样玄妙,它已经超越了"器"的约束而有无尽的神通。上可以耸身于云霄,下可以潜泳于川海,真是无所不在。从而,道的神妙造就了人的神妙,而人的神妙正是道的神妙的人格和精神的再现。这种道与人的合一,正是葛洪仙道区别于先前神学的一个最重要的标志。

葛洪的玄道虽然无处不在,但从生成的意义上看,则是"道起于一",所以玄道也称为"玄一"②。谓之为"一",在于它"其贵无偶",是惟一的宇宙本体。天、地、人、神均因得一而生成为他们各自的特定存在。同时,"一"既然为天、地、人、神之因,把握了因,也就可以推知果,所以说"人能知一,万事毕。知一者,无一之不知也。不知一者,无一之能知

---

① 《抱朴子内篇·畅玄》,第 2 页。
② 《抱朴子内篇·地真》,第 323 页。

也。"① 葛洪从他老师那里听来的这段话,显然是从《淮南子·精神训》袭用而来的。究其本意,是说一事物与万事物的相互融通,反映的是天地万物为一体、而人为不足以区隔之的自然造化的统一关系。故知一即知天下,不知一则无一能知。尽管"一"在这里尚不具有宇宙本体和万物宗主的意义,但它却是葛洪从"知一"进到"守一"所必须具备的前提。

在葛洪,由于"一"的概念自老庄以来历代学者已反复在发明,所以他认为问题的中心其实不在"知一"而在"守一"。他说:

> 守一存真,乃能通神;少欲约食,一乃留息;白刃临颈,思
> 一得生;知一不难,难在于终;守之不失,可以无穷。②

"知一"只是行道之始,"守一"才可能到达预期的目的。然而,守一也不离知一,即通过意志努力而始终保持"思一"不中断,从而也才有存真通神、无所不能的神奇效应。就后者言,守一其实是很合算的,"人能守一,一亦守人"③ 也。葛洪将老庄和玄学那里还只是一般凝神静心、养性养身的"守一之道",发展为通神避险、无所不能的仙道方术。

知一、守一不但神功无比,能够"陆辟恶兽,水却蛟龙","鬼不敢近,刃不敢中",而且简便易行。比起那些道教中流行的含影藏形、守形无生、九变十二化二十四生等十分"烦难"而"大劳人意"的方术,知一、守一之法则可以从根本上一了百了。所以,"知一守一之道"最为紧要,"能知一则万事毕也"④。

于此不难发现,所谓知一之道,实际上也就是玄学"执一统众"之道的宗教改版。玄学的一多之辨已充分揭示,由于一为万物宗主,所以可以执一御众、以本统末。葛洪是深谙玄学思辨的,所以他要以"畅玄"来

① 《抱朴子内篇·地真》,第 323 页。
② 同上书,第 324 页。
③ 同上。
④ 同上。

为其著作开篇,而"一"也因为与玄相联系而成为"玄一"。

所谓"玄一",又是与"真一"相对而言的。他说:

> 玄一之道,亦要法也。无所不辟,与真一同功,吾《内篇第
> 一》名之为《畅玄》者,正以此也。守玄一复易于守真一。真一
> 有姓字长短服色,此玄一但自见之。①

就功用上讲,玄一与真一是相似的,都属于仙法的范畴,但二者在存在特性和操作难易上又有差别。玄一即玄道,作为"太初之本",它是以无可执著又无处不在为特色的。不过,它可以通过思虑去把握即所谓"思玄"。如能在"思玄"的同时"并思其身",便可得分形之道法。

如果说,"玄一"是从哲学改版到宗教的话,"真一"则直接出自道教修炼的需要。葛洪之真一,是指人身之具体部位,即三丹田处。能守此真一,便能避一切凶患。由于守真一已进入到特定的仙道修炼的领域,落实于具体的道法操作,在工夫上便要难于守玄一。但说到底,二者都属于经由内视反观之术而走向仙道的工夫,所以又可以统一起来。

2、变化与求静

日常经验告诉我们,人总是要死的,即便是长寿千岁的神龟,也终有成灰的一天。道教要想跨越从有死到无死的这一步,就必须给出有说服力的理由。这在葛洪,便是依据他对大量自然现象的考察和收集的第一手资料,从无处不在的"变化"入手,利用自然变化为"长生久视(活)"打下坚实的基础。他说:

> 夫存亡终始,诚是大体。其异同参差,或然或否,变化万
> 品,奇怪无方,物是事非,本均末乖,未可一也。夫言始者必有
> 终者多矣,混而齐之,非通理矣。谓夏必长,而荠麦枯焉。谓
> 冬必凋,而松柏茂焉。谓始必终,而天地无穷焉。谓生必死,

---

① 《抱朴子内篇·地真》,第325页。

　　而龟鹤长存焉。盛阳宜暑,而夏天未必无凉日也。极阴宜寒,

　　而严冬未必无暂温也。①

葛洪已经看到,作为生产经验总结的春生、夏长、秋收、冬藏(凋)的规律,其实是相对的。偶然性可以说是无处不在:说夏天的必然性是长,可麦收却在夏;说冬天的必然性是凋,可松柏却常青;盛夏本应是酷热,可有时也不乏清凉;严冬本应是极冷,可不妨暂时的暖温。自然界无处不存在特异的现象,"变化万品(类),奇怪无方(规矩)"。大自然本身就是由不同的变化现象所构成,变化的普遍性是自然界自身的属性,"变化者,乃天地之自然"②,绝对的同一性反倒是不好理解的。即便在整体的生物圈内,所有生物虽都是禀气而生,含气而长,可又分成了飞、走、爬、游等不同的物类,有各自不同的生长变化的规律。这样,也就方便了葛洪从变化的特异性出发,对"自然"现象做出超自然的解释。他所利用的一个基本的手段,就是人的感官的局限性。

　　葛洪认为,人是从自身的感知去认识外物的。囿于个人的见解,对于像"高山为渊,深谷为陵"这样的"大物"的变化,便很难正确地认识和把握。更重要的是,感觉经验作为常人反诘葛洪神仙学说的理论基础,本身存在严重的局限:"夫目之所曾见,当何足言哉? 天地之间,无外之大,其中殊奇,岂遽有限? 诣老戴天,而无知其上,终身履地,而莫识其下。"③葛洪所举可以说都是事实。对此感官的局限,论敌方其实也是注意到的,并以此来反诘葛洪:所谓龟鹤长寿不过是"空言",因为它们既然长于人的寿命,人便无法感知,又怎么能知道它们能存活数百乃至上千岁呢? 对此,葛洪的回答是:

　　　　苟得其要,则八极之外,如在指掌,百代之远,有若同时,

---

　　① 《抱朴子内篇·论仙》,第 13 页。

　　② 《抱朴子内篇·黄白》,第 284 页。

　　③ 《抱朴子内篇·论仙》,第 14 页。

不必在乎庭宇之左右,俟乎瞻视之所及,然后知之也。①
人认识事物在于抓住本质,如果抓住了本质,即使历百代之远、位八极之外,也可以推知,而不必局限于个体的感知和经验。这一回答在理论上是站得住脚的。但这显然只是他的前提而非结论。他的目的,在于破除人对感性经验的执著,以自然变化作为他打破"物各自有种"和跨越人仙之际的最有效的手段。

譬如:"愚人乃不信黄丹及胡粉,是化铅所作。又不信骡及𩦎𩦖,是驴马所生。云物各自有种。况乎难知之事哉? 夫所见少,则所怪多,世之常也。"② 即便就感性经验说,也有一个见多识广的问题。例如"物各自有种"本来是不错的,但遗传并不具有绝对的性质。一方面,变异是遗传的补充;另一方面,人若掌握了遗传和变异的规律,可以由人工来生成自然的变化。如化铅可以变做黄丹(铅丹)和胡粉(铅白),水晶、灵芝可以由人工合成和种植,驴与马杂交生下来的是骡或𩦎𩦖等等,都是如此。

但是,葛洪虽然对变化的普遍必然性大声疾呼,但变(动)与不变(静)又是相对而言的。因为长生相对于有死本来也就是一种不变。因而对于静的价值葛洪也十分注意总结和吸取。

庄子曾经说过,"至道"的精髓其实不在动而在静。"静"包括形静和神静,但关键在神静:"抱神以静,形将自正。必静必清,无劳女(汝)形,无摇女精,乃可以长生。"③ 形体无劳作,精神无耗损,人便可以长生。可是,什么样的境界才是所谓"静"呢? "一而不变,静之至也"④。内心纯一不杂,静止不变,就是最高的静。此种静实质上就是庄子的无为,但此无为不是被动的静止,而是主观努力的成果。"故曰:纯粹而不

---

① 《抱朴子内篇·对俗》,第47页。
② 《抱朴子内篇·论仙》,《校释》,第22页。
③ 《庄子·在宥》。
④ 《庄子·刻意》。

杂,精一而不变,惔(淡)而无为,动而以天行,此养神之道也。"① 变化是普遍的这一命题也应当应用于人的作用本身,人可以通过改变自己行为的办法(动)来达致作为最终目的的静——长生久视。

事实上,不只是人,任何事物都可以通过相应的调节来改变原有变与不变的固定程式。换句话说,变或动是可以作为不变的手段来使用的,关键在如何变,如何用。这可以说是六百多年后的葛洪所获取的最为重要的教益。他说:

> 龙泉以不割常利,斤斧以日用速弊,隐雪以违暖经夏,藏冰以居深过暑,单帛以幔镜不灼,凡卉以偏覆越冬。泥壤易消者也,而陶之为瓦,而与二仪齐其久焉。柞柳速朽者也,而燔之为炭,则可亿载而不败焉。辕豚以优畜晚卒,良马以陟峻早毙,寒虫以适己倍寿,南林以处温常茂,接煞气则凋瘁于凝霜,值阳和则郁蔼而条秀。物类一也,而荣枯异功,岂有秋收之常限,冬藏之定例哉?②

葛洪的高人一筹,在于他看到了事物的另一面。论刀剑之锋利,人们都知道龙泉(渊)宝剑的威名,可这龙泉宝剑之所以"常利",乃是因为它始终处于被保存的状态,"以不割常利也"。反之,则"斤斧以日用速弊"。其实,不论是刀剑还是斤斧,利与不利都是相对的,只要你使它处于"动"的状态,它就必然会因磨损、消耗而由利变为不利。此类事例可以说举不胜举。比方,冬雪遇暖日而融,坚冰因夏暑而化,"寿命"都很短暂,但这只是常态,如若将它们置于严寒之地或深藏于地下,即改变其存在的条件,则可以使其安然越夏。非生物是如此,生物同样也不例外。千里马日行千里,头上笼罩着一串串的光环,可从来没有千里马能长寿;蝉蛹蜷缩深藏于地下,其寿却倍于千里马。动与静的不同功效,

---

① 《庄子·刻意》。
② 《抱朴子内篇·至理》,第112页。

在这里得到了最好的验证。但是,可以设想,如果改变他们现存的状态,双方的境遇便会大不一样。

知识、学问虽说归根于自然的基础,但离不开自觉的经验总结和人对自然的改造。后者意味着通过动或变的手段,人们可以改变自然物的寿命的长短:泥土直接做成土坯,支持不了多少年,但陶冶成砖瓦,则可与天地同在;再坚实的木料也会腐朽,但烧制成木炭,则可以千百年不坏。为什么?就在于泥土和木料仍按其常态在"活动",自然的新陈代谢决定了他们的命运;陶器和木炭则由于人的干预由常态走向了变态,新陈代谢基本停止,动变形为静,短寿也就转向长生。在葛洪,物若保持在静止而不变的状态,原来决定寿命长短的"常限"、"定例"就可以被打破,"静"而长生的梦想也因之不断被激活。尽管这注定不可能成功,但作为人类美好愿望的表达,它永远有自己存在的理由。

3、仙法与善道

"善"本来不关作为道教学术源头的道家事。老子有言在先,天下只是因为有了不善(恶),才出现了作为其对立面的善。故从其源于不善或恶的"出身"讲,善并不值得夸耀。但到战国时期,善恶问题已成为当时各家关注的一个中心,讲善的儒家自身还分成了性善与性恶的不同派别,这些都影响到作为儒、道等多家思想的概括的《易传》的成书。

《周易·文言》总结春秋以来以善释"易"的思想,以"善之长(始)"、"嘉之会(聚)"、"义之和(谐和)"、"事之干(固)"四德解释乾(天)道的元、亨、利、贞。这四德实际上都是善,而又尤以第一德的"善之始"为特色。因为有始也就有终有继续,有善的发育和长养。在这里,量的积累在事物发展中具有重要的作用。

《文言》又称:

> 积善之家,必有余庆。积不善之家,必有余殃。臣弑其君,子弑其父,非一朝一夕之故,其所由来者,渐矣。由辨之不

早辨也。

可以看出,不只是善,恶也同样依赖于积累。量变是渐变的过程,但也正因为如此而容易为人所忽略,结果善不积而恶积,终至酿成大祸。当然,积善的效果不是一两天就能看出来的,它可能是一个相当长期的过程。但是,只要你不以善小而不为,持之以恒地积累培养,即使你本人不能享受回报,你的后人也定会因为你的善行而受惠。对深受积善积德方有好报的思想影响的葛洪来说,将成仙与积善二者联系起来,也就是顺理成章的。

葛洪强调:

> 欲求仙者,要当以忠孝、和顺、仁信为本。若德行不修,而但只务方术,皆不得长生也。①

"方术"本是成仙之路径,但对知识阶层来说,只讲方术显然缺乏号召力。在重视血缘亲情的中国社会,任何道理都必须顾及人伦本位。所以,即便是讲求超人间的仙道,也必须要兼顾在人间的人道。而对于作为人道核心的仁义或善来说,又必须从一点一滴做起,从小积大。只有当善积累到一定的量度,才有可能引起质变而成为仙人。

在这里,仙人也是排座次的,其根据便是积善的多少:成为"地仙",三百善就够了;要成为天仙,则需要一千二百善。有趣的是,道教的积善似乎要比儒家更严格,你哪怕已积了一千九百九十九善,忽然有一恶,则前善尽失,又需要从头开始。善德与葛洪最为强调的仙药的效力相比,则善德在上。善德未积满,仙药也于事无补。在此前提下,儒、道两家的分歧又可以融合起来。反之,如不服仙药而只行善事,虽未必成仙,但却可以免猝死之祸。他更推测说,彭祖一辈人所以活八百岁而未能升天,恐怕关键就在善功的积累上②。彭祖是道教常用以说明人之

---

① 《抱朴子内篇·对俗》,第53页。
② 同上。

长生的代表性人物。然而,尽管他长寿八百岁,却最终有死。那么,彭祖未能成为天仙的缘由,葛洪也必须要给予解释。

但是,善功未积累到一定的量是一方面,在葛洪对此还有另一方面的解释。那就是当道教已把人间的等级秩序搬到天上后,天仙的诱惑力便明显降低。因为天上也等级森严,且多尊官大神,新成仙者地位资历最低,只能被役使干粗活,劳苦兴许比人间更甚。所以彭祖并不急切地想登天,而是继续留在地上享受八百年的悠闲。这说明成为天仙有丧失人间欢乐的危险。故葛洪需要对此做出某些修补,使善道包容进物质生活的内容,二者共组为人道的整体。从而,仙法与善道的结盟,也就成为仙道与人道的联姻,仙道不能违背人道。"食甘旨、服轻暖、通阴阳、处官秩"是人的基本生活欲求,应该值得珍爱。相反,那种"委弃妻子、独处山泽、断绝人理、块然与木石为邻"的仙道,是不值得羡慕的①。人道、人理也是为仙之道理,出世做神仙不合人情,也缺乏号召力。

但是,人的物质生活欲求不是孤立的价值系统,它不能违背善的基本尺度,不能通过恶的手段去获取。千金之赂,太牢之馔,在人间尚且不能通行无阻,神仙的境界远高于人,也就要更为注重善德和伦常。若不忠不孝,乃是罪之大恶,是无论什么丰厚的馈赠、贿赂也不能免除的,更遑论成仙了。"明德惟馨,无忧者寿"②。人只有积善修德,除恶安良,才可能有长生之福。所以,道教虽然注意兼顾物质生活需要,但又并不主张有意识地去追求。

从历史的发展看,老子提出的"大道废,有仁义"、"六亲不和,有孝慈"③ 的否定仁义、孝慈的观点,在其后继者这里已进行了调整,并

---

①　《抱朴子内篇·对俗》,第 52～53 页。

②　《抱朴子内篇·道意》,第 172 页。

③　《老子·十八章》。

将其修改为正是由于社会的不幸，才使得借仁义以投机的儒家、墨家乘机兴盛起来。在葛洪看来，历史的经验是"道德丧而儒墨重"，儒墨都是乱世的产物。"忠义制名于危国，孝子收誉于败家"，儒家夸耀仁义，就如同疾疫起而巫医贵一样，是无功而受禄。相反，道教治世则是"履正以禳邪"，"绝祸于未起"。儒、道相比较，道教才是"百家之君长"，"仁义之祖宗"①。道教与善合一的仙道，才是真正的善道。

当然，在这里还有一个问题，那就是作为至善代表的儒家圣人却从不言仙道、不为长生，这又如何解释呢？有鉴于儒家的正统地位，葛洪必须要认真对待这一反诘。他首先将圣人分为两类，一类是得道之圣人如黄、老，另一类则是治世之圣人如周、孔。由于黄帝是先治世而后登仙，所以得道之圣人要高于治世之圣人。接着，葛洪又对"圣"字进行了界定，以便去掉在儒家那里高不可攀的圣人的光环。

他认为，所谓"圣"者其实并不神秘，就是"以人所尤长、众所不及者便谓之圣"②。所以，下棋长于人便谓之棋圣，书法长于人便谓之书圣，医术高于人便谓之医圣，兵法称于世则谓之兵圣，如此等等。那么，圣者就不是全知全能的兼才，而只是专擅一技的专才，所以说行行都有圣。庄子所谓"盗亦有圣人之道"就是这个道理。如果归纳的这些日常事例不具有权威性的话，那还可以看看经典。《周易·系辞上》就讲"易"有圣人之道四，即言者尚辞、动者尚变、制器者尚象、卜筮者尚占。反过来说，圣道既然可分，那为何讲"道德"、"神仙"者不能叫做得道之圣呢？倘他们不能为圣，那讲治世的周、孔是不是也不能为圣呢？葛洪的推论可以说是接触到了问题的实质，是有

---

① 《抱朴子内篇·明本》，第 188 页。
② 《抱朴子内篇·辨问》，第 225 页。

充分的理由的。要破除对周、孔的迷信,就必须要把"圣"字从神坛上请下来。

事实上,汉儒神化孔子,将孔子装扮为全知全能的教主,本身已走向了荒诞的神学。葛洪对此的批判,应当说是具有胆识和科学精神的。他表白说并不是想要"非毁圣人",不过是"欲尽物理耳。理尽事穷,则似于谤讪周、孔矣"①。他为此举了大量的事例证明圣人全知全能说的荒谬。其实,就本来的道理说,人之所好,各有不同,周孔汲汲于治世,他们不知、不为仙道,有什么值得奇怪呢? 更不能以他们"不为"去否定黄老之"为"了。

葛洪归结说:

> 周、孔自偶,不信仙道,日月有所不照,圣人有所不知,岂可以圣人所不为,便云天下无仙? 是责三光不照覆盆之内也②。

葛洪在前提上虽有诡辩,但他的论证本身还是有说服力的。其一:圣人不知、不为某物,与某物本身是否存在不是一个概念,从前者推不出后者。圣人固然圣明,但就如同日月有所不照一样,圣人也有所不知,这本是客观的事实;其二,退一步说,即使圣人据于自身经验不承认某物,与某物是否存在也不是一个概念,因为个别不可能否定一般。圣人对个别经验的归纳是或然的,不具有普遍必然的意义。要想走向普遍必然,只能是完全归纳,可这事实上又是办不到的。

其实,圣人有所不知、不能,在儒家经典《中庸》中就已经表述得很清楚,汉儒神化周、孔,连儒家先贤自己都不会认同。葛洪以神仙本来存在为基本预设,再利用感性经验无法否证超感性的仙界存在的局限,最终以循环证明的手法达到了他想要达到的目的。

---

① 《抱朴子内篇·辨问》,第 227 页。
② 同上书,第 230 页。

二、寇谦之对北朝道教的改革

　　葛洪虽然对神仙理论进行了系统的论证,但要对原始道教进行根本的改革,仅仅从理性的角度论证成仙之可能是远远不够的。因为倘若如此,还只是涉及到了合理性而缺乏权威性,而权威对于宗教信仰来说是必不可少的。这包括教主自身的权威和由教主而来的经典的权威。同时,道教作为宗教,必然要求有自己的宗教仪轨,要求从组织上保证道教学术的严肃性和宗教门户的独立性,以便对教徒进行约束,从而最终消解原始道教与世俗社会和统治阶层的矛盾冲突。这便是寇谦之道教改革所要承担的任务。

1、"清整"道教章法

　　寇谦之(365～448)祖上是秦、雍一代的名门望族,信奉五斗米道,后徙居冯翊万年(今陕西临潼北)。由于家族的影响,他自幼"早好仙道,有绝俗之心。少修张鲁之术,服食饵药,历年无效"①。但他的勤奋好学"幽诚上达",感动仙人成兴公下凡来引导其修炼。不过,寇谦之的特点不在于自身如何修炼乃至最终成仙,而在于神仙下凡传授给他的道教经典和太上老君亲授予他的天师之位。凭借此新造的经典和天师的权位以及命他辅佐北方太平真君(北魏太武帝)的神喻,寇谦之就有充分的理由来实施道教的改革。

　　寇氏改革的内容,按"大神"——太上老君的托付是:

　　　　汝宣吾《新科》,清整道教,除去三张伪法、租米钱税,及男
　　女合气之术。大道清虚,岂有斯事。专以礼度为首,而加之以

---

　　①　见《魏书》卷114《释老志》。

服食闭练。①

这一段话可以说是寇谦之道教改革的总纲领，它涉及到多方面的具体内容：

一是确立"清整道教"的经典文本。这主要是托言老君所赐的 20 卷《云中音诵新科之戒》。此书以及八年后号称老君玄孙的李谱文再授的 60 卷《录图真经》，是寇谦之清整道教的基本理论依据。

二是将"大道清虚"的号召确立为道教的基本指导思想。使"以鬼道教民"② 的粗俗的原始道教，转向为上层统治者可以接受的新道教。北魏太武帝"及得寇谦之道，帝以清净无为，有仙化之证，遂信行其术"③。

三是以礼度为首的改革原则。它包括几个方面：(1)废除三张④统治时期强制推行的各种法度和滥征的各种租税，从政治和经济的层面消解原始道教生存的基础。(2)废除"男女合气之术"，重振社会纲常人伦。以纲常人伦为核心的礼法制度，反映的本是儒家学术的社会政治功能，也即所谓名教。但自汉末以来，不论在社会实践层面还是玄谈理论层面，都遭到了极大的削弱。所以，寇谦之为实现其"为帝王师"的抱负，与儒家代表人物崔浩走到一起而张扬礼法，就是非常自然的。(3)儒道关系上以儒为首。道教本当以道法仙术为首，但寇谦之却转向礼度，而且是"专以礼度为首"。这一方面说明道教的发展需要儒家礼法的充实，尤其在面临佛教打压的形势下，只有借助儒家的力量才能与之抗衡。另一方面则说明自葛洪以来的道教的改革始终把握着一个原

---

①　见《魏书》卷 114《释老志》。

②　见《三国志》卷 8《张鲁传》。

③　《魏书》卷 114《释老志》。

④　三张：其说不一。一指张陵、张衡、张鲁祖孙三代天师；一指张角、张宝、张梁兄弟三位农民起义领导人。但一般来说，从葛洪到寇谦之，针对的主要是张角和张鲁二人。

则，那就是必须与儒家坚守的礼法善道密切结合起来，才能赢得统治者的青睐和采纳。至于道教自身"服食闭练"的仙道修炼方术，对于维持道教作为特定的以长生不死为目的的宗教固然不可少，但它们只能建立在遵守和维护礼法的前提之下，这样才可能在各教的争辩中为自己打下牢固的社会基础。

2、继绝统而务治道

　　寇谦之是十分仰慕崔浩"论古治乱之道"的，常与崔浩长谈。"继而叹美之曰：'斯言也惠，皆可底行，亦当今之皋繇也。'"① 这并非是虚伪的吹捧，而是儒道两家实际的结盟。寇谦之自称："吾行道隐居，不营世务，忽受神中之诀，当兼修儒教，辅助泰平真君，继千载之绝统。而学不稽古，临事暗昧，卿为吾撰列王者治典，并论其大要。"② 崔浩于是应他的要求，"著书二十余篇，上推太初，下尽秦汉变弊之迹，大旨先以复五等③ 为本。"④ 显然，寇谦之从"隐居"修炼的传统道法，进到积极参与"世务"的新道教章法，在道教发展史上是具有重要意义的。它说明道教学者"兼修儒教"是道教发展的捷径，也是道教用以对抗佛教的最为方便的手法。

　　更重要的是，寇谦之在这里提出了学要"稽古"以"继千载之绝统"的问题。这本不是出世求仙的道教的问题，而完全是入世治人的儒家的问题：稽自古以来历代君主治国之要，以为当今统治者提供历史经验的借鉴。所谓"复五等为本"和"继千载之绝统"，是道教学者站在儒家立场上提出的维护等级秩序和传承"道统"的问题，它说明寇谦之不但

---

①　见《魏书》卷35《崔浩传》。

②　同上。

③　五等：古代社会的五等爵位。或为公、侯、伯、子、男爵五等，见《礼记·王制》；或为天子、公、侯、伯四等加子、男同一爵位共计五等，见《孟子·万章下》。

④　《魏书》卷35《崔浩传》。

看到了道教发展需要新的动力,而且抓住了儒学发展不景气这一机遇,自觉担当起传道的职责,把改革的要求奠定在了上古圣人事业的基础上。而且,寇谦之将崔浩、实际上也是将他自己当做了今天的皋繇,从而成为千年之后辅助真君、接续道统之人。换句话说,寇谦之虽然是道教的"天师",但他这里显然是以儒家的继承人自居。可是,他如何来接续这千载不传的绝统呢?

可以说,从"专以礼度为首"到"大旨先以复五等为本",中心都在于整肃恢复名教政治,严格以五等爵位为标志的士族等级。这在当时险恶的政治宗教斗争中,是要冒巨大的风险的。所以,寇谦之亟须要得到作为朝廷重臣的崔浩的支持,而崔浩也正需要寇谦之发动的宗教改革的帮助。就崔浩来说,他的妹夫卢玄当时被辟为"儒俊"之首,二人交谈常使崔浩"怀古之情更深"。于是崔浩立志改革。本传记述说:

> (崔浩)大欲齐整人伦,分明姓族。(卢)玄劝之曰:"夫创
> 制立事,各有其时,乐为此者,讵几人也? 宜其三思。"浩当时
> 虽无异言,竟不纳,浩败颇亦由此。①

崔浩的"怀古"虽然也包括上古秦汉,但其重心已落在了晋时的士族等级制度上。这一制度经过长期战乱的破坏,在鲜卑拓跋氏主政的北魏朝已是十分地衰落,而佛教的势力则相对强盛,在这样的情况下,寇谦之和崔浩作为道教和儒家各自的代表便走到了一起。

崔浩不惧时人讥讽,师事寇谦之且"拜礼甚谨",为未受重用的寇谦之上书太武帝。他说:

> "臣闻圣王受命,则有大应。而《河图》、《洛书》,皆寄言于
> 虫兽之文。未若今日人神接封,手笔粲然,辞旨深妙,自古无
> 比。……今清德隐仙,不召自至。斯诚陛下侔踪轩皇,应天之
> 符也。岂可以世俗常谈,而忽上灵之命! 臣窃惧之。"世祖欣

---

① 《魏书》卷47《卢玄传》。

然,乃使谒者奉玉帛牲牢,祭嵩岳,迎致其余弟子在山中者。
于是崇奉天师,显扬新法,宣布天下,道业大行。①

自幼"博览经史",以致"百家之言,无不关综,研精义理,时人莫及"的崔浩,在这里不仅仅是奉承当今皇上,他充分利用了儒家关于统治地位的正统性这一十分重要和敏感的话题,将儒、道二教统一在天命观和正统性上。陈寅恪评论说:"可见浩为儒家之领袖,谦之为新道教之教宗,互相利用,相得益彰。故二人之契合,殊非偶然也。"②

在这里,二人契合的基础明显是天人感应。天人感应作为儒家的传统理论,虽然自汉以后相对衰微,但对统治者来说却是证明自己统治的合法性的最好的工具。儒家学术即便不是建立在天命、神迹的基础之上,也往往离不开天命、神迹,因为这在儒家圣人孔子是明白地肯定了的。孔子的最后年月,曾悲叹"河不出图,洛不出书,吾已矣乎!"③《河图》、《洛书》在这里代表的是上天的大命,"畏天命"的孔子,在心底里是非常盼望有天神、大命能降于身的。对他来说,无望感受到受命之征兆乃是一生中莫大的遗憾。

而到崔浩和寇谦之这里,则向前推进了一步,以为即使有《河图》、《洛书》,亦不过是"虫兽之文",所代表的神意是相对低级的,今日寇谦之作为老君亲授的"天师",直接就是天神。他与太武帝的结交,乃是"人神交接"、"自古无比"。"人神交接"的权威性要远远高于《河图》、《洛书》捉摸不定的传说,太武帝理当要倾心扶持。

同时,从少数民族入主中原而迫切需要的正统性和合法性来说,寇谦之的到来正是适宜。他为之提供了拓跋氏为黄帝后裔、中原正统的最急需的符验。拓跋氏既是应天命、承轩黄之正统,怎么可以等闲视之

---

①　《魏书》卷114《释老志》。

②　《崔浩与寇谦之》,《金明馆丛稿初编》,第165页。

③　见《史记》卷47《孔子世家》。

呢? 事实上,后来的史书也确实将北魏统治者算做了轩辕后裔的一
支①。由此亦可见崔浩、寇谦之游说活动的确富有成效。结果,太武帝
"欣然"接受了寇谦之及他改革道教的"新法",并颁行于天下,从而道业
大行。寇谦之的新教教义实际上成为了国家统治的政治纲领,政教合
一的改革目的,可以说已经达到了。

3、种民与帝王师

与寇谦之和崔浩的联姻相呼应,作为寇谦之道教改革的一个重要
手法,就是用实实在在的"人迹",去整改三张伪法流行以来的各种
子虚乌有、惑世诬民的"神迹",将道教的根基奠定于人世。寇谦之
曰:

> 今世人恶,但作死事,修善者少。世间诈伪,攻错经道,惑
> 乱愚民,但言老君当治,李弘应出。天下纵横,叛逆者众,称名
> 李弘,岁岁有之。其中精感鬼神,白日人见,惑乱万民,称鬼神
> 语。愚民信之,诳诈万端,称官设号,蚁聚人众,坏乱土地。②

在这里,老君当然就是神仙化了的老子,李弘则是当时农民起义军假托
的一个道士名号③,原始道教和农民起义都打着老子的旗号惑世诬民,
还有的以鬼神显形去愚弄民众。他们都是寇谦之道教改革的主要矛头
所指。寇谦之尽力要纠正这不良的风气,使修善者多而作恶者少。作
恶者的祸害,反映在道德伦常上,那就是"父不慈,子不孝,臣不忠"。而
改革的措施,当然就是"诸欲奉道不可不勤,事师不可不敬,事亲不可不

---

① 《北史》卷1《魏本纪》曰:"魏之先,出自黄帝轩辕氏。黄帝子曰昌意,昌意
之少子受封北国,有大鲜卑山,因以为号。"

② 《老君音诵戒经》,《正统道藏》第30册,台北艺文印书馆1977年版,第
24224页。

③ 李弘其人及其事迹,参见汤一介:《魏晋南北朝时期的道教》,第208~210
页考辨。

孝,事君不可不忠"等等①。

如果说,忠孝仁义的改革内容是来自儒家的话,以戒律的形式予以公布并要求恪守则渊源于佛教。寇谦之作为道教领袖,却并不怎么排斥佛教,多是以妥协为之。就此而言,他与激烈排佛的崔浩又有差别。寇氏对待佛教,大多是搬用佛教的教义、戒规以改革道教。他之处事,远比崔浩圆滑,他的基本原则是"合和"为上。他称:

> 道以冲和为德,以不和相克。是以天地合和,万物萌生,华英熟成;国家合和,天下太平,万姓安宁;室家合和,父慈子孝,天垂福庆。贤者深思念焉,岂可不和!②

"合和"虽然不是直接处理道、佛关系,但其调和矛盾的基本精神在寇谦之却是一贯的,所以各家在他可以兼收并蓄,为其所用。譬如,前后身之轮回报应说,就是他用来警告动机不纯的道教信徒的工具,称"死入地狱,若轮转精魂虫畜猪羊而生,偿罪难毕"③。

当然,轮回报应的实质仍是善恶报应,故从葛洪到寇谦之,积善去恶都是其新道教的重要内容。所谓"十善遍行谓之道士,不修善功,徒劳山林"④。山林中之服药、辟谷、导引等等,对于长生登仙当然也是必要的,但按太上老君所说毕竟是辅助性的功夫,积善无疑是更为基础的方面。在这里,寇谦之提出了所谓"种民"的问题。他认为,如果"臣忠、子孝、夫信、妇贞、兄敬、弟顺,内无二心,便可为善得种民矣。"⑤

"种民"在中国学术史上是一个新起的概念,它意味着具有上天认可的得道成仙的资格,实际也就是神仙预备队。种民的理论依据,在于道的宇宙生成论基础。寇谦之云:

---

① 《正一法文天师教戒科经》,《正统道藏》第30册,第24254~24255页。

② 同上书,第24254页。

③ 《老君音诵戒经》,《正统道藏》第30册,第24231页。

④ 《太上经戒·太霄琅书十善十恶》,《正统道藏》第30册,第24245页。

⑤ 《正一法文天师教戒科经》,同上书,第24262页。

> 大道包裹,天地系养,群生制御万机者也。无形无像、混
> 混沌沌,自然生百千万种,非人所能名。自天地以下,皆道所
> 生杀也。①

道虽是无形的混沌,但却是天地万物的生养者和决定者。包括"人种"在内的"百千万种"既系"自然"所生,也就不具有摆脱仙道的资格。人皆可以为道成仙,这可以说是道教版本的性善论。但是,董仲舒已经使人们明白了一个道理,那就是天生之善或内在之道其实只是善质,如果没有后天的为善之功,仅凭客观性不足以保证人成为圣贤,在寇谦之即是不可能恭列种民而登上仙道,所以他才要抱怨种民的匮乏。他说:

> 吾从太上老君周行八极,按行民间,选索种民,了不可得,
> 百姓汝曹无有应人种者也。②

在这里,"种民"的甄别及认定需要有两方面的条件,一是自身的为善,这是基本的前提;另一则是能被神仙所选中。后者与净土所讲的接引有所类似,但又不尽相同,关键就在一是生前一是死后事。而且,比起净土的观想或称名念佛的易行道来,道教是需要积善修身、炼丹养生等长期的修行实践的。"其中能修身练药,学长生之术,即为真君种民"③。对百姓汝曹而言,种民是通过自己学习修炼的努力来证明自己具有成仙的资质、从而被大神真君所选择的。所以,它与儒家传统"不移"的上智或生而能善的圣人之性等均不同,因为后者的"种"皆是不移不变的。

从历史的角度看,"种"之不变论实难以解释社会人世的剧烈变迁和上下无常,所谓"社稷无常奉,君臣无常位,自古以然"④。就文本而

---

① 《正一法文天师教戒科经·大道家令戒》,同上书,第 24260 页。
② 《正一法文天师教戒科经·阳平治》,同上书,第 24264 页。
③ 见《魏书》卷 114《释老志》。
④ 史墨:《左传·昭公三十二年》。

论,这比孔子的上下"不移"论具有更为深厚的历史蕴含。正是在此思想熏陶下,陈胜敢于发出"王侯将相宁有'种'乎"① 的振聋发聩的呼喊。王侯并非天生善种,平民也可以通过自己的努力改变旧种实现新生,成为真君种民。事实上,葛洪已通过对遗传与变异的经验的总结,对固执"物各自有种"的陈腐见解进行了批评。到寇谦之,则进一步提出了种民可以由为善修身、学长生之术而争得的观点。其具体操作,则是在修善去恶的《老君音诵戒经》等经典的指导下的整体性的作为:

> 诸欲修学长生之人,好共寻诸"诵戒",建功香火,斋练功
> 成,感彻之后,长生可克。②

"感彻"善功仙道,而后为长生久视之仙人。但就寇谦之个人来讲,尽管作为道教的改革家和新一代天师,他一生的使命是要为不死成仙作论证,但从他早先的"服食饵药,历年无效"到后来不能受仙人指引而"得仙"的实践,就已经判定了他只能留在人世做"帝王师"。他把更多的精力放到了如何干预国家政治和平息化解社会矛盾上,而非以成仙为准的。

也正因为如此,"种民"的内涵就应当有所调整,将个人是否具有成仙资格的潜力、品级等的认定,转向为维护既定的种民——上层贵族利益的企图。陈寅恪说:

> 谦之自称受真仙之命,以为末劫垂及,唯有种民即种姓之
> 民,易言之,较高氏族之人民,得以度此末劫;
>
> 又谦之所清整之新道教中,种民礼度之义深合于儒家大
> 族之传统学说也。③

① 《史记》卷 48《陈涉世家》。
② 《老君音诵戒经》,《正统道藏》第 30 册,第 24229 页。
③ 《崔浩与寇谦之》,《金明馆丛稿初编》,第 132、140 页。

那么,寇谦之的道教改革能够执行并为儒道双方所拥护,"深合于儒家大族之传统学说"不能不说是一个重要的原因。

三、陆修静对道经和斋法的整理论证

寇谦之改革天师道而创立新道教,在北魏太武帝时曾兴盛一时。但北魏中期以后,寇谦之的影响渐趋于衰落,越来越不景气,后来则基本上被佛教势力所压倒。相形之下,南朝道教的改革和发展虽然晚于北朝,但在道教发展史上的作用和影响则要更大更深远,陆修静便是推动南朝道教发展走向高潮的一位重要代表。

1、经典的整理编撰

陆修静(406~477)是吴兴东迁(今浙江吴兴)人,江南著名士族的后代,成年之后弃家室入山修道。曾云游四方,寻访仙踪,收集道教典籍,声名远播,为宋文帝及后几代皇帝所尊奉。

陆修静学术并没有明确的师承,唐道宣在《广弘明集》中说陆修静是"祖述三张,弘衍二葛"①,意味他继承发扬了天师道和神仙道教的传统,这大体还是符合历史的真实的。陆修静对汉魏晋道教的传承,主要是通过对先前各家典籍的汇集整理和撰著阐发的形式来进行的,纷繁杂陈的道教经典经由陆修静而得以规范和系统。其代表性成果,就是三洞分类法的拟订和经书目录的整理。

"三洞"作为道教经典分类法之名,实从陆修静开始。陈国符说:"东晋葛洪撰《抱朴子》,尚未有'三洞'之称。至刘宋陆修静总括三洞,《三洞经》之名,实昉于此(宋陆修静撰《三洞经书目录》,见青溪道士孟

---

① 见《广弘明集》卷4《齐高祖废道法》。

安排集《道教义枢》卷二《三洞义》第五)。"① 陆修静的《三洞经书目录》今已不存,无从得知他是如何继承总结前人在图书分类法上的成果的。

"三洞"的概念本身,在陆修静以前已经在道教的典籍中出现。但东晋时期所言的"三洞",或指大洞、洞玄、洞神,或指洞天、洞地、洞渊,并不十分规范。直到陆修静整理道经,自称"三洞弟子",编撰《三洞经书目录》,三洞才正式成为道经的分类标准②。三洞的"洞"字,原始道教基本经典《太平经》中已有所说明。《太平经》在解释"太极洞天"之"洞"字时,认为"洞者,其道德善恶,洞洽天地阴阳,表里六方,莫不相应也。"③ 意味"洞"是发明善恶、阴阳且表里无不贯通响应之义的,而道教经典本也服务于这一目的,并逐步形成了以"洞"来喻指道经及其阐发其义的相应的派别。

以通贯义解"洞",在《云笈七签》所引《道门大论》和《本际经》中都进行了发明,并具体解释了究竟何谓"三洞"。如《本际经》曰:

> 《洞真》以不杂为义,《洞玄》以不滞为名,《洞神》以不测为用。故洞言"通"也。三洞上下,玄义相通。《洞真》者,灵秘不杂,故得名"真"。《洞玄》者,生天立地,功用不滞,故得名"玄"。《洞神》者,召制鬼神,其功不测,故得名"神"。此三法皆能通凡入圣,同契大乘,故得名"洞"也。④

所谓"三洞",包括洞真、洞玄、洞神,代入"通"义,即成通真、通玄、通神"三通",三通也就是上下四方无所不通。在学术理论上,三通是"通玄";在宗教实践上,三通则是"通神"。就各自的特点看,洞真类经典,特点在纯一守真;洞玄类经典,特点在变化生成;洞神类经典,特点在造

---

① 　陈国符:《道藏源流考》,中华书局1962年版,第1页。
② 　任继愈主编:《中国道教史》,上海人民出版社1990年版,第151~152页。
③ 　《太平经合校》卷41《件古文名书诀》(王明编),中华书局1960年版,第87页。
④ 　《云笈七签》卷6《三洞(并序)》,齐鲁书社1988年影印本,第25页。

神消灾。三类经典侧重虽有不同,但在最终目的——通凡入圣(仙)上则是完全通融无碍的,所以又叫做"同契大乘"。此处所谓"大乘(之道)",指度脱一切而成为天仙的道教修行最高境界,明显是从佛教"大乘"袭用而来。于此可见道教也从早期的个人修炼成仙,转向超度众生飞升了。

那么,"三洞"究竟包括那些道教经典呢? 洞真部收录的是《上清经》,洞玄部收录的是《灵宝经》,洞神部收录的是《三皇经》。三洞之中,陆修静首先整理的应是洞玄部《灵宝经》。唐吴筠言:"先是洞元(玄)之部,真伪混淆,先生(陆修静)刊而正之,泾渭乃判。故斋戒仪范,为将来典式焉。"① 陆修静整理《灵宝经》的情况,在他元嘉十四年(437)所作的《灵宝经目序》中做了生动的表述:

> 顷者以来,经文纷至,似[是]② 飞错乱,或是旧目所载,或自篇章所见,新旧五十五卷,学士宗竟,鲜有甄别。余先未悉,亦是求者一人。既加寻览,甫悟参差,或删破《上清》,或采搏余经,或造立序说,或回换篇目,裨益句章,作其符图;或以充旧典,或别置盟戒。文字僻左,音韵不属,辞趣烦煨,义味浅鄙,颠倒舛错,事无次序。……遂令精粗糅杂,真伪混行。③

陆修静说明,到刘宋初年,55 卷本的《灵宝经》虽然已经成为道士们竞相把玩之物,但其混乱状实在无法容忍。他通过自己的考辨甄别,发现其中的错误,一是混入了《上清经》等别的经文,一是伪造序说,一是对原经进行改换增添。由此而来,造成文字乖僻不顺,音韵不通,辞义烦杂浅薄,至于前后次序颠倒错乱就更比比皆是了。

---

① 《吴筠·简寂先生陆君碑》,《全唐文》卷 926,中华书局 1983 年影印版,第 9659 页。

② 陈国符认为此"似"当做"是",即"是非错乱"。见《道藏源流考》,第 68 页。

③ 《云笈七签》卷 4《灵宝经目序》,第 16 页。

　　于是,陆修静下决心考订整理这部典籍,最后将他认为可信的道经编定为35卷。所谓"然即今见出元始旧经并仙公(葛玄)所禀,臣据信者,合三十五卷。根末表里,足相辅成。"① 可是由于《灵宝经目》今已不存,无从知道他亲手考订的这35卷《灵宝经》到底包含了哪些道教经典。

　　《灵宝经》而外,陆修静也对《上清经》和《三皇经》进行了整理。宋明帝刘彧于泰始三年(467)为陆修静在京都北郊天应山(方山)筑崇虚馆,陆修静在馆中开始了他全面整理三洞经典的工作,一直到他去世时为止。他的再传弟子陶弘景曾记叙说,陆修静在崇虚馆中,将来自杨羲和许谧、许翙父子的上清系典籍如《豁落符》、真嗳二十许小篇及何道敬所摹"二录"等收入馆内②,《上清经》遂由此传给弟子。陆修静传授给弟子的,同时还有由鲍靓传下的《三皇文》③。所以,后人说他"授三洞并所秘杨真人(杨羲)、许掾(许翙)手迹"④。那么,三洞经典可以说都是经由陆修静之手而整理传授下来的。陆修静在泰始七年(471)所上《三洞经书目录》及所著录的1228卷经书⑤,便可以说是道教经典整理的标志性成果。

　　三洞主要经典之外,又有作为辅助的"四辅"之说。南宋金允中在其《上清灵宝大法总序》中说:"宋简寂先生陆君修静,分三洞之源,立四辅之目,述科定制,渐见端绪。"⑥ "四辅"究竟是否陆修静所立,史无明证。就其内容来说,"四辅"所指的四部类经典,分别是《太清经》、《太平

　　① 《太上洞玄灵宝授度仪表》,《正统道藏》第16册,第12744页。
　　② 陶弘景:《真诰》卷19《真诰叙录》,《正统道藏》第34册,第27505页。
　　③ 见《道教义枢》卷2,《正统道藏》第41册,第33171页。
　　④ 《真系·齐兴世馆主孙先生》,《正统道藏》第36册,第29175页。
　　⑤ 唐释道世《法苑珠林》卷55《破邪篇·妄传邪教第三》云:"宋泰始七年,道士陆修静答明帝云:道家经书并药方、符图等,总一千二百二十八卷。云一千九十卷已行于世,一百三十八卷犹在天官。"见《大正藏》卷53,第704页。
　　⑥ 《正统道藏》第52册,第41996页。

经》、《太玄经》和《正一法文》。四辅与三洞的关系是：

> 又须知三洞四辅，自相辅成。《正一经图科戒品》云："《太
> 清经》，辅《洞神部·金丹》以下仙品；《太平经》，辅《洞玄部·甲
> 乙十部》以下真业；《太玄经》，辅《洞神部·五千文》以下圣业；
> 《正一法文》，宗道德，崇三洞，遍成三乘①。"《太平经》云："辅
> 者，父也，扶也。"今言"三太"辅"三洞"者，取其事用相资，成生
> 观解，若父之能生也。众生钝劣，闻深教不解，更须开说翼成，
> 方能显悟，即是扶赞之义也。②

就是说，《太清经》讲金丹服食行气之道，是辅助"洞神部"经典的；《太平
经》讲元气阴阳、天人相通和养生致太平等道术，是辅助"洞玄部"（甲乙
丙丁戊己庚辛壬癸十部）经典的；《太玄经》是围绕《老子》的各种阐释发
挥，是辅助"洞真部"经典的；《正一法文经》集合了五斗米道和寇谦之所
出等天师道经典，则与三洞、三乘均有关联。由于三洞加四辅其数为
七，故道教又常以七部来统称三洞四辅，北宋时编定的道教类书《云笈
七签》亦是由此来命名。

　　三洞四辅往下，四辅不再细分部，三洞则每洞分为十二部，共计三
十六部经。起初陆修静编撰《灵宝经目》时采用这一分类法，后来被推
广到整个三洞。十二部类内容是：一本文，二神符，三玉诀（解释本文之
书），四灵图（图解或图像），五谱录，六戒律，七威仪（各种仪式），八方法
（仙法），九众术（各种方术），十记传，十一赞颂，十二章表③。如此三洞
四辅十二部类的道教经典分类法，由陆修静最初创设、而在随后的道教
典籍编纂实践中逐步完善起来。后来历代《道藏》的纂修，都沿用了这
一体例。

---

　　①　三乘，三洞按上中下又分为三乘，即洞真部为上乘，洞玄部为中乘，洞神
部为下乘。

　　②　《道教义枢》卷2《七部义》，《正统道藏》第41册，第33173页。

　　③　各部内容解释，可参看卿希泰主编：《中国道教史》第1卷，第548页。

2、斋戒与合道

陆修静在道教学术发展史上的贡献,除了整理编纂道教经典外,就是对道教斋戒仪轨的整理。道教的斋戒仪轨,自五斗米道创教以来,虽然一直在建立中,但不论其数量还是质量,都处于滞后的状态,远远不能适应道教发展的要求。相形之下,外来的佛教已有《十诵律》、《四分律》、《僧祇律》等多部戒律翻译问世。这既给道教人士以极大的刺激,同时也给了他们搬用佛教戒律以充实自身的机遇。事实上,晋宋间问世的大量道教戒规,基本上都是移植佛教而来。当然,由于沙门出家"不敬王者",道教却立足"人道"讲上下等级,这就使得道教又与儒家站到了一起,共同维护忠孝人伦,所以与佛教戒规也不完全相同。陆修静整理道教仪轨的指导思想正是建立在这一基点上的。

道教斋法中有"以苦节为功"的所谓"涂炭斋",其对人生的折磨使常人难以忍受,陆修静却能够身体力行。在他看来,得此类斋法乃"欢喜无量,有若贪夫遇金玉藏",陆修静以苦为乐,其理由在哪里呢? 这可以从他所作的《五感文》中找到答案。所谓"五感",是说:一感父母生我育我、鞠我养我、劳心损体、辛苦忧勤;二感父母为我冠带婚娶、积蓄赀财、造买基业;三感普天下贵贱男女,皆受人身身口之累;四感太上众尊、大圣真人开此大化,拯拔三涂,接济五道[1];五感我获此福,事有所由,因缘开度,使我见者,我师之恩,仰戴罔极,有过天地[2]。那么,本来是对人性人身极度摧残的斋法,在这里又充满了人性和对父母师长的真情。正是在这样一种真情感激中,人们对此苦斋便不会畏惧,因为

---

① 三涂:火涂、刀涂、血涂,指地狱、恶鬼、畜生"三恶道"。因在地狱被火逼,在恶鬼被刀杖逼,在畜生则被弱肉强食,故名。五道,三恶道再加上人、天二善道,即为五道。亦即"六道"中除去阿修罗一道。三涂五道是取自佛教报应说的观点。

② 见《正统道藏》第54册,第43857～43858页。

"心怡情悦,故无所惑"①。

当然,斋戒之重要,不仅仅在于它是情感的归宿,而在于它是修炼的最根本的手段。陆修静谓"道以斋戒为立德之根本,寻真之门户。学道求神仙之人,祈福希庆祚之家,万[莫]不由之"②。立德、寻真之重要,其实还不在于"德"、"真"的目的本身,而在于"立"、"寻"所凭借的斋戒的手段,宗教实践在陆修静远比理论来得重要。人行斋戒,不论到达哪一级境界,都是大有益于社会和人生的。如云:

> 上可升仙得道,中可安国宁家,延年益寿,保于福禄,得无为之道。下除宿愆,赦见世过。救厄拔难,消灭灾病,解脱死人忧苦,度一切物,莫有不宜矣。③

斋戒之功既然如此大而显,陆修静当然也就要身体力行地大加提倡了。

斋戒被陆修静推为立德求道之本,一切莫不由斯而成,功德"无能比者"。可是,这个无所不能的斋法毕竟又是要为维护实现道而服务的。那么,这个作为目的层面的道,究竟是什么呢?陆修静直接论道的文字不多,在残留下来的史料中,他主要是从"合"的角度去对道及其他范畴进行阐释。他说:

> 夫道者,至理之目。德者,顺理而行。经者,由通之径也。道犹道路也,德为善德也,经犹径度也。……夫道,三合成德,自不满三,诸事不成。三者,谓道、德、仁也。仁,一也;行功德,二也;德足成道,三也。三事合,乃得道也。若人但作功德而不晓道,亦不得道。若但晓道而无功德,亦不得道。若但有道德而无仁,则至理翳没,归于无有。譬如种谷,投种土中,而无水润,何能生乎?有君有臣而无民,何宰牧乎?有天有地,

---

① 见《正统道藏》第 54 册,第 43858 页。
② 《众斋法》,同上书。
③ 《洞玄灵宝斋说光烛戒罚灯烛愿仪》,《正统道藏》第 16 册,第 12721 页。

而无人物,何成养乎? 故《五千文》曰:"三生万物。"①
老子《五千文》以道为本,但陆修静的道却既非本原亦非本体,而是一种
和合整体。本体论是讲原因根据与现象表现的关系,而整体论则是讲
整体与部分的关系。陆修静的理论重心在整体而非本体,由此而论之
道,就有大道和小道。道、德、仁"三事合"之道为大道,道、德、仁各据其
一之道为小道。就小道论,道是最高之理的具体条目和落实,因而不是
最高范畴,它与德、仁是一种平行互补的关系。

从社会实践的层面说,老子阴、阳、和之三已转化为道、德、仁之三,
这一方面说明了儒家仁德之道的浸润,另一方面也表明陆修静思想的
重点其实不在道本身及对道的探求,而在于如何"合"道,如果不能
"合",则"至理翳没",道、德、仁的整体也就从根本上被破坏了。一当
"三"被破坏,"生万物"的功能自然也无从谈起。当然,这个"万物"在老
子是整个现实的世界,而在陆修静则更多是指作为修行境界的仙道世
界。一句话,即三合而有得道升仙。

不过,虽说三合而得道的基础在仁德,贯彻的是儒道合的基本方
针,但在如何才能与道合的关键问题上,陆修静又迅速回到了斋戒的道
教实践。他申明说:

> 一切皆知畏死而乐生,不知生活之功在于神气。……人
> 何可不惜精守气以要久延之视,和爱育物为枝叶之福。圣人
> 以百姓奔竞,五欲不能自定,故立斋法,因事息事。禁戒以闲
> 内寇,威仪以防外贼。礼诵役身口,乘动以反静也;思神役心
> 念,御有以归虚也。能静能虚,则与道合,譬回逸冀之足,以整
> 归真之驾。严遵云:"虚心以原道德,静气以期神灵。"此之谓
> 也。②

---

① 《洞玄灵宝斋说光烛戒罚灯烛愿仪》,《正统道藏》第 16 册,第 12718 页。
② 《法烛叙》,《正统道藏》第 16 册,第 12718～12719 页。

就是说,长生久视的基本点在于神气精的安定协调,所以圣人需要设立斋法以"惜精守气"。然其具体手段,却是将儒家的礼仪拉了过来,通过诵礼来驾驭躁动的心神,闲内防外,御有归真。他以为,严遵当年讲虚心静气以回归道德、期待神灵,也正是为了实现这一目的的。

陆修静的斋法不仅有儒家的影子,也有佛教的内容。他关于礼拜、诵经、思神的斋法,实际上都深深地打上了佛教的烙印。其曰:

> 以人三关燥扰,不能闲停,身为杀、盗、淫动,故役之以礼拜;口有恶言,绮妄两舌,故课之以诵经;心有贪、嗔、恚之念,故使之以思神。用此三法,洗心静行,心行精至,斋之义也。[1]

"三法"要解决的,正是由佛教而来的身、口、心(意)三业,然由"斋"对"业"的实施路径,则既有佛教的因素,也有继承老庄玄同、心斋的传统修炼法而来的结果。

在这里,道教是坚持有形生命的存在价值的,但这就有一个如何样"合"道的问题。洞真上清斋法中有"遗形忘体,无与道合"的劝戒,强调合道的虚无性质。陆修静据庄子的思想发挥说,形体的特点在"有待",而"有待"必然导致"有累",可现在这人、亦即仙已经从内外牵累束缚中超脱了出来,上升到虚无之境,当然就能与道相合。那么,能否合道,关键不在道,而在我。但"我"的形身是不能否定的,惟一的办法就是自老庄、玄学而来的"忘"。所谓"道体虚无,我有故隔。今既能忘,所以玄合"[2]。

"虚"、"忘"在老庄已有,"玄合"则源出于"玄同"。在老子这是人有意识、有目的地塞兑闭门、和光同尘的结果,到庄子则进入以心斋、坐忘为特色的无知无虑的体道境界。庄子既继承了老子,又与老子有重大的区别,即他连主体人的自觉状态也一并忘掉。老、庄的这一区别,开

---

① 《法烛叙》,《正统道藏》第16册,第12717页。
② 参见《洞玄灵宝五感文》,《正统道藏》第54册,第43858页。

启了后来魏晋玄学两位主要代表的不同路向:王弼注《老子》,讲忘言忘象而得意、得道,这里尽管是"忘"字当头,但人自身并没有忘,忘言忘象者本人的存在是王弼"忘"论的前提,从而也才有人的得意体道的境界;郭象注《庄子》,虽然也讲忘言,但忘言的核心在"忘己","人之所不能忘者,己也;己犹忘之,又奚识哉!"① 在连己身都被忘掉以后,人便进入到了"心斋"的"虚心"集道的状态。所谓"虚其心则至道集于怀也。"②斋的目的在虚,虚的目的则在道。

在这里,老庄或玄学讲"玄同彼我",主要是一种内在心性的"乐命自愉",尚没有道教"思神""御有"的精神飞升、合道成仙的意义。但是从庄子讲"离形去知,同于大通"、讲人与万物相互"形化"来看,又可以将忘我与忘形贯通起来。其关键在防止"我"之欲念阻隔精神与道的玄合,而不是要否定我之形身。所以,陆修静讲己与道合时注重虚,讲人生追求时又强调实,反对流于虚浮的世道人心。他说:

> 而末世学者,贵华贱实。福在于静,而以动求之;命在于我,而舍己救物。若斯之徒,虽欣修斋,不解斋法;或解斋法,不识斋体;或识斋体,不达斋义;或达斋义,不得斋意。纷纭错乱,靡所不为;流宕失宗,永不自觉。譬背惊风,而顺迅流,不知溯洄反源,遂长沦于苦海,可不悲哉!③

在这里,"我"不仅没有被否定,而且是求实之源、长命之根,福以静求则是问题的关键。既以静为基,则欣慕浮华、追逐物欲都是不可能得长生之福的。陆修静虽然注重斋法,但主要不是斋法形式而是其实质内容,即重在通晓斋之本意为何。否则不但不能达到成仙的目的,反而会永沦于无边的苦海而不能自拔。此"苦海"之苦当然不是佛教的人生本

---

① 《庄子注·天地》,《庄子集释》,第429页。
② 《庄子注·人间世》,同上书,第148页。
③ 《洞玄灵宝斋说光烛戒罚灯烛愿仪》,《正统道藏》第16册,第12719页。

身,而是指心灵的永无安宁愉悦,从而永远不能合道长生。

可以说,陆修静作为南朝道教改革的一代宗师,他所关心的其实不是"天上"、而是"地下"之事,把主要精力放在了人世,放在了道教思想的整肃和制度的建设上。道教仪轨在很大程度上有赖于陆修静的努力才得以充实和完善起来。是即所谓"大敞法门,深弘典奥,朝野注意,道俗归心,道教之兴,于斯为盛也。"①

四、陶弘景的修道养生说

陆修静是南朝前期人,他的再传弟子陶弘景则生活于南朝中后期,在仅相隔五十年的同一师传世系中,前后出现了两位著名的思想代表,不仅在中国道教史上,就是在整个中国学术史上也是不多见的。就二人的学术倾向而言,陆修静虽自言"三洞弟子",但他实际垂青的还是灵宝系,而陶弘景则既是南朝道教改革的一位总结者,又是上清系的主要代表。

1、道有"大归"

陶弘景(456～536)是丹阳秣陵(今江苏南京)人,出生于江东名门大族。受其家庭影响,自幼勤奋好学,史载他"读书万余卷,一事不知,深以为耻"②,是当时有名的才子之一。陶氏尤其爱好医道与仙道,志在养生之学,他拜陆修静弟子孙游岳为师,接受了上清系的符图、经法;后又遍访名山,广搜上清经诀尤其是杨羲、二许"三君"事迹。归茅山(句曲山)后整理撰写了大量的著作,几乎涉及到了当时所有的学科,他

---

① 《三洞珠囊》卷 2,《正统道藏》第 42 册,第 33817 页。
② 《南史》卷 76《陶弘景传》。

的道教代表作则是20卷《真诰》。"'真诰'者,真人口噯之诰也,犹如佛经皆言佛说。"① 那么,陶弘景的主要学术思想,也就表现在这由仙人亲口传授下来的教义之中。而在其《养生延命录》、《华阳陶隐居集》中,也有他关于道教理论的重要论述。

道教既然是因"道"而名教,"道"在道教整个学术思想中自然就占有最重要的地位。但"道"之概念在中国学术又并非道教的专利,可以说是无学无教不言道,那么,什么是道教之道、或者说道教之道区别于其他教主要是儒家之道的特点是什么呢?陶弘景依托神仙之口进行了发挥,以为道教理论夯实基础。他说:

> 道者混然,是生元炁(气),元炁成,然后有太极。太极则天地之父母,道之奥也。故道有大归,是为素真。故非道无以成真,非真无以成道。道不成其素,安可见乎?是以为大归也。②

在这里,陶弘景将中国传统哲学表述宇宙本原的范畴道、元气、太极直接联系起来,并将其与道教自身的素、真、大归的范畴糅合到了一起。但这不同范畴的确定性质及其相互关系,陶弘景表述得不是十分清楚。大致是说,"道"因其浑沌混杂而产生原始之气,气凝聚孕育而成太极。太极是与现实宇宙直接关联的实体性存在,它体现了道的生成并决定万物的真性,即所谓"道之奥也"。

那么,道、元气、太极之间,其实并没有什么原则性的区别,道之深奥归藏之处,也正是它孕育成形而真实可见之处。道之"大归",是有无隐显等多方面属性的综合统一。接下来,这位假托的仙人又谓:

> 见也谓之妙,成而谓之道,用而谓之性。性与道之体,体好至道,道使之然也。

---

① 《真诰》卷19《真诰叙录》,《正统道藏》第34册,第27498页。
② 《真诰》卷5《甄命授一》,《正统道藏》第34册,第27370页。

陶弘景注解说：

> 此说人体自然，与道、气合，所以天命谓性，率性谓道，修
> 道谓教。今以道教使性成真，则同于道矣。①

显然，陶弘景已将《老子》之道与《中庸》之道、本原之道与修身之道、天之道与人之道统合在了一起。人是道、气和合的产物，是深奥不测的道的现实验证。因而，人之体本来就与道具有天然的亲和关系，它既是有形，又是性体，故可以说人体就是天命，人性就是天道，人之喜好道正是道之本性的表现。

但从历史上说，道家之道本侧重于天道，过于强调其客观必然的地位和性质，难以直接符合道教修性成真的宗教需要。所以，必须将注重人道的儒家之道拉过来，讲循性为道、修道为教。故而所谓"道教"，正是谓循其天性修道为教之意。他认为，随着人之修道为教之功，就能够"审道之本，洞道之根"，终使内在的真性形化而成为完全的真人。如此的真人，就是与道同体之"上清真人"、"太极真人"了。那么，道、太极作为宇宙的本原的意义，在于为"真人"的最高神位提供哲学的证明。同时，这也是陶弘景通过儒道和合的手段，对道教的宗教目的的进一步揭示。

在这里，审道本、洞道根的循性修道工夫，本是对真人的品格说明，用于凡人则意味着太多的艰难。这些艰难，泛而言之便有"五难"：

> 天下有五难：贫穷惠施，难也；富豪学道，难也；制命不死，
> 难也；得见洞经，难也；生值妊娠后圣世，难也。②

"五难"都是谓学道之难，这既有财力的问题，也有智慧的问题，还有生不逢时的问题等。它们作为修道的障碍，虽然充满了人所不能选择的客观因素，但其实又都与人自身的努力状况相关。人若能利用道的光

---

① 《真诰》卷5《甄命授一》，《正统道藏》第34册，第27370页。
② 《真诰》卷6《甄命授二》，同上书，第27382页。

芒来照耀自己,困难又总是可以克服的。因为道与非道,其实都与人生的利害关系不可分,这是正常的成年人应该能够意识到的:

> 为道者,譬彼持火入冥室中,其冥即灭,而明独存。学道存正,愚痴即灭,而正常存也。财色之于己也,譬彼小儿贪刀刃之蜜,其甜不足以美口,亦即有截舌之患。[①]

在这里,学道存正既是境界和修行的目的,也直接就如火炬一样是引导人修行的手段方法。人实际上是以道来修道,因而,他能够分辨利害而走向大道。

2、禁欲养生(神)

陶弘景的以道修道之方,追求的是手段和目的的理想统一。他曾经有比喻说:

> 为道者,犹木在水,寻流而行,亦不左触岸,亦不右触岸,不为人所取,不为鬼神所遮,又不腐败,吾保其入海矣。[②]

"道"作为方法,它本具有引导人达到终极目的的功能。但道之引导功能只是说明了应当寻流而行这个一般原则,它并不能直接保证人就能得道,因为这还取决于人与外部环境发生关系时的主体状态。作为一块入海之木,要真想到达大海,必须是在不触左右岸、不为人鬼取遮、又不腐败的前提下才有可能。这既说明了外部环境对人的行为和求道活动有干扰阻塞,也说明了求道者在处理外部的各种关系时,是有自我选择的能力的。那么,人的命运最终还是掌握在自己手中。

但是,人要保持自身不腐败而"入海"得道,绝不仅仅在于排除外部环境和关系对人的干扰影响本身,重要的还在于不能失去神对形的主导,以致连生命都付诸东流。陶弘景引《道机》曰:

---

① 《真诰》卷6,《正统道藏》第34册,第27382页。
② 同上书,第27383页。

> 人生而命有长短者,非自然也。皆由将身不谨,饮食过
> 差,淫泆无度,忤逆阴阳,魂神不守,精竭命衰,百病萌生,故不
> 终其寿。①

养生延寿取决于人作为主体如何以神来控制自己的形。就此而言,养生尚属于科学的范畴。陶弘景在科学意义的养生方面,也有不少的论述,他并引来司马谈《论六家之要旨》关于形神相互依赖不可分的观点,而将其概括为"养生之道"。

但是,陶弘景作为道教思想家,他的目的主要不在科学意义的养生,而在宗教的进路,所以禁欲是通向仙道的惟一和必要的途径。他在为此而提供的具体养生方案中,"形"的方面已降到了非常次要的地位,重点都落在了神之一方。陶弘景引《小有经》说:

> 少思、少念、少欲、少事、少语、少笑、少愁、少乐、少喜、少
> 怒、少好、少恶,行此十二少,养生之都契也。多思则神殆,多
> 念则志散,多欲则损志,多事则形疲,多语则气争,多笑则伤
> 藏,多愁则心慑,多乐则意溢,多喜则忘错昏乱,多怒则百脉不
> 定,多好则专迷不治,多恶则憔煎无欢。此十二多不除,丧生
> 之本也。②

尽管形、神二字都未提及,但作为实施"十二少"、"十二多"的主体来说,已不出神的范围。

所以会是如此,在于陶弘景已不是固守道教的门户,而是大量吸收了佛教的观点。在佛道和合的理论视野下,道家、道教的形神不离已变成了亦离亦合。他说:

> 凡质像所结,不过形神,形神合时,是人是物;形神若离,
> 则是灵是鬼;其非离非合,佛法所摄;亦离亦合,仙道所依。

---

① 《养性延命录》卷上《教戒篇》,《正统道藏》第 31 册,第 24622 页。
② 同上。

……于是各随所业,修道进学,渐阶无穷,教功令满,亦异[毕]① 竟寂灭矣。②

在"寂灭"作为最终指向的前提下,亦离亦合的仙道已经揭示了神所占据的主导和独立的地位。一句话,决定离或合者,神也。

因而,陶弘景之亦离亦合,实际上也可以说是从另一角度讲的非离非合。如此离合观的实质,可以说正是当时佛教界流行的观点——神不灭论的反映。他之所谓"寂灭",其实就是"离",就是"尸解化质",就是神从已化去的形质中解脱而飞升。可是,这种解脱飞升之神到底是什么呢?"形神若离,则是灵是鬼",即是灵魂一样的存在。而灵魂和形体的关系,不过是"亦离亦合"的"寄寓"的关系。故他又说:

人生如幻化耳,寄寓天地间,少许时耳。若摄气营种,苦辛注具,将得道久,道成,则同与天地共寓在太无中矣。若洞虚体无,则与太无共寄寓在寂寂中矣。能洞寂者,能视之不见,听之不闻,死生之根易解,久长之年易寻,寻之可得,解之可久。③

长生久视的肉体生命在这里已经没有价值,存在的只有轮回寄寓于天地间的幻化短暂的人生。"太无"作为宇宙的本体,是作为修行主体的灵魂的最后归宿。人已不再需要延年益寿的生命保养,反倒需要从肉体生命、死生之根中解脱出来,以便"体无"、"洞寂"。老子那里视之不见、听之不闻然又有精甚真之道,在这里已变成虚无空寂之灵魂。这个灵魂可以说是道家的无、玄学的玄和佛教的空的混合体,它自然也就不再有生死,而与天地共久长。

① 此"异(異)"字不通,当为"毕(畢)",汤一介《魏晋南北朝时期的道教》第273页所引已直接使用"毕"字。
② 《华阳陶隐居集》卷上《答朝士访仙佛两法体格书》,《正统道藏》第39册,第31476页。
③ 同上。

如此之灵魂,能够从现实的生命中解脱,在于它本来就是从前世生命即所谓"宿命"中轮回而来。陶弘景十分想弄清这一问题。他叙述说曾向"太上"请教"何缘得识宿命",太上回答说:

> 道德无形,知之无益,要当守志行道。譬如磨镜,垢去明
> 存,即自见形。断六情,守空净,亦见道之真,亦知宿命矣。

又曰:

> 念道、行道、信道,遂得信根,其福无量也。①

"宿命"属于道的范畴,而道本无形,不能为人所认知,惟一的办法就是断绝情欲。因为情欲遮蔽了道,只要去欲,则道、亦即前世之命自然显现。因而,就求道之方来说,正常的认知途径是完全无效的。"磨镜"的工夫实际上也就是"念道",念道加上行道、信道,便能得道。信根本在,但不念不得,所以念者其福无量也。显然,从宿命的概念到断情守空、得信根而福无量,已完全是佛教的语言。"无量寿"者之生,当然需要养,但却是磨镜念道之养,与肉体人身是没有关系的。

当然,陶弘景还是要讲养生纳气的,但"生"既然可以是由前生所转,气也可以由灵魂而为形质。灵魂、众生在传统语言中本来就是一气之转换。陶弘景说:

> 夫可久于其道者,养生也。常可与久游者,纳气也。气全
> 则生存,然后能养至,养至则合真,然后能久。登生气之二域,
> 望养全之寂寂,视万物之玄黄,尽假寄耳,岂可不勤之哉!②

气可以是儒家的实在之气,但也可以是佛教的幻化之气,即纳气者所"假寄"之物。这种假寄并不限于人生,登二气、望寂寂、视玄黄也都是假寄。那么,所养之生就只能是一种空寂虚灵之神暂"合"于形的产物,

---

①　《真诰》卷6《甄命授二》,《正统道藏》第34册,第27382页。

②　《华阳陶隐居集》卷上《答朝士访仙佛两法体格书》,《正统道藏》第39册,第31476页。

人间的物质生活当然也就不值得留念。即便是"气全"而生者,亦不过是为说明其不可战胜的仙道法术而已。所谓"气全则辟鬼邪,养全则辟百害,入军不逢甲兵,山行不触虎兕,此之谓矣"。①

　　如此的神功法术,早在葛洪那里就已进行了阐发。但陶弘景与葛洪,双方的着眼点已完全不同,葛洪垂青的是人道、人世,故葛洪的仙实际上还是人,而且是"食甘旨,服轻暖,通阴阳,处官秩"② 之人。所以,"若委弃妻子,独处山泽,邈然断绝人理,块然与木石为邻,不足多也"③。而陶弘景由于已站在佛教幻化观的基础上来看待人生,实际上已走向全面的禁欲。所谓"夫真者都无情欲之感,男女之想也"④。

　　因而,在陶弘景,修道与禁欲也就是一个问题的两面,对欲望可以说进行了全面的清算。他说:

　　　　夫人系于妻子宝宅之患,甚于牢狱桎梏。牢狱桎梏会有原赦,而妻子情欲,虽有虎口之祸,己犹甘心投焉,其罪无赦。

　　　　情累于人也,犹执炬火逆风行也,愚者不释炬火,必烧手,贪欲恚怒、愚痴之毒处人身中,不早以道除斯祸者,必有危殆。⑤

由此,情欲之罪是无赦之大罪,而危险性却在于人们不能意识到这一罪魁祸首。陶弘景自觉地将佛教的贪、嗔、痴"三毒"移植了过来作为基本的视角。他之"以道除斯祸"的立场,已明确地表达了他与道教一般养生观的差异和与佛教禁欲主义的混同。

　　陶弘景学识渊博,著述甚丰,涉及到哲学、宗教、科学尤其是医学等各个方面。但陶弘景不只是一名理论家,更是一名善于协调各种社会

---

　　① 《华阳陶隐居集》卷上《答朝士访仙佛两法体格书》,《正统道藏》第39册,第31476页。

　　② 《抱朴子内篇·对俗》,第52~53页。

　　③ 同上书,第53页。

　　④ 《真诰》卷6《甄命授二》,《正统道藏》第34册,第27385页。

　　⑤ 同上书,第27382~27383页。

矛盾的宗教实践家。他虽因早年仕途不顺而辞官归隐,修道授徒,但他一生都未脱离政治,在山林中直接参与了南朝统治集团内部的斗争。后来一直得到梁武帝萧衍及朝中大臣的信赖和支持,王侯贵族有不少是他的学生,他成为了当时闻名遐迩的"山中宰相"。陶弘景又大量袭用佛教的观点,肉体成仙实际上转向为神不灭,使道佛两家的基本矛盾无形中趋于消解。

同时,陶弘景在茅山苦心经营几十年,使茅山成为了上清派的中心,道教茅山宗也因之正式形成。他通过对早期道教学说的总结,建立起了系统的神仙谱系并为众神排定了座次,使人间的社会等级成为了天上仙界秩序的蓝本。从而,通过陶弘景及其前代道教思想家的努力,最终使道教不仅仅是作为一种宗教,而且是作为整个中国文化系统涉及领域最为广泛的一种学术形态,在中国社会发生着深远的影响。

五、"三一"之辨

南北朝道教发展,除了重点体现在道教的宗教尤其是信仰的层面外,也对一般的哲学问题表现出浓厚的理论兴趣,这特别是在南朝中后期是如此。当时一些道教思想家围绕"三一"问题进行了广泛的讨论,其间涉及到宇宙生成论、本体论等多方面的问题。

"三一"问题起源较早。《老子》的"三混为一"、"一生三"① 是为最早的发端。《老子》之"三"为阴、阳、和,此乃万物的原初形态,万物则是"三"的化生和展开。比《老子》成书略晚的《易传》,提出了天、地、人"三才"和"太极"的范畴,而太极本有"生"的功能,故这同样是一个"三一"

---

① 　见《老子·十四章》、《四十二章》。

的结构。到秦汉时期，人们大多已将道、一、太极、元气等概念联系在一起。《老子》"道生一"的道与一不直接联系的模式，在《淮南子·天文训》已被解释为"道始于一"，将道与一统合了起来。西汉末，刘歆作《三统历》，明确提出了"太极元气，函三为一"[①]的三一统合说，以太极元气与天地人三才的相互关系模式解释宇宙的生成。东汉原始道教经典《太平经》亦讲三一。到东晋，葛洪对自老子以来的三一论进行了总结，提出了一个规范的三一模型。他谓：

> 道起于一，其贵无偶，各居一处，以象天地人，故曰"三一"也。[②]

他说明，道作为一之贵，就贵在它是最高的本体。本体虽然是一，却又有不同的功用和表现，天得一以清，地得一以宁，人得一以生。天地人均为同一道所寓，所以说是"三一"。

葛洪虽然揭示了三一的机制，但他自身理论的重点却不在三一之间而是落在"一"之一边，以为他的知一守一之法做论证。事实上，自老子以视之不见、听之不闻、搏之不得而又惟恍惟惚、有象有物规定道的存在特性后，如何才能知、尤其是"守"这个道或"一"，便一直是学术研究的重点所在。因为不见、不闻、不得说的是道的形上性质，所谓玄之又玄，故道之一又名为"玄一"；但老子毕竟又肯定了道是有象有物的实在，是有无虚实的统合，这就给后人指出了一条认识道的途径，即从有无虚实之际、亦即一三之相互关系入手去把握。

进一步，老子为什么要用三一机制来表述他对于万物与道相互关系的看法，从有无虚实之间可以发掘出什么样的哲学意蕴，南朝道教学者一直在进行着努力的探索。如前述陆修静便讨论了三合成德、得道的问题。相对于葛洪的重一，陆修静重视的是三，"自不满三，诸事不

---

①　见《汉书》卷 21 上《律历志第一上》。
②　《抱朴子内篇·地真》，《抱朴子内篇校释》，第 323 页。

成"，道、德、仁"三事合乃得道也"。但重视三并不等于不讲一，"三事合"本身就体现了"一"的性质。不过，陆修静对三一关系并没有过多关注，在他之后的一些道教学者对此问题则进行了专门的探讨。

1、孟法师之论

孟法师在南朝主要有二人，即"大孟"孟景翼和"小孟"孟智周，二人先后都积极参与了当时道佛之间"二教邪正"的辩论①。一时颇有影响。大、小孟法师关于三一义的观点，在《云笈七签》相关论述中，只有一处明确为大孟法师，余皆未详指，故这里亦不再细分，而统称为孟法师。

孟法师首先对何以是"三一"而不是"四二"这样的"数"的问题提出了自己的解释。以为："言三言一、不四不二者，以言言一即成三也。"又云："用则分三，本则常一。"② 所以是言三言一而不言四言二，前提即在于一三本融于一体。这个一体可以从老子的"一生三"和刘歆的"太极函三为一"模型去解释，即一体之道、之气本为阴、阳、和三者构成，即一在三中；反之，三之间又不能各自独立，它们始终统合为一体而共同作为宇宙生成的根据。

但是，一与三又不是没有分别，所谓言一即成三，是因为一是体而三是用，作用是多样化，本体却始终是一，本体的单一性是道教哲学也是整个中国哲学的一个基本特点。那么，三一问题实际上也就是用与体的问题，是以数量化的形式来表现的哲学本体理论。

大孟法师解云："三一之法，以妙有为体。有而未形，故谓

---

① 孟景翼、孟智周事迹参见陈国符：《道藏源流考·附录七·道学传辑佚》，第468、477页；卿希泰主编：《中国道教史》第1卷，第533页。又：孟景翼曾针对齐竟陵王萧子良所送之《十地经》作《正一论》，阐发老、释共尊"一"之说。详见《南齐书》卷54《顾欢传》附。

② 《云门大论·三一诀》引，《云笈七签》，卷49，第274、275页。

之妙;在理以动,故言为一。"引经言"道生一",又云"布气生
长,贷成靡素,兼三为用,即一为本。"①

意思是说,三一机制的特点在于都是有,但又不是日常实在的有,而是
特殊抽象的"妙有",此妙有便是现实世界的本体。之所以是妙,是因为
它还未成形质,但未成形质不等于静止不动,正是因为理或道的活动作
用,才能有世界万物的生成变化。孟法师具体引证《老子》"道生一"例
来说明有无体用的相互关系。

　　道、理言一,万物却为多,而这多的物都是由于道的布气施予作用
的支配才得以生长成就。所谓"贷成靡素",《老子·四十一章》有"道隐
无名,夫唯道善贷且成"之言,王弼注说:

　　　　物以之成,而不见其形,故隐而无名也。贷之非唯供其乏

　　而已,一贷之则足以永终其德,故曰"善待"也。成之不如机匠

　　之裁,无物而不济其形,故曰善成。②

道尽管无形,但施予、生成万物在时空上都是完全地满足,无时无物不
受道的生成接济。而"靡素"实际上也就是"有色",与"有形"是同一的
含义,万物一旦被"贷成",它就是丰富多彩的。而从数的角度说,为三
为多表现的是作用一方,与作为开端的本体一方正相对应,相互发明。
于此,《玄门大论》作者批评说:"果法若起,故非未形之妙。经云:生岂
是常在之本?"意味法相若是生起者,它就不属于形而上的范畴,不可能
是常在不变的本体。

　　"生"的范畴,其含义在中国哲学有二:一是有形万物的生成流变。
在这里通行的是无常的原则,如由《周易》而来的生生不息。这是可以
为人的经验和推断所证实的,实际上否证了道教立于现实生命基础上
的长生久视之路,故同时也成为佛教诸行无常观点的真实生活基础。

────────

　　①　《云门大论·三一诀》引,《云笈七签》卷49,第275页。
　　②　《老子道德经注·四十一章》,《王弼集校释》,第113页。

二则是天地万物的最初创生。这在当时主要是一种逻辑的假定,无法由人的经验予以证实。比如孟法师引老子的"道生一"就是如此。今天的大爆炸宇宙学则可以说是宇宙从无到有创生过程的一种"科学"的陈述。在此种陈述中,道作为决定创生的形上和常在之本,是有存在的理由的。也正因为如此,生成论与本体论的相容互通成为了中国哲学的一个典型特点。而在孟法师,形下与形上的物、道之际所以采取了三一式的结构和机制,就在于道只有兼通三方、多方才能表现出自己生成支配万物的作用;反之,万物又只有归根于一,道才可能证明自己是有形万物的本体。这一结构的功用,可以借用玄学提供的"以寡制众"、"以一为主"的哲学思维共识来予以发明。

2、宋法师之论

宋法师,即宋文明,梁简文帝时曾作有《灵宝经义疏》[1]。关于三一义,宋法师解云:

> 有总,有别。总体三一,即精、神、气也。别体者,精有三智,谓道、实、权;神有三宫,谓上、中、下;气有三别,谓玄、元、始。[2]

宋法师关于三一之说,运用了佛教关于总相与别相关系的理论构架。在佛教,总相即整体、一般,别相则为部分、个别,二者的关系,是总相不在别相之外,而别相又只能是总相的别相。总、别双方既具有一般的本体与现象关系的性质,又有其特殊的整体与部分构成关系论的意义。

在宋法师,总别关系已被具体化为一而三、三而九的关系。总体三一,即精、神、气三者结合为一体,但这个一体之一何谓却没有能够指明。于此,《玄门大论·三一诀》的作者批评说:"今谓此判三一之殊,非

---

① 宋文明事迹,见卿希泰主编:《中国道教史》第1卷,第535页。
② 《云门大论·三一诀》引,《云笈七签》卷49,第275页。

定三一之体。"① 简言之,即有三而无一。这是第一个层次。第二层次,是三中之每一个一又由三构成,即精、神、气三"别体"中各自又再分三。那么,相对于再分之别,则原别体又成为新的总体。

宋法师语虽然文字不多,但却涉及到大量的道教哲学基本概念。《玄门大论》作者于此多有引证和发挥,譬如从不同角度对三一义的分析:

> 《释名》云:三一者,精、神、炁混三为一也。精者,虚妙智照之功;神者,无方绝累之用;气者,方所形相之法也。亦曰:希、微、夷。希,疏也;微,细也;夷,平也。夷即是精,希即是神,微即是气。精言夷者,以知万境均为一照也;神言希者,以神于无方,虽遍得之,甚疏也;气言微者,以气于妙本,义有非粗也。精对眼者,眼故见,明义同也;耳对神者,耳空故闻,无义同也;鼻对气,触于体义相扶也。②

由此,"三一"可以从多个层面、角度去分析,如上所举,即混道实权、上中下、玄元始、精神气、希微夷等三者为一。

结合宋法师所解来看,"精"的概念是说明主体智慧的玄妙观照作用的,智有三种,即观道的正智,观境的实智,观变化的权智,三智虽然有别,但目的都在于发明自我的观照。"神"的概念是说明变化莫测而没有任何的执滞牵累;所谓神的三宫,在所引文字后列有"九经图术"可参考,即:上元泥丸宫,中元绛宫,下元丹田宫。神流动于上中下三宫,虽无处不得,但又十分稀疏难测,意在人之存神。"气"的概念是说明物体的空间结构和形色变化的,气亦有三:即从天地开辟到人物生成的玄黄气、白气和青气。气为万妙生成之源,细微无形,气之义在人之吸气养生。

---

① 《云门大论·三一诀》引,《云笈七签》卷49,第275页。
② 同上书,第274页。

按《玄门大论》的解释,宋法师所谓精、神、气的三一结构的特点,可以以人之感官来揭示,即:眼明见境,耳空闻音(无形有声),鼻吸触体。三者虽然所感有别,但又共汇为一体之感知,以使明道、存神、养气三功合一。

3、徐素法师之论

徐素法师,生平事迹不详。关于三一义,徐素法师云:

> (三一)① 是妙极之理、大智慧源,圆神不测,布气生长,裁成靡素,兼三为义,即一为体。②

三一义在徐素得到了相当的推崇,它既是客观方面的"妙极"之理,又是主观方面的大智慧之源。哲学本体和智慧主体二者是合一的。如此本体与主体合一结构的最大特点是"圆","圆"即说明它不是静止不动,而是神妙不测、流动无方的。本体的活动流行是这几位法师一以贯之的观点,而徐素与孟法师的理论最为相近,因为他们都强调了理本体的"生长布气,裁成靡素"的功能,以及"兼三为义,即一为体"的本体与作用相互发明的结构机制。但仅有本体则与道教的修炼无涉,故徐素的观点突出了主体智慧与理本体的自觉合一的特色。

《玄门大论》的作者虽然肯定徐素的观点有胜出前人之处,但在总体上并不认同。因为"如极理之与大智,此即是境智之名;慧源之与裁成,即是本迹之目,故未尽为定也。"③《玄门大论》与徐素都采用了从主客体角度将理、智相对进行论辩的体例,但《玄门大论》进一步分析说,徐素归为一体的极理与大智的范畴,其实是外境与主体智慧双方的关系;而智慧之源与裁制生成万物,双方则又是本体与迹用的关系,可

---

① 据《道教义枢》卷5《三一义》补。见《正统道藏》第41册,第33188页。
② 《云门大论·三一诀》引,《云笈七签》卷49,第275页。
③ 同上。

它们在徐素却混为一谈,统摄入三一结构之中。所以,不能以此未详加分析的观点、见解作为定论。

在这里,徐属与《玄门大论》作者的立足点显然并不相同。徐素的兼三即一结构是主客合一、理智合一,故从本体到事物迹用是一气推下来的,重点在"一体";《玄门大论》则是境智二分、体迹二分,重点在分二,故批评徐素是"语犹混通,未的示体"①。即没有明确将本体与作用区别开来。这说明,在道教学者中存在着重视体用一源与强调有用有体的两种不同的思辨取向。

4、玄静法师之论

玄静法师,一般认为即是梁、陈时道士臧矜②,人称宗道先生。其学识曾有"识洞幽微,智深玄妙"之誉,为隋唐著名道士王远知的老师。

玄静关于三一义的直接谈论不详,《玄门大论》将其本迹、质空论引入以讨论。

> 玄静法师解云:"夫妙一之本,绝乎言相,非质非空,且应且寂。"③

由此,则玄静重点都在"妙一"之本一方。既然为本,理当绝乎言相,为形而上的存在。但此形上存在又是质空、有无双遣的,既非有质又非绝对空无,既能感应万物又能寂静无迹。就此而言,可以说是一种体用论而非三一论,因后者虽亦讲体用,但却不是一般地讲,而是必须结合三一结构去讲。但这简短的一句话除了体用关系外,看不出三一之义为何。事实上,作为引述者的《玄门大论》作者,亦认为只有体用、本迹义,其曰:"今观此释,则以圆智为体,以圆智非本非迹,能本能迹,不质不

---

① 《云门大论·三一诀》引,《云笈七签》卷49,第275页。

② 臧矜事迹详见陈国符:《道藏源流考》第47页;又见卿希泰主编:《中国道教史》第1卷,第533~534页。

③ 《云门大论·三一诀》引,《云笈七签》卷49,第275页。

空,而质而空故也。"①

从此叙述看,已将体用、本迹关系明晰化了,重点突出了"圆智"的概念。既然是"圆"智,当然就流变无迹;又正因为是圆智,又无处不可以为迹,所以叫做"能本能迹"。而不质不空与而质而空亦正好互相发明。基本点仍是僧肇以来佛教中观学派的思路,但以主体性的"圆智"作为问题的中心,又有自身的特点。到此,《玄门大论》作者的叙述仍不能转入三一义,由于《玄门大论》是将此作为三一义的第四种代表性见解来看待的,所以必须还要再加引申。故又说:

> 今依此解,更详斯意者:既非本非迹,非一非三,而一而三,非一之一,三一既圆,亦非本之本,非迹之迹。迹圆者,明迹不离本,故虽迹而本;亦不离迹,故虽本而迹。虽本而迹,故非迹不迹;虽迹而本,故非本不本。本迹皆圆,故同以三一为体也。②

按照上述引申的"详意",已将本迹与一三直接联系了起来,本为一而迹为三。但是由于"圆"智的作用,使得本与迹、一和三双方都不可能执著。一既流行体现于三之中,一也就不是具体的一,它是三之全体、本体;而三既然是由一决定,它们也就是虽三而一。那么,三之与一,作为本与迹双方,虽有对立,却又是相互扶助,相互过渡。三一结构通过圆智的作用而使本与迹、一与三能够相互打通。

在这里,三一之间的相互过渡,为本迹圆通提供了道教理论的基础。相对于佛教空假、性相之类主于一二模式的体用合一观,三一结构体现了自身独特的理论价值。可以说,圆智既是问题的出发点,没有圆智,三一的圆通无从谈起;同时也是问题的终点,因为"本迹皆圆"的结果,不过是圆智在体用关系上的具体表现。从而,所谓"同以三一为

① 《云门大论·三一诀》引,《云笈七签》卷49,第275页。
② 同上。

体",实质是以智慧为体,智慧才是全部问题的中心。事实上,不论是哲学本体的体悟,还是仙道的修炼提升,都是建立在智慧的基础上的。所以,玄静始终要坚持以智慧为道体。

《道教义枢》引述其观点说:

> 玄静法师以智慧为道体,神通为道用。又云:道德一体,而其二义。一而不一,二而不二。不可说其有体有用,无体无用。盖是无体为体,体而无体;无用为用,用而无用。然则无一法非其体,无一义非其功也。①

智慧作为道体,无疑是一,但这一却是体现在"神通"的作用流行之中的。"神通"将一体二义贯穿了起来,于是由一而有三。但三在这里显然不是实有而是虚有,它实际上是一这个统一体的再现。所要说明的,是智慧之圆的神通。无此神通,不论执著于一与二、体与用的任一方面,都不能恰当地表现这种无处不有体用和体而无体、用而无用的圆智观。

当然,在当时,三一之论并不仅仅是在理论的层面进行,它也大量涉及到特定的宗教信仰和实践修炼。譬如《玄门大论》所附之"图术"、所载三一之部类就有:洞真三一,洞玄三一,洞神三一,皇人三一,大清三一,太平三一,太玄三一,正一三一,自然三一,共九类;而所谓三一的具体含义,又有:神、气、精、希、微、夷、虚、无、空,等等。九部类三一,显然是三洞四辅义的发挥;而三一的具体含义及其对相互关系的探讨,则反映了道教学术对玄谈义理的关注。可以说,它们是在佛教非有非无、有无双遣的思辨的刺激下,道教学者重新发挥老子、玄学的玄思底蕴,并将其与佛教资源折中融合的产物,表现了道教为改善形上思辨严重滞后局面所作的新的努力,是隋唐时期孕育成熟的道教重玄学的酝酿和必要的准备。

---

① 《道教义枢》卷1《道德义》,《正统道藏》第41册,第33157页。

第七章　儒释道三教论争与互补

儒释道三教的关系自佛教的传入而开始,自此中国本土学术在协调内部关系、主要是儒、道关系的同时,增添了一项新的内容,就是如何对待及接纳外来的学术文化。在整个魏晋南北朝时期,三教异同一直是学术发展的一个中心课题和最引人注目的文化现象。在这里,既有儒家与道教、儒家与佛教、佛教与道教的关系,也有佛教或道教分别拉拢儒家以攻击对方的关系。而从其发展的大势来说,则表现为三教为维护论证各自的合法性、正统性和主干性地位而展开的论争,其间含摄着本末先后之辩和夷夏之辩等。正是在这些争辩之中,三教的学者学会了一定程度的容忍和折中,三教学术开始了初步的融合交汇。

一、葛洪的儒道本末说

三教关系在理论上虽然自释氏传入、自道教产生以后便已经成立,但就其在中国社会尤其是学术界发生影响来说,则相对滞后。一种学术,只有当它有一定发展并开始与其他学术相区别时,它的特有的价值才能真正显示出来。与此呼应,其所属学派、学术的思想代表感到有义务为自己学派、学术的生存和发展进行辩护,并对其他学术思想与自己的关系做出界定和说明。牟子《理惑论》可以说最早对三教间的关系进行了发明,目的在三教的折中和调和。但自汉末至魏晋的一百多年中,三教关系的讨论并没有普遍地大规模地展开,直到东晋中后期,人们才对这一问题有了比较清醒和自觉的认识,从而正式开始了中国学术史上绵延不绝的儒释道三教的争辩。

1、对汉代儒道本末说的总结

三教争辩是一个总的话题,结合具体情形而言,学者们往往不是泛论三教短长,而主要是折中于两教之间。儒家学术在汉代具有的"独尊"的地位,虽然进入魏晋以后已基本丧失,但作为社会国家管理的思想基础和内含于玄学中的基本理论构成,使其仍具有当然的正统的地位。正因为如此,新起的道教和佛教首先都是与儒家发生纠葛,并力图在与儒家的颉颃中找到其与自身学术的契合点和自己理论的生长点。在这里,道教、佛教为自身争取生存权和合法性的斗争可以说是积极主动的,而儒家学者往往只是被动地响应,故相对于道、佛二教的理论创新,儒家基本上是安于守成或者疲于应付,所以在学术发展的潮流中明显处于下风,这在整个魏晋南北朝时期可以说都是如此。葛洪论道、儒本末先后便是这一交锋的开始。

作为神仙理论的一名主要奠基人,葛洪也是精通儒术的学者,撰有大量属于儒家系统的著作。他论道、儒两家之短长,就既要扬道而抑儒,也要做具体分析,给儒家以恰当的地位。

就中国传统之道儒关系而言,早在汉初司马谈的《论六家之要旨》中就有一个经典性的总结,葛洪要论证道为儒之本、儒为道之末,首先便以此为据进行正本清源。其曰:

> 唯道家之教,使人精神专一,动合无形,包儒墨之善,总名法之要,与时迁移,应物变化,指约而易明,事少而功多,务在全大宗之朴,守真正之源者也。①

---

① 《抱朴子内篇·明本》,《校释》,第184页。

由司马谈而来的对道家特点的揭示,对葛洪的神仙道教本来并没有直接的帮助,因为它涉及的只是思维和学术的特点,但经过葛洪的改造,变成了道教优长于各家、理当为众术之本的基本理论根据,变成了凝神守一之功和变化成仙之妙,并从而使道教的功德置于了费力不讨好的儒家之上。因此,对于班固以司马迁"先黄老而后六经"对其施加的责难,葛洪就颇不以为然。在这里,凸显出中国学术中十分独特而又敏感的问题——主干地位与正统意识。

中国学术中的正统意识历史悠久。先秦时期的华夏中心论是它的原始根据。但从秦一统天下开始,随着原来的四夷逐渐融入统一的中华,夏与夷在经济、文化发展上的不平衡,开始让位于统一国家内的正统与非正统、主干与从属的争论。秦的天下一统是法家学术思想的胜利,法家是名副其实的惟一的正统。其后的"汉承秦制"其实不只是在社会政治架构上,"春秋大一统"的理想的落实,将作为正统的代表的"法术"改换成了"儒术",以儒术为独尊。但是,汉武帝、董仲舒虽推行"独尊儒术"的国策,却未能从学术的层面给出必须的理由——儒家学术何以能优长于其他学术而应当独尊? 事实上,董仲舒并未能对先秦各家学术进行系统的总结,故其"独尊儒术"主要基于政治的而非学术的理由。总结先秦学术的任务,历史地落到了与他同时的史学家司马谈的手中。

司马谈不是从政治标准而是从学术标准来判定各家的优劣的。但是他虽论各家之短长,却并未有正统专属之意识,因为他的基本点是《易大传》的"天下一致而百虑,同归而殊途",即只有"一统"而没有正统。司马迁继承了乃父的学术旨趣并将其《论六家之要旨》发表了出来,显然,这与当时尊儒的学术气氛是不合拍的。所以,到东汉班固作《汉书》时,尽管也全文照转了《论六家之要旨》,但却是以"是非颇谬于圣人,论大道则先黄老而后六经"① 为司马迁之弊而做出评论的。

---

① 《汉书》卷62《司马迁传·赞》。

　　班固理论的基点是他自己明确的儒家正统观,董仲舒的"推明孔氏,抑黜百家"已经成为他自觉的使命。但是,班固与董仲舒不同,他并不像前者那样"抑黜百家"、"勿使并进"①,因为各家学术并不就是"孔子之术"与"邪僻之说"的简单对立,而是要复杂得多。班固作为历史学家又特别是学术史家,作了流传千古的《汉书·艺文志》,其中各家学术都有自己合法的存在地位,即合法性问题在他已经解决。正因为如此,他所注重的已经不是董仲舒的惟一性、独尊性,而是正统性和主干性,即在承认各家的基础上区分先后主从。这一做法影响深远,后来中国学术的各家各派,都是以正统意识的担当者自居的。

　　在班固,理想的学术秩序,应当是先六经周孔而后黄老。以先后论正邪、主从,是中国学术的一个显著特点。在先者源远流长、根深蒂固,自然为正;居后者蔓延别出,流荡无归,只能为邪。由此,本来只是时间观念的"先后",却演变为判定正与非正的正邪、主从关系的标准。何以能为正?焦点便在所谓"大道"上。班固维护的道是"六经之道"或曰"人道",由于这关系着道教正统观和主干观能否确立的根本,所以葛洪必须要认真予以辨析,通过"明本""问儒道之先后"。缺少了这一工夫,就不可能对问题有清醒的认识。譬如"(班)固诚纯儒,不究道意,玩其所习,难以折中"②,事实上给予了否定的评价。

2、对"道意"的开发

　　班固虽言大道却不究道意,那么,不满于班固的葛洪,他的"道意"又何谓呢?在这里,葛洪要论儒道之本末先后,首先就是要纠正将道教之"道"只归为养生之事而使其受限的弊病,正本清源,将道还原为一般普遍之道并与儒家之道进行区分,以最终确立道教的正统性和主干地

---

①　《汉书》卷56《董仲舒传》。
②　《抱朴子内篇·明本》,《校释》,第184页。

位。

葛洪云：

夫所谓道，岂唯养生之事而已乎？《易》曰："立天之道，曰阴与阳；立地之道，曰柔与刚；立人之道，曰仁与义。"又曰："《易》有圣人之道四焉，苟非其人，道不虚行。"又于治事隆平，则谓之有道；危国乱主，则谓之无道。又坐而论道，谓之三公，国之有道，贫贱者耻焉。凡言道者，上自二仪，下逮万物，莫不由之。但黄老执其本，儒墨治其末耳。[①]

葛洪将儒家经典中的道都搬了出来，以求说明道当然不限于养生(仙道)，但也不限于仁义(人道)，而是总括天地万物人事。在此前提下，仁义礼乐之道成为了天地阴阳之道在人世的体现，也就不可能具有整个宇宙之本的资格，它被归属于末节，也就在情理之中了。

从而，一方面是周孔的仁义礼乐之道不具有本体的资格，另一方面道家道教的自然天道本来就是从根源、本体立论，这在葛洪，便是"道也者，所以陶冶百氏，范铸二仪，胞胎万类，酝酿彝伦者也"[②]。那么，由此推论到"道者，儒之本；儒者，道之末"[③] 的本末之判，也就有文献上和理论上的依据。当然，葛洪这里也有诡辩之处，即他要论证的是道家道教与儒家之间在学派关系上的本末，而提供的论据，却是大道与仁义范畴之间的本末。在此前提下，道既然为"百家之君长，仁义之祖宗"[④]，那道教顺理成章地也就成为了儒家之根源。可以说，葛洪充分地利用了"道"字的模糊性来做文章，将作为宇宙本原的道与作为道教的道混同为一体。

从本末关系说，由于任一末节都只能反映有限的本体，而凡本体可

① 《抱朴子内篇·明本》，《校释》，第184～185页。
② 同上。
③ 同上。
④ 同上书，第188页。

以兼通一切末节,所以立足道本论的黄老之高于周孔,也就毫不奇怪。葛洪在这里又借用了一般历史传闻,称:"黄帝能治世致太平,而又升仙,则未可谓之后于尧舜也。老子既兼综礼教,而又久视,则未可谓之为减周孔也。"① 黄老不仅在时间上先于儒家圣人,而且其道之大又包括仙与人双方。道之与儒,同一在人道,超越则在天(仙)道。所以,道本儒末实在是很正常的。而且,道为宇宙之本是无条件的,仁义则是比较鉴别的产物,是有条件的,本来就低了一个层次。所谓"忠义制名于危国,孝子收誉于败家,疾疫起而巫医贵矣,道德丧而儒墨重矣。由此观之,儒道之先后,可得定矣"②。

可是,世人为何往往又倚重于儒家而看轻道教呢?葛洪要确立道教的主干地位,就必须对这一实践层面的问题做出回答。葛洪对此没有回避,他承认儒道双方在"术"的层面有别:儒家之长在礼乐教化、在经世济俗和世间名利,关注的是人的日常生活和现实利益,所以易为世人所知晓和接受;道教之长在主静劝善、在去机变势利之心,为人虑更为长远,但由于"善济物而不德(得)"的特点,而难以为世人所了解,以致看轻了道教。换句话说,道本仁义末与道教本儒家末的打通,其实是一柄双刃剑,它在理论上有利于偷换概念,以尊道抑儒;但在实践上却不利于大众吸纳——大众的习性是安其近习而忽略长远:"儒教近而易见,故宗之者众焉;道意远而难识,故达之者寡焉。"③

正因为如此,葛洪的主要精力,大都花在了祛除人们只知末流而不见根源的蔽塞上,强调:

> 道者,万殊之源也。儒者,大淳之流也。……是玩华藻于
> 木末,而不识所生之有本也。何异乎贵明珠而贱渊潭,爱和璧

---

① 《抱朴子内篇·明本》,《校释》,第188页。
② 同上书,第186页。
③ 《抱朴子内篇·塞难》,《校释》,第138页。

而恶荆山？不知渊潭者，明珠之所自出；荆山者，和璧之所由
生也。①

葛洪力图要引导世人由流溯源，自末缘本，从而使道教之学不仅为儒学
所本，亦为世人所重、所习。

从历史上看，葛洪在学理上证明道之为本还是得心应手的。可以
说，到他这个时候为止，儒道本末先后说第一次在理论上得到了充分的
阐发。但他的理论也有明显的缺点，他自己对此亦有清醒的意识，所谓
"世之讥吾者，比肩皆是也"②。因为毕竟人习于末易而知于本难，匹夫
匹妇日见日为而不知、也不求知乃司空见惯。况且人道实在而仙道缥
缈，人很难抛舍人道而去求仙道。所以，葛洪只能寄希望于将来："可与
得意者，则未见其人也。若同志之人，必存乎将来，则吾亦未谓之为希
矣。"③

因而，葛洪虽然以道本儒末说论证了道教的主干地位，亦未见有儒
家学者对此的反驳，但从整个社会的学术文化走向来说，吸引人们注意
的，已经不是道与儒辩本末，而是道与佛争正邪、争高下。

二、顾欢《夷夏论》及其争论

从东晋到南朝，三教之间主要是道教与佛教之间的关系，随着佛教
势力的增长而日趋紧张，双方发生了正面的交锋。正是在这交锋中，双
方都更深刻地认识到了各自学术之所长，从而在更广泛的层面产生了
道佛折中调和的需要。

---

① 《抱朴子内篇·塞难》，《校释》，第138页。
② 同上书，第140页。
③ 同上。

1、顾欢《夷夏论》的理论旨趣

顾欢生活在宋、齐年间,字景怡,吴郡盐官(今浙江海宁)人。幼时即聪颖好学,家贫无力供其念书,则在学堂墙后"倚听",日耕而夜读,成年后从雷次宗学"玄、佛诸义"。后不愿为官,以隐居著述讲学终其一生。

顾欢曾向齐高帝萧道成上表,希望治国以"道德"为纲,又删撰《老氏》,献《治纲》一卷。晚年闭门服食修炼,"事黄老道,解阴阳书,为术数多效验"①。顾欢一生,论著颇多,然大都亡佚,《顾欢传》说他"著《三名论》,甚工,钟会《四本》之流也。又注王弼《易》、二《系》,学者传之。"可见其深厚的玄谈造诣。而在流传下来的著作中,最有名也最引起争议的便是他的《夷夏论》。

《夷夏论》出台的理论背景,与"老子化胡说"及引起的争论有关。"老子化胡说"即老子西出关入天竺教化胡人为浮屠之说,在中国的土地上流传已久,最早当由《后汉书·襄楷传》所载延熹九年(166年)襄楷上疏云"或言老子入夷狄为浮屠"一语化出。在汉魏之际,当人们把佛、老一同视为大神而加以礼拜时,佛教信徒为了外来佛教能被中土人士所接受,大都对此说采取了容忍默许的态度。它的典型表述,就是裴松之注引鱼豢《魏略·西戎传》的一段话:

> 《浮屠》所载与中国《老子经》相出入,盖以为老子西出关,过西域之天竺,教胡。"浮屠"属弟子别号,合有二十九,不能详载,故略之如此。②

由此,则佛为老子弟子,道高于佛也就在"圣典"上有据。

鱼豢是魏晋之际的人物,到西晋中期,则又有据说是道士王浮作的

---

① 见《南齐书》卷54《顾欢传》。
② 《三国志》卷30《魏书》注引。

《老子化胡经》,进一步将"老子化胡说"① 系统化。但原书今已不存。之后,老子已不只是入天竺教化胡人,而是乘日精入天竺维卫国国王夫人净妙口中,孕育成熟后剖左腋而生,由此而有"佛道"云云②。但此时的佛教学者由于自身势力的增强,而不愿再容忍佛教居于道教之下的地位,于是奋起抗辩。然其手法,同样是杜撰经典,贬老子为佛之弟子。由东晋至南北朝,佛道之争已明显是佛强道弱之态势,这对于道教学者来说是极不甘心的,顾欢的《夷夏论》便是维护道教地位的一次新的努力。

顾欢在先"据圣典"而明辨老子化胡、道佛同源的"是非"③ 之后,具体对他的观点进行了论证。其中心观念是道佛二教道同而迹异,可相补而不可相混。

先看前一方面即道同而相补。顾欢曰:

> 道则佛也,佛则道也。其圣则符,其迹则异。或和光以明近,或曜灵以示远。道济天下,故无方而不入;智周万物,故无物而不为。

> 圣匠无心,方圆有体,器既殊用,教亦异施。佛是破恶之方,道是兴善之术。兴善则自然为高,破恶则勇猛为贵。佛迹光大,宜以化物;道迹密微,利用为己。优劣之分,大略在兹。④

由于老子化胡的前提,所谓"道则胡也,佛则道也"的底蕴就是佛源出于道,并不意味着双方地位的平等。道先于佛,自然地位也就高于佛,这

---

① 关于"老子化胡说"及其争论的详情,参见汤一介:《魏晋南北朝时期的道教》,第290~301页。

② 顾欢:《夷夏论》,《南齐书》卷54《顾欢传》引。

③ 见顾欢:《夷夏论》所引之《玄妙内篇》、《法华无量寿》和《瑞应本起》经,《南齐书》卷54。

④ 顾欢:《夷夏论》,《南齐书》卷54《顾欢传》引。

同样是以先后论证主从。

顾欢的特点,在道济天下而权变为佛,以适应异域推广道法的需要。换句话说,道如果不能济包括天竺在内的"天下",则所谓"道体"便不稳,后者是需要无方不入、无物不为的"器用"来予以证实的。所以,老子化胡说几百年流传不衰并不断引起争论,绝不仅仅是限于表面意气的门户之争,而是也反映了二教在学理上的深刻的分歧。双方都力图证明自己才具有最大的普遍性和适应性,从而居于万流归宗的地位,并享有统一其他各派的正统和权威的资格。

在确立了道体的前提下,顾欢就可以来分述二教于迹、于用上的差异,道同与迹异本来可以相互发明。虽然双方的差异被归之于器之"殊用"、"异施",但实际上仍有手段和目的之不同。佛为破恶化物之手段,道则为兴善为己之目的。在这里,差异既是存在的现实,又是学术评判的需要。因为二者只有存在差异,才可能分出高低优劣。

再看后一方面即互补而不相混。互补的前提是承认对方具有存在的价值,但这种承认却是以夷夏、优劣、精粗不可替换的观点来换取的。佛入中华以来反对佛教的所有的论据实际上都已被汇集到这里。

其一曰:

> 是以端委搢绅,诸华之容;剪发旷衣,群夷之服。擎跽磬折,侯甸之恭;狐蹲狗踞,荒流之肃。棺殡椁葬,中夏之制;火焚水沉,西戎之俗。[①]

这分别是从服饰装扮、礼仪习俗和丧葬规制等方面为中"西"划线。既然华夏文明于西戎,道教也就优胜于佛教。

其二曰:

> 鸟王兽长,往往是佛,无穷世界,圣人代兴。或昭五典,或布三乘。在鸟而鸟鸣,在兽而兽吼。教华而华言,化夷而夷语

---

① 顾欢:《夷夏论》,《南齐书》卷54《顾欢传》引。

耳。虽舟车均于致远,而有川陆之节;佛道齐乎达化,而有夷
夏之别。若谓其致既均,其法可换者,而车可涉川,舟可行陆
乎?①

这是从人兽有分、教化各异而抬道贬佛。认为两家之别就如像舟涉川、
车行陆之不可替换一样来为中西划线。

其三曰:

> 下弃妻孥,上废宗祀。嗜欲之物,皆以礼伸;孝敬之典,独
> 以法屈。悖礼犯顺,曾莫之觉。②

这是说佛教慈悲及于虫蚁,却专不敬父母祖先,完全不合情理。当然,
就如同舟车各有其用一样,顾欢并不否认道佛各有自身的存在价值:
"佛教文而博,道教质而精,精非粗人所信,博非精人所能。"那么,结论
自然就是:"舍华效夷,义将安取?"③

这里的"文博"并非是赞扬,而是说对于西域之粗人,必须要大
量繁杂的文饰才能破除其恶,而道教本生于华夏礼仪之邦,满足的是
"精人"的需要,质朴简洁之教就可以自然兴善。但顾欢此论,还有
一个说不出口的理由。那就是道教经籍的字数与佛经相比严重不成比
例,尽管道教学者在大造道经,但仍远远赶不上佛经的分量,所以顾
欢要设法跳出这一尴尬的境地,以精对博,以纯对杂,以质对文,从
而突出道教的优长。在此前提下,则有什么理由要抛弃华夏文明而就
西夷陋俗呢?

顾欢的观点当即遭到假托僧人通公的司徒袁粲的反驳。袁粲的反
驳,主要观点有三:一是反对老子化胡,认定佛诞在老子之先;二是中西
礼仪习俗并没有那么大的差距,而且佛法入华,因革损益,就如同周文

---

① 《南齐书》卷54《顾欢传》引。
② 同上。
③ 同上。

王兴周、太伯创吴之革化戎夷一样,并非完全照搬西夷风俗。这从佛法流行而劝善行教、人心安定的事实便可以说明。三则是认定道教及儒家与佛教之间决非是道同而是道异,这可以说是一种比较极端的道、佛二途说。袁粲曰:

> 孔、老、释迦,其人或同,观方设教,其道必异。孔、老治世为本,释氏出世为宗。发轸既殊,其归亦异。符合之唱,自由臆说。又仙化以变形为上,泥洹以陶神为先。变形者白首还缁,而未能无死;陶神者使尘惑日损,湛然常存。泥洹之道,无死之地,乖诡若此,何谓其同?①

袁粲驳论的重心在第三点,但在这里他已经不自觉地接受了道教批佛的前提:即将自己所维护的佛教,变成了同孔、老为代表的整个中国本土文化对立的一方,这实际上削弱了佛教的辩护力量。事实上,袁粲不仅是赞同顾欢关于二教之别如舟车不可替代的主张,还进一步推向极端,将顾欢的道同迹异改造为道、迹皆异。这就是一治世一出世、一变形一陶神、一有死一无死,二教"乖诡若此,何谓其同?"袁粲严格划分佛、道界限,其用意也很明显,那就是将道教与佛教彻底剥离开来,以便凸显出佛教教义的优长。

顾欢对袁粲的驳论又做了应答。首先,就道、佛之先后说,顾欢利用袁粲认可的儒道合一,强调周公远早于释迦,所以他有充分的理由来讥笑袁粲笨拙地颠倒时间先后。而就道佛之同异言,顾欢同样抓住了袁粲认定戎俗落后的理论漏洞,反问"佛起于戎,岂非戎俗素恶邪?道出于华,岂非华风本善邪?"②

其次,针对袁粲绝对分割道、佛的观点,顾欢在肯定"佛非东华之道,道非西戎之法,鱼鸟异渊,永不相关"的前提下,又承认了中西道、佛

① 《南齐书》卷54《顾欢传》引。
② 同上。

交流的现状："今佛既东流,道亦西迈,故知世有精粗,教有文质。然则道教执本以领末,佛教救末以存本。请问所异,归在何许?"① 顾欢当然主张道、佛有高下短长,但所以这样主张,本来就包容了对对方之合理性的承认。双方执本领末和救末存本方法虽有异,但其目的和归宿却是相同的。

再次,对于神仙有死与无死的问题,顾欢力图对"神仙"的概念重新予以定位。道教虽然向往并主张长生久视,但真正不死之人自古难寻,如此"神仙有死"就使道教的理论从根本上缺乏说服力。这样反不如袁粲为之辩护的"神长存"、"神不死"之说。所以,顾欢有必要对神仙理论进行修正。而称:

> 神仙是大化之总称,非穷妙之至名。至名无名,其有名者二十七品,仙变成真,真变成神,或谓之圣,各有九品,品极则入空寂,无为无名。若服食菇芝,延寿万亿,寿尽则死,药极则枯,此修考之士,非神仙之流也。②

顾欢的神仙理论已经发生了重大变化,将历来以服食延寿为成仙之术及其万亿年寿的长生仙境整个地逐出了神仙的范畴,而将与佛教思想混同的空寂无名规定为神仙的内涵。这样的神仙实际上就是大化之宇宙,而最高境界是空无。

从有形之神仙到无形之空无,道教的仙境与佛教的涅槃已经合而为一,这就难怪顾欢虽要分道佛高下、却又并不否定佛教,而是要求二教同道同源了。佛教在他,已不是殊死的对头,而是有用的工具;利用佛教,可以补道教之不足,可以使神仙理论精致化。所以,尽管本传评价他是"虽同二法,而意党道教",但实际上援佛以补道、从学术思想上消融二教对立的锋芒,成为了他著《夷夏论》的真实意图。

---

① 《南齐书》卷54《顾欢传》引。
② 同上。

2、《顾欢传》所附其他二辩

《顾欢传》除了记载顾欢本人的事迹以外,还述及了当时道佛之间开展的其他两起争论。

第一,爱好佛法的齐竟陵王萧子良召道士孟景翼入玄圃园,参加众僧大会。萧子良要孟景翼礼佛,孟景翼不肯;萧子良送他当时流行的讲菩萨修行阶位的《十地经》,孟景翼则造《正一论》答之。《正一论》的实质在"正一",何谓"正一"? 顾欢已有"佛号正真,道称正一,一归无死,真会无生,在名则反,在实则合"① 之说,孟景翼的"正一"恐正由此发端。不过,大意虽都是讲道、佛的调和,但在顾欢毕竟是实合而名反,孟景翼则进一步将名之反亦归于合,一切归并到他的"一"上。他说:

> 《宝积》云:"佛以一音广说法。"《老子》云:"圣人抱一以为天下式。""一"之为妙,空玄绝于有境,神化赡于无穷。为万物而无为,处一数而无数,莫之能名,强号为一。在佛曰"实相",在道曰"玄牝"。道之大象,即佛之法身。以不守之守守法身,以不执之执执大象。②

在孟景翼,不论是佛经还是道经,其中心意思都是重"一"。"一"不是具体的数,而是空玄神化之妙境,实际也就是无。显然,与顾欢一样,孟景翼同样将道教的终极境界引向了空无。但此空无又不是绝对的虚无,它是佛教的实相,是虚实的统一。所以是为而无为,一数而无数。道即是佛,大象即是法身。那么,孟景翼的观点便不是分道佛高下,而是在相对严格意义上的道佛合一,并以此去反击萧子良和众僧对立佛道又崇佛贬道的主张。

孟景翼当然也不是完全无视二教的差异,但这差异在他只是因随

---

① 《南齐书》卷54《顾欢传》引。
② 同上。

用方便而成,并不会由此而损害道佛合一的宗旨。故曰:

　　　　三五四六,随用而施。独立不改,绝学无忧。旷劫诸圣,
　　共遵斯一。老、释未始于尝分,迷者分之而未合。亿善遍修,
　　修遍成圣,虽十号千称,终不能尽。终不能尽,岂可思议?①

老、佛在用的层面是多样各异的,但"一"之本性,却是在任何时空下都
永不改变。故老、释之为圣人,就在于从来都深知尊"一",而迷惑的佛
教信众,却不知随缘施用中蕴含的是同一的本体。修善成道、成佛会有
各种称号,但由于"一"本为空无,故无论多少种称号也不足以穷尽它之
深意。既然不能穷尽,又怎么可能想像将老、佛分割开来? 这在理论上
是有说服力的。孟景翼以"正一"对"十地",说明他是通过"一"体对
"十"用来消弭道、佛的分歧的。

　　第二,《顾欢传》又载司徒从事中郎张融与太子仆周颙之间的辩论。
张融作《门律》以示周颙曰:

　　　　道之与佛,逗极无二。吾见道士与道人战儒墨,道人与道
　　士狱是非。昔有鸿飞天首,积远难亮。越人以为凫,楚人以为
　　乙,人自楚越,鸿常一耳。②

意味道佛二教,实际上是投合无间的。不止道与佛,连同儒墨在内,张
融认为都没有什么实质性的差别。故所谓"是非",不过是因时移事异
而有教法的不同,从而影响对事物本来状况的判断。这就如本为一鸿,
却因为地理位置和目力等原因被误判成了凫或乙。所以,差别只是因
道士、道人(僧侣)或儒墨之士主观所起,在鸟本身或道佛之本来状况
言,并没有什么差别。

　　周颙不同意张融的观点,而难之曰:

　　　　虚无法性,其寂虽同,位寂之方,其旨则别。论所谓"逗极

————————

① 《南齐书》卷54《顾欢传》引。
② 同上。

无二"者,为逗极于虚无,当无二于法性耶？足下所宗之本一
物为鸿乙耳。驱驰佛道,无免二末。未知高鉴缘何识本,轻而
宗之,其有旨乎?①

周颙以为,所谓逗极无二,其实是一个很不精致的说法。因为论其本而
言,老氏讲虚无,释氏言法性,那这个"逗极无二",到底是落脚于虚无还
是法性呢？在这里必然就会分出彼此。用张融的比喻,必然就会是非
凫则乙,而不可能出现一个二家共本、即不凫不乙的鸿。就此而言,则
张融对佛道二家都未能很好地把握。所以,周颙反问张融,是如何识得
这个"鸿"本、并以它为宗来混同二教的？问题的实质在于,真有这样统
合二教的根据吗？

《顾欢传》对张、周二人的辩论,只是摘引了双方第一次交锋的观
点,并以为"往复文多不载"。然《弘明集》卷六收有双方这次论辩的原
文并往复辩难的后续书信,可为其补充说明。

3、佛教信仰者对《夷夏论》的驳难

顾欢《夷夏论》虽然通过援佛入道、论二教"道同"的手法,表达了道
佛调和的愿望,但他对比二教所用的大量夷夏、人兽、精粗等色彩鲜明
的语言,也在相当程度上刺伤了佛教信仰者的感情。因而在后者激起
了强烈的反响,出现了一大批反驳文章和与之相呼应的道、佛双方的进
一步论战。今《弘明集》卷六、卷七便载有明僧绍、谢镇之、朱昭之、朱广
之和僧侣慧通、慧愍等人针对《夷夏论》而展开的讨论。各方发论虽有
不同,但一般还是注意调和佛道的分歧。当然,这是在强调佛道有别、
佛高于道的前提之下。下面简述明僧绍《正二教论》和朱广之《咨顾道
士夷夏论》的基本观点。

明僧绍(？~483),字承烈,又称明征君,平原(今属山东)人,宋、齐

---

① 《南齐书》卷 54《顾欢传》引。

时的隐士,精于佛学,曾师事定林寺僧远,多次谢绝宋、齐朝廷的征召。生前曾以自己在摄山的房宅安置沙门法度。法度以其山宅为寺,此即后之栖霞寺。

明僧绍首先对顾欢所持老子化胡说从文本的角度进行了驳斥。认为道家的"真经"其实只在《老》《庄》,而《老》《庄》中并无"形变"、"无死"之说,至于所谓"乘日精之口剖腹"等,则更是"秦汉之妄,妖延魏晋",一派胡言。明僧绍对"老子之教"应当说是有深入研究的。他云:

> 老子之教,盖修身治国,绝弃贵尚,事正其分。虚无为本,柔弱为用;内视反听,深根宁极。……此学者之所以询仰余流,而其道若存者也。安取乎神化无方,济世不死哉!①

老子所讲是修身治国的学问,与长生成仙毫不相关。于此,他将道教后来的发展区分为三个部分:一是以长生为宗,炼丹饵玉,灵升羽蜕,尸解形化,"是其托术验之而竟无睹其然也";二是不为仙则为鬼,召补天曹,随其本福,损欲趣善,乘化任往,此类是"实理归于妄而未为乱常也";三则是杂以"神变化俗,怪诞惑世"的张、葛之徒,他们托言符咒章效是老君所传,并搬用佛教的史籍以"证其成伪"。道教各部虽有所别,但总体上"永惑莫之能辩,诬乱已甚矣"②。

显然,明僧绍的基本手法是肯定老庄原始道家而否定后来的道教,肯定修养经世而否定神化不死。在此前提下,同样讲修身经世的孔教当然也得到赞许。即在明僧绍,释与孔老都是反对虚幻的仙化的:"故仲尼贵知命而必有所不言,伯阳(老子)去奇尚而固守以无为,皆将以抑其诞妄之所自来也。"③ 明僧绍的论证还是比较巧妙的,他先是以务于世教和修养反击道教的怪诞仙术,但接下来,正因为孔老之旨只在于世

①　《正二教论》,《弘明集》卷6。
②　同上。
③　同上。

教和修身,所以低于佛的神功正教。他归结道:

> 则夫学镜生灵,中天设教,观象测变,存而不论,经世之深,孔老之极也。为于未有,尽照穷缘,殊生共理,练伪归真,神功之正,佛教之弘也。是乃神[佛]明其宗,老全其生。守生者蔽,明宗者通。①

经世不能穷缘,明宗才能弘通,所以佛教高于孔老二教。

因此,对顾欢所谓佛道"二经所说如合符契,道则佛也,佛则道也"的道佛调和论,明僧绍从两各方面做出了回答:

第一,利用道佛一致说反击顾欢的"夷夏之别"。"夷夏之别"涉及礼义伦常等多个方面,如在教化便有三乘与五教② 之不同。但这样的不同并不具有原则性的意义。而更重要的是要有一种宏观的视野和开放的心胸:"在夷之化,岂必三乘? 教化之道,何拘五教? 冲用因感,既华夷未殊;而俗之所异,孰乖圣则? 虽其人不同,然其教自均也。"③ 夷教并不必然就是三乘,华道亦不必然就是五教。在许多方面,华夷其实都是相似的。而更重要的是,所谓异主要是俗人的理解,在圣人的层面大都是可以相通的。华夷教化的进路虽有不同,但实质上是一致的。然而,如果只谈一致,则既有违于顾欢,也不符合明僧绍的初衷。道佛双方的意愿,都是要分出长短高下的。

第二,道佛一致在明僧绍,又只能在佛高于道的有限意义上为明僧绍所认可。所谓"夫佛开三世,故圆应无穷;老止生形,则教极浇淳。所以在形之教,不议殊生,圆应之化,爰尽物类"。那么,结论便是:"夫由佛者固可以权老,学老者安取同佛!"④ 高者可以统低,但低者决不能

---

① 《正二教论》,《弘明集》卷 6。
② 三乘:这里指佛教引导众生觉悟解脱的三种途径,即声闻乘、缘觉乘和菩萨乘;五教:指儒家的父义、母慈、兄友、弟恭、子孝。见《左传·文公十八年》。
③ 《正二教论》,《弘明集》卷 6。
④ 同上。

达高,这可以说是明僧绍对于顾欢调和二教观的最后的回答。

朱广之,南齐钱塘(今浙江杭州)人,字处深,擅长清言,他是在谢镇之与顾欢往复论辩的基础上发表看法的。朱广之虽然站在佛教一边,但对于谢镇之的"贬没仙道,褒明佛教"又并不赞同,而持道佛一致观:

> 仆夙渐法化,晚味道风,常以崇空贵无,宗趣一也。蹄网双张,义无偏取,各随晓人,唯心所安耳。何必龙充可袭,而璎珞难乘者哉![①]

赞同一方而不必贬低另一方,因为共同的目的都在教化众生。

从此前提出发,朱广之除了直接为西夷佛法的正当性和合理性辩护外,着重对顾欢区分华夷优劣的理由和手法进行了反驳,说明这种区分本来毫无必要。譬如,对于华夷之法犹如舟车之行不能互换之说,朱广之以为,舟、车各自所行之法,其实是相对于不同的对象即不一之"情"而定的。"不一之情所向殊涂,刚柔并驰,华戎必同。是以长川浩漫无当于此矣,平原远陆岂取于彼耶?舟车两乘,何用不可?"[②] 尽管华戎国情各自有别,但"刚柔并驰"的方法却没有不同。而且,更重要的是,舟车都是人所乘用的工具,为何要去彼而取此,不知同为人所用呢?

顾欢看到舟车的区别无疑是重要的,但更重要的还在于,面对或水或陆的"不一之情",只有既乘舟又用车,才能达到出门远行的目的。所以,对满足人的需要来说,不是你舟我车,而是"舟车两乘"。换言之,彼方佛法与此方儒、道,可以共用于中夏之教化。

又如,在论辩方法上,由于顾欢亦主张华夷双方是道同俗异和贵道而贱俗的,并设问道:如果华是取夷之道,则华夷道本相同而无须取;如果华是取夷之俗,则俗本大乖而无法取。朱广之则借用这一设问继续向前推:道尊贵则同归完满,俗低贱则同受牵累。那么,"道符累等,又

---

① 《疑夷夏论咨顾道士》,《弘明集》卷7。
② 同上。

谁美谁恶? 故俱是圣化,惟照所惑。惑尽明生,则彼我自忘。何烦迟迟于舍效之际,耿介于华夷之间乎?"[①]朱广之利用了顾欢设问中的漏洞,推出了既然"道符"则华夷同美、既然"累等"则华夷同恶,而既然是同美同恶,又哪里有区分华夷的必要呢? 朱广之还将道家的自然、忘我之方引了进来,结合佛教迷惑观照说明,华夷的区分是自我迷惑执著的结果,放弃这无谓的争执才是正确的选择。

再如,顾欢虽肯定佛道各有所用,认为"佛是破恶之方,道是兴善之术",在肯定佛法的同时又以"兴善"高于"破恶"来区分华夷的优劣。朱广之顺此前提往下推论说,能够兴善在于华性本善,需要破恶则在戎人根恶。若这样,"故知有恶可破,未离于善;有善可兴,未免于恶。然则善恶参流,深浅互别"[②]。这样的结论显然是顾欢所不愿看到的。在这里,朱广之并不讳言中西夷夏各有其善恶:

> 故罗云慈惠,非假东光;桀跖凶虐,岂宗西气,何独高华之风、鄙戎之法也? 若以此善异乎彼善,彼恶殊乎此恶,则善恶本乖,宁得同致?[③]

如果认同中西有共同的善恶标准,则没有必要区分华戎;如果中西没有共同的善恶标准,则又如何能断定此善优于彼善、彼恶恶于此恶呢?

可以说,华夷之辩虽然直接缘起于区分道佛的优劣高下,但随着辩论的逐步深入,已经演变成全面审视中西文化背景、学术传统和思维方式。这是在佛教传入五百年后,中西学术传统的又一次大碰撞。但这一碰撞,与先前的儒佛之辨主要限于服饰、礼仪、伦常等不同,它已经自觉地深入到学术手段和思想方法,对后来隋唐时期佛教学术的大发展,准备了思维的条件。

---

① 《疑夷夏论咨顾道士》,《弘明集》卷7。
② 同上。
③ 同上。

三、道安对三教论争的总结

与南朝的情况相似,北朝儒释道三教的发展,同样是在不断起伏的论辩中向前推进的。但较之南朝,北朝三教间尤其是佛道间的冲突要更为激烈,以致酿成了北魏和北周时期两次由皇帝发动的灭佛事件,佛教损失惨重。但学术的发展有自身的规律,并不因为统治者的一两次镇压而销声匿迹。在这中间,北周道安① 的《二教论》便是从学术上对三教关系进行总结的代表性著作,其中展现了他特色鲜明的学术史观。

1、儒统九流,尚儒废道

道安,俗姓姚,冯翊胡城(今属陕西)人。北周武帝时的著名高僧,其所著《二教论》在佛教史上有重要影响。从道安的书名可以发觉一个问题,即他面对和处理的本是三教的关系,然其书却只以"二教"来称呼之,那被削减的一教——道教又处于什么地位呢? 道教在他被归入了儒教的范畴,这就有必要首先探讨一下道安的学术史观。

中国学术的自觉总结,司马谈、司马迁父子可以说是开初的阶段,其标志就是司马谈划分出的先秦学术的六家。经过刘歆到班固则可以说是第二个阶段,这一阶段的特点,不仅是学派增加了纵横家、杂家、农家和小说家而成为十家,更重要的是由于司马迁与班固学术史观的不同,后来产生了对《史记》和《汉书》这两部中国正史中的开山扛鼎之作的不同评价,从而有了长期流行的"史汉优劣论"的争论。这一争论的肇始,便是由班固批评司马迁"先黄老而后六经"一语引出。前述葛洪站在道教立场,从正面为司马迁辩护;而道安则从自身理论需要出发,

---

① 佛教僧侣姓名时有重合,此道安便是与东晋道安重名之人。

重新解释《汉书·艺文志》及其相应史料,抑迁而尊班,归九流于儒家。

道安将《艺文志·诸子略》中"可观"的九家——儒、道、阴阳、法、名、墨、纵横、杂、农——列出,并评论说:

> 若派而别之,则应有九教;若总而合之,则同属儒宗。论其官也,各王朝之一职;论其籍也,并皇家之一书。①

刘歆和班固可能不会想到,他们的"诸子出于王官说"五百年后竟然成为了九流都统一于儒宗的论据。当然,道安如此做也有他的道理,那就是九流各家既然原都统归于官府,而"学在官府"又都是为世俗民生,所以理所当然地具有内在的学术联系。可为什么是儒家而不是别的某家譬如道家来进行统一呢?这就必然涉及到司马迁以来崇尚黄老的历史情结,所以有必要溯源追踪,重新界定司马迁史学的历史地位。

首先,道安认为,《史记》比《汉书》有明显的缺陷:"《汉书》十志,并是古训;《艺文》、《五行》,岂今始有?农为治本,史迁不言;安毁纵横,官典俱漏。"② 道安利用尚古的学术传统,表明《汉书》十志所载各家皆有根据。而司马迁却只记载了六家,扔掉了农家、纵横家等其余各家,特别是司马迁遗弃作为"治本"的农家实在是没有道理。

其次,司马迁所以如此撰史,是他偏邪的学术史观作怪:"是以《前汉书》曰:'史迁序坟籍则先黄老而后六经,论游侠则退处士而进奸雄,述货殖则崇势利而羞贫贱,此其为蔽也。'"③ 道安完全认同班固的评价,因为在正义邪僻和义利之辨等问题上,佛教与儒家可以说是同盟军。换句话说,道安是从儒家正统观出发批评司马迁的史学立场的。因此,不合于儒家正统史观的撰述,自然都可以归并到"蔽"的范畴。

再次,为了表示自己言论的公正并增强其理论分量,道安又将《后

---

① 《二教论·归宗显本一》,《广弘明集》卷8(下引此书只注篇名)。

② 《二教论·儒道升降二》。

③ 同上。另:道安所引原文见《汉书》卷62《司马迁传》,文字略有出入。例如"序坟籍",《汉书》作"论大道"。

汉书》和《晋书》的相关评论引入,以证明判司马迁为蔽不虚。《后汉书·班彪传》载有班固父亲班彪对司马迁《史记》的评论。班彪虽然总体上肯定司马迁"然善述序事理,辩而不华,质而不野,文质相称,盖良史之才也"①。但他对司马迁也提出了直率的批评。其曰:

> 迁之所记,从汉元至武以绝,则其功也。至于采经摭传,分散百家之事,甚多疏略,不如其本,务欲以多闻广载为功,论议浅而不笃。其论术学,则崇黄老而薄五经;序货殖,则轻仁义而羞贫穷;道游侠,则贱守节而贵俗功:此其大蔽伤道,所以遭极刑之咎也。②

班彪将司马迁的受腐刑归咎于其《史记》的"大蔽伤道",实际上是倒果为因。但范晔《后汉书》在引述班彪的"略论"后却并未有不同意的言辞,显然他是赞同班彪的指责的。

这说明,从汉到魏晋南北朝,虽然玄学和佛道流行,但儒家仁义之道的正统观并没有受到根本性的影响,仍在社会秩序运作的层面实际支配着人们的思想。这一点,可以从道安所引《晋书·礼乐志》所谓"世称子长(司马迁)《史记》奇而不周"③ 获得旁证和支持。道安解释说:"奇谓博古远达,不周谓弊于儒道。"④ 即《史记》虽然记载了大量的历史资料,但却背离了"儒道"正统及其学术史观。而所引《晋书》既然谓之"世称",则其观点显然已相当流行。那么,道安也就很容易地将其利用来抑迁而尊班、抑道而扬儒。他并把后来整个魏晋南北朝学风凌乱的责任,都联系到了司马迁身上。

道安说:

---

① 见《后汉书》卷 40 上《班彪传》。

② 同上。

③ 道安所引《晋书》非今通行的"二十四史"本《晋书》。今本《晋书》《礼志》和《乐志》分设且各有上下,其中也没有道安所引之句。

④ 《二教论·儒道升降二》。

儒道既弊,圣教不兴,何、王蔑之,尚道废儒,惑乱天下,变风毁俗,遂使魏、晋为之陵迟,四夷交侵,中国微矣。此皆国史实录之文,奚独可异? 校其得失,详列典志,取舍升降,何预鄙怀?①

道安的这一段话是很有意思的。一般说来,儒家和道家双方都爱以中国文化的卫道者自居,以贬斥外来的佛教,亦即所谓华夷之辩。尽管佛教一方对此论辩形式十分反感,但往往又是英雄气短、无可奈何地被动应战。而道安却利用这个升儒降道的机会,站在了儒家一边。并以"国史实录"为据,将汉魏晋以来道家之学的流行,视作为社会动乱、"中国"衰微的祸首。正是因为如此,道安"校其得失",反司马迁之道而行、"尚儒废道",又有何不可呢?

当然,废道不是说不要道,而是将道还归于儒,以儒统道,从而使三教变为二教。至于将道还归于儒的根据,除了"诸子出于王官"而将国家政治联系于儒宗外,道安亦从学理上来发明。这里的关键就在于《易》。《易》本来为儒道所共尊,但由于汉以来儒家经学的影响,《易》早被作为六经之一并在儒家经典中处于核心的地位,即道安所谓"唯《艺文》之盛,《易》最优矣"②。

道安之《易》,不只是先秦的《周易》经、传,还包含了汉时的《易纬》在内。那么,在此等易学界定下,老子的"道学"观点,在其中不难找到踪迹。而从老子治学之旨趣看,更可以把老子的主旨归并于《易》之一卦。他称:

然老氏之旨,本救浇浪,虚柔善下,修身可矣。不尚贤能,于治何续? 既扶《易》之一《谦》,更是儒之一派。幸勿同放,兼

---

① 《二教论·儒道升降二》。
② 同上。

弃五德。①

道安根本不赞成把老子的立场置于反对仁义礼乐的一方。论难方所概述的老子"仁由失德而兴,礼生忠信之薄"的观点,在道安看来完全不恰当。指斥这是"安其所习,毁所不见"。因为《礼记·乐记》中就已讲明:"大乐与天地同和,大礼与天地同节。"老子不讲小仁小礼而倡谦逊柔美之德,就不但与儒家宗旨——大乐大礼同,而且本来就是儒家讲谦逊柔美之一派。所以,道安不但把老子反仁礼的色彩消融掉而归之为儒家之一派,更是以仁礼五德的卫护者自居,认为决不能损毁放弃。

那么,道安对于由仁义礼乐来维护的社会秩序,就是非常看重的。这说明了他一方面是实实在在地追求儒与释的沟通,以便使佛教在按儒家思想构筑起来的官僚机器面前具有更强的适应性和生存活力;另一方面则在取消道教的独立存在地位以抬高佛教,使中国学术文化成为佛、儒二家所分享的地盘。他说:

> 聚虽一体,而形神两异;散虽质别,而心数弗亡。故救形之教,教称为外;济神之典,典号为内。……若通论内外,则该彼华夷;若局命此方,则可云儒释。释教为内,儒教为外。备彰圣典,非为诞谬。详览载籍,寻讨源流,教唯有二,宁得有三?②

在取消了道教的独立地位之后,儒虽重要,却只能救形治外,无法济神救心,这就必须要佛教的补充,以满足"心数"自身的需要。

当然,二教互补的目的不在于二教的平等并立,而在于二教的高下之分。佛教"能博能要,不质不文,自非天下之至虑,孰能与斯教哉!复儒道千家,墨农百氏,取舍驱驰,未及其度者也。"③ 诸子百家归于儒,儒则逊于佛,儒宗"未及"佛宗,佛教的最后归宗地位由此得以证明。

---

① 《二教论·儒道升降二》。
② 《二教论·归宗显本一》。
③ 同上。

2、道仙优劣,尚道贬仙

道安合三教为二教,只是他贬低道教理论的一个方面,另一方面则认定统归于儒宗的道家,只是指老庄的原始道家,并不包括自三张而后的各派道教。所以,在老庄道家与后来的神仙道教之间,如果套用尚儒废道的模式,便是尚道而贬仙。

道安云:

> 老氏之旨,盖虚无为本,柔弱为用。浑思天元,恬高人世,浩气养和,得失无变。穷不谋通,达不谋己。此学者之所以询仰余流,其道若存者也。若乃练服金丹,餐霞饵玉,灵升羽蜕,尸解形化,斯皆尤乖老庄立言本理,其致流渐,非道之俦。虽记奇者有之,而言道者莫取。①

从学理上来说,老庄本虚无柔弱,其道若存若亡,而神仙道教则完全立足于实际的形体修炼,服药成仙,可以说已根本违背了"道"之本理,因而当将如此的仙教从道家中清除出去。事实上,老庄与道教之间本有明显的间隔,从学理上不难分清,道安之用功,在这一点上是符合理之本性的。

进一步,道安对三张以来的"鬼法"进行了有针对性的批判。并指出,倡行鬼法者自诩为"道士","但今之道士始自张陵,乃是鬼道,不关老子"②。而"道士"之称,道安以为原一直是指佛教众僧,只是到寇谦之才窃取"道士"之号以专指道教修炼者,这是很不公平的。其实,道教教义在道安最不可取:

> 徒讹惑生民,败伤王教,真俗扰动,归正无从。惟孔子贵知命,伯阳去奇尚,奚取鬼符,望致其寿? 若言受之必益,今佩

----

① 《二教论·道仙优劣六》。
② 《二教论·服法非老九》。

符道士,悉可长年;无录生民,并应短寿。事既不征,何道之
有?①

在这里,道安的否证主要有两点理由:一是孔、老本不求长生,二是现世
道士未见有长生。而既然道教将其基点定在长生不死上,事实却又证
明无人能不死,甚至道士并不比俗家百姓更长寿,那讲这种"道"之
"教",也就从根本上被取消了存在的理由。

如果从常识上看,道安以经验为据对长生的否定是不错的,但若要
深究,则会出现问题。一则道教思想家并不主张一切道士都长年、一切
民众都短寿的观点,而是认为只有真正得仙道者才可长生;二则否证长
生受益是立足见闻感知,而这早在东晋葛洪反驳论敌的世人未见有长
生成仙的观点时,就已经从理性思辨的角度对此做出了回答。按葛洪
的思路,佩符者不等于真正得仙道者。如果真正得仙道而成神,世人凭
其见闻是难以察知的。人的耳目感官是有局限的,"故不见鬼神,不见
仙人,不可谓世间无仙人也"②。对仙人长生的认识,葛洪认为关键是
在"得其要",而不能停留于现象:

苟得其要,则八极之外,如在指掌,百代之远,有若同时,
不必在乎庭宇之左右,俟乎瞻视之所及,然后知之也。③

从理论上说,葛洪的推论是成立的。人不可能只凭佩服道士不长年、无
箓生民不短寿的简单归纳,而得出习仙道者不能"致寿"、不能"必益"的
结论。

道安分隔老庄与道教,不仅从成仙与否的角度,也从道经真伪、多
寡的角度来进行。因为不难发现,道安的"儒统道家"只限于《老子》、
《庄子》而言,在这之后,道教还有三洞四辅的大量经典,而这些是不可

①　《二教论·服法非老九》。
②　《抱朴子内篇·论仙》,《抱朴子内篇校释》,第 21 页。
③　《抱朴子内篇·对俗》,同上书,第 47 页。

能归并入儒家的。对此,道安指出,真正的道家经典就是《老》《庄》(特指《内篇》),其余著作都是后人所造:或者直接抄袭佛教,如《黄庭》、《元阳》;或者由张陵、葛玄、鲍靖等据佛经伪造,如《灵宝》、《上清》、《三皇》,后为避嫌方改名为《三洞》。所以说:"两经(《老》《庄》)实谈为真,《三洞》诞谬为伪"①。《老》《庄》二经是"朴素可崇"、"宗师可领",而后造伪经则是"皆杂符禁,化俗怪诞,违爽无为",二者的界限其实是很清楚的。

而且,道经的质量比佛经也相差很远:"详其道经三十六部,广则定广,无略可收,即是纯钝,何利之有?"② 于此相反,"释典汪汪,幽显并蕴,玄章浩浩,广略俱通。"③ 由此,不论究其广略利钝,道经都是无法与佛经相比拟的。

3、孔老非佛,释高儒道

道安讲儒统九流、老庄别仙并非是为他人作嫁衣裳,而是有着明确的目的。那就是将佛教与儒或孔老为代表的整个传统学术做一番区分,以突出佛教的优先地位。在这一点上,道安分了三个层次来进行论证。

一是孔老非佛。孔老与佛的混同,除了宗派和宗教实践的需要外,在学术上的重要姻缘,就是中国人译经,都是从自己熟悉的概念出发的,所以造成了思想的混乱。譬如论难方所言:

> 西域名佛,此方云觉;西言菩提,此云为道;西云泥洹,此言无为;西称般若,此翻智慧。准此斯义,则孔老是佛。无为大道,先已有之。④

这一段话实际上概括了自佛教传入以来主张三教调和论的最基本的理

---

① 《二教论·明典真伪十》。
② 同上。
③ 同上。
④ 《二教论·孔老非佛七》。

论依据。因为既然三教讲述的都是同样的道理，差别只在于称谓上，那为什么要将它们分隔开来呢？这样的观点可以说有广泛的影响，所以道安有必要加以辨析。

道安认为，就佛与觉看，觉有自觉、觉他和满觉三种，而儒家之觉却是不完全的。事实上，孟子的先觉，就是先人所觉，的确没有道安所说的自觉、觉他和满觉的三觉（三菩提）之意。同时，孟子以圣人为先觉，而圣人之极就是佛，所以佛超过儒道而为无上智慧。又如就菩提与道看，菩提固然译为道，然道本有大小，孔子并不云大道，小道则又不能致远，所以亦不能与佛教的"菩提大道"相提并论。

二是孔不许老。道安引时已为道家经典的《列子·仲尼篇》载商太宰问孔子之语说明，孔子不但否认自己是圣人，而且认定儒家推崇的三皇、五帝、三王的先王序列，其实都够不上圣人。只有"西方"的圣者才是圣人。这个西方的圣者，从《列子》描述的"不治而不乱，不言而自信，不化而自行，荡荡乎民无能名焉"的品行来看，与老子本是一致的。但道安反驳说，如果这就是老子的话，孔子为何又不明言呢？所以这个西方圣人只能是佛。

道安的这一反问虽然也有道理，但却并不充分。因为孔子本已喻老子为龙，"至于龙吾不能知，其乘风云而上天"[1]。既然不能知龙，不直接明指以示尊敬就是可以容许的。道安之"理当推佛"，实际只能是自己的强解。

三是佛高于儒道。道安关于佛与儒道之辨的一个基本点，在于双方的优劣高下。道安坚持"高位释教，在儒道之表"[2]，但其理论依据，较之前人已有新的发展。他不再是消极地应对传统文献中不利于佛教的记载，而是主动地正面运用史料文献为佛教高于儒道作证明。如《后

---

①　《史记》卷 63《老子韩非列传》。
②　《二教论·释异道流八》。

汉书·西域传》曾言:

> (天竺国)殷乎中土,玉烛和气,灵圣之所降集,贤懿之所
> 挺生。……且好仁恶杀,蠲散崇善,所以贤达君子,多爱其法
> 焉。然好大不经,奇谲无已,虽邹衍谈天之辩,庄周蜗角之论,
> 尚未足以概其万一。①

天竺殷于中土,天竺贤懿也就智于中土君子。而且,佛教视野下的宇宙极大无穷,邹衍、庄周之论远不能与之相比。如此灵地所产之圣教高于中土儒道,又有什么不可理解的呢?

总起来说,道安的《二教论》虽然是对三教关系的总结,但同时也是抬高佛教、贬低道教、拉拢儒教的新的努力。"然则同归而殊涂,一致而百虑,孝慈为总,子何惑焉? 儒之为统,子何疑焉?"② 九流统于儒,儒则低于佛,这便是道安的"一致百虑"观。推而广之,这种容忍他家、又以己为尊而统合各家的主张,也是中国各学术派别所采纳和执守的最一般的原则。

四、颜之推的"归心"说

南北朝后期,三教的调和折中已是社会普遍流行的思想。但其调和的基础仍因各自的立场而定。由于儒佛两家在三教关系中处于中心的地位,故这两家实际上主导了整个学术发展的走向,学者们需要协调的也更多的是儒家与佛教的关系。道安已经是以二教代三教,颜之推则是从援佛入儒的角度讲"归心"。

颜之推(531~约591),字介,琅琊临沂(今属山东)人。颜之推生活

---

① 见《后汉书》卷88。
② 《二教论·依法除疑十二》。

在一个门阀士族势力走向衰落、分裂的中国再度走向统一的时代。他一生历梁、北周、北齐、隋四朝，坎坷动荡的生活阅历使他对社会各阶层的状况都有所了解，对于如何教育培养人才的问题也有了更为自觉的思考。对后来有重要影响的《颜氏家训》便是集中反映他的教育思想和方法的代表作。

颜之推虽然是一名立足于治世的儒家学者，但从培养教育人的德行出发，他对主导社会思潮的儒佛两家思想进行了比较，认为二者对于人的道德修养都是有益的。由此，他对社会上有关佛教的种种非议，有针对性地进行了答辩。他的答辩在思想理论上算不上深刻，但却反映出世俗的教育系统也开始转变观念，逐步接受和补充进佛教的劝善思想。

为此，颜之推作有《归心篇》，其主要目的，是解决佛教劝善观念在世俗社会存在的合法性及与儒家伦常的相容性问题。他曰：

> 万行归空，千门入善，辩才智惠（慧），岂徒七经、百氏之博哉？明非尧、舜、周、孔所及也。内外两教，本为一体，渐极[1]为异，深浅不同。内典初门，设五种禁；外典仁义礼智信，皆与之符。仁者，不杀之禁也；义者，不盗之禁也；礼者，不邪之禁也；智者，不酒（一作淫）之禁也；信者，不妄之禁也。至如畋狩军旅，燕享刑罚，因民之性，不可卒除，就为之节，使不淫滥尔。归周孔而背释宗，何其迷也！[2]

颜之推以儒家五常解释佛教五戒，从而将“内外两教”合而为一，反映了自牟子《理惑论》以来，在整个魏晋南北朝时期，无论社会形势有多么大的变化，但纲常人伦始终是维持社会秩序运转的一个基本的原则。任

---

① 　此“极”字，王利器本正文为積（积），然其后的注解却是在解“極（极）”。按上海古籍出版社1992年影印明刊本《颜氏家训》，该字为“極（极）”。

② 　《归心篇》，《颜氏家训集解（增补本）》（王利器撰），中华书局1993年版，第368页。

何学术和教化,如果不确立这一基础,都不可能在中国社会得到普遍的
响应。

那么,佛教是否具备如儒家一样的伦常呢?颜之推的回答是肯定
的。他的理由主要有两条:一是入善的道路并非只有儒家这一途,儒家
或其他的本土经籍不可能穷尽天下的智慧,所以佛教的劝善之方就有
存在的理由。二是佛教的五戒与儒家的五常实际上提出的是同一的要
求。对于日常的生产生活、军旅刑罚,因其为维持社会运转所必须,故
只需节制而无须戒除,但若以为这一切都植根于儒家而悖于佛教,则是
完全不了解事情的真相。

在确立二教一体这一大原则的前提下,颜之推为扭转社会偏见对
佛教的曲解和诬蔑,从五方面为佛教教义的正当性进行了辩护:

一是从宇宙观上为"以世界外事及神化无方为迂诞也"辩。颜之推
从"实验"出发,对儒家建立在气化基础上的天文历象学说和天人感应
观念之间的自相矛盾处提出了责难,认为传统的天人理论有许多根本
经不起推敲。而且,既然儒佛各家的宇宙观都是无法"测量"的学说,那
又为什么要"信凡人之臆说,迷大圣之妙旨呢?"这是没有道理的。所
以,"世界外事"并不等于就是荒谬迂诞之事。颜之推在方法上,利用了
道家道教例如葛洪以人的耳目感官的有限性论证方外神仙存在的可能
性的方法和论据,说明"神通感应"不可思量,佛国净土的存在也就丝毫
不值得大惊小怪①。

二是从报应观上为"以吉凶祸福或未报应为欺诳也"辩。轮回报应
是佛教的基本教义,但报应的有效性和可验证性却一直是一个引起争
议的问题。颜之推此辩,不是如上辩即利用佛教宇宙观区别于日常经
验的差别性,而是佛与儒乃至九流百家的善恶观的同一性,说明"行善

---

① 问答双方第一至第五辩,详见《颜氏家训(增补本)》第371~407页原文及
王利器注。下不再注明。

而偶钟祸报,为恶而傥值福征"并不能驳倒佛教的报应观,因为这在各家都是普遍认同的事实。善恶的报应所以不能相应,不过是所感不深或时候未到,但最终将获报则是无疑的。以此来反对佛教,实际上等于反对周、孔的教人为善,那世人又拿什么来"依信而立身"呢?

三是从"以僧尼行业多不精纯为奸慝也"辩。僧尼中之奸邪恶人对佛教认为自己是劝善修道之教,在实践层面是一挑战。颜之推的辩护,首先是认为个别不等于一般,善人少而不善人多历来是如此,不能单独要求佛教信徒的"精纯"。其次是问题应当从正面看,即佛教徒之学经、律与儒生之学《诗》、《礼》是一样的,学之不著力不能反咎于教之有过。而且,教与学之不符,在儒家同样是如此,为什么要单苛求佛教呢?

四是从"以糜费金宝减耗课役为损国也"辩。僧尼寺庙的过度扩张,其时已经与社会国家的经济利益发生了冲突,适成儒家和世俗人士攻击佛教的一个重要理由。对此,颜之推从两个方面予以了回答:一方面是承认行仁惠、劝善有多徒,出家只是一法,大量侵占田亩、妨民稼穑并非佛之本意;另一方面,为身计与为国谋"不可两遂",历来是如此,儒家同样也是"高尚"隐居之士的。况且,百姓若能"悉入道场",则会进入佛国,享有无尽的宝藏,哪里还会在乎"田蚕之利"呢?

五是从"以纵姻缘如报善恶,安能辛苦今日之甲、利后世之乙乎?为异人也"辩。这一设问实际上已有别于儒家正统思想,是功利主义思想影响的产物。颜之推的答辩,先是运用南北朝盛行的"神不灭"论说明,"形体虽死,精神犹存"。而从人的利益考虑,后世虽不相属,但前生的善恶贫富却无不与己相关;而且,人不为己而为人者在儒家本来也是如此教导,其治国平天下之说便是如此。这与佛教的"一人修道,济度几许苍生,免脱几身罪累"是完全一致的。

当然,颜之推并不鼓励人都出家,他肯定"人生难得,无虚过也"。但人不出家却可以"兼修戒行",诵读佛经,"以为来世津梁"。佛法的引渡众生,在颜之推变成了教育臣民"归心"向善的一般的手段。随后,颜之推举证了若干的事例以说明因果报应的灵验,并以儒家传统的"富贵在天"说补充论证报应的合理性。

颜之推作为一名立足当世的教育家,他的儒佛一体观不是一般的学术论战,而是以教育者的身分,说明佛教思想在帮助世俗教育和使人归心于仁义善德方面的积极作用。佛教学术以心性见长,在调试心态、劝道修善方面有其独特的效用。归心于佛,也就是归心于善也。这与儒家的宗旨完全是一致的。内外二教本为一体之"本"之所在,也正表现在这里。

综上所述,儒释道三教的折中调和,尽管其表现形式不尽相同,但目的都是在肯定三教一致的基础上,又分出彼此的本末高下;在教义上虽都认同殊途同归,均善理一,但在教派门户上又要分出优劣等差。这不只是在三教学者中是如此,在最高统治者皇帝那里也是如此。故而有北魏太武帝和北周武帝的大规模灭佛事件发生、有梁武帝的数次"舍身"入寺侍佛。

帝王的毁佛重佛,涉及到社会的政治经济利益、教派冲突、民族关系等多方面的考虑,并不主要是出于学术本身的理由。但也有帝王对宗教做了认真的研究,如梁武帝本人便是一名学者,有不少佛教方面的著作;同时,尽管他声称九十六道"惟佛一道是于正道",其余都是"邪道"[1],但对儒、道两家还是给予了一定的支持。在总体上,随着各派学者对三教学术及其关系认识的深入,三教乃至教内各派虽然在宗派层面上各自严守门户,但在学术思想上互相吸纳已是历史的大势。中国学术的发展,正是在这种相互借鉴、吸收和融合中走向新的阶段的。

---

① 萧衍:《归正篇第一之四·舍事李老道法诏》,《广弘明集》卷4。

第八章　儒家经学的流变

玄学的兴起和佛教、道教学术的繁荣,构成了魏晋南北朝学术最引人注目的景象。玄、佛、道三家交织主导了这一时期学术的发展,儒家学术在整体上明显处于低潮。但是,由于社会的需要和学者的努力,儒家学术并没有完全消沉。它一方面通过作为玄学的思想来源和对名教政治的维护曲折地表达着自身的理论诉求,另一方面则通过对经学的改革而力图摆脱汉末以来经学的危机以跟上时代的步伐。这在经学史上首要的表现,就是汉末郑玄经学一统的打破与王肃新经学的产生,以及随后的郑、王之争和南、北学的并立。

一、汉魏之际经学的动向

汉末的经学,郑玄学术的影响可以说无处不在,甚至成为当时整个学术研究环绕的中心。范晔在为郑玄作本传后评论说:"郑玄括囊大典,网络众家,删裁繁诬,刊改漏失,自是学者略知所归。"①郑玄学术当然亦受党锢牵连,但即便如此,他仍"隐修经业",坚持治学授徒不辍。随着党禁的解除,郑玄的影响如日中天,学生弟子仰慕郑玄,如细流之赴巨海。王粲称:"伊、洛以东,淮、汉之北,郑玄一人而已,莫

---

① 《后汉书》卷 35《郑玄传》。

不宗焉。"① 魏博士张融云:"玄注泉深广博,两汉四百余年,未有伟于玄者。"② 但郑玄学术的冠盖群儒也蕴含着深刻的危机,正是这一危机掀开了汉魏之际学术的变革。

1、博通与繁杂之间

郑玄学术在取得巨大成就的同时,也引起了众多的非议。所谓"玄质于辞训,通人颇讥其繁"③ 便是最为典型的概括。

何谓"通人"? 早郑玄一百年的王充有说曰:"通书千篇以上、万卷以下,弘畅雅闲,审定文牍,而以教授为人师者,通人也"。④ "通人"的境界看来是不容易达到的。但在王充,通人只处于中等的层次,他高于"能说一经"的儒生,而在上面还有文人和鸿儒。以通人的标准看,郑玄"网罗众家",遍注群经,著作"凡百余万言",至少当在"通人"以上。可在这里却成为了通人的对立面。就其缘由,王充又有说曰:"诸生能传百万言,不能览古今,守信师法,虽辞说多,终不为博。"⑤ 由此,仅从著述而论,"百万言"并不能直接作为博通的根据。"博览古今"固然可以从章句辞训上论,但更重要的恐还在于研讨寻求古今流转之道。即"博"在"大义"而非章句,王充本人之"好博览而不守章句"⑥ 便是一证。

刘勰以为:"若秦延君之注《尧典》,十余万字;朱普之解《尚书》,三十万言;所以通人恶烦,羞学章句。"⑦ 在这里,"通人"与文字的繁多是

---

① 元行冲:《释疑》,《旧唐书》卷102《元行冲传》引。
② 同上。
③ 《后汉书》卷35《郑玄传》。
④ 《论衡》卷13《超奇》,上海人民出版社1974年版,第211页。
⑤ 《论衡》卷13《效力》,第201页。
⑥ 《后汉书》卷49《王充传》。
⑦ 《文心雕龙》卷4《论说》,《文心雕龙注》(范文澜注),人民文学出版社1958年版,第328页。

直接对立的,当然刘勰似乎并不以郑玄注为烦,他将"郑君之释《礼》,王弼之解《易》"放在一起,认为其"要约明畅、可为式矣"便可见一斑。但刘勰这里仅提及郑玄释《礼》而不及其余,想亦必有其因。"王鸣盛《蛾术编》五十八《郑氏著述篇》曰:'康成坐党锢十四年,则是注经,《三礼》居首,阅十四年乃成,用力最深也。'"[①] 郑玄虽注群经,但用功最深者在《三礼》,汉末人讥其繁杂,想必与郑玄对其他典籍精力不致而未能简约有关。即按一般思维路向,简约当在广博基础之上,用力不深自然难以达致简约。

马宗霍将从西汉末到东汉前期的扬雄、桓谭、班固、王充集为一体,以为"此数君皆汉之通儒也"[②]。此四"通儒"均是汉代思想史的重要代表人物,而从经学研究的角度讲,以班固为例,是所谓"不为章句,举大义而已"[③]。"章句"与"大义"作为经学之两途,反映了汉代儒学发展的不同学风和趋向。而班固所以能如此,缘于他"九流百家之言,无不穷究"[④]。换句话说,经学必须反映诸子思想即与"道"相联系,才能真正使学术"通"起来。所以,其父班彪"守道恬淡"而被范晔许之为"通儒之才"[⑤]。由此,汉末通儒讥郑玄辞训繁杂也就有其道理。马宗霍感叹说:"夫以郑玄大儒,遍注群经凡百余万言,通人犹讥其繁,则一经以过繁蒙讥,固其宜矣。"[⑥] 马宗霍可以说是有感而发。事实上,汉末徐幹对当时学术的弊病已早有总结。徐幹曰:

> 凡学者,大义为先,物名为后,大义举而物名从之。然鄙

---

①　《文心雕龙》卷4《论说》,《文心雕龙注》(范文澜注),第350页。

②　《两汉之经学》,《中国经学史》,商务印书馆1998年影印(1936年)版,第59页。

③　《后汉书》卷40上《班固传》。

④　同上。

⑤　同上。

⑥　《两汉之经学》,《中国经学史》,第59页。

儒之博学也,务于物名,详于器械,矜于诂训,摘其章句,而不
能统其大义之所极以获先王之心。此无异于女史诵诗、内竖
传令也。故使学者劳思虑而不知道,故君子必择师焉。①

按徐幹,实际上有两种"博学",专务物名、矜于诂训的博学是他所反对
的,因为这并不能获先王之心而知道。真正的博学应当是以大义为先
的知道之学。内容是起决定作用的,名应当从实而不是相反。如果背
离了这一主旨,则只能是徒有虚名。郑玄的注经过繁,显然也是因不能
立于大义而知道有关。

不过,从史载来说,郑玄之学与"道"也是相关的,时人评议本亦联
系到"道"字:"咸云先儒多阙,郑氏道备。"② 因为仅从郑玄"网罗众家"
而遍注群经来说,是可以因其"道备"而超胜于先儒的"多阙"的。郑玄所
完备之道,虽语焉不详,但参考马融因郑玄得其学而欣慰所叹之"郑生今
去,吾道东矣"③ 来看,主要不出图纬、方技、辞训之类,以此类学问为
道,则显然已脱离了孝悌忠信的儒家学问的根基,也就难以维系人心。

魏明帝时,司徒董昭上疏陈"末流之弊"说:

凡有天下者,莫不贵尚敦朴忠信之士,深疾虚伪不真之人
者,以其毁教乱治、败俗伤化也。……窃见当今年少,不复以
学问为本,专更以交游为业;国士不以孝悌清修为首,乃以趋
势游利为先。④

董昭以为能作为本的"学问",是以"孝悌清修"为内容的,针对的是毁教
乱治、败俗伤化、趋势游利的社会现实。如此的学问显然不可能从郑玄
之"道"中引出。

又有黄门侍郎杜恕上疏云:

---

① 《中论》卷上《治学》,台湾商务印书馆《四部丛刊》本。
② 《释疑》,《旧唐书》卷102《元行冲传》引。
③ 《后汉书》卷35《郑玄传》。
④ 《三国志》卷14《魏书·董昭传》。

今之学者,师商、韩而上法术,竞以儒家为迂阔,不周世
用,此最风俗之流弊,创世者之所致慎也。①

由此,儒家经学的不景气,一方面是败俗伤化的世风所造成,另一方面
则在于学术的重心已经转向了商、韩法术,经学的迂阔而不周世用,已
使得难以照其原样而继续下去。

从而,也就可以说,郑氏之道其实并不"备"。这种不备,既有"大
义"也有"章句"的缺失。汉末吴初的经学家虞翻对郑玄之学提出了多
方面的批评。《三国志·虞翻传》注引《翻别传》载虞翻上书说:

又南阳太守马融,名有俊才,其所解释,复不及谞(荀谞,
即荀爽)。孔子曰:"可与共学,未可与适道。"岂不其然! 若乃
北海郑玄,南阳宋忠,虽各立注,忠小差玄而皆未得其门,难以
示世。

虞翻又奏郑玄解《尚书》违失事目[四]②:

臣闻周公制礼以辨上下,孔子曰:"有君臣然后有上下,有
上下然后礼义有所错。"是故尊君卑臣,礼之大司也。伏见故
征士北海郑玄所注《尚书》,以《顾命》、《康王》执瑁,古"月"似
"同",从误作"同",既不觉定,复训为杯,谓之酒杯;成王疾困
凭几,洮颒为濯,以为浣衣成事,"洮"字虚更作"濯",以从其
非;又古大篆"卯"字读当为柳,古"柳"、"卯"同字,而以为昧;
"分北三苗","北"古"别"字,又训北,言北犹别也。若此之类,
诚可怪也。……又玄所注五经,违义犹甚者百六十七事,不可
不正。行乎学校,传乎将来,臣窃耻之。③

---

① 《三国志》卷16《魏书·杜恕传》。
② 此"目"字当为"四"。因其后虞翻所举郑玄之"违失事"恰为四件。清孙星
衍《尚书今古文注疏》所引该传文字即为"四"。但孙氏为郑玄辩而指斥虞翻为妄。
详见中华书局1986年点校本(陈抗、盛冬铃点校),第501页。
③ 见《三国志》卷57。

虞翻所指郑玄之误,涉及朝觐祭祀诸礼制,而礼制维护的正是君臣上下的大义,郑玄既"违义犹甚",其治礼义当然就有偏而不可与适道。特别是因为郑玄的影响"行乎学校,传乎将来",就必须要予以正之。在虞翻的眼中,汉末的经学大家都有自己的弊病,但若排一个座次,则荀爽优于马融,马融优于郑玄,郑玄只稍强于宋忠①。

不论虞翻对郑玄的批评是否恰当,但却反映了汉末三国初的经学家对郑玄注不再是盲目尊崇,而是敢于再认识。建安七子之一的王粲本亦为郑玄的名声所动,但又有疑惑,"因求其学。得《尚书注》,退而思之,以尽其意。意皆尽矣,所疑之者,犹未喻焉。凡有两卷,列于其集。"② 但惜其集后不存,不知其具体内容。《颜氏家训·勉学》曾提及"《王粲集》中难郑玄《尚书》事"③,但亦语焉不详。

王粲先是避乱荆州,依于刘表,刘表在荆州"开立学官,博求儒士,使綦母闿、宋忠等撰立《五经章句》,谓之《后定》"④。綦、宋二人为荆州学派之领袖。按蒙文通推测,王粲走依刘表或即在学校开学之时,故与二人当同在荆州,王粲并向宋忠求学。王粲向宋忠所求学与郑玄之学恐有关,故蒙文通以为,王粲向宋忠求学而得闻《后定》之论,然后才有"伊洛以东、淮汉之北,(郑玄)一人而已,莫不宗焉"的感慨⑤。

在这里,王粲"莫不宗焉"的评论,显然是将谓之"后定"的《五经章句》包括在内的。那么,"后定"之学也可以说是从郑玄之学发源而来。但是宋忠等撰的《五经章句》已经是在新的社会环境下,郑玄之学的繁

① 见《三国志》卷57。

② 见《旧唐书》卷102《元行冲传》引。

③ 《颜氏家训》卷3《勉学第八》,《颜氏家训集解(增补本)》(王利器撰),中华书局1993年版,第183页。

④ 《三国志》卷6《魏书·刘表传》注引《英雄记》。

⑤ 见《经学抉原》,《蒙文通集》卷3《经史抉原》,巴蜀书社1995年版,第81页。

杂也就不能不加以删改,这大概也是"笃志好学"的刘表之本意。所谓"深愍末学,远本离质,乃令诸儒,改定《五经章句》,删刬浮辞,芟除烦重。赞之者用少力,而探微知机者多。"①

同样是章句之学,但在郑玄与宋忠等荆州学者已有了不同,后者之章句显然已有了简易实用的特色。汤用彤遂据此推论说:"则荆州之士踔跞不羁。守故之习薄,创新之意厚。刘表'后定',抹杀旧作,宋(忠)王(肃)之学,亦特立异。"② 汤先生对荆州一派十分看重,故有此论。然仅就宋忠之学来说,虽然由之开始了自繁至简的文风的转变,但在总体上,其"立异"还是很有限的。所以王粲对《后定》和郑玄《尚书注》并不感到满足而生疑,故而有《尚书》"释问"之作。

《旧唐书》载有《尚书释问》4卷,注明为"郑玄注,王粲问,田琼、韩益正"③。说明王粲已是自觉地向郑学提出了质疑。"是粲为最先攻郑者,而田琼、韩益申郑以正之。仲宣(王粲)亦传宋忠之业者"④。

王粲是自觉攻郑,其时还有不少学者并未直接攻郑,然其学实与郑学不同,李譔等人便是其中的代表。按李譔本传记载:

> (李譔父李仁)与同县尹默俱游荆州,从司马徽、宋忠等学。譔具传其业,又从默讲论义理,五经、诸子无不该览,加博好技艺,算术、卜数、医药、弓弩、机械之巧,皆致思焉。……著古文《易》、《尚书》、《毛诗》、《三礼》、《左氏传》、《太玄指归》⑤,皆依准贾、马,异于郑玄。与王氏(肃)殊隔,初不见其所述,而

---

① 《全三国文》卷56《阙名·刘镇南碑》,第1362页。
② 《王弼之〈周易〉、〈论语〉新义》,《魏晋玄学论稿》,第77页。
③ 见《旧唐书》卷50《经籍上》。
④ 《经学抉原》,《蒙文通集》卷3《经史抉原》,第81页。
⑤ 《太玄指归》,一说为二书,即扬雄之《太玄》与严遵之《老子指归》。参见王志平:《中国学术史·三国两晋南北朝卷》(上),江西教育出版社2001年版,第218页注1。

意归多同。①

李仁、尹默从司马徽、宋忠学,李譔则从其父和尹默学,尹默本人便是为"崇章句"求博学而与李仁到荆州"受古学"的。其所受恐便有宋忠等人的《五经章句》在内。尹默自己的治学特点,在对汉儒各家"咸略诵述,不复按本"②。那么,他之以"略"代繁,不拘泥于汉儒,确实在治学风气和知识的广博性方面为其学生如李譔等带了一个好头。所以,李譔的学术兴趣和治学范围能及于自然、社会之各个方面,著述亦颇丰。李譔治学本在蜀地,对于魏地的王肃之学可能不了解,但其"异于郑玄"而新注章句的"意归"则是相似的。

那么,从虞翻、王粲到李譔,其人虽各在吴、魏、蜀地,但其学术的共同趋向都是背离郑玄旧章而寻求新义。可见汉末三国初,对郑玄学术的质疑和批评已经形成风气,而这距郑玄去世不过二三十年时间。当年曾有的"郑君党徒遍天下,即经学论,可谓小统一时代"的郑学一统天下的风光③,实际上已经不再。之所以如此,在于"小统一"的郑学已经不能适应剧烈动荡的汉末社会现实,经学研究必然需要有新的思路、新的主张才能跟上时代前进的步伐。

2、魏初兴学的功利导向

汉魏之际学术的转接,是与汉末魏初整个经学的衰落趋势分不开的。这既有学术的原因,也是社会现实的选择,《魏略》在为号称"儒宗"的董遇、贾洪、邯郸淳、薛夏、隗喜、苏林、乐详等7人所作《序》中说:"从初平之元至建安之末(190~220),天下分崩,人怀苟且,纲纪既衰,儒道犹甚。"④ 可以说,社会秩序的动荡是"儒道"衰微、难以为继的最根本

---

①　《三国志》卷42《蜀书·李譔传》。

②　《三国志》卷42《蜀书·尹默传》。

③　皮锡瑞:《经学中衰时代》,《经学历史》,第151页。

④　《三国志》卷13《魏书·王肃传》附。

的原因。儒家学术天生就不善于在动乱争斗的社会中生存,紧迫的战事制约着人们对学术的选择:"昔汉末陵迟,礼崩乐坏,雄战虎争,以战陈为务,遂使儒林之群,幽隐而不显。"①

曹操一生可以说都是以"战陈"为务的,他之不崇儒学也就理所当然。"法术"、"刑名"之学因之流行于一时。但魏建国以后,稳定重又成为国家所需,曹丕也就要调整政策,重倡儒术。所谓:

> 高祖(曹丕)即位,遂阐其业,兴复辟雍,州立课试,于是天下之士,复阐庠序之教,亲俎豆之礼焉。"②

《魏略》所叙要更为具体:

> 至黄初元年(220)之后,新主乃复始扫除太学之灰炭,补旧石碑之缺坏,备博士之员录,依汉甲乙以考课。申告州郡,有欲学者,皆遣诣太学。③

曹丕兴复学校、重开太学、备博士员录、依汉制度开课考试等一系列措施,直接促进了儒学的复苏。所以如此,缘于曹丕看到了儒学对于国家的重要价值。孔子在他,已经是"命世之大圣,亿载之师表"。但在总体上,曹丕之重儒,更多的还是从国家管理急需人才的角度,其重点尚不在学术的层面。也正因为如此,他令州郡之选拔人才,就不单纯是考察儒术:"其令郡国所选,勿拘老幼;儒通经术,吏达文法,到皆试用。"④经术、文法可以说都是曹丕所看重的。

因而,对儒生来讲,能够被"试用"而跻身官府的功利需要,也就远远超过了对经学学术本身的兴趣,其学问也就是褊狭拘束而缺乏广博宏大的气势。《魏略》曰:"于时(黄初中)太学初立,有博士十余人,学多

---

① 《三国志》卷24《魏书·高柔传》。
② 同上。
③ 《三国志》卷13《魏书·王肃传》附。
④ 《三国志》卷2《魏书·文帝纪》。

褊狭,又不熟悉,略不亲教,备员而已。"① 那么,所谓"备博士之员录",
也就只是凑满员额空缺而已,其学术质量和钻研学术的精神,都是十分
匮乏的。

相较而言,明帝曹叡推崇儒学要更为自觉,提出了以儒为本和以经
学为先的观点。他说:

> 尊儒贵学,王教之本也。自顷儒官或非其人,将何以宣明
> 圣道? 其高选博士,才任侍中、常侍者,申敕郡国,贡士以经学
> 为先。②

圣道的内涵就是儒学、经学。曹叡强调经学,但并不忽视人的才干,他
认为二者应当统一起来。精通典、谟与治民之才完全可以协调。故又
有诏云:

> 世之质文,随教而变。兵乱以来,经学废绝,后生进取,不
> 由典、谟。岂训导未洽,将进用者不以德显乎? 其郎吏学通一
> 经,才任牧民,博士课试,擢其高第者,亟用;其浮华不务道本
> 者,皆罢退之。③

曹叡看到,经学废绝实际上对国家政治是非常不利的,因为必须要考虑
"儒学既废,则风化何由兴"的问题。从此出发,使儒学不废而有利于牧
民,也就成为曹叡提倡儒学的最直接的理由。而对士人来说,学儒通经
则是跻身仕途宦达的方便之门。

景初(237~239)中,曹叡因担心苏林、秦静等宿儒年老而经学后继
无人,遂下诏说:

> 方今宿生巨儒,并各年高,教训之道,孰为其继? 若伏
> 生将老,汉文帝嗣以晁错;《穀梁》寡畴,宣帝承以十郎。

---

① 《三国志》卷16《魏书·杜恕传》注引。
② 《三国志》卷3《魏书·明帝纪》。
③ 同上。

其科郎吏高才解经者三十人，从光禄勋（高堂）隆、散骑常
侍（苏）林、博士（秦）静，分受四经三礼，主者具为设课
试之法。夏侯胜有言："士病不明经术，经术苟明，其取青
紫如俯拾地芥耳。"今学者有能究极经道，则爵禄荣宠，不
期而至。可不勉哉！①

这里虽然谈的是受经礼、明经术，但指导思想却是讲利而非曰义，与作
为儒家"风化"核心的道德并无关联，完全可以说是以利诱导的法家功
利观的再版。所以，尽管有 30 人分受四经三礼，但既然都是为利禄而
来，也就难以持久。果然，"数年，隆等皆卒，学者遂废"②。曹叡因经术
人才青黄不接而想要解决的"传业"的问题，最终还是落空。

　　当然，以利禄诱导作为招揽人才讲习经术的手段，并非只是曹叡个
人兼收儒法的兴趣爱好所致，它实际上反映了当时社会士人的普遍的
心态。从曹丕重开太学以来，可以说一直就是如此。曹叡不过是因势
"利"导而已。《魏略·儒宗序》说：

　　太学始开，有弟子数百人。至太和、青龙中，中外多事，人
怀避就。虽性非解学，求诣诣太学。太学诸生有千数，而诸博
士率皆粗疏，无以教弟子。弟子本亦避役，竟无能习学，冬去
春来，岁岁如是。又虽有精者，而台阁举格太高，加不念统其
大义，而问字指墨法点注之间，百人同试，度者未十。是以志
学之士，遂复陵迟，而末求浮虚者各竞逐也。③

仅从人数来看，此时的太学还是颇兴盛的，但对作为师生双方的博士与
弟子来说，心思都不在学业上。既然皇帝本人都是在以利禄为引诱，作
为臣民的士人，自然也就乐得浑水摸鱼。其间虽亦有个别钻研学问者，

① 《三国志》卷 25《魏书·高堂隆传》。
② 同上。
③ 《三国志》卷 13《魏书·王肃传》附。

但又被不念"大义"而只重"问字指墨法点注"的课试规格所阻,无法崭露头角。志学之士的衰落也就是必然的了。

到正始以后,这一情形则更为严重:

> 正始中,有诏议圜丘,普延学士。是时郎官及司徒领吏二万余人,虽复分布,见在京师者尚且万人,而应书与议者略无几人。又是时朝堂公卿以下四百余人,其能操笔者未有十人,多皆相从饱食而退。嗟乎!学业沉陨,乃至于此。①

经学衰落的严重程度,从万人中只有少数能够应答诏书和提出建议、400人中不到10人能操笔染翰,得到了最真切的反映。皮锡瑞曰:"夫以两汉经学之胜,不百年而一衰至此;然则,文明岂可恃乎!"②

其实,从另一个角度看,两汉经学之盛,发展到郑玄已是登峰造极,在这条道路上实际已不可能再往前走。而从义理的层面说,盛极而衰本是常理。"饱食而退"也可以看做是未找到学业出路的一种消极的应对办法。这里实际上提出了一个很严肃的问题,那就是学术要发展,就必须另辟蹊径。穷则变,变才能通。

二、王肃经学的兴起与王、郑之争

王肃经学的兴起和流行是魏晋时期经学发展中最重要的事件。皮锡瑞云:"郑学出而汉学衰,王肃出而郑学亦衰。"③ 王学取代郑学犹如郑学一统汉学一样,在经学史上的意义深远,它预示着郑学为代表的汉代经学在步入穷途以后,经学发展迎来了新的生机。

---

① 《三国志》卷13《魏书·王肃传》附。
② 《经学中衰时代》,《经学历史》(皮锡瑞著、周予同注释),中华书局1959年版,第141页。
③ 《经学中衰时代》,《经学历史》,第155页。

1、王肃经学的兴起

王肃(195～256),字子雍,"年十八,从宋忠读《太玄》,而更为之解"[1]。由此,则王肃之学与荆州宋忠之学有师承关系。但本传既谓之"更为之解",则其解显然与宋忠不同。故王肃学术对宋忠而言,实际是一种歧出和创新的关系。因为王肃事实上不只从宋忠学,他更多的可能还是受父亲王朗的影响。

王朗本就是以"通经"拜郎中而走上仕途的,《魏书》称其为"高才博雅"[2]。以"通"而"博"称述其学问,表明王朗本是汉魏之际的一名经学大家:"朗著《易》、《春秋》、《孝经》、《周官》传,奏议论记,咸传于世。"[3]既然王朗著作当时"咸传于世",王肃近水得月而承其父学,也就是理所当然的。而王肃与荆州学派之间,则很难说有多少联系。其实,荆州作为避乱之地,一时人才荟萃、学术兴盛无疑,但正因为如此,也就不可能久长。王肃受荆州之学,从读《太玄》开始,便不满于宋忠见解,说明他并未完整系统地接受宋忠的学术。

《三国志·王肃传》曰:

> 初,肃善贾、马之学而不好郑氏,采会同异,为《尚书》、《诗》、《论语》、《三礼》、《左氏》解,及撰定父朗所作《易传》,皆列于学官。

王肃善贾逵、马融之学而不好郑学,其实并非一开初就是如此。按王肃自己讲,这有一个过程。他云:

> 郑氏学行五十载矣,自肃成童,始志于学,而学郑氏学矣。然寻文责实,考其上下,义理不安,违错者多,是以夺而

---

① 《三国志》卷13《魏书·王肃传》。
② 《三国志》卷13《魏书·王朗传》注引另本"《魏书》"。
③ 《三国志》卷13《魏书·王朗传》。

易之。①

王肃初学郑学,因其不满足而转向贾、马之学。贾逵是汉章帝时确立古文经学地位的功臣,但同时亦精通和折中今古文两家;马融注经虽立古文,但同样亦兼通今文,尊重贾逵之学。他本欲注《左氏春秋》,但见贾逵、郑众两家注后说:"贾君精而不博,郑君博而不精。既精既博,吾何加焉!于是只注《三传异同说》。"② 马融以贾逵之学"精",在于贾逵的注经能够抓住大义,而这本来便是马融之学自身的特点。刘孝标注韩康伯"无可无不可"语云:"马融注《论语》曰:'唯义所在。'"③ 这个"唯义所在"而不是完全囿于经文,可以说是贾、马之学的共性所在。

贾、马二人均被称为"通儒","通"之义本来便意味学问广博,如贾逵"所著经传、义诂及论难百余万言"④。马融同样也是广注各经。但"通儒"之谓,又不限于学问本身。应劭《风俗通义》称:"授先王之制,立当时之事,纲纪国体,原本要化,此通儒也。"⑤ 由此,则通儒既要求学问通,还要求能从中引申出国家的制度大法,这就不是只局限于古文经学的框架内所能办到的,而必须是在折中今古文"同异"的基础上,吸取双方之所长,才能适应社会的需要。

那么,王肃之善贾、马,重心其实就在"唯义所在"和"采会同异"上。从此出发,今古文可以兼采,而不必拘泥于一家;而郑玄之学所以被批评,"违错者多",症结便不在"辞训"之确否,而在于"义理不安"。为了义理所安,王肃就可以以今文补古文,以古文正今文,最终使他之所学的贾、马学,父学及郑学能得以折中协调起来。

皮锡瑞在引证和分析了王肃今古文兼习并用的学术特点后,评

① 《孔子家语序》,上海古籍出版社 1990 年影印本,第 1 页。
② 《后汉书》卷 60 上《马融传》。
③ 《世说新语》上卷上《言语》,《世说新语笺疏》,第 133 页。
④ 《后汉书》卷 36《贾逵传》。
⑤ 同上书,注引。

论说:

> 故其驳郑,或以今文说驳郑之古文,或以古文说驳郑之今
> 文。不知汉学重在颛(专)门;郑君杂糅今古,近人议其败坏家
> 法;肃欲攻郑,正宜分别家法,各还其旧,而辨郑之非;则汉学
> 复明,郑学自废矣。乃肃不惟不知分别,反效郑君而尤甚
> 焉。①

皮氏的前提是复明汉学,复明汉学便是要分别家法,而这才是辨郑学之
非的正确做法。王肃学固然不属于郑学,但所走的道路不但与郑玄一
样是并用、混用今古文,而且更为过分,所以不值得考虑。

其实,王肃学本不是"专门"的汉学,更谈不上复明汉学。他之反郑
学,是因为郑学在他本来就不通义理,不能适应魏晋国家的利益,所以
他才要根据新的实践需要以代换之:"是以撰经礼,申明其义及朝论制
度,皆据所见而言。"② 至于是否都是据其所见,不得而知,但若不是拘
泥于经义本身,而是注意从现实中、从新发现的材料中吸取资源,王肃
的学术态度还是实事求是的。

如果从推动经学发展的角度来说,王肃经学的兴起则具有一定的
革命的意义。日本著名汉学家本田成之在其所著《中国经学史》中说:

> 皮锡瑞说:"王学出而郑学衰。"然假令王肃祖述郑玄,恰
> 如元、明诸儒为宋儒之作纂疏,愈加是没有生命的东西。同
> 样,郑学反而更衰是无疑的。王肃所以出诡曲的异说,是由于
> 易代革命不得已的事情,亦是个性敏锐的人物不堪立于人下
> 所致。由此对于说经启示自由讨论的余地,实后来经学上伟
> 大的功绩。③

---

① 《经学中衰时代》,《经学历史》,第155页。

② 《孔子家语序》,第1页。

③ 本田成之著,孙俍工译:《中国经学史》,上海书店出版社2001年版,第174
~175页。

较之皮锡瑞,本田此说还是很有见地的,也更为符合实际。

王肃作为倡导新风的一代经学大师,尽管遭到许多人的批评,但在魏晋时期影响很大却是不容置疑的。他去世时,"门生缞绖者以百数",深受弟子们的尊敬。王肃著述非常丰富,按《隋书·经籍志》经部的记载,计有:《周易注》10卷,《尚书》11卷,《尚书驳议》5卷,《毛诗》20卷,《毛诗义驳》8卷,《毛诗奏事》1卷,《毛诗问难》2卷,《周官礼》12卷,《仪礼》17卷,《礼记》30卷,《明堂议》3卷,《丧服经传》1卷,《丧服要记》1卷,《春秋左氏传》30卷,《春秋外传章句》1卷,《孝经解》1卷,《论语注》10卷,《论语释驳》3卷,《孔子家语注》21卷,《圣证论》12卷,《王子正论》10卷,《扬子太玄经注》7卷,魏卫将军《王肃集》5卷,太子左率《王肃之集》3卷。然所有这些著作,除《孔子家语》外均已不传,今仅在清马国翰《玉函山房辑佚书》中有部分辑本。而本传所谓"其所论驳朝廷典制、郊祀、宗庙、丧纪、轻重,凡百余篇",不知是否已包含在上述两种《王肃集》中。

在上述著作中,注经方面主要属于汉时"七经"的系统,即五经再加上《孝经》和《论语》。这在一定程度上也表明了王肃对汉学的承接的方面。

2、王学与郑学之争

王学的兴起对郑学形成了直接的挑战。王学批评郑学,既有字义的训释,也有义理的通解,以及社会政治方面的理由等。双方的争论在王肃生前即已展开,在他身后,各自的拥护者将其进一步推进。

首先,王肃注经对郑学的反驳。王学反对郑学的一个基本的方法,是综合运用今古文经的成果反驳郑玄的注释。

例如:《诗·小雅·车舝》有"觏尔新昏(婚),以慰我心"句,《毛诗》以为:"慰,安也。"郑玄据此解为:"我得见女之新昏如是,则以慰除我心之忧也。"然王肃却不用《毛诗》的古文说,而用《韩诗》的今文说,将"慰"改为"愠",以为怨恨之义:"《韩诗》作'以愠我心',愠,恚也。"这是以今文对郑玄之古文。

又如:《诗·大雅·生民》云:"厥初生民,时维姜嫄。生民如何？克禋克祀,以弗无子。履帝武敏,歆,攸介攸止,载震载夙,载生载育,时维后稷。"郑玄以《三家诗》今文说为据,认为后稷是姜嫄感上帝之灵无父而生:"祀郊禖之时,时有大神之迹,姜嫄履之,足不能满,履其拇指之处,心体歆歆然,其左右所止住,如有人道感己者也。于是遂有身,而肃戒不复御。后则生子而养,长名之曰弃。"但王肃却不取今文而取《毛诗》古文说,以为姜嫄本为帝喾上妃,后稷为帝喾之子,并非无父感灵而生。

在上述两例中,王肃均反对郑玄之说。王肃说本身虽然不是创新,如后说,司马迁、刘歆、班固、贾逵、马融、服虔等"皆以为然"①。但这在学术史上还是值得肯定的。天人感应的学说在汉代很盛,君权天(神)授则是其核心支柱。将神还原为人,将天生还原为人生,对于剥掉附在帝王身上的神秘面纱,无疑具有积极的意义。

王肃反对郑玄注经,不仅是据前人的经典文献来做文章,也注意引用新发掘出土的文物资料。例如:《诗·鲁颂·閟宫》有"牺尊将将"句,孔颖达《正义》记述说:"'牺尊'之字,《春官·司尊彝》作'献尊'。郑司农云:'献读为牺,牺尊饰以翡翠,象尊以象凤凰,或曰以象骨饰尊。……'王肃云:'将将,盛美也。太和中,鲁郡以地中得齐大夫子尾送女器,有牺尊,以牺牛为尊;然则象尊,尊为象形也。'"②

孔颖达对于王肃解与《毛诗》、《郑笺》"义异""未知孰是"。而从王肃之文意看,他本人并未见过象形之尊,但他从牺尊为牺牛形,推论象尊当为象形,是有理由的。这在今天已可由出土的实物器皿所证实。这从一个侧面说明,王肃的新说是占有一定的事实根据的。

---

① 参见孔颖达:《毛诗正义·大雅·生民》,《十三经注疏》本。
② 参见孔颖达:《毛诗正义·鲁颂·閟宫》,《十三经注疏》本。

　　其次,王肃作《圣证论》以批郑学。《王肃传》载王肃"集《圣证论》以讥短玄",以为所持本圣人之言;当时郑玄弟子、人称"东州大儒"的孙炎(字叔然),为郑玄辩而反驳王肃。王肃的《圣证论》之"证",多据《孔子家语》,"其注《家语》,如五帝、七庙、郊丘之类,皆牵引攻郑之语"①。

　　例如:《尚书·尧典》"禋于六宗"②句,郑玄以"六宗"为星、辰、司中、司命、风师、雨师。王肃则依《家语》,亦与《孔安国传》同,即注以四时、寒暑、日、月、星、水旱为六宗。王肃之说是有根据的,《礼记·祭法》明言祭(四)时、寒暑、日、月、星、水旱六神。孔颖达《疏》遂称:"若王肃及先儒之意,以此为'六宗',岁之常礼。"故以为不当用郑玄注解《尚书》"禋于六宗"句。

　　所谓"五帝",郑玄承汉制,以五帝为五天帝——东南西北中五方配苍帝、赤帝、黄帝、白帝和黑帝五帝③。五帝各为一天之主宰,加昊天上帝便是六天。王肃则着力发挥"天体无二"的道理,认为"天唯一而已,何得有六?"④ 以一天说反对六天说。王肃引《家语》孔子答季康子问"何谓五帝",说明五帝即五行之官名,"五行佐成上帝"⑤,所以是一天而非六天。晋武帝泰始二年正月,诏群臣议礼制:"群臣又议,五帝即天也,王气时异,故殊其号,虽名有五,其实一神。明堂南郊,宜除五帝之坐,五郊改五精之号,皆同称昊天上帝,各设一坐而已。"⑥ 最终只有一个昊天上帝。

---

　　① 皮锡瑞:《经学中衰时代》,《经学历史》,第156页。

　　② 此句《十三经注疏》本《尚书正义》已划归《舜典》。

　　③ 《礼记·祭法》孔颖达《疏》引王肃难郑玄云:"郑云以五帝为灵威仰之属,非也。""灵威仰之属"即所谓"五帝"。《后汉书·明帝纪》载永平二年"宗祀光武皇帝于明堂,以配五帝"事,李贤注引《五经通义》曰:"苍帝灵威仰,赤帝赤熛怒,黄帝含枢纽,白帝白招矩,黑帝叶光纪。"

　　④ 《礼记·祭法》孔颖达《疏》引王肃语。

　　⑤ 《孔子家语·五帝》,第65页。

　　⑥ 《晋书》卷19《礼志上》。

　　所谓"七庙"，《礼记·王制》云："天子七庙，三昭三穆与太祖之庙而七。"郑玄注："此周制。七者，太祖及文王、武王之祧，与亲庙四。太祖，后稷。"孔颖达《疏》述郑玄之解说："周所以七者，以文王、武王受命，其庙不毁，以为二祧，并始祖后稷及高祖以下亲庙四，故为七也。"又叙王肃之解曰："若王肃则以为天子七庙者，为高祖之父及高祖之祖庙为二祧，并始祖及亲庙四为七。故《圣证论》肃难郑云：'周之文、武，受命之王，不迁之庙，权礼所施，非常庙之数。'"双方的区别，在于确定的文、武为二祧，还是逐代递变的高祖之父、祖为二祧。王肃之反对郑玄，中心在以"变"对"常"。而司马氏代魏，本即"变"的产物，晋之礼制从王肃也就是理所当然的。所谓"其礼则据王肃说也"①。

　　所谓"郊"、"丘"，前述正始中诏议圜丘几无人能答，而"圜丘"与"郊"的关系也成为了郑、王之争的一个侧面。郑玄认为二者是有区别的："禘为祭昊天于圜丘也，祭上帝于南郊曰郊。"② 二者的区别，可以是祭祀之地与祭祀之名之别，但在意义上，前者要重于后者，"玄以圜丘祭昊天最为首礼"③。而王肃则认为二者没有根本区别，"肃又以郊与圜丘是一，郊即圜丘"④。王肃"祭法"为晋代所本。泰始二年十一月，"有司又议奏，古者丘、郊不异，宜并圆丘、方丘于南北郊，更修立坛兆，其二至之祀合于二郊。帝又从之，一如宣帝所用王肃议也。是月庚寅冬至，帝亲祀圆丘于南郊。自是后，圆丘方泽不别立。"⑤

　　总起来，王肃攻郑之礼制，在学术上的意义远不如政治上的意义大。王肃反郑学，实际上反映了司马氏的兴起和代魏所必需要进行的思想学术上的更新与礼仪典章的相应变换；而王肃反对感生，主张六天

---

①　《晋书》卷19《礼志上》。
②　《〈礼记·祭法〉郑玄注》。
③　《礼记·祭法》孔颖达《疏》引。
④　《礼记·祭法》孔颖达《疏》引。
⑤　《晋书》卷19《礼志上》。

归一,圜丘合一,则曲折地反映了天下大势由分到合的历史进程。

当时站在郑学一边而与王肃学辩论的,除孙炎外,还有王基、马昭、张融等人。

王基:《魏书·王基传》记载:"散骑常侍王肃注诸经传解及论定朝仪,改易郑玄旧说,而基据持玄义,常与抗衡。"① 陆德明说:"郑玄作《毛诗笺》,申明毛义,难三家,于是三家遂废② 矣。魏太常王肃更述毛非郑,荆州刺史王基驳王肃,申郑义。"③ 王基能常与王肃抗衡,则不但是郑学的中坚,而且应当是有见地者,惜其说不传。

马昭:唐元行冲《释疑》曰:"子雍(王肃)规玄数十件,守郑学者,时有中郎马昭,上书以为肃缪,诏王学之辈,占答以闻。"④ 马昭守郑学而指称王肃为荒谬,对于王肃之反郑学是自觉予以驳斥的,他并以为《孔子家语》本出于王肃,非圣人之迹。孔颖达《礼记正义》记载说:

> 案《圣证论》引《尸子》及《家语》难郑云:"昔者舜弹五弦之琴,其辞曰:'南风之熏兮,可以解吾民之愠兮;南风之时兮,可以阜吾民之财兮。'郑云:'其辞未闻',失其义也。"今案马昭云:"'《家语》,王肃所增加,非郑所见。'又'《尸子》杂说,不可取证正经,故言未闻也。'"⑤

王肃以为郑玄"失其义",意在讥讽郑学的浅狭;马昭则维护郑学,驳斥王肃以《家语》和《尸子》为据对郑学的攻击。因为在马昭看来,《家语》本来就是王肃自撰;《尸子》又是杂书,不具有证实或证误正经的地位。

---

① 见《三国志》卷 27。

② 原文作"三遂家废",当为"三家遂废"。参见:中华书局 1983 年版(黄焯断句),第 10 页;台湾学海出版社 1988 年版(黄坤尧、邓仕樑编校),第 10 页。

③ 陆德明:《经典释文》卷 1《序录》,上海古籍出版社 1985 年版(据北京图书馆藏宋刻本影印)。

④ 《旧唐书》卷 102《元行冲传》引。

⑤ 见《礼记正义》卷 38《乐记》。

所以，即便郑玄知道《尸子》中语，也不会以为有闻。而在马昭这里，《家语》既已被判定为王肃作，当然就不值得信赖。故云"《家语》之言，固所未信"①。

张融：元行冲《释疑》云："又遣博士张融案经论诘。融登召集，分别推处，理之是非。具《圣证论》，王肃酬对，疲于岁时。"② 张融是十分推崇郑玄的。尽管郑玄也有失误的地方，但从全局、整体上看，郑玄是两汉四百年最伟大的学者。张融之反驳王肃，不重在辞训，而重在是非，而"是非"则属于义理的范畴。因而可能在相当程度上对王肃的《圣证论》造成了冲击，所以王肃才会"疲于岁时"。

当然，郑学与王学之争并非仅是郑学人士攻王肃，也有站在王肃一边，为王学辩而攻郑学的，如与马昭辩论的"王学之辈"，皮锡瑞以为如孔晁、孙毓等便是③。双方互相攻讦，但争论的具体情形今多不详。在魏晋之际的郑、王之争中，迄今有生动记述且影响较大的，是高贵乡公曹髦直接参与的论辩。于此，本纪中有生动的记述：

> 丙辰，帝幸太学，问诸儒曰："圣人幽赞神明，仰观俯察，始作八卦，后圣重之为六十四，立爻以极数，凡斯大义，罔有不备，而夏有《连山》，殷有《归藏》，周曰《周易》，《易》之书，其故何也？"易博士淳于俊对曰："包羲因燧皇之图而制八卦，神农演之为六十四，黄帝、尧、舜通其变，三代随时，质文各繇其事。故《易》者，变易也，名曰《连山》，似山出内[云]气，连天地也；《归藏》者，万事莫不归藏于其中也。"
>
> 帝又曰："若使包羲因燧皇而作《易》，孔子何以不云燧人氏没包羲氏作乎？"俊不能答。帝又问曰："孔子作《彖》、《象》，

---

① 杜佑：《通典》卷91《礼五十一·凶十三》"大功成人九月"注引，中华书局1984年版，第497页。

② 《旧唐书》卷102《元行冲传》引。

③ 见《经学中衰时代》，《经学历史》，第160页。

郑玄作注,虽圣贤不同,其所释经义一也。今《彖》、《象》不与经文相连,而注连之,何也?"俊对曰:"郑玄合《彖》、《象》于经者,欲使学者寻省易了也。"

帝曰:"若郑玄合之,于学诚便,则孔子曷为不合以了学者乎?"俊对曰:"孔子恐其与文王相乱,是以不合,此圣人以不合为谦。"帝曰:"若圣人以不合为谦,则郑玄何独不谦邪?"俊对曰:"古义弘深,圣问奥远,非臣所能详尽。"

帝又问曰:"《系辞》云'黄帝、尧、舜垂衣裳而天下治',此包羲、神农之世为无衣裳。但圣人化天下,何殊异尔邪?"俊对曰:"三皇之时,人寡而禽兽众,故取其羽皮而天下用足,及至黄帝,人众而禽兽寡,是以作为衣裳以济时变也。"

帝又问:"乾为天,而复为金,为玉,为老马,与细物并邪?"俊对曰:"圣人取象,或远或近,近取诸物,远则天地。"

讲《易》毕,复命讲《尚书》。帝问曰:"郑玄曰'稽古,同天,言尧同于天也。'王肃云'尧顺考古道而行之'。三义不同,何者为是?"博士庾峻对曰:"先儒所执,各有乖义,臣不足以定之。然《洪范》称'三人占,从二人之言'。贾、马及肃皆以为'顺考古道'。以《洪范》言之,肃义为长。"

帝曰:"仲尼言'唯天为大,唯尧则之'。尧之大美,在乎则天,顺考古道,非其至也。今发篇开义以明圣德,而舍其大,更称其细,其作者之意邪?"峻对曰:"臣奉遵师说,未喻大义,至于折中,裁之圣思。"

次及四岳举鲧,帝又问曰:"夫大人者,与天地合其德,与日月合其明,思无不周,明无不照,今王肃云'尧意不能明鲧,是以试用'。如此,圣人之明有所未尽邪?"峻对曰:"虽圣人之弘,犹有所未尽,故禹曰'知人则哲,惟帝难之',然卒能改授圣贤,缉熙庶绩,亦所以成圣也"

帝曰:"夫有始有卒,其唯圣人。若不能始,何以为圣? 其言'惟帝难之',然卒能改授,盖谓'知人',圣人所难,非不尽之言也。《经》云:'知人则哲,能官人。'若尧疑鲧,试之九年,官人失叙,何得谓之圣哲?"峻对曰:"臣窃观经传,圣人行事不能无失,是以尧失之四凶,周公失之二叔,仲尼失之宰予。"

帝曰:"尧之任鲧,九载无成,汩陈五行,民用昏垫。至于仲尼失之宰予,言行之间,轻重不同也。至于周公、管、蔡之事,亦《尚书》所载,皆博士所当通也。"峻对曰:"此皆先贤所疑,非臣寡见所能究论。"

次及"有鲧在下曰禹舜",帝问曰:"当尧之时,洪水为害,四凶在朝,宜速登贤圣济斯民之时也。舜年在既立,圣德光明,而久不进用,何也?"峻对曰:"尧咨嗟求贤,欲逊己位,岳曰'否德忝帝位'。尧复使岳扬举仄陋,然后荐舜。荐舜之本,实由于尧,此盖圣人欲尽众心也。"

帝曰:"尧既闻舜而不登用,又时忠臣亦不进达,乃使岳扬仄陋而后荐举,非急于用圣恤民之谓也。"峻对曰:"非臣愚见所能逮及。"

于是复命讲《礼记》。帝问曰:"'太上立德,其次务施报'。为政何由而教化各异,皆修何政而能致于立德,施而不报乎?"博士马照[1] 对曰:"太上立德,谓三皇五帝之世以德化民,其次报施,谓三王之世以礼为治也。"帝曰:"二者致化薄厚不同,将主有优劣邪? 时使之然乎?"照对曰:"诚由时有朴文,故化有薄厚也。"[2]

在这里, 本纪所引三次质疑问难, 一次是围绕《易传》质疑郑学, 二

---

① 马照, 即前马昭, 避司马昭讳改。
② 《三国志》卷4《魏书·高贵乡公纪》。

次是围绕《尚书》质疑王学，三次是围绕《礼记》质疑马昭所维护之学。这三次质疑论辩的重点都在义理而不在辞训，即要求从道理而非文字上解决不同经注的矛盾。学者多以为这是曹氏与司马氏争夺统治权力的斗争通过崇郑学贬王学的形式而在学术上反映出来，但从曹髦的质疑中，尚看不出明显的推尊郑学的倾向。毋宁说是他为了表明自己解经见识的高明、竖立自己解经的权威，而质疑、驳斥流行的经学见解。

曹髦本是曹叡以后曹氏子孙中很有才学和抱负的一位，钟会称之为"才同陈思，武类太祖"①。这从前述对三博士的反问和追问中，可以很清楚地看出来。那么，作为玄风初起时代的呼应，曹髦完全可以讲一套自己的学说。要做到这一点，首先需要的就是"破"的工作——不论这破的对象是郑学还是王学，以为"立"自己的新学做铺垫。当然，由于王学的地位逐渐上升并开始占据经学的主导，说主要矛头是对准王学也是可以的，但却不一定非要讲是以郑学去反对王学。

在此意义上，也可以说曹髦的失败是攻王学势力的失败。入晋以后，经学显然已是王学的天下。不但王肃所注各经"皆列于学官"，而且晋初的整个礼制典章，基本上都是以王肃注解为蓝本的。太康（280～289）初年，尚书郎挚虞上书说：

> 郑、王祖经宗传，而各有异同，天下并疑，莫知所定。……
> 臣以为今宜参采《礼记》，略取"传"说，补其未备，一其殊义。
> 可依准王景侯（肃）所撰《丧服变除》，使类统明正，以断疑争，
> 然后制无二门，咸同所由。②

挚虞的主张与当年董仲舒的"推明孔氏，抑除百家"十分相似，它反映了新的统一王朝的确立，需要有新的国家指导思想的历史需要。

---

① 《三国志》卷4《魏书·高贵乡公纪》，注引《魏氏春秋》。
② 《晋书》卷19《礼制上》。

3、王肃之作伪

王肃作伪的问题,一直是经学史中的一大公案。皮锡瑞曾系统地予以指陈:

> (王肃)伪造《孔安国尚书传》,《论语》、《孝经》注,《孔子家语》,《孔丛子》,共五书,以互相证明;托于孔子及孔氏子孙,使其徒孔衍为之证。不思《史》、《汉》皆云安国早卒,不云有所撰述;伪作三书,已与《史》、《汉》不合矣。而《家语》、《孔丛子》二书,取郊庙大典礼两汉今古文家所聚讼不决者,尽托于孔子之言,以为定论。不思汉儒议礼聚讼,正以去圣久远,无可据依。故石渠、虎观,天子称制临决。若有孔子明文可据,群言淆乱折诸圣,尚安用此纷纷为哉!肃作《圣证论》,以讥短郑君,盖自谓取证圣人之言;《家语》一书,是其根据。其注《家语》,如五帝、七庙、郊丘之类,皆牵引攻郑之语,适自发其作伪之覆。当时郑学之徒皆云"'《家语》,王肃增加。"或云王肃所作。是肃所谓圣证,人皆知其不出于圣人矣。孙志祖《家语疏证》已明著其伪。[1]

以皮氏此论为代表,关于王肃之作伪,已有多家从不同角度进行了考证。在认定王肃作伪的学者中,有认为上述五书均为王肃伪造者,如丁晏便是一主要的代表;但更多的是证其一部或几部为王肃伪作,其中最主要针对的是《孔子家语》一书,如孙志祖之《孔子家语疏证》、《四库全书总目提要》等。丁晏和孙志祖都是清人,但怀疑、指斥王肃之作伪却并非从清始,而是自晋代就开始了。如马昭便认为《孔子家语》为"王肃所增加",颜师古注《汉书》,亦云《汉书》所载之 27 卷本《家语》"非今所有(即王肃注 21 卷本)《家语》"。

---

① 《经学中衰时代》,《经学历史》,第 155～156 页。

从王肃自己所述看，他之《家语》乃得自孔子后裔，其曰：

> 孔子二十二世孙有孔猛者，家有其先人之书，昔相从学，顷还家，方取已来，与予所论，有若重规叠矩。而予从猛得斯论，以明相与孔氏之无违也。斯皆圣人实事之论，而恐其将绝，故特为解，以贻好事之君子。①

但王肃的这一番表白，究竟披露的是事物的本来面目呢还是与孔猛师生二人不打自招编织的谎言，历来便有不同的看法。皮锡瑞就认为王肃攻郑已暴露了其作伪的马脚："其注《家语》，如五帝、七庙、郊丘之类，皆牵引攻郑之语，适自发其作伪之覆。"

那么，如何看待自魏晋至今有关王肃作伪的诸般见解，一直是一个争议的问题。如清代陈士珂作与孙志祖同名的《孔子家语疏证》，便对颜师古的怀疑不以为然。当然，从整体上说，清人多认定王肃作伪是实，这一观点直至20世纪七八十年代，在中国学术界一直占主流地位。例如，作为中国当时出版的两部最权威的工具书，《辞海》与《辞源》都持王肃作伪说。

自20世纪80年代中期以后，学术界关于王肃作伪的看法，则逐渐取较为公允的立场，但这实际上又有两种不同的态度和方法：一是尊重并运用考古发掘的新成果，重新审视关于王肃作伪的问题，并给予否定的答案。二则是继续采用传统方法，但通常不再绝对认定王肃作伪，而是能够具体分析，区别对待。如认为"五书"不是"全伪"而是"部分伪"，各书之间作伪的成分、程度，也相应有差别。譬如章权才著作对此的辨析：

(1)对《孔安国尚书传》，采清儒陈澧观点，认为王肃伪造说值得怀疑，但《孔传》内容与王肃观点相合，是一部在魏晋之际或稍后推出的杂采诸家的著作；对《孔子家语》，认为说王肃编造或否定王肃编造都没有

---

① 《孔子家语序》，第1页。

足够的根据,当然书中有王肃作伪的痕迹,可以说是部分伪而非全伪;(2)对《孔丛子》,认为该书与《孔子家语》和《圣证论》存在连环关系,也有不少作伪的成分;(3)对于《论语注》和《孝经注》,则认为丁晏的论据比较确凿。王肃是将自己的观点稍加改动而加在孔安国头上,是作伪行为,所以二书实际上都是王肃观点的体现①。章氏的一番分析还是有道理的,但作为20世纪末期出版的经学专著,没有能引入考古发掘新文献并加以考究,不能不说是一缺陷。

与此不同,随着河北定县八角廊汉墓竹简和安徽阜阳双古堆汉墓木牍等一大批新出土文献材料的整理和公布,不少学者通过对出土材料的研究,看法逐步发生了转变,开始系统否定王肃作伪说。如阜阳汉简整理组1983年根据初步的整理结果认为:"旧说以为《孔子家语》王肃伪作,今阜阳汉简木牍证明早在西汉初期,已有类似的书籍。"② 在利用新出土材料进行研究方面,李学勤先生是主要的代表之一。他根据自己对考古发掘资料的研究并借鉴其他学者的研究成果,对《孔子家语》、《孔丛子》、《孔安国尚书传》三书的作伪说进行了否证。

首先,在他看来,八角廊竹简本《儒家者言》很可能就是今传本《孔子家语》,王肃在《序言》中说明《家语》得自孔猛,"这应当是事实"。当然,"竹简没有《汉志》二十七卷之多,大概只是一种摘抄本,这在出土古籍中是常有的"③。

李学勤的这一申明在方法论上是重要的,因为考证某书为伪者每

---

① 参见章权才:《魏晋南北朝隋唐经学史》,广东人民出版社1996年版,第70~76页。

② (文物局古文献研究室、安徽阜阳地区博物馆)阜阳汉简整理组:《阜阳汉简简介》,《文物》1983年第2期,第23页。该简1983年起逐步公布,李学勤、裘锡圭先生审阅了竹简释文。

③ 《八角廊汉简儒书小议》,《简帛佚籍与学术史》,江西教育出版社2001年版,第393页。

每都有一个看似有理的论据,即古今传本分量的多寡或卷数的差异,但这一论据,在李学勤却根据他整理研究近年来发现的简牍帛书的经验,从根本上予以否定。他认为:"古书的形成每每要有很长的过程,除了少数书籍被立于学官或有官本,一般都要经过改动变化。很多书在写定前,还有一段口传的过程。尤其在民间流传的,变动尤甚。因而,对古书的形成和流传,不可用静止的观点去看待。《家语》也就是其间的一个例子。"① 这可以说是从侧面支持了王肃注《孔子家语》非王肃伪造的观点。

李学勤在他的《对古书的反思》中,总结了古籍整理中十种值得注意的情况。其中第四种是后人增广。其曰:"古书开始出现时,内容较少。传世既久,为世人爱读,学者加以增补,内容加多,与起初大有不同。……今本《家语》久为人所怀疑,指为王肃伪作。从新发现看,《家语》还是有渊源的,只是多经增广补辑而已。"② 此说不知针对何本《家语》而言,因今本《家语》是明覆宋刊本只 10 卷,历史上的王肃注本亦只有 21 卷,其间可能有亡佚、卷数分合等多种因素,但总体上只会少于《汉书·艺文志》所载 27 卷。故其称"多经增广补辑",不知从何说起。

其次,对于《孔丛子》。曰:"《孔丛子》一书可以说是孔氏家学的学案,从孔子一直记到孔季彦。……现在看来很可能出于孔季彦以下一代。前面谈到的《家语》得自孔猛,也属于孔氏家学,其序思想与《孔丛子》相同,不足为异。"③

再次,对于《孔安国尚书传》。曰:"还有一种说法,认为今传本《尚书》是王肃伪造的,近年已有著作证明,王肃的学说与《孔传》不合,今传《尚书》出于王肃实不可能。"④

---

① 《竹简〈家语〉与汉魏孔氏学》,《简帛佚籍与学术史》,第 382 页。
② 《对古书的反思》,同上书,第 30 页。
③ 《竹简〈家语〉与汉魏孔氏学》,同上书,第 384 页。
④ 同上书,第 385 页。

最后，李学勤提出了一个研究的视角问题，强调应当将眼光放大到孔氏家学。他说：

> 今传本古文《尚书》、《孔丛子》、《家语》，很可能陆续成于孔安国、孔僖、孔季彦、孔猛等孔氏学者之手，有着很长的编纂、改动、增补的过程。这样说，并不是要夸大这几部书对研究先秦史事的价值，而是想指出它们是汉魏孔氏家学的产物。即以《后汉书·儒林传》而论，所记传古文《尚书》的，本有孔氏及杜林两系，前人多注意后者，却把孔氏家学忽视了，这是不够公平的。从学术史的角度深入探究孔氏家学，也许是解开《尚书》传流疑谜的一把钥匙。①

然而，孔氏家学即便在汉代尚能正常传延，但汉魏之际的剧烈社会动荡，实际上已冲毁了孔氏家族学者作为一个学术群体和活动基地而存在的价值。当其时，"遭天下大乱，百祀堕坏，旧居之庙，毁而不修，褒成之后，绝而莫继，阙里不闻讲颂之声，四时不睹蒸尝之位，斯其所谓崇礼报功、盛德百世必祀者哉！"② 虽然魏晋及以后的朝廷均褒赠孔氏后裔，但孔家自孔融以后再未出过一位有名的学者；而自孔安国到孔融三四百年间，同样未出过一位有名的学者，相较于同时代经学大家的层出不穷，孔氏家学的学术水准实在不足虑，后人不注重他们也就是有理由的。

王志平对王肃作伪说的考辨可以说是从李学勤出发，但又有进一步的修正和推进。他根据新出土的文献材料并广泛引证各家之说，在《王肃"多造伪书"考辨》中，全面否定皮锡瑞关于王肃所造五书之说。对《孔子家语》，同意是一本杂纂之书之说，但其定本的完成早于王肃和孔猛，王肃注本的主体部分应是《汉书·艺文志》的 27 卷本，经过孔子家

---

① 《竹简〈家语〉与汉魏孔氏学》，《简帛佚籍与学术史》，第 386 页。
② 《三国志》卷 2《文帝纪》。

学后人的增删才成为 21 卷本的形式；对《孔丛子》，主要依据黄怀信的研究成果，认定王肃伪造的说法不能成立；对《孔安国尚书传》，以吴承仕、陈梦家等说为据，认定王肃同《孔传》无关；对《孝经注》，据胡平生的考订，认为王肃伪造站不住脚，但可以承认王肃注解脱胎于孔氏《孝经传》；对《论语注》，则认为系两汉之际人士所撰，与孔氏家学没有密切关系，更不可能与王肃有染。因此，"我们认为，强加在王肃身上的几顶大帽子都应该摘除，所谓'专与郑玄作对'，'多造伪书'，经过仔细辨析，多不能成立。"①

但从历史上看，王肃经学的历史地位也正是与这两大罪状相关的。皮锡瑞以王肃为"经学之大蠹"，认为王学之行于晋初，晋初郊庙之礼亦皆用王说，所著各经皆立于学官，率皆因其为晋武帝司马炎外祖父的缘故，全面否定王肃经学自身的价值。这一观点在清代学者中很有代表性。但即使在当时，也有不同意见。

早于皮锡瑞而十分博学的陈澧评论说：

> 王肃难郑之说甚多，澧今但考其大者，小失则不发其短也。凡郑君之说，未必尽是；肃之所难，未必尽非。惟锐意于夺而易之，故其说多轻率，复多矛盾也。夫前儒之说有误，后儒故当驳正，即朝廷典制有误，亦当论驳。肃之病在有意夺易，此其心术不端，虽有学问，徒足以济其奸耳。②

陈氏虽从动机判王肃不端，但从驳正郑学的效果层面来说，则是完全有必要的，不然学术便不可能发展了。

大致与皮锡瑞同时的唐晏，收集了 20 世纪初他可能找到的史料作《两汉三国学案》，在对否定王学的流行见解进行分析后，他提出了自己

---

① 参见王志平：《中国学术史·三国两晋南北朝卷》，江西教育出版社 2001 年版，第 145～165 页。

② 陈澧：《东塾读书记十四·三国》，《东塾读书记（外一种）》，三联书店 1998 年版，第 294 页。

的意见。他认为：

> 王子雍之学，最为后人所弃，无他，以其立异于郑氏耳。
> 六朝隋唐，郑学大兴，旧学皆废，宜乎子雍之不能与之争矣。
> 考子雍之立异，夫岂尽出臆造？盖亦有旧说者存，后人无所考
> 见焉耳。故于其经说之粹者择而录之，使学者得知其大凡
> 尔。①

其实，王学在六朝隋唐，亦得以普遍运用。隋大业元年（605），礼部侍郎许善心与博士褚亮等按隋炀帝命，议定周之礼法，便是共用郑注与王注。并以为："自历代以来，杂用王、郑二义，若寻其指归，校以优劣，康成止论周代，非谓经通；子雍总贯皇王，事皆长远。"② 即以为自魏晋至隋都是杂用王、郑，而二者相较，当以王肃为上。而且，在此之后的两部儒家大典，唐孔颖达《五经正义》、清阮元《十三经注疏》，亦均参引王肃之说。

在这里，唐晏所谓后人无所考见的"旧说"，是指他所发现而前人未曾知晓的史料，这即他所收录的王肃经说之精粹。但在同时，还可以引申为包括他在内的时人所未及见而为今人所见的"旧说"，即不断发现的出土新材料。正是站在这新材料的基础之上，王肃"五书"为伪说才被学者全部或部分地否定。

王肃经学的价值，不仅在于他有别于郑学的经学著作本身，还在于他著书的方法及其所带来的影响。王学的特点如唐晏所说是"立异"，而立异的实质即在破旧立新，不祖述郑学而敢于提出己见，这与汉魏晋中国学术转型的大方向是一致的。当然，"立异"因其反传统又必然要遭到非议。王劭《史论》云：

---

① 《礼·王肃·按》，《两汉三国学案》卷7，吴东民点校，中华书局1986年版，第363页。

② 《隋书》卷七《志第二·礼仪二》。

　　魏晋浮华,古道夷替,洎王肃、杜预,更开门户。历载三
百,士大夫耻为章句,唯草野生以专经自许,不能究览异义,择
从其善。徒欲父康成、兄子慎,宁道孔圣误,讳闻郑、服非。然
于郑、服甚愦愦,郑、服之外皆雠也。[①]

杜预注《左传》本多引王说,王肃、杜预"更开门户"实际反映了经学研究
的新的走向。经学的沉闷以"宁道孔圣误,讳闻郑、复非"一句揭示得最
为典型。

　　事实上,倘若完全拜倒于郑玄、服虔之学,则不但包括王肃学术
在内的其他学术皆为其雠,而且对郑、服本身的学问来说,也从根本
上缺乏了钻研的动力,从而最终中断了学术发展的道路,所以王肃等
学者的"更开门户"实际上是非常可贵的,这本身就体现了学术的发
展。如果说,晋初王著的立于学官及行于天下尚可理解为是其身分地
位特殊的话,在后来已失去其地位而仍在历代的经籍注疏中见到其身
影,就不能不承认王学确有自己的存在价值。而且,正是因为王学打
破了郑学的天下一统,才为后来经学注疏的广引各家起到了重要的先
导作用。

三、玄学化的经学成就

　　魏晋玄学的出现是汉魏之际学术转向最直接和最重要的成果,中
国学术发展由此开一新方向、新局面。玄学不属于儒学,自然也不属于
作为后者的组成部分的经学;但儒学却是玄学的成分,玄学家虽然崇尚
虚无玄远,却又都离不开现实的学术土壤,不得不研究儒学,以从儒学
中概括出玄理。当然,作为其思想指导的是玄学的超越精神和儒道和

---

① 《旧唐书》卷102《元行冲传》引。

合的宗旨。玄学的开山何晏、王弼便是如此。鉴于玄学部分前已有专论,本节只就经籍本身做一探讨。

1、何晏等撰《论语集解》

《论语集解》收入《十三经注疏》之中,是迄今保存下来的最早也是影响最大的《论语》注疏。但该书却并非成于何晏一人之手,而是多人合作的产物。其时孙邕、郑冲、曹羲、荀颙等都参加了编撰,而由何晏主持完成。同时,该书谓之"集解",意味"集"各家之《论语》解而成,并不限于何晏及其他合作者的撰著。何晏《论语集解叙》说:

前世传授,师说虽有异同,不为训解。中间为之训解,至于今多矣。所见不同,互有得失。今集诸家之善,记其姓名。有不安者,颇为改易,名曰《论语集解》。①

所谓"前世"传授不为训解,"中间"为之训解,按宋邢昺的解释,是说西汉时夏侯胜到安昌侯张禹的传授,只是"师资诵说"而已,其间虽有异同,却不著篇简以为传注训解,至于自古至今训解《论语》的"中间"学者则有 20 余家,然因取舍各异,故互有得失。何晏于其中选择孔安国、包咸、周氏、马融、郑玄、陈群、王肃、周生烈等《论语》训解并加自己的注释而终成此书。因此,尽管此书是集众家之解,但却有何晏自己的编撰指导思想贯穿始终。所谓"互有得失"、"集诸家之善"、"有不安者颇为改易"之类,都是从他本人的思想观点出发而做出的评价。

从何晏所集之八家看,实际上体现了他对《论语》文本传授本身的认识。梁皇侃《论语集解义疏》云:

魏末,吏部尚书、南阳何晏字平叔,因《鲁论》集季长等七家,又采《古论》孔注,又自下己意,即世所重者。今日所讲即

① 《十三经注疏》本《论语注疏》卷首。

是《鲁论》,为张侯所学,何晏所集者也。①
何晏认定的文本是《鲁论》的系统,后者也是张禹改定的《论语》的基础,所以何晏采来相关的七家之说;但他显然又认为孔安国的《论语注》有所长,故不取《古论》文本而取孔安国的注疏。经历这样一番选择取舍所集成的本子仍然不能使他满意,所以何晏集他人之解还只是第一步,第二或更重要的一步,是他之"颇为改易"和"自下己意",其中心是义理的要求,这才是问题的实质和他真正的学术创见所在。

稍晚于何晏的杜预有《春秋左氏经传集解》,该书与何晏《集解》是中国学术史上最早的两部"集解"体典籍,但杜本比之何本,却有很大区别。邢昺解释说:"名曰《论语集解》者,何氏注解既毕,乃自题之也。杜氏注《春秋左氏传》谓之'集解'者,谓聚集经传为之作解也,此乃聚集诸家义理以解《论语》,言同而意异也。"② "集解"名虽同,但实却不同,因为何晏不是集其他经传,而是集其他人之义理。这当然也有文本上的理由,即《春秋》有传而《论语》无传,所以《春秋》存在经传的关系而有杜预的以传解经;《论语》则只能是集各家之解说。但更重要的还在于何晏的创见,即其他八家实际上都服从于何晏这一家。所以尽管《集解》是集众家而成,后来人却多半都以此为"何晏集解"。

在注释体例上,《论语集解》中凡不标明姓氏而径为注解者,即属于何晏自注。在何晏自注中,可以看出他作为魏晋玄学开创者的鲜明的义理特色,其中又犹以"道德"为导向。《三国志·何晏传》仅四十多字,然却用近一半文字说他"好老庄言,作《道德论》及诸文赋著述凡数十篇",突出了老庄和"道德"色彩。

例如,《论语·述而》记孔子言他一生立身行事的原则时,曾提出了

---

① 《论语集解义疏叙》,《四部要籍注疏丛刊·论语》,中华书局1998年版,第157页。

② 《论语注疏解经序·序解》,《论语注疏》卷首。

"志于道,据于德,依于仁,游于艺"的四原则说,何晏注为:"志,慕也。道不可体,故志之而已。据,杖也。德有成形,故可据。依,倚也。仁者功施于人,故可依。艺,六艺也。不足据依,故曰游。"何晏以道不可体而德可据解"道德",在哲学上已进入到本体论思维,如此的"己意"已超越了对章句本身的训解;而德、仁可据依,六艺不足据依,则说明了德、仁之"无"可本、而六艺(有)"不足"本的贵无论的思维导向。

又如,《论语·子罕》首章"子罕言利,与命与仁"。这在今日是最有争议的语句之一,因为孔子并不罕言命与仁。但在何晏,从其义理而非章句导向出发,根本跳出了孔子是否"罕言"的问题,直接切入为什么"罕言":"罕,希也。利者,义之和也;命者,天之命也;仁者,行之盛也。寡能及之,故罕言也。"利与仁是德行之和谐丰盛,而命则特指上天之命,这三者常人都很少能到达,所以,主张言行一致的孔子便罕有言及。

再如,《论语·子罕》云"子绝四,毋意,毋必,毋固,毋我"。何晏注云:"以道为度,故不在意。用之则行,舍之则藏,故无专必。无可无不可,故无固行。述古而不自作,处群萃而不自异,唯道是从,故不有其身。"孔子的"四毋"作为一种自我约束的心性修养是没有问题的,可何晏的注解却将重心移到了不自作自异而随顺于道上。因为,为修养而修养很难达到高级的境界,但如果真正能随顺大道,则会自然实现"四无"的要求。在这里,"从"道便不再"有"身,反映了崇本息末的玄学思考,可以说是从手段和方法上讲的贵无。

《卫灵公》篇记载,孔子不以为自己是"多学而识之者",而代之以"予一以贯之"。何晏则以"知元(一)举众"为解,曰:"善有元,事有会,天下殊涂而同归,百虑而一致。知其元则众善举矣,故不待多学而一知之。"当时天下殊途百虑的学术应当走向统一,但能否实现统一,则在于能否把握住元、会即事物的根本。而"多学而识"由于不是抓本而是逐末,所以不为孔子所取。反之,知道、把握了"元"便会万事皆举,孔子就能够"一以贯(举)之"。这可以说是何晏版本的"执一统众"之说。

何晏的《集解》由于体现了魏晋学术转向的新的气象,反映了《论语》注疏的时代水平,很快流行开来。《经典释文·序录》称:"何晏《集解》,正始中上之,盛行于世,今以为主。"① 当然,直至隋唐,郑玄注亦很盛行。《隋书·经籍志》经部述其流传过程曰:

> 汉末,郑玄以《张侯论》为本,参考《齐论》、《古论》而为之
> 注。魏司空陈群、太常王肃、博士周生烈,皆为义说,吏部尚书
> 何晏,又为集解。是后,诸儒多为之注,《齐论》遂亡。《古论》
> 先无师说,梁、陈之时,唯何晏、郑玄立于国学,而郑氏甚微。
> 周、齐,郑学独立。至隋,何、郑并行,郑氏盛于人间。②

在这里,何说虽然也引用了郑说,但二者显然属于不同的系统。何学是玄学,郑学是儒学,玄学离不开儒学,所以何晏也广引郑玄等家的汉学。不过,虽然南北朝至隋时郑学尚盛,但毕竟不能反映新的学术要求。故皇侃之作《论语义疏》,便是以何晏《集解》为底本,直至清代刘宝楠父子作《论语正义》同样是如此。而阮元编《十三经注疏》,亦采何晏《集解》和皇侃《义疏》。故何学的取代郑学,本是历史选择的结果。

2、王弼、韩康伯的《周易注》

王弼作为玄学的创始人之一,其学术贡献集中体现在他的《周易》和《老子》注解之中。但陈寿作《三国志》,仅以数语附带提及王弼"好论儒道"、"注《易》及《老子》"③。何劭《王弼传》则有更多一些笔墨论及王弼注《周易》的情况。其曰:

> 弼注《易》,颍川人荀融难弼《大衍义》,弼答其意。……弼
> 注《老子》,为之"指略",致有理统。著《道略论》,注《易》,往往

---

① 《经典释文》卷1。
② 《隋书》卷32。
③ 见《三国志》卷28《钟会传》附。

有高丽言。太原王济好谈,病老、庄,常云:"见弼《易注》,所
悟① 者多。"②

由此,则王弼注《易》的高论与其对老子思想的爱好密切关联。他的《周易注》是他玄学理论体系的重要组成部分,但在同时,王弼易学也有儒家古文经学的渊源。朱伯崑称:"王弼易学的形成,是曹魏时期古文经学的发展和老庄玄学兴起相结合的产物。"③ 就此而论,王弼的易学可以上溯到由西汉费直而来的古文易学一系。

《汉书·费直传》曾说费直治易"亡章句,徒以《彖》、《象》、《系辞》十篇、《文言》解说上下经。"④ 费直不重章句又以传解经,这一风格与汉代易学的主流不合,直到东汉以后才为士人所注重。《隋书·经籍志》经部云:

> 汉初,又有东莱费直传《易》,其本皆古字,号曰《古文易》。
> ……故有费氏之学,行于民间,而未得立。后汉陈元、郑众,皆传费氏之学。马融又为之传,以授郑玄。玄作《易注》,荀爽又作《易传》。魏代王肃、王弼并为之注。自是费氏《易》大兴。⑤

但是,所谓费氏《易》大兴并不是说费氏易学本身多么兴盛,而主要是指费直不重章句又以传解经的方法在王弼得以继承和发展:"王弼用费氏《易》云者,非但因其所用《易》文同于古文,而实亦因其沿袭其以传解经之成规也。"⑥

在《周易》本文,其经与传最初是分立的,后来合为一体,一般以为

---

① 此"悟"字汤用彤以为当为"误"字。见《魏晋玄学论稿·王弼大衍义略释》,第 57 页。

② 《三国志》卷 28《钟会传》注引。

③ 《易学哲学史》上册,第 240 页。

④ 见《汉书》卷 88。

⑤ 见《隋书》卷 32。

⑥ 汤用彤:《王弼之〈周易〉〈论语〉新义》,《魏晋玄学论稿》,第 80 页。

这是从郑玄开始，但汤用彤对此表示怀疑，认为肇始者应当是王弼。他说：

> 改窜《周易》以经附传，实颇出于王弼之手。《玉海》朱震曰："王弼以文言附乾坤二卦。"则文言传之附入经文，始于辅嗣。又《正义》云："弼意象本释经，宜相近附，故分爻之象辞，各附当爻下。"则小象传之附入经文亦始于辅嗣。又按《魏志·高贵乡公纪》，帝问魏博士淳于俊曰："孔子作彖象，郑玄作注，今彖象不与经文相连而注连之，何也？"夫古注单行，康成注《易》，合彖象于经，为之解说。然其于《周易》本义，据高贵乡公之言，实经传未尝混合。是则以彖象附入经文，似非如世人所言出于康成。而读王弼《易略例》，首章即为明象。其以象说经之旨，昭然如见。或者以彖象连入经文亦即出于辅嗣。而此久已流行之今本《周易》以经传相附，或即出于王弼一人之手也。[①]

汤用彤的推论值得注意，尽管其理由并不很充分。但是，汤氏接下来判定以传解经之精神在王弼表现得最为充分，论据却相当有力。这即是：(1)王《易》相传出于费氏，费氏亡章句，而主以传解经。(2)王氏多于小象下无注，而以小象之义入爻辞中，是为以传解经之实例。(3)孔疏云："辅嗣加乾传泰传字，离为六篇。"盖今本《周易》分六卷，每卷首题《周易》上经(或下经)某传云云。于六卷之首，均明言某传，极见其以经附传，用传解经之意。(4)《经典释文·叙录》略云："王注上下经六卷，系辞以下不注。"王弼注《易》，祖述系传而系反无注者，必王作书原旨只在以传解经，经注已完，系辞以下，自无续注之必要矣。[②] 这四条论据说明，即使王弼不是连《文言》、《彖》、《象》入经的第一人，也是贯彻以传解经

---

①　《王弼之〈周易〉〈论语〉新义》，《魏晋玄学论稿》，第80～81页。

②　同上书，《魏晋玄学论稿》，第81页。

之精神"实甚显著"者。

不过,世人对于王弼易学之贡献,最为看重的还是王弼注《易》摈落象数,而不在汤氏着力辨明的以传解经。东晋名士孙盛曰:

> 《易》之为书,穷神知化,非天下之至精,其孰能与于此?世之注解,殆皆妄也。况弼以傅会之辨而欲笼统玄旨者乎?故其叙浮义则丽辞溢目,造阴阳则妙颐无间,至于六爻变化,群象所效,日时岁月,五气相推,弼皆摈落,多所不关。虽有可观者焉,恐将泥乎大道。①

孙盛对"以傅会之辨而欲笼统玄旨"的玄学家是颇不以为然的。他以为,魏晋玄学思维笼罩下的整个《易》注,都是未抓住孔子真精神的虚妄不实之辞,而其中的代表就是王弼。王弼的《易》注,语词华丽可观,讲论阴阳玄妙精致,但王弼摈落爻象、卦气则使他远离了《周易》的本义。所以,王弼"浮义"的可观,反而会使人认不清"大道"。可以说,孙盛对王弼《周易注》的"丽辞溢目"极为反感。

孙盛是一名被称为"良史"又"善言名理"的"博学"家,《晋书》本传说他作《晋阳秋》"辞直而理正";又作有《易象妙于见形论》,并使名重一时而与他辩的殷浩理屈②。故王弼摈落易象,显然就是词不直、理不正。孙盛的概括应当说是符合王弼注《易》的实际的。王弼在他的《周易略例·明象》中,明确将汉儒的执著卦爻象和互体、卦变、五行等象数方法作为批判的对象,而他自己的主张,则可以说是以义为上。他说:

> 是故触类可为其象,合义可为其征。义苟在健,何必马乎? 类苟在顺,何必牛乎? 爻苟合顺,何必坤乃为牛? 义苟应健,何必乾乃为马? 而或者定马于乾,案文责卦,有马无乾,则

---

① 《三国志》卷28《钟会传》注引。
② 见《晋书》卷82《孙盛传》。

伪说滋漫,难可纪矣。互体不足,遂及卦变,变又不足,推致五行。一失其原,巧愈弥甚。纵复或值,而义无所取,盖存象忘意之由也。忘象以求其意,义斯见矣。①

王弼注《易》主取义而非取象,取义不是王弼的发明,费氏《易》之"亡章句",正面讲即是取义,王肃注《易》亦是以取义为主。但是,只有到王弼这里,才是自觉地以取义排斥取象。

朱伯崑云:

　　王弼易学则进一步发挥了取义说,除对个别的卦爻辞和传文的解释,如对同人卦《象》文、睽卦上九爻辞的解释夹杂一些取象说外,皆主取义说,并且有意识地排斥取象说。如对《大象》文的解释,除个别例子外,一般都回避取象说。②

朱伯崑并根据自己的研究,将王弼的取义说归结为两个方面,即:一是"对八卦的解释主取义说或卦德说。如以乾为健,以坤为顺,震为威惧,巽为申命,坎为险陷,离为丽,艮为止,兑为悦";另一则是"对六十四卦及其卦爻辞的解释皆主取义说。如以屯卦为'天地造始之时',以蒙卦为蒙昧之义,以需卦为'饮食宴乐'之义,以讼卦为听讼之义,以师卦为'兴役动众'之义,等等"③。

王弼以取义代取象,但并未否定义与象的联系,他对义与象之间必然存在的联系,采取的办法是合象(类)归义,以义统象。他这一方法不但用于义与象之间,也用于义与义之间,一卦六爻各有其象与义,它们之间的关系便按照合象归义、一义为主的原则来处理,这也就是他的"一爻为主"说。所谓"一卦之体必由一爻为主,则指明一爻之美以统一卦之义"④。"一卦之美"就美在"统之有宗,会之有元","故六爻相错,

---

①　见《王弼集校释》,第609页。
②　《易学哲学史》上,第241页。
③　同上书,第243页。
④　《周易略例·略例下》,《王弼集校释》,第615页。

可举一以明也;刚柔相乘,可立主以定也"①。一爻作主爻,为全卦之"宗""元"。所以取一爻可以明全卦,取一义可以统众象。

在王弼,一卦六爻不是各自分离的部分,而是相互联系的整体,而集中反映整体属性那一爻也就成为决定全卦性质的主爻。主爻是一卦矛盾的集中体现,抓住了主爻也就抓住了主要矛盾。主爻虽然在量上是至少、至寡,然"夫众不能治众,治众者至寡者也"②。抓住了至寡之"一",也就抓住了全卦的中心,从而使全局的问题能得到解决。

王弼的以一统众、一爻为主的观点,既是整体的也是辩证的思维,它已经超越了《周易》注疏本身,而成为他的整个经学哲学的指导思想。他注《论语》"吾道一以贯之"说:

> 贯,犹统也。夫事有归,理有会。故得其归,事虽殷大,可以一名举;总其会,理虽博,可以至约穷也。譬犹以君御民,执一统众之道也。③

这种"执一统众"之道,也就是崇本息(举)末之道,与前述何晏之论正好形成了"殊涂而同归,百虑而一致"。这表明玄学家的经学著述,都是以经典阐释的形式为其哲学和政治理论需要服务的。

王弼的《周易注》只注了《周易》经文及《文言》、《彖》、《象》,《系辞》以下各传未注。究其缘由,汤用彤的解释是:"但辅嗣注《易》,祖述系传(读《略例》可见。)而系无反注者,必王作书原旨只在以传解经。经注已完,系辞以下,自无续注之必要矣。"④ "传"在王弼的必要性是需要利用它来解经,经既解完,"传"之使命已经完成,故不再被当做思考的对象。至于《文言》、《彖》、《象》,由于已连入经文,故与经文一同被解释;《系辞》以下各传相对独立,当然也就没有解释的必要。

---

① 《周易略例·明象》,同上书,第 591 页。
② 同上。
③ 《论语释疑(辑佚)》,同上书,第 622 页。
④ 《王弼之〈周易〉〈论语〉新义》,同上书,第 81 页。

汤先生的推论不能说没有道理,但一整部《周易》不能注完总是一个遗憾,故后续注《周易》者不乏其人,其中以晋韩康伯最为知名。《经典释文》说:

> (永嘉之乱后)唯郑康成、王辅嗣所注行于世,而王氏为世所重。今以王为主,其系辞以下王不注,相承以韩康伯注续之,今亦用韩本。①

韩康伯继续了王弼的方法和思想,并有所推进和发展,故其注得到后人的认可。《五经正义》和《十三经注疏》都是将王弼、韩康伯注合为一体、构成完整的《周易注》的。

那么,韩康伯为什么要注王弼不注的《系辞》以下各传呢?朱伯崑说这是由于魏晋时期易学象数派和玄学派(义理派)斗争的需要。从汉魏荀氏家族到东晋干宝,易学象数派对义理派提出了多方的驳难,两派斗争是非常尖锐的。尽管象数派在理论上并无新的建树,"但对玄学派的易学却是一大威胁。韩康伯就是在干宝以后,进一步阐发了王弼派的观点,同魏晋以来的象数派展开了斗争,成为继王弼之后,玄学家解易的代表人物"②。也正因为如此,朱伯崑对韩康伯续注给予了高度评价。认为:

> (韩氏)进一步排斥了汉易中的象数之学,依筮法中的取义说,从义理的角度说明《周易》的原理,进而将易理玄学化,使《周易》成为"三玄"之一。他以义理解释《易传》中的范畴、概念,力图摆脱古代的占筮迷信和汉代的占候之术,对宋明易学中义理学派的形成(与王弼注)同样起了重要的影响。③

王弼、韩康伯《周易注》被孔颖达收入《周易正义》中,孔颖达在《周易正

① 见《经典释文》卷1《序录》。
② 《易学哲学史》上,第288页。
③ 同上书,第289页。

义序》中说:"唯魏世王辅嗣之注,独冠古今,所以江左诸儒并传其学,河北学者罕能及之。"① 孔颖达是根据他对各家《易》注权衡比较后做出的结论。

事实上,自王弼注以后,不同学者"此扬彼抑,互诘不休,至颖达等奉诏作疏,始专崇王注而众说皆废,故《隋志·易类》称'郑学浸微,今殆绝矣'。"② 王弼易学取代汉易而成为《周易》的正统注疏,它意味着中国学术选择了义理而非象数、简洁而非繁琐作为学术发展的方向。后人继续王弼之路,也正是继续了这样的学术趋向。皮锡瑞记述说:

> 王弼《易注》,孔疏以为独冠古今;程子谓学《易》先看王弼《易》,《传》中不论象、不论卦变,皆用弼说;王应麟谓辅嗣之注,学者不可忽也,《困学纪闻》录王注二十三条。何焯云:《程传》中所取辅嗣之义正多。厚斋则但就其格言录之,陈澧谓厚斋所录,非但尚《易》之辞,并尚辅嗣之辞矣。此孙盛所谓丽辞溢目者也。③

从王弼到程颐、王应麟,后者对前者的肯定不但在其义理,亦包括其"丽辞"。玄学与理学都是义理之学,双方又都使用相似的语词进行表达,所以能吸引人们的注意力并采撷之。

皮锡瑞对各家的总结评论,实际上受他自己立于汉学基础的学术史观的影响,以为"平心而论,阐明义理,使《易》不杂于术数者,弼与康伯深为有功;祖尚虚无,使《易》竟入老庄,弼与康伯不能无过。瑕瑜不掩,是其定评"④。皮氏的"定评"看似中庸,实则没有了解:如果缺了老庄,义理易学根本无从谈起,王弼、韩康伯也就不可能有功。"儒道兼综"既是玄学、也是王、韩新易学的特色。可以说,正是由于老庄思想的

---

① 《周易正义》卷首。
② 《四库全书总目提要》,《十三经注疏·周易正义》卷首。
③ 《经学通论》,中华书局 1954 年版,第 24 页。
④ 同上。

输入,才最终促成了易学学术的全面更新。

四、儒家经学的发展

玄学虽然是魏晋时期占主导地位的学术思潮,及至南北朝时期犹有余音,但儒家经学自身在这一时期仍保持了发展的势头。仅在两晋,以《十三经注疏》所采而论,便有韩康伯续《周易注》、杜预《左传集解》、范宁《穀梁传集解》、梅赜所献《古文尚书》及《孔安国传》,郭璞《尔雅注》等。所以,皮锡瑞以两晋为"经学中衰时代"其实并不恰当。至少在学术成果上,两晋学术并不逊色于前人①。下面择要略做叙述。

1、杜预的《春秋左传集解》

杜预(222～284),字元凯,京兆杜陵(今陕西西安)人。他既是西晋的开国元勋,又是灭吴而实现全国统一的功臣。杜预一生博学多能,其政治、经济、军事建树和学术创作,都为他的同时代人所景仰。《晋书》本传说他"损益万机,不可胜数,朝野称美,号曰'杜武库',言其无所不有也。"② 杜预"勤于讲武,修立泮宫,江汉怀德,化被万里";又主持修水利,通水道,南人歌之曰:"后世无叛由杜翁,孰识智名与勇功。"然杜预之功,主要在于谋略的居人之上,而不是战场的实际厮杀。本传所云

---

①　对此,日人本田成之的评价可以作为参考,其曰:"两汉经学虽盛,然其奔猎禄利的官僚要算多数。比较起来,晋代经学决不能说是衰微。关于晋人所著的晋书,还算可以。今《隋书·经籍志》姑从略,而把载于《玉函山房》的佚书检视,决不劣于两汉及其他时代。今避一一列举其书名之烦,在《易》有十二人十二种,《书》有三人三种,《诗》有四人四种,《礼》有二十三人二十三种,《春秋》有十人十种,《论语》有十七人十七种。其他《尔雅》、经总还有若干。"(见《中国经学史》,第180～181页)

②　见《晋书》卷34。

他"身不跨马,射不穿札,而每任大事,辄居将帅之列"①,充分披露了他的这一特点。

杜预功劳盖世,又希冀青史留名,但留名的方式却与众不同:"刻石为二碑,纪其勋绩,一沉万山之下,一立岘山之上,曰:'焉知此后不为陵、谷乎!'"② 但杜预又并不居功自傲,他功成之后退而钻研经籍,"为《春秋左氏经传集解》。又参考众家之谱第,谓之《释例》。又作《盟会要》、《春秋长历》,备成一家之学,比老乃成"③。所以,虽说他在国家政治军事生活中举足轻重,但他自认为所醉心者还是学术。他曾将自己的爱好与王济爱马的"马癖"、和峤聚敛的"钱癖"相提并论,称自己为"《左传》癖"。

在王隐所作的《晋书》中,杜预的面貌是"智谋渊博,明于理乱,常称'德者非所以企及,立功立言,所庶几也'。大观群典,谓《公羊》、《穀梁》,诡辩之言。又非先儒说《左氏》未究丘明意,而横以'二传'乱之。乃错综微言,著《春秋左氏经传集解》,又参考众家,谓之《释例》,又作《盟会要》、《春秋长历》,备成一家之学,至老乃成"④。显然,今(房玄龄)本《晋书》与王隐《晋书》在叙杜预著作上完全一致,前者当从后者所取而来。杜预的《春秋》类著作虽有四部,并以此在当时自成一家,但其中最重要的还是《左传集解》一书,后因其为《五经正义》和《十三经注疏》所采用而广为流传。

杜预作《左传集解》,倾向性十分明确,那就是不但要破《公羊》、《穀梁》二传以立己说,而且要推倒前人以"二传"释《左传》以致乱经的旧例,强调发明左氏本意。后一点也正是他作《集解》的根本指导思想。他于是对"大观群典"而收集到的《左传》注解成果进行了分析,批评说:

① 见《晋书》卷34。
② 同上。
③ 同上。
④ 《三国志》卷16《杜恕传》注引。

> 古今言《左氏春秋》者多矣，今其遗文可见者十数家，大体
> 转相祖述，进不成为错综经文以尽其变，退不守丘明之传；于
> 丘明之传有所不通，皆没而不说，而更肤引《公羊》、《穀梁》，适
> 足自乱。①

可见，是否"守丘明之传"是杜预认可与否的最低标准，按此标准，前之
研究《左传》的十数家都只能被否定，更不用说他们还转引属于诡辩的
"二传"来解释，这除了添乱之外，实在没有别的价值。那么，杜预既否
定了"二传"，又否定了前人对《左传》的注解，剩下来的就是他自己所编
撰的《左传集解》了。他在序言和后序中全面阐明了他关于《春秋》经、
传及自己撰著的缘起、体例和方法，故依此序很容易看出杜预《集解》的
基本内容和思想。

首先，《春秋》之含义。杜预以为：

> 《春秋》者，鲁史记之名也。记事者以事系日，以日系月，
> 以月系时，以时系年，所以纪远近、别同异也。故史之所记，必
> 表年以首事；年有四时，故错举以为所记之名也。

意谓《春秋》是记事的，而所记之事则系属于相应的日、月、四时、年之
中。记年是表明有事发生，虽也有无事时，但春、秋四时不举则不成岁，
故四时有虚录、有交错而书。

其次，孔子修《春秋》之用意。杜预说：

> 仲尼因鲁史策书成文，考其真伪，而志其典礼，上以遵周
> 公之遗制，下以名将来之法。其教之所存，文之所害，则刊而
> 正之，以示劝戒。其余则皆即用旧史，史有文质，辞有详略，不
> 必改也。

---

① 《春秋序》，《春秋左传正义》卷1，《十三今注疏》本。下引此序不再注明。
又：《春秋序》篇名，按孔颖达《正义》以为："此序题目文多不同，或云《春秋序》，或
云《左氏传序》，或云《春秋经传集解序》，或云《春秋左氏传序》。"此依《十三经注
疏》本作《春秋序》。

孔子遵周制而为将来立法,故所作文必喻劝戒。至于文质不均则无伤大局,不必再改。

第三,左丘明作传之原则。杜预说:

> 左丘明受经于仲尼,以为经者不刊之书也。故传或先经以始事,或后经以终义,或依经以辩理,或错经以合异,随义而发,其例之所重,旧史遗文略不尽举,非圣人所修之要故也。

经是不变的,传则是围绕经而动,随义而发,所以,对于非"圣人所修之要"的旧史遗存下来的经文,则不需要注。

第四,孔子发凡言例之"三体"。杜预说:

> 其发凡以言例,皆经国之常制,周公之垂法,史书之旧章,仲尼从而修之,以成一经之通体。……诸称书、不书、先书、故书、不言、不称、书曰之类,皆所以起新旧、发大义,谓之变例。然亦有史所不书即以为义者,此盖《春秋》新意,故传不言凡,曲而畅之也。其经无义例,因行事而言,则传直言其归趣而已,非例也。

发凡言例的"正例",即孔子修《春秋》贯穿始终的原则,它是适用于全经的"通体",属于"常"的范畴。但有常即有变,杜预概括出书、不书等七类"变例",即改发凡旧例而起新义;再则是旧史不书者,孔子径发其新义,所以传亦不言凡例,只是随行事之恰当通畅而直言其旨趣。在这里,"变例"和"非例"都属于孔子的新意,是治经治国者最应该注意的。

第五,孔子"为例"之"五情"。杜预说:

> 故发传之体有三而为例之情有五:一曰微而显。文见于此,而起义在彼:称族尊君命、舍族尊夫人、梁亡、城缘陵之类是也。二曰志而晦。约言示制,推以知例:参会不地、与谋曰及之类是也。三曰婉而成章。曲从义训,以示大顺:诸所讳辟、璧假许田之类是也。四曰尽而不污。直书其事,具文见意:丹楹刻桷,天王求车、齐侯献捷之类是也。五曰惩恶而劝

善。求名而亡，欲盖而章：书齐豹盗、三叛人名之类是也。推

此五体以寻经传，触类而长之，附于二百四十二年行事，王道

之正、人伦之纪备矣。

上述"五情"或"五体"，说明孔子是如何据旧史所记而体现新意的。《春秋》经传记载了大量的历史事例，这些历史事例到底体现了什么样的思想价值，实际上都在于后人的概括，在这里即是杜预在孔子名下所做出的历史经验总结。他要求读者以此五情为例去找寻经传之意，并触类而长进行归纳推导，以最终实现正王道、纪人伦的社会政治目的。

第六，以传释经。杜预说：

预今所以为异，专修丘明之传以释经，经之条贯必出于

传，传之义例总归诸凡，推变例以正褒贬，简二传而去异端，盖

丘明之志也。其有疑错，则备论而阙之，以俟后贤。

杜预认为自己撰《集解》的创建，在于回归《左传》和以《左传》解经。其循守的原则，是在不违背一般历史事实的前提下，推求"变例"和作传者之动机，简别"二传"之谬以排斥异端，维护儒家的正统价值观，这便是杜预所要发明的左氏之志。当然，对于自己不能把握之处，如《左传》有有经无传者，又有无经有传者，对此类问题则留待后人，不强为之解。

第七，述《集解》引注之取舍。杜预对于前人注解大都予以排斥，但"特举刘（歆）、贾（逵）、许（淑）、颖（容）之违以见同异"。因为刘歆治《左传》，首引传文解经，"经传相发明，由是章句义理备焉"，属于"创通大义"的开创者；贾逵、许淑、颖容也都有美者，为先儒名家。所以杜预特举此四家并与己注形成比较。对于曾经流行的服虔派的《左传》注解，则认为"殊劣于此辈，故弃而不论也"[1]。因而，杜预的《集解》由于其特有的学术史观，而与之前何晏的"集诸家之善"的方针明显不同。此点

① 孔颖达：《春秋左传正义》卷1《春秋序疏》。

也是他后来颇遭清人诟病之处。

第八，述《集解》及《释例》之结构。杜预说：他"分经之年与传之年相符，比其义类，各随而解之，曰《经传集解》，又别集诸例及地名、谱第、历数，相与为部。凡四十部、十五卷，皆显其异同，从而释之，名曰《释例》。将令学者观其所聚异同之说，《释例》详之也。"杜预在刘歆等人的基础上，进一步将经与传相互搭配，按其意义归类，随传义而解经。因而《经传集解》又有集合经传而相解、即"集解经传"之意。同时，他又将经传中所涉及的各类事例分门别类予以整理、注解并汇集成《释例》一书，以作为《集解》的补充和参考，并可以相互发明。

上述杜预注解《左传》的原则方法说明，他是力图推倒前人旧说而自立一家之言的，所以他将主要矛头对准了相沿成习的"三传"混解之例，维护《左传》的权威性与合经传为一以解经的正当性。同时，他独尊《左传》固然受他特定的学术史观的影响和兴趣的偏爱，但也不是没有客观的理由。《左传》之优于"二传"在他是有史料支持的，那就是新出土的汲冢古书《竹书纪年》的记载：

> 诸所记多与《左传》符同，异于《公羊》、《穀梁》，知此二书，近世穿凿，非《春秋》本意，审矣。①

杜预按自己确定的方法论原则完成的《集解》，尽管也有不少的缺陷，但在总体上超越了前人对《左传》的研究而为后人所继承，孔颖达《五经正义》收录于其中。孔颖达对到唐为止的有关《春秋》的研究进行了总结，肯定杜预"专取丘明之传以释孔氏之经，所谓子应乎母，以胶投漆，虽欲勿合，其可离乎！"②

孔颖达又对杜预之后的研究者进行了点评，认为当以隋之刘炫成就最大：

---

① 《集解后序》，《春秋左传正义》卷60。
② 《春秋正义序》，《春秋左传正义》卷首。

　　然聪慧辩博固亦罕俦,而探赜钩深未能致远。其经注易者必具释以文辞,其理致难者乃不入其根节。又意在矜伐,性好非毁,规杜氏之失凡一百五十余条。习杜义而攻杜氏,犹蠹生于木而还食其木,非其理也。虽规杜过,义又浅近。所谓捕鸣蝉于前,不知黄雀在其后。①

孔颖达自己便是这只在后的黄雀。他认为刘炫虚浮浅薄,攻击杜注乃是心术不正,而且所攻义多浅近,故他据理以驳之而为杜预辩。当然,刘炫所规又并非全无是处,"犹有可观",所以孔颖达也有所采。

　　南宋叶适作《习学记言序目》,矛头所指,"自孔子而外,古今百家,随其浅深,咸有遗论,无得免者"②。但叶适对杜预《集解》显然是肯定的:杜预"然于《左氏》用力深久,故能使后世浅俗野诞之说十去七八,始学者由此而进,所造益深,则于《春秋》大义差不远矣。"③ 杜预注对于维护经义正统是必不可少的,而且也是学者由此进达《春秋》本义的一条通途。

　　《四库全书总目提要》评论《左传》注疏云:

　　　　今世所传,惟杜注、孔疏为最古,杜注多强经以就传,孔疏亦多左杜而右刘,是皆笃信专门之过,不能不谓之一失。然有注疏而后左氏之义明,左氏之义明而后二百四十二年内善恶之迹一一有征。……传与注疏均谓大有功于《春秋》可也。④

《四库提要》的评论在清代算是比较公允的,因清人对杜注颇多非议。如惠栋、焦循、陈寿祺、陈澧、皮锡瑞等都不以杜注为然。其反对的缘由,主要有三:一是多据前人说解而没其名,有剽窃和杜撰之嫌;二是旧

---

　　① 《春秋正义序》,《春秋左传正义》卷首。

　　② 陈振孙:《直斋书录解题》,见《习学记言序目·附录二》,中华书局1977年版,第767页。

　　③ 《左传一·杜预序》,同上书,第129页。

　　④ 见《十三经注疏》本《春秋左传正义》卷首。

史不详而强做解释，于义不通；三是为司马氏粉饰而曲解经传之意[①]。尤其是这最后一条，最为清儒所诋[②]。焦循称杜预是"忘父怨而事仇，悖圣经以欺世"，"而我孔子作《春秋》之蟊贼也"[③]。相应地，焦循也就非常不满孔疏"左杜而右刘"的态度。

陈澧站在焦循一边而诋孔氏云："刘炫规杜过，孔疏又以为妄而不引其说。然千载之下，有焦氏之说，则刘氏之说，虽亡若存矣。"并具体发明道：

> 《隐元年》传云"吊生不及哀"。杜注云："诸侯以上，既葬，则缞麻除，无哭泣，谅暗终丧。"孔疏引《晋书》云："于时内外卒闻预议，多怪惑者，乃谓其违礼以合时。"《桓五年》传云"启蛰而郊"。杜注云："夏正建寅之月，祀天南郊。"孔疏云："晋武帝，王肃之外孙也。定南北郊祭，一地一天，用王肃之议。杜君深处晋朝，共遵王说。天子冬至所祭，鲁人启蛰而郊，犹是一天，但异时祭耳。"澧谓杜预于忠臣贼臣，尚敢颠倒是非，以谄司马氏，而况说典礼乎！[④]

孔疏本非一味为杜预辩，但陈澧以为，杜预在忠义大原则上不惜颠倒是

---

① 参见皮锡瑞《经学历史》第 163～168 页所作的概括和周予同相应注解所引的史料。

② 例如：《左传·桓公五年·传》云：因郑伯不朝，王率诸侯伐郑，郑军顽强抵抗，王军大败。"祝聃射中王肩，王亦能军。祝聃请从（追击）之，公（郑伯）曰：'君子不欲多尚（凌驾）人，况敢陵天子乎？苟自救也，社稷无损，多矣。'夜，郑伯使祭足劳（慰问）王，且问左右。"杜预注："劳王问左右，言郑志在苟免，王讨之，非也。"焦循《春秋左传补疏》按曰："射中王肩，郑不臣甚矣；劳王问左右，奸也。而杜预以为王讨之非，明为高贵讨司马昭而发。……自救之说，原是饰辞；左氏述之，非左氏以郑志在苟免也。预援寤生（庄公）答聃之言，为司马昭作解，已非；而乃直斥王讨为非，何谬戾至此。"见《春秋左传补疏·桓公五年》，《清经解》卷 1159，第 666 页。

③ 同上（焦循：《补疏》）。

④ 《春秋三法》，《东塾读书记》，第 192 页。

非,谄媚司马氏,在典礼上迎合晋室也就是小事一桩了。

显然,清儒对杜注的贬斥,主要的便不在于训诂史料的考证,而在于政治立场和学术史观的不同。由此在后人引起的思考,也就是多方面的。

2、范宁《春秋穀梁传集解》

范宁(339～401),字武子,南阳顺阳(今河南淅川)人。范宁"少笃学,多所通览",一生以兴学授徒、著书立说为己任。范宁治学,重在"尊儒抑俗",而他所谓"俗",是特指他着力反对的何晏、王弼的玄学,甚至认为何、王之罪"罪过桀纣":"吾固以为一世之祸轻,历代之罪重;自丧之衅小,迷众之愆大也"①。由何晏、王弼而来的玄学倡导虚无玄远,使得士人荒于儒术,"遂令仁义幽沦,儒雅蒙尘,礼坏乐崩,中原倾覆"。范宁将西晋灭亡的责任也算到了魏臣何晏、王弼头上。因为在他,东晋时的"时以浮虚相扇,儒雅日替"正源自何、王,后者也因而成为他的矛头所指。

范宁在东晋玄风正盛之时重倡儒学,而他能够利用来与玄学对抗的儒家学术就是经学。史载他晚年免官后"犹勤经学,终年不辍"。然范宁与玄学家也有交往。本传记载,范宁曾因目痛向张湛求药方,张湛可以说是玄学的最后一位大家,他精通医术,善养生学,曾作有《养生要集》、《延年秘录》等著作。张湛给范宁开出了一付可以溯源至春秋的古方,即:

> 古方,宋阳里子少得其术,以授鲁东门伯,鲁东门伯以授左丘明,遂世世相传。及汉杜子夏、郑康成,魏高堂隆,晋左太冲,凡此诸贤,并有目疾,得此方云:用损读书一,减思虑二,专内视三,简外观四,旦晚起五,夜早眠六。凡六物熬以神火,下

---

① 《晋书》卷75《范宁传》。

以气箴,蕴于胸中七日,然后纳诸方寸。修之一时,近能数其
目睫,远视尺捶之余,长服不已,洞见墙壁之外。非但明目,乃
亦延年。①

由此,则张湛之明目延年方,不只是医方,也是道方,是道家、玄学的无
为加道教养生之方。

张湛授此方于范宁,自然也是嘲弄范宁的崇儒,因为它是从正统儒
家学者杜邺、郑玄、高堂隆、左思那里传下来的,说明这些学者都联系到
了修身养性的这一学脉。张湛所述是否准确是一回事,重要的问题,在
于纯粹的崇儒此时已经不是学术发展的主流。至于范宁是否从此得到
教益,不得而知,但他钻研注解《春秋》而非玄学典籍,表明他仍然是坚
守正统儒家的学术阵地的。本传云:"初,宁以《春秋穀梁氏》未有善释,
遂沉思积年,为之集解。大义精审,为世所重。"② 范宁注后为《十三经
注疏》所收。

范宁的学术史观,在他为《集解》所作的序中得到了充分的展现,其
中他主要发明了以下几方面的思想:

首先,《春秋》三传旨一而言殊。他说:"成天下之事业,定天下之邪
正,莫善于《春秋》。《春秋》之传有三,而为经之旨一,臧否不同,褒贬殊
致。"③ 所谓为经之旨一,就是都在于弘扬由孔子所揭示而成天下之事
业、定天下之邪正的"先王之道"。如此的先王之道,是在"天下荡荡王
道尽"之后予以重塑。以便"赞人道之幽变,举得失以彰黜陟,明成败以
助功戒,试振颓纲以继三五"④。一句话,就是扬善惩恶,拨乱反正。

但要发此旨一,用语却有殊。如《僖公元年》记齐师等"救邢"事,
《公羊》肯定齐桓公存邢,故称"师";《穀梁》以为不值得赞扬,故贬之。

---

① 《晋书》卷75《范宁传》。
② 同上。
③ 《春秋穀梁传序》,《春秋穀梁传注疏》卷首,《十三经注疏》本。
④ 同上。

这是评价标准不一,但也有具体事例认定不同者。如《隐公二年》"夫人子氏薨",《左氏》以为桓公母,《公羊》以为隐公母,《穀梁》以为隐公妻,"是三传异也"。此类异处不但说明了著者价值观的不同,也披露了历史事实认定的困难。

其次,三传各有所失。范宁虽是注《穀梁》,但并不曲意回护,而是对三传都能折中其得失。他说:

> 《左氏》艳而富,其失也巫;《穀梁》清而婉,其失也短;《公羊》辩而裁,其失也俗。若能富而不巫,清而不短,裁而不俗,则深于其道者也。故君子之于《春秋》,没身而已矣。①

"巫"为多叙鬼神,"短"为当言不言,"俗"为亲属乱伦。范宁自己对三传之失也有解释,他认为关键在义理不通:

> 《左氏》以鬻拳兵谏为爱君,文公纳币为用礼;《穀梁》以卫辄拒父为尊祖,不纳子纠为内恶;《公羊》以祭仲废君为行权,妾母称夫人为合正。以兵谏为爱君,是人主可得而胁也;以纳币为用礼,是居丧可得而婚也。以拒父为尊祖,是为子可得而叛也;以不纳子纠为内恶,是仇雠可得而容也。以废君为行权,是神器可得而窥也;以妾母为夫人,是嫡庶可得而齐也。若此之类,伤教害义,不可强通者也。②

范宁的义理观维护的是正统的封建纲常,而三传所认为善的,则是因时因地从权变出发的。既然谓之权变,当然就有伤于名教的原则(纲常),即所谓"伤教害义"。所以,不可"强通"为一般的指导。

第三,以"至当"、"据理"为标准。与杜预注《左传》重于史实和以传解经不同,范宁强调的是"至当"、"据理"。他说:

> 凡传以通经为主,经以必当为理。夫至当无二,而三传殊

---

① 《春秋穀梁传序》,《春秋穀梁传注疏》卷首,《十三经注疏》本。
② 同上。

说,庸得不弃其所滞,择善而从乎? 既不俱当,则固容俱失。

若至言幽绝,择善靡从,庸得不并舍以求宗,据理以通经乎![1]

"传"是为了"通经",本来没有问题,但经之谓经,在于它突出的是"必当"之理。"必当"在这里是一个单选项,它实际上就是"至当"。而三传由于均偏离了这个最高标准,所以都不值得肯定。

在范宁这里,不是俱当,便是俱失,没有选择的余地。他之择善而从,也就是据理求宗、据理通经。范宁因维护正统纲常而反对三传解释的灵活性,但以传解经毕竟有传在,而他之"据理通经"的理,却没有任何实际的限制,可以说是打开了通向更大灵活性的大门。

第四,先儒解《穀梁》之失。范宁虽是言三家之失,但他毕竟立足于《穀梁》,故对《穀梁》之失更是予以指斥。他说:

《穀梁》传者虽近十家,皆肤浅末学,不经师匠。辞理典据,既无可依,又因《左氏》、《公羊》以解此传。文义违反,斯害也矣![2]

从上一点实际上已可以推出,前之近十家注者必然会是肤浅末学,因为他们都没有能够深入到"理"的层面。同时,各注《穀梁》者又不能仅守自家,而混同三传,致使不同的"文义"相违冲突。这样,也就有了他重新进行疏解的必要。

最后,集诸家言而成《集解》。范宁与杜预注《春秋》虽都曰《集解》,但其含义有别:杜预是集合经传相解,范宁则是集诸子各说,这与同样重视义理的何晏《论语集解》的方法倒是一致的;再者杜预只选取四家以见同异,范宁则是"撰诸子之言各记其姓名",这亦与何晏相同。可见范宁虽然诅咒王、何,但其注解之体例文风显然从何晏有所取。事实上,《穀梁》传作为今文家的典籍,与玄学家在发挥义理上是有同一

---

① 《春秋穀梁传序》,《春秋穀梁传注疏》卷首,《十三经注疏》本。

② 同上。

性的。

范宁注《榖梁》，在后世多引人议论的，是他对三传并言其失。顾炎武记载说：

> 宋黄震言杜预注《左氏》，独主《左氏》；何休注《公羊》，独主《公羊》；惟范宁不私《榖梁》，而公言三家之失。①

而皮锡瑞看重师法，对此评论则完全相反，认为：

> 范宁《榖梁集解》，虽存《榖梁》旧说，而不专主一家。《序》于三传皆加诋諆，宋人谓其最公。此与宋人门径合耳；若汉时，三传各守颛门，未有兼采三传者也。②

周予同在引顾炎武条后注说："皮所谓宋人，盖即指黄震。"③ 如果以学术的发展为导向，则是否"各守颛门"，并不能成为评价的标准。

事实上，学"不专主一家"，正是学术繁荣的前提。任一门学术，可以说都是相比较而存在、相辩驳而发展的。当年若没有孟子的"辟杨墨"、董仲舒的"推明孔氏"，很可能没有后来成气候的儒家。范宁治学之"公"，正是体现在他注《榖梁》而不私《榖梁》。陈澧以为，"《榖梁》之短，范注不曲从之，此范注之善也。"④ 范注之善，在陈澧看来，尤其表现在注经传之慎重态度上。如"范注多称'宁所未详'"，便是其证。例如："《隐九年》，'天王使南季来聘'，《传》云'聘诸侯，非正也'；范注云：'《周礼》，天子时聘以结诸侯之好。《传》曰'聘诸侯，非正也'，宁所未详。"又如："《庄三十二年》，'公子牙卒'；《成十六年》，'公至自鲁'；《昭十二年》，'晋伐鲜虞'。注皆引郑君说，而云'宁所未详'。范氏最尊郑君，而犹云'未详'，慎之至也。"⑤

---

① 《日知录》卷27《汉人注经》。
② 《经学中衰时代》，《经学历史》，第164页。
③ 同上书，第168页注20。
④ 《春秋传》，《东塾读书记》，第210页。
⑤ 同上书，第211页。

陈氏评论说:

> 知三传之病,而后可以治《春秋》。知杜、何、范注,孔、徐、杨疏之病,而后可以治三传。夫诸经之传注笺疏,亦岂能无病?然大抵考据训诂之疏失耳。三传注疏之病,则动辄关于圣人之褒贬。若乖戾苛刻,是非颠倒,安得为圣经乎?此澧所以各举其病,恐后之治经者为其所误也。范氏《序》,历举三传之伤教害义者,又言弃其所滞,择善而从,此范武子立心公正也。①

以发展为导向,后人以为前人注疏有病,既十分正常,又事属必然。当然,陈澧的学术史观仍是圣人史观,所以前人之失在传疏、在考据注疏而不在"圣经"。而范宁注对后人的启迪,着重在治学之方法上。黄震、陈澧均以"公"评价范宁注,说明学术史实的正误,不是评价学术水平的惟一标准,因为这受主客观多方面条件的限制。但公正而不偏私,则是注经传者、也是学术史家的最重要的品格。

3、梅赜献《古文尚书》及《孔安国尚书传》

儒家的原始典籍,由于历史的原因而多有缺失,由此引出后来传世文献的真伪问题。在这之中,《尚书》又主要是《古文尚书》带来的问题最多。《隋书·经籍志》经部曰:

> 晋世秘府所存,有《古文尚书》经文,今无有传者。及永嘉之乱,欧阳、大小夏侯《尚书》并亡,济南伏生之传,惟刘向父子所著《五行传》,是其本法,而又多乖戾。至东晋,豫章内史梅赜,始得安国之传,奏之,时又缺《舜典》一篇。齐建武中,吴姚方兴于大桁市得其书,奏上,比马、郑所注,多二十八字,于是

---

① 《春秋传》,《东塾读书记》,第212~213页。

始列国学。①

按此所说,则晋时汉魏传本《古文尚书》(经文)还在,而伏生系之经文则在刘向、歆父子的《五行传》中得寻其踪影。到东晋梅赜,又重得原认为已遗失的汉孔安国传本《尚书》,但其中又有缺失。

较之《隋书》,孔颖达《尚书正义》所叙似乎更为清楚。他说:

> 又《晋书·皇甫谧传》云:"姑子外弟梁柳边得《古文尚书》,故作《帝王世纪》,往往载《孔传》五十八篇之书。"《晋书》又云:"晋太保公郑冲以古文授扶风苏榆[愉],愉字休预。预授天水梁柳,字洪季,即谧之外弟也。季授城阳臧曹,字彦始。始授郡守子汝南梅赜,字仲真,又为豫章内史,遂于前晋奏上其书而施行焉。"时已亡《舜典》一篇,晋末范宁为解时已不得焉。②

孔颖达叙郑冲至梅赜的《古文尚书》的传授世系是很清楚的。郑冲曾给高贵乡公讲过《尚书》并受到赏赐,这在《晋书·郑冲传》中有明确的记载③。

当然,孔颖达所引之两段《晋书》非今"二十四史"本《晋书》,因当时作《晋书》者有多家。这一传授世系,清儒有疑其为子虚乌有者,但今人陈梦家、蒋善国等先生考证甚详,是应当予以采信的④。而所述孔颖达传下的五十八篇《尚书》,与今《十三经注疏》本《尚书》同。其中原亡佚《舜典》一篇,则据王肃注本将《尧典》一分为二。

---

① 《隋书》卷32。

② 《尚书正义》卷2《尧典疏》。

③ 《晋书》卷33《郑冲传》曰:"嘉平三年,拜司空。及高贵乡公讲《尚书》,冲执经亲授,与侍中郑小同俱被赏赐。"

④ 见陈梦家:《尚书通论(增订本)》,中华书局1985年版,第116～120页;蒋善国:《尚书综述》,上海古籍出版社1988年版,第301～304页。然蒋氏认为,该所传者只限于《古文尚书》的经文,并不包括《孔安国尚书传》。李学勤先生亦据陈、蒋二先生的考订而做了进一步的疏解。见所著:《魏晋时期古文〈尚书〉的传流》,《当代学者自选集·李学勤卷》,安徽教育出版社1999年版,第633～638页。

《尚书正义·舜典》注引《经典释文·序录》并评论说：

> 《释文》：王氏注相承云："梅颐上孔氏传《古文尚书》，亡《舜典》一篇。"时以王肃注颇类孔氏，故取王注从"谨徽五典"以下为《舜典》，以续《孔传》。

陆德明《经典释文·序录》原文说：

> 江左中兴，元帝时豫章内史枚赜奏上《孔传古文尚书》，亡《舜典》一篇，购不能得。乃取王肃注《尧典》，从"慎徽五典"以下分为《舜典》篇以续之，学徒遂盛。后范宁变为今文集注，俗间或取《舜典》篇以续《孔氏》。①

在这里，所谓孔氏传《古文尚书》，即记载于《孔安国尚书传》中的《古文尚书》经文。经文是随传文一起传下来的。而梅颐、枚赜即是梅赜，梅、枚古通用，而"赜"则被认为是错字。朱骏声《说文通训定声》云："古人名'颐'者，字'真'。晋枚颐，字仲真，作梅赜者，误。"②倘若如此，则此误的发生甚早，至少在孔颖达的时候就已经如此了③。

梅赜的事迹不见于正史记载。《世说新语·方正》有梅颐"后为豫章太守"的相关语录，刘孝标注引《晋诸公赞》曰："颐字仲真，岭南西平人，少好学，隐退，而求实进止。"又注引《永嘉流人名》曰："颐，领军司马，颐弟陶，字叔真。"④那么，梅赜便是一位好学而归隐求实进，先后做过领军司马、豫章内史或太守一类官职的人物。他的事迹虽然零散，但其所献《古文尚书》却在当时被立为学官而得以流传。

———————

①　见《经典释文》卷1。蒋善国在引证此段文字后曾注云："清姚振宗《〈隋书经籍志〉考证》引这段文，说'或取'以下，当有'宁注'两字，很通。"见所著《尚书综述》第53~54页注2。

②　《说文通训定声·颐部第五》，中华书局1984年版，第180页。

③　孔颖达在引《释文》时虽作"梅颐"，但在其疏中已称为"梅赜"。如疏"乃命以位"，便曰"昔东晋之初，豫章内史梅赜上《孔氏传》"云云。

④　见《世说新语笺疏》，第319页。

《经典释文·序录》说：

　　永嘉丧乱，众家之《书》并灭亡，《古文孔传》始兴，置博士。
客观上东晋初的书荒，使梅赜所献显得格外尊贵，故其得以流行亦是当
时氛围所致。但正因于此，梅赜献本在后来的经学史上引起了不小的
波澜。

　　从东晋《古文尚书》的流传看，梅赜献书时虽已不完整，但似乎还有
"购得"的可能，这一努力直到东晋后期范宁为之注解时才彻底放弃。
范宁变古文为今文，并作《集注》，于是有《古文尚书·舜典》1卷[1]。然此
"古文"实为"今文"。范宁《尚书注》共有 10 卷，按蒋善国的推论，范宁
所注经文，为汉时流传的 29 篇，非为今传世《尚书正义》本的 58 篇[2]。

　　梅赜于东晋初献《古文尚书》，东晋末范宁为之作注，二人相隔半个
世纪，先后都作过豫章地方的行政长官，他们能收集到孔氏所传的《古
文尚书》，当与豫章当地《尚书》学的流行和他二人具有地方最高长官的
身分而便于收集文献资料有关。

　　范宁之后，齐建武四年(497 年)，又有姚方兴献原缺失的孔传本
《舜典》一篇：

　　议者以为孔安国之所注也。值方兴有罪，事亦随寝。至
　　隋开皇二年(582 年)购慕[募]遗典，乃得其篇焉。[3]
就是说，东晋已缺的《舜典》在南齐时又出现了，但姚氏所献本比梅赜本
又有不同，因为他所献本在"慎徽五典"之上又多出"曰若稽古，帝舜，曰
重华，协于帝，濬哲文明，温恭允塞，玄德升闻，乃命以位"二十八字。孔
颖达说："自此'乃命以位'已上二十八字，世所不传。"[4]

_____

①　《隋书》卷 32《经籍志一》曰："《古文尚书·舜典》一卷，晋豫章太守范宁注。
梁有《尚书》十卷，范宁注，亡。"
②　见蒋善国《尚书综述》第 53～54 页注 2。
③　《尚书正义》卷 2《尧典疏》。
④　《尚书正义》卷 3《舜典疏》。

　　然而,姚方兴所献《舜典》,随后便被人指为作伪。《经典释文·序录》云:

　　　　齐明帝建武中,吴兴姚方兴采马、王之注造孔传《舜典》一篇,云于大䑸(航)头买得,上之。梁武帝时,为博士议曰:"孔《序》称伏生误合五篇,皆文相承相接,所以致误。《舜典》首有'曰若稽古',伏生虽昏耄,何容合之?"遂不行用。

萧衍的怀疑,加上姚氏本人在献书后不久即因罪被杀,该《舜典》便被搁置了起来,以致几于散失。直至隋朝建立,搜求遗典,才又重新购得。隋初经学家刘炫将其并入孔传本《尚书》,孔颖达《尚书正义》亦用姚氏本,该本方得以流传下来。

　　由于梅赜所献《古文尚书》在宋代以后被怀疑为伪,而姚方兴献《舜典》是在梅赜基础上的增补,故又被认为是"伪中之伪"[1]。然今日学者则随着更多的地下文献的出土和更为深入细致的研究,已越来越倾向于肯定梅赜献书的真实。其基本的理由,就是从郑冲往下传授的可信性和《古文尚书》在魏晋时期已在流传的事实。所以,李学勤在陈梦家、蒋善国研究的基础上,进一步认定:"事实上,《孔传》本《古文尚书》在当时(魏晋)虽非显学,其存在是不能否认的。"[2] 当然,不论怀疑是伪还是认定是真,都有待于进一步的文献资料的发掘和验证。

4、皇侃的《论语义疏》

　　皇侃(488~545)是南朝梁吴郡(今江苏苏州)人。史载他"少好学,师事贺玚,精力专门,尽通其业,尤明《三礼》、《孝经》、《论语》。……所撰《论语义》十卷,与《礼记义》并见重于世,学者传焉。"[3] 在当时的南

　　① 皮锡瑞:《经学分立时代》,《经学历史》,第 179 页。
　　② 《论魏晋时期古文〈尚书〉的传疏》,《当代学者自选集·李学勤卷》,第 645 页。
　　③ 《梁书》卷 48《皇侃传》。

朝,佛教已普遍流行,皇侃亦深受影响,他不但治儒家经典,也拟《观世音经》。同时,皇侃作为一名儒家学者,其治经却是以尚有余音的玄学思维为指导的。所以,他选取了何晏的《论语集解》作为底本,既注解经文,又疏释何晏《集解》注文。在他这里,疏解是以不破坏何晏《集解》的注文为原则的。

皇侃《论语义疏》书出后即得以流传,到宋时,在《国史志》、《中兴书目》、晁公武《郡斋读书志》、尤袤《遂初堂书目》等皆有著录,但在南宋陈振孙的《直斋书目解题》中则未见著录,说明皇侃书在南宋后期恐已不存。《论语》注疏的通行本,是何晏集解、北宋初邢昺疏本,该本后来一直流行,并被收入《十三经注疏》。但南宋以后影响最大的并不是邢昺疏本,而是朱熹的《论语集注》。朱熹自己亦未见皇疏本,说明还在南宋中期,皇疏的流传就已经不广①。

皇疏本在中国虽然失传,但却在日本被保存和传延了下来。清乾隆开四库馆时,鲍廷博得到由日本反传回的皇侃《论语义疏》,刻入《知不足斋丛书》。该本亦收入《四库全书》,但有删改。另《敦煌秘笈留真新编》收录有唐时的皇侃残本一卷四篇。今中华书局版皇侃《论语义疏》,则是采清同治十二年(1873)粤东书局据《知不足斋丛书》本刻《古经解汇涵》本②。南北朝的义疏学著作,完整流传到今天的,只有皇侃《论语义疏》这惟一的一部,因之也尤其显得尊贵。

皇侃《义疏》的编撰,是在何晏《集解》的基础上,采集晋江熙所集晋代十三家解释《论语》的成果而成。这十三家包括:卫瓘、缪播、栾肇、郭象、蔡谟、袁宏、江淳、蔡系、李充、孙绰、周坏、范宁、王珉。皇侃说:

右十三家为江熙、字大和所集。侃今之讲,先通何集;若

---

① 陈澧:《东塾读书记·论语》第25～26页。陈氏云朱熹未见皇疏,但其朋友处尚有。(盖未借阅欤!)

② 见孙钦善:《四部要籍注疏丛刊·论语·前言》,中华书局1998年版,第13页。

> 江集中诸人有可采者,亦附而申之;其又别有通儒解释、于何
>
> 集无好者,亦引取为说,以示广闻也。①

由此,皇侃疏包括三个方面的内容:首先是何晏《集解》;其次是江熙所集十三家和江熙本人之说;再次为其他"通儒",按孙钦善在《前言》中的统计,包括沈居士、熊埋、王弼、王朗、张凭、袁氏(齐)、王雍、顾欢、梁冀、顾延之、沈峭、释慧琳、殷仲堪、张封溪、太史叔明、缪协、庾翼、颜特进、本师(贺玚)等。注疏中凡不标姓名者,为皇侃本人所解,内容包括引证、训诂、串释和就他人之说所加的按语②。

在上述名单中,不难发现,魏晋以来儒、道、玄、佛各家都涉及到了,其中不少是本学派的主要代表人物。"可见就注释而言,皇疏内容丰富,援据详博,并酌存异说,很有参考价值"③。

皇侃疏的特点,开卷即表现在对"论语"字义的辨析上。"论语"二字,一般都秉承班固在《汉书·艺文志·诸子略》中所下的定义,即:"《论语》者,孔子应答弟子、时人及弟子相与言,而接闻于夫子之语也。当时弟子各有所记,夫子既卒,门人相与辑而论纂,故谓之《论语》。"④

但是,为何要用"论"字及该字如何解释,因后人理解各别并不是很清楚。皇侃对这"先儒、后学解释不同"的现象进行了归纳,总结说:

> 凡通此"论"字,大判有三途:第一舍字制音呼之为"伦",
>
> 一舍音依字而号曰"论",一云"伦""论"二称义无异也。⑤

在这三途中,皇侃以为,第三途云"伦"、"论"无异者,"盖是楚夏音殊、南北语异耳",故"音、字虽不同,而义趣犹一也"。南北语异究竟如何已难以确知,故他舍之不取;于是采取从音、依字二途并录,以"会成一义"。

---

① 《论语义疏叙》,《论语义疏》卷首,《四部要籍注疏丛刊·论语》,第 157 页。

② 见孙钦善:《四部要籍注疏丛刊·论语·前言》,第 13 页。

③ 同上书,第 12 页。

④ 见《汉书》卷 30。

⑤ 《论语义疏叙》,《四部要籍注疏丛刊·论语》(下略),第 156 页。

他曰：

> 今字作"论"者，明此书之出不专一人，妙通深远，非"论"不畅；而音作"伦"者，明此书义含妙理，经纶今古，自首臻末，轮环不穷。依字则证事立文，取音则据理为义，义文两立，理事双该，圆通之教，如或应示。①

而形成对应的是，"语"之一词则比较清楚，似乎没有什么争议："语者，论难答述之谓也。……按此书既是论难答述之事，亦以'论'为其名，故名为《论语》也。"②

从皇侃辨"论"字义可以看出，他之"义疏"的确在疏"义"而不在训字。不论是"论"还是"伦"，他都将此归结到玄远妙理上。在这里，辨析义理可以说未出玄学的范畴，但强调"理事双该"的"圆通之教"，则显然是佛教学术浸润的结果。玄、佛、道被他一统于《论语》的注解之中。

譬如，《论语·先进》云："颜渊死，子哭之恸。"皇侃引郭象曰："人哭亦哭，人恸亦恸，盖无情者，与物化也。"又引缪协曰："圣人体无哀乐，而能以哀乐为体，不失过也。"③ 以无情、无哀乐解孔子"哭之恸"，说明皇侃自觉地接受了玄学家主张的圣人化于物而无哀乐的观点，所谓孔子"不自知恸"④ 而无累于恸也。

以玄学的思辨观点解经，可以说是皇侃义疏的重要特点。作为玄学发端重要理论准备的文章典籍与性与天道的关系，即对子贡云"性与天道不可得而闻"作何理解，皇侃亦能给予恰当的发明。他说：

> 文章者，六籍也。六籍是圣人之筌蹄，亦无关于鱼兔矣。……言孔子六籍乃是人之所见，而六籍所言之旨，不可得而闻也。所以尔者，夫子之性，与天地元亨之道合其德，致此处深

---

① 《论语义疏叙》，《四部要籍注疏丛刊·论语》(下略)，第156页。

② 同上。

③ 《论语义疏·先进》，卷6，第236页。

④ 同上。

远,非凡人所知,故其言不可得而闻也。①
筌蹄不是鱼兔,所以六籍也绝非性与天道之旨。孔子因其性而与天道
合德,凡人虽可以知六籍之言,但却不可能由之以闻性与天道。

　　鱼兔与筌蹄的关系,也就是礼乐与玉帛钟鼓的关系,王弼对这一关
系已做了充分的阐发。皇侃在引证王弼之言后,又引缪播说曰:

　　　　玉帛,礼之用,非礼之本;钟鼓,则乐之器,非乐之主。假
　　玉帛以达礼,礼达则玉帛可亡;借钟鼓以显乐,乐显则钟鼓可
　　遗。以礼假玉帛于求礼,非深乎礼者也;以乐托钟鼓于求乐,
　　非通乎乐者也。苟能礼正,则无持于玉帛,而上安民治矣;够
　　能畅和,则无借于钟鼓,而移风易俗也。②

可以说,从王弼、缪播到皇侃,秉持的是同一条得意忘象、得礼乐忘玉帛
钟鼓的原则,只要抓住了本、体,则末、用一方无须再用力。抓本可以万
事毕,这是玄学家的理想,也是经学家皇侃所追求的目的。他之"义"疏
的重心也正是在这里。

　　但是,皇侃毕竟已处在佛、道风行的南朝,他所利用的就不只是玄
学的思辨,也融入了佛、道的思想。例如,子路问事鬼神、问死,孔子答
曰"未能事人,焉能事鬼";"不知生,焉知死"。皇侃疏说:

　　　　外教无三世之义,见乎此句也。周、孔之教,唯说现在,不
　　明过去、未来;而子路此问事鬼神,政言鬼神在幽冥之中,其法
　　云何也,此是问过去也。

又引顾欢言曰:

　　　　夫从生可以善死,尽人可以应神,虽幽显路殊,而诚恒一。
　　苟未能此问之无益,何处问彼耶?③

────────

①　《论语义疏·公冶长》,卷3,第191页。
②　《论语义疏·阳货》,卷9,第285页。
③　《论语义疏·先进》,卷6,第236页。

皇侃此疏完全是以佛、道的思想解儒。过去、现在、未来三世之说，是直接承袭佛教三世报应观之义；而以周、孔儒教为外教，更是站在佛教立场上维护佛教为内教的结果。由此，孔子不答子路，乃是囿于儒教所及只能是现世的立场。儒家学术所涉及的不过是三分之一的现象世界，佛教学术处理的才是整个的宇宙。一句话，儒小而佛大。皇侃又再引顾欢之语，说明生死、人神一致，目的同样是把幽显三世统一起来。如此的统一是皇侃以道解儒、"诚"通人神的结果。

可以说，吸收玄、佛、道思想以解经，本为儒家经学发展所必需。因为后者毕竟体现了学术发展的潮流。不过，皇侃作为一名经学家，他又不是完全囿于玄、佛、道的框架，而主要是将其作为一般的工具、方法贯穿在自己的学术研究之中，从而使其义疏更有特色、新意。

譬如，孔子讲颜回"其心三月不违仁"，为何是"三月"，历来儒者未有详解。皇侃却能放之于天道变化去看："举三月者，三月一时，为天气一变，一变尚能行之，则他时能可知也。"① 天道气化流行，三月一变，变时尚能行仁义，他时或不变时能行也就可推知了。显然，皇侃的疏释是发于义理而非泥于训诂。

又如，孔子于其学问，有"予一以贯之"之言，何晏以"知其元则众善举"为解，但众善是如何经由元善而举，则未能说明。皇侃则曰："贯，犹穿也。……我以一善之理贯穿万事，而万事自然可识，故得知之，故云'予一以贯之也'。"② 知元举众或执一统众，是玄学已有的思想，但以一理贯万事的模式来解一以贯之，则是将玄学的一多与佛教的理事关系糅合了起来，这是皇侃积极自觉地呼应当时学术发展的大背景的结果。

① 《论语义疏·雍也》，卷3，第197页。
② 《论语义疏·卫灵公》，卷8，第269页。

当然,《论语义疏》毕竟是经学而非哲学著作,皇侃的义理思辨是服从于经学注疏的整体需要的。皇侃经学的价值,后人主要是与五百年后作为其取代者的邢昺疏相比。《四库总目提要》说:

> 晁公武《读书志》称其(邢疏)亦因皇侃所采诸儒之说刊定
> 而成。今观其书,大抵剪皇氏之枝蔓而稍傅以义理,汉学、宋
> 学兹其转关,是疏出而皇疏微。①

刘恭冕则曰:

> 梁皇侃依《集解》为疏,所载魏晋诸儒讲义,多涉清玄,于
> 宫室、衣服诸礼,阙而不言;宋邢昺又本皇氏,别为之疏,依文
> 衍义,益无足取。②

那么,从晁公武、《四库提要》到刘恭冕,显然都看低邢疏的价值。邢昺袭用皇侃而少有新创,虽说汉学、宋学有别,但邢昺在义理上亦不甚擅长。相反,皇侃"多涉清玄",自然会疏于训诂,但也说明了他富有玄谈思辨的精神。由此皇疏的价值也就要大于邢疏。

不过,清学作为汉学的继续,本是重"实"而清"虚"的,讥刺虚玄才是其学风之本性。陈澧例举了皇疏的若干"元(玄)虚之说",认为继何晏注《论语》而后,玄谈竞起。"而皇氏元虚之说尤多。甚至谓原壤为方外圣人,孔子为方内圣人。邢疏本于皇疏,而于此等缪说,皆删弃之,有廓清之功矣。"③ 陈澧称赞邢疏,但对皇疏释义"精确"亦给予了肯定。皇疏阙略礼制,陈氏颇感疑惑,称"皇侃深于礼学,而《论语疏》乃略于礼制"。其原因陈澧推测恐与世传皇疏或非真、或不尽真有关。总体上对黄、邢二疏是各有褒贬。

就版本而论,今版皇疏以中华书局 1998 年 12 月出版的《四部要

---

① 《论语注疏》卷首,第 306 页。
② 《论语正义·后叙》,第 1034 页。
③ 《论语》,《东塾读书记》,第 24 页。

籍注疏丛刊·论语》为最新，前有孙钦善写的《前言》。该书依历史顺序，收录迄今关于《论语》注疏的所有代表性版本。就魏晋南北朝时期而论，书中首录日本《正平版论语集解》并附武内义雄的《正平版论语源流考》及长田富作、今井贯一的相关研究，次即录皇侃《论语义疏》。

孙钦善《前言》在比较正平本、皇疏本和邢疏本正文、注文关系时说："正平本正文、注文多同皇疏底本《集解》，而与邢疏底本《集解》多异。正平本与皇疏底本《集解》尽管多同，但两者的同异情况错综复杂"。孙氏在列举若干例条说明三本文字互有异同后，概括说："这些情况说明正平本渊源有自，是一个自成系统的单集解本，而并非出自皇疏本"；而"皇、邢两本《集解》之异义，各有短长，须具体分析、判断，难以笼统论之，而且这种不同反应了不同的版本依据，……故皇疏本的版本价值亦甚为宝贵"。①

当然，由于皇疏本南宋以后在中国本土失传，至清才又由日本回流，故其影响不及于邢疏；而皇、邢二疏又不及于朱熹《论语集注》。后者至今仍是影响最大的《论语》注疏的版本，因为它所展示的思想学说，代表着一个时代的学术的高峰。

五、南学与北学

南学与北学的称谓自然是因南朝与北朝而来。尽管南、北的地域概念在古代社会出现的频率不低，亦时有南、北政权对峙的情形，但以南、北的地域来冠名学术，却通常是指南北朝时期的南学与北学。在整个中国经学史、学术史中，这也是十分独特的一宗。

---

① 见《四部要籍注疏丛刊·论语·前言》，第8～13页。

1、南北经学盛衰

南北朝时期的经学,皮锡瑞以"经学分离时代"为其学术特色。他称:

> 自刘、石十六国并入北魏,与南朝对立,为南北朝分离时代;而其时说经者亦有"南学"、"北学"之分。此经学之又一变也。①

皮氏评判经学,以汉学尤其是严守师法、家法之汉学为准绳,故魏晋学术乏善可陈而谓之"经学中衰"。至于"魏晋人所著经,准以汉人著述体例,大有径庭,不止商、周之判。盖一坏于三国之分鼎,再坏于五胡之乱华,虽绪论略传,而宗风已坠矣。"②

不过,这一"宗风"到了南北朝却似乎又接续了起来。尽管被判之为"分立",但毕竟有"立"在其中而不再是"衰"。"立"者,立汉学也。然此"立"实际上仅限于北学而与南学无涉。皮锡瑞又说:

> 案南北学派,《北史》数言尽之。夫学出于一,则人知依归;道分于歧,则反致眩惑。郑君生当汉末,未杂玄虚之习、伪撰之书,笺注流传,完全无缺;欲治"汉学",舍郑莫由。北学,《易》、《书》、《诗》、《礼》皆宗郑氏,《左传》则服子慎。……是郑、服之学本是一家;宗服即宗郑,学出于一也。
>
> 南学则尚王辅嗣之玄虚,孔安国之伪撰,杜元凯之臆解,此数家与郑学枘凿,亦与汉学背驰。……以致后世不得见郑学之完全,并不得存汉学之十一,岂非谈空空、核玄玄者阶之厉乎!③

服虔与郑玄为一家,北学则皆宗郑氏,所以北学才体现了经学的正道。

---

①　《经学分立时代》,《经学历史》,第170页。
②　《经学中衰时代》,同上书,第164页。
③　同上书,第170页。

皮氏所说的正、歧,意在贬斥魏晋学者注经的玄虚臆解之风,要求"依归"到郑、服汉学的轨道上来。而这也正是北人所尚之学术风气。

在这里,皮锡瑞的论断虽源自《北史》,又称"《北史》数言尽之",然其是北非南之评价却并非《北史》所本有。《北史》的重点在描述南北学术的差别:

> 大抵南北所为章句,好尚互有不同。江左,《周易》则王辅嗣,《尚书》则孔安国,《左传》则杜元凯。河洛,《左传》则服子慎,《尚书》、《周易》则郑康成。《诗》则并主于毛公,《礼》则同遵于郑氏。①

《北史》以为南北同治章句,但所好有差别,因为《北史》作者的学术史观,并不秉持一个以郑学、汉学为准绳的问题。从南北朝学术的实际流行看,郑学的影响面无疑最大,不只是北方,南方亦有推崇,如《毛诗》即为南北学所共主。

不过,由于南北地域本不那么确定,故其所谓南北学之所主,不可一概论之。故《北史》亦指明,王肃、王弼《易》注,北方亦有流行,尤其"河南及青、齐之间,儒生多讲王辅嗣所注,师训盖寡"②;杜预《左传注》虽主要行于南方,但"预玄孙坦,坦弟骥,于宋朝并为青州刺史,传其家业,故齐地多习之。"③青、齐之地虽在北,但流行的仍是玄谈派的经传注疏。

在南方,南齐兼任国子博士的"硕学"陆澄,在与时任尚书令的王俭的讨论中,就已经披露了南朝《易》"并存"郑玄、王弼,《左传》并用服虔而非专尊杜预,以及《春秋》"三传"皆行于齐的事实④。《易》与《春秋》学是如此,其他如《书》、《礼》、《诗》学同样是如此。马宗霍据此认为,

---

① 见《北史》卷81《儒林传序》。
② 同上。
③ 同上。
④ 见《南齐书》卷39《陆澄传》。

"后儒因谓两汉经学行于北朝,魏晋经学行于南朝,然一加寻索,则有不尽然者。"①

当然,北方在整体上玄风不畅也是事实。东魏天平四年(537),"硕学通儒"李业兴出使梁国,与梁朝臣及梁武帝萧衍讨论经传礼仪。萧衍问曰:"闻卿善于经义,儒、玄之中何所通达?"李业兴回答说:"少为书生,止读五典,至于深义,不辨通释。"萧衍又问:"《易》曰太极,是有无?"李氏再答说:"所传太极是有,素不玄学,何敢辄酬。"② 太极是有是无,在汉学和玄学的回答不同。汉人多以太极为元始未分之气,即作为原初统一体的"有";魏晋学者以无为本,太极实际上就是无。故判太极为有、为无,也同时意味着学从汉学还是玄学。李业兴既主汉学,自然就言太极是有。

在这里,皮锡瑞以李业兴之不习玄学,为"此北重经学不杂玄学之明证"固然可以说,但问题的关键恐不在这里。李业兴的时代,玄学已走向衰落。他与梁武帝的儒、玄之辩,症结在学术宗尚的不同。所谓南方之玄学,主要是在义理导向和俭约风气的意义上来说的。玄学作为一种学术形态,自魏晋肇兴,到南北朝已是尾声,正逐渐被佛学所取代。李业兴之不习玄学,既与一定地域的学风所尚和个人爱好相关,更是整个学术思潮发展的大势的反映。故皮氏所谓"南方玄学"的概念,其实并不恰当。

南方自东晋以后,并非是玄学流行而阻碍了经术,经术的衰微乃是佛教学术的的日益强盛和社会政治等方面的原因所造成,这在《梁书》、《南史》之《儒林传》中都有明言。如称:

> 逮江左草创,日不暇给,以迄宋、齐,国学时或开置,而劝课未博,建之不能十年,盖取文具而已。是以乡里莫或开馆,

————————

① 见所注《南北朝之经学》,《中国经学史》,第76页。
② 见《魏书》卷84《李业兴传》。

> 公卿罕通经术,朝廷大儒,独学而弗肯养众,后生孤陋,拥经而
>
> 无所讲习,大道之郁也久矣乎![①]

学校、经术、儒生无法正常交集。可以说,直到梁武帝"诏开五馆,建立
国学,总以五经教授,置五经博士"以前,南方不但罕通经术,玄学其实
亦乏人讲习,"大道之郁"已不是一日两日,佛教的影响可以说无处不
在,实际上已成为当时学术发展所围绕的中心。譬如,何尚之以名僧法
瑗之"顿悟"义为"天未丧斯文也"的证明;陆澄身为儒士,却汇编汉末至
宋的佛教著作 16 帙、103 卷[②];太尉王俭侍法瑗若师,"书语尽敬"[③];梁
武帝本人亦是由经术而转向佛法。而反佛的一方,如名儒范缜已将主
要精力放在了与佛教的斗争上。

在这里,世俗学术在整体上虽然远较佛教消沉,却又时时寻机反
击。中国佛教发展史上"三武一宗"灭佛的劫难,在北朝就发生了两次,
北魏太武帝和北周武帝的灭佛兴儒,便是儒佛斗争的极端表现形式,儒
学重臣崔浩在太武帝灭佛中起了重要的作用;而梁武帝的四次舍身事
佛,则意味着佛教对儒家的胜利。可以说,随其帝王好恶和利益考量的
灭佛与兴佛,在相当程度上左右了当时学术的发展。经学在南北朝的
推进,绝不可能超越这一总体的框架。

不过,儒佛势力的消长及双方斗争的激烈程度,在南朝与北朝是有
差别的。北朝的民族矛盾极为尖锐,北朝统治者身为少数民族却要以
华夏正统自居,修习儒学而推广经术也就必不可少,佛教势力的发展也
因之遭受打击:

> 太祖问先(北魏道武帝问儒臣李先)曰:"天下何书最
>
> 善,可以益人神智?"先对曰:"唯有经书。三皇五帝治化之

---

① 　《南史》卷 71《儒林传序》。

② 　见《出三藏记集》卷 12《宋明帝敕中书侍郎陆澄撰法论目录序》,第 428～
447 页。

③ 　参见《高僧传》卷 8《法瑗传》,第 312～313 页。

典，可以补王者神智。"又问曰："天下书籍，凡有几何？朕
欲集之，如何可备？"对曰："伏羲创制，帝王相承，以至于
今，世传国记、天文秘纬不可计数。陛下诚欲集之，严制天
下诸州郡县搜索备送，主之所好，集亦不难。"太祖于是班
制天下，经籍稍集。①

道武帝在集天下经书的同时，又大畅经术，为后来北魏朝的兴儒开了先
河。《北史·儒林传序》称道武帝初定中原，"便以经术为先，立太学，置
五经博士生员"；到太武帝时，"人多砥尚，儒术轻兴"；孝明帝时，"斯文
郁然，比隆周、汉"；宣武帝时，"经术弥显。时天下承平，学业大盛，故
燕、齐、赵、魏之间，横经著录，不可胜数。大者千余人，小者犹数百。州
举茂异，郡贡孝廉，对扬王庭，每年逾众。"可以说是一派兴旺景象。后
各朝递代，虽时有废兴，但总体上仍保持了发展的势头。到北周，"天下
慕向，文教远覃"，"虽通儒盛业，不逮魏、晋之臣，而风移俗变，抑亦近代
之美也。"②

　　就是说，如果从学术带头人和学术成果的角度看，北朝自不及魏
晋；但从社会对经学的接受程度、经术的普及和风教所尚来说，则北朝
又不比魏晋逊色，是可以使人感到欣慰的。

　　相较而言，南朝儒学，除在梁武帝前期有一快速发展外，多数时候
不及北学兴盛。南学从谈玄到辩佛，义理之风一直流行不衰。加之南
朝佛教又未遭受过像北朝那样的两次灭顶之灾，并有挺佛的帝王多次
主持大规模的弘扬佛法的辩论，如在齐竟陵王萧子良和梁武帝时举行
的两次著名的神灭神不灭的大辩论。这些都促使儒家学者意识到，只
有从义理的角度为自己开辟道路，在思想上说服论敌，才能求得学术的
发展。从而，经学学术之不昌，也就在情理之中。

① 　《魏书》卷33《李先传》。
② 　见《北史》卷81。

2、南北学术的特点与南方学者的兼通

南北学术的特点，《北史·儒林传序》最早明白地予以揭示。其言曰：

> 南人约简，得其英华；北学深芜，穷其枝叶。考其终始，要其会归，其立身成名，殊方同致矣。①

皮锡瑞对此归纳不以为然，而以为是唐初人重南轻北、定从南学的结果。皮氏因而有自己的分析，他说：

> 说经贵约简，不贵深芜，自是定论；但所谓约简者，必如汉人之持大体，玩经文，口授微言，笃守师说，乃为至约而至精也。若唐人谓南人约简得其英华，不过名言霏屑，骋挥尘之清谈；属词尚腴，侈雕虫之余技。②

皮锡瑞从其汉学本位论出发，以为汉儒微言大义式的治学之途，才是真正的约简；而南人的所谓约简，则不过是"清谈虚浮之别名"。作为《北史》约简、深芜之实例，皮氏以孔颖达所举皇侃、熊安生疏解《礼记》为例说：

> 孔颖达以为熊违经多引外义，释经唯聚难义，此正所谓北学深芜者。又以皇虽章句详正，微稍繁广；以熊比皇，皇氏胜矣；此则皇氏比熊为胜，正所谓南人约简者。③

孔颖达与李延寿都属于皮氏所谓"唐初人"，但似乎并没有明显的重南轻北之嫌。皮锡瑞因皇侃《论语义疏》尚老庄、略名物而颇贬之，可对于皇氏的《礼记义疏》，连孔颖达亦以为有繁广无据之弊，然皮氏却可以"说礼本宜详实"而不嫌。因为所谓"章句详正"便是有所类于汉学，尽

---

①　见《北史》卷 81。

②　《经学分立时代》，《经学历史》，第 176 页。

③　同上。

管于郑义亦多违背,但究竟远胜于《论语义疏》也。

熊安生是北学的主要代表之一,然其解经却多引外义而违背本经,故对于《礼记》经义的疏解,便有南辕北辙之嫌;又专聚难义而务其繁杂,所以受到孔颖达的批评。而皇氏虽然多有违背郑义、疏解不着根基之病,但较熊氏的深芜则为胜①。就此而言,孔颖达与皮锡瑞虽然在学术史观上有很大差异,但在以归于郑学为简约、离于本经为深芜上却大体是一致的。

当然,熊、皇的《礼记义疏》只是特例,在整体上,皮氏仍然是是北而非南的:"而北学反胜于南者,由于北人俗尚朴纯,未染清言之风、浮华之习,故能专宗郑、服,不为伪孔、王、杜所惑。此北学所以纯正胜南也。"② 北学朴纯在于北学归于汉学(经学)系,南学浮华缘于南学沿袭魏晋(玄学)系,但从前所述可知,这一区分本身便是不确定的。

况且,南北的地理概念也是在变化之中。汉魏晋时期的南北本为河南河北,东晋以后才逐步扩展为江南江北,故魏晋时期的南方,到南北朝时,有不少已变成了北方。不过,这对南北学术风格差异的总的格局,影响似乎不大:

> "北方戎马,不能屏视月之儒;南国浮屠,不能改经天之
> 义。"此孔广森以为经学万古不废,历南北朝之大乱,异端虽
> 炽,圣教不绝也。而南北诸儒抱残守缺,其功亦未可没焉。③

皮锡瑞引孔广森言旨在说明,尽管在外在环境方面,北方民族冲突不断和南方佛教势力日炽,而在儒家自身又是抱残守缺,但经学大义如日月经天,终究有不可磨灭处。

孔氏所谓视月之儒,本出《世说新语》孙盛、支道林诸人事,其时南

---

① 见孔颖达:《礼记正义序》。
② 《经学分立时代》,《经学历史》,第182页。
③ 《经学分立时代》,《经学历史》,第186页。

北学术的差别已经形成。其曰：

> 褚季野语孔安国云："北人学问，渊综广博。"孙答曰："南
> 人学问，清通简要。"支道林闻之曰："圣贤固所忘言。自中人
> 以还，北人看书，如显处视月；南人学问，如牖中窥日。"

刘孝标注说：

> 支所言，但譬成孙、褚之理也。然则学广则难周，难周则
> 识暗，故如显处视月；学寡则易核，易核则智明，故如牖中窥日
> 也。[1]

褚季野(褚裒)"少有简贵之风，冲默之称"，谢安曾说他是"虽不言，而四
时之气亦备"[2]。故他以其简贵讥北人之博杂。而孙盛学问渊博，经史
兼治，故以渊博讥南人之简要。褚季野是河南阳翟(今河南禹县)人，即
"南人"；孙盛则是太原中都(今山西平遥)人，是谓"北人"。

可以说，在他二人之间的"渊综广博"、"清通简要"之别，也就是后
来《北史》的"深芜"和"约简"所本。为何会是如此，支道林认为是各自
的治学态度不同。北人治学面广，但多涉猎而不深入，犹如开阔处望
月，明少而暗多；南人治学专门，务求精要而不图广博，犹如室内观窗外
之日，一片光明。刘孝标则对双方的博而不精与精而不博做了评点，认
为有得则有失，北、南各有所短长。

不过，即便不谈不同的"南北"地域而泛言之，将东晋与南北朝的南
北学风直接挂钩，仍然有不适。东晋佛学虽已流行，但多与玄学附会，
玄谈之风还是时尚，支道林亦参与其中；孙盛善言名理，虽亦驳佛教神
不灭说，但主要精力在诋老子和玄家之有无，以为儒家圣道高于并包容
只"矜其一方"的老玄。所以，谓此时的南北之分是玄学与儒学的分别，
在不谈佛、道学术的情况下可以接受。但是，评价南北朝学术只以此

---

①　《世说新语》上卷下《文学》，《世说新语笺疏》，第216页。
②　《世说新语》上卷上《德行》，同上书，第34页。

玄、儒划线，总不是那么有理。借用孙盛自己的话，是"唐虞不希接绳，汤武不拟揖让，夫岂异哉，时运故也。"①"时运"是学术发展、也是评价学术的最基本的准绳。

而在儒与玄的分别方面，既可以从学说、学风上辨，也可以从文本上辨。事实上，"三玄"本来也就是文本。就涉及经学之《易》来说，南齐兼任国子博士的"硕学"陆澄在给尚书令王俭的书中说：

> 元嘉建学之始，（郑）玄、（王）弼两立。逮颜延之为祭酒，黜郑置王，意在贵玄，事成败儒。今若不大弘儒风，则无所立学。众经皆儒，惟《易》独玄，玄不可弃，儒不可缺。谓宜并存，所以合"无体"之义。②

所谓"众经皆儒，惟《易》独玄，玄不可弃，儒不可缺"，显然不是说玄学或儒学的整个学术，而是谓王弼《易》注和其他经注的关系。由此，所谓南朝畅玄，不过是畅王弼《易》注，而弘儒则在于弘汉学其他经注。五经不可缺一经，"玄"与"儒"去掉任何一方均不可，所以只能是双方共存。

马宗霍说：

> 南朝之学，世咸目为大畅旋风，考自宋立聪明观，始有玄学之名。然与儒学分立，固无涉于经术也。诸经中惟《易经》与《老》、《庄》在梁世总称"三玄"，故诸治《易》者如雷次宗、祖冲之、沈驎士、顾欢、伏曼荣、……等咸以王弼注为宗，亦莫不兼善《老》《庄》，而太史叔明则以尤精"三玄"称。余经并去玄甚远，未尝以玄学之义乱之，亦不得蒙以玄名也。③

从学术思想的发展可知，玄学之为玄学，在于其虚无玄远之义理的阐发。《易》、《老》、《庄》"三玄"成为玄学的文本，正在于它们能够反映这

---

① 见《圣贤同轨、老聃非大贤论》，《广弘明集》卷5。

② 见《南齐书》卷39《陆澄传》。又："无体"之义，陆澄书中有"《易》道无体不可以一体求，屡迁不可以一迁执也"句，可为其解。

③ 《南北朝之经学》，《中国经学史》，第79页。

一时代的主题。而《书》、《诗》、《礼》、《春秋》的其余经典,则不具有进行玄理加工的可能,即所谓"去玄甚远"而未曾被玄学之义乱之。故笼统以南学为玄学,不要说此时玄学已经衰微,即便将东晋联系在一起,整体讲"南方玄学"的概念,也是不恰当的。

事实上,从宋开始,南朝学术更普遍的是与佛学关联。由晋入宋的儒学代表雷次宗(字仲伦,豫章南昌人),详于《礼》学、《诗》学,可他学《礼》学《诗》,却是从佛教领袖慧远而来。《梁书》记载他"少入庐山,事沙门释慧远,笃志好学,尤明《三礼》、《毛诗》,隐退不交事务"①。雷次宗于宋元嘉十五年(438)受征召至京师,"开馆于鸡笼山,聚徒教授,置生百余人,会稽朱膺之、颍川庾蔚之并以儒学监总诸生。"雷次宗与朱、庾等立儒学,而玄学只是其时相并立的学科之一。"时国子学未立,上留心艺术,使丹阳尹何尚之立玄学,太子率更令何承天立史学,司徒参军谢元立文学,凡四学并建"②。在这"四学"的代表人物中,雷次宗与慧远是师生关系,何承天尽管有不少经注和科学方面的创建,但他同时是当时反对佛学、批判神不灭论的主要代表人物之一。佛教的影响由此可见一斑。"玄学"显然已不再有干预他学的地位和力量。

而就一般的南北学术所尚来说,学者个人的流动亦会带来交互的影响。由北魏归梁的崔灵恩(清河东武城人),"遍通五经,尤精《三礼》、《三传》",后兼国子博士,"聚徒讲授,听者常数百人。性拙朴无风采,及解经析理,甚有精致,京师旧儒咸称重之"③。崔灵恩由北到南,也把北

---

①　《宋书》卷93《雷次宗传》。雷次宗曾从慧远受《丧服经》、《毛诗》义,参见《高僧传·慧远传》(卷6)云:"时远讲《丧服经》,雷次宗、宗炳等,并执卷承旨。"陆德明《毛诗音义上》曰:"又案周续之与雷次宗同受慧远法师《诗》义。"(《经典释文》卷5)周续之为雷次宗同学,共学于慧远。

②　同上。

③　《梁书》卷48《雷次宗传》。

方的学术学风带到了南方。他最初所学是《左传》服虔解，但带到南方后却不受欢迎，于是改说杜预注义。然他本人并不喜杜义，"每文句中常申服以难杜，遂著《左氏条例》以明之"①。

当时，教授《左氏》的助教虞僧诞精于杜学，听者亦有数百人，僧诞作《申杜难服》与灵恩论答，二说"世并行焉"。由此可见，南方学术仍是包容的学术，杜学、服学可以相互辩驳折中，并不就是一说独尊而不容他说的情况。这一学风一直到陈后主时仍流行不衰。《陈书》记载说："自梁代诸儒相传为《左氏》学者，皆以贾逵、服虔之义难驳杜预，凡一百八十条。（王）元规引证通析，无复疑滞。……四方学徒，不远千里来请道者，常数十百人"②。

从南朝学者的学术风尚来说，学术的"兼通"和综合之风在整个南朝盛行不衰。如《南史·儒林传》之第一人为伏曼容（字公仪，平昌安丘人），伏曼容精于《易》、《老》，曾与袁粲畅言"玄理"，"时论以为一台二绝"③。但伏曼容既贬何晏《易》义，以为"何晏疑《易》中九事，以吾观之，晏了不学也。故知平叔有所短"；又与"不重儒术"的齐明帝唱反调，"辄升高坐为讲说，生徒常数十百人"，后遂以"旧儒"身分受召。伏曼容不但综合儒玄，而且兼及其他各科："曼容多伎术，善音律，射役、风角、医算，莫不闲了。为《周易》、《毛诗》、《丧服集解》、《老》、《庄》、《论语义》。"④ 如此之学风，显然是有益于学术的发展的。

宋、齐时隐士沈麟士⑤（字云祯，吴兴武康人），以道家清静无为之学养生，年过八旬仍耳聪目明，"时人以为养生静默所致。制《黑蝶赋》以寄意。著《周易两系》、《庄子内篇训》。注《易经》、《礼记》、《春秋》、

---

① 《梁书》卷48《雷次宗传》。
② 《陈书》卷33《王元规传》。
③ 《南史》卷71《伏曼容传》。亦参见《梁书》卷48《伏曼容传》。
④ 同上。
⑤ 沈麟士，《南齐书》卷54本传作"沈驎士"，《南史》变更之，今从《南史》。

《尚书》、《论语》、《孝经》、《丧服》、《老子要略》数十卷。"① 易、道、儒各
家之学,在沈麟士已融合为一体。

从学术的传承看,从沈麟士到沈峻、太史叔明,沈峻、太史叔明到沈
文阿,沈文阿到王元规,是一脉相承。这一脉相承的不仅仅是各种经传
注疏,而且是兼通各家的学术风气。从沈麟士到王元规,固然是以儒家
经术为主线,但由于各家之间的学术交流,相互间的传承吸纳也就不可
避免。如雷次宗从慧远学,而顾欢作为南朝道教的一位主要代表,又是
从雷次宗学。贺瑒在青年时便被期许为将来的"儒者宗",梁武帝时更
"兼《五经》博士,别诏为太子定礼,撰《五经义》"。然如此儒宗的著作,
却是"《礼》、《易》、《老》、《庄》讲疏、《朝廷博议》数百篇、《宾礼仪注》一百
四十五卷"②。贺瑒之经学显然已包容了道家学术在内。而贺瑒学生
皇侃,既作《论语义疏》、《礼记讲疏》,又拟《观音经》,范围更扩大到佛教
学术。

在当时学术的交流中,佛教扮演了举足轻重的角色,儒佛之辩贯穿
着整个南朝。但如此的辩论,并非是森严壁垒的儒佛之间的对抗,而往
往杂糅了各家学术。范缜师从南齐"大儒"刘瓛,最为刘瓛看重。他"博
通经术,尤精《三礼》",又"盛称无佛",作《神灭论》与佛教信众论辩,维
护的是正统儒学。但他运用的方法,却既有儒家传统的忠孝伦常、人生
日用,更有道家、玄学的自然无为和精深的义理思辨,由此才能在形神
关系上跃进到新的水平。而站在佛教一边与范缜论辩的对手,从齐竟
陵王萧子良、梁武帝萧衍到曹思文、萧琛、沈约等,在整体上也都属于儒
家的系统。其时神灭神不灭的争论,既在儒佛两家间进行,也在儒家内
部展开。从儒家自身分成信佛与反佛两派可知,学派、门户之隔在南朝
并不重要,重要的在于如何才能融会各家而从理论上折服对方。

　　① 《南齐书》卷76《沈麟士传》。
　　② 《梁书》卷48《贺瑒传》。

为此,《南史·隐逸下》记载了非常生动的事例。马枢6岁时"能诵《孝经》、《论语》、《老子》。及长,博极经史,尤善佛经及《周易》、《老子》义"①。可见三教学术的会通,已深深地影响到孩童。又记载当时围绕马枢辩论的盛况说:

"梁邵陵王纶为南徐州刺史,素闻其名,引为学士。纶时自讲《大品经》,令枢讲《维摩》、《老子》、《周易》,同日发题,道俗听者二千人。王欲极观优劣,乃谓众曰:'与马学士论义,必使屈服,不得空立客主。'于是数家学者,各起问端。枢乃依次剖判,开其宗旨,然后枝分派别,转变无穷,论者拱默听受而已,纶甚嘉之。"②

马枢能于各家依次剖判、枝分派别,不但说明了其学术的广博,能够自如地应付三教学术的"同时发题",而且从与会的道俗听众二千人和数家学者各起问端来看,三教学术的互相兼通已成为时尚。只有综合各家,而不固守专门,才可能脱颖而出,受到各阶层人士和学者的礼遇。如此的学风,为后来南北学术的统一,可以说已准备好了基础。

3、北学的主要代表与南北学术的统一

学术的兼通综合之风不只是在南朝,在北朝同样也是如此。这包括在经学各家之间和儒释道之间的兼通互荣。

首先,就经学各家之兼通来看,兼通之所以可能,在于经学家不主一师,各家兼学,这从北朝第一大儒徐遵明处便看得很清楚。

徐遵明,字子判,华阴人。马宗霍说:"北朝传经之儒,《北史》所载多于南朝,然其间号为大儒、能立宗开派者,当推徐遵明。"③ 徐遵明问学的经历,在史书中有生动的描述。《魏书》称:

① 《南史》卷76《马枢传》。
② 同上。
③ 《南北朝之经学》,《中国经学史》,第81页。

年十七,随乡人毛灵和等诣山东求学。至上党,乃师屯留王聪,受《毛诗》、《尚书》、《礼记》。一年,便辞聪诣燕赵,师事张吾贵。吾贵门徒甚盛,遵明伏膺数月,乃私谓其友人曰:"张生名高而义无检格,凡所讲说,不惬吾心,请更从师。"遂与平原田猛略就范阳孙买德受业。一年,复欲去之。猛略谓遵明曰:"君年少从师,每不终业,千里负帙,何去就之甚。如此用意,终恐无成。"遵明曰:"吾今始知真师所在。"猛略曰:"何在?"遵明乃指心曰:"正在于此。"乃诣平原唐迁,纳之,居于蚕舍。读《孝经》、《论语》、《毛诗》、《尚书》、《三礼》,不出门院,凡经六年,时弹筝吹笛以自娱慰。又知阳平馆陶赵世业家有服氏《春秋》,是晋世永嘉旧本,遵明乃往读之。复经数载,因手撰《春秋义章》,为三十卷。是后教授,门徒盖寡,久之乃盛。遵明每临讲坐,必持经执疏,然后敷陈,其学徒至今浸以成俗。[①]

徐遵明的以"自心"为"真师",反映了当时注重自心的佛教学术浸润流行的结果。在南朝宋初,强调"唯心"的《华严经》和《楞伽经》便已译出,北魏菩提流支亦于宣武帝延昌二年(513)译出《入楞伽经》。《楞伽经》讲"知自心境界"、"自心现",正是徐遵明大讲自心的思想基础。徐氏从各家学各经,最后是自心有所得。故虽有不为人理解处,但最终门徒由寡而盛,"讲学于外二十余年,海内莫不宗仰"[②]。按《北史·儒林传》的概括,北朝经学各家的传授,大都出于徐遵明门下。徐遵明传授的,并不仅是经注本身,而且是各经兼治的学术风格。事实上,徐氏后学不少能够兼治各经,其对南北朝学术发展的影响,由此可见一斑。

与徐遵明同时或稍早的大儒有刘献之。刘献之,博陵饶阳人,少时

①　《魏书》卷84《徐遵明传》。

②　同上。

喜好《诗》、《传》而鄙视杨、墨、屈原之学,成年后治学授教,则强调立身行事要以德行为首,讲信仁让,结果使得"四方学者莫不高齐行义而希造其门"①。不过,《北史·徐遵明传》却说徐遵明"颇好聚敛,与刘献之、张吾贵皆河北聚徒教授,悬纳丝粟,留衣物以待之,名曰影质,有损儒者之风"②。虽然刘献之是否也"颇好聚敛",《北史》说得并不明确,但他对于财货仍是有所欲的。刘献之讲学重在阐明其"义例",义例既明则无须再讲。本传说他"善《春秋》、《毛诗》,每讲《左氏》,尽《隐公八年》便止,云义例已了,不复须解。由是弟子不能究竟其说。"③

当时张吾贵与刘献之齐名,"海内皆曰儒宗"。然二人治学特点、风格不同:"吾贵每一讲唱,门徒千数,其行业可称者寡。献之著录,数百而已,皆通经之士。于是有识者辨其优劣。"④ 刘献之的学生人数虽不及张吾贵,但能传其业者却远胜于张氏之门。在这里,学生能够"通经",显然继承了刘献之一贯的治学风气。刘氏讲经注经不求完整而喜标新义:"六艺之文,虽不悉注,然所标宗旨,颇异旧义。"⑤ 以致形成"海内诸生多有疑滞,咸决于献之"的情景。这说明通经之要旨,其实不在巨细包揽,而在能否取得总贯各经之"义例",后者与他对佛教思想的吸收是分不开的。刘献之既著《三礼大义》、《三传略例》、《注毛诗序义》、《章句疏》等儒家经说,又注佛家《涅槃经》,虽然其书未成而卒,但他注《涅槃经》的本身,就说明了他对佛教涅槃思想是有深入的了解的。

北朝经学,从学术传承来说,徐遵明、刘献之影响最大。《易》、《书》、《礼》、《春秋》均由徐遵明而传下,《诗》则主要源出于刘献之。《北史》称:

① 《魏书》卷84《刘献之传》。
② 《北史》卷81。
③ 《魏书》卷84《刘献之传》。
④ 同上。
⑤ 同上。

　　通《毛诗》者,多出于魏朝刘献之。献之传李周仁。周仁
传董令度、程归则。归则传刘敬和、张思伯、刘轨思。其后能
言《诗》者,多出二刘之门。[①]

二刘源出于刘献之,故北朝至隋之《诗》学,受刘献之影响最大。

　　徐遵明、刘献之而外,北朝的经学大家还有崔浩、沈重、熊安生等
人。崔浩亦遍注群经,加之其官高位重,时为儒家之领袖,其经注亦颁
行天下。但由于与政治斗争纠缠在一起,其经注亦因其族灭而散失。
《魏书·高允传》记载说:

　　　著作令史闵湛、郤标性巧佞,为浩信待。见浩所注《诗》、
《论语》、《尚书》、《易》,遂上疏,言马、郑、王、贾虽注述《六经》,
并多疏谬,不如浩之精微。乞收境内诸书,藏之秘府。班浩所
注,命天下习业。并求敕浩注《礼传》,令后生得观正义。浩亦
表荐湛有著述之才。既而劝浩刊所撰国史于石,用(永)垂不
朽,欲以彰浩直笔之迹。允闻之,谓著作郎宗钦曰:"闵湛所
营,分寸之间,恐为崔门万世之祸。吾徒无类矣。"未几而难
作。[②]

崔浩虽"才艺通博,究览天人,政事筹策,时莫之二"[③],但其学术兴致与
政治斗争关联太紧,成果虽宏而难以久传,更谈不上"用(永)垂不朽"。

　　沈重,字德厚(一曰子厚),吴兴武康人。沈重事迹虽载于《周书》和
《北史》,但实际上他是一位游走于南北之间的经学家,在梁和周都受到
礼遇。沈重在南北朝末期名重一时,本传说他"辞义优洽,枢机明辩,凡
所解释,咸为诸儒所推";又云其"学业该博,为当世儒宗"[④]。沈重的经
学著作颇丰,计有《周礼义》31 卷、《仪礼义》35 卷、《礼记义》30 卷、《毛诗

---

①　《北史》卷 81《儒林传上·序》。
②　《魏书》卷 48。
③　《魏书》卷 35《崔浩传附·史臣曰》。
④　《周书》卷 45《沈重传》。

义》28卷、《丧服经义》5卷、《周礼音》1卷、《仪礼音》1卷、《礼记音》2卷、《毛诗音》2卷,当时均行于世。①

不过,作为适应于当时的学术大势的沈重,并不是一名纯正的儒者,而是一位三教兼收的学者。本传说他于"阴阳图纬、道经、释典,弥不毕宗";"复于紫极殿讲三教义,朝士、儒生、桑门、道士至者二千余人"。② 由此可见其学识的渊博和受欢迎的程度。沈重的"义"学,反映了学兼南北而会通各家的学术风气。

熊安生,字植之,长乐阜城人。熊安生曾从学多人,但跟徐遵明最久,"服膺历年"。在学识上,熊安生虽说亦博通五经,但专却在《三礼》:"然专以三礼教授。弟子自远方至者,千余人。乃讨论图纬,捃摭异闻,先儒所未悟者,皆发明之。"熊安生著有《周礼义疏》、《礼记义疏》、《孝经义疏》等,并行于世。但是,熊氏的经学成就,主要还不在著作多少而在于他作为儒宗所培养出的学生上。《周书》本传称:"安生既学为儒宗,当时受其业擅名于后者,有马荣伯、张黑奴、窦士荣、孔笼、刘焯、刘炫等,皆其门人焉。"③《北史·儒林传序》亦云:"安生又传孙灵晖、郭仲坚、丁恃德。其后生能通《礼经》者,多是安生门人。"④

在熊安生的门人中,刘焯、刘炫"二刘"自北周至隋,最为有名。然而,二刘学无常师,在熊氏门下的时间很短,皆不卒业而去。故二人之学问,实出于自学为多。所谓"闭户读书,十年不出"⑤ 也。二刘治学,志向抱负极高:汉儒章句,"多所是非";经史子集,"核其根本"。从学术影响来说,其时"天下名儒后进,质疑受业,不远千里而至者,不可胜数。

---

① 《周书》卷45《沈重传》。
② 同上。
③ 同上。
④ 《北史》卷81。
⑤ 《北史》卷82《刘炫传》。

论者以为数百年已来,博学通儒无能出其右者。"① 其评价可谓无以复加,而这也正是李延寿本人的观点。他称刘焯乃是"数百年来,斯一人而已";刘炫"虽探赜索隐,不逮于焯;裁成义说,文雅过之。"② 李延寿从隋唐经学统一的角度评价二刘,自然有他的道理,但经学的南北统一乃是一个历史的过程,是学术发展水到渠成的结果。二刘便是取南北学术之长而折中调和于其间的。

南北学术各自的地位,大体的情形,是南北经学的统一与南北政权的统一,在主导关系上正好相反,即是北学并入南学。南北对峙形成的文化差异,造成南人的衣冠礼乐常为北人所称羡,北人重南,南人轻北。之所以如此,实事出有因:

> 经本朴学,非颛家莫能解,俗目见之,初无可悦。北人笃守汉学,本近质朴;而南人善谈名理,增饰华词,表里可观,雅俗共赏。故虽以亡国之余,足以转移一时风气,使北人舍旧而从之。③

皮锡瑞本以汉学为趋向,但汉学因其质朴而不可观赏,所以被俗目所误、被华词所迷而归于南学。当然,所谓北学归于南,是"以所学之宗主分之,非以其人之居址分之也"④。皮氏这一申明是很重要的,南北学人本来就是在相互流动:

> 当南北朝时,南学亦有北人,北学亦有南人。如崔灵恩本北人,而归南;沈重本南人,而归北。及隋并陈,褚晖、顾彪、鲁世达、张冲皆以南人见重于炀帝。南方书籍,如费甝《义疏》之类,亦流入于北方。人情既厌故喜新,学术又以华胜朴。当时

---

①　《北史》卷82《刘焯传》。
②　《北史》卷82《儒林传下·论曰》。
③　《经学统一时代》,《经学历史》,第193~194页。
④　同上。

北人之于南学,有如"陈相见许行而大悦,尽弃其学而学焉"
矣。①
经学的走向终系于喜新厌旧、趋华背朴之虚浮人心,在皮氏看来,实在
是令人唏嘘不已。之所以会是如此,二刘似乎要负最大的责任:

其后则刘焯、刘炫为优,而崇信伪书,择术不若遵明之正。
得费甝《义疏》,传伪孔《古文》,实始于二刘。二刘皆北人,乃
传南人费甝之学,此北学折入于南学之一证。盖至隋,而经学
分立时代变为统一时代矣。②

其实,谈不上二刘要为北学消亡负责。南北学术的交流融合,本来就是
时代的走向,二刘不过是顺应了潮流而已。当然,北人以南方为依归的
心理定势也起了一定的作用。马宗霍说:"夫南儒在北,一致见推;北儒
来南,不免依违。则南学势力之潜滋,亦不俟隋而已矣。"③

而就经学注疏的传授来说,按《隋书·经籍志》的概括,儒家五经之
学到隋代,南学一系,总体上要胜过北学。

《周易》:"梁、陈,郑玄、王弼二注列于国学。齐代,唯传郑义。至
隋,王注盛行,郑学浸微,今殆绝矣。"

《尚书》:"梁、陈所讲,有孔、郑二家。齐代唯传郑义。至隋,孔、郑
并行,而郑氏甚微。自余所存,无复师说。"

《诗经》:"唯《毛诗郑笺》,至今独立。"

《三礼》:"唯郑玄注立于国学,其余并多散亡,又无师说。"

《春秋》:"后学三传通讲,而《左氏》唯传服义。至隋,杜氏盛行,服
义及《公羊》、《穀梁》浸微,今殆无师说。"④

由此,南北朝至隋,《易》、《书》、《春秋》三家南学胜;《诗》、《礼》则仍

① 《经学统一时代》,《经学历史》,第196页。
② 《经学分立时代》,《经学历史》,第190页。
③ 《南北朝之经学》,《中国经学史》,第91页。
④ 各经均见《隋书》卷32《经籍志一》。

主于北学。皮锡瑞做出的结论，"是伪孔、王、杜之盛行，郑、服之浸微，皆在隋时，故天下统一之后，经学亦统一，而北学从此绝矣"①。显然，皮氏的结论并未包括《诗》学、《礼》学在内，因而也有以偏概全之嫌。

　　当然，南北经学本来不是如冰炭水火、一方吃掉另一方的关系。南北学术的相合，有他们内在的理由，那就是义疏之学的兴起并为南北双方所共奉。马宗霍云：

　　　　南北经学，虽趣尚互殊，而诸儒治经之法，则大抵相同。
　　盖汉人治经，以本经为主，所为传注，皆以解经。至魏晋以来，
　　则多以经注为主，其所申驳，皆以明注。即有自为家者，或集
　　前人之注，少所折衷；或隐前人之注，迹同攘善。其不依旧注
　　者，则又立意与前人为异者也。至南北朝，则所执者更不能出
　　汉魏晋诸家之外，但守一家之注而诠解之。或旁引诸说而证
　　明之，名为经学，实即注学，于是传注之体日微，义疏之体日起
　　矣。
　　　　缘义疏之兴，初盖由于讲论，两汉之时，已有讲经之例，石
　　渠阁之所平，白虎观之所议，是其事也。魏晋尚清谈，把麈树
　　义，相习成俗。移谈玄以谈经，而讲经之风益盛。南北朝崇佛
　　教，敷座说法，本彼宗风，从而效之，又有升座说经之例，初凭
　　口耳之传，继有竹帛之著，而义疏成矣。②

由此而论，南北学的分别也就具有相对的意义。整个经学发展所走的，是由经学到注学、由传注到义疏的发展过程。这在学风上的最大的变化，就是讲经之风的兴起。

　　所谓讲经，实际上是由魏晋的玄谈、论辩发展而来的。魏晋玄谈之谈经，主要表现为学者之间的疑难问辩，要想驳倒对方，必须在义理上

　　①　《经学统一时代》，《经学历史》，第196页。
　　②　《南北朝之经学》，《中国经学史》，第85～86页。

取胜,注重对"义"的疏解也就蔚成风气。而辩与讲之间,当然也有区别,但即便如石渠阁、白虎观之议奏,亦是辩、讲兼具。玄学倡导虚玄而注重辩,著名的如本末有无之辩、名教自然之辩、言意之辩;佛学务求推广而注重讲,讲经说法是佛教最重要的传播手法。

随着佛教对儒学的影响的加深,佛教的讲经之方在儒学得到广泛运用,佛教的义疏文体亦被儒学吸收。而作为儒家最高政治代表的帝王,更是亲自参与,身体力行。例如,"宋明帝集朝臣于清暑殿之讲《周易》,齐高帝幸国学之听讲《孝经》,文惠太子亦讲《孝经》于崇正殿,梁武帝则更自撰《五经讲疏》,朝臣奉表质疑,皆为解释。……简文升座,尝许张正见抉疑,元帝居藩,亦敕贺革讲礼。此亦仿佛石渠、白虎之规焉。"① 帝王如此,诸儒哪有不尽力,而且是不分南北:"夫南北诸儒既同重讲经,故诸经义疏亦于时为盛"。②

马宗霍这里是直接以"讲疏"证"义疏",然二者间可能也有差别。周一良曰:

所谓"讲疏",当即录义之人笔记整理而成,故称"讲疏"。据《隋书·经籍志》,梁有宋永明帝集群臣《讲易义疏》(义字疑衍。《旧唐书·经籍志》及《新唐书·艺文志》皆作群臣《讲易疏》),齐永明国学讲《周易讲疏》,梁褚仲都、陈张机、隋何妥皆有《周易讲疏》,疑皆讲稿之笔录也。据《隋志》及两《唐志》,皇侃所著有《礼记讲疏》及《义疏》两种,盖《讲疏》为门人笔记,《义疏》则侃自执笔,二者有别,故名称亦异。姚振宗《〈隋书·经籍志〉考证四》以"义疏""讲疏"二者合为一类,似有未谛。③

此说有一定道理。然梁武帝的《五经讲疏》、元帝的《周易讲疏》史载均

---

① 《南北朝之经学》,《中国经学史》,第 86 页。
② 同上。
③ 《魏晋南北朝史札记·〈北齐书〉札记·录义》,见《周一良集》第 2 卷,辽宁教育出版社 1998 年版,第 658 页。

为自撰,故二者的区分恐不那么确定①。其实义疏之为义疏,关键不在是否自己执笔,而在由魏晋玄谈而来的义理思辨,在南北朝则由虚玄而谈至空无。

孔颖达在述及《周易》经注的历史时说:

> 唯魏世王辅嗣之注独冠古今,所以江左诸儒并传其学,河北学者罕能及之。其江南《义疏》十有余家,皆辞尚虚玄,义多浮诞。原夫《易》理难穷,虽复玄之又玄,至于垂范作则,便是有而教有,若论住内住外之空,就能就所之说,斯乃义涉于释氏,非为教于孔门也。②

孔颖达讲王弼注与后来的义疏相区别,在于王注虽追求玄之又玄,但终究是教有;而后来的义疏则出于释氏,是教空无,所以需要“正”义。而“正”之结果便是以有排空而一统五经。南北学术在文本上,终经孔颖达之手而实现了统一。

蒙文通曰:

> 盖群经“集解”,盛于一时,家学师法,扫地以尽。及今文章句沦亡,“义疏”遂猬起于齐、梁之际。唐一区宇,孔颖达、贾公彦等制作“正义”,南北二学,遂合为一。③

由家学师法到“集解”、到“义疏”、到“正义”,既是治经之方的区别,又是经学发展的历史走向。

---

① 参见《梁书》卷4《简文帝纪》云:“高祖(武帝)所制《五经讲疏》,尝于玄圃奉述,听者倾朝野”;卷5《元帝纪》载世祖(元帝)“所著……《周易讲疏》十卷”等。
② 《周易正义序》,《周易正义》卷首。《十三经注疏》本。
③ 《南学北学第六》,《经史抉原》,第82~83页。

第九章　文学的自觉与新的艺术风貌

魏晋南北朝经学虽然不乏值得讲述的历史,但在学术发展的大局上,反映的却是儒学的衰微。儒学只是与玄学、史学和文学"并建"的"四学"之一;而在这世俗层面之外,更有宗教层面的佛、道学术的繁荣。文学固然也只是"四学"之一,然而它却正是从这一时期开始有了自己独立运作和发展的领域。

当然,文学不得不受在这一时期居主导地位的玄学的影响,不少文学人物同时就是玄学的代表。文学在"四学"之中与玄学联系最为紧密,可以说,一代玄风吹皱了一代文学。但这毕竟只具有相对的意义,文学的历史远比玄学来得久长,魏晋南北朝学术的肇兴,是由文学而非玄学引起,建安文学揭开了魏晋南北朝学术发展的序幕。

一、建安文气

建安文学的兴起,意味着一个新的文学时代的来临。中国文学的发展,已经不只是注重抒发自己的情怀,而是开始触及到这种抒发情怀的内在动因和机制,文学家们把眼光转向了文学创作和审美活动中的精神气质,最终推动文学发展由自发走向自觉。

所谓文学的自觉,主要不是说它"自觉"服务于社会即功能性的自觉,这一"自觉"可以说早在《诗》三百篇的时代就已经具备,而是指对文学自身的个性、特色和精神品格等的自觉认识,或曰结构性的自觉。后者在汉代虽已有萌发,但作为一般的学术发展趋势,则是随着建安时代的到来而正式登场的。

1、气与"文气"

"建安"本是汉朝(献帝)的年号,但从政治格局和学术发展的走向来说,却与汉代社会有了巨大的差别,曹操的主政已经意味着一个新的时代的来临。曹操、曹丕、曹植父子引领潮流、挟其政治地位而成为当时文坛的领袖和核心,围绕在他们身边,则有所谓"邺下文人集团",其代表人物,便是曹丕所开列的孔融、陈琳、王粲、徐幹、阮瑀、应玚、刘桢"七子"。"三曹"和"七子"构成为建安文学的中坚,而他们的学术贡献都与气的概念不可分。

中国学术历来是重"气"的学术,而"气"概念从先秦以来,已发展成为一个庞大的家族。有客观物质层面的精气、元气、天地气、阴阳气等;也有主观精神层面的浩然之气、志气、夜气、善恶气等。但归结起来,总体上仍是天(自然)气和人(社会)气两方。

天气和人气不是完全割裂的关系,如精气可以由此及彼,阴阳能联系到仁义,五行可以通五常,自然与德性又是一个统一整体。但不论是自然天气,还是德性人气,气的特点都是氤氲聚散、流动不息。即气范畴的存在是以"动"为标识的。如此运动不停之气,以前通常是在科学和哲学的意义上运用,然而东汉以后,它逐步扩展到文学的领域,说文而论气,从而有了所谓"文气"说。

显然,文气不属天气,但也不就是人气。那它到底是一种什么样的气、与文学创作又有什么关系呢? 这就需要认真分析一下最先提出"文气"说的曹丕的观点。

曹丕说:

> 文以气为主。气之清浊有体,不可力强而致。譬诸音乐,

曲度难均，节奏同检，至于引气不齐，巧拙有素，虽在父兄，不能以移子弟。①

曹丕此段，出自他的《典论·论文》，刘师培按说，"此篇推论建安文学优劣，深切著明，文气之论，亦基于此"②。但是，曹丕又并未直接解释作为文章之主宰的此"文气"究竟为何？结合所言气之"清浊有体，不可力强而致"的阐发来看，可以认为是说人禀清浊之气而生，与气直接统一，所以人不应当强求改变自己天生的禀性。清浊"有体"，也就是有本、有根，即自然之气本来是清浊、昏明各别的。这是汉代流行的禀气说的观点，即人生先定于气禀，故生而有智愚高下。王充的自然命定论便是这方面的典型的代表③。

但是，正是因为人之体质、贤愚都禀于受生时的元气的质量，故即便是父辈，对于子辈也没有特别的影响。如王充称：

> 祖浊裔清，不榜奇人（原注：榜读为妨）。鲧恶禹圣，叟顽舜神。伯牛寝疾，仲弓洁全；颜路庸固，回杰超伦；孔墨祖愚，丘翟圣贤。扬家不通，卓有子云；桓氏稽可④，遹出君山。更禀于元，故能著文。⑤

祖上混浊不妨子孙清纯，子孙所禀赋的清纯之气终使得他们成为圣贤奇才。而且，这种所禀赋的元气更迭，还直接决定了人能否著文。

在这里，曹丕可以说是完全继承了以王充为代表的汉代气禀说的观点，所以后天的努力是无济于事的。这就好比演奏乐曲一样，尽管难

---

① 《典论·论文》，《三曹集》（[明]张溥辑评，宋效永校点），岳麓书社1992年版，第178页。

② 刘师培：《中国中古文学史讲义》，《刘师培中古文学论集》，中国社会科学出版社1997年版，第13页。

③ 参见王充：《论衡》之《命义》、《命禄》等篇，上海人民出版社1974年版。

④ "稽可"二字恐有误。一说当为"稽古"，即法古之意。参见《中国哲学史教学资料·两汉部分（下）》，中华书局1963年版第414页注63。

⑤ 《论衡·自纪》，第455页。

度、乐律都相同,但由于先天气的不一,巧浊素质已定,即便父兄、子弟之间也是无法移易的。从而,所谓"文以气为主"的首要的含义,就是为文取决于人的先天素质。

2、"七子"之品性

气质虽然属于先天,后天却是可以感知和体验的。王充以为这是孟子当年相人时就已经揭示了的。他说:

> 且孟子相人以眸子焉,心清而眸子了,心浊而眸子眊。人生目则眊了,眊了禀之于天,不同气也。①

眼睛之明亮混浊是心地清白阴暗的表现,所以可以通过对人眼睛的观察来判定其心地的善恶正邪。不过,尽管孟子在多种场合使用了气的概念,但他却没有禀气说,以禀气解孟子显系王充的发挥。可以说,天气决定了人气,而人气则决定了才气,而其作品与禀气相类,也就有了清浊优劣。这在曹丕,便可以据文以论气,依气而说人。曹丕于此是结合"七子"来进行发挥的,因而有必要依次来稍加分析。

首先,孔融:

> 孔融体气高妙,有过人者,然不能持论,理不胜辞,至乎杂以嘲戏。及其[时有]所善,扬、班[之]俦也。②

孔融(153~208),字文举,是孔子的第二十世孙,幼年即以聪慧和德行著称,"孔融让梨"至今传为美谈。孔融先拥护曹操,后则与曹操交恶,其原因是多方面的,终因"不孝"的罪名被曹操所杀。

"体气"的概念,原本指形体内含之气,也就是人体内运行的精气、血气。汉末三国时期,则又被引申来品评人物。如嵇康之"体气和平"③ 是

---

① 《论衡·本性篇》,第44页。又:孟子原话见《孟子·离娄上》。

② 《典论·论文》,《三曹集》,第178页。

③ 参见嵇康:《养生论》。

与呼吸吐纳相对应的气运行的平和状态；而姚信《士纬》曰"陈仲举(藩)体气高烈,有王臣之节"①,则体气又成为了凛然正气。就后者言,其"高烈"与曹丕的"高妙"相较,"高"者均谓高出于世人,"烈"与"妙"之间却有差别:"烈"是谓气节刚烈,而"妙"则讲辞气玄妙,故有同有不同。

"体气"的概念重在体之内含,即人内在本有的特异气质。这在孔融便是天赋才性。徐幹赞美孔融说:"孔氏卓卓,信含异气。笔墨之性,殆不可胜。"② "异气"也就是"妙气",正是因为有此妙气在,才使得孔融卓然不可胜。但是,孔氏的不可胜主要在其词而不在其理。他之持论、说理、论文,兴趣在于"嘲戏",故发牢骚可以,但要说服人却难。

譬如,讥曹丕纳甄氏而作《与曹公书》曰:"武王伐纣,以妲己赐周公"③;曹操禁酒,他却反复给曹操上书,大谈饮酒乃至狂饮之利,其驳曹操之饮酒可以亡国论曰:

> 徐偃王行仁义而亡,今令不绝仁义;燕哙以让失社稷,今令不禁谦退;鲁因儒而损,今令不弃文学;夏、商以妇人失天下,今令不断婚姻。而将酒独急者,疑但惜谷耳,非以亡王为戒也。④

全篇驳难文辞优雅,气势逼人,但对于治国施政,则并无可取。故而所谓"高妙",可以理解为"高"在于气盛,而"妙"则在于嘲讽。因为曹丕与曹操不同,他对于孔融,大多是欣赏的,道理其实亦不难理解。"嘲戏"对曹操的统治至少会造成难堪,但对曹丕,则变成了一种对逝去的调侃的把玩。所以,他可以相对公允地称述其所长,而以为可与扬雄、班固

① 《世说新语》中卷下《品藻》,《世说新语笺疏》,第498页。
② 刘勰:《文心雕龙·风骨》引。见范文澜:《文心雕龙注》,人民文学出版社1958年版,第514页。
③ 见《建安七子诗文集校注译析》(下简称《建安七子集》),韩格平著,吉林文史出版社1991年版,第63页。
④ 《又与曹公论禁酒书》,《建安七子集》,第71页。

同列。也正是因为如此,"七子"便成为以孔融领衔。

但是,对于孔融列入"七子"并成为建安文坛的领袖人物,在文学史上一直存在着争议。曹丕本人在《又与吴质书》中论"自一时之俊"的建安"诸子"时,孔融便不在其中。后来曹植作《与杨德祖书》时曾论及"今世作者",已不在世的孔融、阮瑀自然不在内,但余下五人新加上杨修而为六子。故曹植并未有如其兄的"七子"的概念。当事人自身对于"七子"尚无明确定论,后人众说纷纭也就在情理之中了。譬如,陈寿《三国志》便只列王粲、徐幹、陈琳、阮瑀、应玚、刘桢六子,又不同于曹丕、曹植①。

其次,"徐幹时有齐气"②。徐幹(171~218),字伟长,是曹丕最为推崇之人。后者之《又与吴质书》云:

> 观古今文人,类不护细行,鲜皆能以名节自立。而伟长独怀文抱质,恬淡寡欲,有箕山之志,可谓彬彬君子者矣。著《中论》二十余篇,成一家之言,辞义典雅,足传于后,此子为不朽矣。③

徐幹为北海人,北海原本即属齐地。徐幹的品格,如果参照《又与吴质书》对徐幹的赞誉,包括自立名节、恬淡寡欲、文质彬彬和辞义典雅诸气节、才质和文风。但这些是否都属于"齐气",则难下结论。因为这诸多优良秉性本为"不朽"之前件,而既谓之"不朽",当然就是指一般常住之德、才,与"时有"的限定自然形成间隔。因而不能直接用以解释"齐气"。

所谓"齐气",应当是与齐地密切相关。按照汉时的禀气说,人之禀气乃是天地气合而成,故地(土)气对人之性格、才质的形成就有根本性

---

① 《三国志》卷21《魏书·王粲传》。
② 《典论·论文》,《三曹集》,第178页。
③ 见《三曹集》,第162页。

的影响。同时,由于气与人的交往无时不在进行,故后天之气——环境、风俗也会影响着人的性格的塑造和成型。那么,人之受气就不只限于先天,亦包括后天。王充曰:

楚、越之人,处庄、岳之间,经历岁月,变为舒缓,风俗移也。故曰:"齐舒缓,秦慢易,楚促急,燕戆投(直)。"①

每一地之风俗不一样,人之受气也不一样,所以禀性也随之改易。从而,"齐气"的舒缓不是急促,但也不是轻慢、戆直,而当是一种平和顺畅、又有节制条理的风格。

徐幹有《室思诗》曰:

时不可再得,何为自愁恼? 每诵昔鸿恩,贱躯焉足保。

(二章)

自君之出矣,明镜暗不治。思君如流水,何有穷已时?

(三章)②

《室思诗》共六章,是写居家女子对远方心中人的思念的。但从此所引可以看出,居家女子对丈夫的思念虽然无穷无尽,但又能自排"烦恼",合理节制,表现为一种平和绵长而饱含深情的爱。这或许就是舒缓之气的写照。

《室思诗》中以"自君之出矣"句为代表,被后人评为多用虚字。徐公持在引黄子云言"伟长用虚字作骨,弥觉峭劲,七子中另自成一格"后,总结说:"《室思》对后世影响不小,自刘宋孝武帝始,取'自君之出矣'一语以为题,另创乐府新歌,继作者不绝,直至唐代张祜,总十五人之多。"③ 然多用虚词是否就是文体舒缓的特征,则需要进一步研究。

---

① 《论衡·率性》,第27页。
② 《建安七子集》,第351、352页。
③ 徐公持编著:《魏晋文学史》,人民文学出版社1999年版,第128页。

　　王运熙、杨明在例举《汉书·地理志》引齐诗"子之营兮,遭我乎猫之间兮"、"俟我于著乎而"之类的舒缓文体后,认为:"所举齐诗多用虚词而语气舒缓,但那只是举例说明而已,并非说凡舒缓之体都是多用虚词的。曹丕说徐幹'时有齐气',也是就其总的风格舒缓而言,并不是说他多用虚词。"① 就是说,齐气的舒缓是一种总的风俗、风格,并不在于其文章体裁是不是多用虚词。

　　第三,"王粲长于辞赋"②。王粲(177～217),字仲宣,后人以为在"七子"中王粲文学成就最高。《又与吴质书》云:

　　　　仲宣独自善于辞赋,惜其体弱,不足起其文;至于所善,古人无以远过也。③

王粲虽有如《七哀诗》等不少诗作,但他在七子中却是以辞赋见长。如《登楼赋》后人就评价很高。但就"气"而论,王粲却有"体弱"而气"不足"之病。体弱就是气弱,《文选》李善注云:"气弱谓之体弱也。"④ 体气羸弱即缺乏内在的气势,力度不够,故"不足"以支撑其文采的飞扬。由此,其文学感染力便会有损。

　　钟嵘以为王粲诗"发愀怆之词,文秀而质羸。在曹、刘间别构一体。方陈思不足,比魏文有余"⑤。所谓"发愀怆之词",即如《登楼赋》云:

　　　　悲旧乡之壅隔兮,涕横坠而弗禁。昔尼父之在陈兮,有'归欤'之叹音。

　　　　唯日月之逾迈兮,俟河清其未及。冀王道之一平兮,假高

---

　　① 王运熙、杨明著:《魏晋南北朝文学批评史》,上海古籍出版社1989年版,第31页。

　　② 《典论·论文》,《三曹集》,第178页。

　　③ 《三曹集》,第162页。

　　④ 《文选》(萧统编,李善注),中华书局1977年影印本,第591页正文并951页《考异》。

　　⑤ 《诗品上·魏侍中王粲诗》,《诗品集注》(钟嵘著,曹旭集注),上海古籍出版社1994年版,第117页。

衢而骋力。

　　心凄怆以感发兮，意忍悁而憯恻。循阶除而下降兮，气交
愤于胸臆。①

在这里，对久离故乡的强烈思念和对平定动乱前途的忧虑交织在一起，最终是心气悲怆、交愤难平。如此之辞赋表达的情感，是处于社会最高层而并未真正受过磨难的曹丕所体验不到的。所以钟嵘以为比曹丕有余应属不过。然比其"骨气奇高，词采华茂，情兼雅怨，体被文质，粲溢古今，卓尔不群"②的曹植来说，自然又有不足。那么，曹丕意下的王粲"不足起其文"，也可以换从"不足"于曹植之"起文"来评价。

　　同时，钟嵘品评之后半句"文秀而质羸"，与曹丕的"体弱不足起其文"则精神一致。"体"亦即"质"，文质不相匹配，不但比曹植的"体被文质"有不足，就是与徐幹的"怀文抱质"相比亦有差，尽管其文采当在徐幹之上。在曹丕眼中，王、徐二人辞赋的水准，又在其他几子之上。故曹丕分别列举了各自辞赋的代表作，甚至以为"虽张、蔡不过"也。但除此之外，对于其他的文体，曹丕于王、徐则皆不以为然，"未能称是"也③。

　　曹丕在这里以为一比的张、蔡何谓，他没有明言。按七子之前以张、蔡为姓的辞赋大家，当为张衡、蔡邕。刘勰《文心雕龙·才略》曰："张衡通瞻，蔡邕精雅，文史彬彬，隔世相望：是则竹帛异心而同贞，金玉殊质而皆实也。"④徐幹作为"彬彬"君子而又重名节，当与此相关。不过，也正因为如此，曹丕之称赞徐幹，主要就不在其才气上。若论后者，世人则多以为王粲为七子之首。如刘勰在同文中便称："仲宣溢才，捷

----

①　《文选》卷11《登楼赋》，第162～163页。
②　《诗品上·魏陈思王曹植诗》，《诗品集注》，第97页。
③　见《典论·论文》，《三曹集》，第178页。
④　见《文心雕龙注》，第699页。

而能密,文多兼善,辞少瑕累,摘其诗赋,则七子之冠冕乎!"①

第四,"应瑒和而不壮"②。应瑒(? ~217),字德琏,曹丕于应瑒感情很深,以为:

> 德琏常斐然有述作之意,其才学足以著书,美志不遂,良可痛惜。间者历览诸子之文,对之抆泪,既痛逝者,行自念也。③

应瑒的才学得到曹丕的首肯,而且本人有"述作之意",本可以有一番建树,然其英年早逝而志向不遂,所以曹丕深为痛惜。当他后来翻阅应瑒及其他诸子之文时,想起先前之交往和其志向未酬,每每伤感不已。

所述应瑒的"和而不壮",表明曹丕将和气与壮气明确区分了开来。就和气论,老子最早有"冲气以为和"④ 句,和气即阴阳冲和之气。该气之于人,刘劭《人物志》谓是"阴阳清和,则中睿外明"⑤,阴阳和谐的结果是内智外明。喻之于人,可以谓之内质外文,文质协和。应瑒自撰之《文质论》正是如此来看问题的。所谓"二政代序,有文有质"⑥ 也。但与同时之阮瑀强调质不同,应瑒要更为重视文,以为"言辨国典,辞定皇居,然后知质者之不足,文者之有余。"⑦ 但应瑒论文之重要,是放大到语言文字对社会国家的意义上进行论证,与文质关系的范畴并不完全相应。而且,以"不足"和"有余"作为质与文双方关系的一般定位,也是不符合他所维护的"宣尼之典教"⑧ 的。

---

① 《文心雕龙注》,第 700 页。
② 《典论·论文》,《三曹集》,第 178 页。
③ 《又与吴质书》,《三曹集》,第 162 页。
④ 《老子·四十二章》。
⑤ 《人物志》上卷《九征第一》,第 15 页。
⑥ 《建安七子集》,第 434 页。
⑦ 同上书,第 435 页。
⑧ 同上书,第 434 页。

当然,应瑒毕竟还是主张文质关系的并重的,只是又偏重于和的一方,产生了"和而不壮"的问题。就字义言,"和"之一词,有冲和、和谐义,也有柔和、和顺义,后者在广义上可以看做是前者的表现形式之一。而既然是柔和、和顺,刚毅、雄壮之"力"便有不足。应瑒诗赋,也有"愿浮轩于千里兮,曜华轭乎天衢";"展心力于知己兮,甘迈远而忘劬"①一类句,但从全局上看,其气度不如其他几子有力。

以应瑒文气为"和而不壮",今之学者多有认同。张可礼云:"他的诗歌音调舒缓柔和,情感悲切忧伤,比起建安文人的悲而又壮来,显然是别具一格的。"吴云则将其与孔融、陈琳等的气势相比较,以为"从总体上看,他的诗赋,语言风格趋向平和,笔力不及其他作家,题材不够阔大,与孔融、陈琳的气势雄壮相比,孔、陈之作品如山中之瀑布,而应文则如山涧中一股清新的小溪。"②

第五,"刘桢壮而不密"③。刘桢(?　~217),字公幹,《又与吴质书》云:"公幹有逸气,但未遒耳。其五言诗之善者,妙绝时人。"④ 曹丕以为刘桢五言诗的成就超过其他诸子,后来者认同这一观点的不少。所谓"逸气",说明的是刘桢诗文既奔放飘逸,又有"壮"之特色,与应瑒的"和而不壮"正好相反。但刘桢的逸气、壮气又不彻底,故有不密、未遒之评,即是说刘桢诗文在细密和强劲上仍有差。

刘桢诗以《赠从弟》三首最为有名,其中第二首曰:

亭亭山上松,瑟瑟谷中风。风声一何盛,松枝一何劲!

冰霜正惨凄,终岁常端正。岂不罹凝寒,松柏有本性。⑤

---

① 《愍冀赋》,《建安七子集》,第 399 页。

② 吴云主编:《20 世纪中国文学研究·魏晋南北朝文学研究》(下简称《魏晋南北朝文学研究》),北京出版社 2001 年版,第 162 页。

③ 《典论·论文》,《三曹集》第 178 页。

④ 《三曹集》,第 162 页。

⑤ 《赠答一·赠从弟三首》,《文选》卷 23,第 337 页。

诗中以亭亭肃立的松柏喻从弟的"本性",实际上也包含了他自己的影子。不惧狂风冰霜而巍然挺立的刘桢的品格,就像他诗中所描绘的松柏一样,在建安诸子中可以说独树一帜。如果不算孔融,刘桢是诸子中惟一因"不敬"曹氏而获罪被刑之人。所以他把自己也称为"乖人":

> 乖人易感动,涕下与衿连。仰视白日光,皭皭高且悬。秉
> 烛八纮内,物类无颇偏。我独抱深感,不得与比焉。①

孤立高悬而又遗憾伤感之心跃然纸上。

就此而论,说刘诗欠缺细密藻饰当属公允,但言"未遒"则未详何据,故后人多不采。今王运熙、杨明则提出了自己的解释:"'未遒',大约在曹丕看来,刘桢诗文虽不拘常检,但还不够遒紧[劲]有力。"曹丕之意是否如此,可以存疑。但从客观上看,刘桢不论就其为人还是赋诗,在七子中都可以说是最为有力的。谢灵运称刘桢"卓荦偏人,而文最有气,所得颇经奇"②。此处之"文最有气",换作"文最有力",一点也不勉强。到钟嵘则更评论说是"仗气爱奇,动多振绝。贞骨凝霜,高风跨俗。但气过其文,雕润恨少。然自陈思以下,桢称独步。"③ 那么,可以说刘桢是"壮而不密",但谓之不够遒劲有力,则似乎缺乏论据。

在这里,谢灵运、钟嵘均认为刘桢是以气胜,但钟嵘将刘桢排位于曹植之下而他子之上,后人评议则颇多分歧。关键就在刘桢与王粲有无优劣高下。推刘桢者以钟嵘为代表,推王粲者则以刘勰领衔。前引刘勰评王粲为"七子之冠冕"便是其例。曹旭《诗品集注》在《魏文学刘桢诗》的注解中,兼收有各相关评论,说明在这一问题上古来争鸣不断④。今徐公持认为:"刘桢的总体文学成就,并不在王粲之上,但其个

---

① 《赠徐幹一首》,同上书,第 337 页。

② 《拟魏太子邺中诗八首并序》,《谢灵运诗选》(叶笑雪选注),(上海)古典文献出版社 1957 年版,第 133 页。

③ 《诗品上·魏文学刘桢诗》,《诗品集注》,第 110 页。

④ 见《诗品集注》,第 110～115 页。

人风格之独特,无疑超过王粲。"① 而曹道衡则除了指出评价者的艺术趣味不同这一原因外,更从历史发展的角度,对争论双方的意见进行了总结。他说:

> 因为刘宋初年当玄言诗盛行之后,诗人们为了纠正淡乎无味之病,所以力求辞藻和用典,像颜延之更力求繁密。这时诗人自然不会取法"雕润恨少"和"壮而不密"的刘桢,而更推崇王粲。到了宋末以至齐梁,人们看到颜延之、谢庄一派诗风"尤为繁密,于时化之,故大明泰始中,文章殆同书钞"。为了纠正这种诗风,人们又很强调刘桢之作。《文心雕龙》着重总结前代经验,故推崇王粲;《诗品》兼评当时诗风,故更看重刘桢。②

统而言之,二人可以说是不分高下。但若一定要分出高下的话,或许可以将"文"与"气"拆开,谓王粲以文胜刘,刘桢以气胜王。

第六,"琳、瑀之章表书记,今之俊也"③。陈琳(? ~217),字孔璋;阮瑀(? ~212),字元瑜。《又与吴质书》说:

> 孔璋章表殊健,微为繁富。……元瑜书记翩翩,致足乐也。④

曹丕言此二人,均未论及其气,故合于此而述之。

陈琳的才气在当时是颇得人称道的。他先曾依袁绍,作《为袁绍檄豫州》以讨曹操,文词犀利,指称曹操"肆行凶忒,割剥元元,残贤害善"⑤,后曹操惜其才而不杀。然曹丕只称其"章表书记"即公牍文书,而未许其辞赋。曹植则更为讥讽说:

---

① 《魏晋文学史》,第 119 页。
② 曹道衡:《魏晋文学》,安徽教育出版社 2001 年版,第 67 页。
③ 《典论·论文》,《三曹集》,第 178 页。
④ 《三曹集》,第 162 页。
⑤ 《文选》卷 44,第 616 页。

以孔璋之才，不闲于辞赋，而多自谓与司马长卿同风，譬画虎不成，反为狗者也。①

看来陈琳的辞赋似乎不佳。但他的诗作却颇受人称道，其中尤以《饮马长城窟行》最为有名。诗中歌颂了真诚质朴的夫妻情爱，揭露了连绵无期修筑长城的劳役给劳动人民带来的深重灾难。其中尤以引民歌而来的"生男慎无举，生女哺用脯，君独不见长城下，死人骸骨相撑拄"②，发震撼千古之力。后人亦多以此诗为代表高度评价陈琳的诗作。

然而，《饮马长城窟行》是否出于陈琳却是有疑问的。徐公持对此有详细考辨，而结论是此诗当为乐府古辞③。倘若徐论不误，则陈琳诗作的地位便要大打折扣，钟嵘《诗品》不品他，恐亦有相应的理由。

阮瑀是七子中较早去世的一位，亦善"章表书记"，其中《为曹公作书与孙权（一首）》对于孙权恩威并加，委婉中展现出曹操的强势与威严，深得后人称道。又有《文质论》，其立论与应瑒的《文质论》正好相反，即重质而轻文。以为文之出众的"通士"、"高人"必有"中难处"、"要难求"、"情难足"、"下难事"的"四难之忌"；而重质轻文的"质士"、"违人"，反倒有"政不烦"、"物不扰"、"思不散"、"民不备"的"四安之报"④。

阮瑀是阮籍之父，他的以"质"胜的"意崇敦朴"，实际上也就是魏晋时的以"自然"胜，故不同于属于儒家立场的应瑒的文质观。阮瑀之诗，以揭露后母虐待非己所出之子的家庭悲剧的《驾出北郭门行》为代表。其他诗作亦大多以抒发人生感伤为其特色。

曹丕不以"气"论及陈、阮二人，大约亦与二人诗文多悲戚感伤之色、而缺乏气"力"有关。曹丕身为帝王，希冀能一统天下，强调的自然是开拓进取、遒劲有力。这是他衡量品评时人文章的一个基本的尺度。

---

① 《与杨德祖书》，《三曹集》，第283页。
② 《建安七子集》，第124页。
③ 见《魏晋文学史》，第119页。
④ 见《建安七子集》，第390页。

3、"三曹"之气势

曹丕之论"文气",直接品评的对象是七子,然他所以提出文气的问题,亦正是当时现实的反映,也直接体现了曹氏父子"慷慨多气"的时代特点。"慷慨多气"作为建安时代的文学特征,可以说就是由曹氏父子首先是曹操开始的。

曹操(155~220),字孟德,他在其《短歌行》中所咏之"慨当以慷,忧思难忘",徐公持以为这"实际上正是曹操诗歌风格的自我概括。《短歌行》旨在求贤,然而全篇'忧从中来,不可断绝','何以解忧,唯有杜康',诚如论者所云:'跌宕悠扬,极悲凉之致。'(陈祚明《采菽堂诗集》卷五)《步出夏门行》'经过至我碣石,心惆怅我东海',后又写及'老骥伏枥'、'烈士暮年',悲凉气氛浓烈"。又总结说:"如前所述,'慷慨悲凉'还是建安诗歌共同的情调特征,是时代风格,而'慷慨'或曰'慷慨而多气',是首先在曹操诗歌中表现出来的,连'慷慨'一语也是在曹操诗歌中首见的。所以不妨说曹操是建安文学时代风气的先觉者和创导人,是他奠定了建安诗歌的基调。[①]

徐公持(包括所引之陈祚明)所述慷慨悲凉之气,实际上是以慷慨为主干而又以悲凉解慷慨。但曹操的悲凉不是使人消极丧气,而是为其积极鼓气,故其悲凉也可解之为悲壮,即可以曹丕之"壮气"释之。其实,对于"壮心不已"的曹操来说,雄壮有力本来就是渴望建立一统天下伟业的他本人的真实气质和性格的写照。壮心作为一种心气,它是可以与悲凉结合而展现的。譬如《蒿里行》:

> 铠甲生虮虱,万姓以死亡。白骨露于野,千里无鸡鸣。生
民百遗一,念之断人肠。[②]

---

① 《魏晋文学史》,第37、38页。
② 《三曹集》,第64页。

已是极尽悲凉,然其气势、气魄又显现出壮色来。事实上,壮气本来是可以有不同的表现的。又如:

> 秋风萧瑟,洪波涌起。日月之行,若出其中;星汉灿烂,若
> 出其里。幸甚至哉,歌以咏志。①
>
> 山不厌高,水不厌深,周公吐哺,天下归心。②
>
> 树木何萧瑟,北风声正悲。熊罴对我蹲,虎豹夹路啼。③

前两段表达的是一种豪放的气度。而后一段以及前《嵩里行》句,则无疑浸润着一种悲壮的气色。

在这里,曹操的"壮气"从根本上说,源于他的壮志壮心,从而展示出一种不可抑止的力量。因为"气"概念本就属于动的范畴,它表现为不断生发之势,气势雄壮可以说是与慷慨悲凉正相呼应的曹操诗文的一大特色。其中《遗孙权书》之"近者奉辞伐罪,旌麾南指,刘琮束手;今治水军八十万众,方与将军会猎于吴"④,历来被视为名句。其貌似委婉又使人怦然心动的行文,使曹操飞扬虚张的"气"势跃然纸上。

曹操是一名文学家,但首先是一名政治家,他的政治理念和治国方略的主线是法家的刑名法术,但就文章的写作来说,儒家的思想尤其是论辩方术也被融入于其中。徐公持云:

> 曹操之文,甚得力于孔孟。他在文中引述最多的典籍是
> 《论语》,而文中表现出的强势性格和浑茫文气,则颇近于孟
> 轲。孟子为了说服对方,半以逻辑,半以气势,有时甚至专以
> 气势取胜。曹操之文亦如是。⑤

---

① 《碣石篇·其一》,《三曹集》,第70页。

② 《短歌行》,《三曹集》第66页。又:《文选》卷27《乐府上》,此"水不厌深"为"海不厌深"。

③ 《苦寒行》,《三曹集》,第67页。

④ 《三曹集》,第56页。

⑤ 《魏晋文学史》,第42页。

徐氏并以曹操《止省东曹令》之"日出于东,月盛于东,凡人言方,亦复先东,何以省东曹"① 等为例辅助说明。在这里,曹操将东曹的机构建制替换为"东"之方位,而以"东方"不可缺论证东曹不可替换。不过,如此之逻辑和气势在先秦诸子中并不专属于孔孟,在公孙龙、庄子等学者那里,也都可以看到某种程度的相似。

曹丕(187～226),字子桓,是文气论的提出者。文章的重要性,曹丕提到了"经国之大业,不朽之盛事"② 的从来未有的高度。"经国之大业"体现了身为太子而即将成为皇帝的曹丕踌躇满志的豪气,"不朽之盛事"则披露了曹丕以文为不朽而渴望千古流传的志向。在这里,皇帝的帝位固然重要,但人寿却不能永存,只有文章才可以不朽:

> 年寿有时而尽,荣乐止乎其身,二者必至之常期,未若文
> 章之无穷。是以古之作者,寄身于翰墨,见意于篇籍,不假良
> 史之辞,不托飞驰之势,而声名自传于后。③

年寿有尽可以说是曹氏父子最为感慨的现实。曹操脍炙人口的诗句"对酒当歌,人生几何!""神龟虽寿,犹有竟时。腾蛇乘雾,终为土灰"④ 等等,都是对这一现实的深刻反省。

然而,曹操除了吐露"老骥伏枥,志在千里"的心志外,并未提出解决的办法。曹丕对此则有突破,那就是年寿虽有尽、文章可千古。所以他对徐幹能留下一部《中论》十分羡慕,因为文章的流传定能使已逝之徐幹"不朽"。徐幹《中论》有 20 篇,他自己的《典论》也是 20 篇,毫不遮掩其依循徐幹而希冀作文传世的动机和抱负。

那么,曹丕之文气,首先透露的便是一种强力。这种强力固然与他所乘帝王之势分不开,但他自己对此还是有清醒的认识,深知人之"声

---

① 此文在《三曹集》中作《省西曹令》,见第 29 页。
② 《典论·论文》,《三曹集》,第 178 页。
③ 同上。
④ 《龟虽寿·其四》,《三曹集》,第 71 页。

名"如何，能否"自传于后"，只能看文之本身。当然，这种"自传"不是天赐，它是人之强力的产物，强力是文之生命力的最直接的体现。那么，对于强力与自然的关系，在曹丕实际上有两个方面：一方面是注重自然而戒除强力，因为气质属于天生，人为不可能干预天道，即使父兄也不能移易子弟之气质；但在另一方面，人在一定气质的基础上，又是可以发挥强力的。所以他批评时人"多不强力，贫贱则惧于饥寒，富贵流于逸乐，遂营目前之务，而遗千载之功"[①]。如此之自我放任，实乃有志之士的"大痛"。在他看来，不论人之气质如何，也不论处于何种境遇，实际上都是可以有所作为的。"故西伯拘而演《易》，周旦显而制《礼》，不以隐约而弗务，不以康乐而加思"[②]便是圣人留下的榜样。

其次，曹丕之气又不仅仅是强力，代入他自己的气清浊有体论，他之气又属于清体。刘勰以为，"魏文之才，洋洋清绮"[③]。但何者谓"清"或"清绮"，曹丕文章的本身并没有答案。然曹丕之论清浊，本出于汉代的元气说，元气之清浊是与轻重的定位联系在一起的。清轻(阳)气上升而重浊(阴)气下降，于是有天地人物。由此，则清浊二气都是曹丕所必需的。即"强力"属于重浊，亦即"壮气"；"清绮"属于和气，也就是清轻。清轻之气飞逸上扬，是曹丕诗文的一个显著特征。其有《杂诗》[④]写客子思乡之愁绪曰：

俯视清水波，仰看明月光，天汉回西流，三五正纵横。草虫鸣何悲，孤雁独南翔。(其一)

西北有浮云，亭亭如车盖。惜哉时不遇，适与飘风会。吹

---

① 《典论·论文》，《三曹集》，第179页。
② 同上。
③ 《文心雕龙·才略》，《文心雕龙注》，第700页。
④ 《杂诗》之"杂"，李善以为："杂者，不拘流例，遇物即言，故云杂也。"(《文选》卷29《杂诗上·注》)。

我东南行,行行① 至吴会。(其二)

又有《燕歌行》写思妇念其夫曰:

援琴鸣弦发清商,短歌微吟不能长。明月皎皎照我床,星

汉西流夜未央。牵牛织女遥相望,尔独何辜限河梁?②

不论思念的是故乡还是亲人,都是情思飞扬、天人感通。曹丕诗如此,文亦是如此。他的《与朝歌令吴质书》怀念"昔日南皮之游",其情真切自然,生动感人。

曹丕的清绮之气与强力之气又不是截然分割的,其《大墙上嵩行》曰:

奏桓瑟,舞赵倡。女娥长歌,声协宫商,感心动耳,荡气回

肠。③

在这里,"声协宫商"是和气,"荡气回肠"则属壮气,二者共组为一长歌,便是和而又壮之气。但在诸子,几无人能达到和壮或清浊的统一,大都是偏于自己所长一面,从而形成文人相轻的陋习。即他所云:"夫人善于自见,而文非一体,鲜能备善,是以各以所长,相轻所短。"④

从一般的道理说,气总是意味着动的趋向,总是要飞扬表现的,故凡表现者都是张扬其所长也。接下来,以己之长衡人之短,自然便有相轻。当然,"鲜能备善"不等于完全不能备善,偏才达不到这一境界,通才总还是可以的。曹丕说:

盖奏议宜雅,书论宜理,铭诔尚实,诗赋欲丽。此四科不

同,故能之者偏也。唯通才能备其体。⑤

曹丕第一次将不同文体明确区分为"四科"。由于奏议、书论、铭诔、诗

---

① 《文选》卷 29《杂诗上》载该诗,"行行"作"南行"。

② 《三曹集》,第 190~191 页。

③ 《三曹集》,第 195 页。

④ 《典论·论文》,《三曹集》,第 178 页。

⑤ 同上。

赋各自的特点不同，人很难科科兼通，如王粲、徐幹长于辞赋，陈琳、阮瑀则擅长表章书记等。"四科"虽然都号为文，但真正属于文学作品范围的只是第四科诗赋。诗赋"欲丽"说明文学作品的天性是美，唯美与宜雅、讲理、尚实揭示了作文的不同追求和发展方向，但它们都与人的才气不可分。人禀于天之气，在后天有不同的表现，偏才是普遍的，通才则属罕见。用曹丕的话，"气之清浊有体"是普遍的，"唯通才能备其体"则是特殊。

清浊之体与偏兼之体在曹丕是相互协调的，偏兼之体虽直接指文体，但实际上是指习于文体之文人，文人的气质通过文气而表现。文气即人气，人言"文如其人"，实际上正是指因其气而有所感。在曹丕，通才既然可以兼四体，也就可以和清浊、协巧拙。即一方面是哀婉华丽、飘逸秀美亦即"清绮"之特色，另一方面则是他十分注重的遒劲有力的壮气。从他对七子"文气"的评价来说，壮气、强力似乎占有更重要的地位。

李德裕评曹丕之论文气说：

> 魏文《典论》称"文以气为主，气之清浊有体"，斯言尽之矣。然气不可以不贯，不贯，则虽有英辞丽藻，如编珠缀玉，不得为全璞之宝矣。鼓气以势壮为美，势不可以不息，不息则流宕而忘返。[1]

气"势"的概念曹丕尚不具有，但贯气则与和清浊、协巧拙不无关联。因为中心是讲气的整体，而整体之气势必然是壮美。只是这壮美本身亦须有尺度调节，使其既雄壮浑厚又恰当不过分。

曹植（192~232），字子建。曹植之才，历来为人所惊叹。所谓"天人"，所谓"才高八斗"，都是喻其才气之不可及。其七步成诗不仅在文

---

[1]　《李文饶集·李文饶外集》卷3《文章论》，[台]商务印书馆《四部丛刊正编》第36册，第183页。

学上传为美谈,更是将兄弟"相煎"的惨痛暴露得淋漓尽致。曹植之才气,一方面是天赋,另一方面也与他学习民间诗歌有关。他自言:

> 夫街谈巷说,必有可采;击辕之歌,有应《风》、《雅》。匹夫之思,未易轻弃也。①

可以说,《七步诗》是曹植忧思人生的产物,而忧思则出"慷慨",曹操当年忧思人生而有"慨当以慷"的感叹和豪情,曹植则继其父而直接提出了反映建安文坛特色的"慷慨"说。他论君子之作文曰:

> 故君子之作也,俨乎如高山,勃乎如浮云。质素也如秋蓬,摛藻也如春葩。泛乎洋洋,光乎皓皓,与《雅》、《颂》争流可也。余少而好赋,其所尚也,雅好慷慨,所著繁多。②

高山在雄壮,浮云则在飘逸,雄壮重实而飘逸务虚,实者实用如秋蓬,虚者艳丽如春葩,虚实匹配,洋洋大观,而与《雅》、《颂》争流。但所以能够如此,关键就在"雅好慷慨",那么,慷慨之气也就成为曹植文气中最为重要的因素。

所谓慷慨,前已述及,是指悲凉豪壮之气。曹植《薤露行》曰:

> 天地无穷极,阴阳转相因。人居一世间,忽若风吹尘。愿得展功勤,输力于明君。怀此王佐才,慷慨独不群。③

这可以说是慷慨之气的典型的写照。

可是,慷慨与《雅》、《颂》有什么关系呢?《雅》、《颂》(包括《风》)是中国诗歌的鼻祖,是周代朝廷、贵族歌咏之诗,其中《颂》又专用于宗庙祭祀。《雅》、《颂》文体虽各有特色,但总体上都是乐歌,是乐章之腔调,其基本手法则是所谓赋、比、兴。这些在后来的诗歌中都得到了广泛的运用和拓展,是诗歌的共性而非个性。但是,由于《诗》在战国时期就已

---

① 《与杨德祖书》,《三曹集》,第 284 页。
② 《前录自序》,同上书,第 287 页。
③ 《三曹集》,第 336 页。

成为儒家的经典而被称为《诗经》,后来者就不仅是因欣赏而采撷,而是必须有所遵奉,并以此作为衡量诗歌好坏优劣的标准。

班固在称颂西汉诗文时曾云:"或以抒下情而通讽谕,或以宣上德而尽忠孝,雍容揄扬,著于后嗣,抑亦《雅》、《颂》之亚也。"[①] 在这里,"宣上德而尽忠孝"无疑是汉代加强的纲常教化的产物,"抒下情而通讽谕"则是诗赋本有的功能,而在抒情中导入讽刺,则揭示了文学的表现手法与政治功能的密切关联。但抒情本身以及雍容揄扬,可以说都属于"雅"的一方。《文选》李善注引《毛诗序》说:"言天下之事,形四方之风,谓之雅。"[②] 以此解曹植"勃乎如浮云"没有问题,但要通向"俨乎如高山",讲豪壮之气,则只能是借助于与抒下情、通讽谕、宣上德的相互关联。

事实上,曹植之文的壮气也大都与政治相关。他将自己"少小所著辞赋一通"赠与杨修,杨修复函说:"损辱嘉命,蔚矣其文,诵读反覆,虽讽《雅》《颂》,不复过此。"[③] 其实,《雅》、《颂》是一个时代的产物,后人与前人看齐或超过前人,都不值得惊奇。故不论是曹植以为君子作文标准的与《雅》、《颂》争流,还是杨修以为比肩《雅》《颂》的曹植之辞赋,都是可以理解的。

不过,就曹植之辞气来看,他的"雅好慷慨"似乎又与年少气盛而作品繁杂有关。即他在此思想指导下才产生了"所著繁多"和"芜秽者众"的问题。所以他要对自己的作品进行删定,最后得 78 篇精致文字。换句话说,经过"删定"的作品才配得上与《雅》、《颂》争流。曹植自己所定的这 78 篇究竟是指哪些,已不可考,但它们贯穿着慷慨之气又精致典雅,则应当是肯定的。

---

① 《文选》卷1《赋·两都赋序》,第 21 ~ 22 页。
② 同上书,第 22 页。
③ 《答临淄侯笺》,见郁沅、张明高编选:《魏晋南北朝文论选》,人民文学出版社 1996 年版,第 42 页。

例如,《赠徐幹》曰:

> 慷慨有悲心,兴文自成篇。宝弃怨何人,和氏有其愆。弹
> 冠俟知己,知己谁不然? 良田无晚岁,膏泽多丰年。(注引刘
> 良云:"子建与徐幹俱不见用,有怨刺之意,故为此诗。")①

慷慨悲凉之气沁人心脾,名无哀怨,实则是更深的哀怨。

又相传《七步诗》曰:

> 煮豆燃豆萁,豆在釜中泣。本是同根生,相煎何太急!②

四句流传千古,悲凉之气已到极致,是对兄弟"相煎"的惨痛的哭诉。

同时,曹植之气不只有悲凉,亦有豪壮。《失题》云:

> 皇考建世业,余从征四方。栉风而沐雨,万里蒙露霜。剑
> 戟不离手,铠甲为衣裳。③

文章洋溢的是英雄豪壮之气,尽管曹植一生并未实际建立过可以称许的功业。

曹植的《魏德论》则直接是以气论德:

> 元气否塞,玄黄喷薄,辰星乱逆,阴阳舛错。[国无完邑,
> 陵无掩椁。]四海鼎沸,萧条沙漠。武皇之兴也,以道陵残,意
> 气风发。神戈退指,则妖氛顺制;灵旗一举,则朝阳播越。惟
> 我圣后,神武盖天,威光佐扫,辰慧北蛮(弯)。首尾争击,气齐
> 率然。④

以魏代汉,也就是以义气代元气,以人气定天气。而天人又是一体,气齐率然。魏之德气实乃曹植之壮气,文字间贯穿着气吞山河之势。

曹植虽以辞赋为"小道",以为不足以"揄扬大义"。但他在辞赋上的成就始终为后人所景仰,其中之佼佼者,便是如脍炙人口的《洛神

① 《三曹集》,第 360 页。
② 《三曹集》,第 369 页。
③ 《三曹集》,第 379 页。
④ 《三曹集》,第 293 页。

赋》。《洛神赋》倾情悦美,可以说是唯美主义的代表作。

其绘洛神之形:

> 其形也,翩若惊鸿,婉若游龙。荣耀秋菊,华茂春松。仿佛兮若轻云之蔽月,飘飘兮若流风之回雪。远而望之,皎若太阳生朝霞;迫而察之,灼若芙蓉出绿波。

其道洛神之神:

> 扬轻袿之绮靡(兮),翳修袖以延伫。体迅飞凫,飘忽若神。陵波微步,罗袜生尘。动无常则,若危若安。进止难期,若往若还。转眄流精,光润玉颜。含辞未吐,气若幽兰。

其忆洛神之真情:

> 动朱唇以徐言,陈交接之大纲。恨人神之道殊(兮),怨盛年之莫当。抗罗袂以掩涕兮,泪流襟之浪浪。悼良会之永绝兮,哀一逝而异乡。无微情以效爱兮,献江南之明珰。虽潜处于太阴,长寄心于君王。①

洛神之美,不止美在形,更美在神、美在情。赋之感人,从华美“欲丽”之文到绵绵无尽之情,为传神扬情之典范,对魏晋以后文人的影响非常深远。

钟嵘评价说:“(曹植)骨气奇高,词采华茂。情兼雅怨,体被文质。粲溢今古,卓尔不群。嗟乎! 陈思之于文章也,譬人伦之有周、孔,鳞羽之有龙凤,音乐之有琴瑟,女工之有黼黻。”② 曹植的骨气“奇高”,显示了他的慷慨壮美,他虽历经磨难,其执拗急切之心不改。骨气是内在的质,词采是外在的文,文质相互发明,缺一不可,但中心又贯穿着一个“情”字。如此通词气、兼雅怨、被文质之才降于一人之身,确属难得,所

---

① 《三曹集》,第248、249页。
② 《诗品上·魏陈思王曹植诗》,《诗品集注》,第97~98页。

以钟嵘比之于人伦之周、孔,粲溢古今。

沈约总结汉魏文学发展之概貌时说:

自汉至魏四百余年,辞人才子,文体三变:相如工为形似之言,二班长于情理之说,子建、仲宣以气质为体,并摽能擅美,独映当时。是以一世之士,各相慕习。[1]

由形似、情理到气质这三变,表明文学的发展越来越注重综合素质:以气质为体,作品才能立得住;摽能擅美,作品才能感染人。魏晋是崇尚自然的时代,而气质则不论是先天禀赋的底蕴,还是后天环境风俗的熏陶,都可以说是自然天成。故尽管曹植的创作辞采华丽,却又有真切质朴之感。

同时,讲究自然又不是排斥人为,清浊和壮与慷慨悲凉,都是内在情感的真实抒发。"观其时文,雅好慷慨,良由世积乱离,风衰俗怨,并志深而笔长,故梗概而多气也。"[2] 社会动乱和风俗的哀怨,酝酿了慷慨激越的情怀;而志向深邃和高妙的文笔,最终和盘托出了曹植非凡的气势。

二、言意之辨与文学的真味

建安之后的三国两晋时代,玄学占据了学术发展的主导地位,喜好玄言、玄理成为时代的风尚,文学的创作也就不得不受其影响。文学是以浪漫夸张的言辞来抒发和渲染人的情趣的,但这些言辞与作者想要表达的内在义蕴是否一致,却常常引起争议。意可否言传、言能否尽意,就成为哲学家和文学家们共同面临的问题。

---

[1] 《文选》卷50《史论·宋书谢灵运论一首》,第703页。
[2] 刘勰:《文心雕龙·时序》,《文心雕龙注》,第673~674页。

1、言能否尽意?

从文本的角度说,《周易·系辞上》最先揭橥言意的关系问题。其称"子曰'书不尽言,言不尽意'"而引出了"然则圣人之意,其不可见乎"的疑问。但在这里孔子自己的回答,是通过立象、设卦的手段来解决。相对于《周易》直接诉诸理论思辨的形式,庄子采用了更为生动的文学的描写,以期引起人们更多的思索。

《庄子·天道》记述说,有轮扁者对于齐桓公所读"圣人之言"颇为不敬,以为此乃"古人之糟魄"。他以积自己几十年经验的斫轮之技难以传授为例说:

> 得之于手而应于心,口不能言,有数存焉于其间。臣不能以喻臣之子,臣之子亦不能受之于臣,是以行年七十而老斫轮。古之人与其不可传也死矣,然则君之所读者,古人之糟魄已夫!①

斫轮技艺是自我经验积累的产物,其中的微妙处父子之间亦难以传承,更不用说先前的古人、死人之言了。其"不可传"者早已随这些先人而逝去,剩下来的言辞就不能不归入糟粕之列了。所以,庄子以为"意之所随者,不可以言传也"②。

在庄子,意不可言传是因为言外还有"所随"之意,所以言不能尽意。"言不尽意"在魏晋时期是流行的和主流的观点,荀粲一开初便以六经为"圣人之糠秕"而将这一问题推到极端,从而引起了连绵不绝的争论。但"言不尽意"论也有自己的反对者,西晋欧阳建的《言尽意论》便是反对一方的主要代表。

欧阳建(267~300),字坚石,渤海(今河北南皮)人。按《晋阳秋》的

---

① 见《庄子集释》,第490~491页。
② 同上书,第488页。

记载,欧阳建是当时颇有才藻之人,时人语之曰:"渤海赫赫,欧阳坚石。"① 然在赵王伦专权时,他与石崇、潘岳等名士一同被害。欧阳建留下的作品不多,但其《言尽意论》在当时社会却很有影响。他自知其"言尽意"说不合于潮流,故以"违众先生"对"雷同君子"来展开他的论辩。他的主要论点是:

> 诚以理得于心,非言不畅;物定于彼,非名不辩。言不畅志,则无以相接;名不辩物,则鉴识不显。

> 欲辩其实,则殊其名;欲宣其志,则立其称。名逐物而迁,言因理而变。此犹声发响应,形存影附,不得相与为二矣。苟其不二,则无不尽。②

从哲学上说,言与心(理、志,亦即"意")、名与实(物)是两个不同序列的范畴,但欧阳建将它们放在一起来进行推论。就前者言,名言是人们表达心意、实现相互交接的形式和手段,是随心理内容的变化而变化的,双方的联系在他如同声响、形影一样是直接的,不可分割。所以言尽必定意尽,"吾故以为尽矣"③。

欧阳建的论辩在理论上是有缺陷的,因为言无论是作为意的表达形式、手段,还是人们需要言来实现相互交流,言随意变而变,都只能说明言意之间存在密切的联系;但仅凭这种联系并无法保证所发之言就一定是彻底地表达了心中之意。而且,言同意异、意同言异、言变意不变、意变言不变等情形,在现实生活中是普遍存在的,并不能简单凭借一个尚待证明的言意的绝对同一性的假设,就可以将争论了解。

事实上,欧阳建的文学创作实践,已使他对这一问题有了新的认识。他留给后人的《临终诗》曰:

---

① 《世说新语》下卷下《仇隟》,《世说新语笺疏》,第924页。
② 《言尽意论》,《魏晋南北朝文论选》,第130页。
③ 同上。

不涉太行险,谁知斯路难?真伪因事显,人情难豫观。穷
达有定分,慷慨复何叹!上负慈母恩,痛酷摧心肝。下顾所怜
女,恻恻心中酸。二子弃若遗,念皆遭凶残。不惜一身死,惟
此一循环。执纸五情塞,挥笔涕汍澜。①

在这充满了慷慨悲凉之气的诗篇中,表达的是作者的万般愁绪和难以
言表、言尽的心情。"执纸五情塞,挥笔涕汍澜"说明,一进入文学创作
的领域,言尽意与意难以言尽是同时存在又相互补充的关系,言意之间
存在的是一种差别的而非绝对的同一。

可以说,无论是执著于言尽意还是言不尽意,都有其不完善、不周
全之处,学术的追求于是走向了有意无意之间。与欧阳建同时或稍晚
的虞骏喜老庄,认为《老子》、《庄子》"正与人意暗同","乃著《意赋》以豁
情,犹贾谊之《服鸟》也"②。侄子虞亮读后问道:"若有意也,非赋所尽;
若无意也,复何所赋?"虞骏回答说:"在有无之间耳。"③《意赋》本是以
"赋"表意,然"言(赋)不尽意"的时代所尚,使得意能否尽数"赋"出成为
不确定事;反之,如果赋不能表意,则赋之存在又成了问题。有意、无意
既均有不足,二者之间便是一种新的选择。

从虞骏《意赋》的具体内容看,其说曰:

至理归于浑一兮,荣辱固亦同贯。存亡既已均齐兮,正尽
死复何叹。物咸定于无初兮,俟时至而后验。若四节之素代
兮,岂当今之得远?且安有寿之与夭兮,或者情横多恋。宗统
竟初不别兮,大德亡其情愿。蠢动皆神之为兮,痴圣惟质所
建。真人都遣秽累兮,性茫荡而无岸。纵驱于辽廓之庭兮,委
体乎寂寥之馆。天地短于朝生兮,亿代促于始旦。顾瞻宇宙

① 《文选》卷23《咏怀·临终诗一首》,第326页。
② 《晋书》卷50《虞骏传》。
③ 同上。

微细兮,眇若豪锋之半。飘飘玄旷之域兮,深漠畅而靡玩。兀

与自然并体兮,融液忽而四散。①

显然,《意赋》意在赋玄,不论是至理归一、存亡均齐,还是委体寂寥、飘
飘玄旷,都是玄学有无之辨化入文学的产物。在此茫荡无知而与自然
"并体"的齐同状态中,"有意"显然已经被超越;但要是完全无意,"意"
也就不必赋了。所以只能是有意无意之间,《意赋》也可以说就是玄
言赋。

不过,尽管言不尽意或有意无意之间说一时蔚然成风,但欧阳建的
"言尽意"论在晋时仍有很大影响,以致成为王导逃往江左而必须携带
之物。《世说新语·文学》载这位东晋开国丞相又是清谈领袖的人物事
迹曰:

旧云:王丞相过江,止道《声无哀乐》、《养生》、《言尽意》三

理而已。然婉转关生,无所不入。②

"三理"之中,《声无哀乐》、《养生论》都是嵇康的著作,以嵇康在魏晋名
士中的声望,他携此书为理所当然。《世说新语·言语》记载:

周仆射雍容好仪形,诣王公,初下车,隐数人,王公含笑看

之。既坐,傲然啸咏。王公曰:"卿欲希嵇、阮邪?"答曰:"何敢

近舍明公,远希嵇、阮!"③

王导虽然是刺周颛希嵇、阮,但嵇、阮的文章风格常在他心中却是无疑
的。而欧阳建及其《言尽意论》在魏晋玄学中只能算是小字辈,王导未
取王弼、裴𬱟、郭象著作而选择欧阳建文,只能说明他亦是言尽意说的
拥护者。

王导曾与殷浩"共谈析理","既共清言,遂达三更","共相往返",而

---

①　《晋书》卷50《虞敳传》。

②　《世说新语笺疏》,第211页。

③　同上书,第101页。

旁人尽无能插话。"既彼我相尽,丞相乃叹曰:'向来语,乃竟未知理源所归,至于辞喻不相负。'正始之音,正当尔耳。"① 从此记述看,王导不仅心怀竹林名士,亦是仰慕正始之音的。正始诸贤在言意关系上以王弼的得意忘象、得象忘言为代表。王弼虽主张忘言,但那是在通过言象而明了意之后,在此前提下,言、象、意应是一致的,故而与言尽意说有相通之处。而从王导之感叹看,他最终认同的是理源有归、辞喻相负,并以为这正是正始之音的要旨所在。

言意之辨不是纯粹抽象的理论思考,在魏晋时期也在文学上触发了广泛的兴趣,但与哲学上有明确的《言尽意论》的主张不同,意有出于言外和忘言会意成为了文学创作的追求。

2、阮籍的美善外于形声

阮籍(210~263),字嗣宗,阮瑀之子,但阮瑀去世时阮籍才 3 岁,实际是在父辈友人的呵护下成长起来的。他虽亲曹氏,但对司马氏政权没有构成明显的妨碍,所以能避免做刀下之鬼。阮籍一生嗜酒,醉酒亦真亦假并成为了他生活的一部分。在这种半醉半醒的乖僻"痴"状中,虚无飘渺、恍恍惚惚的境界追求,成为他文学创作的一个显著的特点。他的《清思赋》便描述了他在半醒状态的飘渺恍惚中,所进入的一个清虚之境:

　　　　夫清虚廖廓,则神物来集:飘飘恍惚,则洞幽贯冥;冰心玉
　　质,则皎洁思存;恬淡无欲,则泰志适情。②

在轮扁或庄子那里,意不可言传,只能随死者而去。但在阮籍,却以为人若能达致清虚恍惚的境界,便能"洞幽贯冥"即感通道的世界。主客双方在这里是可以相互谐和的,最终走向泰志适情的精神自由,即所谓

---

① 《世说新语》上卷下《文学》,同上书,第 212 页。
② 《阮籍集校注》(陈伯君校注),中华书局 1987 年版,第 31 页。

逍遥。相对于建安才子悲凉雄壮的情感渲染,阮籍这里更多了抽象飘渺的玄思。这不仅是阮籍在恶劣的生存环境下企求自保的策略应对,也因为他觉察到了言意之间的确存在着距离。

他云:

> 余以为形之可见,非色之美;音之可闻,非声之善。昔皇帝登仙于荆山之上,振《咸辞》于南岳之冈,鬼神其幽,而夔牙不闻其章;女娲耀荣于东海之滨,而翩翩于洪西之旁,林石之隙从,而瑶台不照其光。是以微妙无形,寂寞无听,然后乃可以睹窈窕而淑清。①

在阮籍,形色之美,声闻之善,其实不是真正的美善,真正的美善在可见可闻的形声之外。所以说是无形无听才能睹形闻声。在严酷的现实中难以抒发真实情怀的阮籍,把目光转向了虚无飘渺之中去冥想自由。

从《老子》恍惚窈冥中有真情象状,《庄子》冥冥无声中有独见和音,再到阮籍讲清虚寥廓中有神物来集,如此一种立足于抽象玄思的想像,与建安文人发自于现实关怀的陈情,已有了很大的不同,道家的理想追求已经开始支配魏晋名士的头脑。

同时,既然是抽象的玄思,与感性的言辞也就有了距离。故同样是仙女,曹植的洛神,情色真切感人;阮籍的玉女,更多的却是虚无飘渺:"合欢情而微授兮,先②艳溢其若神。华姿烨以俱发兮,采色焕其并振。倾玄髦而垂鬓兮,曜红颜而自新。时暧瞹而将逝兮,风飘飘而振衣。云气解而雾离兮,霭奔散而永归。心惝惘而遥思兮,眇回目而弗晞。"③

曹植的洛神虽然也是别离,但总是长寄心于君王,导向还是人间真

---

① 《清思赋》,同上书,第29页。
② 中国社会科学院哲学所中国哲学史研究室编:《中国哲学史资料选集·魏晋隋唐之部(上)》认为,此"先"当为"光"之误。参见该书第210页注182。
③ 《大人先生传》,《阮籍集校注》,第182页。

情;而在阮籍,神女已是云解雾离,飘飘永归。人只能"眺思"而无法
"交接":

> 登高眺所思,举袂当朝阳。寄言云霄间,挥袖凌虚翔。飘
> 飙恍惚中,流眄顾我傍。悦怿未交接,晤言用感伤。①

在阮籍这里,神与人的距离已经很远了,不能有感性的交接,也就只能
寄心于空灵的神思了。故与曹植企盼神回现实不同,阮籍倾心于脱离
尘世,他的酒醉不过是他感伤心境的一种无可奈何的排遣,希冀于无何
有之乡的自在的遨游。

因而,他不但是"徘徊翱翔,迎风而游","恍然而止,忽然而休"②,
而且也像庄子一样自比为凤凰。但也正因为如此,玄想式的遨游最终
还是要回到世上。其曰:

> 林中有奇鸟,自言是凤凰。清朝饮醴泉,日夕栖山冈。高
> 鸣彻九州,延颈望八荒。适逢商风起,羽翼自摧藏。一去昆仑
> 西,何时复回翔! 但恨处非位,怆恨使心伤。③

凤凰固然高洁,但出路却只能是隐遁。"非位"带给他永远抹不去的
"心伤"。

那么,对于阮籍来说,言意之间的距离,实际上是现实和玄想之间
的距离的写照。形声之外的美善所喻指的,是现实之外的逍遥。寂寞
飘渺不在现实中,真意也就不可能出于言辞。尽管阮籍并未直接发明
言意之间尽与不尽的道理,但他身在现实却醉心于虚无飘渺,充分地表
达了他追求言外之意、之境的努力。

3、嵇康的"体妙心玄"

嵇康与阮籍齐名,同为竹林名士之领袖,并称嵇阮。嵇康虽与阮籍

---

① 《咏怀诗·七十九》,同上书,第 280 页。
② 《达庄论》,《阮籍集校注》,第 133 页。
③ 《咏怀诗·七十九》,同上书,第 400 页。

有很大的不同，即他不是以恍惚醉态，而是以清醒"直言"去面对人生；但生存条件的恶劣，使他同样而且更加向往天长地久的仙境。他之"忽欲等仙，以济不朽"自然是流于虚幻，但"长寄灵岳，怡志养神"却是真诚地被付之实践①。也正因为如此，嵇康的文学创作，多以颐养神志、调节性情为主，传神忘言也就在情理之中。

他曰：

目送归鸿，手挥五弦，俯仰自得，游心太玄。嘉彼钓叟，得

鱼忘筌。郢人逝矣，谁可尽言？②

庄子之得鱼忘筌、忘言之例③，通过嵇康的文学创作而在新的层面上得到进一步的渲染。庄子又曾讲过有名的"运斤成风"的故事。匠人能使郢人鼻端不伤，在于二人的心灵感通，互相配合。在这里，语言作为交流的手段是必需的，但语言的必需是基于意义的相互领会，互以对方为"质"，只有在特定"质"存在的情况下，语言或特定的行动才能表达充分的意义。因而，宋之君既已非郢人之质，匠人也就不可能于他而"尽垩"；同理，惠子既已逝去，没有了能交心的对象，庄子也就不再能"与言"④。换言之，"尽言"之难不是难在言本身，而是难在意的相互交流，只有尽意才能尽言；然而一旦尽意，又无须再言，这就如同已经得鱼而无须再理会筌一样。

嵇康既"嘉"庄子得鱼忘筌，又感慨无人能与尽言，还是希望寄言而抒其意、即肯定言的作用的。他要求"寄言以广意"⑤ 便是如此。但言与意的一定分离却既是必然的，也是必要的，他之"天长地久"的想像亦

① 见《四言十八首赠兄秀才入军》，《嵇康集译注》，第9、13页。

② 同上书，第13页。但"谁可尽言"，《文选》卷24《赠答二·赠秀才入军五首》引作"谁与尽言"。

③ 参见《庄子·外物》。

④ 参见《庄子·徐无鬼》。

⑤ 《琴赋一首并序》，《嵇康集译注》，第224页。

只能是在虚幻的意境中才可能实现。故不论他是"游心太玄",还是"目送归鸿,手挥五弦",都只能是现实言辞之外的心性空灵的逍遥。此般飘逸隽永的神思,促发了后来者不绝的灵感和创作的冲动。

东晋著名画家顾恺之是嵇康的崇拜者,"每重嵇康四言诗,因为之图"①。但却常常是图不达意,叹曰"手挥五弦易,目送归鸿难"②!顾氏画画是重"传神写照"的,故他画嵇康、阮籍都不点眼睛,以为"点睛便能语也"③。作画如此传神,可以说已得嵇阮之真谛,但犹以为"目送归鸿"难把握。因为"目送归鸿"寓含的,是"游心太玄"的期许,而这对于图画的形象表达,本来就存在着距离。

清王士禛曾比较嵇康与西晋左思的作品说:"左语豪矣,然他人可到。嵇语妙在象外。六朝人诗如'池塘生春草,清晖能娱人'及谢朓、何逊佳句多类此。读者当以神会,庶几遇之。顾长康云'手挥五弦易,目送归鸿难',藓可悟画理。"④ 豪壮可到而象外不可到,因为象外亦即形上,属于道的境界,这在嵇康也就是太玄,它是无法从言象中读出、而只能用心去体悟的。从"目送归鸿"到"游心太玄",可以说既是思维的深化,也是惬意的逍遥。

嵇康将太玄的哲学概念化入文学而强调"游心",与阮籍一样是把玄想的情怀和无为的旨趣融入了美的境界。在他的游仙氛围当中,营造出一种审美上的仙境和情感的体验。正是有此体验,"然后蒸以灵芝,润以醴泉,晞以朝阳,绥以五弦,无为自得,体妙心玄,忘欢而后乐足,遗生而后身存。⑤ 嵇康企盼的是人的身心得到充分调试而与天地

---

① 《晋书》卷92《顾恺之传》。

② 《世说新语》下卷上《巧艺》,《世说新语笺疏》,第721页。

③ 同上。见余嘉锡注引《书钞》。

④ 《古夫于亭杂录》卷2,文渊阁四库全书本,[台]商务印书馆影印,第870册,第613页。

⑤ 《养生论》,《嵇康集译注》,第51页。

为一的"乐足"的境界。

"乐足"超越于一般的快乐,因为它是忘欢之后的欢快,是"无为自得,体妙心玄"的结果。在这里,不论是"无为自得"还是"俯仰自得",中心都在于"自得";而既谓之"自得",便不可能从表层言辞中直接获取,而是重在心灵的自然感通。从而"太玄"也就变成了"心玄"。"心玄"之妙,正妙在言外:

> 鱼龙瀺灂,山鸟群飞。驾言出游,日夕忘归。思我良朋,
> 如渴如饥。愿言不获,怆矣其悲。①

"忘归"同样是渲染忘言的境界。鱼游鸟飞,人化于自然,尽管现实不能随其所愿,而止不住有悲怆,但道家和神仙的理想仍然给他以莫大的宽慰和动力:

> 王乔异②我去,乘云驾六龙。飘飖戏玄圃,黄老路相逢。
> 授我自然道,旷若发童蒙。……临觞奏《九韶》,雅歌何邕邕!
> 长与俗人别,谁能睹其踪?

在这里,俗人不能睹其踪的乘云飘飖,也意味着日常语言领会不了其中的奥妙,人外之境与言外之意在嵇康是联系在一起的。惟有依循黄老自然道,才能会通临觞雅歌的美景。事实上,嵇康心仪的言外之意、世外之境,一方面披露了他高洁的志向人所不能及,另一方面也反映了他不融于世道的追求难以为人所理解。

嵇康作有优雅婉转的《琴赋》,以叙"最优"之"琴德"。通过他的一番"推其所由"、"览其旨趣"的工夫,临到尾声却是万般的感慨:

> 乱曰:愔愔琴德,不可测兮;体清心远,邈难极兮;良质美
> 乎,遇今世兮;纷纶翕响,冠众艺兮;识音者希,孰能珍兮? 能

---

① 《四言十八首赠兄秀才入军》,《嵇康集译注》,第11页。

② 此"异"字,夏明钊注引《说文》作"举"讲,见《嵇康集译注》,第223页。

尽雅琴,唯圣人兮!①

琴德不是琴谱标记的音声符号所能测度的,识音者意在音外,"尽雅琴"者非在辞中。然圣人不至,识音尽琴的企盼也就成了永远的伤痛,这在嵇康可以说是不幸而言中:他临终索琴弹《广陵散》,哀叹"《广陵散》于今绝矣!"②《广陵散》之"绝"就绝在再无人能识音尽琴。

显然,嵇康对言外之意、琴外之音的祈求,不仅仅是文学的浪漫玄想,更是他悲怆人生实践的写照。

4、陶渊明的"欲辨忘言"

陶渊明(365~427),字元亮,一说名潜,字渊明,号五柳先生③,浔阳柴桑(今江西九江)人。陶渊明是东晋最著名的诗人和文学家。他开初亦曾想跻身于仕途建立功业,但每每不得志,数次辞官归隐,中年以后居家躬耕自给,生活贫苦,却又嗜酒如命。陶渊明生性清高,"不为五斗米折腰",不愿接受他人的接济,最终在贫病交加中辞世。

陶渊明作有自传性散文《五柳先生传》,被后人称为"实录"。他将自己的生平娓娓道来,平和淡泊又栩栩如生,既是他一生志向和风格的写照,又是自传体散文的名篇。他曰:

> 先生不知何许人也,亦不详其姓字。宅边有五柳树,因以为号焉。闲静少言,不慕荣利。好读书,不求甚解,每有会意,便欣然忘食。性嗜酒,家贫不能常得。亲旧知其如此,或置酒而招之。造饮辄尽,期在必醉。既醉而退,曾不吝情去留。环堵萧然,不蔽风日,短褐穿结,箪瓢屡空,晏如也。常著文章自

---

①　《琴赋一首并序》,《嵇康集译注》,第242页。

②　《晋书》卷49《嵇康传》。

③　陶渊明的名、字及生年,说法不一,今从习说。参见孙钧锡:《陶渊明集校注·附录·陶渊明年谱》,第217~238页。相关争论亦见吴云主编:《魏晋南北朝文学研究》,第391~394页。

娱，颇示己志。忘怀得失，以此自终。①
传文形象生动地描述了陶渊明贫困的生活和嗜酒自适的意趣。他闲静
少言，不慕荣利，但又通过文章来抒发自己的志向，而将得失置之度外。

陶渊明"期在必醉"，是因为醉中自有其乐。饮酒是乐，读书亦是
乐，但他之读书与别人不同，是"不求甚解"，而每有"会意"，便欣然"忘
食"。可以说，"求甚解"是汉代经学的最重要的特征，魏晋以义理代章
句，不求甚解也就时兴起来。王弼之取义以明象便是其例证。哲学是
如此，文学以想像为标识就更应当是如此，但作为读书习文之原则提出
来，则是陶渊明的创造。

在这里，不求甚解的关键在"会意"，"会意"是读书和文学欣赏的目
的。所以如果抓获了文章真意，其快乐也就难以形容。由情感的满足
到忘食，无疑是一种很高的境界。要真正有所创获，就必然会有所忘。
但所谓"忘"者，非为人有意识地执著，而是与真意的"自然"相遇，物我
冥合。对此意境，陶渊明脍炙人口的《饮酒诗》有更形象地展示。诗云：

结庐在人境，而无车马喧。问君何能尔？心远地自偏。
采菊东篱下，悠然见南山。山气日夕佳，飞鸟相与还。此中有
真意，欲辨已忘言。②

与阮籍、嵇康的徘徊云霄、乘云驾龙不同，陶渊明并不仰慕飘飘仙境。
在他这里，人间尘世同样能得隐逸悠闲之效。

从思想渊源说，陶渊明的时代，佛教已广泛流行，他与庐山慧远等
僧人也直接有交往，佛教思想对他是有影响的。所谓"心远地自偏"，也
就是佛教的不执著。只要心不执著，自然僻静离俗，而不必非要远遁尘
世。所以关键在于心远。

所谓"心远"，实际上就是心静，只有静下心来，才可能有悠然闲情。

① 孙钧锡：《陶渊明集校注》，中州古籍出版社1986年版，第192页。
② 《陶渊明集校注》，第86页。

他之"采菊东篱下,悠然见南山",突出的是一种闲情,以闲情为美感,是陶渊明文学创作的一大特色。他不是着力铺垫,而是自然道出。陶氏有意无意之间,由"篱下"到"山上",静谧的南山像似和盘托出,一幅和谐惬意的美景。

南山之美还在于有"气",气则日夕为佳,与心远山静相衬托的是飞鸟忙回巢的动景。动静交融,意蕴更丰满。对于如此美景中渗透出来的真意,语言似乎已显得多余。即使陶氏很想要做一番铺陈,亦无法觅得恰当的言辞。

"忘言"的境界,从庄子到嵇康都给予了描述,但总体上还停留于"得鱼忘筌"的意义上,是在"寄言广意"之后从功用的角度判定其不再为人所需,故而当忘;陶渊明则进了一步,强化了"真意"本不可辨的蕴含。"言"之被忘不是因为它已无用——得鱼之后的筌,而是根本就不需要,真意是在心境交融中自然呈现的。苏轼有云:"'采菊东篱下,悠然见南山。'因采菊而见山,境与意会,此句最有妙处。近岁俗本皆作'望南山',则此一篇神气都索然矣。古人用意深微,而俗士率然妄以意改,此最可疾。"① "见南山"之妙就妙在自然忘言,倘若换成"望南山",则是有意为之,意境已相差很远了。

在这里,如果说"心远地自偏"受佛教影响的话,诗词的整体基调则在于"自然"。"自然"是魏晋时期最为流行的概念之一,也是陶渊明文学创作的一条主线,因为他本来就以此为自己的质性。所谓"质性自然,非矫厉所得"② 也。"矫厉"作为自然的对立面,意味为了生计而屈枉本性,违心地周旋于官场。陶渊明显然不愿意照此生活下去:"饥冻虽切,违已交病。尝从人事,皆口腹自役。于是怅然慷慨,深愧平生之

────────

① 《题跋·题渊明〈饮酒诗〉后》,《苏轼文集》卷67,中华书局1986年版,第2092页。

② 《归去来兮辞并序》,《陶渊明集校注》,第180页。

志。"① 此平生志之可以联系到他的少年壮志,但更多的还是他的不愿苟且违心,渴望自然适意的心理的反映。所以他才准备辞官返乡。而归家之后,既"因事顺心",他的志向也就可以无愧了。此处的志向显然已不是豪情壮志,而是闲情逸志了。

他云:

> 引壶觞以自酌,眄庭柯以怡颜;倚南窗以寄傲,审容膝之易安。园日涉以成趣,门虽设而常关;策扶老以流憩,时矫首而遐观。云无心以出岫,鸟倦飞而知还;景翳翳以将入,抚孤松而盘桓。归去来兮,请息交以绝游! 世与我而相违,复驾言兮焉求!②

在这优美的辞句中,自酌怡颜自然是他心情舒适的写照;而日涉成趣、拄杖流憩表明他已安然适应了归隐于家的生活。他倚南窗,时矫首,遐观南山云气。"云无心以出岫,鸟倦飞而知还"已经可以说是"山气日夕佳,飞鸟相与还"的初演,而"无心"之点睛也开始有了"悠然见南山"的氛围。

不过,此时之"自然"尚未达到"悠然"的境界,他之心事并未完全平衡,世与己违还不能忘却于心。所以,他还要"抚孤松而盘桓"。但他终究是要与世俗做一了断,"聊乘化以归尽,乐夫天命复奚疑!"③ 使自己完全融于大化流行之中,享受"自然"的快乐。

陶渊明的"自然"基调最明显地表现在他的田园诗中。以田园题材入诗,是陶氏诗歌的一个突出特点。这尤其表现在他的《归田园居五首》中。

其一曰:

---

① 《归去来兮辞并序》,《陶渊明集校注》,第180页。
② 同上书,第181页。
③ 同上。

　　　　开荒南野际,守拙归园田。方宅十余亩,草屋八九间;榆
　　柳荫后檐,桃李落堂前。暧暧远人村,依依墟里烟;狗吠深巷
　　中,鸡鸣桑树颠。户庭无尘杂,虚室有余闲。久在樊笼里,复
　　得返自然。

其三曰:

　　　　种豆南山下,草盛豆苗稀。晨兴理荒秽,带月荷锄归。道
　　狭草木长,夕露沾我衣;衣沾不足惜,但使愿无违!①

在陶渊明,农耕劳作的辛苦已荡然无存,草屋、树木、墟烟、狗吠、
荷锄、夕露,没有绮丽的词藻,没有精心的雕琢,但一切都是那么生
机盎然、和谐成章。悠闲自得又亲近感人,是陶渊明田园诗的最大特
色。“复得返自然”使他欣喜,“但使愿无违”使他企盼,正是这样一
种自然调适又充满着憧憬期待的心境,伴随着他度过了贫困清苦的后
半程人生。

　　可以说,复返田园是他的最终归宿,但同时也是他心灵的寄托。他
将人世间的全部美好都留给了田园,留给了老死不相往来的世外田园
——桃花源村。他的《桃花源诗并记》用动情传神的笔调描写出了作者
心中的理想,可以说是他“自然”追求的最终结果,也在一定程度上反映
了同样依于田园的普通民众的企盼,其文学感染力流传千百年不衰。

　　自然与名教的关系在魏晋时期是一个理论热点,嵇康便是主张越
名教而任自然。陶渊明归隐田园,则是从实践上对名教政治的摈弃。
他不论是在清醒中品尝淡泊田园的韵味,还是在醉酒中寻求解脱无拘
的快乐,中心都是一个自然。在他为外祖父孟嘉所撰写的传记中,专门
记载有“酒中趣”一节:

　　　　(桓)温尝问(孟嘉)君:“酒有何好,而卿嗜之?”君笑而答
　　曰:“明公(桓温)但不得酒中趣尔!”又问听妓“丝不如竹,竹不

————————
　　①　见《陶渊明集校注》,第41、43页。

如肉",答曰:"渐进自然。"①

所谓"酒中趣",就趣在脱于俗务而回归自然,所以手弹(弦乐)不如口吹(管乐),口吹不如声唱,只有后者才是人之本音,最符合自然。这既是说孟嘉,也是道陶氏自己。所以酒在陶渊明亦是道具,要在表达他自己的心声。

萧统在为所编《陶渊明集》所做的《序》中说:"有疑陶渊明诗篇篇有酒,吾观其意不在酒,亦寄酒为迹者也。"② 篇篇有酒不过是迹,而迹在于出意,"意"虽非言所能描,但却可以经由酒趣而得彰显。这既是陶渊明的"无言"境界,也是他的"新自然说"。

"新自然说"是陈寅恪的概括。陶渊明曾经"言神辨自然",在精神与自然的关系方面有自觉的思考。在他看来:"甚念伤吾身,正宜委运去;纵浪大化中,不喜亦不惧,应尽便须尽,无复独多虑!"③ 即他反对"甚念"、"多虑"而主张委运自然,但又并未否定念、虑本身。陈寅恪在引述陶渊明诗后加按语说:

> 此诗结合语意,谓旧自然说与名教说之两非,而新自然说之要旨在委运顺化。夫运化亦自然也,既随顺自然,与自然混同,则认己身亦自然之一部,而不须更别求腾化之术,如主旧自然说者之所为也。④

说陶渊明的要旨在委运顺化,徐公持有保留地接受。他评论说:"陈说诚是,然尚应指出一点,即陶渊明之'自然'观念,除包含委运顺化人生态度之外,又具有重视性情或精神之特质,即其'自然'观念更多从自身性情出发,认为人之本性应得到舒展散发,而不应加以羁縻束缚。由此可

---

① 《晋故征西大将军长史孟府君传》,同上书,第174页。
② 《陶渊明集序》,《魏晋南北朝文论选》,第335页。
③ 《形影神三首并序·神释》,《陶渊明集校注》,第65页。
④ 《陶渊明之思想与清谈之关系》,《陈寅恪文集之二·金明馆丛稿初编》,上海古籍出版社1980年版,第202页。

称之为性情之自然或曰精神之自然。"①

在这里,陈说的中心在无为,徐说补充的则属于有为,但又不是执著无为或有为,而是居于无为有为之间。陶渊明的"忘言"之境便是他这种新自然说的"新"精神的写照。他之"吾生梦幻间,何事绁尘羁"②是在梦幻飘浮之中表达了解脱羁靡、渴望自由的心愿,而其"不觉知有我,安知物为贵"③ 又将自身性情的抒发潜藏在不觉忘我之中。在僧肇之不有不无论已经昭然并明辨幻化之义的晋宋之际,陶渊明的"酒中真味"或许正在于此。

三、玄言与山水抒情

由两晋到南北朝,文学的发展产生了新的变化,这就是玄言诗和山水诗的兴起。本来,玄学理论的发展,到东晋已进入尾声,但理论创造活力的匮乏并不直接导致社会影响的衰减。事实上,东晋文学正是玄学思辨向文学领域大肆扩张的时期,文学之士普遍喜欢谈玄,"玄言"自然地进入到诗赋的创作而成为东晋文学的一大特点。同时,东晋也是山水诗的萌发时期,从东晋到南北朝,谈玄的风气虽仍然存在,但诗歌创作的重心,已渐从谈玄说理转向对山水之美的欣赏,"唯美主义"渐成普遍的风尚。

1、时代文学划分的标志

魏晋南北朝文学发展阶段的划分,与玄言诗与山水诗的区别密切

---

① 《魏晋文学史》,第 581 页。
② 《饮酒二十首并序·八》,《陶渊明集校注》,第 88 页。
③ 同上书·十四,第 92 页。

相关。一般说来,玄言诗即谈玄论理之诗,看重的是虚玄空无的境界,老庄的思想可以说是其核心;山水诗则是以自然山水为歌咏对象之诗,重在山水之美的欣赏和追求。但在文学史上,玄言与山水的划分,并不仅仅是在写作特点和艺术风格上,更重要的是它们与时代联系了起来,从而成为了时代文学的标志。

刘勰云:

> 自中朝(西晋)贵玄,江左(东晋)称盛,因谈余气,流成文体。是以世极迍邅,而辞意夷泰。诗必柱下之旨归,赋乃漆园之义疏。故知文变染乎世情,兴废系乎时序。[1]

又云:

> 江左篇制,溺乎玄风。……宋初文坛,体有因革。庄老告退,而山水方滋。[2]

那么,玄言诗便是东晋玄风称盛,归宗老庄的产物。这即是"世情",也是"时序"。但文体因革,时代递嬗,晋宋之交,老庄玄风转向山水景观。从而,"庄老告退而山水方滋"便成为晋宋文学发展脉络的概括和划分晋宋文学时代的标志。

与刘勰同时代的钟嵘,所持大略相同,但又有所细化。他云:

> 永嘉时,归黄老,稍尚虚谈。于时篇什,理过其辞,淡乎寡味。爰及江表,微波尚传,孙绰、许询、桓、庾诸公诗,皆平典似《道德论》。建安风力尽矣。[3]

钟嵘对从西晋末到东晋的玄言诗的特征进行了揭示,即所谓"理过其辞,淡乎寡味",诗辞的特点就在于韵味,无味就变成了抽象说理而不是文学了。他以为这便是孙、许诸人诗辞的共性。他们谈论玄理的诗歌,

---

① 《文心雕龙·时序》,《文心雕龙注》,第675页。
② 《文心雕龙·明诗》,《文心雕龙注》,第67页。
③ 《诗品序》,《诗品集注》,第24页。

与其说是诗,还不如说是魏晋玄学家的《道德论》。建安文学开创的璀璨绮丽、真挚感人的文风,从此不再。也正因为如此,人们对东晋文学的评价,总体上是不高的。

20世纪以后,人们对魏晋南北朝文学的评价走向多样化,但刘勰、钟嵘的观点仍然是基本的参照。吴云主编的《20世纪中国文学研究·魏晋南北朝文学研究》评价东晋文学研究的基调,便是刘勰、钟嵘的观点,认为这说明了当时的一般情况。[①] 当然,亦举刘大杰等人的观点,说明东晋文学也有自己的成就。譬如,对于作为玄言诗代表的孙绰、许询,要看到"许以品格称,孙以文采胜,他的《天台山赋》虽杂有禅意,然刻画极精,文字亦美丽"[②]。

不过,刘大杰的评价,与他对汉魏晋南北朝文学发展的总体趋势,是文学从儒学的桎梏中解脱出来而取得独立地位的宏观视野相联系的。他以为,从建安到魏晋,是文学宣告独立的时代,"由汉代的伦理主义,变为魏晋的个人主义,再变为南朝的唯美主义了"[③]。唯美主义可以归为山水美学,而个人主义则与玄言有关,当然"玄言"本身亦有维护"论理"的一面。刘大杰以魏晋为非唯美主义,意味着以山水之审美将魏晋与南北朝区别开来。

王运熙、杨明亦以为南北朝文学是摆脱儒家传统束缚、玄学依然流行的时期。这一时期文学的首要特点,是"山水写景文学的兴盛。谢灵运倡导并写作山水诗,取代了枯淡的玄言诗长期统治诗坛的局面,影响深远"[④]。言下之意,东晋仍是玄言诗占统治地位的时代。

一般学者虽整体上认同玄言与山水代表着两个时代的文学特征,但又都肯定双方是相互联系、而非截然分割的。如范文澜注《文心雕

---

① 《20世纪中国文学研究·魏晋南北朝文学研究》,第301页。

② 同上书,第302页。

③ 刘大杰:《魏晋思想论》(林东海导读),上海古籍出版社1998年版,第134页。

④ 《魏晋南北朝文学批评史》,第156～157页。

龙》按云:"写山水之诗起自东晋初庾阐诸人。"① 即认为山水诗的兴起
是一个过程。曹道衡的《魏晋文学》一方面以"庄老告退,山水方
滋"作为晋宋文学交接的标志;"但另一方面,'玄言诗'本身也在不
断变化,最后导致了'山水诗'的出现。'玄言'与'山水'之间,
其实存在着千丝万缕的联系。"② 正是因为存在着这样的联系,故山
水诗不是从宋初、而是从东晋就开始了。当然,从诗歌发展的大势和
量的关系对比来分析,东晋的山水诗并未形成力量。因为,"一,有
些写山水的诗,受玄言诗的影响,玄气未除。二,山水诗数量还不
多。三,缺乏有影响的作家和作品。"③ 所以这并不会动摇玄言诗在
东晋的主导地位。

　　而在近年来魏晋文学研究分量最大的著作《魏晋文学史》中,徐公
持对东晋南朝文学变迁的分析又有自己的特点。他认为东晋文学在整
个中国文学史上不属于高潮期,但也不是东晋无文学可言,具体将东晋
文学分为前、中、后三个时期:前期(317～344)文学自然生灭,未能形成
大的规模和声势,同时也缺乏主流性格而成驳杂状态。中期(345～
396)文士对于玄学清谈的爱好发展到极致,此时为玄言诗的高潮期。
然在玄言之中,又显露出新的诗歌发展朕兆,即山水景物诗即将兴起。
后期(397～420)诗作玄言成分已明显减少,显示玄言高潮之衰退,而其
山水景物内容,实开谢灵运山水诗之先河。④

　　从总体来看,徐公持亦是赞同以"庄老告退,山水方滋"作为晋宋文
学时代划分的标志的,又由于第一阶段缺乏主流、第二、三阶段则是以
玄言诗到达高潮和高潮减退贯穿文坛,故总体来看仍是玄言诗为时代
的特色。但以为刘勰将线划到宋初不妥,"'因革'过程,应自东晋末算

① 《文心雕龙·明诗》,《文心雕龙注》,第92页注34。
② 《魏晋文学》,第3、216页。
③ 《20世纪中国文学研究·魏晋南北朝文学研究》,第303页。
④ 见《魏晋文学史》,第442～445页。

起,非仅宋初也。"①

　　与上述观点有别的,是认为刘勰、钟嵘的观点不当,不赞同以"庄老告退,山水方滋"作为晋宋文学划分的标志。但其中的具体见解又各有差别:王瑶以为,东晋的时代变迁,"并不是人们的思想和对于宇宙人生认识的变迁,而只是一种导体,一种媒介物的变迁",因而其意义远不是那么重要。在此前提下,"'老庄'其实并没有'告退',而是用山水乔装的姿态又出现了";"我们说山水诗的改变,毋宁说是玄言诗的继续。"② 山水诗既然只是玄言诗的变形和继续,那么玄言诗到宋以后就仍在继续。王毅亦认为,"庄老告退而山水方滋"的说法是不确切的,他从东晋的社会生活入手,分析了东晋文学中玄言诗与山水诗并存的状况③。

　　对刘、钟观点不认同而予以系统反驳的是罗宗强。罗宗强《魏晋南北朝文学思想史》用了相当多的篇幅来分析东晋南朝山水审美观的奠定和发展。罗氏的基本理论工具仍是联系和发展的观点。他认为:"刘勰所说的'庄老告退而山水方滋'是不确切的,老庄之人生境界进入文学,乃是山水进入文学的前奏,山水意识是建立在老庄人生情趣之上的。"④ 换句话说,没有老庄也就没有山水,老庄是山水兴起的前件,故以二者各别而前后替代的观点观察晋宋文学的发展是不对的。而钟嵘贬低东晋文学的观点与刘勰如出一辙。正是因为他二人的影响,"这以后,论者便把玄言看作东晋诗赋的主要特征。其实,这是不确的,不惟对赋的评论不公平,对诗的评论也失之片面。而更重要的一点,是在这一评论后面,掩盖了一个十分重要的事实,这就是山水审美情趣在这时的士人中有很充分的发展。……中国士人山水审美趣味的基本格调,

----

① 　《魏晋文学史》,第445页。
② 　《20世纪中国文学研究·魏晋南北朝文学研究》,第303页。
③ 　同上书,第304页。
④ 　《魏晋南北朝文学思想史》,第6页。

应该说是在东晋奠定了的。"① 既然如此,玄言诗在东晋文学中的地位也就应当辩证地看待。玄言诗创作思潮的出现,是文学思想"发展过程的自我完善的一种必然现象","乃是此时士人生活情趣变化的一个侧面的反映"②。

不过,罗宗强虽然认为山水意识出现甚早,但"早期的形态却主要是伴随着玄思出现的,游览与审美,并未处于中心的位置";"东晋诗中的山水描写,主要的还是玄思的载体,山水本身,并非作为审美的对象出现。谢灵运改变了山水在诗中的地位"。③ 由此,山水描写既然只是载体,不是主角,不处于中心地位,那中心就仍然还是玄思。直至谢灵运才有地位的根本改变。

那么,罗宗强似乎又在后退,而向他所批评的以谈玄论理为东晋诗赋的主要特征的观点回归,与以谢灵运最终实现从玄言到山水的转变的一般见解相协调。所以,"尽管'庄老告退,山水方滋'说得过于简单,容易使人误解为从玄言诗到山水诗的演化,是一种机械的取代,不过总的说来,刘勰的概括还是相当精彩的。的确,只有到了宋初,当谢灵运以其敏锐的感触、出众的才华,以及高级士族特有的审美情趣,并投入主要精力于山水创作之时,方真正完成了从玄言诗到山水诗的转变。"④ 总而言之,对东晋末到宋初中国文学的发展实现了一个新的转换这一总体趋势来说,学者们大都表示了赞同。

2、玄言诗的特色与代表

玄言诗的兴起发展,如果以刘勰的"中朝贵玄,江左称盛"或钟嵘的永嘉"稍尚虚谈"、江表"微波尚传"来看,主要是指西晋后期到东晋这一

---

① 《魏晋南北朝文学思想史》,第134页。
② 同上书,第142页。
③ 同上书,第189页。
④ 骆玉明、张宗原著:《南北朝文学》,安徽教育出版社1991年版,第64页。

阶段的诗作。不过,如果将魏晋之际阮籍、嵇康等人以玄理入诗的情况也算在内,则玄言诗的历史就更长。徐公持即点出阮籍的《咏怀诗》、嵇康的《秋胡行》、《赠兄秀才入军诗》等玄言成分颇重,而为玄言诗的开端。然开端之后,由于西晋玄学家多不作诗,故玄言诗反不昌盛,直至晋末永嘉玄风扇起,东晋玄学、文学一身二任的名士增多,玄言入诗,遂成风气。①

在东晋清谈名士中,许询、孙绰、王羲之、谢安等既是大致同时共游的好友,又是以玄言入诗的主要的代表。

许询,字玄度,高阳(今属河北)人。因曾被征召司徒掾,又称许掾。许询虽然早卒,但清言名声胜于一时。刘孝标注引《晋中兴士人书》曰:"许询能清言,于时士人皆钦慕仰爱之心。"② 唐道宣《三宝感通录一》引《地志》曰:"晋时高阳许询诣建业,见者倾倒。"③ 许询为士人所倾倒,不只在清言,亦在才情。《世说新语·赏誉》记载:"许玄度送母,始出都,人问刘尹:'玄度定称所闻不?'刘曰:'才情过于所闻。'"④ 实际才情比日常传闻更高。简文帝称评许询诗说:"玄度五言诗,可谓妙绝时人。"⑤《续晋阳秋》说许询"有才藻,善属文。……许、(孙)绰并为一时文宗,自此作者悉体之。"⑥

但是,许询虽名声和才藻甚高,但几乎没留下来完整的作品。钟嵘列孙绰、许询诗为下品,以为"世称孙、许,弥善恬淡之词。"⑦《七录》载有他的诗文集8卷,录1卷。隋唐时尚有3卷,宋以后则不再著录⑧。

① 见《魏晋文学史》,第457~458页。
② 《世说新语》上卷上《言语》,《世说新语笺疏》,第134页。
③ 余嘉锡疏引。见同上书。
④ 《世说新语笺疏》,第473页。
⑤ 《世说新语》上卷下《文学》,《世说新语笺疏》,第262页。
⑥ 刘孝标注引。见同上书。
⑦ 《诗品下》,《诗品集注》,第386页。
⑧ 《世说新语笺疏》,余嘉锡疏,第263页。

故今则只能见有部分的片断。按逯钦立辑许询诗共有三段如下：

《竹扇诗》："良工眇芳林，妙思触物骋。篾疑秋蝉翼，团取望舒景。"

《农里诗》："亹亹玄诗得，濯濯情累除。"

《诗》："青松凝素髓，秋菊落芳英。"①

从此诗之点滴来看，玄言自然是无复置疑，但春秋山林的景物描写亦融于其中，玄思与景物的契合还是相当协调的。

孙绰(314～371)，字兴公，太原中都(今山西平遥)人。《晋书》本传说他早年与许询"俱有高尚之志。居于会稽，游放山水，十有余年，乃作《遂初赋》以叙其意。"② 孙绰青少年时曾被誉为文士之冠，后又与许询并列为"文宗"，于是常有他二人高低轩轾之说。当然，这里还有一个参照的基点，就是孙绰与许询始终隐居不同，他后来出仕为官。

《世说新语·品藻》记曰：

支道林问孙兴公："君何如许掾?"孙曰："高情远致，弟子蚤已服膺；一吟一咏，许将北面。"③

孙兴公、许玄度皆一时名流。或重许高情，或鄙孙秽行；或爱孙才藻，而无取于许。④

刘孝标注引说：

宋明帝《文章志》曰："绰博涉经史，长于属文，与许询俱与负俗之谈。询卒不降志，而绰婴纶世务焉。"《续晋阳秋》曰："绰虽有文才，而诞纵多秽行，时人鄙之。"⑤

那么，孙绰的品行虽不如许询，但文采在许询之上。

---

① 《先秦汉魏晋南北朝诗》中，逯钦立辑校，中华书局1983年版，第894页。
② 《晋书》卷56《孙绰传》。
③ 《世说新语》中卷下，《世说新语笺疏》，第528页。
④ 同上书，第531页。
⑤ 同上书，第532页。

　　孙绰是东晋主张儒、道、玄、释尤其是儒、释二教调和的代表人物之一,作有《道贤论》、《喻道论》、《列仙传赞》等著作,又将两晋七僧比喻为竹林七贤。其文学创作初以赋知名,而其赋既有山水景物又往往说经论道,曾断语云"《三都》、《二京》,五经鼓吹"。刘孝标注说:"言此五赋是经典之羽翼。"① 孙绰出仕后,曾为东晋朝廷利益谏阻桓温迁都洛阳议。桓温心服而口不服,讥孙绰"君何不寻《遂初赋》,而强知人家国事!"② 为朝廷计属于儒家之作为,而其《遂初赋》"自言见止足之分",则显然依于道家。

　　孙绰《遂初赋》云:

　　　　余少慕老庄之道,仰其风流久矣。却感於陵贤妻之言,怅然悟之。乃经始东山,建五亩之宅,带长阜,依茂林,孰与坐华幕击钟鼓者同年而语其乐哉!③

隐居之乐与干预朝政,在桓温眼里明显是矛盾的,但在善于玄思的孙绰这里,却又可以统一。

　　孙绰所作赋,最有名者当属《游天台赋》,孙绰曾很为此赋自得。《世说新语·文学》记载:"孙兴公作《天台赋》成,以示范荣期,云:'卿试掷地,要作金石声。'范曰:'恐子之金石,非宫商中声。'然每至佳句,辄云:'应是我辈语。'"④ 这种能被范启(字荣期)认可的佳句,或曰能作金石声者,刘孝标注引说:"'赤城霞起而建标,瀑布飞流而界道',此赋之佳处。"⑤

　　孙绰赋中之佳句自然还有不少,但孙绰的山水景物描写是为他融通三教、大倡玄风服务的,而不是为写景而写景。山水之美含藏于玄言

---

①　《世说新语》上卷下《文学》,《世说新语笺疏》,第 260 页。

②　《世说新语》下卷下《轻诋》,《世说新语笺疏》,第 839 页。

③　《世说新语》上卷上《言语》,《世说新语笺疏》,第 140 页。

④　《世说新语笺疏》,第 267 页。

⑤　同上。

之中。如他为《天台山赋》所作之《序》云：

> 天台山者，盖山岳之神秀者也。涉海则有方丈蓬莱，登陆
> 则有四明天台，皆玄圣之所游化，灵仙之所窟宅。夫其峻极之
> 状，嘉祥之美，穷山海之瑰富，尽人神之壮丽矣！所以不列于
> 五岳、阙载于常典者，岂不以所立冥奥，其路幽回，或倒景于重
> 溟，或匿峰于千岭。始经魑魅之涂，卒践无人之境，举世罕能
> 登陟，王者莫由禋祀。故事绝于常篇，名标于奇记。然图像之
> 与，岂虚也哉？非夫遗世玩道、绝粒茹芝者，乌能轻举而宅之？
> 非夫远寄冥搜、笃信通神者，何肯遥想而存之？余所以驰神运
> 思，昼咏宵兴，俛仰之间，若已再生者也。方解缨络，永托兹
> 岭，不任吟想之至，聊奋藻以散怀。①

就此《序》而言，孙绰固然描述了山景之奇妙，但重点却在探求此山不被
人所认识之缘由。他自己虽不同于常人，而能认识此山，原因也不在攀
登游览，而在于他的"遗世玩道"、"驰神运思"，与登山之实践反倒没有
关系。故有学者以为，他恐怕未必真的登山②。不论其是否真的登山，
玄思而非亲历所感是《序》文的写作主线。

《序》文如此，正文同样如此。他既在吟唱"太虚辽阔而无阂，适自然之
妙有，融而为川渎，结而为山阜"，又在嗟叹"台岳之所奇挺，是神明之所扶
持"。此后虽然刻画了天台山之灵秀，但每每都要联系到玄理："释域中之
常恋，畅超然之高情"；"追羲农之绝轨，蹑二老之玄踪"。那么，假定他真的
游山之收获，就不是山川俊秀之美感，而是有无和合之神通：

> 于是游览既周，体静心闲，害马已去，世事都捐。捉刃皆
> 虚，目牛无全。凝思幽岩，朗咏长川。尔乃羲和亭午，游气高
> 襄。法鼓琅以振响，众香馥以扬烟。肆观无宗，爰集通仙。把

---

① 《文选》卷11《赋·游天台山赋并序》，第163～164页。
② 参见曹道衡：《魏晋文学》，第218页。

以玄玉之膏,嗽以华池之泉,散以象外之说,畅以无声之篇,悟遣有之不尽,觉涉无之有间。泯色空以合迹,忽即有而得玄。释二名之同出,消一无于三幡。恣语乐以终日,等寂默于不言。浑万象以冥观,兀同体于自然。①

就此结语的"浑万象以冥观,兀同体于自然"来说,可以说是典型的玄言赋。以此为标识,东晋文坛正式进入了玄言的时代。

孙绰作为东晋玄言诗的代表,其诗比赋更加鲜明地体现了他的玄言特色。按逯钦立所辑之《表哀诗〈并序〉》、《赠温峤诗(五章)》、《与庾冰诗(十三章)》、《答许询诗(九章)》、《赠谢安诗》等,可以说都是如此。譬如:

《表哀诗》:"茫茫太极,赋授理殊,咨生不辰,仁考凤徂。微微冲弱,眇眇偏孤。叩心昊苍,痛贯黄墟。"

《赠温峤诗》:"大朴无象,钻之者鲜。玄风虽存,微言靡演。邈矣哲人,测深钩缅。谁谓道辽,得之无远。"

《赠谢安诗》:"缅哉冥古,邈矣上皇。夷明太素,结纽灵纲。不有其一,二理何彰? 幽源散流,玄风吐芳。"②

不过,孙绰诗歌除了直接畅玄以外,也有不少咏物寄情之诗,玄思是渗透在诗作之中的。故其诗读来反觉更有韵味。《秋日诗》便是这方面的代表:诗曰:

萧瑟仲秋月,飂戾风云高。山居感时变,远客兴长谣。疏林积凉风,虚岫结凝霄。湛露洒庭林,密叶辞荣条。抚菌悲先落,攀松羡后凋。垂纶在林野,交情远市朝。澹然古怀心,濠上岂伊遥。③

"秋日"本是萧瑟的季节,孙绰的形象描述更增添了悲凉的气氛。但他

---

① 《游天台山赋》,第 166 页。
② 《先秦汉魏晋南北朝诗》,第 897、900 页。
③ 同上书,第 901~902 页。

用辞并不雕琢,显得平实自然,这与他所怀澹然、"濠上"之心是联系在一起的。

王羲之(303~361),字逸少,祖籍琅邪临沂(今属山东)人,后定居于浙江会稽。因曾任右军将军,故又称"王右军"。王羲之在历史上素以书法留名,他参与组织的兰亭雅集亦传为文学史上的美谈。《晋书》本传说,王羲之所居之会稽,因其山水俊美,"名士多居之,谢安未仕时亦居焉。孙绰、李充、许询、支遁等皆以文义冠世,并筑室东土,与羲之同好。尝与同志宴集于会稽山阴之兰亭,羲之自为之序以申其志"①。是即著名的《兰亭集序》。

不过,对于该《兰亭集序》,《晋书》本传并未标其名。刘孝标注《世说新语·企羡》"王右军"条所引该序部分,则名之曰《临河叙》。其文云:

> 永和九年,岁在癸丑,莫春之初,会于会稽山阴之兰亭,修禊事也。群贤毕至,少长咸集。此地有崇山峻岭,茂林修竹,又有清流激湍,映带左右。引以为流觞曲水,列坐其次。是日也,天朗气清,惠风和畅,娱目驰怀,信可乐也。虽无丝竹管弦之盛,一觞一咏,亦足以畅叙幽情矣。故列序时人,录其所述。右将军司马太原孙丞公等二十六人,赋诗如左,前余姚令会稽谢胜等十五人不能赋诗,罚酒各三斗。②

整篇序文文字清新优美,生动地记叙了41人兰亭雅集的情形。41人中,26人有诗作共41首,总称为《兰亭诗》。序文在《晋书》本传所载要较此文字多出一段,二文是删节与全文的关系,还是本传所载有疑问,由于该文并未被萧统《文选》所收,故后来有怀疑出于伪托;又作为书法名世的《兰亭集序》手迹的真伪亦难以确认,历来众说纷纭。故在学术史上留下了不少疑点。

---

① 《晋书》卷80《王羲之传》。
② 《世说新语笺疏》,第630页。

曹道衡认为,本传序文总体上应是可信的,至于书法真伪则是另外的问题①。王羲之《兰亭诗》今留有二首,四、五言诗各一首如下:

四言诗曰:"代谢鳞次,忽焉以周。欣此暮春,和气载柔。咏彼舞雩,异世同流。乃携齐契,散怀一丘。"

五言诗曰:"悠悠大象运,轮转无停际。陶化非吾因,去来非吾制。宗统竟安在? 即顺理自泰。有心未能悟,适足缠利害。未若任所遇,逍遥良辰会。"②

从诗中可以看出,王羲之虽亦写兰亭之景,但意在以景喻事,抒发对大象陶化之理的感悟,冀求顺遇逍遥。这可以说正是玄言诗的特色之一。徐公持对兰亭诗和王羲之诗评价甚高,认为:

> 兰亭诗总体上以山水自然为背景,抒述士族文士萧散心境,风格清雅幽深,又多玄言,兴味澹泊,表现出鲜明的闲适倾向,实为山林闲适诗之集大成,又为闲适诗与玄言诗之结合物,同时亦启山水诗之端倪,代表了东晋时期的主流诗风。欲知东晋一代诗风,当自《兰亭诗集》中体味。而王羲之以其兰亭雅集之"地主"身分,又以其出类拔萃之《兰亭诗》,成为东晋中期诗坛当然领袖。③

兰亭诗历来并不怎么被看好,徐氏的评价可谓一新。但此处之东晋主流诗风,是闲适诗与玄言诗结合并启山水诗端倪,即三合一的产物。其实,三合一应当还是有其主导,这即玄言。《兰亭诗》在文学史上的地位亦因其玄言特色而知名。至于王羲之能否高过许、孙诸人而为诗坛"当然领袖",《兰亭诗》是否能集山林闲适诗之大成,还是可以讨论的问题。

谢安(320～385),字安石,陈郡阳夏(今河南太康)人。谢安虽出仕

---

①　参见曹道衡:《魏晋文学》,第220～221页。

②　《先秦汉魏晋南北朝诗》,第895页。

③　《魏晋文学史》,第524页。

较晚,但后来却执掌朝政,官居宰相之位,领导了著名的淝水之战。

谢安"少有重名",青年时代便善于清谈,为时人所钦佩;而在他执政后亦认为"清言"有益于国家。他的年岁虽小于王羲之、许询等人,但相互间的交游清谈却不受影响。《晋书》本传说他"寓居会稽,与王羲之及高阳许询、桑门支遁游处,出则鱼弋山水,入则言咏属文,无处世意"①。

谢安对《庄子》颇有研究,曾与支道林、许询、王濛等人"言咏"《庄子·渔父》"以写其怀"。其间的讨论可以说是各显机锋:

> 支道林先通,作七百许语,叙致精丽,才藻奇拔,众咸称善。于是四坐各言怀毕。谢问曰:"卿等尽不?"皆曰:"今日之言,少不自竭。"谢后粗难,因自叙其意,作万余语,才峰秀逸。(刘孝标注引《文字志》曰:"安神情秀悟,善谈玄速。")既自难干,加意气拟托,萧然自得,四坐莫不厌心。支谓谢曰:"君一往奔逸,故复自佳尔。"②

支道林的玄理名冠一时,但面对他的"七百许语",谢安却有"万余语",而且才风秀逸,四座心服。可见"善谈玄速"不误。如此秀逸玄风自然也渗透在他的诗作中。他的《与王胡之诗》曰:

> 往化转落,运萃勾芒。仁风虚降,与时抑扬。兰栖湛露,竹带素霜。蕊点朱的,熏流清芳。触地舞雩,遇流濠梁。投纶同咏,褰褐俱翔。③

《兰亭诗》曰:

> 伊昔先子,有怀春游。契兹言执,寄傲林丘。森森连岭,茫茫原畴。迥霄垂雾,凝泉散流。

---

① 《晋书》卷79《谢安传》。
② 《世说新语》上卷下《文学》,《世说新语笺疏》,第237页。
③ 《先秦汉魏晋南北朝诗》,第904页。

相与欣佳节,率尔同褰裳。薄云罗阳景,微风翼轻航。醇
醪陶丹府,兀若游义唐。万殊混一理,安复觉彭殇。①

谢安之诗确有一股秀逸清新之风。玄思虽不可少,但却被化入景致之中,既说理又咏物,说明他作为东晋中后期的清谈领袖,其玄言诗创作体现了更为成熟的化义理入山水的特点。

东晋玄言诗的兴起和流行,是东晋玄佛合流、儒释道折中的大势在文学上的反映。此时的"老庄"既不是先秦子学的老庄,也不是玄学的老庄,而是以老庄语句为话头的各家思想之融合。这一融合进入文学领域,使得诗人文士们开始发现自然的山水也具有内在的生命,抽象的说教和对宇宙精神的解悟,是可以通过山水自然的美景来映射的。这就促使他们更加主动积极地从山水自然中吸取灵感,呼唤着唯美主义的山水美学时代的到来。

3、山水抒情的文风与代表

山水诗的正式形成当在晋宋之际,但这却是借寓于玄言诗的母体才可能降生的。所以若从其开初的孕育来说,东晋初的庾阐诸人已发其先声。

庾阐,字仲初,颍川鄢陵(今属河南)人。庾阐的诗文在东晋初期的文士中可以说是较多的,他的诗虽亦有一定的玄言气息,但总体上仍以山水景物描写为主。如其《三月三日临曲水诗》云:

暮春濯清汜,游鳞泳一壑。高泉吐东岑,洄澜自净荣。临
川叠曲流,丰林映绿薄。轻舟沉飞觞,鼓枻观鱼跃。②

《衡山诗》的玄言气息要稍重,但属于借物咏志一类。其曰:

北眺衡山首,南睨五岭末。寂坐挹虚恬,运目情四豁。翔

---

① 《先秦汉魏晋南北朝诗》,第906页。

② 同上书,第873页。

虬凌九霄,陆鳞困濡沫。未体江湖悠,安识南溟阔?①

庾阐的山水诗还有多首,除此之外,他的游仙诗也多山川景物描写并以此为喻。可见说山水诗从他这里起源是有根据的。庾阐的山水诗虽已具有确定的风格,但随后的诗歌发展却选择了玄言诗的发展路向,山水景物描写成为陪衬,直至晋末宋初的谢灵运才有了根本性的改变。

谢灵运(385~433),小名客儿,因袭封康乐公,后人称谢康乐。他的祖籍是陈郡阳夏(今河南太康),但出生于会稽始宁(今浙江上虞)。谢灵运是东晋南朝显赫的谢家大族的子孙,自幼及长过着豪华奢侈的生活。由于长辈的着意栽培和文人交游的气息熏陶,他的文学修养迅速长进。《宋书》本传说他"少好学,博览群书,文章之类,江左莫逮"②,可以说是才华横溢。又说他"与隐士王弘之、孔淳之等放纵为娱,有终焉之志。每有一诗至都邑,贵贱莫不竞写。宿昔之间,士庶皆遍,远近钦慕,名动京师。"③

谢灵运作为谢家的显赫人物,也深深地卷入了宋朝政治的漩涡,又加之行为狂放,多次遭到打击,终至被杀。他虽然在政治上与当朝统治者格格不入,颇不遂意,但在整个学术创作上却可谓得心应手。他一生撰写了大量的著作,涉及到文学、艺术、历史、哲学、宗教等多个领域。在这之中见于著录的,按叶笑雪的统计,就有21种数百卷④。虽然如今已大部不存,但从其残存的诗文中,仍能感受到他独特的风采。

作为"山水方滋"的划时代人物,谢灵运的山水诗创作,要得益于他优厚的家业才能提供的四处兴师动众、悠游山水的巨额开销。本传记载说:"灵运因父祖之资,生业甚厚,奴僮既众,义故门生数百,凿山浚

---

① 《先秦汉魏晋南北朝诗》,第874页。
② 《宋书》卷67《谢灵运传》。
③ 同上。
④ 参见叶笑雪:《谢灵运诗选·谢灵运传》,(上海)古典文献出版社1957年版,第190~191页。

湖,功役无已。寻山陟岭,必造幽峻,岩嶂千重,莫不备尽。"甚至数百从
者为他从始宁南山伐木开路,一直到临海①。如此由山至水之游玩经
历,在中国文学史上恐怕绝无仅有。养尊处优的物质生活环境和他对
山水的由衷喜爱,生就了他超越常人的山水审美情趣,再加之他深厚的
玄、佛素养的浸染,使他对山水之美的感悟认识能够由表而及里,抓取
山水之性灵。

　　在他的《游名山志序》中,谢灵运云:"夫衣食,生之所资;山水,性之
所适。今滞所资之累,拥其所适之性耳。"② "适性"逍遥本是玄学的基
本观点,但谢灵运之"适性"不仅是适己性,更是适山水之性,在适山水
之性的主客交融中去体验山水的美景。如此性景交融而得来之感受,
是他诗歌创作的内在动力。也正因为如此,玄思和释老就仍是他需要
采撷的思想资源。只是他描写的重心,已转移到山水景物本身。

　　如《登永嘉绿嶂山》诗:

　　　　裹粮杖轻策,怀迟上幽室。行源径转远,距陆情未毕。澹
　　激结寒姿,团栾润霜质。涧委水屡迷,林回岩逾密。眷西谓初
　　月,顾东疑落日。践夕奄昏曙,蔽翳皆周悉。《蛊》上贵不事,
　　《屡》二美贞吉。幽人常坦步,高尚邈难匹。颐阿竟何端,寂寞
　　寄抱一。恬如③ 既已交,缮性自此出。④

这是一首典型的融山水于玄思为一体而又以山水为主的诗作。先是叙
述登山的准备和实际登山的过程,接着细致刻画山水景致的媚姿和作
者的心理感受,最后以《易》卦说人事,归之于老庄的抱一、缮性。虽然
谢氏最后要寄养老庄,但这寄养却是放之于山水自然的参与和欣赏之

---

　　①　参见叶笑雪:《谢灵运诗选·谢灵运传》,(上海)古典文献出版社 1957 年
版,第 190~191 页。

　　②　见《魏晋南北朝文论选》,第 251 页。

　　③　如,当做"知"(智)。出《庄子·缮性》。参见《谢灵运诗选》第 35 页注 19。

　　④　《谢灵运诗选》,第 34 页。

中的。作者恬静的心境和性情修养不是源自玄谈智慧,而是山水美景自然熏陶所生成。所以此诗应当划归山水而非玄言。那么,这样一种既叙山水游览过程、又刻画山水景物并触发诗人人生感受、情景交融,最后再归结到老庄玄思上来的手法,便是谢灵运诗歌创作的基本脉络。

又如《过始宁墅》:

> 束发怀耿介,逐物遂推迁。违志似如昨,二纪及兹年。淄磷谢清旷,疲苶惭贞坚。拙疾相倚薄,还得静者便。剖竹守沧海,枉帆过旧山。山行穷登顿,水涉尽洄沿。岩峭岭稠叠,洲萦渚连绵。白云抱幽石,绿篠媚清涟。葺宇临回江,筑观基曾巅。挥手告乡曲,三载期归旋。且为树枌槚,无令孤愿言![1]

谢灵运在赴永嘉太守任上路过故乡自家的庄园,睹物生情,24年的宦海生涯令他感慨万千。仕途的困顿虽为故乡山水的美景所取代,但早年的归隐之志仍不时浮现在心头。随着游览的进程,山行水涉穷尽不尽,岩岭洲渚重叠连绵。特别是"白云抱幽石,绿篠媚清涟",更是将山水写活了,抓住了山水的内在生命。能和如此的山水美景相拥抱是无比快意之事,所以需要葺宇筑观以便细细品尝。最后再一次表达他三年任期满后复返家乡的心愿。谢灵运在此诗中没有直接的玄言表述,但从对仕途的厌倦和归隐求静的心理,仍可依稀触摸到《老子》"归根曰静"的影子。

谢灵运诗作最为人称道的是他的《登池上楼》。诗云:

> 潜虬媚幽姿,飞鸿响远音。薄霄愧云浮,栖川作渊沉。进德智所拙,退耕力不任。徇禄及穷海,卧疴对空林。衾枕昧节候,褰开暂窥临。倾耳聆波澜,举目眺岖嵚。初景革绪风,新阳改故阴。池塘生春草,园柳变鸣禽。"祁祁"伤幽歌,"萋萋"感楚吟。索居易永久,离群难处心。持操岂独古,无闷征

① 《谢灵运诗选》,第26~27页。

在今。①

山水巡游是在时空中进行,因而上下、新旧、动静的交互切换成为他基本的审美构图:从一般性的上山下(循)水到具体的飞鸿潜龙、云浮渊沉,这是自然上下;而进德徇禄与退耕卧痾,则属于社会人生的上下。诗人借山水自然说人生心境,表明他并不甘心于忧郁病卧,因为节候不等人,窗外已是春天。一眼望去,涛声衬峻岭,阴阳冬春,寒去暖来,池边春草吐蕊,园柳变颜,禽鸣声声,一派生机盎然的景象。谢氏亦触景生情,联想到了劝人归隐的幽歌楚吟。离群索居固然也会带来烦恼,但《周易》讲潜龙"遁世无闷",鼓舞他保持操守而不为世俗所动。即这不只是古人、今人也能做到。

谢灵运写诗,辞藻典雅又着意铺排,韵味深厚,其"白云抱幽石,绿篠媚清涟"、"池塘生春草,园柳变鸣禽"更是为人传诵的名句。但也正因为着意铺排,又有繁芜堆砌之嫌。钟嵘虽列谢灵运诗为上品,但亦以为"逸荡过之,颇以繁芜为累"②。可以说,山水自然之美与仕途人生的矛盾是贯穿于他诗歌创作的一条主线,归隐的志向虽然时不时地浮现于心,但极端奢侈的享乐已使他不可能由躁动而返静,由此产生的烦恼伴随他到生命的终结,并在他的山水诗中留下重重的烙印。

颜延之(384～456),字延年,琅邪临沂(今属山东)人。颜延之少时家贫,但"好读书,无所不览,文章之美,冠绝当时"③。颜延之十分敬佩屈原、陶渊明的人品和文章,他比陶渊明虽年轻20岁,但可谓陶渊明的知己。颜氏同样也嗜酒和倡自适:"性既褊激,兼有酒过,肆意直言,曾无遏隐,故论者多不知云。居身清约,不营财利,布衣蔬食,独酌郊野,当其为适,傍若无人。"④

---

①　《谢灵运诗选》,第44页。
②　《诗品上·宋临川太守谢灵运诗》,《诗品集注》,第160页。
③　《宋书》卷73《颜延之传》。
④　同上。

他作有《五君咏》，以颂竹林七贤中的五贤，而将地位显贵的山涛、王戎排斥在外。其"咏嵇康曰：'鸾翮有时铩，龙性谁能驯。'咏阮籍曰：'物故可不论，途穷能无恸。'咏阮咸曰：'屡荐不入官，一麾乃出守。'咏刘伶曰：'韬精日沉饮，谁知非荒宴。'此四句，盖自序也。"① 于此，执政者极为不满。

颜延之的生活条件与谢灵运相差悬殊，但又"俱以辞采齐名"，对二人诗作之优劣及当时影响，《南史·颜延之传》有生动的记述：

"延之与陈郡谢灵运俱以辞采齐名，而迟速县(悬)绝。文帝尝各敕拟《乐府·北上篇》，延之受诏便成，灵运久之乃就。延之尝问鲍照己与灵运优劣，照曰：'谢五言如初发芙蓉，自然可爱。君诗若铺锦列绣，亦雕缋满眼。'② 延之每薄汤惠休诗，谓人曰：'惠休制作，委巷中歌谣耳，方当误后生。'是时议者以延之、灵运自潘岳、陆机之后，文士莫及，江右称潘、陆，江左称颜、谢焉。"③

钟嵘以为颜延之对汤惠休（或鲍照）的评论终生怀恨。但钟嵘自己的评价，仍是将颜延之列为中品，称"谢客为元嘉之雄，颜延年为辅"④。

颜延之亦写山水，但他的山水往往是作为应诏酬唱的衬托，并不大在意对山水本身的欣赏。其《车驾幸京口三月三日侍游曲阿后湖作诗》曰：

虞风载帝狩，夏谚颂王游。春方动宸驾，望幸倾五州。山祇跸峤路，水若警沧流。神御出瑶轸，天仪降藻舟。万轴胤行为，千翼帆飞浮。雕云丽旋盖，祥飚被彩游。江南进荆艳，河

① 《宋书》卷73《颜延之传》。

② 此鲍照之评论，钟嵘记在汤惠休名下，见《诗品中·宋光禄大夫颜延之诗》，《诗品集注》，第270页。未知孰是。

③ 《南史》卷34。

④ 见《诗品序》，《诗品集注》第28页。

激献赵讴。金练照海浦，笳鼓震溟洲。藐眇① 觌青崖，衍漾
观绿畴。民② 灵骞都野，鳞翰耸渊丘。德礼既普洽，川岳遍
怀柔。③

诗中的山水完全是衬托帝王的尊严的，峤路沧流，车船被彩，歌舞金练，青岸绿畴，以及民人鳞翰，无不在帝王德威的普照之下。辞藻华丽雕琢而且大量用典。对颜氏的用词特色，罗宗强评论说："用'瑶轸'，用'藻舟'，使意象华贵；用'雕云'，用'祥飚'，使色彩斑斓；用'眸'、'警'、'丽'、'被'，给人一种庄严典重的感觉。这些，都说明用心之工巧。延之善于用动词表现一种庄严典重感。"④

颜诗除了铺陈藻饰、庄严典重之外，也时有表露内心的真情。《还至梁城作诗》云：

故国多乔木，空城凝寒云。丘垄填郊郭，铭志灭无文。木
石扃幽闵，黍苗延高坟。惟彼雍门子，吁嗟孟尝君。愚贱同城
灭，尊贵谁独闻。曷为久游客，忧念坐自殷。⑤

故国的残破使曾经的荣华变得无影无踪，即便尊贵的孟尝君们亦灰飞烟灭，为什么还要久留于故地而忧心殷殷呢？这里虽亦用典，但能恰到好处，不使人有堆砌之感。这一类情感丰富的文字，在他的《祭屈原文》、《陶征士(渊明)诔并序》、《五君咏》等诗文中，还多有表现。

颜延之在文论上也有自己的独到见解。他在《庭诰》中提出：

观书贵要，观要贵博；博而知要，万流可一。咏歌之书，取
其连类合章，比物集句，采风谣以达民志；《诗》为之祖。褒贬
之书，取其正言晦义，转制衰王，微辞丰旨，贻意盛圣；《春秋》

---

① 《文选》卷22《游览》载该诗，"眇"作盼。
② 《文选》卷22《游览》载该诗，"民"作人。
③ 《先秦汉魏晋南北朝诗》，第1231页。
④ 《魏晋南北朝文学思想史》，第207页。
⑤ 《先秦汉魏晋南北朝诗》，第1234页。

为上。《易》首体备，能事之渊。①

《庭诰》是告诫子孙学习作文的，因此是他对于文体文章的自觉认识。针对长期以来儒者"博而寡要"的流弊，他提出了博而知要的方针，因为只有"知要"，才能抓住文章的内在精神。从而，咏歌之书(文学作品)便与褒贬之书(史论著作)不同。前一类写作是通过"连类"、"比物"、"采风"即比兴和用典喻事而成文字的，所以《诗经》与讲正言晦义、微辞丰旨的《春秋》完全不同。当然，无论做什么文都离不开《周易》的渊源，经典的情结在所有文士都是共同的。

当然，颜氏的重点还是在诗，所以他在泛论文章之后，又重点讨论了诗歌。他云：

> 荀爽云："《诗》者，古之歌章。"然则，《雅》、《颂》之乐篇全矣。以是后之□诗者，率以歌为名。及秦勒望岱，汉祀郊宫，辞著前史者，文变之高制也。虽雅声未至，弘丽难追矣。逮李陵众作，总杂不类；元是假托，非尽陵制。至其善写，有足悲者。挚虞文论，号称优洽。《柏梁》以来，继作非一，所撰至七言而已。九言不见者，将由声度阐诞，不协金石。至于五言流靡，则刘桢、张华；四言侧密，则张衡、王粲。若夫陈思王，可谓兼之矣。②

颜延之此论，可以说是对先秦以来诗歌流传的最初总结。《雅》、《颂》是诗歌文体的开创者，秦汉文字虽"雅声未至"，但作为"文变之高制"，仍反映了一个时代的诗歌走向。托为李陵之诗的其中尤有"足悲者"，披露了真实的情感。他接着又对诗之七言、九言、四言、五言发表了自己的意见，以为前人不谈九言，乃是因为"声度阐诞，不协金石"的缘故，说明不同诗体有各自的特点。对于汉以来流行的四言、五言诗，能够做出

---

① 《魏晋南北朝文论选》，第272页。
② 同上书，第273页。

客观的评价,而又以陈思兼有其美。颜延之的诗文观,在随后的刘勰、
钟嵘那里得到了继承和推进。

与谢灵运、颜延之并称为"元嘉三大家"的,是稍晚于谢、颜的鲍照。
鲍照(414?～466),字明远,东海(今江苏涟水)人。他晚生于谢、颜约
20年,且社会地位地下,但其文学成就却直与谢、颜比肩。钟嵘评价鲍
照诗为"骨节强于谢混,驱迈疾于颜延,总四家而擅美,跨两代而孤出。
嗟其才秀人傲,故取湮当代"①。

钟嵘以为,鲍照诗骨气强于晋末谢混,辞藻节奏力度又在颜延之之
上,总括晋宋张协、张华、谢混及颜延之两代四家而特出。然而叹其才
秀人傲而不被当世人所看重。至于鲍诗之不足,钟嵘说是"不避危仄"
而"险俗",《宋书》、《南史》亦不为鲍照立传,其事迹仅附见于《临川王道
规传》中。其记载虽然简略,却可看出鲍照不满于湮没无闻、而力图与
门阀士族抗争的个性品格。

时因临川王刘义庆招揽文学之士,鲍照因未受重视而"欲贡诗言
志,人止之曰:'卿位尚卑,不可轻忤大王。'照勃然曰:'千载上有英才异
士沉没而不闻者,安可数哉? 大丈夫岂可遂蕴智能,使兰艾不辨,终日
碌碌,与燕雀相随乎!'于是奏诗,义庆奇之。赐帛二十匹,寻擢为国侍
郎,甚见知赏。"② 但终究未大显于时。

就鲍照诗之骨力看,作为其诗作代表的《拟行路难十八首》之六曰:
　　对案不能食,拔剑击柱长叹息。丈夫生世会几时,安能蹀
　躞垂羽翼? 弃置罢官去,还家自休息。朝出与亲辞,暮还在亲
　侧。弄儿床前戏,看妇机中织。自古圣贤尽贫贱,何况我辈孤
　且直!③

---

① 《诗品中·宋参军鲍照诗》,《诗品集注》,第290页。
② 《南史》卷13《临川烈武王道规传·附鲍照传》。
③ 《先秦汉魏晋南北朝诗》,第1275页。

又如《代苦热行》云：

> 赤阪横西阻，火山赫南威，身热头且痛，鸟坠魂未归。汤
> 泉发云潭，焦烟起石圻。日月有恒昏，雨露未尝晞。丹蛇逾百
> 尺，玄蜂盈十围。含沙射流影，吹蛊病行晖。瘴气昼熏体，茵
> 露夜沾衣。饥猿莫下食，晨禽不敢飞。毒泾① 尚多死，度泸
> 宁具腓。生躯蹈死地，昌志登祸机。戈船荣既薄，伏波赏亦
> 微。爵轻君尚惜，士重安可希！②

在这两首诗中，前一首体现了他对世道人生不满的宣泄和所抱有的慷
慨豁达的态度，后一首则是写山水，但不是青山秀水，而是火山汤泉、瘴
气毒泾。但如此饥猿、晨禽不敢留之地，却给人以巨大的警醒、震撼，力
度十足。

鲍照诗在当时诗坛之地位，梁萧子显《南齐书》在总结当时文章风
格的"三体"时对此进行了置评。他说：

> 颜、谢并起，乃各擅奇；休、鲍后出，咸亦标世。朱蓝共妍，
> 不相祖述。今之文章，作者虽众，总而为论，略有三体。一则
> 启心闲绎，托辞华旷，虽存巧绮，终致迂回。宜登公宴，本非准
> 的。而疏慢阐缓，膏肓之病，典正可采，酷不入情。此体之源，
> 出灵运而成也。次则缉事比类，非对不发，博物可嘉，职成拘
> 制。或全借古语，用申今情，崎岖牵引，直为偶说。唯睹事例，
> 顿失清采。此则傅咸五经，应璩指事，虽不全似，可以类从。
> 次则发唱惊挺，操调险急，雕藻淫艳，倾炫心魂。亦犹五色之
> 有红紫，八音之有郑、卫。斯鲍照之遗烈也。③

从谢灵运到鲍照，各为一体之代表。萧子显虽对鲍照之风格也提出了

---

① 泾，逯本为"淫"，据《文选》卷28《诗·乐府下》改。
② 《先秦汉魏晋南北朝诗》，第1266页。
③ 《南齐书》卷52《文学传·论》。

尖锐的批评,但客观上肯定了鲍照的地位。其中所谓"雕藻淫艳,倾炫心魂。亦犹五色之有红紫,八音之有郑卫",这一是涉及到鲍照的情诗,二是指其对山水景物和歌舞行乐场面的描写。

按照朱思信的统计,在现存 204 首鲍照诗中,情诗有 50 首左右,占1/4,比例是不小的。朱氏并将陶渊明的田园诗、谢灵运的山水诗和鲍照的爱情诗联系在一起,以为集中体现了一个时代诗学、美学和人生哲学的进步发展水平①。不过,由于情每每触景而生,而境则融合了自然人文的双重因素,故其情诗和山水景物描写又是可以兼容的。

如其《山行见孤桐诗》:

桐生丛石里,根孤地寒阴。上倚崩岸势,下带洞阿深。奔泉冬激射,雾雨夏霖浮。未霜叶已肃,不风条自吟。昏明积苦思,昼夜叫哀禽。弃妾望掩泪,逐臣对抚心。虽以慰单危,悲凉不可任。幸愿见雕斫,为君堂上琴。②

此诗写山水自然又寓情于景中,故鲍照诗与山水也多有关联。鲍照还有不少单咏山水之诗,其对山水美景的欣赏,可以与谢、颜相呼应。而他在诗体上对七言诗的大胆采用和革新,对后来唐代诗人有很大的影响。

鲍照而后,南北朝有名的诗人还有谢朓、庾信等人。谢朓(464~499)诗与谢灵运比较接近,其成就亦主要表现在山水诗方面,但与谢灵运的工于辞藻有别,他的诗风要更为自然和清新秀丽,同时也基本上消除了玄言的影响。其名句如"馀霞散成绮,澄江静如练"③ 等颇为后人所称道。

庾信(513~581)是由南入北的诗人,身为北朝高官又怀念南方故

①　朱思信:《鲍照爱情诗初探》,《中国古典文学论丛》第 7 辑,人民文学出版社 1989 年版,见《20 世纪中国文学研究·魏晋南北朝文学研究》,第 422 页。

②　《先秦汉魏晋南北朝诗》,第 1310 页。

③　《远登三山还望京邑》,《先秦汉魏晋南北朝诗》,第 1430 页。

土,他后期的不少诗作都反映了他的这一复杂的心理。如其《拟咏怀·七》云:

> 榆关断音信,汉使绝经过。胡笳落泪曲,羌笛断肠歌。纤腰减束素,别泪损横波。恨心终不歇,红颜无复多。枯木期填海,青山望断河。①

诗中大量用典,这也是庾信诗歌的重要特色,但读起来却十分合拍而感人,道出了他已不可能再回故国的深深的哀痛。但庾信内心的苦楚客观上又成为他诗歌创作的动力,在他的诗中体现了南北诗风融合的新的特点和气象。

---

① 《先秦汉魏晋南北朝诗》,第 2368 页。

第十章　文学认识的深入
与文论的发展

　　文学的繁荣离不开理论的支持,文论与文学本身的发展是密不可分的,文学独立的一个显著标志,就是文学家们对文学作品及其创作过程的本质、规律等等,开始了自觉的理论探讨和经验总结。文学的自我认识与文学思想的丰富,固然不等于文学创作本身,但它却从根本上保证了文学作品生命力的旺盛不衰。建安文学的最初发端,便是以艺术创作和理论反思一身而二任出现于世的。入晋以后,接续曹丕等建安名士而将文学理论继续向前推进者代有其人,最终随着对文学认识的进一步加深,到南北朝出现了刘勰、钟嵘为代表的一大批文学理论家,使中国文学和文论由此跃进到一个前所未有的高峰。

一、晋代文论的特色

　　魏晋的文论可以说是接着曹丕"论文"的风气朝前走的,但曹丕一辈人的文论毕竟属于初创,他们在开辟文学批评道路的同时也表露出零散而不系统等缺陷。晋代文论的发展,自然需要克服前朝理论的不足,当然又会产生新的问题。刘勰总结魏晋时代文学思想的发展说:

　　　　详观近代之论文者多矣。至于魏文述典,陈思序书,应瑒
　　文论,陆机文赋,仲洽流别,宏范翰林,各照隅隙,鲜观衢路,或

臧否当时之才,或铨品前修之文,或泛举雅俗之旨,或撮题篇
章之意。魏典密而不周,陈书辩而无当,应论华而疏略,陆赋
巧而碎乱,流别精而少巧,翰林浅而寡要。①

刘勰从"魏文述典"开始,例举出曹丕《典论·论文》、曹植《与杨德祖书》、
应玚《文质论》、陆机《文赋》、挚虞《文章流别论》、李充《翰林论》六篇著
作作为魏晋文论的主要代表,并分别点明了各自的长短得失。其中魏
与晋各三位,分别以曹丕、陆机为首称。然曹丕"密而不周",陆机则"巧
而碎乱",都有明显的毛病。

刘大杰以为,"评论《典论·论文》密而不周,这话是不错的。但在陆
机的《文赋》里,把这缺陷大部分给他补偿了。那篇文章因为出自赋体,
读时有一点令人感到迷离,抓不住要点似的。只要稍稍细心,他的中心
思想还是可以看得清楚。"② 曹丕《论文》细密而不周全,陆机《文赋》既
然基本上弥补了曹丕的不足,那就应当是既细密又周全,故可谓之为
"巧"。但巧者又有自身的迷离散乱的缺点,还需要读者自己加以概括。

1、陆机的《文赋》

陆机(261~303),字士衡,吴郡华亭(今上海松江)人。《晋书》本传
说他"天才秀逸,辞藻宏丽,张华曾谓之曰:'人之为文,常恨才少,而子
更患其多。'"③ 钟嵘则列其诗为上品,称其"才高辞赡,举体华美",而
能为"文章之渊泉也"④。陆机的文学理论,集中反映在他的《文赋》一
文中。

《文赋》前有陆机所撰的序,说明他作《文赋》的目的。他以为,"文"
乃士人"用心"而得。正由于是"用心"的结晶,故其"放言遣辞,良多变

---

① 《文心雕龙·序志》,《文心雕龙注》,第 726 页。
② 《魏晋思想论》,第 135 页。
③ 《晋书》卷 54《陆机传》。
④ 《晋平原相陆机诗》,《诗品集注》,第 132 页。

异,妍蚩好恶,可得而言"①。文章的特点与要表达的思想内容是密切相关的,他自己的作文便可以说是这方面的体现。但是问题也由之而生:

> 恒患意不称物,文不逮意,盖非知之难,能之难也。故作《文赋》,以述先士之盛藻,因论作文之利害所由,他日殆可谓曲尽其妙。②

陆机在这里提出了文(言)、意、物及知、能(行)的关系问题,批评当时文坛言、意、物不符的情况。并以为知道三者应相符是容易的,难在实际作文的具体实践(行)。

陆机与欧阳建生活于同一时代,欧阳建是从哲学上阐发言尽意论,陆机则立足文学提出了同样的要求。但他自己的作文实践也使他懂得:"若夫随手之变,良难以辞达"③;"譬犹舞者赴节以投袂,歌者应弦而遣声,是盖轮扁所不得言,故亦非华说之所能精。"④舞者投袂、歌者遣声和轮扁斫轮之类"随手之变",都是难以用言辞准确表达的。言不尽意在他不只是流行思潮的影响,也是实践得来的切身体验。然而,这并不妨碍他对作文的道理的总结,所以作《文赋》还是有必要的。

《文赋》的主要内容和特色,今人有不同的概括。刘大杰归纳了四点:一是内容形式的两全;二是好的文学作品一定要有情绪的感应;三是想像力为文学重要的生命;四是反对模拟。⑤王运熙、杨明则归纳出五点,所述亦有不同,即:一是创作冲动的产生;二是写作构思时思维活动的特点;三是文章体貌风格的多样性;四是论文章的审美标准;五是

---

① 《文赋(并序)》,《文选》卷 17《赋·文赋》,第 239 页。
② 同上书,第 239~240 页。
③ 同上书,第 240 页。
④ 同上书,第 242~243 页。
⑤ 参见《魏晋思想论》,第 135~137 页。

论文章的作用。① 罗宗强则在"陆机《文赋》的理论贡献"的前提下,将《文赋》特点概括为:一是物感说;二是对于文学创作构思过程的描述;三是论述文章的写作技巧,设计结构、剪裁、修辞诸问题共三大方面。② 整合各家之观点并根据陆机本人所述,《文赋》的基本思想可以概括为:

(1)论创作的源头。文学创作如何开始,是《文赋》开篇所要回答的问题。其言曰:

> 伫中区以玄览,颐情志于《典》、《坟》。遵四时以叹逝,瞻万物而思纷;悲落叶于劲秋,喜柔条于芳春;心懔懔以怀霜,志眇眇而临云。咏世德之骏烈,诵先人之清芬;游文章之林府,嘉丽藻之彬彬。慨投篇而援笔,聊宣之乎斯文。③

创作的最开初,实际上是一种因静心而生起的深远观照的智慧,以及由上古文献和前人典籍的熏染而带来的对性情的颐养。这实际上也就是作者的文学素养和水平。有了这样的前期心理准备,面对四时变化、万物纷纭、世德盛业、先民遗作,便会叹逝而思纷,悲喜之情油然而生,从而兴起创作的冲动,于是"慨投篇而援笔"。

(2)论创作的过程。创作的过程是《文赋》讨论的主题,陆机将其分作为以下几个阶段:

一是先期构思。他云:"其始也,皆收视反听,耽思傍讯。精骛八极,心游万仞。其致也,情曈昽而弥鲜,物昭晰而互进。"④ 从前面的玄览到这里的反听,老庄哲学成为了陆机文学创作理论的根据。但睹万物变化只是创作的准备,"心游万仞"才进入实际的构思过程。构思的指向,是内在情感由朦胧而鲜明,外部景象清晰再现并与情感生成相互推进,想像力被充分调动起来。前人的成果、经验在自己的头脑中融贯

---

①　参见《魏晋南北朝文学批评史》,第93～111页。
②　参见《魏晋南北朝文学思想史》,第107～115页。
③　《文赋》,《文选》,第240页。
④　同上。

一炉。从而"收百世之阙文,采千载之遗韵;谢朝华于已被,启夕秀于未振;观古今于须臾,抚四海于一瞬。然后选义按部,考辞就班。"① 到此时,所有的素材都已被整理妥当,井然有序,以备随时为我所用。

二是创作的展开。陆机云:

> 罄澄心以凝思,眇众虑而为言,笼天地于形内,挫万物于笔端。始踯躅于燥吻,终流离于濡翰。……或操觚以率尔,或含毫而邈然。②

有了丰富的构思和素材准备,心由思而发言,千思万绪凝结于笔端,化作为串串语句。这是一个在作者最感困难也最见功力的过程。从开始下笔到后来的润色,人的全部情感和想像力都倾注于对象之中,主客双方相互交融,文章与作者已合为一体。在这里,文章从无到有,心意亦由言而表:"课虚无以责有,叩寂寞而求音。函绵邈于尺素,吐滂沛乎寸心。"③ 当然,由于人的生活阅历和文学修养水平的不同,实际的创作过程也就有顺有不顺:"或操觚以率尔,或含毫而邈然。"这也是正常的情况。

三是对灵感的描述。灵感是文学创作的内在生命和不竭的源泉。陆机对此十分关注。他说:

> 若夫应感之会,通塞之纪,来不可遏,去不可止;藏若景灭,行犹响起。方天机之骏利,夫何纷而不理?思风发于胸臆,言泉流于唇齿。纷葳蕤以馺遝,唯毫素之所拟。文徽徽以溢目,音泠泠而盈耳。及其六情底滞,志往神留,兀若枯木,豁若涸流。揽营魂以探赜,顿精爽于自求。理翳翳而愈伏,思乙乙其若抽。是以或竭情而多悔,或率意而寡尤。虽兹物之在

---

① 《文赋》,《文选》,第 240 页。
② 同上。
③ 同上书,第 241 页。

我,非余力之所戮。故时抚空怀而自惋,吾未识夫开塞之所由。①

"应感"也就是灵感,灵感的产生具有突发性,来去生灭无常。所以说灵感是创作的内在生命,是因为灵感出现时,思如泉涌,出口成章,下笔如有神;而灵感不来,则情思凝滞,渊泉枯竭,写作艰难。对于如此重要之灵感,陆机给予了充分的注意并做出了描述,但却苦恼不知其所由,灵感产生的原因及机制弄不清楚。这一在今天尚难以完全解释清楚的心理现象,在陆机的时代要明白其内在机制,当然是不可能的,但重要的在于他提出了问题。

四是文章的修饰。创作结束并不等于文章就全部完成。文章还需要根据创作者的审美情趣、标准进行修饰剪裁等后期的加工。陆机曰:

> 或仰逼于先条,或俯侵于后章;或辞害而理比,或言顺而义妨。离之则双美,合之则两伤。考殿最于锱铢,定去留于毫芒。苟铨衡之所裁,故应绳必其当。②

文章的叙述,前后意义应当层次递进,步步深入,言辞与意义需要相互协调,既不能以辞害理,也不能理强辞弱。文章的修辞,要做到锱铢必较,当留就留,当删就删,一丝不苟,精益求精。在这其中,又要特别注意对警句的提炼。所谓"立片言而居要,乃一篇之警策。虽众辞之有条,必待滋而效绩。亮功多而累寡,故取足而不易。"③片言可以"警策"。理协辞调、语句凝练是必要的,但文章之出彩,往往在警句名言之点睛,警句在全文中具有以一驭万之功效。陆机这里实际上是从文学的角度再现了玄学的"执一统众"的道理。

(3)论形式与内容的关系。形式与内容的关系,是一切文学创作者

---

① 《文赋》,《文选》,第243页。
② 同上书,第241页。
③ 同上。

都必须要思考的问题,陆机对此已有比较自觉的认识。他提出了"理扶质以立干,文垂条而结繁"① 的基本原则,即以质(内容)为主干,以文(形式)为枝条;质理确定充实,枝条繁荣茂盛,双方是相互促发的关系。当然,文体不同,特点也不一样,但总的原则是一致的。在这里,陆机对不同文体的基本特点做出了概括:

> 诗缘情而绮靡,赋体物而浏亮,碑披文以相质,诔缠绵而凄怆,铭搏约而温润,箴顿挫而清壮,颂优游以彬蔚,论精微而朗畅,奏平彻以闲雅,说炜烨而谲诳。虽区分之在兹,亦禁邪而制放。要辞达而理举,故无取乎冗长。②

陆机以"诗缘情而绮靡"的"缘情"说为代表的对不同文体特点的定义,反映了自先秦"诗言志"以来文学发展新阶段的特色。但也正因为如此,这在后来引起了不少的争议。

批评者以此为形式主义、重视技巧而忽视内容等;认同者的意见则正相反,以为并非忽视内容。③ 因为"缘情"、"体物"等本身就是对内容的注重,无情无物也就不可能有诗赋。当然,辞的含义有宽狭,如"情"既可指狭义的爱情,也可包括一般的人类情感;而"绮靡"表述的也正是诗歌修辞的特点。它们与是否忽视内容并无直接的联系。至于陆机作为结论的"要辞达而理举,故无取乎冗长",明确了辞达理举又简明扼要是所谓文体的共性,则显然是坚持了内容与形式的统一。

2、李充与挚虞的思想

陆机《文赋》在晋代文坛的影响,后人给予了充分的肯定。刘大杰认为,由于陆机的努力,"于是大家都承认文学是一种独立的艺术,专门

① 《文赋》,《文选》,第 240 页。
② 同上书,第 241 页。
③ 参见吴云主编:《20 世纪中国文学研究·魏晋南北朝文学研究》,第 650~655 页。

论文的著作和文集编纂的著作，也就一天天多起来了。李充的《翰林论》、挚虞的《文章流别志论》与《文章流别集》这一类的书，一定是很贵重的文献，可惜这些书都已散失，流传下来的一鳞半爪，没有什么大的意义了。"① 那么，陆机《文赋》的影响又是和李充、挚虞著作的不传相联系的。

但是，刘大杰根据李充、挚虞残存著作只是"一鳞半爪"而轻视二人思想的价值，似乎又过于轻率。从今天所见之辑佚资料看，李充文的价值可以说不大，挚虞的残篇则还是可以看出其思想"意义"的。

李充生活在两晋之际，曾任东晋大著作郎。其时"他有感于典籍混乱，乃删除芜繁，以类相从，首创图书《四部》分类法；以五经为甲部，史记为乙部，诸子为丙部，诗赋为丁部。条贯明晰，为后世所遵从。"②

《翰林论》是李充的文学批评专著，《隋书·经籍志四》载明为 3 卷，然注称在梁时有 54 卷③，其规模不可谓不大。今则只存极少部分佚文。不过，若这 54 卷全部为文论的话，论者疑其篇幅过大。王运熙、杨明认为："卷帙如此之多，疑李充原撰有《翰林》一书，系文章总集，久佚；《翰林论》乃是其中的论述部分。《翰林》与《翰林论》之关系，犹如挚虞的《文章流别集》和《文章流别论》。《翰林论》大约在赵宋以后也已亡佚，今仅存十数则，严可均《全晋文》有辑本。从今存《翰林论》佚文看来，有不少地方也是论述文体，但较《文章流别论》为简略。"④

《文章流别论》作者挚虞，稍早于李充，生活在西晋后期。《晋书》本传说他作有《文章志》4 卷，《文章流别集》30 卷⑤。而按《隋书·经籍志四》的记载，挚虞则有《文章流别集》41 卷（注云梁 60 卷，志 2 卷，论 2

①　见《魏晋思想论》，第 137 页。
②　郁沅、张明高：《李充文选·附札》，《魏晋南北朝文论选》，第 203 页。
③　参见《隋书》卷 35。
④　《魏晋南北朝文学批评史》，第 149 页。
⑤　参见《晋书》卷 51《挚虞传》。

卷),又另记《文章流别志、论》2卷①。挚虞的命运比李充要好,因为《文章流别论》按严可均《全晋文》所辑相对完整,可以看出他文论的基本构架。

从其基本特点看,"挚虞《文章流别集》首创选文与评论相结合的批评方式。此后《文选》有选而无评,《诗品》有评而无选,选与评遂成分道扬镳的两种批评方式。《文章流别论》是《文章流别集》的理论部分,它最早论述了各种文体的源流与演变过程,今天见到的佚文是其中的一部分。挚虞所谓的文章,是指诗、赋、颂、铭、箴、诔、碑等艺术作品,比后来萧统《文选》所选,更接近严格意义上的文学。"②

但是,挚虞对"文章"的定义和文体的分析,却是立足于儒家名教正统观的基础之上的。按他所说:

文章者,所以宣上下之象,明人伦之叙,穷理尽性,以究万物之宜者也。王泽流而诗作,成功臻而颂兴,德勋立而铭著,嘉美终而诔集。祝史陈辞,官箴王阙。③

这一段话不仅仅是挚虞对于"文章"的定义,同时也表明了他议论文章的指导思想和文学史观。就后者言,今日学者多有提出批评。

王运熙、杨明指出:"挚虞的文学思想,强调宗经,表现出比较浓厚的儒家正统观念。他很少论及文学本身的特征,对于创作上的新倾向是认识不足的。"④ 罗宗强亦认为:"就其基本思想而言,挚虞并未正确反映其时文学思想之主要发展倾向。他的思想与陆机不同,他属于传统儒家的一派,重道德价值、重功利,以此论各种文体之性质,以此评论各体作品的得失。"⑤ 由此造成挚虞文学史观"十分守旧的态度"。

① 参见《隋书》卷35。
② 郁沅、张明高:《挚虞文选·附札》,《魏晋南北朝文论选》,第184页。
③ 《文章流别论》,《魏晋南北朝文论选》,第179页。
④ 《魏晋南北朝文学批评史》,第131页。
⑤ 《魏晋南北朝文学思想史》,第104页。

例如,挚虞对汉以来辞赋发展的所谓"四过"提出了批评:

> 夫假象过大,则与类相远;逸辞过壮,则与事相违;辩言过理,则与义相失;丽辞过美,则与情相悖。此四过者,所以背大体而害政教,是以司马迁割相如之浮说,扬雄疾"辞人之赋丽以淫"也。①

挚虞所总结的这"背大体而害政教"的"四过",罗宗强给予了尖锐的反驳。他认为:"挚虞批评的这四过,其实正是建安以来文学艺术特质被发现之后文学技巧的发展,文学特质的弘扬。挚虞的这种思想,无疑是完全违背文学思想发展的潮流的。"② 当然,罗氏对挚虞在文体论上的发展和对作品风貌的重视等方面所做出的贡献也给予了充分的肯定。

二、南北朝文论的贡献

南北朝文论在南北朝文学发展中占有非常重要的地位。以刘勰《文心雕龙》为代表的一批重大学术成果,不仅在南北朝、而且在整个中国文学史上意义非凡、影响深远,并由此将魏晋以来中国文论的发展推向了一个前所未有的高峰。

1、萧统与《文选》

萧统(501～531),字德施,南兰陵(今江苏常州)人。萧统是梁武帝萧衍的长子,自幼便被立为太子,但因其早逝并未能继承皇位。萧统述自己是"少好诗文","与其饱食终日,宁游思于文林"③。故而性喜文

---

① 《文章流别论》,《魏晋南北朝文论选》,第180页。
② 《魏晋南北朝文学思想史》,第105页。
③ 《答湘东王求文集及诗苑英华书》,《魏晋南北朝文论选》,第331页。

学。由于他特殊的地位和影响,一大批文学之士聚集在他的麾下,如刘勰便在其中。《梁书》本传称他"性宽和容众,喜愠不形于色。引纳才学之士,赏爱无倦。恒自讨论篇籍,或与学士商榷古今;闲则继以文章著述,率以为常。于时东宫有书几三万卷,名才并集,文学之盛,晋、宋以来未之有也。"①

"性爱山水"的萧统,对陶渊明文学尤为喜爱,所谓"余爱嗜其文,不能释手,尚想其德,恨不同时"② 也。他因而编集了最早的《陶渊明集》并为之作序。萧统的主要著作是《文选》,因他的谥号为"昭明",故后来又称作《昭明(太子)文选》。当然,《文选》不是萧统独立完成的,而是在他主持下的一批文士集体努力的成果。《文选》成书的时间,由于萧统并未注明,今人有不同的看法:"总的来看,《文选》编成在527年,被大多数人所赞同,不过有人主张要早一些,有人主张要晚一些,然而都是推测。"③

《文选》产生的时代,已是在儒、玄、史、文"四科"并立为官学之后,文学作为独立的学科已经是社会的现实。文学的特点首先在"文",萧统认为,"文"产生于伏羲氏画八卦、造书契之时,是圣人以"人文"化成"天下"的结果。旧质体改新是为文的最重要的特征:"若夫椎轮为大辂之始,大辂宁有椎轮之质?增冰为积水所成,积水曾微增冰之凛。何哉?盖踵其事而增华,变其本而加厉。物既有之,文亦宜然。随时变改,难可详悉。"④ "随时变改"可以说是文学的生命所在,由此才可能产生"清新卓尔"的有生气有文采之文。

《文选》作为现存最早的文学著作总集,它顾名思义就是选文,而选文就有选文的原则标准,这也是一部文集成功与否的关键所在。萧统

① 《梁书》卷8。
② 《陶渊明集序》,《魏晋南北朝文论选》,第335页。
③ 《20世纪中国文学研究·魏晋南北朝文学研究》,第674页。
④ 《文选序》,《文选》,第1页。

述其选文的原则标准说：

> 若夫姬公之籍，孔父之书，与日月俱悬、鬼神争奥，孝敬之准式，人伦之师友，岂可重以芟夷，加之剪裁？老庄之作，管孟之流，盖以立意为宗，不以能文为本，今之所撰，又以略诸。若贤人之美辞，忠臣之抗直，谋夫之话，辨士之端，冰释泉涌，金相玉振，所谓坐狙丘，议稷下，仲连之却秦军，食其之下齐国，留侯之发八难，曲逆之吐六奇，乃事美一时，语流千载，慨见坟籍，旁出子史。若斯之流，又迹繁博，虽传之简牍，而事异篇章，今之所集，亦所不取。至于记事之史，系年之书，所以褒贬是非，纪别异同，方之篇章，亦已不同。若其赞论之综缉辞采，序述之错比文华，事出于沉思，义归乎翰藻，故与夫篇什，杂而集之。远自周室，迄于圣代，都为三十卷，名曰《文选》云耳。①

在文学之为"学"已与儒学、玄学、史学并立的情况下，文学之"文"也就必须表现出自己的特色而与其他三学相区分：儒学文献早已成为经典，玄学文献则原本是子书，再加上历代史籍，经、子、史三者都不应当属于文学的范畴。当然这是一般的原则，其间也不是没有特例："若其赞论之综缉辞采，序述之错比文华，事出于沉思，义归乎翰藻，故与夫篇什，杂而集之。"统而论之，萧统这里涉及到选文的体例和指导思想两个方面。

就体例一方看，周、孔之书所以不收，在于经典本不可变动，更不可芟夷剪裁。这一点实际上可以引出两方面的理由：一是经典既不可变动，也就不符合"随时变改"的文学真精神；二是经典是整部的著作，而他只需要《赞》、《论》、《序》、《述》等单篇。王运熙、杨明云："从总集编纂角度而言，昭明之不录经、史、子而只选单篇，确是由于体例关系。西晋以来，四部分类法逐渐确立。撰述某人著述，一般均将单篇制作汇为别

---

① 《文选序》，《文选》，第2页。

集;成部著作依其性质归入四部,不再割裂以入别集。"①

而就指导思想看,萧统提出了"事出于沉思,义归乎翰藻"的原则。概言之,就是既抽象有思想,又形象有文采。前者反映了玄学义理思辨普遍流行后对文学领域的影响,后者则是文学自身发展时代要求的体现。游国恩等主编高等学校通用教材《中国文学史》认为,萧统的这两句话,"是说只有善用典故成辞,善用形容比喻,辞采精巧华丽的文章,才合乎他的标准。可见他编选《文选》,正是企图用南朝文笔之辩的理论来划分文学与非文学的界限。"② 在这里,"善用"者自然有关"沉思",而"华丽"者无疑归于"翰藻"。可是,"沉思"者并不就限于"善用",而是整体的构思。

文采辞藻的华丽虽为萧统所追求,但他又反对脱离内容的浮华。他在《答湘东王求文集及诗苑英华书》中说:"夫文典则累野,丽亦伤浮。能丽而不浮,典而不野,文质彬彬,有君子之致。"③ 作文的常见病是或偏于野或偏于浮,典朴过分会显得粗野,华丽过分则变得轻浮,只有文质搭配适当才是君子所当追求的。

在此构思下,萧统心目中的文学作品,"也是齐梁时一般人心目中的文学作品。所以在《文选》中辞藻华丽、声律和谐的楚辞、汉赋和六朝骈文占去了相当大的比重,诗歌方面也多选了格律比较严谨的颜延之、谢灵运等人的作品,而陶渊明等人平易自然的诗篇却入选较少。"④ 今中华书局本《文选》为李善注 60 卷本,包括赋、诗、骚、表、志、书、序、论等各种文体。其中诗赋(含骚)比例最大,占全文一半,选文时间从战国至齐梁,作者入选诗歌最多的,有陆机、谢灵运、曹植、谢朓、颜延之、鲍照、阮籍等。

---

① 《魏晋南北朝文学批评史》,第 276 页。
② 游国恩等主编:《中国文学史》,第 324 页,人民文学出版社 1963 年版。
③ 《魏晋南北朝文论选》,第 331 页。
④ 中华书局编辑部:《文选·出版说明》,《文选》卷首,第 1 页。

所以是如此,除了他自述的选文标准外,他的正统道德观也起着重要的作用。如云:"诗者,盖志之所之也,情动于中而形于言。《关雎》、《麟趾》,正始之道著;《桑间》、《濮上》,亡国之音表。故《风》、《雅》之道,粲然可观。"① 也正因为如此,言意(道)双方在他这里就是完全一致的关系。

《文选》在后来影响很大。到唐初李善注《文选》的时候,已是"后进英髦,咸资准的"② 了。"唐以后的人们往往把它当作学习文学的教科书。杜甫教育他的儿子要'熟精文选理'(《宗武生日》),宋人言语也说:'文选烂,秀才半'(陆游《老学庵笔记》),可以看出它在后代的广泛影响。后代文人研究《文选》及李善等人的注释,形成'选学',也不是偶然的。"③

2、刘勰的《文心雕龙》

刘勰(约 466～约 521),字彦和,祖籍东莞莒(今山东莒县)人,后侨居京口(今江苏镇江)。刘勰早年丧父,家境贫寒,但他笃志好学,从京口到建康,依从定林寺著名僧人僧祐,"与之居处,积十余年,遂博通经论,因区别部类,录而序之。今定林寺经藏,勰所定也。"④ 定林寺丰富的藏书,为他提供了良好的学习条件,从而使他能够"博通经论",并深受萧统的赏识。

刘勰"为文长于佛理,京师寺塔及名僧碑志,必请勰制文"⑤。当时的"佛理"已含摄融贯玄学思辨精神在内,故刘勰的所长使他具备了深厚的理论思维素养,从而能够完成《文心雕龙》的划时代巨著。然书成

---

① 《文选序》,《文选》,第 1～2 页。
② 李善:《上文选注表》,《文选》,第 3 页。
③ 游国恩等主编:《中国文学史》,第 325 页。
④ 《梁书》卷 50《刘勰传》。
⑤ 同上。

后因其地位低下而未为世人看重,遂自负书拦名士沈约车自荐,沈约读后"大重之,谓为深得文理,常陈诸几案"①。此后其书渐行于世。

《文心雕龙》书名的含义,刘勰说:"夫文心者,言为文之用心也。……古来文章,以雕缛成体,岂取驺奭之群言雕龙也。"② 以为该书是讲如何用心作文和如同(驺奭)雕刻龙纹一样的精细修饰的。至于他如何兴起了撰著如此一部书的动机,他将此联系到了梦见圣人孔子,从而首先使他把论"文章"与注"圣经"区别了开来,以为"敷赞圣旨,莫若注经;而马、郑诸儒,弘之已精;就有深解,未足立家"③。注经之路难以"立家"而被堵死,给了他转从论文之路寻找自身的价值:

> 唯文章之用,实经典枝条,五礼资之以成,六典因之致用,君臣所以炳焕,军国所以昭明,详其本源,莫非经典。而去圣久远,文体解散,辞人爱奇,言贵浮诡,饰羽尚画,文绣鞶帨,离本弥甚,将遂讹滥。盖周书论辞,贵乎体要;尼父陈训,恶乎异端:辞训之异,宜体于要。于是搦笔和墨,乃始论文。④

至于前人,从曹丕以来,虽也不乏论文者,但都有缺陷,因为他们不能站在"振业以寻根,观澜而索源","述先哲之诰","益后生之虑"的高度,而这却正是他自己著作的起点。

在此前提下,他叙述了《文心》的创作原则和主体结构:

> 盖《文心》之作也,本乎道,师乎圣,体乎经,酌乎纬,变乎骚,文之枢纽,亦云极矣。若乃论文叙笔,则囿别区分,原始以表末,释名以章义,选文以定篇,敷理以举统,上篇以上,纲领明矣。至于割情析采,笼圈条贯,摘神性,图风势,苞会通,阅声字,崇替于时序,褒贬于才略,怊怅于知音,耿介于程器,长

---

① 《梁书》卷50《刘勰传》。
② 《序志》,《文心雕龙注》(下简称《文心》),第725页。
③ 同上书,第726页。
④ 同上。

怀序志,以驭群篇,下篇以下,毛目显矣。位理定名,彰乎大易
之数,其为文用,四十九篇而已。①

由此,则一部《文心》五十篇,分为枢纽、上篇和下篇三大部分,再外加
《序志》。三大部分与《序志》的关系,犹如"大易(衍)之数"四十九与一
的关系一样。

《序志》叙全书写作的由来、宗旨(体),而这本贯穿于四十九之用
中,不独立存在,所以需要从四十九篇去看其结构。三大部分自身,"枢
纽"是全书的主线,其思想贯穿全书,包括《原道》、《征圣》、《宗经》、《正
纬》和《辨骚》5篇;5篇之中,前3篇是讲理论思想,后2篇则重在文学
特色。"上篇"作为全书的"纲领",实际是分论诗、乐府、赋、颂、赞等30
多种文体,从《明诗》到《书记》一共20篇。"下篇"之所谓"毛目",是对
各种文体作为艺术手段和文学发展阶段及文士本身特色的分析,从《神
思》到《程器》一共24篇。

(1)道本说

《文心》以道为本,反映了魏晋南北朝学术的共性。刘勰之道既是
天地人三才之道,又是《老》《庄》《易》三玄之道,道既是宇宙的本原,又
是人文的始祖。体现道之"文",则既是天象地貌的文采,又是圣人的
"文言",文言源于文采,如此之文采、文言构成为天地的本性——天地
之心,心之发便有自唐虞开始的"文章"。自是以来,圣人代继,文章光
彩传延不绝。"故知道沿圣以垂文,圣因文明道,旁通而无滞,日用而不
匮。《易》曰:'鼓天下之动者存乎辞。'辞之所以能鼓天下者,乃道之文
也。"② 文源于道又明道,辞所以有鼓动人的力量,正在于它是道的文
饰,反映的是道的要求。

可以说,"文心"的关键在于"道心",由道心而有文心,这也是他对

---

① 《序志》,《文心雕龙注》,第727页。
② 《原道》,《文心》,第3页。

一开篇提出的"文之为德也久矣,与天地并生者何哉"① 所做出的回答。

但是,天地文采斑斓各别,人世文章亦变化多样,它们是否都能直接通于道呢? 不是。只有经才具有这样的资格:"经也者,恒久之至道,不刊之鸿教也。故象天地,效鬼神,参物序,制人纪,洞生性灵之奥区,极文章之骨髓者也。"② 经是不变之道,性灵之根,文章之髓,各种变化文辞都是基于经而发:

> 故论说辞序,则《易》统其首;诏策章奏,则《书》发其源;赋颂歌赞,则《诗》立其本;铭诔箴祝,则《礼》总其端;纪传铭檄,则《春秋》为根:并穷高以树表,极远以启疆,所以百家腾跃,终入环内者也。若禀经以制式,酌雅以富言,是仰山而铸铜,煮海而为盐也。故文能宗经,体有六义:一则情深而不诡,二则风清而不杂,三则事信而不诞,四则义直而不回,五则体约而不芜,六则文丽而不淫:扬子比雕玉以作器,谓五经之含文也。③

刘勰此论有两层含义,一是将各种文体统归于五经,以五经为本,才能使"百家腾跃,终入环内"。物序人纪是不能僭越的。之所以如此,不但是为了维护经典的权威,还在于经典提供了作文的"制式"和不竭的源泉。二是在宗经的前提下提出了作文的六项要求即所谓"六义"。"六义"可以从正面、也可以从反面来表达。正面即情深、风清、事信、义直、体约、文丽,反面则是不诡、不杂、不诞、不回、不芜、不淫。显然,"六义"本身也是为文的"制式",作文的规范性是刘勰首先考虑的问题。"楚艳汉侈,流弊不还"为刘勰所不满,所以他需要"正末规本",保持文章内容

---

① 《原道》,《文心》,第 1 页。
② 《宗经》,《文心》,第 21 页。
③ 同上书,第 22~23 页。

的雅正。

但是，文学的特色本在于想像的丰富，多谲怪之谈，那这与经之典朴又如何协调呢？在这方面，楚辞可以说是一个代表。刘勰以为，楚辞虽有异于经者，但也多有值得提倡之处："故知楚辞者，体慢于三代，而风雅于战国，乃雅颂之博徒，而词赋之英杰也。"[①] 刘勰于是具体勾勒了楚辞的文学特色：

> 观其骨鲠所树，肌肤所附，虽取镕经意，亦自铸伟辞。故骚经九章，朗丽以哀志；九歌九辩，绮靡以伤情；远游天问，瑰诡而惠巧；招魂招隐，耀艳而深华；卜居标放言之致；渔父寄独往之才。故能气往轹古，辞来切今，惊采绝艳，难与并能矣。[②]

在这里，朗丽、绮靡、瑰诡、耀艳及哀志、伤情等等，既是楚辞的特色，又体现出文学本身的价值。正是凭借于此，楚辞才可能"惊采绝艳，难与并能"。从而，宗经或雅正虽然是总的要求，所谓"离骚之文，依经立义"，但雅正之于绮丽文采，立足点在思想指导，它并不妨碍文学表现手法的丰富多彩。"若能凭轼以依雅颂，悬辔以驭楚篇，酌奇而不失其真，玩华而不坠其实，则顾盼可以驱辞力，欬唾可以穷文致"[③]。酌奇、玩华与"真实"的关系，就是骚体与经典的关系，处理好二者的关系，便能创生出传世的作品。

(2)神思论

刘勰的神思论是叙述文学创作过程中精神、思维活动的特点的。文学思维有什么特点，是刘勰十分关注的问题。他以为：

> 古人云："形在江海之上，心存魏阙之下。"神思之谓也。
> 文之思也，其神远矣，故寂然凝虑，思接千载；悄焉动容，视通

---

① 《辨骚》，《文心》，第47页。
② 同上。
③ 同上书，第48页。

万里；吟咏之间，吐纳珠玉之声；眉睫之前，卷舒风云之色；其
思理之致乎。故思理为妙，神与物游。①

在这里，《庄子·让王》所谓"身在江海之上，心居乎魏阙之下"，本云身在
江湖而心不舍宫廷之意，但刘勰以为这正说明了神思可以离形而去往
他处的特点。正是因为这样的特点，想像才可以海阔天空，任意驰骋，
或在千载之前，或在万里之外。创作构思，由此表现为"思理之致"的
"神与物游"的过程。

那么，神思与物形之间，在刘勰就是一种既分又合的关系。只有相
分，才为想像力提供了无限的潜能；只有相合，想像才会有丰富的内容
并收到实效。在想像和构思之中，"物"由外入内，外在的自然景物、山
水风云"沿耳目"而为神思所摄取，并加工再现。从而，"若乃山林皋壤，
实文思之奥府"②，人生活于其中的大自然，是"文思"能够"泉涌"的最
深厚的土壤。

而就文思自身来说，它的发动是由内而外，静心以照物：

是以陶钧文思，贵在虚静，疏瀹五脏，澡雪精神，积学以储
宝，酌理以富才，研阅以穷照，驯致以怿辞，然后使玄解之宰，
寻声律而定墨；独照之匠，窥意象而运斤：此盖驭文之首术，谋
篇之大端。夫神思方运，万途竞萌，规矩虚位，刻镂无形，登山
则情满于山，观海则意溢于海，我才之多少，将与风云而并驱
矣。③

不论是哲学认识，还是文学创造，思之虚静自先秦以来一直被认为是精
神活动的前提，因为虚静能够去掉先入为主的偏见、成见和浮躁，由积
累储宝开始人的观照和构思过程，在此基础上研阅穷照、驯致怿辞，从

① 《神思》，《文心》，第 493 页。
② 《物色》，《文心》，第 694~695 页。
③ 《神思》，《文心》，第 493~494 页。

而得心应手地创作出有深刻内容又文辞绮丽的名篇。因此,大自然丰厚的馈赠不等于直接的文学创作,后者还取决于主体自身的条件,即能否具有"独照"、"运斤"之技。

　　就创作的实际过程看,在神思以虚而驭实的活动中,头脑中的山水景观是已经过思维粗加工的内在物象或表象,由于它们已脱离了实物的原型,因而也由实而转虚。故神思之"运斤",表现为"规矩虚位,刻镂无形"的想像创造,最终走向情意溢满山海、"将与风云而并驱"的激情抒发和渲染。

　　在刘勰,心物双方的交互作用或神与物游,是文学创作的灵魂所在。由于心物双方的具体要求不同,所谓"物以貌求,心以理通",一则要求形貌动人,一则要求情理沟通,所以形象和抽象、情感与理性双方必须共同作用,并通过由外入内、由内返外的不断循环往复,才能创造出鲜活生动的艺术成果。

> 是以诗人感物,连类不穷,流连万象之际,沉吟视听之区;写气图貌,既随物以宛转;属采附声,亦与心而徘徊。故灼灼状桃花之鲜,依依尽杨柳之貌,杲杲为出日之容,瀌瀌拟雨雪之状,喈喈逐黄鸟之声,喓喓学草虫之韵。皎日嘒星,一言穷理;参差沃若,两字穷形:并以少总多,情貌无遗矣。[1]

一方面,感物越丰富,想像也就越生动。另一方面,心中物象虽然来源于外部物象,然经过了神思的提炼,能够更高更典型地反映外物,艺术形象比具体实物更为丰满出彩,往往一两个字、一两句话,便能点画出自然情貌的精神。

　　刘勰论述神思,也涉及到对言意关系的思考。他说:

> 方其搦翰,气备辞前,暨乎篇成,半折心始。何则?意翻空而易奇,言征实而难巧也。是以意授于思,言授于意;密则

---

[1] 《物色》,《文心》,第 693～694 页。

无际,疏则千里;或理在方寸而求之域表,或意在咫尺而思隔山河。①

人在动笔之初,往往雄心勃勃,可真到收尾时,心中原构思的一半已经耗损,这可以说是屡见不鲜的现象。何以会如此呢? 就在于意虚而言实。虚奇易而实巧难,所以意难以言尽。不过,言与思、意的契合程度,不是常数而是一个变数,它与作者的文学素养和生活积累密切相关,故可能契合无界,也可能疏隔千里,从而导致心难以言表、辞不能达意的情况。

当然,言能尽意、辞义一致毕竟是人的理想,人总是希望言意之间是密而不是疏的关系。但刘勰同时也看到,文学的魅力其实往往还在于言辞之外,因而落笔下言也就不必也不可能面面俱到:"至于思表纤旨,文外曲致,言所不追,笔固知止。至精而后阐其妙,至变而后通其数,伊挚不能言鼎,轮扁不能语斤,其微矣乎!"② 言、笔终归有尽,而神思却永远无极,神思至精至变含摄丰富的艺术表现才质。所谓伊尹难言鼎中美味,轮扁难语轮斤巧技,既生动表明了言辞的窘境,也客观揭示了言外之意存在的事实。

所以说,"但言不尽意,圣人所难,识在鉼管,何能矩镬!"③ 言意之际如同鉼管与矩镬的关系一样,即便是圣人亦不可能使之完全契合,故言不尽意也就是必然的结论。

(3)风骨说

《风骨》是《文心》中的一篇,"风骨"则是刘勰提出而在后来影响深远的一个美学范畴。但"风骨"究竟指什么,它的确切含义如何,由于刘勰并没有直接定义,而只是比拟说法,故一直众说纷纭。"曾有学者对

---

① 《神思》,《文心》,第 494 页。
② 同上书,第 495 页。
③ 《序志》,《文心》,第 727 页。

此一问题之讨论做一番清理,列出对风骨的不同解释10组57种,而最后结论,似乎也不甚了然,而归之于彦和行文之扑朔迷离。确实,要给彦和风骨论做一番义界明确的解释,是十分困难的,不惟今日做不到,恐今后亦难有满意之结果。"① 但即便如此,学者们对于"风骨"的热情并没有丝毫的衰减,仍试图从不同角度做出新的概括。

首先,《风骨》篇中对于风骨特征的揭示。刘勰云:

> 是以怊怅述情,必始乎风,沉吟铺辞,莫先于骨。故辞之待骨,如体之树骸,情之含风,犹形之包气。结言端直,则文骨成焉;意气骏爽,则文风清焉。

> 故练于骨者,析辞必精,深乎风者,述情必显。②

> 若风骨乏采,则鸷集翰林,采乏风骨,则雉窜文囿:唯藻耀而高翔,故文笔之鸣凤也。

> 情与气偕,辞共体并。文明以健,珪璋乃骋。蔚彼风力,严比骨鲠。③

将上述刘勰之论归类,风骨分述,则风均系于情,骨均连于辞;风的特点在清、显、气、(文)明、力;骨的特点在(端)直、精、体、健、(骨)鲠。二者合一,便是直清、精显、体气、健明、力鲠。那么,如此之风骨,便是与藻采对应,属于质之一方。简而言之,即所谓"风清骨峻"④。不过,尽管刘勰从不同侧面揭示了风骨范畴的特色,但要确切地予以把握,还须要结合它产生的历史做一分析。

风骨概念的历史渊源,学者多以为从魏晋人物品评和书画理论中的风气、风神、骨气等概念引申发展而来。刘劭《人物志·八观》中已有

---

① 罗宗强:《魏晋南北朝文学思想史》,第330页;并368页注8引陈耀南:《〈文心〉"风骨"群说献疑》。
② 《风骨》,《文心》,第513页。
③ 同上书,第514页。
④ 同上。

对骨气概念的分析:"是故骨直气清,则休名生焉;气清力劲,则烈名生焉。"刘昞注云:"骨气相应,名是以美;气既清矣,力劲刚烈。"① 骨气的意义在骨直气清,二者相合是为美。《世说新语·赏誉》说凉州张天锡到京师造放王弥,"见其风神清令,言话如流,陈说古今,无不贯悉。"②"风神"乃是谓王弥"风清秀发,才辞富赡"③,即俊秀的风采和才气。同篇又载刘孝标注引《文章志》称:"(王)羲之高爽有风气,不类常流也。"④ 概而言之,风神、风气都是谓超于常人的气质风采。

风骨与风神、风气相关,但更突出了"骨"之端直挺拔义。《世说新语·赏誉》载"王右军目陈玄伯'垒块有正骨'。"⑤ 陈玄伯名泰,其时曹髦被杀,陈泰要司马昭杀贾充以谢天下,司马昭不从,陈泰坚持其立场毫不退让,自杀以亡⑥。由此,王羲之称赞陈泰的骨气。

其时又有"才气高俊"的谢万、"气朗神俊"的支遁、"好财"的祖士少等人,王羲之将其放在一起品评,谓祖士少"风领毛骨,恐没世不复见此人"⑦。祖士少后投石勒,又为石勒所杀,颇为后人非议。王羲之如此称赞他,一是当时人目祖士少为"朗迈";二是缘于"晋人互相标榜之习"⑧。至于"风领毛骨"是何意,未见有明确注解。但从王羲之的语气可以看出是称赞其"风骨"的。所以其子王徽之说:"世目士少为朗迈,我家亦以为彻朗。"⑨ 反过来看,《世说新语·轻诋》载有"旧目韩康伯,

---

① 见《中国识人学——人物志全译》中卷《八观》,第117页。
② 《世说新语笺疏》中卷下,第494页。
③ 见同上书刘孝标注引《续晋阳秋》。
④ 同上书,第467页。
⑤ 见《世说新语笺疏》中卷下,第494页。
⑥ 参见《世说新语·方正》,《世说新语笺疏》中卷上,第288页,刘孝标注引《汉晋春秋》。
⑦ 《世说新语·赏誉》,《世说新语笺疏》中卷下,第470页。
⑧ 见同上书,余嘉锡注引程炎震言并做发挥。
⑨ 见同上书,余嘉锡注引程炎震言。

将肘无风骨"句,刘孝标注引《说林》引范启云:"韩康伯似肉鸭。"① 韩康伯体肥胖如肉鸭,以致看不见骨,故谓之"无风骨"。

在这里,不论是祖士少的"风领毛骨",还是韩康伯的"无风骨",都是指人物品评,虽可云风骨概念之来源,但毕竟与文章无关,与文章有关的是晋以来的书画理论。《晋卫夫人笔阵图》云:"善笔力者多骨,不善笔力者多肉;多骨微肉者谓之筋书,多肉微骨者谓之墨猪;多肉丰筋者圣,无力无筋者病。——从其消息而用之。"② 书法之精华在骨、筋,这是书法美感的内在力度。

顾恺之画论多谈骨法。其评《周本纪》曰:"重叠弥纶有骨法,然人形不如'小列(烈)女'也。"评《伏羲神农》:"虽不似今世人,有奇骨而兼美好,神属冥芒,居然有得一之想。"③ 其所谓骨法,首先是指骨相人才,但从其对应面的"人形"和"美好"并不包含在骨法中看,又指内在气质。比刘勰略早的谢赫,在对前人绘画实践经验的总结中,提出了绘画"六法"的总的要求。其中之一"气韵生动",之二"骨法用笔",是对画品骨气的典型概括。而且,他也直接使用了"风骨"的概念来评价三国吴人曹不兴的画作。④ 此时,直接使用骨气等概念来评论文章也开始流行。如宋元嘉时王僧谦评论其兄王微之文便云:"兄文骨气,可推英丽以自许。"⑤

从上述渊源可见,凡言骨者,大都与挺拔刚健、遒劲有力的气度有关。那么,到刘勰的时候,以风骨及其相应概念来评说文章,已经成为

---

① 见《世说新语笺疏》下卷下,第 846 页。

② [清]冯武编著:《书法正传·纂言上》(崔尔平点校),上海书画出版社 1985 年版,第 115~116 页。

③ 《画论·魏晋胜流画赞》,见俞剑华、罗子、温肇桐编著:《顾恺之研究资料》,人民美术出版社 1962 年版,第 28、29 页。其中所云"小列(烈)女",按编著者意,当为蔡邕的作品。

④ 参见王伯敏点注:《古画品录》,人民美术出版社 1959 年版,第 1、7 页。

⑤ 参见《宋书》卷 62《王微传》。

时代的风尚。刘勰于此有取而提炼为论文的中心范畴,也就是顺理成章的。

刘勰风骨之义,是从《诗·风》发端,以为"风"冠诗义之首,"斯乃化感之本原,志气之符契也"①。"风"之一词,本发于自然而用于社会,多组合为风俗、风气、风教等合成词使用,然其重心,其实都是论气。从最初的词源看,孔子从社会教化角度言风,称"君子之德风,小人之德草,草上之风,必偃"②。孔子强调道德示范,但风过草伏之教化,实表现为一种势的必然。气的概念在孟子给予了较多的阐发。孟子的气与志相关,其理想状态是志帅气充、志至气次的主从协调③,这也是风教作用的典型表现。庄子则从自然本身出发,云"大块噫气,其名为风"④,风即为气之名。此风虽是自然天地之风,但作为"大块"之噫,同样属于不可遏止之势。联系到刘勰,《诗·风》的意义,就在于使人之情性服从于志向、理想即势的要求。这在个人是移人情性,在社会即是移风易俗。风作为教化,重点在思想意义上。

但就文章而论,没有恰当的文辞结构,其思想意义是无法恰当表现的。所以必须有"骨"来承载其文义。在刘勰,"辞之待骨,如体之树骸"⑤。骨在文中之作用,犹如人体之骨骼一样,是支撑"成"人的基础。如果文中无骨,缺乏内在力量,即便有辞藻堆砌,也同样不能"成"文。所以说"沉吟铺辞,莫先于骨"。骨是辞的生存基础,骨立才能辞彰。

相反的情况,是"若瘠义肥辞,繁杂失统,则无骨之征也"⑥。骨以端直为性,"肥辞"则是过度堆砌之辞,缺乏内在的逻辑,故可云"无骨"。

---

① 《风骨》,《文心》,第513页。
② 《论语·颜渊》。
③ 参见《孟子·公孙丑上》相关论述。
④ 《庄子·齐物论》。
⑤ 《风骨》,《文心》,第513页。
⑥ 同上。

前人肉鸭、墨猪之比喻,可以说便是生动的写照。范文澜解释说:"辞必与义相适,若义瘠而辞过繁,则杂乱失统,失统既无骨矣。"①骨作为文之主干,固然需要生动的文辞来丰富,但如果寓意平庸又乱堆文辞,主干埋没丧失,文章便没有实际的价值。

就此而言,辞与骨的区别应该说是明显的,但这一观点在文学史上却存在着争议。比如近代以来研究《文心雕龙》的大家黄侃便不是这样认为。黄侃云:

> (风骨)二者皆假于物以为喻。文之有意,所以宣达思理,纲维全篇,譬之于物,则犹风也。文之有辞,所以摅写中怀,显明条贯,譬之于物,则犹骨也。必知风即文意,骨即文辞,然后不蹈空虚之弊。或者舍辞意而别求风骨,言之愈高,即之愈渺,彦和本意不如此也。②

按黄氏的观点看,风骨双方都是借物来比喻文的。文有意和辞之分,意使全文构成为一个整体,是全文的灵魂;辞则使心中所想得以抒发,并条理清晰。简言之,即风发理意,骨立辞干。不论是谈他人之文还是自己作文,对于风骨或意辞的要求实际上都是一致的:

> 然则察前文者,欲求其风骨,不能舍意与辞也;自为文者,欲健其风骨,不能无注意于命意与修辞也。风骨之名,比也;意辞之名,所比也。今舍其实而求其名,则实令人迷惘而不得所归宿。③

知道风骨就是意辞,也就是把握意辞的重心在命意与修辞。风骨是比喻之名,意辞则是所比之实。所以,谈风骨重在论意辞。

对于黄侃的观点,范文澜进一步从虚实角度推明其意说:"此篇

---

① 《风骨》范文澜注7,《文心》,第516页。
② 《风骨》范文澜注引黄侃《文心雕龙札记》,《文心》,第515页。
③ 同上。

所云风、清、气、意，其实一也。而四名之间，又有虚实之分。风虚而气实，风气虚而气情实，可于篇中体会得之。辞之与骨，则辞实而骨虚。辞之端直者谓之辞，而肥辞繁杂亦谓之辞，惟前者始得文骨之称，肥辞不与焉。"① 风骨与意辞之间有虚实，风骨各自又另有虚实。但概括起来，风骨以虚为胜，意辞则在落实。在这里，范文澜虽然是为黄侃辩，但对其师的观点其实也有修正，即他已将辞与骨进行了区分："肥辞"虽亦是辞，但却不可谓骨。因为它已背离了端直主虚的文骨的本性。

今寇效信的分析以黄侃之说作为自己的出发点。他认为："黄侃把'风骨'看做由比拟造成的术语，而且指出了刘勰所假以为喻的物就是风和骨。但刘勰为什么拿风和骨来做比拟，黄侃却未说明。"② 而寇氏自己的说明是："《文心雕龙》中的'风骨'，是刘勰创造的美学术语。'风'，是作家骏爽的志气在文章中的表现，是文章感染力的根源，比拟于物，犹如风；'骨'，指文章语言端直有力，骨鲠遒劲，比拟于物，犹如骨。二者合组成词。"③ 寇效信仍坚持以气和力解风和骨的传统，同时又以风摄骨，故气、力又是一体。

寇氏风骨说的一大特点，是坚决反对以所谓"风神"、"骨相"来解风骨的看法。以为不仅风骨之"风"和所谓"风神"相去颇远，就是骨，也和所谓"骨相"有极大的区别，并根据自己对"骨相"、"骨法"概念由来的分析和刘勰每用"骨鲠"指文骨、而无一处用骨相、骨法的情况的归纳，结论说："由论人的看法(形体特征)到论画的骨法(形似)，其间的传承关系，一脉相承，顺理成章；而《文心雕龙》的'风骨'的'骨'，则另有所指，要说它和论人和论画的'骨法'之间有一脉相承的连贯性，是缺乏根

① 《风骨》范文澜注4,《文心》，第516页。

② 寇效信：《论风骨》，载张少康编：《20世纪中国学术文存·文心雕龙研究》，湖北教育出版社2002年版，第507页。

③ 同上书，第511页。

据的。"①

罗宗强不认可黄侃的骨即文辞说并提出了批评。他称:"有学者认为,骨即文辞,此说实不可通。之所以不可通,正在混淆了辞与骨之区别。……要言之,骨借言辞以表现,而并非言辞。"此"学者"显然是指黄侃。但罗宗强与寇效信不同,他是明确肯定风骨的概念是源自人物书画品评的。他继承了前人的虚实之论,其特点是将风与骨双方做虚实之分析,曰:"风与骨,均指作品之内在力量,不过一虚一实,一为感情之力,一为事义之力。感情之力借其强烈浓郁、借其流动与气概动人。事义之力,借其结构严谨、借其逻辑力量动人。风骨合而论之,乃是提倡一种内在力量的美,乃是对于文章的一种美学要求。"②

王运熙、杨明亦肯定人物书画以至文章品评是刘勰风骨概念的来源。认为从时人对韩康伯和王羲之的品评,"都说明风和骨二者密切相关,风影响骨,骨影响风,故被连称。引申到文学理论,精要刚健的语言好像人的骨骼,故叫骨;绮丽华美的语言好像人的血肉。……书画理论中的用笔或笔迹,犹如文章中的语言,都应重视挺拔遒劲,才能保证作品具有爽朗刚健的风貌。"③ 正是在此基础上,刘勰提炼出了自己的风骨概念。故王、杨又总结说:"由此可见,运用风骨这一概念评价文学作品,在南朝已是文学、绘画、书法各个领域的共通现象。但别家论述,大抵都是评论具体作家(或艺术家)作品,而刘勰的《风骨》篇,则对风骨的含义、重要性和锻炼风骨的方法等问题都做了分析,因此成为论述风骨问题的一篇最有系统的文章。"④

关于刘勰"风骨"概念的阐释和争论,《20世纪中国文学研究·魏晋

---

① 寇效信:《论风骨》,载张少康编:《20世纪中国学术文存·文心雕龙研究》,第510~511页。

② 《魏晋南北朝文学思想史》,第338~339页。

③ 《魏晋南北朝文学批评史》,第452~453页。

④ 同上书,第453~454页。

南北朝文学研究》将其归入《风格论》一节，列举和评述了自黄侃以来的
各家的观点；而在前之《综合研究》中，亦单辟有《关于风格风骨问题》的
部分。吴云的观点，实际上是源自他所推崇的詹锳。詹锳即是认为《文
心雕龙》最重要的贡献就在风格理论，并出版有《〈文心雕龙〉的风格学》
的专门论文集。书中，詹锳强调风骨属于风格的范畴，认为风骨"就是
鲜明、生动、凝练、雄健有力的风格"，亦即"《文心雕龙·体性》所说八体
中的'典雅'、'精约'、'显附'、'壮丽'"的风格①。当然，"总的来说，对
风骨解释，学者的看法分歧较大，说法达几十家之多"，所以吴云的《风
格论》及相关篇目亦不能一一列举②。

(4)批评论

《文心雕龙》在整体上即是一部文学批评著作，并正以此而立于中
国乃至世界文学史坛。张少康云："刘勰的《文心雕龙》是中国古代最伟
大的一部文学理论批评著作，与西方古代的亚里士多德的《诗学》遥相
呼应，在历代的文学批评中都受到大家的关注，并给予高度评价。"③
吴云亦称："《文心雕龙》是中国成就最高的一部文学批评著作，产生之
后，立刻为时人所重。"④ 但刘勰书的特点，不仅在于批评本身，而且在
于对批评的自觉认识而有批评论。

《文心》中哪些篇目属于批评论，学者意见并不一致。吴云收集了
梁绳祎、罗根泽、刘大杰、詹锳、牟世金、罗宗强等多名学者及中国社会
科学院文学研究所和游国恩等主编的两本《中国文学史》教材的观点。
但无论意见多么分歧，《知音》一篇为其核心则是所公认的。

首先，《知音》以"知音其难"即客观公正的批评不易为开篇。这种
不易是主客观因素综合作用的结果。刘勰概括出了贵古贱今、崇己抑

---

① 参见《20世纪中国文学研究·魏晋南北朝文学研究》，第727、724页。
② 同上书，第727页。
③ 张少康：《导言》，《20世纪中国学术文存·文心雕龙研究》，第1页。
④ 《20世纪中国文学研究·魏晋南北朝文学研究》，第680页。

人、信伪迷真、知多偏好等方面的弊病,它们的发生有客观认识水平的关系,更有主观心理的偏私,故历来政客文人对待前人乃至同时代人的作品,每每不能抱有客观公正的态度。刘勰具体举出了秦皇、汉武、班固、曹植、楼护等不同的事例来加以说明。

就这些事例看,秦皇、汉武对韩非、司马相如,从贵古贱今的历史观去讲并不是很恰当,这里主要还是政治斗争和治国谋略的问题;班固以后可以用曹丕的"文人相轻"论进行置评,崇己抑人作为文人相轻的另一种表述,是对曹丕思想的继承;至于信伪迷真则是出于鼓动唇舌游说君王的需要,与文之本身并无关联。那么,对于文人、文章有关的,就主要是文人相轻或崇己抑人这一方面的弊病。要解决它们,批评者除了要有深厚的学养外,宽阔的心胸是对文章做出公正评论的必须前提。

当然,公正评价的做出,并不仅仅受制于崇己抑人的心态,它也与人的知识经验和认识水准相关。所谓"楚人以雉为凤,魏氏以夜光为怪石,宋客以燕砾为宝珠"① 之类,说明了人的认识的有限性,属于批评论的客观基础。刘勰举此类例意在说明,像麟凤与麇雉、珠玉与砾石这些"形器易征,谬乃若是;文情难鉴,谁曰易分"②? 鉴别文情即文学批评的难度,要远大于外在形器的区分,这也是《知音》开头部分所要阐明的问题。

其次,个体审美判断的差异和文学欣赏的偏向性。审美过程或文学欣赏都是主客观双方相互作用的过程,因而也增加了公正评价的难度。刘勰云:

夫篇章杂沓,质文交加,知多偏好,人莫圆该。慷慨者逆声而击节,酝籍者见密而高蹈,浮慧者观绮而跃心,爱奇者闻诡而惊听。③

① 《知音》,《文心》,第714页。
② 同上。
③ 同上。

文章的体裁、辞义不同,文质的倚重不同,加之鉴赏者自身气质和素养本来不一,如慷慨豪放者、沉着稳静者、颖慧好表现者、喜怪猎奇者等所爱好的作品显然是有差别的,这些都造成了评价的偏向性。当然,偏向并不都是不合理的,人的兴趣爱好本来是客观的存在,然它们也是造成不能客观公正评价作品的心理根源:"会己则嗟讽,异我则沮弃,各执一隅之解,欲拟万端之变,所谓东向而望,不见西墙也。"① 荀子著名的《解蔽篇》早已讲过,"凡人之患,蔽于一曲而暗于大理"。刘勰可以说是从文学批评的角度对荀子观点的继承。从此出发,他列出了自己的"解蔽"之方:

> 凡操千曲而后晓声,观千剑而后识器;故圆照之象,务先博观。阅乔岳以形培塿,酌沧波以喻畎浍,无私于轻重,不偏于憎爱,然后能平理若衡,照辞如镜矣。②

克服片面性的办法,是扩大自己的视野,加厚自己的经验积累。说明"圆照"的理想欣赏境界的培养,不仅仅是阅读文章,而且要亲历崇山沧海,才能使自己的审美观和欣赏情趣有根本性的飞跃。当然,开源是一方面,另一方面则要锻炼培养"平理若衡,照辞如镜"的心理。但如此的心理实际上将有血有肉的主体,视做为机械的镜面观照,其"无私"、"无偏"的要求,尽管美好,但却难以在社会通行。

不过,就刘勰来讲,他是相信客观公正评价的可能的。这是他的言意关系论在批评论上的表现。按他所说:"夫志在山水,琴表其情,况形之笔端,理将焉匿?故心之照理,譬目之照形,目瞭则形无不分,心敏则理无不达。"③ 琴表山水之情,笔形文中之理,人听琴识文便能入情会理。显然,心之照理如目之照形,只要心敏目瞭,即主观认识手段完备,

① 《知音》,《文心》,第714页。
② 同上书,第714~715页。
③ 同上书,第715页。

就没有不能明达文章之情理的。刘勰这里显然过分理想化了,与他《神思》论中强调意蕴深远而难以言表的观点,是不相协调的。

之所以如此,在于刘勰的重点已经转向鉴赏和评价的准确性上,其中又带有强烈的理想成分。他认为:

> 夫缀文者情动而辞发,观文者披文以入情,沿波讨源,虽幽必显。世远莫见其面,觇文辄见其心。岂成篇之足深,患识照之自浅耳。①

在这里,缀文属于创作,观文则属于批评,两者方向和顺序相反:创作是随情性发动而体现于文辞,批评则是随文辞理解而进入作品或作者的感情世界。但双方总体上又是处理一个文辞和情性亦即言意的关系问题。由于文辞是对所发情性的表达和概括,所以批评鉴赏者可以沿波(文辞)讨源(情性),作品或作者内含的奥妙,就一定能够得以彰显。读者对作者,虽然未尝谋面,但通过文章,一定能直取其心志。

基于如此的信念,刘勰进一步提出了探取“文情”的六种基本途径或方法:

> 是以将阅文情,先标六观:一观位体,二观置辞,三观通变,四观奇正,五观事义,六观宫商,斯术既形,则优劣见矣。②

这“六观”实际上已将刘勰其他涉及到鉴赏批评的篇目也连带起来了。范文澜注云:“一观位体,《体性》等篇论之;二观置辞,《丽辞》等篇论之;三观通变,《通变》等篇论之;四观奇正,《定势》等篇论之;五观事义,《事类》等篇论之;六观宫商,《声律》等篇论之。大较如此,其细条当参伍错综以求之。”③

“六观”的具体规定,与学者将六观分别联系于不同篇目相关,总体

---

① 《知音》,《文心》,第715页。
② 同上。
③ 《知音》范文澜注9,《文心》,第717页。

上未出范文澜的框架，但在第一观位体，则多以为当联系《镕裁》。具体如何观，学者有不同的解释。王运熙、杨明认为：观位体，是指考察作品的体制风格；观置辞，是指考察如何运用辞采。观通变，是指考察作品的因革损益。观奇正，是指考察如何处理奇正两种不同的表现方法。观事义，是指考察运用成语典故援古论今的情况。观宫商，是指考察声韵是否和谐协调。六观虽然相互关联，但前二观为主，后四观为从。①刘文忠、罗宗强等的解释与此相似，但没有王、杨二人的主从之分；罗氏还强调观位体之体乃是“本体”，而观奇正则具体化为考察作品的审美趣味或美的格调②。

刘勰这“六观”还在批评的标准方面引起了经久不息的讨论。有认为六观即是文学批评标准的，有不同意六观而以《宗经》篇的“六义”作为批评标准的，有将六观与六义结合起来作为批评标准的，有将刘勰的批评标准分成思想政治标准和艺术标准而对六观和六义重新进行分拆组合的，还有以系统论的观点来看待和处理刘勰的批评标准的。与此有别，也有不少学者认为六观只是批评方法或考察角度而并非是讲标准的，等等。③ 可以说至今是一个见仁见智的问题。

不过，如果从刘勰叙述的语气来看，六观既然是从无私、不偏的客观性出发，在“将阅文情”之先确立；而阅后则有对象文之“优劣见”，那么，从进入论，谓之途径或方法或许更为恰当；而从退出论，则以之为批评标准应当可以成立。

刘勰的《文心雕龙》作为一部划时代的巨著，其独特的学术价值使

———————

　　① 参见《魏晋南北朝文学批评史》，第483～484页。

　　② 参见刘文忠：《刘勰的批评标准系统论》，《20世纪中国学术文存·文心雕龙研究》，第613～614页；罗宗强：《魏晋南北朝文学思想史》，第284～289页。

　　③ 参见刘文忠：《刘勰的批评标准系统论》，《20世纪中国学术文存·文心雕龙研究》，第607～617页；吴云：《20世纪中国文学研究·魏晋南北朝文学研究》，第728～730页。

它在中国文学史尤其是文学批评史上具有不可替代的地位。当今"很多国外的汉学家都在研究《文心雕龙》,'龙学'已成为世界性的显学"①。可是,由于多种原因,"《文心雕龙》研究在五六十年代、八十年代都曾经热过一阵,到近年来已经渐趋沉寂"②。所以,张、吴都寄希望于21世纪"龙学"发展的前景。

3、钟嵘的《诗品》

钟嵘(约468～约518),字仲伟,祖籍颍川常社(今河南长葛)人。早年喜《周易》,做国子生时受到祭酒王俭赏识,后任过齐、梁的中下层官吏,所谓"位末名卑"③也。钟嵘的著作,今只有《诗品》一部,但按《梁书·钟嵘传》所说,当时称作《诗评》。《隋书·经籍志》则记载有《诗评》、《诗品》二名,但仍是《诗评》为首;后则《诗评》不再,《诗品》流行。想来诗之"评"前人早有,诗之"品"却自钟嵘开端,故更能体现出钟嵘诗论的特色。

钟嵘作《诗品》的动机,首先在于诗的美学和社会价值。四时感遇,人生离合,人之情性发动,总得有所表达,所以诗便成为必要:

> 凡斯种种,感荡心灵,非陈诗何以展其义,非长歌何以骋
> 其情?故曰:"《诗》可以群,可以怨。"使穷贱易安,幽居靡闷,
> 莫尚于诗矣。故词人作者,罔不爱好。④

钟嵘不像刘勰那样重视诗的教化功能,但诗能够抒发情感、排解郁闷、安定民心,这也是钟嵘明白看到的现实。所以他对此也不是完全忽视。

其次是由于诗风的混乱。其时刚通一点文墨者便要做诗,致使"庸音杂体,各为家法"。谈诗已成为街谈巷语之时尚,"随其嗜欲,商榷不

---

① 张少康:《导言》,《20世纪中国学术文存·文心雕龙研究》,第51页。
② 吴云:《20世纪中国文学研究·魏晋南北朝文学研究》,第731页。
③ 《南史》卷72《钟嵘传》。
④ 《诗品序》,曹旭:《诗品集注》(下简称《诗品》),第47、54页。

同。淄渑并泛,朱紫相夺,喧议竞起,准的无依"。① 如此"各为家法"、
"准的无依"可以说是钟嵘作《诗品》以提供一种普遍认同的尺度的最为
直接的原因。而在他之前,已有刘绘(字士章)开其头,惜其文未能遂,
所以他立志继续这一事业而著成《诗品》。

《诗品》之分品论诗,钟嵘称是从汉魏的"九品"中正制和刘歆《七
略》分类取舍人物而来:"昔九品论人,《七略》裁士,校以宾实,诚多未
值。至若诗之为技,较而可知,以类推之,殆均② 博弈。"③ 人材有品第
之分,弈棋有黑白高下,诗作也就有品类评说的必要。

(1)品第与流别

钟嵘《诗品》分为上中下三品,亦即三卷,前面有序,序文内容与正
文互相发明。《诗品》录诗,按钟嵘自己所说是"止乎五言",反映了当时
五言诗兴盛繁荣的背景。但亦称"网罗古今,词人殆集"④,故实际上又
不限于五言。后人于此多有辩解。曹旭注引许文雨《讲疏》、李徽教《汇
注》、杨祖聿《校注》等说明"止乎五言"只是常法,钟嵘所收亦包含非五
言者⑤。钟嵘又云所收作者"凡百二十人"。古人言数常举其成数,若
精确化,则或在其上下,故有121、122、123人不等。⑥

钟嵘收录诗人的原则体例,是自汉至梁而生者不录,其云:"一品之
中,略以世代为先后,不以优劣为诠次。又其人既往,其文克定;今所寓
言,不录存者。"⑦ 即在上中下三品的优劣次第下,一品之内不再分高
下。当然,这也是大略言之,有不少处的排列他并未遵守这一原则,而

---

① 《诗品序》,曹旭:《诗品集注》,第62页。
② 均:《梁书·钟嵘传》引作"同","均"作"同"解。
③ 《诗品序》,《诗品》,第66页。
④ 《诗品中·序》,《诗品》,第192页。
⑤ 参见曹旭:《诗品集注》,第194～195页注1。
⑥ 参见曹旭注引车柱环《校证》、《校证补》等说及曹旭解为版本不同等缘
由,见《诗品集注》,第193～194页。
⑦ 《诗品中·序》,《诗品》,第173页。

又有优劣高下之分。在具体编排上,上品诗人人各一传,中品、下品则不定,有一人一传,也有多人合传,评述内容亦详略不等。大体包括诗学源流、体裁、风格、他人评价及比较高下优劣等方面。

细分来看,在钟嵘所录122位诗人(外加无名氏《古诗》一组计123位)中,上品11人(加《古诗》则12),中品39人,下品72人。从其框架结构看,《诗品》是以上中下三品为纲而纵贯汉魏晋南朝(迄于梁)的诗歌发展史,钟嵘以《国风》、《小雅》和《离骚》为诗之源头,其所品评诗人或直接或间接从此源头开出。他虽然是总品自汉至梁的诗歌发展,但又追溯了36位作者的诗学渊源。

今人的研究著作,于此大多列有三系传承图表,如王运熙、杨明《魏晋南北朝文学批评史》列出三系人数分别为:《国风》系13人,外加《古诗》,数为14;《小雅》系1人;《楚辞》系21人。曹旭《诗经集注》所列出的三系源流,其分布格局与王运熙相同,然在《古诗》与左思之间,却少了上品刘桢①。罗宗强《魏晋南北朝文学思想史》亦作有36人图,其《国风》、《小雅》系所列与王、杨本相同,但其《楚辞》一系少列中品刘琨、卢谌2人,却加上了中品江淹1人。刘、卢二人渊源清楚,而江淹却有疑,故王、杨与曹旭均未列。然罗本加上江淹亦只20人,与其文字解释22人又少2人,不知何故? 同时,如此的三系划分,只是就其主流而言,一些诗人所受前人诗风的熏陶是多元的,形成一系为主又兼承他系的情况,这在钟嵘也曾明白地予以揭示。

从诗学史的发展阶段看,自西汉中期李陵至梁初沈约的时代,计约600年,诗人、诗作层出不穷。但值得推崇的阶段主要是三个,即建安、太康和元嘉,各自分别以曹植、陆机和谢灵运为轴心和代表:

> 故知陈思为建安之杰,公幹、仲宣为辅;陆机为太康之英,
> 安仁、景阳为辅;谢客为元嘉之雄,颜延年为辅。斯皆五言之

---

① 参见曹旭《诗经集注》图表,见该书《前言》,第24页。

冠冕,文词之常世也。①

在这里,以曹植为核心的"建安之风"是钟嵘诗论的理想境界和评价标准。从建安"彬彬之盛,大备于时",中经太康"勃而复兴",再至东晋"建安之风尽",显然都是以建安诗风为轴线;而谢灵运、颜延之在钟嵘亦是直接间接出于曹植。因而,可以说建安之盛是钟嵘心中的一块丰碑。

同时,从诗歌之总体发展史看,虽然从《国风》、《小雅》和《楚辞》分别开出了各自的源流,建安诗风主要属于《国风》一脉;然《小雅》系实只有阮籍一家,《楚辞》系自李陵而后,到曹丕、王粲方蔚为大观,然曹丕、王粲本又是建安文坛的代表;所以,按钟嵘的思路,两晋南朝的诗学,在一定意义上都是建安之风的承接和发展。

(2)诗之缘起与艺术风格

《诗品》论诗,重在抒情,钟嵘虽也注意到作品的思想内容,亦有对于儒家传统诗学观的继承,但更有他自己的创新。他最看重的是艺术特征,这从他探讨诗之缘起及做诗之要领中,可以清楚地看出来。

首先,气感而兴诗。钟嵘云:

> 气之动物,物之感人,故摇荡性情,形诸舞咏。欲以照烛三才,辉丽万有,灵祇待之以致飨,幽微藉之以昭告。动天地,感鬼神,莫近于诗。②

人生活于气化自然之中,周围环境的变化必然要反映到人的头脑中来,从而使人之性情激荡,有感而发。这一思路从渊源上可以追溯到儒家经典《礼记·乐记》,在钟嵘却导致了诗之缘起。故诗之产生有其必然。

同时,诗之产生也是人为天地立言的需要,人天之际,其交流的手段最有效者莫过于诗。舜之《南风》,作为最早的诗歌,正是由此发端的。而后来者实际上也无不是如此。因为自然之感人,本无时不在:

---

① 《诗品序》,《诗品》,第28页。
② 《诗品序》,《诗品》,第1页。

"若乃春风春鸟,秋月秋蝉,夏云暑雨,冬月祁寒,斯四候之感诸诗者也。"① 四时景物变化可以说都是气的变化,气变感人不同,其情感兴发和诗之创作亦必然多样。

不过,与自然之气大多使人心情爽适激越不同,人世之气则大多属于悲凉萧杀之类:

> 嘉会寄诗以亲,离群托诗以怨。至于楚臣去境,汉妾辞宫;或骨横朔野,或魂逐飞蓬;或负戈外戍,或杀气雄边;塞客衣单,霜闺泪尽。又士有解佩出朝,一去忘返;女有扬娥入宠,再盼倾国。凡斯种种,感荡心灵,非陈诗何以展其义,非长歌何以骋其情?②

在钟嵘眼中,正是慷慨悲凉之美造就了动情的诗篇。这在中国学术史中,反映了一种十分悠久深厚的创作动因论的传统。

《周易》已有周文王忧患而演易之说,司马迁则给予了进一步的渲染:"昔西伯拘羑里,演《周易》;孔子厄陈蔡,作《春秋》;屈原放逐,著《离骚》;左丘失明,厥有《国语》;孙子膑脚,而论《兵法》;不韦迁蜀,世传《吕览》;韩非囚秦,《说难》、《孤愤》;《诗》三百篇,大抵贤圣发愤之所为作也。此人皆意有所郁结,不得通其道也,故述往事,思来者。"③ 诗与文的起源在司马迁是一致的,意气郁结不通,发愤而有创作,《诗经》、《离骚》从而得以产生。钟嵘继承发扬了这样一种诗文创作起源论的传统,而又将重心确立在了情义上。

其次,重五言与诗三义。汉魏以来,诗体主要有四言、五言之分,钟嵘与刘勰等以四言为正不同,他推崇的是五言,并认为只有五言才能充分表达出诗之情义。他说:

---

① 《诗品序》,《诗品》,第 47 页。
② 同上。
③ 《史记》卷 130《太史公自序》。

夫四言,文约意广,取效《风》、《骚》,便可多得。每苦文繁
而意少,故世罕习焉。五言居文辞之要,是众作之有滋味者
也,故云会于流俗。岂不以指事造形,穷情写物,最为详切者
邪!故《诗》有六义焉:一曰兴,二曰比,三曰赋。文已尽而意
有余,兴也;因物喻志,比也;直书其事,寓言写物,赋也。弘斯
三义,酌而用之,干之以风力,润之以丹采,使咏之者无极,闻
之者动心,是诗之至也。①

就四言与五言论,四言有言约意广的优点,又有文繁意少的缺点,随着
时代的发展,由于需要表达的东西越来越丰富,四言的缺陷也就越来越
明显,故齐、梁之后,五言取代四言已是势所必然。五言比四言提供了
更为广阔的文学表达形式,"是众作之有滋味者也",但五言本身又有如
何更好表达内在情感的问题。

钟嵘从《毛诗序》的"六义"(风、赋、比、兴、雅、颂)② 出发,但却只
概举出赋、比、兴三义。三义与六义,只是看问题的角度、范围,原则上
并无区别。按孔颖达《毛诗正义》的解释是:

然则风、雅、颂者,诗篇之异体;赋、比、兴者,诗文之异辞
耳。大小不同而得并为六义者,赋、比、兴是诗之所用,风、雅、
颂是诗之成形。用彼三事,成此三事,是故同称为义。非别有
篇卷也。③

即如果不谈诗之体裁,只言诗之用辞手法,则六义也就是三义。

赋、比、兴三义历来有不同的解释,关键在是否带上德行教化的内
容。如郑玄云:"赋之言铺,直铺陈今之政教善恶;比,见今之失不敢斥
言,取比类以言之;兴,见今之美,嫌于媚谀,取善事以喻劝之。"④ 三义

---

① 《诗品序》,《诗品》,第36、39页。
② 参见《毛诗正义》卷1,《十三经注疏》本。
③ 同上。
④ 《周礼注疏》卷23《大师注》,《十三经注疏》本。

均突出政教。刘勰《文心雕龙》中有《比兴》一篇,其言曰:"比则畜愤以斥言,兴则环譬以记[一作托]讽。"又专云"兴"曰:"观夫兴之托喻,婉而成章,称名也小,取类也大。"①　明言"兴"名小而风教取类大,可以寄托"后妃方德"之类的德教内容。

钟嵘之"兴"则相对简单,他实际上已从这一传统中解脱,而不再将赋、比、兴的艺术手法——联系到德行风教上,看重的是内在情性抒发的韵味、兴致和美感。同时,钟嵘还强调赋、比、兴三义的运用应当协调:

> 若专用比、兴,则患在意深,意深则辞踬。若但用赋体,则患在意浮,意浮则文散。嬉成流移,文无止泊,有芜漫之累矣。②

三义不应偏于任一边,而是成相互约束之势,才可望达到最好的效果。

第三,合风力与丹采。在钟嵘,诗要能达到真正打动人并得以普遍流行传诵的最佳效果,手段只有两个,那就是"干之以风力,润之以丹采"。"风力"也就是风骨、骨气,作品当遒劲有力;"丹采"也就是美文,作品当绮丽华美:这既是诗歌创作的美学原则,又是衡量诗歌艺术成就高低的标准。在这两方面结合得最好并足以为后人典范的就是曹植。所谓"骨气奇高,词采华茂。情兼雅怨,体被文质。粲溢今古,卓尔不群。嗟乎! 陈思之于文章也,譬人伦之有周、孔,鳞羽之有龙凤,音乐之有琴瑟,女工之有黼黻。"③　曹植所以能是诗之周、孔,就在于他将骨气与词采、雅与怨、文与质等从不同角度对诗歌提出的要求,都完美地结合了起来。

就此而言,钟嵘也不是不讲思想内容,雅正、质朴以及骨气的力度,

---

① 《文心雕龙注》,第 601 页。
② 《诗品序》,《诗品》,第 45 页。
③ 《诗品上·魏陈思王曹植诗》,《诗品集注》,第 97～98 页。

都不能脱离于内容。当然词采华美更是他所关心的,所以他对玄言诗提出了批评。在他这里,建安风采与东晋玄言是正相对立的关系,因为后者把抒情诉怨的诗歌,当成了说理教化的工具。"理过其辞","平典似《道德论》",结果偏离了诗歌发展的正道。

第四,诗不贵"用事"。钟嵘反对诗之"用事",而主张"自然英旨"。他说:

> 夫属词比事,乃为通谈,若乃经国文符,应资博古;撰德博奏,宜穷往烈。至于吟咏情性,亦何贵于用事?"思君如流水",既是即目;"高台多悲风",亦唯所见;"清晨登陇首",羌无故宝;"明月照积雪",讵出经史?观古今胜语,多非补假,皆由直寻。颜延、谢庄,尤为繁密,于时化之。故大明、泰始中,文章殆同书抄。近任昉、王元长等,词不贵奇,竞须新事。尔来作者,寖以成俗。遂乃句无虚语,语无虚字,拘挛补衲,蠹文已甚。但自然英旨,罕值其人。词既失高,则宜加事义。虽谢天才,且表学问,亦一理乎!①

钟嵘力求把"经国文符"与"吟咏性情"的不同要求区别开来,前者属于国家之经史政论,须广泛借助历史经验,故大量用事、用典本来应当;而后者为个人直寻亲历,情怨所发,自然精美,"亦何贵于用事"?他并举徐幹、曹植以来诗之"胜语"佳句,说明"直寻"、直接从生活中来才是上策。而颜延之、谢庄、任昉、王融等却大量用典,甚至专求生僻,致使当时诗风为之一变,诗意索然,做诗如同抄经史一般。诗词意境不高而期以事典补之,炫耀学问,是不值得推崇的。

在这里,钟嵘之反对用典,主要是针对大量、过分地用典,以致达到"句无虚语,语无虚字"的地步,结果严重地束缚了本来清新活泼的思维,也就不可能创作出好诗佳句。可以说,凡是不利于甚至限制人的自

---

① 《诗品中·序》,《诗品》,第174、180~181页。

然英旨的表达的,钟嵘都不赞同。

所以,齐永明时王融、谢朓、沈约等倡"四声八病"说以强求诗合于声律,钟嵘便颇不以为然。并认为,正是由于他三人的带头倡导:"于是士流景慕,务为精密。襞绩细微,专相凌驾。故使文多拘忌,伤其真美。余谓文制,本须讽读,不可蹇碍。但令清浊通流,口吻调利,斯为足矣。"① 诗歌既基于讽读,注意清浊抑扬、通顺上口是必要的,但也当适可而止,如果一味强求细微精密,则只能使诗句多拘谨忌讳,结果伤害了自然之美。

《诗品》作为我国第一部诗论专著,对后来诗学和诗歌批评史的发展有深远影响。唐司空图、宋严羽、明胡应麟、清王士禛、袁枚等都曾受到它的影响和启发。章学诚更是推之为中国"百代诗话之祖",并将《诗品》与《文心雕龙》这两部差不多同时出现的文学批评巨著予以对比发明。他说:

> 《诗品》之于论诗,视《文心雕龙》之于论文,皆专门名家勒
> 为成书之初祖也。《文心》体大而虑周,《诗品》思深而意远;盖
> 《文心》笼罩群言,而《诗品》深从六艺溯流别也。论诗论文,而
> 知溯流别,则可以探源经籍,而进窥天地之纯、古人之大体矣。
> 此意非后世诗话家流所能喻也。②

章学诚基于"深从六艺溯流别"而盛赞《诗品》,固然有他特定的儒家正统观的需要,但他认为《诗品》思深意远,将诗文流别与《诗经》和《楚辞》相联系,并认为可以由此去体验天地的纯美、古风之真性,还是具有说服力的。如此一境界,的确也非一般诗话家所能有也。

20 世纪以后对《诗品》的研究,按吴云的概括,主要表现为两大方面的成果,一是校勘注释,二是理论阐述。相对而言,校勘注释类的成

---

① 《诗品下·序》,《诗品》,第 340 页。
② 《文史通义·内篇五·诗话》,中华书局 1956 年版,第 157 页。

果要更为突出；而"理论的深入，范围的扩大乃是 60 年代以后的事"，"特别是进入 80 年代后，人们更加注重了对《诗品》的理论上的阐述"。这在吴云被归纳为"《诗品》的批评标准"、"滋味说"、"《诗品》的诗人品第"等理论与批评方法方面的研究成果①。当然，还有许多问题等待着研究者们的进一步深入。

①　《20 世纪中国文学研究·魏晋南北朝文学研究》，第 655～663 页。

第十一章　史学的独立与繁荣

　　魏晋南北朝时期，史学亦从经学分离而获得了自己独立的学术地位。在同时代的其他学术门类之中，史学一支的发展十分兴盛，梁启超曾以为"两晋六朝，百学芜秽，而治史者独盛，在晋尤著"①。梁氏此论，与两晋六朝繁荣的学术事实上并不相符。但他之发论的前提，实即史学自身的发展。所谓"司马迁以前，无所谓史学也"，"自兹以还，蔚为大国"②。而如果要论"独盛"和"尤著"，在学术影响上自当是玄学而非史学。当然史学的独立和发展又与玄学相关。玄学打破了经学的一统，客观上为史学的独立起到了催生的作用。金毓黻云："魏晋以后，转尚玄言，经术日微，学士大夫有志撰述者，无可发抒其蕴蓄，乃寄情乙部，壹意造史，此源于经学之衰者一也。"③如此"壹意造史"的结果，是自魏开始，史籍不再依附于经籍而成独立部类，经、史、子、集四部分类由此定型。到南朝宋时，史学已与儒学、玄学、文学相并立，在整个社会和学术领域发挥着十分重要的影响。

---

　　①　梁启超:《中国历史研究法》第二章《过去中国之史学界》，东方出版社1996年版，第20页。
　　②　同上。
　　③　金毓黻:《中国史学史》第一章《魏晋南北朝以迄唐初私家修史之始末》，中华书局1962年版，第70页。

一、史学的独立与发展

中国是一个有悠久历史传统并且十分重视历史传统的国家,而史学、史学家则是这一传统的最直接的传承者,一套二十四史(不计未成之清史),正是中华文明传统的最鲜明的写照。而魏晋南北朝时期短短360年的史学成就,仅存留至今的正史,便在二十四史中占据五席之多,这不能不说是留给我们后人的一份丰厚的馈赠。史学研究在那一时代所以能够取得如此的成果,是与社会环境、学术氛围和史学群体的努力联系在一起的。

1、历史机遇与史学的自觉

汉魏之际的天下大乱,在一定程度上为史学的发展带来了新的机遇。《隋书·经籍志二》云:

> 灵、献之世,天下大乱,史官失其常守。博达之士,愍其废绝,各记闻见,以备遗亡。是后群才景慕,作者甚众。又自后汉已来,学者多钞撮旧史,自为一书,或起自人皇,或断之近代,亦各其志,而体制不经。又有委巷之说,迂怪妄诞,真虚莫测。然其大抵皆帝王之事,通人君子,必博采广览,以酌其要,故备而存之,谓之杂史。①

"天下大乱"的背景造成了官僚机器的破坏,也造成了史官的"失其常守"。原来不得不遵守或臣服的各种清规戒律失去了往日的权威,史官能够比较自由地按自己对历史的理解和从保存历史传统出发来进行写作。而这在东汉中央政权尚强有力的情况下是很难想像的。差不多绵

---

① 《隋书》卷33。

延整个东汉时期的官修国史《东观汉记》的编撰,便十分生动地说明了这一点。

可以说,社会控制的减弱最终导向了思想的解放。汉末史学家发挥各自所长,开始了独立自主地撰著。至于史料来源,则多种多样,或抄录旧史,或街谈巷议,其体裁亦由过去的刻板拘束变得更加生动和丰富多彩。在这里,"亦各其志"并不限于具体的历史起点的争鸣,它也具有一般的思想解放的意义,没有这一点,史学的繁荣根本无从谈起。

当然,仅有思想的解放并不一定就能导致史学的繁荣。在这里,史官的素质和修养是必不可少的主观条件。什么才是合格的史官或史学家,《隋书·经籍志二》提出了一个鉴别的标准,这即是:

> 自史官废绝久矣,汉氏颇循其旧,班、马因之。魏、晋已来,其道逾替。南、董之位,以禄贵游,政、骏之司,罕因才授①。故梁世谚曰:"上车不落则著作,体中何如则秘书。"②于是尸素之俦,盱衡延阁之上,立言之士,挥翰蓬茨之下。一代之记,至数十家,传说不同,闻见舛驳,理失中庸,辞乖体要。致令允恭之德,有阙于典坟,忠肃之才,不传于简策。斯所以为蔽也。③

史官素质的低下与统治者录用人才的政策有直接的关系。尸位素餐之人占据其位,真正的才学之士却被排挤,结果不能正确选择、剪裁收集来的原始资料。在如此的背景下撰写出的史籍,是数量多与质量差的混合体。自身无德乏才,所撰之史也就不可能有德出彩。不但是"理失中庸,辞乖体要",而且埋没掉了本应当传扬的美德和杰出

---

① 南、董:即南史、董狐,均为春秋时秉笔直书的史官。政、骏:刘向字政,刘歆字骏。

② 著作、秘书:泛指掌国史资料、图书经籍和撰述抄写的职官。

③ 《隋书》卷33。

人才。

当然，言治史之弊只是一方面的情况。另一方面，"著作"与"秘书"的创设，本来是史学发展的一个重要的标志，亦是国家注重修史的实际表现。上古史官虽然神圣，但却不是专尽著作职守之官，而主要是在"记言"、"记事"，后来才"合而撰之，总成书记"。汉武帝始置太史公，但司马迁继其父修史仍属个人行为，而班固承父志而撰修《汉书》则已是国家的意志，班固之后群儒"相次著述东观"而成的《东观汉记》，更成为完全的官修国史。

但是，即便如此，修史者仍非专职史官。直到魏明帝太和（227～233）年间，情况才有了根本性的变化。《晋书·职官志》云：

> 著作郎，周左史之任也。汉东京图籍在东观，故使名儒著作东观，有其名，尚未有官。魏明帝太和中，诏置著作郎，于此始有其官，隶中书省。及晋受命，武帝以缪徵为中书著作郎。元康二年，诏曰："著作旧属中书，而秘书既典文籍，今改中书著作为秘书著作。"于是改隶秘书省。后别自置省而犹隶秘书。著作郎一人，谓之大著作郎，专掌史任，又置佐著作郎八人。①

从魏之著作郎到晋之大著作郎、佐著作郎的设置，说明魏晋时期已有了专掌史任的职官，表现出国家对于修史的空前的注重。

统治者之所以如此重视修史，原因是多方面的。比方统治着个人对文史典籍的爱好、对学术研究的提倡等。如曹操"雅好诗书文籍，虽在军旅，手不释卷"；曹丕"少诵诗、论，及长而备历五经、四部，《史》、《汉》、诸子百家之言，靡不毕览"②。曹氏是如此，孙权、刘备同样是如此，并以此要求其子孙。作为国家的统治者，他们都需要从历史的典籍

---

① 《晋书》卷24。
② 《三国志》卷2《魏书·文帝纪》注引《典论·自叙》。

中吸取教益,增长智慧和才干①。

　　而从制度的层面说,后赵皇帝石勒设置经学、律学、史学、门臣四祭酒和门生主书,这是史学独立和学术分科的最早记载,早于南朝宋文帝儒、玄、史、文"四学并建"一百多年。原因在石勒虽系少数民族,但却"雅好文学,虽在军旅,常令儒生读史书而听之,每以其意论古帝王善恶。朝贤儒士,听者莫不归美焉。"②

　　但是,读史毕竟还停留在被动地观摩前人,修史则能够将自身的开国治国经验和前朝政权的兴衰得失进行自觉地总结,从而更有利于维护本朝的统治。即国家利益而非个人爱好占据着更重要的地位,这也是统治者重视修史的最根本的原因。三国吴末期,右国史华覈上书孙皓,说"五帝三王皆立史官,叙录功美,垂之无穷"③。那么,要使本朝自祖上以来的大功美德垂之无穷,是各朝统治者重视修史的最直接的动力。故而"大吴受命,建国南土。大皇帝(孙权)末年,命太史令丁孚、郎中项峻始撰《吴书》。"然而,修史的过程受到多方面原因的牵制,进行得很不顺利:

　　　　孚、峻俱非史才,其所撰作,不足纪录。至少帝时,更差韦曜、周昭、薛莹、梁广及臣五人,访求往事,所共撰立,备有本末。昭、广先亡,曜负恩蹈罪,莹出为将,复以过徙,其书遂委滞,迄今未撰奏。④

华覈上书是替当时为同僚之"冠首"的薛莹请命,以便完成《吴书》。孙皓虽准奏而任薛莹为左国史,但吴末的社会政治格局使《吴书》已无法顺利完成。

_____

①　参见《三国志》卷54《吴书·吕蒙传》注引《江表传》;卷32《先主传》注引《诸葛亮集》载刘备遗诏。

②　《晋书》卷105《载记·石勒下》。

③　见《三国志》卷53《吴书·薛莹传》。

④　同上。

《魏书》的修撰,起初与《吴书》的情况颇为相似。刘知几《史通》云:"魏史,黄初、太和中,始命尚书卫觊、缪袭草创纪传,累载不成。"① 但与《吴书》不同的是,此《魏书》在经过多人之手后毕竟完成了,参加的人员有侍中韦诞、应璩、秘书监王沈、大将军从事中郎阮籍、司徒右长史孙该、司隶校尉傅玄等。最后是由王沈"独就其业,勒成《魏书》四十四卷"②。《晋书·王沈传》记载王沈的事迹说:"后起为治书侍御史,转秘书监。正元中,迁散骑常侍、侍中,典著作。与荀觊、阮籍共撰《魏书》,多为时讳,未若陈寿之实录也。"③

当朝人编当朝史是东汉和三国、晋史学的一个显著的特点。但不论是由班固开始的东汉的《东观汉记》,还是魏晋时期完成的《魏书》,都是久修不成。因为当朝人修当朝史尽管有身在其中、能亲身感知朝代变化的脉络和拥有大量第一手资料的有利条件,但毕竟"时讳"太多,如何协调"实录"史实与维护统治者自身权益及朝政的需要,始终是一个十分棘手的问题。《晋书》作者以为王沈《魏书》已十分明显地暴露出了这一点,而不像陈寿《三国志》是"实录"。至于陈寿《三国志》是否是"实录",后人有不同的看法。但陈寿由蜀入魏晋,从晋看前朝,能相对脱身于当朝是非,保持一个相对客观的视角。

但是,统治者之重视修史的意识本身,对史学的发展还是有助益的。干宝修晋史便是一个生动的事例。时东晋"中兴草创,未置史官",中书监王导上疏元帝司马睿曰:"夫帝王之迹,莫不必书,著为令典,垂之无穷。……陛下圣明,当中兴之盛,宜建立国史,撰集帝纪,上敷祖宗之烈,下纪佐命之勋,务以实录,为后代之准。"并提议由佐著作郎干宝等撰集国史,元帝准奏。干宝"于是始领国史。……著《晋纪》,自宣帝

---

① 《史通》卷12《外篇·古今正史》,《史通笺注》(张振珮笺注),贵州人民出版社1985年版,第440页。

② 同上。

③ 《晋书》卷39。

迄于愍帝五十三年,凡二十卷,奏之。其书简略,直而能婉,咸称良史。"①

在这里,修本朝史是弘扬本朝先人的文治武功,但更大量的修前朝史则明显是为了总结朝代更替、一姓兴亡的历史经验教训,以为后来者鉴。《陈书·何之元传》云:

> 之元乃屏绝人事,锐精著述。以为梁氏肇自武皇,终于敬
> 帝,其兴亡之运,盛衰之迹,足以垂鉴戒,定褒贬。究其始终,
> 起齐永元元年,迄于王琳遇获,七十五年行事,草创为三十卷,
> 号曰《梁典》。②

即以梁之兴亡盛衰之迹为陈朝垂戒。

但也正因为如此,修史与国运盛衰便似乎有了千丝万缕的关联,修史者如果处理不当,触犯了当权者的利益,则有招致杀身乃至灭族灾祸的可能。北魏太武帝拓跋焘残杀崔浩及灭门崔氏姻亲各族便是这方面最为极端的例证。北魏朝还因之长期不设史官。当然,在大多数情况下,修史者还是有表达意见的权利的。

万绳楠分析认为:

> 一般说,那时修史,是比较自由的,可以各记所知,各提观
> 点。这不是说封建统治者不想干预修史,而是这个时代是封
> 建专制主义遭到削弱的时代,是分裂的时代。各个政权都忙
> 于本身的事务,都忙于兼并他国或保卫自己的战争,自无暇顾
> 及历史著作问题了。官府要把史学重新控制起来,在这样一
> 个时代中,是很难做到的。拓跋焘杀史官,是落后民族中所见
> 的特殊现象。③

---

① 《晋书》卷 52《干宝传》。
② 《陈书》卷 34。
③ 万绳楠:《魏晋南北朝文化史》,黄山出版社 1989 年版,第 250 页。

因为所谓"落后"与否,只是相对的概念,其中不乏有远见卓识之人。如前秦皇帝苻坚在攻陷襄阳后,将释道安和习凿齿一并用车接来,并欣慰地诏告诸镇说:"昔晋氏平吴,利在二陆(陆机、陆云);今破汉南,获士裁一人有半耳。"①

这里之"一人"即道安,而习凿齿因腿有残疾而被谑称为"半"。然习凿齿却是一位谨守儒家正统观念的史学家,他的《汉晋春秋》纪年由汉光武帝经蜀到晋,而以魏为"篡逆","至文帝平蜀,乃为汉亡而晋始兴焉"②。《汉晋春秋》虽早已亡佚,但却构成为陈寿《三国志》的来源之一。

2、史书的编撰与目录学的发展

由于相对宽松的政治环境和学术气氛,史学最终迎来了自己的独立和繁荣。这主要在两个方面表现得特别明显:

一是修史众家蜂起,著作丰盛。如有关后汉的史书,在历史上有影响的,除《东观汉记》外,仅按《隋书·经籍志》及注的统计,便有:吴谢丞《后汉书》130卷;晋薛莹《后汉记》100卷,司马彪《续汉书》83卷,华峤《后汉书》97卷,谢沉《后汉书》122卷,张莹《后汉南记》55卷,袁山松《后汉书》100卷;宋范晔《后汉书》97卷、125卷及《后汉书赞论》4卷三种版本(今本为90卷,并入司马彪八《志》30卷共为120卷);梁萧子显《后汉书》100卷,王韶《后汉林》200卷,以及被归入"古史"的袁宏的《后汉纪》30卷和张璠的《后汉纪》30卷等。然这不同后汉史书能够大致完整地保存下来的,只有袁宏的《后汉纪》和范晔的《后汉书》。

而关于三国的史书,流传至今的陈寿的《三国志》只是其中的一种,其他各种史记则如:魏→晋一支,魏鱼豢《典略》89卷(亦分为《魏略》50

---

① 《晋书》卷82《习凿齿传》。

② 同上。

卷和《典略》39卷），晋王沈《魏书》48卷，孙盛《魏氏春秋》20卷，阴澹《魏纪》12卷，孙衍《汉魏春秋》9卷和《魏尚书》8卷，梁祚《魏国统》20卷等；吴→晋一支，吴韦昭《吴书》55卷，晋环济《吴纪》9卷，张勃《吴录》30卷等；另有习凿齿《汉晋春秋》47卷①，晋郭颁《魏晋世语》10卷，不名作者《汉魏吴蜀旧事》8卷等。至于蜀→晋一支，据晋王璩《华阳国志》、裴松之《三国志注》、《旧唐书·经籍志上》等史籍记载，有蜀王崇《蜀书》、谯周《蜀本纪》、晋王隐《蜀记》等。

但是，这众多的三国史书大都是按国别分叙的，只有陈寿《三国志》等极少数是三国兼收。在此之后，关于两晋、十六国、南北朝的史书就更多了。然而，其中大多数早已不存，只有极少数在历史的选择中幸存了下来。按在唐代初年《隋书·经籍志》撰集的时候的统计，史部著作共有817部，13264卷；而据其注所言，其时"通计亡书"已合874部，16558卷。亡书数量已超过存书，可见散佚数量之大。而流传到今日，更只剩下唐时存书中的寥寥数种，不能不令人叹息。

二是四部分类法的确立和史部自身体裁门类的划分。中国图书的四部分类法，是从魏时开始奠基的。《隋书·经籍志一》云：

> 魏氏代汉，采掇遗亡，藏在秘书、中、外三阁。魏秘书郎郑默，始制《中经》，秘书监荀勖，又因《中经》，更著《新簿》，分为四部，总括群书。②

魏郑默做秘书郎，"考核旧文，删省浮秽"而作《中经》，《中经》将宫内三阁所藏书籍整理分类，编目参考。从中书令虞松对郑默所做考核编校工作"而今而后，朱紫别矣"③的评价来看，其分类工作还是相当细致的。

---

① 《晋书》卷82《习凿齿传》载该书为54卷。
② 《隋书》卷32。
③ 参见《晋书》卷44《郑默传》。

此后，晋秘书监荀勖与中书令张华等合作，"依刘向《别录》，整理记籍"，即魏之《中经》。在这一过程中，"及得汲郡冢中古文竹书，诏勖撰次之，以为《中经》，列在秘书"①。《中经》在晋已增添了新的内容，又经过荀勖等的整理分类，形成为一部系统完整的目录学著作《中经新簿》，一共14卷②。《中经新簿》分图书为甲乙丙丁四部，"大凡四部合二万九千九百四十五卷"，基本上囊括了当时的所有书籍，而且比《隋书·经籍志》统计的存书和亡书之和29822卷，还多出一百多卷，可谓规模空前。

《中经新簿》不仅收录图书众多，而且分类也更为成熟。四部之中："一曰甲部，纪六艺及小学等书；二曰乙部，有古诸子家、近世子家、兵书、兵家、术数；三曰丙部，有史记、旧事、皇览簿、杂事；四曰丁部，有诗赋、图赞、汲冢书。大凡四部合二万九千九百四十五卷。"③ 所列四部分类如果再做简化，便是甲经、乙子、丙史、丁集。《中经新簿》对所收这四部近三万卷书，"但录题及言，盛以缥囊，书用缃素"，包装十分精美；但只录不作，"至于作者之意，无所论辩"④。可惜的是，如此大量的藏书，在西晋末年的社会动乱中，绝大部分失毁不存。

此后，"东晋之初，渐更鸠聚。著作郎李充以勖旧簿校之，其见存者，但有三千一十四卷。充遂总没众篇之名，但以甲乙为次。自尔因循，无所变革。"⑤ 李充"鸠集"的3014卷书只有荀勖《中经》收录的1/10强，可见损失之大。在此情形下，原来所编目的篇次显然已不再适用，需要重新编排。臧荣绪《晋书》云：

李充，字弘度，为著作郎，于时典籍混乱，删除颇重，以类

① 参见《晋书》卷39《荀勖传》。
② 《隋书·经籍志二·簿录篇》记载荀勖撰《晋中经》14卷（《隋书》卷33）。
③ 参见《隋书》卷32《经籍志一》。
④ 同上。
⑤ 同上。

相从,分为四部,甚有条贯,秘阁以为永制。五经为甲部,史记
为乙部,诸子为丙部,诗赋为丁部。①

李充相对于荀勖所做的工作,主要是简化和对四部次序的调整:简化可
以说是不得已,但甲乙丙丁的部类划分作为最重要的成果被继承了下
来;对四部次序的调整则完全是自觉。李充将史部与子部的先后次序
颠倒,经、集则保持不变,从而形成甲经、乙史、丙子、丁集的分类,为古
代社会规范的经、史、子、集的四部分类法定型。史籍至此被置于了仅
次于儒家经典的十分重要的地位上。

　　南北朝时,目录学又有新的发展,最有名的著作是宋王俭的《七志》
和梁阮孝绪的《七录》。《七志》共 40 卷②,包括《经典志》、《诸子志》、
《文翰志》、《军书志》、《阴阳志》、《术艺志》、《图谱志》。另外"附见"道、
佛典籍两部分,一共是"九条"③。

　　王俭《七志》与刘歆《七略》的划分较为相似,而与李充四部的划分
不同。例如,《经典志》便是甲乙经、史二部合为一志,《诸子志》、《文翰
志》相当于丙、丁子集二部,《军书志》以后四志与四部则不好直接关联,
而是相互交叉的关系。《隋书·经籍志》作者认为王俭此书"然亦不述作
者之意,但于书名之下,每立一传,而又作九篇条例,编乎首卷之中。文
义浅近,未为典则。"④唐人看轻王俭的"书名立传"或传录"条例",大
概是因为其志"不述作者之意"、故其"条例"乏"文义"的缘故。但王俭
的这一做法,实开后来"书目解题"或"总目提要"的源头,乃新创一
体裁。

　　《七志》以后,又有多部书目问世,所收典籍虽又遭齐末兵火焚毁损

---

　　①　《文选》卷 46《序·王文宪集序》李善注引,第 654 页。

　　②　参见萧子显:《南齐书·王俭传》。然《隋书·经籍志二》著录王俭《今书七
志》70 卷。

　　③　参见《隋书》卷 32《经籍志一》。

　　④　同上。

失,但到阮孝绪作《七录》时,仍裒辑了两万多卷。《隋书·经籍志》称阮孝绪"沉静寡欲,笃好坟史,博采宋、齐已来王公之家凡有书记,参校官簿,更为《七录》:一曰《经典录》,纪六艺;二曰《记传录》,纪史传;三曰《子兵录》,纪子书、兵书;四曰《文集录》,纪诗赋;五曰《技术录》,纪数术;六曰《佛录》;七曰《道录》"①。

《七录》按《经籍志·簿录篇》著录是 12 卷,比《七志》篇幅大为减少,但要更为精炼和系统。其一、二、三、四录对应于经、史、子、集四部,将王俭合在一起的经部与史部重新分开,其中《记传录》之"纪史传",相当于《经籍志》中的史部目录;五、六、七录则单列术数和佛、道二教典籍。不过,由于术数为儒、释、道所共有,故前四录加第五《技术录》又为内篇,佛、道二录则归为外篇。《七录》的编撰体现了作者自己对典籍的认识,所以《经籍志》评述是"其分部题目,颇有次序";然又认为是"割析辞义,浅薄不经",并不认同阮氏的"辞义"观。

《隋书·经籍志》是隋以前著作的总汇,收书的范围和数量都远远超过了《七录》,四部合计达到 14466 部,89666 卷。《经籍志》作者自认为是在对前人经验系统总结的基础上而取得的成果:

> 远览马史、班书,近观王、阮志、录,挹其风流体制,削其浮杂鄙俚,离其疏远,合其近密,约文绪义,凡五十五篇,各列本条之下,以备《经籍志》。②

在这之中,"凡史之所记,八百一十七部,一万三千二百六十四卷。(注云:通计亡书,合八百七十四部,一万六千五百五十八卷。)"③ 在史部的这 800 多部书中,《经籍志》分出了正史、古史、杂史、霸史、起居注、旧事篇、职官篇、仪注篇、刑法篇、杂传、地理记、谱系篇、簿录篇共十三

---

①　参见《隋书》卷 32《经籍志一》。
②　同上。
③　《隋书》卷 33《经籍志二》。

个门类,其中绝大多数是魏晋南北朝时期的著作。史学的繁荣,由此可见一斑。

也正渊源于此,《经籍志》作者特别标示了史学的独立,其曰:"班固以《史记》附《春秋》,今开其事类,凡十三种,别为史部。"[1] 历史著作附属于《春秋》,是历史学科不成熟的表现,这是班固作《艺文志》时候的史学现状和客观存在。但经过魏晋南北朝时期的快速发展,史学事实上已取得了和经学并立的学术地位,完全具有独立自觉的品格。自南朝宋初史学并立为"四学"之后二百年,《隋书·经籍志》顺应形势,以国家意志的形式从典籍的角度再次予以了认定,由此为史学的发展提供了更为广阔的空间。

3、"正史"概念的提出

《隋书·经籍志》除了认定经、史、子、集四部和史学的独立外,在史部十三类中,又特别突出了"正史"的地位。

在史部著录的 800 多部、1 万多卷书中,存留至今的著作十分有限,但相对来说,"正史"部分还是流传下来了一些有价值的著作。其中最主要的,便是列入今"二十四史"序列的晋陈寿《三国志》、宋范晔《后汉书》、梁沈约《宋书》、梁萧子显《南齐书》、北齐魏收《魏书》五部"正史"。不过,"正史"的概念虽为《隋书·经籍志》首列,但却并未予以明确定义,只有描述性的一段话,即:

> 自是(指先前国史的撰修)世有著述,皆拟班、马,以为正史,作者尤广。……今依其世代,聚而编之,以备正史。[2]

那么,可以说在体例上遵从《史记》、《汉书》者便可归入"正史"的范畴,其范围是相对宽泛的。但也正因为如此,《经籍志》所载"正史"就有多

---

① 《隋书》卷 33《经籍志二》。

② 参见《隋书》卷 32。

部,与后来的"正史"概念并不完全相同。

罗宏曾说:"一般所谓正史,需要具备以下两个条件:一为纪、传、表、志俱全的史书;二为经过历朝政府的命定。因此,凡是未经政府认定的纪传体,都列入'别史'。"① 但这第一个条件,至少对魏晋南北朝这五部"正史"来说是不太适用的,即《三国志》志、表皆无,《后汉书》、《宋书》、《南齐书》、《魏书》均无表。实际上只有第二个条件,即国家政府的认定才是后来公认为正史的最根本的条件。

在上述五部正史中,《后汉书》、《三国志》又与《史记》和《汉书》一起,被统称为"前四史",成为后来历代国史撰写的典范,故其地位也就更显得重要。下以史籍而非著作者之先后为序分别述之。

二、范晔与《后汉书》

历史上后汉史书的撰修,如果从三国吴谢承的时候算起,到范晔的时代已经 200 年了。200 年来,各种版本的《后汉书》先后问世,然迄今只有范晔《后汉书》及所附司马彪《志》部分流传下来。范晔书经受住了历史的考验,并不仅仅是出于幸运,而是有着它自身的理由的。

1、《后汉书》的撰修

范晔(398~445),字蔚宗,小字博,顺阳(今河南淅川)人。范晔在历史上属于早熟人才的一类,《宋书》本传说他"少好学,博涉经史,善为文章,能隶书,晓音律"②,故 17 岁时便被州里辟为主簿,但他推辞不就,后来则长期官居高位。范晔由于行为放荡,不知检点,恃才傲物,特

---

① 罗宏曾:《魏晋南北朝文化史》,四川人民出版社 1989 年版,第 432 页。
② 《宋书》卷 69《范晔传》。

别是有不少"不孝"的举动,常常遭人攻击,他也因之有抑郁不得志之感。但这也促使他把部分精力转向学术,"乃删众家《后汉书》为一家之作"①。

范晔之作史,强调文意的结合,这也是他学术史观的一个典型表现。他云:

> 常谓情志所托,故当以意为主,以文传意。以意为主,则其旨必见;以文传意,则其词不流。然后抽其芬芳,振其金石耳。此中情性旨趣,千条百品,屈曲有成理。自谓颇识其数,尝为人言,多不能赏,意或异故也。②

文意的核心是情志,意既是情志的代表,故文的任务便在传意。如果能做到文以意为主,文章的主旨便会彰显;如果能做到以文传意,文词才不会流于虚浮。在文意和谐的基础上,"然后抽其芬芳,振其金石",加以藻饰润色,从而使文章条理顺畅,情意旨趣得以抒发表达。

不过,对他自己而言,他虽然自认为"识数",又"言之皆有实证,非为空谈",却又每每不被人所了解,"多不能赏"。那么,文意的一致就只是问题的一面,凡作者又都是希望其发于外之言、之文所包含的意义,是能够为读者所了解的。只是因为各人之意本来不同,"意或异故也",也就难以达到一个一致认可的共识。

如此的文意观在范晔的修史实践中,又被反过来使用,成为他不能理解也瞧不起别人著述文意的理由。所谓"本未关史书,政恒觉其不可解耳。既造《后汉》,转得统绪,详观古今著述及评论,殆少可意者"③。那么,不论是别家的"意或异故",还是他自己的"不可解",中心还在于他的学术史观本来立足于超越和批判"古今"诸家的著述,以立自己的

---

① 《宋书》卷 69《范晔传》。
② 范晔:《狱中与诸甥侄书》,参见《宋书》卷 69《范晔传》。
③ 同上。

一家之言。

譬如,他曾将自己与班固相比说:"班氏最有高名,既任情无例,不可甲乙辨。后赞于理近无所得,唯志可推耳。博赡不可及之,整理未必愧也。"① "最有高名"的班固,在才学上讲只在"博赡"方面有所长;而就其著作论,除"志"之部分还值得推崇外,其他方面则并不及自己。因为班氏放情任性而无通例,赞于理近无所得,"整理"前人典籍水平不高。以此为出发点,他对自己所作《后汉书》给予了高度的评价:

> 吾杂传论,皆有精意深旨,既有裁味,故约其词句。至于《循吏》以下及《六夷》诸序论,笔势纵放,实天下之奇作。其中合者,往往不减《过秦》篇。尝共比方班氏所作,非但不愧之而已。欲遍作诸志,前汉所有者悉令备。虽事不必多,且使见文得尽。又欲因事就卷内发论,以正一代得失,意复未果。赞自是吾文之杰思,殆无一字空设,奇变不穷,同合异体,乃自不知所以称之。此书行,故应有赏音者。纪、传例为举其大略耳,诸细意甚多。自古体大而思精,未有此也。②

范晔的这一长段表白有几层意思:一是各传附论皆有"精意深旨","传论"是范晔对所传记人物事迹的评论,体现了范晔自己的立场观点;二是《循吏》、《六夷》等"序论","笔势纵放,实天下之奇作",笔力水平可与贾谊《过秦论》等名篇媲美,更不在班固之下。三是所作"赞论"乃是"文之杰思,殆无一字空设",自信后必有能鉴赏之人。四是说计划悉备"诸志",完备性上不低于《汉书》,同时在"卷内发论,以正一代得失",但这两项任务看来都来不及完成了。

但是,即便如此,总体上评价自己的著作,仍是"自古体大而思精,未有此也",自认为是前无古人。如此反复自夸自己的著作古今第一,

---

① 范晔:《狱中与诸甥侄书》,参见《宋书》卷69《范晔传》。
② 同上。

在历代修史者那里是罕见的,将其骄矜自负之品格表现得淋漓尽致。至于《后汉书》撰修水平究竟能否如其所说,后人则有不同的评说。

2、《后汉书》的特点和价值

范晔撰修《后汉书》,在体例上较之班固《汉书》,明显增加了《皇后》本纪和《党锢》、《文苑》、《独行》、《逸民》、《方术》、《烈女》六类列传,故自宋晁公武《郡斋读书志》以来,颇得后人好评,以为是范晔的创新。今人如罗宏曾、万绳楠的两部同名《魏晋南北朝文化史》、王志平的《中国学术史·三国两晋南北朝卷》都持类似的观点。对此观点作系统反驳者为张孟伦的《中国史学史》。张孟伦认为,从总体上说,"范晔撰《后汉书》,体制方面,并没有什么创制的功绩。否则,像他那么骄矜自负的人,不会不如对他所作的传论一样,加以自诩的。"① 从理论上说,这一反诘是有逻辑力量的。当然,张氏立论并不只限于逻辑,更重要的还是从事实层面做出驳论。

他指明:一是为皇后作纪始于华峤《后汉书》,范晔是继承而非开创;二是《逸民传》、《烈女传》等,自《东观汉记》至范晔以前,已有多种版本问世;三是《文苑传》等亦是向前人学习的结果,而非自己的独创。"总之,范晔在史书体制方面,是没有创立什么功绩的"②。张孟伦的例证还是很有道理的,但问题是创新或创制是在什么意义上去评说。从历史的发展来说,后人的创制不可能"无中生有",他本来也必须要吸收总结前人的思想资源,而范晔正是在继承前人成果的基础上,将散见于各种史传中的不同体例加以整理归纳,从而提炼出一代史书的编撰规范,就此而言,是可以说他有所创新的。

但就《后汉书》的总体价值来说,是否像范晔所自诩的全面超越《汉

① 　张孟伦:《中国史学史》上册,甘肃人民出版社1983年版,第192页。
② 　同上。

书》，却是可以讨论的问题。束世澂认为，范晔既是"文士"又是政治活动者，班固则是一个书生，"对历史上政治变动的观察，不如范氏的深刻敏锐。他（范晔）提出搞历史是要正一代政治得失，明确了历史为政治服务；他在体制上有所创建，使纪传体史的内容更加完善；他继承发扬了司马迁'通古今之变'的优良传统，把古代史学推进了一步。"[1]

万绳楠对范晔的评价则要更高，认为范晔的《后汉书》比之班固的《汉书》，确实'非但不愧之而已'。特别是他的杂传论，议论风发，笔势纵放，而又能'中合'，远非班固所能及"。万绳楠引为论据的，如范晔在《党锢传序论》中的一段话，其文曰："逮桓、灵之间，主荒政缪，国命委于阉寺，士子羞与为伍，故匹夫抗愤，处士横议，遂乃激扬名声，互相题拂，品核公卿，裁量执政，婞直之风，于斯行矣。"[2]

在这里，范晔对党锢祸因的揭露是深刻的，但仅凭此类议论便以为范晔远超过班固，却未免有简单化之嫌。因为班固原则上仍是为本朝修史，这在他一直延续到后汉的《光武本纪》、《列传》、《载记》等等，维护本朝统治乃是他以及任一学者本来的职责；而范晔却是为已灭于二百年前的王朝修史，他可以不必有所顾忌，双方的背景是不可比的。所谓班固的"强调三纲"，那时也才刚刚定型，在当时亦不就等于落后的思想；而范晔的时代则是玄风大畅之后，佛、道正盛之时，甚至即便此时范晔也是十分维护名教的正统的。更重要的是，批评汉末桓、灵时代的政治和世道，在魏晋时期就已经是通例，用它作为范晔远超过班固的证据，实不充分。

换从历史传承更替的角度来说，后人之讥评前人，本来也是常例。刘知几云：

①　束世澂：《范晔与〈后汉书〉》，《中国史学史论集（一）》，吴泽主编，袁英光编选，上海人民出版社1980年版，第312页，原文载《历史教学》1961年第11～12期。
②　见《后汉书》卷67。

盖班固之讥司马迁也,"论大道则先黄老而后六经,序游侠则退处士而进奸雄,述货殖则崇势利而羞贫贱,此其所弊也。"又傅玄之贬班固也,"论国体则饰主阙而折忠臣,叙世教则贵取容而贱直节,述时务则谨辞章而略事实,此其所失也。"寻班、马二史,咸善一家,而各自弹射,递相疵痏,夫虽自卜者审,而自见为难。可谓笑前人之未工,忘己事之已拙。①

然而,范晔对于班固,是否也适用"笑前人之未工,忘己事之已拙",则不那么好讲。一般地说,范晔在《史》、《汉》之后,又能权衡采撷众家之短长,自然有特出的地方:"范晔博采众书,裁成汉典,观其所取,颇有奇功。"② 而且,范晔修史"简而且周,疏而不漏,盖云备矣"③。

不过,在第一手资料的掌握和深切感知时代变化的脉络上,前人(当朝人)之细致真切又有后人所不可胜者。例如,"《史》、《汉》之所以高出于后代者,即在其善于写实。故每记一事,则经过之曲折,纤细不遗;记战争则当日之策画了如指掌"④。这一点也应当是事实。

而从价值观来讲,尽管对于班固批评司马迁"退处士而进奸雄"、"崇势利而羞贫贱"等语是否恰当,历史上一直有不同的看法,但范晔对于这些批评本身还是认真的。所以他对史料是有针对性地进行选择剪裁,坚持贵义德、抑势利、进处士、退奸雄的原则。如他推崇陈蕃、李膺、范滂等忠贤、清流的德行而贬黜权臣、宦官,又为王充、王符、仲长统等人作传。同时也由于他的胆识和广搜材料,使《后汉书》保存了不少珍贵的历史文献和学术资料,这些也都可以说是他的长处。

范晔撰《后汉书》无志,他虽计划作十志而未果。但从道理上讲,由

---

① 《史通》卷8《内篇·书事》,第305页。
② 同上书,第308页。
③ 《史通》卷5《内篇·补注》,第169页。
④ 刘师培:《汉魏六朝专家文研究·十五》,《刘师培中古文学论集》,第137页。

于他是删众家而为一家之作,故其基本史料或初稿应是有的,惜未能有存①。梁刘昭为其作注时,将晋司马彪《续汉书》中的八志共30卷补入②。司马彪本自作有包括纪、志、传在内的完整的《续汉书》80篇③,刘昭所取即其志的部分。司马彪不仅序《汉书》,也正《史记》。《晋书》本传记载说:"初,谯周以司马迁《史记》书周秦以上,或采俗语百家之言,不专据正经,周于是作《古史考》二十五篇,皆凭旧典,以纠迁之谬误。彪复以周为未尽善也,条《古史考》中凡百二十二事为不当,多据《汲冢纪年》之义,亦行于世。"④ 今本《后汉书》能展示后汉时期的全貌,司马彪的贡献是不应该被忽略的。

由于司马彪《续志》已与范晔《后汉书》合刻,故传世本《后汉书》共计120卷。不过,刘昭为全书所作注则大部散失,今注以唐章怀太子李贤注为主并辅以后人疏解。清王先谦《后汉书集解》汇集了前人研究《后汉书》的成果,使《后汉书》的研究资料更趋完备。

三、陈寿《三国志》与裴松之《注》

记载魏、蜀、吴三国历史的《三国志》,在整个二十四史系统中,是一部分量极小而影响极大的著作,尤其是在明清以后,三国的故事可以说是家喻户晓,人所皆知。所以如此,固然与文学名著《三国演义》的流行分不开,但寻根溯源,却不得不承认《三国志》本身的历史价值。

---

① 沈约《谢俨传》说:"范晔所撰十志,一皆托俨,搜撰垂毕,遇晔败,悉蜡以覆车。宋文帝命丹阳尹徐谌之就俨寻求,已不复得,一代以为恨。其志今阙。"参见《后汉书》卷10下《皇后纪》末注引。

② 参见刘昭:《后汉书注·补志序》,载《后汉书》卷末。

③ 《隋书·经籍志二》记载为83卷。

④ 《晋书》卷82《司马彪传》。

1、陈寿《三国志》的撰修

陈寿(233~297),字承祚,巴西安汉(今四川南充)人。陈寿少时师事同郡的经史大家谯周,很为谯周所看重。但却嘱咐云:"卿必以才学成名,当被损折,亦非不幸也。宜深慎之。"① 陈寿后来倒真如谯周所预言的,颇受损折。其缘由既有政治上的,也有家庭方面的。前者如他仕蜀为观阁令使时,"宦人黄皓专弄威权,大臣皆曲意附之,寿独不为之屈,由是屡被谴黜"②。后者如母亲去世,陈寿遵遗嘱而葬之洛阳,却被人非之以不送母回安汉原籍安葬,再遭贬议废辱。

自蜀入晋,陈寿虽因其才而受到重臣张华的器重推荐,但非议打击他的人也不少,故总体上他的仕途生涯是不得志的。

陈寿因有史才而为当世所重。本传记述说:"撰魏、吴、蜀《三国志》,凡六十五篇。时人称其善叙事,有良史之才。夏侯湛时著《魏书》,见寿所作,便坏己书而罢。张华深善之,谓寿曰:'当以《晋书》相付耳。'其为时所重如此。"③ 然而,陈寿是否有史德,却历来是一个问题。即本传又载:"或云丁仪、丁廙有盛名于魏,寿谓其子曰:'可觅千斛米见与,当为尊公作佳传。'丁不与之,竟不为立传。寿父为马谡参军,谡为诸葛亮所诛,寿父亦坐被髡,诸葛瞻又轻寿。寿为亮立传,谓亮将略非长,无应敌之才,言瞻惟工书,名过其实。议者以此少之。"④

陈寿索米之事究竟有无,在唐人已讲不清楚,故只能曰"或云"。后人虽对此有所论辩,但究竟难以证实。至于因与诸葛亮、诸葛瞻的恩怨而借修史予以贬损,显然更影响陈寿的史德,同时也与前面所称许的"良史"之才有违。对这些矛盾现象,今人有不同的解释。

---

① 《晋书》卷82《陈寿传》。
② 同上。
③ 同上。
④ 同上。

　　王志平结合《晋书》和《华阳国志》的两篇《陈寿传》所叙,发议论说:
"所谓'良史'是指长于叙事、文辞典雅,并非是指'直书'。……有些学
者误以为'良史'即是直书,这是流行已久的误解。魏晋人称'良史',往
往并非指董狐之笔,而是指相如之文,所以以往争论陈寿是否'良史'之
才一定程度上都有些偏题。"① 王志平对陈寿及《三国志》评价甚低,认
为"重要人物、事迹遗漏之多,直笔者岂应如是!"除了"以文学见长"这
与史学本无关的评价外,陈寿在司马氏与曹氏之争中回护司马氏,在曹
氏与东汉刘氏之争中又回护曹氏,其史学观几无可取:"总体说来,如果
无裴松之《注》,而仅凭《三国志》本身,是难以厕身'前四史'之列的,其
简略失当之处举不胜举。"② 并讥讽说:陈寿"索米"与班固"受金"一
样,充分披露了旧时所谓"良史"的品格。③

　　王氏对陈寿的否定算是比较极端之例,多数学者还是能够给予公
允的评价的。记载陈寿索米和贬低诸葛亮、诸葛瞻事迹的《晋书》本传,
同时又记载了晋梁州大中正、尚书郎范頵的表奏曰:"故治书侍御史陈
寿作《三国志》,辞多劝诫,明乎得失,有益风化,虽文艳不若相如,而质
直过之,愿垂采录。"④ 后由朝廷诏令抄录,遂传于世。这说明,《三国
志》在当时尚属文质兼备,又主要是以质胜(而非文艳)得到人们的认可
的。刘勰评论晋时众家竟写三国史书的情形说:

　　　　及魏代三雄,记传互出。《阳秋》、《魏略》之属,《江表》、
　　《吴录》之类,或激抗难征,或疏阔寡要。唯陈寿《三国志》,文

　　① 《中国学术史·三国两晋南北朝卷》,第 541 页。
　　② 同上。
　　③ 何谓"良史"? 北宋曾巩之界说可作参考。其曰:"尝试论之,古之所谓良
史者,其明必足以周万事万理,其道必足以适天下之用,其智必足以通难知之意,
其文必足以发难显之情,然后其任可得而称也。"见《南齐书》卷末附《曾巩南齐书
目录序》,中华书局标点本,第 1037 页。
　　④ 《晋书》卷 82。

质辨洽,荀①、张(华)比之于迁、固,非妄誉也。②
陈寿《三国志》能够在众多三国史书中被历史所选择和保存,并不是偶
然的。它自身的价值应该是主要的决定因素。陈著在文、质双方确有
所长,至于能否看齐《史》、《汉》,自然可以讨论③,但总起来看还是值得
肯定的。

到清代,朱彝尊、杭世骏、王鸣盛、赵翼等名家对《晋书》所载陈寿索
米和诋毁诸葛亮这两件事都有辨证,总体上是为陈寿辩诬。缪钺先生
综合引证后说明:陈寿不为丁仪、丁廙立传,是他们本不值得立传;陈寿
直书诸葛亮任用马谡不当,本也是当时的公论而非私怨。事实上许多
事例都可以证明,陈寿对诸葛亮是极为推崇的。"可见《晋书》所记的这
两件事都是不足信的,不能据此认为陈寿修史时因私人恩怨而褒贬不
公"④。缪钺对于《三国志》中"时有曲笔,多所回护,替西晋统治者隐恶
溢美"的史学观也提出了批评,认为这的确是《三国志》思想性较差之
处"⑤。但从总体上说,缪钺对《三国志》的评价还是比较高的,以为它
"超出于其他诸家关于魏、蜀、吴三国史事的撰著,成为古代纪传体史书
中杰出的作品,所以后人对它评价颇高"⑥。

金毓黻则对魏晋南北朝至唐初的史学家排出了一个上中下的等

---

① 此"荀"字,一般多以为是指荀勖,然荀勖因不满陈寿抑曹氏而尊司马氏
的立场,公然给陈寿小鞋穿,故范文澜认为不可通,而推测"荀"或许为范(頵)之
误。参见《文心雕龙注》第 299 页注 30。
② 《文心雕龙》卷 4《史传》,《文心雕龙注》第 285 页。
③ 按《华阳国志·陈寿传》的记载,荀勖、张华"深爱"《三国志》,以为"班固、史
迁不足方也",是最早评陈书不低于《史》、《汉》之人。参见《三国志》卷末附录,中
华书局标点本,第 1475 页。
④ 《陈寿与〈三国志〉》,《中国史学史论集(一)》,第 316～317 页,原文载《历
史教学》1962 年第 1 期。
⑤ 同上书,第 319 页。
⑥ 同上书,第 316 页。

第，认为"本期史家等第，亦可一为推论，陈寿、范晔、沈约、李延寿，是为上选"①。"上选"之说无疑对陈寿《三国志》给予了充分的肯定。

张孟伦则以"陈寿真的污蔑了诸葛亮吗"为题，详引《三国志》涉及诸葛亮之多处论述及后人的评论，说明陈寿对诸葛亮是很推崇的，即便有所批评亦属"公论"，而非挟私见以谤诬②。至于陈寿由蜀人而入事魏晋，并为魏、晋之夺取皇位回护，则在"显而微，志而晦的书法"、"'回护法'的书法"二条中进行了具体分析，以为陈寿在人格上可以说是毫无"正气"可言，但作为一亲历蜀、魏、晋的史家来说，他实在也是不得已。这一点，古人已有明鉴。清儒云："寿则身为晋武之臣，而晋武承魏之统，伪魏是伪晋矣，其能行于当代哉？"③但也正因为如此，陈寿的用心还是"够深苦"的。他实际上是以曲笔隐讳之言，表达了对魏、晋各自篡夺的不满。张孟伦并在引多家评论后总结说："总之，陈寿修撰《三国志》，虽志在褒贬，而辞多隐讳，不但当时雄猜的司马及其党羽，无所施其忌恨，且使后代的读者，难以求得其归趣。要当如朱彝尊、何义门等人的索隐钩深，而以时事实之，才能从脚跟处知道陈寿的'微言大义'的所在。"④

今李纯蛟在其专著《三国志研究》中，对赵翼《廿二史劄记》所论回护说⑤逐条辨析，以为不实；又以《一千七百年来〈三国志〉研究中的若

---

① 金毓黻：《中国史学史》第二章，第72页。
② 参见张孟伦：《中国史学史》上册，第216～218页。
③ 《四库全书总目提要》，《三国志》卷末附录，中华书局标点本，第1473页。
④ 参见张孟伦：《中国史学史》上册，第209～215页。
⑤ 赵翼《二十二史劄记》卷6专有《三国志书法》、《三国志多回护》两章，详举陈寿回护之实例，以为回护法本自《春秋》始之，"然寿回护过甚之处，究有未安者"。不过，赵翼评价的基点，还是充分肯定陈寿的："《三国志》虽多回护，而其剪裁斟酌处，亦自有下笔不苟者，参订他书，而后知其矜慎也。"参见《三国志书事得实处》，《二十二史劄记校证》（王树民校证），中华书局2001年重印（订补）本，第125页。

干论争》上、中、下三章的篇幅,详述前人之《三国志》研究。两部分共计100多页,为迄今评述《三国志》研究最为详尽的资料。当然其褒扬和为陈寿辩诬的心态也清楚明白地表露①。

从结构上来说,陈寿《三国志》共计 65 卷,其中《魏书》30 卷,《蜀书》15 卷,《吴书》20 卷。全书虽三国分写,但无疑魏是正统,故特为魏帝立"纪",蜀帝、吴帝则只立"传",以传辅纪,故蜀、吴称帝必明记魏之年号,以标明正统。说明其势虽三国鼎立,其理则三国当一。东晋习凿齿《汉晋春秋》对此提出异议,而改以蜀汉为正统;宋以后,由于理学正统观对史学的影响,学者多是习凿齿而非陈寿。《四库全书总目提要》云:

> 然以理而论,寿之谬万万无辞;以势而论,则凿齿帝汉顺而易,寿欲帝汉逆而难。盖凿齿时晋已南渡,其事有类乎蜀,为偏安者争正统,此乎于当代之论者也。②

清人之理实宋儒之天理,故蜀汉就"理"言当为正统。但历史发展的趋势和大局,使得陈寿和习凿齿选择了不同的价值尺度。

《三国志》篇幅短少,有纪、传而无表、志,学者大都以为陈寿恐缘于资料掌握不足而难以写就。但即便如此,书中还是总体上反映了三国时期的史实,保留了许多有价值的材料。尹达主编的《中国史学发展史》认为:"为了在简略的篇章里尽量反映时代全貌,《三国志》广泛地采用了带叙法。如在《王肃传》末,连带将魏的经学活动及派别斗争做了交代;《王粲传》后,带叙建安七子徐幹等五人及同时文人八十多人(?),使建安作家和建安文学的情况得到一定反映。"③ 缪钺评价说:"陈寿所作诸传,照顾的方面很广。凡是三国时期在政治、经济、军事上有关

---

① 参见李纯蛟:《三国志研究》,巴蜀书社 2002 年版,第 115～228 页。

② 见《三国志》卷末附录,中华书局标点本,第 1473 页。

③ 尹达主编、《中国史学发展史》编写组编写:《中国史学发展史》,中州古籍出版社,第 100 页。

系的人物,以及在学术思想、文学、艺术、科学技术上有贡献者,他几乎都网络其事迹,写在书中,又根据其重要程度的不同,或立专传,或用附见。"① 当然,陈寿也"偶有"遗漏,如医学收了华佗却忽略了同时的张仲景,亦未为"天下之名巧"马钧立传等。

陈寿虽然于司马氏政权多有回护,但他的封建正统史观却相对淡薄。一方面,他既为当时各地的割据势力立传,如分布于北南各地的董卓、袁绍、刘表、吕布、刘焉、刘璋、刘繇等人;又对于五斗米道、黄巾农民起义和四夷各国的情况也都做了记叙,保存了许多有价值的史料。另一方面,他虽以曹魏为正统,为曹操立纪,但记曹氏之史事,仍循汉献帝年号编年记事;《蜀书》、《吴书》虽然只为其帝立传,亦不称帝,但又并不否定各自是独立的一国,与魏是并列的"三国"的关系等。

陈寿撰著,十分留意于人物的品评,对三国人物的描写亦显得生动传神,后来的《三国演义》能够有巨大的影响,以致成为中国文学的四大名著之一,与陈寿打下的基础是分不开的。

2、裴松之与《三国志注》

陈寿生前,《三国志》并未流传,在他于晋惠帝元康七年(297)去世后,"梁州大中正、尚书郎范頵等上表曰:'昔汉武帝诏曰:司马相如病甚,可遣悉取其书。使者得其遗书,言封禅事,天子异焉。臣等案:故治书侍御史陈寿作《三国志》,辞多劝诫,明乎得失,有益风化,虽文艳不若相如,而质直过之,愿垂采录。'于是诏下河南尹、洛阳令,就家写其书。"② 100多年后,南朝宋初裴松之为《三国志》作注,裴注本此后成为《三国志》的通行版本。

裴松之(372~451),字世期,河东闻喜(今属山西)人。裴松之幼年

---

① 《陈寿与〈三国志〉》,《中国史学史论集(一)》,第320页。
② 《晋书》卷82《陈寿传》。

即"学通《论语》、《毛诗》，博览坟籍，立身简素"①，一生仕途顺畅。他奉宋文帝命注解陈寿《三国志》，元嘉六年(429)七月书成。本传说他"鸠集传记，增广异闻，既成奏上。上善之，曰：'此为不朽矣！'"② 刘知几《史通》亦云："宋文帝以《三国志》载事，伤于简略，乃令中书郎裴松(之)兼采众书，补注其阙。由是世言《三国志》者，以裴注为本焉。"③ 今传本《三国志》便是裴松之注本，于此可见宋文帝之言不虚。

裴松之对陈寿《三国志》十分推崇，以为"寿书铨叙可观，事多审正，诚游览之苑囿，近世之嘉史。然失在于略，时有所脱漏。"④ 故他注《三国志》的动机，除了是奉旨撰修外，还在于他看到"三国虽历年不远，而事关汉、晋，首尾所涉，出入百载。注记纷错，每多舛互"⑤。三国历史虽短，但牵涉汉晋则多，前后百年的错漏时有，因而必须要进行系统的注解，加以补正。

裴松之的补正，重点不在通常注疏的训诂引证，而在于事实的增补考订，即以周悉对脱漏。所谓"臣奉旨寻详，务在周悉，上搜旧闻，傍摭遗逸"⑥。由此，他将自己注解的体例，归纳为四个方面的内容：

> 其寿所不载，事宜存录者，则罔不毕取以补其阙。或同说一事而辞有乖杂，或出事本异，疑不能判，并皆抄内以备异闻。若乃纰漏显然，言不附理，则随违矫正以惩其妄。其时事当否及寿之小失，颇以愚意有所论辩。……窃惟缀事以众色成文，蜜蜂以兼采为味，故能使绚素有章，甘逾本质。⑦

① 《宋书》卷64《裴松之传》。
② 同上。
③ 《史通》卷12《外篇·古今正史》，第441页。
④ 《上三国志注表》，《三国志》卷末附，中华书局标点本，第1471页。
⑤ 同上。
⑥ 同上。
⑦ 同上。

自陈寿以后,关于三国的史料不断有所发现,这就为裴松之提供了"众色""兼采"的有利条件,故他之工作,便是要对原来的素材补加绚采,使其粲然可观。为了实现这一目标,具体包括补阙、备异、惩妄、论辩四个方面的工作,这四个方面,在《四库全书总目提要》,又被发挥为扩展为六项内容:

> 综其大致,约有六端:一曰引诸家之论,以辩是非;一曰参诸书之说,以核讹异;一曰传所有之事,详其委曲;一曰传所无之事,补其阙佚;一曰传所有之人,详其生平;一曰传所无之人,附以同类。①

在这里,后四种方法实际上都属于裴氏自叙的补阙,辩是非即论辩,核讹异则是惩妄,而备异则杂入补阙各项之中。

今人杨翼骧作《裴松之与〈三国志〉注》,则在重新研究《三国志注》内容的基础上,将裴松之的工作分解为八类,即:(1)关于文字上的解释,即字音、文义、校勘、名物、地理、典故等方面的注文;(2)补充记载简略处;(3)补充记载遗漏处;(4)考辨记载的讹误;(5)对于各家不同的记载的意见;(6)对于史事及人物的评论;(7)对于陈寿的批评;(8)对于其他史家的批评。②

裴注在形式上的一大特点,是材料收集的广博和引书的众多。从清到今,有不少学者做过统计,其数目不完全一致。按杨翼骧的解释:"诸氏的统计虽有参差,亦均有遗漏或重复,但总数相差不多。以裴氏所引书目全部而言,为二百一十余种;若除去关于诠释文字及评论方面的,则为一百五十余种。由此不但可知裴氏之博览穷通,他所作注时所费的(辛)勤劳动也可以想见了。"③

---

① 见《三国志》卷末附录,中华书局标点本,第1473页。

② 参见《中国史学史论集(一)》,第326~334页,原文见《历史教学》1963年第2期。

③ 参见同上书,第335页。

不过,对于裴松之旁搜博采以补陈寿之简略,后人的评价却褒贬不一。从刘知几《史通》到《四库全书总目提要》,基本的共识是裴氏因征引太博而难免繁芜不精。在这方面,叶适的评论颇有代表性。他说:

> 陈寿笔高处逼司马迁,方之班固,但少文义缘饰尔,要终胜固也。近世有谓《三国志》当更修定者,盖见《注》所载尚有诸书,不知寿已尽取而为书矣,《注》之所载,皆寿书之弃余也。士诵读不详,轻立议论误后生见闻,最害事。[①]

不过,即便就其繁芜来讲,在今天亦是有意义的。中华书局编辑部在标点本《〈三国志〉出版说明》中云:"裴注引用的魏、晋人著作,多至二百十种,著录在《隋书·经籍志》中的已经不到四分之三,唐、宋以后就十不存一了。而且裴注所引的材料,都首尾完整,尽管说它'繁芜',说它'寿之弃余',单就保存古代资料这一点说,也是值得重视的。"[②]

中华书局编辑部的观点应当说是公允的。从学术发展的角度说,最典型的事例之一便是关于王弼事迹的扩充。陈寿并未为王弼专立传,只在《钟会传》中以寥寥几语附及,仅凭此,后人不可能对王弼的生平事迹和学术活动有清楚的认识,而裴松之注引何劭《王弼传》及他家资料,极大地丰富了王弼的生平和思想,为王弼与魏晋学术发展的特点和走向,提供了难得的史料记载。若其不然,则魏晋学术研究,很可能没有今天这样丰盛的成果。

在今通行本二十四史中,唯有《三国志》是必须要借助注解才能使人清楚地认识历史事实的原委的,裴注意义之重要也就不言而喻。也正因为如此,它在整个正史注解中也就具有独一无二的地位。凡提到陈寿《三国志》则不能不提到裴松之《注》,二者密不可分,构成为一个有机的整体。

---

① 叶适:《习学记言序目》卷28《总论》,中华书局1977年版,第405页。
② 见《三国志》标点本卷首,第3页。

3、陈《志》与裴《注》的文字多寡

由于陈寿《三国志》的简略和裴松之《注》的繁芜,后来逐步造成了一个长期延续的谬误,即裴《注》文字不但多过陈《志》本文,而且多过数倍。此说现最早可查者系由宋晁公武提出。晁氏曰:

> 右晋陈寿撰魏四纪二十六列传、蜀十五列传,吴二十列传。宋文帝嫌其略,命裴松之补注。博采群说,分入书中,其书多出本书数倍。①

后人恐遂沿袭此说而不疑。到清乾隆刊行武英殿本二十四史《三国志》时,李龙官等又在校勘语中具体提出"三倍"说:"而裴松之《注》更三倍于正文。"② 如此"数倍"说和"三倍"说在当代仍有不少人袭用。例如:

中华书局编辑部在《〈三国志〉出版说明》中称:"裴注多过陈寿本数倍"③。

杨翼骧《裴松之与〈三国志〉注》在引证了晁公武、李龙官等语后,又据自己的统计做结论说:"我们现在统计,陈寿本文约二十万字左右,而裴氏注文约五十四万字左右,以将及三倍的篇幅为《三国志》作《注》,可以说基本上弥补了陈寿记载简略的缺陷。"④ 杨翼骧使原来数倍、三倍的虚数变为实数,只是不知他是用什么本子、并如何"统计"出来他的数字的。

罗宏曾《魏晋南北朝文化史》云:"裴松之为《三国志》作注,注文多出原书的数倍,大大丰富了原书的内容,实际上是《三国志》的补编"⑤。

---

① 《(衢本)郡斋读书志一》卷5《正史类·三国志六十五卷》,江苏古籍出版社1988年版,第127页。
② 见《二十五史》本《三国志》卷末,上海古籍出版社、上海书店1986年版。
③ 见《三国志》标点本卷首,第3页。
④ 见《中国史学史论集(一)》,第334页。
⑤ 参见《魏晋南北朝文化史》,第434页。

《辞海》1979、1989、1999 年版"三国志"条一直保持不变,均谓:"(《三国志》)以叙事较为简略,南朝宋时裴松之为之作注,博引群书,注文多出本文数倍,保存的史料甚富。"

王志平《中国学术史·三国两晋南北朝卷》更断言:"《三国志》仅有二十多万字,而《注》文却有六十多万字,远多于正文三倍。"这又进一步发挥了,但不知有何凭据?

可以说,谓之数倍、三倍、远多于三倍者,均是沿袭旧说而未加以审视的结果,更重要的是完全没有注意到学术界在这方面的研究已经有新的成果。王廷洽早在 1983 年和 1985 年,便分别发表《应正确认识〈三国志〉裴注的价值》和《略谈〈三国志〉与裴注的数量问题》两文,在文中,作者不辞辛劳,分别统计魏、蜀、吴三书各自的字数,其结果是:

《三国志》正文 366657 字,注文 320799 字;不但注文少于正文,而且正文多于注文 45858 字[①]。

在王廷洽后,又有多位学者再进行这一统计,并力求尽量准确。如王廷洽是依据中华书局标点本(去掉标点)进行统计的,吴金华为更为接近古抄本,改利用百衲本进行,但其结果与王廷洽数只有细微的差别,即:

《三国志》正文 368039 字,注文 322171 字;正文多于注文 45868 字。

三项各自相差数为:正文 1382 字,注文 1372 字,正文多于注文 10 字[②]。

---

① 王廷洽两文分别发表于《上海师范学院学报》1983 年第 4 期;东北师大《古籍整理研究学刊》1985 年第 3 期。后吴金华《三国志校诂》和李纯蛟《三国志研究》均有引述和发明,但李纯蛟本刊印数字错误较多。

② 参见吴金华:《三国志校诂》,江苏古籍出版社 1990 年版,第 302 页。然其陈《志》分项数与合计数相差 30 字,为 368009 字;倘此数对,则与王廷洽比,正文少于注文 20 字。

　　其与王廷洽数相差缘由,吴金华解释说:"由于百衲本中某些注文混入了正文,而标点本已经作了清理,所以宋本正文与注文的字数与标点本颇有出入。但总的来看,陈《志》仍多于裴《注》,与王说相合。此外,如果晁公武所据者为古抄本,则陈寿所撰《三国志叙录》一卷可能尚未亡佚,这样一来,正文的字数就更多了。"① 至此,这一段长达八九百年的公案,应当画上一个句号,而不能再以讹传讹了。

四、南北朝三史

　　当朝人写当朝史是魏晋南北朝史学的一大特点。不论是将南朝、北朝视做一个整体,还是分别看宋、齐和北魏,《宋书》、《南齐书》和《魏书》三史的作者都在所撰写的朝代生活过,而又都在下一个或第二个朝代完成撰著,故他们既有切身的经历,又不必过多地受到时政的牵连,使其史书的撰著,更能客观地展现所叙的时代和表达作者个人的阅历、观点。

1、沈约与《宋书》

　　沈约(441～513),字休文,吴兴武康(今浙江德清)人。沈约的幼年是不幸的,他13岁时父亲便被诛杀,自己也险些受牵连,但后来却能够自奋自励。《梁书》本传述其"笃志好学,昼夜不倦。母恐其以劳生疾,常遣减油灭火。而昼之所读,夜辄诵之,遂博通群籍,能属文。"② 时齐竟陵王萧子良开西邸,招文学,沈约作为当时的著名文士,与萧衍、谢朓、王融、萧琛、范云、任昉、陆倕等八人同游于萧子良门下,其时号称

---

① 参见吴金华:《三国志校诂》,第302页。
② 《梁书》卷13《沈约传》。

"八友"①。

　　沈约在文学上是诗歌"四声八病"② 说的倡导者,讲求诗歌的声韵格律,这一主张与晋宋以来诗歌发展注重对偶形式的趋向相结合,形成所谓"永明体"的新体诗③,开中国诗歌格律诗的先河。同时,沈约作为中国最早的文学史家之一,他在《谢灵运传论》中对诗歌发展史及其规律的认识,与文学史发展的实际是相符的。但他本人的诗歌创作却因为过分注重形式而显得平淡。

　　沈约不仅是南朝重要的文学家,也是著名的史学家,他曾自述其"少颇好学,虽弃日无功,而伏膺不改。常以晋氏一代,竟无全书,年二十许,便有撰述之意。"④ 加之他在仕途上比较顺利,历仕宋、齐、梁三朝,对三朝的典章制度十分熟悉,为他的史书撰修打下了良好的基础。

　　沈约修《宋书》,按他自己所说是仅一年便完成,即永明"五年春,又被敕撰《宋书》。六年二月毕功,表上之"⑤。所以能如此迅速,除了他自身的史学天赋和勤奋努力外,更主要是借助前人已有的蓝本、素材,他实际上是在已有旧稿的基础上修葺而成。他叙述这一绵延数十年的修史过程云:

　　　　宋故著作郎何承天始撰《宋书》,草立纪传,止于武帝功臣,篇牍未广。其所撰志,唯《天文》、《律历》,自此外,悉委奉朝请山谦之。谦之,孝建初,又被诏撰述,寻值病亡,仍使南台

① 参见《梁书》卷1《武帝纪上》。

② "四声"即平、上、去、入四种声调的协调;"八病"指作诗当避免的八种声韵上相冲突的弊病,即:平头、上尾、蜂腰、鹤膝、大韵、小韵、旁(大)纽、正(小)纽。

③ "永明"指南齐武帝萧赜的年号(483～493),《南齐书》卷52《陆厥传》云:"永明末,盛为文章。吴兴沈约、陈郡谢朓、琅邪王融以气类相推毂。汝南周颙善识声韵。约等文皆用宫商,以平上去入为四声,以此制韵,不可增减,世呼为'永明体'。"

④ 参见《宋书》卷100沈约《自序》。

⑤ 同上。

  侍御史苏宝生续造诸传,元嘉名臣,皆其所撰。宝生被诛,大
明中,又命著作郎徐爰踵成前作。爰因何、苏所述,勒为一史,
起自义熙之初,讫于大明之末。至于臧质、鲁爽、王僧达诸传,
又皆孝武所造。自永光以来,至于禅让,十余年内,阙而不续,
一代典文,始末未举。且事属当时,多非实录,又立传之方,取
舍乖衷,进由时旨,退傍世情,垂之方来,难以取信。臣以谨更
创立,制成新史,始自义熙肇号,终于升明三年。①

由此,则《宋书》的撰修在沈约之前已经历了好几个阶段:何承天初创未
广,由山谦之补缺;山谦之亡后又有苏宝生、徐爰"踵成前作"②。即到
徐爰为止,已有一整部的《宋书》。然其特点,一是一些为宋孝武帝(刘
骏)亲自撰写的传记,质量显然不高,刘知几评是"序事多虚,难以取
信"③;二是下限只到孝武帝大明之末,永光之后至宋亡这余下的十多
年尚缺,其间的杂记又多不实。所以,直到沈约才又"谨更创立,制成新
史"。

  沈约《宋书》的收录范围,是以儒家的正统史观为据而予以划定的。
他"始自义熙肇号,终于升明三年。桓玄、谯纵、卢循、马、鲁之徒,身为
晋贼,非关后代。吴隐、谢混、郗僧施,义止前朝,不宜滥入宋典。刘毅、
何无忌、魏咏之、檀凭之、孟昶、诸葛长民,志在兴复,情非造宋,今并刊
除,归之晋籍。"④

  但是,《宋书》的全书,在沈约并不是一次完成,他一年成书而奏上
者,实际仅"七帙七十卷"。在这 70 卷中,他虽说包括纪、传在内,"合
志、表七十卷",但实际只有纪、传而不含志、表,因"所撰诸志,须成续

---

  ① 参见《宋书》卷 100 沈约《自序》。

  ② 在山谦之和苏宝生之间,实际上还有裴松之和孙佐之两个阶段。参见刘
知几:《史通》卷 12《外篇·古今正史》,第 446 页。

  ③ 同上。

  ④ 《宋书》卷 100 沈约《自序》。

上",已表明"志"部分尚未完成;而"表"部分似乎从来就没有出现过。传世本《宋书》为纪10卷、列传60卷、志30卷,共100卷。

沈约《宋书》南齐永明末开始流行,然此时流行的《宋书》,当是不含续志的70卷本,100卷本的《宋书》可能尚未完稿。中华书局编辑部在《〈宋书〉出版说明》中,据《符瑞志》避齐明帝萧鸾讳、《律历志》避梁武帝父亲萧顺讳、《乐志》避梁武帝萧衍本人讳的情况,推断"《宋书》的最后定稿,当在齐萧鸾称帝(公元494年)以后,甚至在梁武帝即位(公元502年)以后了"①。

就全本《宋书》而言,100卷的篇幅(尚不含"表")描述刘宋60年的历史,难免使人有冗长拖沓之感。故有"河东裴子野更删为《宋略》二十卷,沈约见而叹曰:'吾所不逮也。'由是世之言宋史者,以裴《略》为上,沈《书》次之"②。然裴子野《宋略》今已不存,无从窥其本相③。

在沈约《宋书》本身,一大特点是后来所续成的八《志》,即《律历》、《礼》、《乐》、《天文》、《符瑞》、《五行》、《州郡》和《百官》。在这之中,《律历》、《乐》、《天文》、《州郡》志等是比较有特色的,保留了相当丰富的历史材料。

例如,《律历志》中记载的杨伟的《景初历》、何承天的《元嘉历》和祖冲之的《大明历》,反映了当时天文、历法学的发展水平;而《州郡志》对

---

① 参见《宋书》卷首,中华书局标点本,第2页。

② 参见《史通》卷12《外篇·古今正史》,第446页。

③ 裴子野《宋略》,按刘知几这里的口气,像是直接删沈约《宋书》而来,这与《梁书》卷30《裴子野传》的叙述是一致的,然则与《南史》的记载不同。《南史》卷33《裴子野传》对此颇有生动的记述:"初,子野曾祖松之,宋元嘉中受诏续修何承天宋史,未成而卒,子野常欲继成先业。及齐永明末,沈约所撰《宋书》称'松之已后无闻焉'。子野更撰为《宋略》二十卷,其叙事评论多善,而云'戮淮南太守沈璞,以其不从义师故也'。约惧,徒跣谢之,请两释焉。叹其述作曰:'吾弗逮也。'兰陵萧琛言其评论可与《过秦》、《王命》分路扬镳。"从此"常欲继成先业"又针对沈约"更撰为《宋略》二十卷"来看,裴《略》是继其祖业自撰而成。

三国以来南方地区的州郡分布和户口数目的记载,体现了在地理学和人口统计学上取得的成果。八志中缺《食货》、《艺文》二志,看不到刘宋朝经济和文化发展的总体状况,是一大缺憾,但从他的一些列传,如《周朗传》、《范泰传》、《何尚之传》中,可以侧面感受当时的一些经济政策及其执行的后果。而《谢灵运传》的长篇传记及所附《史论》,则充分地展示了南朝封建主庄园的概貌和汉魏晋以来文学发展的特点和风格。尤其是因为在此之前,陈寿《三国志》等三国史书均无志,而沈约之志,却能从汉魏晋到刘宋,叙述得比较完备,弥补了前人留下的遗憾。

叶适将其与司马迁、班固等比较说:

> 迁、固为书志,论述前代旧章以经纬当世,而汉事自多阙略。蔡邕、胡广,始有纂辑;陈寿、范蔚宗,废不复著。至沈约比次汉魏以来,最为详细,唐人取之以补《晋记》,然后历代故实可得而推。虽去迁、固本意已远,然古事既不能追,则所当存者,随世有无而已;但其体烦杂,非复前比,殆成会要矣。学者立乎千载之后,考见始末,当使相承如一日;若姑竞迁、固之华而不求其实,则失之远矣。[1]

由此,则沈约《宋书》不仅是"宋"书,而且是"晋"书,其体例虽与《史》、《汉》有别,然其史料广博详悉,对于后人了解那一时代的史实,是十分有帮助的。

后顾炎武亦云:"陈寿《三国志》、习凿齿《汉晋春秋》无志,故沈约《宋书》诸志并前代所阙者补之。……古人绍闻述往之意,可谓宏矣!"[2] 沈约补缺述往,于历史承传做出了贡献。

---

[1] 《习学记言序目》卷31《宋书·志》,第443页。

[2] 顾炎武著、黄汝成集释:《日知录集释》卷26《作史不立表志》,上海古籍出版社1985年版。

2、萧子显与《南齐书》

萧子显(489～537),字景阳,南兰陵(今江苏常州)人。萧子显是齐高帝萧道成的孙子,为齐之宗室,七岁时便封侯,然成年后却仕于同族的梁朝。萧子显幼时便很有才气,《梁书》本传说他"幼聪慧","好学,工属文。尝著《鸿序赋》,尚书令沈约见而称曰:'可谓得明道之高致,盖《幽通》之流也'"①。他之《自序》亦称:"追寻平生,颇好辞藻,虽在名无成,求心已足。"② 但萧子显实际用功更多的还是在史学而非文学,积极主动地撰修各朝史书:"又采众家《后汉》,考正同异,为一家之书。又启撰《齐史》,书成,表奏之,诏付秘阁";"又启撰《高祖集》,并《普通北伐记》。"③ 此外还有《晋史草》、《贵俭传》和文集等,但除了《南齐书》外,其余都没有流传下来。

《南齐书》按萧子显自述其名为《齐史》,世人又称《齐书》,《隋书·经籍志》、刘知几《史通》亦是如此称谓。然到北宋时,曾巩作《南齐书目录序》时,已称作《南齐书》,显系为区别于唐李百药的《北齐书》而为之。

如同其他前代史书一样,《南齐书》亦非萧子显白手起家而成,前人在这一方面已做了大量的工作。刘知几云:

> 齐史,江淹始受诏著述,以史之所难,无出于志,故先著十志,以见其才。沈约复著《齐纪》二十篇。(梁天监中,萧子显启撰《齐史》为)纪八,志十一,列传四十,合成五十九篇。(表奏之,诏付秘阁。)④

即萧子显《南齐书》是在江淹十志、沈约《齐纪》的基础上撰修成书的。

与萧子显同时,又有吴均撰齐史。"时奉朝请吴均,亦表请撰齐史,

---

① 《梁书》卷35《萧子显传》。
② 同上。
③ 同上。
④ 《史通》卷12《外篇·古今正史》,第448页。

乞给起居注,并群臣行状。有诏:'齐氏故事,布在流俗,闻见既多,可自
搜访也。'均遂撰《齐春秋》三十篇。其书称梁帝为齐明佐命,帝恶其实
录,燔之。然其私本竟能与萧氏所撰,并传于后。"① 梁武帝厌恶吴均
的"实录",但他的借口却是吴均书本身"不实",故"敕付省焚之,坐免
职"②。

在这样的氛围中,萧子显的修史自然也是在顾虑重重中进行的,而
且他是以孙辈的身份为祖父开创的前朝修史,如此的身份、处境也是古
来史家所不具有的。但从《梁书》本传可以看出,萧子显似乎是能够打
消梁武帝的猜忌而获得信任的。萧衍曾对萧子显兄弟明言,齐、梁虽说
是"情同一家","然时代革异,望卿兄弟尽节报我耳"③ 要求萧子显兄
弟效法虽为曹操之孙、却成为晋武帝"忠臣"的曹志。萧子显至少在形
式上是做到了这一点的。故他"启撰《高祖集》并《普通北伐记》④","于
学递述《高祖五经义》"等都是他迎合萧梁朝廷的典型表现。

萧衍既是儒家经学的提倡者,又是中国历代皇帝中最为身体力行
崇佛的一位,他要萧子显兄弟阅读的班彪的《王命论》与他所信奉的佛
教的因果报应观,亦正是一种儒佛的会通,以为其取得统治权力的合法
性做说明。于此,萧子显可以说是自觉认同的,这在《南齐书》中体现得
十分明显。但是,萧子显不仅是儒佛和合,亦是九流会通,当然最终九
流最终都统一于佛。他称:"佛法者,理寂乎万古,迹兆乎中世,渊源浩
博,无始无边,宇宙之所不知,数量之所不尽,盛乎哉! 真大士之立言
也。探机扣寂,有感必应,以大苞小,无细不容。"⑤

---

① 《史通》卷 12《外篇·古今正史》,第 448 页。

② 《梁书》卷 49《吴均传》。

③ 《梁书》卷 35《萧子恪传》。

④ "普通"是梁武帝萧衍的年号(公元 520~526),以此冠名北伐,显系颂扬萧
衍在此年间的北向军事活动。

⑤ 《南齐书》卷 54《高逸传论》。

那么,佛包容又高于儒、墨、法、道各家也就是理所当然的。所以他"服膺释氏,深信冥缘,谓斯道之莫贵也。"① 但最后的《赞》曰"含贞抱朴,履道敦学。惟兹潜隐,弃鳞养角",却又显是道家的遗墨,不自觉地暴露了他不得不"潜隐"而臣服于梁的苦心。

《南齐书》萧子显原作,按本传的记载是 60 卷,《隋书·经籍志》著录同。然到曾巩作序时,就只有 59 卷了。在他之前,刘知几曾说过:

> 若沈《宋》之志序,萧《齐》之序录,虽皆以序为名,其实例也,必定其臧否,征其善恶,……子显虽文伤蹇踬,而义甚优长,斯一二家,皆序例之美者。②

刘氏明言《南齐书》有《序录》并定臧否、征善恶,而今传本则无,其余八纪、十一志、四十列传又不误,故学者一般认为所遗者即为第六十卷《序录》。不过,刘知几已认为萧撰是 59 篇,新、旧唐书则又各执一说,故《序录》到底何时散失尚存疑问。

《南齐书》在撰著上的特点,较突出者是赵翼所称赞的"类叙法"。赵翼《廿二史劄记》卷九专有《〈齐书〉类叙法最善》一章,其云类叙法之必要:

> 盖人各一传则不胜传,而不立传则竟遗之,故每一传辄类叙数人。如《褚澄传》叙其精于医,而因叙徐嗣医术更精于澄,《韩灵敏传》叙其[兄之]妻卓氏守节,而因及吴康之妻赵氏,蒋隽之妻黄氏,倪翼之母丁氏,传不多而人自备载。③

在《南齐书》各传中,"《孝义传》用类叙法,尤为得法"④。赵翼这里实际上亦解释了什么是类叙法。今张孟伦亦概括说:"(类叙法)就是在一篇

---

① 《南齐书》卷 54《高逸传论》。
② 《史通》卷 4《内篇·序例》,第 103 页。
③ 《廿二史劄记校证》,第 191 页。
④ 同上。

列传里，由为某人作传，而兼叙到和他同类的人"，即是一种"连贯类似事实，从一个主要人物带叙到其他较为次要的人物，以事类为叙述的类叙法"①。

但类叙法本身，赵翼已指明并不起于《南齐书》，班固作《汉书》时就已经创立。其后，陈寿《三国志》、范晔《后汉书》继续，然在萧子显，要运用得更为普遍和得心应手。

萧子显喜文，曾因临场"斐然"赋诗而被梁武帝誉为"才子"。故在《南齐书·文学传》中，代表当时诗歌发展时代特色的"永明体"被纪录了下来②，而代表当时中国科学发展水平的祖冲之的发明创造也被记载于其中。但因之他作史所带有的作文的"游心"、"放言"的"气韵"，也时有为文而害义的弊病。曾巩以为："子显之于斯文，喜自驰骋，其更改破析刻周藻缋之变尤多，而其文益下，岂夫才固不可以强而有邪？"③ 意谓萧氏书是在对江淹《志》、沈约《纪》的更改、破析、刻周、藻缋的基础上撰成的，而且越改文越下，这大概是因为萧子显虽有文才但乏史才的缘故。

3、魏收与《魏书》

魏收（506～572），字伯起，小字佛助，前述佛教部分已提及，为钜鹿下曲阳（今属河北）人。魏收最初"好习骑射，欲以武艺自达"，后才转为"发愤读书"，其才华也因之得以显露④。本传说他应诏试作《封禅书》不立草稿，下笔而就，文近千言而几无修改，故被比为曹植，26 岁时便被敕修国史兼中书侍郎。不久后北魏分裂成东、西魏，魏收于是在"位既不遂"的情况下"求修国史"而得应允。魏收之仕途或许有所不顺，但

① 《中国史学史》上册，第 246、247 页。
② 参见《南齐书》卷 52《陆厥传》。
③ 参见《南齐书》卷末附《曾巩南齐书目录序》，中华书局标点本，第 1038 页。
④ 参见《北齐书》卷 37《魏收传》。

修史之任似乎尚无人能与之竞争。不过，魏收之修史，主要还是在北齐完成的。

《北齐书》本传记载《魏书》修撰的过程说：

> 初，帝令群臣各言尔志，收曰："臣愿得直笔东观，早成《魏书》。"故帝使收专其任。又诏平原王高隆之总监之，署名而已。帝敕收曰："好直笔，我终不作魏太武诛史官。"始魏初邓彦海撰《代记》十余卷，其后崔浩典史，游雅、高允、程骏、李彪、崔光、李琰之徒世修其业。浩为编年体，彪始分作纪、表、志、传，书犹未出。宣武时，命邢峦追撰《孝文起居注》，书至太和十四年，又命崔鸿、王遵业补续焉。下讫孝明，事甚委悉。济阴王晖业撰《辨宗室录》三十卷。收于是部通直常侍房延佑、司空司马辛元植、国子博士刁柔、裴昂之、尚书郎高孝干专总斟酌，以成《魏书》。辨定名称，随条甄举，又搜采亡遗，缀续后事，备一代史籍，表而上闻之。①

在这里，魏收自荐继续撰修魏史，他所心仪的是"直笔"的《东观汉记》。其实，《东观汉记》作为东汉国家意志的忠实体现，本谈不上"直笔"，魏收以此为范例，说明他是自觉以统治者的意志去理解"直笔"的精神的。因此，他不但得到了北齐文宣帝高洋的首肯，还收到了令他放心的保证："好直笔，我终不作魏太武诛史官。"

魏太武帝诛杀史官崔浩，并夷其三族，是北魏乃至整个中国历史上最惨烈的史祸之一。而其起因，盖缘于崔浩听信亲信之言，"刊所撰国史于石，用（永）垂不朽，欲以彰浩直笔之迹"②；"而石铭显在衢之路，往来行者咸以为言，事遂闻发"③。崔浩本是奉旨修史，并被太武帝要求

---

① 参见《北齐书》卷37《魏收传》。
② 参见《魏书》卷48《高允传》。
③ 参见《魏书》卷35《崔浩传》。

"务从实录",然而因其"叙述国事,无隐恶,而刊石写之,以示行路。浩坐此夷三族,同作死者百二十八人,自是遂废史官,至文成帝和平元年(460)始复其职"①。如此惨烈的诛戮事件,不能不使后来的修史者心悸,所以北齐文宣帝力图要打消魏收等的疑虑。

　　从上《魏书》所述来看,魏朝国史的修撰,在崔浩之前即魏初邓渊(字彦海)时就已经开始。邓渊撰《代记》而未有体例,崔浩主持编撰的魏史则已初具规模,但体例为编年体,后李彪、崔光等改为纪传体,到北魏后期崔鸿、王遵业"补续"时,已经是"事甚委悉"了。在这前后还有多人加入到修史的行列。魏收奉命主持编修魏史,已多有前人著述可做参考,最终集众人之努力而修成《魏书》。

　　但是,魏收最初上奏的《魏书》,虽说是"备一代史籍","勒成一代大典",包括有12本纪、92列传,共计110卷的规模,但尚缺志。魏收以其"志"未就而"奏请终业",获得准许。就其时间看,纪、传是在文宣帝天保五年(554)三月上奏的,十志则在当年十一月复奏,历时仅9个月便告完成,速度是非常快的。内容包括《天象志》4卷、《地形志》3卷、《律历志》2卷、《礼乐志》4卷、《食货志》1卷、《刑罚志》1卷、《灵征志》2卷、《官氏志》2卷(今标点本为1卷)、《释老志》1卷,"凡二十卷,续于纪传,合一百三十卷,分为十二帙。其史三十五例,二十五序,九十四论,前后二表一启焉"②。全书130卷为分子目计,若不分则为114卷,今标点本即如此安排。

　　《魏书》撰成后并非一劳永逸。由于反对意见甚多,"前后列诉者百有余人"③,魏收又奉诏进行了多次修改。例如:"(孝昭)帝(560～561)以魏史未行,诏收更加研审。收奉诏,颇有改正。及诏行魏史,收以为

　　①　刘知几:《史通》卷12《外篇·古今正史》,第459页。
　　②　《北齐书》卷37《魏收传》。
　　③　参见《史通》卷12《外篇·古今正史》,第460页。

直置秘阁,外人无由得见。于是命送一本付并省,一本付邺下,任人写之。"自此《魏书》流传开来。"其后群臣多言魏史不实,武成(561~565)复敕更审,收又回换。"①

之所以会是如此,在于魏收的人品和史德一直遭人非议。魏收为人轻薄放荡,当时便得了一个"惊蛱蝶"的绰号。同时,又妒忌才能,他修史所揽用的人才,主要都是一些善于奉迎而缺乏真才实学之人。本传曰:

> (魏收)所引史官,恐其凌逼,唯取学流先相依附者。房延
> 佑、辛元植、眭仲让虽凤涉朝位,并非史才。刁柔、裴昂之以儒
> 业见知,全不堪编辑。高孝干以左道求进。修史诸人祖宗姻
> 戚多被书录,饰以美言。收性颇急,不甚能平,夙有怨者,多没
> 其善。②

刘知几亦云:

> 收诣齐氏,于魏室多不平。既党北朝,又厚诬江左。性憎
> 胜己,喜念旧恶,甲门盛德与之有怨者,莫不被以丑言,没其善
> 事。迁怒所至,毁及高、曾。③

而最能表现他飞扬跋扈的权势和阴暗的心理的,则是他"每言'何物小子,敢共魏收作色,举之则使上天,按之当使入地'!"④ 如此狂放的假公济私,完全将撰修国史当成了个人恩怨的发泄场所,与他最初立志之"直笔",已经相差很远了。

显然,在如此思想指导下编出的史书,引起公愤也就是很自然的。虽然由于皇帝的庇护,魏收并未受到斥责,"然犹以群口沸腾,敕魏史且勿施行,令群官博议。听有家事者入署,不实者陈牒。于是众口谊然,

---

① 《北齐书》卷37《魏收传》。
② 同上。
③ 《史通》卷12《外篇·古今正史》,第460页。
④ 《北齐书》卷37《魏收传》。

号为'秽史',投牒者相次,收无以抗之"①。因而,尽管后来魏收又有修改,但始终积怨甚多。在齐亡之后,已入土的魏收遭到报复:"既缘史笔,多憾于人,齐亡之岁,收冢被发,弃其骨于外。"而这在其他撰史者那里,恐怕是闻所未闻的。

但就史书的成书来说,相对于《后汉书》、《三国志》、《晋书》、《宋书》、《齐书》等均有多个版本问世的情形,《魏书》成书终南北朝却只有魏收主撰的这一部。虽然因对此的非议,更撰《魏书》从隋到唐不断,惜皆不传,只有魏收《魏书》在不绝的非议声中流传了下来。

后世对《魏书》的批评,有一些是属于体例上的。如魏收的保护人,"势倾朝野"的左仆射杨愔,在赞誉魏收书的同时,便对其体例提出了批评。其曰:"此谓不刊之书,传之万古。但恨论及诸家枝叶亲姻,过为繁碎,与旧史体例不同耳。"魏收解释说:"往因中原丧乱,人士谱牒,遗逸略尽,是以具书其支流。望公观过知仁,以免尤责。"② 就是说,修史书不是续家谱,不是家族旁支、姻亲、子孙都需要收录。"过为繁碎"在《魏书》确是比较明显的。魏收亦认可是"过",但希望能理解他所以如此做之心。

《魏书》尽管有不少缺点,但能够流传到今,也说明它还是有自身的价值,最终经受住了时间的检验。李延寿《北史》之北魏部分,基本上是魏收书的节录,他并称许魏收"勒成魏籍,追从班、马,婉而有则,繁而不芜,持论序言,钩深致远"③。虽然也同时指出了魏收的弊病,但在总体上是赞扬的,说明后来学者并不都以《魏书》为"秽史"。即便是严斥魏收的刘知几,亦承认"今世称魏史者,犹以收本为主焉"④。

魏收的撰述,比之魏晋南北朝的其他史书,其所具列的《食货志》、

---

① 《北齐书》卷37《魏收传》。
② 同上。
③ 《北史》卷56《魏收传论》。
④ 《史通》卷12《外篇·古今正史》,第460页。

《官氏志》和《释老志》最有特色。《食货志》因其难作而不见于魏晋南北朝的其他史书,魏收于其中记载的北魏的均田制、租调制等,与纪、传中的相关材料相呼应,为了解北魏及以后的封建土地制度、赋税制度的演变提供了最基本的史料;《官氏志》说明了魏之职官设置与其他朝代的区别,尤其记载了拓跋氏族部落的分布和流变、氏族的姓氏和改姓汉姓的过程,反映了北方各氏族部落分并离合的历史状貌。《释老志》已见前述,其所提供的关于佛教初传、发展及寇谦之改革道教方面的材料,是十分珍贵的。同时,魏收对北魏统治者与佛教僧侣的关系、北魏佛寺和所度僧尼数的记述,则是了解那一时期佛教发展与国家经济政治利益的相互关系所不可缺少的。

今周一良有《魏收之史学》的长文,详论魏收其人其书。他在文首述作文之缘起曰:"正史中最为人所诟病者厥为魏收《魏书》,然夷考其实,前人所论未必尽当。一良尝粗检史籍,与《魏书》比观,深觉昔贤责难于收之人与书者,使收地下有知,或不受也。昔《晋书》诬陈寿,王西庄、赵瓯北皆砲切辨之,矧收书被诬重厚于《三国志》乎?兹篇之作在求释昔贤之疑,若《魏书》全部之评骘,则兹事体大,非此文所能尽矣。"①但他事实上仍对《魏书》之"被诬"进行了系统的辩解。

五、《世说新语》及《注》

《世说新语》,亦简称《世说》,在历史它既被归为小说类,又是一部杂史体史书。由于汉末魏晋的史料多有不齐,研究这一时期的文学和历史,是不可能脱离开《世说》来进行的。就此而言,《世说新语》作为杂

---

① 《魏晋南北朝史论集》,中华书局 1963 年版,第 236 页,原文载《燕京学报》第 18 期。

史体史书的意义，丝毫不比它在文学史上的地位低，当然二者又是相互发明的。后人也因之从中去领略汉末魏晋时期的人物风貌、社会习俗和学术发展。

1、刘义庆与《世说新语》

刘义庆（403～444），彭城（今江苏）人。刘义庆是南朝宋宗室，后袭封临川王。《南史》本传说他"性简素，寡嗜欲，爱好文义，文辞虽不多，足为宗室之表"①。因其喜好文辞，故在其周围聚集起了一批"并有文章之美"的文学之士，袁淑、陆展、何长瑜、鲍照等均在其中。刘义庆作有《徐州先贤传》10卷，并拟班固《典引》作《典叙》，又"所著《世说》10卷、《集林》200卷并行于世"②。其中对后世影响最大的，还是《世说新语》一书。

《世说新语》原本按《南史》本传所记为10卷，《隋书·经籍志三》将其归为《小说》类，但卷数却标记为8卷，而刘孝标注本则又是10卷。今本则只有上中下三卷，不过每卷又再分上下，按此记又成6卷；卷下则具体分为德行、言语、政事、文学等子目36门，记叙了当时的重要历史事件和人物活动，涉及人物众多，重要人物不下五六百人。上至帝王卿相，下至士庶僧徒，都有所记载；至于文辞之美，简朴隽永，则尤为后人称道③。

在这之中，有许多材料，一方面是正史所未载，于此充分显示了其独特的历史价值；另一方面又有不少为后来的正史如《晋书》所采，更有一些部分甚至是原封不动地搬用或组合，其作为史料的价值也特别予以彰显。下面试对比《晋书》举例说明之：

---

① 《南史》卷13《宋宗室及诸王上·刘义庆传》。
② 同上。
③ 参见周祖谟：《世说新语笺疏·前言》，第1页。

(1)记嵇康临终例：

《世说·雅量》曰："嵇中散临刑东市,神气不变,索琴弹之,奏《广陵散》,曲终曰:'袁孝尼尝请学此散,吾靳固不与,《广陵散》于今绝矣!'太学生三千人上书,请以为师,不许。文王亦寻悔焉。"①

《晋书》本传云："康将刑东市,太学生三千人请以为师,弗许。康顾视日影,索琴弹之,曰:'昔袁孝尼尝从吾学《广陵散》,吾每靳固之,《广陵散》于今绝矣!'时年四十。海内之士,莫不痛之。帝寻悟而恨焉。"②

(2)记刘伶醉酒例：

《世说·任诞》曰："刘伶病酒,渴甚,从妇求酒。妇捐酒毁器,涕泣谏曰:'君饮太过,非摄生之道,必宜断之!'伶曰:'甚善!我不能自禁,唯当祝鬼神,自誓断之耳!便可具酒肉。'妇曰:'敬闻命。'供酒肉于神前,请伶祝誓。伶跪而祝曰:'天生刘伶,以酒为名。一饮一斛,五斗解酲。妇人之言,慎不可听。'便引酒进肉,隗然已醉矣。"③

《晋书》本传云："(刘伶)尝渴甚,求酒于其妻。妻捐酒毁器,涕泣谏曰:'君酒太过,非摄生之道,必宜断之。'伶曰:'善!吾不能自禁,惟当祝鬼神自誓耳。便可具酒肉。'妻从之。伶跪祝曰:'天生刘伶,以酒为名。一饮一斛,五斗解酲。妇儿之言,慎不可听。'仍引酒御肉,隗然复醉。"④

(3)记王戎吝啬例：

《世说·俭啬》曰："王戎俭啬,其从子婚,与一单衣,后更责

---

① 《世说新语笺疏》中卷上,第344页。
② 《晋书》卷49。
③ 《世说新语笺疏》下卷上,第728~729页。
④ 《晋书》卷49。

之。……王戎有好李，卖之，恐人得其种，恒钻其核。王戎女适裴颁，贷钱数万。女归，戎色不说。女遽还钱，乃释然。"①

《晋书》本传云："（王戎）女适裴颁，贷钱数万，久而未还。女后归宁，戎色不悦，女遽还直，然后乃欢。从子将婚，戎遗其一单衣，婚讫而更责取。家有好李，常出货之，恐人得种，恒钻其核。"②（前后顺序调整）

　　（4）记石崇、王恺斗富例：

《世说·汰侈》曰："王君夫（王恺字）以粘糒澳釜，石季伦（石崇字）用蜡烛作炊。君夫作紫丝布步障碧绫里四十里，石崇作锦步障五十里以敌之。石以椒为泥，王以赤石脂泥壁。""石崇与王恺争豪，并穷绮丽，以饰舆服。武帝，恺之甥也，每助恺。尝以一珊瑚树，高二尺许赐恺。枝柯扶疏，世罕其比。恺以示崇，崇视讫，以铁如意击之，应手而碎。恺既惋惜，又以为疾己之宝，声色甚厉。崇曰：'不足恨，今还卿。'乃命左右悉取珊瑚树，有三尺四尺，条干绝世，光彩溢目者六七枚，如恺许比甚众。恺惘然自失。"③

《晋书》本传云："（王）恺以粘糒澳釜，崇以蜡代薪。恺作紫丝布步障四十里，崇作锦步障五十里以敌之。崇涂屋以椒，恺用赤石脂。崇、恺争豪如此。武帝每助恺，尝以珊瑚树赐之，高二尺许，枝柯扶疏，世所罕比。恺以示崇，崇便以铁如意击之，应手而碎。恺既惋惜，又以为嫉己之宝，声色方厉。崇曰：'不足多恨，今还卿。'乃命左右悉取珊瑚树，有高三四尺者六七株，条干绝俗，光彩曜日，如恺比者甚众。恺恍然自

<hr>

① 《世说新语笺疏》下卷下，第 873、874 页。
② 《晋书》卷 43。
③ 《世说新语笺疏》下卷下，第 878～879、882～883 页。

失矣。"①

从上可见,《晋书》或者原样搬用《世说》,或者对次序稍做调整组合,可见杂史与正史之间的界限原不那么明显。《世说》不仅记载了许多为后来正史选用的材料,还有很多材料则为正史所缺,其中最有名的便是曹植"七步诗"例。

《世说·文学》曰:

> 文帝尝令东阿王七步中作诗,不成者行大法。应声便为诗曰:"煮豆持作羹,漉菽以为汁。萁在釜下然,豆在釜中泣。本自同根生,相煎何太急?"帝深有惭色。②

兄弟"相煎"的惨痛,深刻反映了血缘亲情在帝位传承、巩固中的脆弱性和不堪一击。这一典型事例,通过《世说新语》的生动记述,在中国文学史以至整个中国历史中的影响,都是十分深远的。

从历史和文学的关系说,《世说新语》所以被《经籍志》等归入小说类,正在于它所记述的历史人物、事件往往十分传神,只寥寥数笔便勾画出了一个个形象生动的历史故事。如记华歆、王朗事迹云:

> 华歆、王朗俱乘船避难,有一人欲依附,歆则难之。朗曰:"幸尚宽,何为不可?"后贼追至,王欲舍所携人。歆曰:"本所以疑,正为此耳。既已纳其自托,宁可以急相弃邪?"遂携拯如初。世以此定华、王之优劣。③

如此品评人物,非常具有感染力。

周一良以为,《世说新语》大多数故事主要集中在两大类内容:一是关于"人伦鉴识"亦即人物的品题评论方面,一是玄远的清言,所谓"其书叙述名隽,为轻言之渊薮"。"这两大内容,都和思想史的研究有关。

---

① 《晋书》卷33。

② 《世说新语笺疏》上卷下,第244页。又:世传"七步诗"有不同版本,前"文学"部分所引为其一,此处亦为其一。

③ 《世说新语笺疏》上卷上,第14页。

正如'请谈'一词的含义,在魏晋南北朝时期,由指人物品题发展为玄谈清议,《世说》一书的主要内容和倾向,也是贯穿'请谈'发展的两个阶段。与之相适应的,我们不妨把刘义庆的《世说》称做'请谈之书',而不应像《隋书·经籍志》或《史通》那样,称为'街说巷语'或'短部小书'。"①

《世说新语》糅文学与历史为一体,但它的语言传神在于用辞朴实而不是故作雕饰,所以才可能为后来史书所征引。刘师培说:"试观《世说新语》所记当时之言语行动,方言与谐语并出,俱以传真为主,毫无文饰。《晋书》、《南北史》多采自《世说》,故非如后世史官之以意为主。至其词令之隽妙,乃自两晋清流为风气者也。"②

然而,作为一部深刻反映那一时代生活和历史的著作,《世说新语》自身的历史却有不甚清楚之处。《宋书·刘义庆传》并未提及刘义庆著《世说》之事,《南史》本传虽称刘氏"所著《世说》十卷",但由于有"招聚才学之士,远近必至"和引陆展、何长瑜、鲍照等"为佐吏国臣"的前提,故后人又有以为《世说》乃成于众人之手的。鲁迅先生便以为:

> 然《世说》文字,间或与裴、郭二家书所记相同,殆亦犹《幽明录》、《宣验记》然,乃纂缉旧文,非由自造;《宋书》言义庆才词不多,而招聚文学之士,远近必至,则诸书或成于众手,未可知也。③

周一良以为鲁迅的意见是"非常确切"的。因为"沈约距义庆时世甚近,《宋书》所据又是当时史官旧稿,而本传里收录义庆著述,独独不把此书列在他的名下,想必有其原因。但《世说新语》即使不是——很可能不

---

① 《〈世说新语〉和作者刘义庆身世考察》,《魏晋南北朝史论集续编》,北京大学出版社 1991 年版,第 17~18 页。原文载《中国哲学史研究》1981 年第 1 期。

② 《汉魏六朝专家文研究·十五》,《刘师培中古文学论集》(陈引驰编校),中国社会科学出版社 1997 年版,第 138 页。

③ 《中国小说史略》第六篇《世说新语与其前后》,《鲁迅全集》卷 9,第 61~62 页。

是——刘义庆自著,也是在他的思想指导影响之下纂辑而成的"①。这一观点应当说是有道理的。

2、刘孝标与《世说新语注》

刘孝标(462~521),名峻,以字行,平原(今属山东)人。《梁书》将其列入《文学传》,称"峻好学,家贫,寄人庑下,自课读书,常燎麻炬,从夕达旦,时或昏睡,爇其发,既觉复读,终夜不寐,其精力如此"②。刘孝标有极强的读书求知渴望,曾被时人称为"书淫"。但他知识虽然丰富,仕途却颇多不顺,为此他曾著《辨命篇》以寄托其意。

刘孝标的著作,《梁书》本传除谈及《辨命篇》外,还载有他的《自序》,但未提及他注《世说新语》。《隋书·经籍志三》载明刘孝标注《世说》十卷,《经籍志二》又说他注《汉书》140卷,但在唐时已不存。刘知几显然是没有见过刘孝标所注的《汉书》,而对其注《世说》则评价甚低,以为:

> 孝标善于攻缪,博而且精。固以察及泉鱼,辨穷河豕。嗟乎!以峻之才识,足堪远大,而不能探赜彪、嶠,网络班、马,方复留情于委巷小说,锐思于流俗短书,可谓劳而无功,费而无当者矣。③

刘知几因瞧不起小说家而有此议。其实,《世说新语》既是小说也是史书,刘孝标所做,绝非劳而无功,费而无当,前刘义庆处所举例已可以说明。而从另一角度说,文学史著作同时具有史学的价值,也并不只限于《世说》:"至于钟嵘《诗品》、刘勰《文心雕龙》,所见汉魏两晋之书就《隋志》存目覆按,实较后人为多,其所评论迥异后代管窥蠡测之谈,自

---

① 《〈世说新语〉和作者刘义庆身世考察》,《魏晋南北朝史论集续编》,第21~22页。

② 《梁书》卷50《刘峻传》。

③ 《史通》卷5《内篇·补注》,第169页。

属允当可信。"①《诗品》和《文心雕龙》的可信度使其所记载的史实,也同样可以引作根据。

因而,对于刘孝标注的学术价值,后人大多还是给予了积极的评价。如高似孙《纬略》曰:

> 梁刘孝标注此书,引援详确,有不言之妙。如引汉、魏、吴诸史及子、传、地理之书皆不必言,只如晋氏一朝史及诸公列传、谱录文章,凡一百六十六家,皆出于正史之外。记载特详,闻见未接,实为注书之法。②

袁褧又云:

> 临川撰为此书,采掇综叙,明畅不繁;孝标所注,能收录诸家小史,分释其义。诂训之赏,见于高似孙《纬略》。③

刘孝标广引群书,"记载特详",能够"收录诸家小史"是一个重要原因。也正因为如此,他的不少注文远远超过了正文。通过他之注引,人们对若干故事的来龙去脉,能够有更为清晰的了解。

例如:《文学》篇记载东晋简文帝称赞许询五言诗事,刘义庆只有短短一句:"简文称许掾云:'玄度五言诗,可谓妙绝时人。'"而刘孝标注却引《续晋阳秋》,以十倍于原句的文字,简要勾勒出由汉至魏晋诗学发展的概貌及其代表人物④。又如本文"刘伶著《酒德颂》,意气所寄"一句,刘孝标更以数十倍的篇幅,引《名士传》和《竹林七贤论》,述刘伶事迹并发明其颂酒德之大旨⑤。

刘孝标注的另一特点,是纠正刘义庆原书中的不确。如《贤媛》篇记载陶侃与其母事说:

---

① 《汉魏六朝专家文研究·十七》,《刘师培中古文学论集》,第142页。
② 参见《世说旧题一首》,《世说新语笺疏·附录二》,第933页。
③ 《世说新语序目》之二,《世说新语笺疏·附录二》,第932页。
④ 参见《世说新语笺疏》上卷下,第262页。
⑤ 同上书,第250页。

陶公少时,作鱼粱吏,尝以坩鲊饷母。母封鲊付使,反书

责侃曰:"汝为吏,以官物见饷,非唯不益,乃增吾忧也。"

刘孝标注则曰:"按吴司徒孟宗为雷池监,以鲊饷母,母不受,非侃也。疑后人因孟假为此说。"①

又如《方正》篇载陶侃与梅颐(即梅赜)事曰:

梅颐尝有惠于陶公,后为豫章太守,有事,王丞相遣收之。

侃曰:"天子富于春秋,万机自诸侯出。王公既得禄,陶公何为

不可放?"乃遣人于江口夺之。

刘孝标则据《永嘉流人名》和王隐《晋书》所叙说明:"则有惠于陶是梅陶(梅颐弟),非颐也。"②

刘孝标能纠正《世说》本文的讹误,源于他博览群书,收集了大量的史料,涉及到经、史、子、集各部。《四库全书总目提要》云:

孝标所注特为典赡,高似孙《纬略》亟推之。其纠正义庆

之纰缪,尤为精核。所引著书,今已佚其十之九,惟赖是注以

传。故与裴松之《三国志注》、郦道元《水经注》、李善《文选

注》,同为考证家所引据焉。③

在这里,将《世说新语注》与分别作为历史、地理、文学等方面的代表作的其他三大注相并列,充分认定其史学地位,应当说是公允的。

今天,作为《世说新语笺疏》的一位主要整理者,周祖谟在该书《前言》中概括说:"孝标博综群书,随文施注,所引经史杂著四百余种,诗赋杂文七十余种,可谓宏富;而且所引的书籍后代大都亡佚无存,所以清代的辑佚家莫不视为鸿宝。"当然,刘孝标注也不是没有缺点,"惟孝标

---

① 《世说新语笺疏》下卷上,第691页。

② 《世说新语笺疏》中卷上,第319页。

③ 《四库全书总目提要》卷140《子部·小说家类一·世说新语三卷》,第3562页。

所注,虽说精密,仍有疏漏纰缪,直至近代始有人钩深索隐,为之补正"①。但在总体上,刘孝标注为后人提供了难得的史料,使《世说新语》的材料和思想更加丰满,是值得人们重视的。

① 参见《世说新语笺疏·前言》,第1~2页。

第十二章　自然科学的进步与发展

自然科学在古代社会并不是一个独立的学术门类,魏晋南北朝时期同样也是如此。不论是儒、道、玄、佛的四派划分,还是"四学并建"的儒学(经学)、玄学、史学和文学,其中都没有科学的地位。科学是分散附载于其他学术门类之中的,如著名科学家祖冲之便被归之于"文学"类。这在一定程度上说明了社会的文化氛围和官府、国家对于自然科学尚不具备必要的自觉意识。

但在另一方面,历代史书各志中,作为重点的《律历》《天文》等专志,又确实反映了历代自然科学的内容及其发展。在此意义上,又可以说古代社会是十分看重如今被统归为科学的这一部分学术的。时代的发展使我们有必要从今天的学术分科和科学视野出发,去发掘和梳理古代科学的进步与发展。

一、数学

数学是自然科学的基础,古时又通称"算术"。如王粲便"性善算,作'算术',略尽其理"①。培养数学人才的学校以"算学"标其名,其教科书则称为"算术"或"算经"。魏晋南北朝时期的数学, 是获

---

① 《三国志》卷21《王粲传》。

得充分发展而又居于世界领先水平的学术，所产生的一大批成果，至今不少还为人们所称道。其中最重要的，便是刘徽的割圆术和祖冲之的圆周率。

1、刘徽的割圆术

刘徽，籍贯和生卒年均不甚确定。《隋书·律历志上》提到"魏陈留王景元四年(263)，刘徽注《九章》"[①] 云云，说明他是魏晋时人。宋徽宗大观三年(1109)"加赐""自昔著名算术者"爵位，其中男爵一等封有"魏刘徽淄乡男"[②]，由于每一被封人姓名后都标明其籍贯，故刘徽当为淄川即今山东淄川或临淄一带人。《隋书·经籍志三》著录刘徽撰《九章算术》10卷和《九章重差图》1卷，后者常附在《九章算术》后。但到唐代，《九章重差图》之附图失传，其《重差》本文改名为《海岛算经》，因其卷首以海岛三表设问测计而得名。《九章算术》和《海岛算经》均流传至今。

《九章算术》本书成书时间不详，今学者一般认为是在东汉时期经多人之手而完成。刘徽在为《九章算术注》所作的《序》中说：

> 按周公制礼而有九数。九数之流，则九章是矣。往者暴秦焚书，经术散坏，自时厥后，汉北平侯张苍，大司农中丞耿寿昌，皆以善算命世。苍等因旧文之遗残，各称删补，故校其目则与古或异，而所论者，多近语也。[③]

《周礼·地官·保氏》有保氏教贵族子弟"六艺"之言，此"六艺"为："一曰五礼，二曰六乐，三曰五射，四曰五驭，五曰六书，六曰九数。"[④] 但《周礼》本身并未言明"九数"为何，后来郑玄为其作注时，引郑众语说："九

---

① 《隋书》卷16。
② 《宋史》卷105《礼志八》。
③ 刘徽：《九章算术注·原序》，上海古籍出版社1990年影印本，第1页。
④ 《周礼注疏》卷14，《十三经注疏》本。

数,方田,粟米,差分,少广,商功,均输,方程,赢不足,旁要。今有重差、夕桀、勾股也。"① 今刘徽注本《九章》篇名为方田,粟米,衰分,少广,商功,均输,赢不足,方程,勾股,大体可以印证刘徽《序》中所说。但其中的差别也说明,在东汉郑众、郑玄的时代,对于《九章算术》有过删补更定的事实。

刘徽自幼喜爱数学,长期研习《九章》,他在自序中说:

> 徽幼习《九章》,长再详览,观阴阳之割裂,总算术之根源,探赜之眼,遂悟其义。是以敢竭之顽习,采其所见,为之作注。②

由此可见,刘徽从悟《九章》之意到为《九章》作注,时间是相当长的。《九章算术》作为中国数学体系形成的标志,内容非常丰富,要做到不仅掌握其具体的计算,通晓其数学思想,还能针对其不足加以改进发展,的确是需要长期探索的实践的。在这之中,关键点在于对数学理论的探讨;而从方法上说,魏晋学术注重一多关系的思辨对刘徽则有借鉴的作用。

刘徽说:"事类相推,各有攸归。故枝条虽分而同本干者,知发其一端而已。又所析理以辞,解体用图,庶亦约而能周,通而不黩,览之者思过半矣。"③ 枝分而本理一,故可以从一本而推众枝。用辞(逻辑)析理,以图(作图形)解体,在哲学上都属于以本统末的方法。所以关键不在于具体的数学运算,而在于求本,提炼出一般的数学原理和方法。

比方,《九章算术》已给出了解直角三角形的勾股定理的一般结论,但究竟何谓勾股弦则并不明了,刘徽则明确定义曰:"短面曰勾,长面曰股,相与结角曰弦。"④ 正是在此概念清晰的基础上,刘徽明确证明了原来比较模糊的勾股定理。

---

① 《周礼注疏》卷14,《十三经注疏》本。
② 《九章算术注·原序》,第1页。
③ 同上。
④ 《九章算术注》卷9《勾股》,第86页。

如《九章算术》本文曰："勾股术曰：'勾股各自乘，并而开方除之，即弦。"其公式为：

$$弦 = \sqrt{勾^2 + 股^2}；$$

以 A、B、C 代勾、股、弦，则：$c = \sqrt{a^2 + b^2}$。

刘徽证明说："勾自乘为朱方，股自乘为青方，令出入相补，各从其类，因就其余不移动也。合成弦方之幂，开方除之，即弦也。"[1] 意谓以勾、股各自为边长作正方形（自乘），以此正方形为基础，将按弦长所作正方形之多出的部分（出）补空缺的部分（入），连同不移动的部分，正好构成以弦为边的正方形。其一般公式便是：

$$勾^2 + 股^2 = 弦^2；$$

或：$a^2 + b^2 = c^2$。

若倒过来，即上面已示之：$c = \sqrt{a^2 + b^2}$。

如此"出入相补，各从其类"，已经由具体的计算上升到普遍的原理，可以广泛地运用于有关勾股与面积公式的证明。

又如："（圭田）术曰：'半广以乘正从。'"刘徽证明："半广者，以盈补虚为直田也。亦可半正从以乘广。"[2] 广即横长，纵为纵高，即对于等腰三角形（圭田）来说，以"半广"[1/2 横长（底边）]乘"正从"（全高），即得由等腰三角形变来的长方形（直田）的面积。其公式为：

等腰三角形面积 = 广/2 × 正从（高）。

刘徽总结其规律便是"以盈补虚"，从而使圭田变形为直田来计算。这一原理还可以变通，即换一方法来计算等腰三角形的面积：正从/2 × 广。这是将正从/2 以上的部分（盈）取来补足以下的部分（等腰两边之"虚"），同样成一长方形。"以盈补虚"不仅可用于面积，也可用于体积，

---

① 《九章算术注》卷9《勾股》，第86页。
② 《九章算术注》卷1《方田》，第6页。

城、垣、沟、池、方亭、圆亭等体积的计算,都可以用这一原理来处理。

进一步,勾股原理还可以推广运用于测量计算天(日)高地深,以及人们难以直接接触和度量的目标。所谓"重差术"便是建立在它的基础上的。他说:

> 徽以为今之史籍,且略举天地之物,考论厥数,载之于志,
> 以阐世术之美。辄造重差,并为注解,以究古人之意,缀于勾
> 股之下,度高者重表,测深者累矩,孤离者三望,离而又旁求者
> 四望。触类而长之,则虽幽遐诡伏,靡所不入,博物君子,详而
> 览焉。①

由于天地的高远和"幽遐诡伏"的地貌,要想测量计算准确,便需要利用若干竖表和矩尺作为辅助手段。譬如求日高,便是根据两次测量中表间距离与日影长度的差数为比率来计算。刘徽在这里所处理的,仍是相似直角三角形的性质,故其工具也就仍然是勾股法。由此,他便能在经过多次的测量和推导的基础上,最终求得所需要的答案。

刘徽一生所做出的贡献和创造发明是多方面的,但其中最重要的还是他的割圆术。割圆术的出现,乃是出于计算圆周长、圆面积的需要。中国古来计算圆面积,乃是基于"周三径一"的传统算法。如《九章算术·方田》云:"今有圆田,周三十步,径十步,问为田几何? 答曰:七十五步。"② 在这里,圆周长和圆面积都是取圆周率为三做出,即所谓"周三径一之率"。但是,周三径一的算法是很不精确的。后来,汉刘歆、张衡和与刘徽大致同时的三国吴时的王蕃等人,都为圆周率的精确化做出了努力。如刘歆为王莽所作的铜斛有铭文称:

> 律嘉量斛,内方尺而圆其外。庣旁九厘五毫。幂一百六

---

① 《九章算术注·原序》,第2页。
② 见《九章算术注》卷1,第7页。

十二寸,深一尺,积一千六百二十寸。①

按此,则圆周率为:

$$\pi = \frac{V(体积)}{H(高) \times R(半径)^2}$$

$$= \frac{1620}{10 \times (0.0095 + 5\sqrt{2})}$$

$$\approx 3.1547$$

张衡的圆周率亦可见刘徽《九章算术注·少广》中的叙述。李约瑟认为:"根据《九章算术注》,张衡实际上是用该书所说的经验公式,来比较立方体和它的内接圆柱以及内接球的体积,虽然他已意识到这些公式是很粗糙的。他使用了某些方法(可能是秤称),得到表式 $\frac{V(内接球)}{V(立方体)} = \sqrt{\frac{25}{64}} = \frac{5}{8}$。可见他一定认为 $\pi = \sqrt{\frac{16 \times 5}{8}} = \sqrt{10}$。"② 亦即 $\pi \approx 3.1623$。

显然,如果以 $\sqrt{10}$ 作为圆周率,实际上比王莽、刘歆的时代退步了。

三国吴时的王蕃曾批评陆绩的"天东西南北径三十五万七千里"的说法,认为这仍是落后的"周三径一"模式。他说:"陆绩云:'天东西南北径三十五万七千里。'此言周三径一也。考之径一不啻周三,率周百四十二而径四十五,则天径三十二万九千四百一里一百二十二步二尺二寸一分七十一分分之十。"③ 由此,则王蕃的圆周率为:

142/45≈3.1556。

刘歆、王蕃等人的圆周率,数值较周三径一已大大前进了一步,但除了仍不够精确外,还在于缺乏必要的理论根据和证明过程,而这到刘

---

① 《九章算术注》卷1《方田》,第9页。又:今中国历史博物馆所存该铜斛实物,其内铭文与刘徽所注完全相同。

② 见《中国科学技术史》第3卷《数学》,第224页注4,科学出版社1978年版。

③ 《晋书》卷11《天文志上》。

徽则有了根本性的改变。

刘徽所采用的方法即是割圆术。他说：

> 假令圆径二尺，圆周容六觚之一面与圆径之半，其数均等，合径率一而外周率三也。又按，为图以六觚之一面乘半径二，因而六之，得十二斛之幂。若又割之，次以十二斛之一面乘一觚之半径四，因而六之，则得二十四觚之幂。割之弥细，所失迷少。割之又割，以至于不可割，则与圆周合体，而无所失矣。[①]

在这里，所谓多少觚即指多边形，一面即多边形的一边。刘徽的割圆术，是从圆内接正 6 边形起步，用勾股法计算出六边形各周边的长度，再依次等分圆周，而得 12 边形、24 边形、48 边形、96 边形……，依次求出该多边形的周边长。这个正多边形分割的次数越多，所对应的正多边形的边也就越短，圆内接正多边形的面积与圆面积的差也就越小，一当割圆达到"不可再割"的极限量度时，该正多边形的边长也就等于该圆的周长，该正多边形的面积也就等于圆面积，"无所失矣"。

按此分割术，则圆内接 192 边形时，其推算出的圆周率的近似值为 157/50, = 3.14；当圆内接 3072 边形时，圆周率的近似值为 3927/1250, = 3.1416[②]。这一成果已经赶上了西方的数学同行，达到了世界领先的

---

① 《九章算术注》卷 1《方田》，第 7 页。

② 刘徽是否推算到 3927/1250，数学史界存在争议。如李俨将此推算过程列于祖冲之名下。见《中国数学史大纲（修订本）》，《李俨钱宝琮科学史全集》第 3 卷，第 49～51、77 页，辽宁教育出版社 1998 年版；钱宝琮则认为"这第二个圆周率 3927 : 1250 也是刘徽的创设是不必怀疑的"，并为此提出了三个理由来加以证明。见《圆周率 3927/1250 的作者究竟是谁？它是怎样得来的？》，《李俨钱宝琮科学史全集》第 9 卷，第 395～398 页。又见：中外数学简史编写组：《中国数学简史》第 162 页注 1，山东教育出版社 1986 年版；曲安京：《〈周髀算经〉新议》，第 74 页注 1，陕西人民出版社 2002 年版。

水平①。

刘徽的这一割圆术,按其方向是不断由内向外逼近,但他同时还有一个与之相互发明的由外向内逼近的证明方法。即所谓:

觚面之外,又有余径,以面乘径,则幂出觚表,若夫觚之细者,与圆合体,则表无余径;②表无余径,则幂不外出矣。

这里是说,利用圆半径与圆内接正多边形边心距之差(余径,即长),与正多边形周边(面,即宽)相乘而得一长方形,按此方法,所有长方形的面积加上原正多边形的面积之和,要大于圆面积(幂出觚表);当无限等分圆周而使内接正多边形的边越来越短以致消失(觚之细者,与圆合体),此时正多边形的边心距与圆半径也就重合相等(表无余径,则幂不外出),正多边形的面积也就等于圆面积。如此由外向内与前述由内向外的结果,也就能够相合,并且可以互相证明③。

刘徽割圆术的重要成果,是对传统的方圆相通思想的继承和发展。他通过自己的数学推导,说明原来性质不一的空间形式,经过一系列的分割转换,最终可以联系起来。其结果,便是使方的图形转变为圆的图形,并在此基础上计算总结出了在当时最为精确的计算圆周长、面积、体积的基本定律——圆周率。从更为一般的意义看,他通过对圆周的无限分割,使矩形与圆形、直线与曲线相互过渡,完全可以视作为从科学的角度对事物的普遍联系和转化的哲学观点的证明。同时,他的"割之弥细,所失迷少"的动态趋向精确的科学方法,对祖冲之和后来的中国数学界有深远的影响。

---

① 李约瑟:《中国科学技术史》第3卷《数学》,第225~226页。
② 《九章算术注》卷1《方田》,第7页。
③ 刘徽割圆术的具体分割和推算过程及公式,请参见各中国数学史、科学史教材和著作,此处从略。例如:李俨《中国数学史大纲(修订本)》,《李俨钱宝琮科学史全集》第3卷,第47~51页;钱宝琮主编:《中国数学史》,《李俨钱宝琮科学史全集》第5卷,第72~75页。

2、祖冲之的圆周率

祖冲之(429～500),字文远,范阳遒(今河北涞水)人[①],生活于南朝宋、齐两代。他一生虽然长期担任各种官职,但最重要的兴趣和贡献还是在科学上。《南齐书》本传说他"少稽古,有机思"[②],"机思"一词形象地揭示了他灵巧锐利的智慧思辨。

祖冲之一生的贡献是多方面的,例如他曾重造了当时最为精致的指南车,能不因风水、人力而"施机自运"的比诸葛亮木牛流马更为先进的机械,利用水力推动的水碓磨,能日行百余里的千里船等,但他最重要的成就还是在数学和天文学上,这分别以他的圆周率和《大明历》为代表。但本传对于他制作《大明历》有较详细的说明,对于圆周率则只字未提。而后者的意义,实际上要更为重大。

《隋书·律历志上》云:

> 古之九数,圆周率三,圆径率一,其术疏舛。自刘歆、张衡、刘徽、王蕃、皮延宗之徒,各设新率,未臻折衷。宋末,南徐州从事史祖冲之,更开密法,以圆径一亿为一丈,圆周盈数三丈一尺四寸一分五厘九毫二秒七忽,朒数三丈一尺四寸一分五厘九毫二秒六忽,正数在盈朒二限之间。密率,圆径一百一十三,圆周三百五十五。约率,圆径七,周二十二。[③]

从这段文字看,祖冲之改进了前人"各设新率,未臻折衷"的缺陷,得出了更为精确的结果。祖冲之的新成果,包括密率和约率,但主要是密

---

①　祖冲之籍贯,《南齐书》本传作范阳"蓟"(今属北京)人,然《南史》本传已更正为范阳"遒"人。新版《辞海》采用后说而以前说备考。罗宏曾云:"(祖冲之)祖籍范阳遒(今河北涞水县北,原书作'蓟',误)人。"《魏晋南北朝文化史》,四川人民出版社1989年版,第695页。

②　《南齐书》卷52《祖冲之传》。

③　《隋书》卷16。

率。因为约率之22/7(≈3.1429)在刘宋时的何承天、皮延宗那里就已经在使用。李约瑟云:"在他(祖冲之)的时代,约率是通用的,如天文学家何承天(460年著称[①])也用约率。其他数学家,如皮延宗(445年著称),也探讨过这个问题,但没有留下他们的结果。"[②]

例如,《隋书·天文志上》记载有何承天论"浑象天体"之语,其曰:

> 周天三百六十五度、三百四分之七十五。天常西转,一日一夜,过周一度。南北二极,相去一百一十六度、三百四分度之六十五强,即天经(径)也。[③]

按此,以周天365$\frac{75}{304}$度为周长,南北极116$\frac{65}{304}$度为直(天)径,则圆周率

$$\pi = \frac{365 \times 304 + 75}{116 \times 304 + 65} = \frac{111035}{35329} \approx 3.1428854;$$考虑到何承天所说天径为

116$\frac{65}{304}$"强",故与22/7(3.1428571)的0.0000283的差距应当可以弥合。

祖冲之的圆周率则显然有了更大的飞跃。按《隋书·律历志上》的记载,即是:

(1)约率:22/7;

(2)密率:355/113;

(3)盈数:3.1415926→正数←朒数3.1415927。

在这里,"正数"当然就是圆周率的准确值,但由于圆周率本是无理数,其作为无限不循环小数的特点,使其只能逼近而不可能完整地表示。祖冲之计算到小数点后第七位,并且提出"正数在盈朒二限之间",将准确的圆周率值限定在两个最接近的确定值之间,实际上控制了误差的范围,是非常卓越的思想。"其中'正数'和'密率'都是当时世界上最好

---

① 何承天生卒年为公元370～447年,不知这里的"460年著称"为何意?

② 《中国科学技术史》第3卷《数学》,第226页注5。

③ 《隋书》卷19。

的结果,并且保持了长达一千年的世界纪录。密率在外国直到十六、七世纪,才由德国渥托(V. Otto, 1550? ~ 1605)、荷兰的安图尼兹(A. Anthonisz, 1527 ~ 1607)和日本的关孝和(? ~ 1708)分别求得。因此祖冲之的结果很受国际重视。日本著名数学史家三上义夫(1875 ~ 1950)曾建议把'密率'叫做'祖率'。"[1]

可是,祖冲之的圆周率是如何求得的呢? 唐李淳风在《九章算术注释》中记述说:

> 径一周三,理非精密。盖数从简要,举大纲略而言之。刘徽特以为疏,遂乃改张其率。但周径相乘,数难契合。徽虽出斯一法,终不能究其纤毫也。祖冲之以其不精,就中更推其数。今者修撰,捃摭诸家,考其是非,冲之为密。故显之于徽术之下,冀学者之所裁焉。[2]

那么,从李淳风这一段注释的语气来看,他认为祖冲之是继承刘徽的方法"就中更推其数"的,所以他要将祖冲之"精而密"的圆周率推求放之于刘徽之后,以示其割圆术和圆周率的进一步发展。

结合李淳风参与编撰的《隋书·律历志》来看,祖冲之的推算是非常艰巨和难得的。如果仍从圆内接正六边形开始,刘徽已推到圆内接正3072边形,祖冲之则应当推到圆内接正12288边形(6×2^{11})和24576边形(6×2^{12})。在此情况下,多边形面积与圆面积已相差无几,最终形成一个 $S6 \times 2^{12} - S6 \times 2^{11} = 10$ 和 $S6 \times 2^{13} - S6 \times 2^{12} < 10$ 的结果。如果参照祖冲之以亿为单位来处理圆直径和周长的关系的设置,面积数除以亿而保持七位小数,则盈朒二数之差不会大于10(0.00000001),从而得出 π 之"正数"在 3.1415926 和 3.1415927 之间的结论。

---

[1] 《中国数学简史》,第 173 ~ 174 页。其中:渥托,又译奥托、鄂图;安图尼兹,又译安托尼兹、安东尼宗(Anthoniszoon)。

[2] 《九章算术注释》卷1《方田》,第 9 页。

在这里,祖冲之的工作量是非常巨大的,要求得他的结果,需要对9位有效数字进行复杂的计算,其正多边形每增加一倍,便至少需要两次开方和乘方,这还不算大量的四则运算。总运算步骤有一百多步①。考虑到当时主要是使用算筹作为计算工具而非后世的纸笔,其难度也就更加可想而知了。

不过,从《隋书》原有的记载来看,祖冲之是直接设圆直径为1(丈),圆周长为3.1415926至3.1415927(丈),周长除以直径即得π之近似值。故问题的关键,在于他这个周长的已知结果(在直径为1的前提下)是如何得来的。同时,按此记载,他又不像是从割圆术之半径与圆面积的关系、而像是从直径与圆周长的关系来考虑圆周率的。文献的匮乏给后人留下了不少谜团和猜想的空间。

清代中后期,阮元《畴人传》在为刘徽所作传时,断言祖冲之法只能是刘徽割圆之术:"徽刱以六觚之面,割之又割,以求周径相与之率。厥后祖冲之更开密法,仍是割之又割耳。未能于徽法之外,别立新术也。"②《中国数学简史》作者认为:"祖冲之是用什么方法求得他的优秀结果的,因为没有留下记载,人们只能推测。目前有不少有关的假说,主要的有割圆术法、连分数法、无穷级数法、调日法和不定方程法等。我们主张割圆术法,认为祖冲之继续使用刘徽的方法并加以发展而求得了结果的。"③

钱宝琮主编的《中国数学史》则有自己的见解:"祖冲之以355/113为圆周'密率',这个近似分数是怎样得来的呢? 我们认为在祖冲之前不久,何承天有取用'强率'、'弱率'调节'日法'、'朔余'的方法,祖冲之用这个方法造圆周'密率'是很可能的。已知π小于何承天率22/7而

①　郭金彬认为:"整个过程大概要对9位数进行132次的加、减、乘、除、开方等复杂运算。"见所著:《中国传统科学思想史论》,知识出版社1993年版,第55页。
②　《畴人传》第1册卷5《刘徽》,商务印书馆1955年重印本,第66页。
③　《中国数学简史》,第174页。

大于刘徽率 157/50,就以 22/7 为圆周的'强率',157/50 为'弱率'。将

'强率''弱率'的分子、分母各各相加得一新分数$\frac{157+22}{50+7}=\frac{179}{57}$,约等于

3.1404,比周率'正数'小。再以$\frac{179}{57}$和$\frac{22}{7}$的分子、分母相加得$\frac{201}{64}$还是太

小。由此类推,求得$\frac{157+9\times22}{50+9\times7}=\frac{355}{113}$,约等于 3.1415929,与周率'正

数'很能接近。就以 355/113 为圆周'密率'。这是分子、分母在 1000 以

内表示圆周率的最佳近似分数。德国人奥托(Valentinus Otto)也于 1573

年得到这个近似分数,但比祖冲之迟了一千一百多年。"[1]

　　李俨则仍主张割圆术法,但又持有一定的保留。他的《中国数学史

大纲(修订本)》第十二章之标题便是《祖冲之割圆术》,并说明:"现假定

祖冲之推算步骤和刘徽相同,令半径 r = 1.00000000,则 n = 1536 时,S

3072 或 π1536 = 3.14159078 $\frac{4}{}$",并列出了具体的推算步骤[2];但同时他

也留下了一定的余地,说明:"照目前来看,在圆周率的求法上,他可能

发展了刘徽的割圆术,但是也可能有他自己的创造。"[3]

　　事实上,结合祖冲之的整个学术生涯看,他的研究兴趣和范围是十

分广泛的,本传称他"著《易、老、庄义》,释《论语、孝经》,注《九章》,造

《缀述》数十篇"[4]。"缀术(缀述)"其词,意味缀算术以补天文观测之

不足也。它作为祖冲之的数学及天文学专著,由于涉及到大量的复杂

计算,使学者们往往望而生畏。《隋书·律历志上》说:"(祖冲之)又

设开差幂、开差立,兼以正圆参之。指要精密,算氏之最者也。所著

① 见《李俨钱宝琮科学史全集》第 5 卷,第 96 页。

② 参见《李俨钱宝琮科学史全集》第 3 卷,第 73~76 页。

③ 参见《祖冲之》,《李俨钱宝琮科学史全集》第 10 卷,第 349 页。

④ 《南齐书》卷 52。又:《隋书》著录《缀术》6 卷(卷 34《经籍志三》);《新唐书》

著录李淳风《缀术》注释本则为 5 卷(卷 65《艺文志三·子部类·十一》)。

之书,名为《缀术》,学官莫能究其深奥,是故废而不理。"祖冲之的数学贡献虽被许为"算氏之最",在唐代亦被列为国子监算学的专业读本之一和科举考试的经典,但深奥难懂终究妨碍了它的传播。故该书北宋中期以后便失传了,对该书有过评论的沈括可能见过它,但已不是全书了①。

至于"开差幂"、"开差立"及"兼以正圆参之"所述何事,《隋书》并没有解释,故后人的理解多有分歧。钱宝琮主编的《中国数学史》认为:"我们以为'开差幂'是已知长方形的面积和长、阔的差,用开平方法求阔或长。'开差立'是已知长方柱体的体积和长、阔、高的差,用开立方法求它的一边。"该书并提出:"'兼以正圆参之'中的'圆'字,我们以为本来是一个'负'字,从'负'字误作'员'字,又从'员'字改写成'圆'字。《九章算术》'方程'建立了正负数的概念和正负数加减法则。如果带从平方或带从立方的开方算式中容许有负数项,那么开平方或开立方时,必须参通正负数加减法则去解决它。"②

《中国数学简史》则认为:"'差幂'一词刘徽曾用过,指平面形的面积差。'开'在平面形中是指从面积求边长,那么'开差幂'应当是从已知某平面形的面积差求某些线段长度的问题。用类似的思想去理解'开差立',它应当是由立体体积差求立体的某些线段的长度问题。上

---

①　沈括云:"求星辰之行,步(推算)气、朔消长,谓之'缀术'。谓不可以形察,但以算术缀之而已。北齐祖亘有《缀术》二卷。"(《元刊梦溪笔谈》卷18《技艺》,第3~4页,文物出版社1975年版)若此祖亘为祖冲之子祖暅(之),则他显然参与了《缀术》的修订,但祖暅应为南齐而非北齐人。钱宝琮《中国数学史》则提出:"《缀术》书早经失传,北宋元丰七年(1084)所刻算经中就没有《缀术》";"《梦溪笔谈》卷十八说'北齐祖亘有《缀术》二卷',肯定是没有见过《缀术》的";因为"祖暅不是北齐人,《缀术》不是二卷。"即以祖亘、祖暅为二人。钱氏还认为《缀术》6卷(或5卷)是由祖蒇成书的,系祖暅继承父亲遗训而写成,故父子二人都是作者。见《李俨钱宝琮科学史全集》第5卷,第73~94页。

②　《李俨钱宝琮科学史全集》第5卷,第97~98页。

述引文中还有'兼以正圆参之'一语,这'正圆'可能包括圆和球两种几何形,因此'开差幂'和'开差立'应分别包括由圆面积差和球积差求某种线段长度的问题。"①

　　祖冲之的数学贡献,在一定程度上离不开他的儿子祖暅之的努力。祖暅之(通常称作祖暅),字景烁,"少传家业,究极精微,亦有巧思,入神之妙,班、倕无以过也。"② 祖暅之一方面是传其父业,另一方面,如在球体积的计算及公式证明方面(开立圆术),则是由祖暅之独立完成的,李淳风在注释《开立圆》时对此曾有详细的发明③。可以说,从刘徽到祖冲之父子,集中体现了中国科学家在数学领域取得的卓越成就和对世界文明的贡献。

二、天文学

　　天文学和数学是两个完全不同的学术领域,但由于前者涉及到复杂的数学运算,双方在中国古代关系密切,这尤其表现在历法的制定上。历法在各科学门类中的重要性,从人们的日常生活实践中可以深切地感知:"这无疑是因为在雨量不定的情况下,一个巨大的农业国对于历法的需要,至少和帝王要求宫廷占星家作政治性占卜同样重要。"④ 当然,魏晋南北朝时期天文学的发展,不只是表现在历法的制定上,它也表现在天说体系即宇宙论的研究上。汉以来的各种宇宙论体系在不断地争论和调整中,得到了进一步的发展。

----

① 《中国数学简史》,第 177 页。
② 《南史》卷 72《祖暅之传》。
③ 参见《九章算术注释》卷 4《少广》,第 37 页。
④ 《中国科学技术史》第 3 卷《数学·作者的话》,第 15 页。

1、历法

历法的制定和颁行在各朝代都是一件十分重要的大事。《晋书·律历志中》说:

> 昔者圣人拟宸极以运璿玑,揆天行而序景曜,分辰野,辨
> 躔历,敬农时,兴物利,皆以系顺两仪,纪纲万物者也。然则观
> 象设卦,扐闰成爻,历数之原,存乎此也。①

这可以说是历代历法制定和施行的一般原则和指导思想。汉代历法,实施最久的,是汉武帝太初元年(前104)颁行的由落下闳、邓平等人创制的《太初历》和东汉章帝元和二年(公元85年)改行的由编䜣、李梵创制的《四分历》②。到汉灵帝熹平(172~178)中,刘洪又以为《四分历》"于天疏阔"而新造《乾象历》。《乾象历》创立了定朔算法,"方于前法,转为精密",郑玄为之作注,然汉时该历并未施行③。

进入三国以后,各国都根据自己的实际而先后制定和采用了不同的历法。在魏国,"魏文帝黄初(220~226)中,太史令高堂隆复详议历数,更有改革。太史丞韩翊以为《乾象》减斗分太过,后当先天,造《黄初历》,以四千八百八十三为纪法,千二百五为斗分。"④ 然《黄初历》是在《乾象历》的基础上造就的,两者关系十分密切。之后,尚书令陈群上奏说:"历数难明,前代通儒多共纷争。《黄初》之元以《四分历》久远疏阔,

---

① 《晋书》卷17。

② 《太初历》名"太初"自然是因为太初年颁行;然《四分历》的"四分"则是因一回归年的365$\frac{1}{4}$日的岁余为四分之一而得名。但在春秋战国之前使用的所谓"古六历",也归属于"四分历"的系统。本文中的"四分历"概指东汉四分历。

③ 陈遵妫认为:"刘洪创造的乾象历,似乎到了献帝建安十一年(206)才完成,所以后汉没有使用它。"见所著《中国天文学史》第1册,上海人民出版社1980年版,第222页。

④ 《晋书》卷17《律历志中》。

大魏受命,宜改历明时,韩翊首建,犹恐不审,故以《乾象》互相参校。其所校日月行度,弦望朔晦,历三年,更相是非,无时而决。案三公议皆综尽典理,殊途同归,欲使效之璿玑,各尽其法,一年之间,得失足定。"①

曹丕认可了陈群的议奏,于是朝臣许芝(太史令)、孙钦、董巴、徐岳、李恩(郎中)、杨伟及韩翊本人等纷纷参与了这次关于历法的大讨论,但论者多肯定了《乾象历》参校汉家《太初》、《三统》(刘歆)和《四分》而造就之优长,更指明了《黄初历》和《乾象历》的联系。徐岳称"今韩翊所造,皆用洪法";杨伟更指出:"今韩翊据刘洪术者,知贵其术,珍其法。而弃其论,背其术,废其言,违其事,是非必使洪奇妙之式不传来世。若知而违之,是挟故而背师也;若不知而据之,是为挟不知而罔知也。"②这场讨论因为曹丕的去世而告中止,虽然没有得出一个最后的结论,但却引起了参与者的深深地思考。

到魏明帝景初元年(237),参与了上次讨论而尖锐地批评韩翊的尚书郎杨伟,又新造《景初历》奏上。"表上,帝遂改正朔,施行伟历"③。杨伟对他所造的《景初历》是十分自信的。他说:"臣之所建《景初历》,法数则约要,施用则近密,治之则省功,学之则易知。虽复使研桑心算,隶首运筹,重黎司晷,羲和察景,以考天路,步验日月,究极精微,尽术数之极者,皆未能并臣如此之妙也。"④　不过,由于三国分治,《景初历》仅施行于魏。"其刘氏在蜀,仍汉《四分历》。吴中书令阚泽受刘洪《乾象法》于东莱徐岳,又加解注。中常侍王蕃以洪术精妙,用推浑天之理,以制仪象及论,故孙氏用《乾象历》,至吴亡。"⑤　司马炎代魏,仍袭用《景初历》,但按其年号"泰始"而更名为《泰始历》。到了东晋,又认为杨伟

---

① 《晋书》卷 17《律历志中》。
② 同上。
③ 同上。
④ 《晋书》卷 18《律历志下》。
⑤ 《晋书》卷 17《律历志中》。

"推五星尤疏阔",重新以《乾象历》的五星法代换杨伟历。那么,三国两晋的历法虽多有变化,但《乾象历》始终是一个基本的参照。故《晋书·律历志》先列《乾象历》以为师表:"自黄初已后,改作历术,皆斟酌《乾象》所减斗分、朔余、月行阴阳迟疾,以求折衷。洪术为后代推步之师表,故先列之云。"①

"也就是说,后汉所得关于月球运动的知识,即月球轨道的近地点移动,月球运动在近地点最快,且以近点月为周期而变化,以及黄白道交点逆行等主要事实,都载在《乾象历》里面;所以《乾象历》是我国划时代的历法之一,而为后代历法的典范。"在《乾象历》之后便是杨伟的《景初历》,《景初历》虽然在月球运动方面袭用了《乾象历》,"而对于计算日食的方法则有显著的进步。杨伟已知道黄道和白道的交点,每年有变动,交食不一定发生在交点,即在交点十五度以内(按赤道上计算)遇到朔望月,就可能发生日食或月食;因而《景初历》增加了计算日食去交限、日食亏起角和食分多少等方法。过去都是根据交食周期预报日月食,到了《景初历》以后,才计算朔望时候月球的真位置作数值的预报;当然,当时对于太阳位置的计算仍然不够准确,只能满足到平均位置的程度。"②

《乾象》、《景初》可以说是魏晋历法的主干,但两晋十六国时期,仍有不同的历法不断制定出来。先有刘子骏造《三正历》以修《春秋》,然在杜预看来,"此不可行之甚者"。杜预于是根据自己对《春秋》的研究而著《历论》,极言造历之通理。其大旨是:

> 天行不息,日月星辰各运其舍,皆动物也。物动则不一,虽行度有大量可得而限,累日为月,累月为岁,以新故相涉,不得不有毫末之差,此自然之理也。故春秋日有频月而蚀者,有

① 《晋书》卷17《律历志中》。
② 陈遵妫:《中国天文学史》第1册,第222～223页。

旷年不蚀者,理不得一,而算守恒数,故历无不有先后也。始失于毫毛,而尚未可觉,积而成多,以失弦望晦朔,则不得不改宪以从之。《书》所谓"钦若昊天,历象日月星辰",《易》所谓"治历明时",言当顺天以求合,非为合以验天者也。推此论之,春秋二百余年,其治历变通多矣。虽数术绝灭,远寻《经传》微旨,大量可知,时之违谬,则《经传》有验。学者固当曲循《经传》月日、日蚀,以考晦朔,以推时验;而皆不然,各据其学,以推春秋,此无异于度己之迹,而欲削他人之足也。①

杜预严守经典,坚持治历当以《春秋》为据。所谓"当顺天以求合,非为合以验天",原则上固然不错,但由于他的顺天并非是指遵循天体运动的客观规律,而是特指《春秋》经传所言之天象,以此为据来制定校勘历法,又不免有牵强附会之弊。

晋武帝泰始(265～274)时,武帝侍中、平原刘智以斗历改宪,推《四分》法而造《正历》。随后,咸宁(275～280)中,善算者李修、卜显"依论体为术"而造《乾度历》上奏朝廷。按杜预的记述,"时尚书及史官,以《乾度》与《泰始历》参校古今记注,《乾度历》殊胜《泰始历》,上胜官历四十五事。今其术具存。"② 杜预于是将自《黄帝历》、《颛顼历》以来的各历与《春秋》经传所记之月日、日蚀相比较,以为他自己的《春秋长历》最为精确。杜预又撰有《二元乾度历》,与李、卜二人的《乾度历》应属同一的系统。《晋书》本传云"预以时历差舛,不应暴度,奏上《二元乾度历》,行于世。"③ 以杜氏之名望威权,他之《乾度历》要施行乃理所当然。不过,《泰始历》在西晋仍属通用。

随后,东晋穆帝永和八年(352),有著作郎琅邪王朔之造《通历》。

---

① 　《晋书》卷18《律历志下》。
② 　同上。
③ 　《晋书》卷34《杜预传》。

而在北方，后秦姚兴时（384），天水人姜岌造《三纪甲子元历》，以为此历"上可以考合于《春秋》，下可以取验于今世"，而优于其他各历①。姜岌对日月运行规律的研究和他制定历法的指导思想，得到《律历志》作者的肯定。其曰："岌以月食检日宿度所在，为历术者宗焉。又著《浑天论》，以步日于黄道，驳前儒之失，并得其中矣。"② 但从总体上看，魏晋十六国的历法虽然有多部并有多次修改，但影响大的仍是《乾象历》和《景初（泰始）历》。到南北朝以后，历法又酝酿着更大的改革，这主要表现为何承天的《元嘉历》和祖冲之的《大明历》。

何承天（370～447），东海郯（今山东郯城）人。何氏 5 岁时丧父，然因其母"聪明博学，故承天幼渐训议，儒史百家，莫不该览"③。何承天由晋入宋，位于宋朝的高官之列，但因他"为性刚愎，不能屈意朝右"，又常遭人非议。他曾奉命撰修国史，惜未成而卒。

何承天是宋朝初期活跃的学术人物，几乎参与了当时所有重要的学术活动。他以自己的自然科学知识为依托，主张人死神灭，积极参与了反对佛教神不灭论和因果报应论等理论论争；他又是一位勤奋的作家，《宋书》本传说他删并 800 卷的《礼论》为 300 卷，又著有《春秋前传》、《春秋前传杂语》、《纂文》和文集等；而他最为重要的学术贡献，则集中表现在他所研制的《元嘉历》上。

《元嘉历》先为何承天私撰，元嘉二十年（443）上奏宋文帝。他在奏表中说明了他对历法几十年一贯的兴趣和执著：

　　自昔幼年，颇好历数，耽情注意，迄于白首。臣亡舅故秘书监徐广，素善其事，有既往《七曜历》，每记其得失。自太和至泰元之末，四十许年。臣因比岁考校，至今又四十载。故其

① 《晋书》卷 18《律历志下》。
② 同上。
③ 《宋书》卷 64《何承天传》。

疏密差会,皆可知也。①

可自汉代以来,治历者"舍易而不为,役心于难事,此臣所不解也"。而古来在闰法设置上亦有弊:"此则十九年七闰,数微多差。复改法易章,则用算滋繁,宜当随时迁革,以取其合。"②

何承天改历的一个基本指导思想,就是驭繁就简,打破为追求理想上元进行的繁复计算的束缚,而以符合天文观测和解决实际问题为取向。他的表上后,宋文帝下诏说:"何承天所陈,殊有理据。可付外详之。"于是,太史令钱乐之、兼丞严粲、员外散骑郎皮延宗等在总体肯定新法的基础上,又提出了应当吸取旧法所长、而不宜每月定大小余的修改意见。如称:"又承天法,每月朔望及弦,皆定大小余,于推交会时刻虽审,皆用盈缩,则月有频三大、频二小,比旧法殊为异。旧日蚀不唯在朔,亦有在晦及二日"等等③。

就是说,旧历法采用平朔法,取大月 30 日、小月 29 日的平均值 29.5 日定出每月的初一(朔),大小月相间。由于日月运动的不均匀性,采用平朔法会发生日月历与月相不相符的情况,日食可能发生在晦日(月末)或初二,月食则发生在望的前后,这是不合理的。何承天则主张采用定朔法,以太阳与月球的确定位置来定出朔日及月的大小月。采用定朔法,则日食一定发生在朔日,月食一定发生在望日,比平朔法更为符合天象变化。但这有时却会发生连着三两个大月或小月的情况。故定朔法的制定虽然是历法的一大进步,但却没有得到支持和采用。何承天按照批评者们的意见对新历进行了调整,最后由皇帝下诏施行。

何承天制新历,一方面基于他的天文观测,另一方面也运用了他的数学推导。《宋史·律历志七·明天历》记述说:

---

① 《宋书》卷 12《律历志中》。
② 同上。
③ 同上。

　　　　宋世何承天更以四十九分之二十六为强率,十七分之九
为弱率,于强弱之际以求日法。承天日法七百五十二,得一十
五强,一弱。自后治历者,莫不因承天法、累强弱之数,皆不悟
日月有自然合会之数。①

所谓日法(或调日法),简单讲就是积余成日之法,因为不论回归年、朔
望月,都会有不足一日的分数,从而出现在一定朔望月中安排多少大月
才恰当的问题。按何承天的推算,有$\frac{26}{49}$(强率)和($\frac{9}{17}$弱率)两个分式,各
自分别为49个朔望月设26个大月和17个朔望月设9个大月。前者大
于实测而后者小于实测,所以须在"强弱之际以求日法"。其具体求法
是强弱率分子、分母分别倍加,直至15:1的倍率。即:

$$\frac{26 \times 15(强) + 9 \times 1(弱)}{49 \times 15(强) + 17 \times 1(弱)} = \frac{399}{752};$$

即得:$\frac{26}{49} > \frac{399}{752} > \frac{9}{17}$的结果,从而接近于实测②。

　　何承天的推算法为后来治历者所本,影响很大。至于缺陷的方面,
按《宋史》所说是"累强弱之数"人为痕迹太重。因为历法是否准确的关
键,还在于日月"自然会合之数"的实际观测。

　　何承天《元嘉历》于宋元嘉二十二年（445）在宋全国施行。总
体上虽比前人历法有较大的改进,但在一些方面也有精确度不高的问
题。所以到祖冲之的时候,他便要"更造新法",以改何承天法"尚
疏"之弊。

　　祖冲之治历,固然也要找来经典的依据,但更主要的还是他自己的
观察测算:"加以亲量圭尺,躬察仪漏,目尽毫厘,心穷筹策,考课推移,

---

① 《宋史》卷74。
② 参见陈遵妫:《中国天文学史》第1册226页注1;《中国数学简史》,第178
～179页。

又曲备其详矣。"① 从此出发,他总结了何承天改革旧历的主要失误之处。他说:

> 然而古历疏舛,类不精密,群氏纠纷,莫审其会。寻何承天所上,意存改革,而置法简略,今已乖远。以臣校之,三睹厥谬,日月所在,差觉三度,二至晷景,几失一日,五星见伏,至差四旬,留逆进退,或移两宿。分至失实,则节闰非正;宿度违天,则伺察无准。臣生属圣辰,询逮在运,敢率愚瞽,更创新历。②

那么,按祖冲之所说,何承天的改革实际上是不成功的。即何法在日月的方位、行星的出没运行、二至二分和闰月的设置等方面,都有较大的误差,以致无法有效地指导天文观测。所以祖冲之需要更造新历。

祖冲之新历的制定,是直接针对旧历的不完善处进行改进的。他自述其"改易之意"有二:

> 改易者一:以旧法一章,十九岁有七闰,闰数为多,经二百年辄差一日。节闰既移,则应改法,历纪屡迁,实由此条。今改章法三百九十一年有一百四十四闰,令却合周、汉,则将来永用,无复差动。其二:以《尧典》云"日短星昴,以正仲冬"。以此推之,唐世冬至日在今宿之左五十许度。汉代之初即用秦历,冬至日在牵牛六度。汉武改立《太初历》,冬至日在牛初。后汉四分法,冬至日在斗二十二。晋世姜岌以月蚀检日,知冬至在斗十七。今参以中星,课以蚀望,冬至之日在斗十一。通而计之,未盈百载,所差二度。旧法并令冬至日有定处,天数既差,则七曜宿度,渐与舛讹。乖谬既著,辄应改易。仅合一时,莫能通远。迁革不已,又由此条。今令冬至所在岁

---

① 《南齐书》卷52《祖冲之传》。
② 同上。

岁微差,却检汉注,并皆审密,将来久用,无烦屡改。①由此,他改易历法的第一个基本考量是古来闰月设置的不当。中国古历自殷商以来,实际上都是采用的阴阳合历,为调节回归年与朔望月之间不能完全相合的差异,使月亮圆缺和四季变化能够兼顾,设置闰月便是一个最有效的办法。但具体的设置,从春秋中叶以后,一般都采取19年中置7个闰月的办法。这一置法在相对短的时间里是有效且简捷的,但时间一长,积累的误差便暴露了出来,以致200年后便要多出一日,从而影响到整个历法系统的准确性。

对这一问题的最早意识是在北方十六国时期。后秦姜岌历在闰月设置上仍采用19年7闰的古法,因19年为一章,故又称一章7闰。北凉时,"天文学家赵歐首先在他的玄(元)始历里面改为六百年设置二百二十一闰月的方法。北朝历家沿用破章法,不过随着历法的不同,置闰的频率也略有不同"②。但此"沿用破章法"是否意味着当时北朝接受和采用了600年中置221个闰月的办法,是有疑问的③。当然北魏采用赵歐的历法应当是事实。《魏书·律历志上》说:"世祖平凉土,得赵歐所修《玄始历》,后谓为密,以代《景初》。"④

祖冲之注意到了前人的成果,又根据自己的观测反复进行了推算,最终提出了修改旧"章"而在每391年设置144个闰月的新法。他自信地认为是"令却合周、汉,则将来永用,无复差动"⑤。事实上,祖冲之所测算的一回归年(太阳年)长度是365.2428日,与今天的数据相差不到

① 《南齐书》卷52《祖冲之传》。
② 陈遵妫:《中国天文学史》第1册,第226页。
③ 如董英哲云:"东晋义熙八年(公元412年),北朝北凉的赵歐作《元始历》,第一次改革了旧历法,在600年中加入221个闰月,但是没有能被人们接受。"见所著《中国科学思想史》,陕西人民出版社1990年版,第296页。
④ 《魏书》卷107上。
⑤ 《南齐书》卷52《祖冲之传》。

50秒,可以说是相当准确的。此后一直到南宋宁宗庆元五年(1199),杨忠辅创制以365.2425日为一年的《统天历》施行,才系统更新了祖冲之的成果。

改易之意的第二个重要方面,实际上也是他修改闰法的基础,就是岁差概念的引入。岁差是指春分点向西缓慢运行(速度每年50.2″,约25800年运行一周)而使回归年比恒星年短的现象,它是由月球和太阳对地球的引力所产生的。由于冬至点向西移动,造成太阳从头年冬至到第二年冬至并没有回到原来(在恒星间)的位置,使得回归年比恒星年的时间要短。

岁差最早是由东晋天文学家虞喜大约于公元330年发现的。《新唐书·历志三上》说:

> 古历,日有常度,天周为岁终,故系星度于节气。其说似是而非,故久而益差。虞喜觉之,使天为天,岁为岁,乃立差以追其变,使五十年退一度。何承天以为太过,乃倍其年,而反不及。《皇极》取二家中数为七十五年,盖近之矣[1]。

天周与岁终在经验上似乎是一致的,但实际上却有差别。虞喜将二者区分开来,并通过设立岁差的办法使天与岁相互吻合。当然,虞喜的"五十年退一度"的数值比实际观测要大,何承天想减小它而采用百年退一度,但数值又过小,直到南朝末隋初的刘焯新撰《皇极历》,取二家中数75,才比较接近真实的数值。

《新唐书》这里未提祖冲之,因为祖冲之采用的是接近虞喜的数值,虽然并不准确,但毕竟是第一次将此直接运用于历法的制定,故后被称为我国历法史上继汉《太初历》之后的第二次大改革。祖冲之引入岁差,既是对前人合理思想的继承,也是基于他长期天文观测的结果。他将后秦姜岌所测得的冬至点与自己"参以中星,课以蚀望"而得出的冬

---

① 《新唐书》卷27上。

至点进行比较,总结出了"未盈百载,所差二度"、即大约每46年西移一度的结论①。在如此考虑岁差基础上制定的历法,通过"冬至所在,岁岁微差"的细致调节,便能使历法更能经得起时间的检验,这也即是他自己所说的"将来久用,无烦屡改"。

与制定立法和推算日月食相关,祖冲之还求出了通常称为"(黄白)交点月"的日数为27.21223日,与近代的27.21222日相差极微。由此,作为我国历法治历基础的朔望月(古历)、恒星月(三统历)、近点月(乾象历)、交点月(大明历)四种历时已全部产生。交点月这一周期在推算日、月食时是必需的。另外,祖冲之推算的五星交会周期等数据,也有惊人的准确性。

祖冲之在奏上新历后,"孝武令朝士善历者难之,不能屈。会帝崩,不施行"②。而在《宋书·律历志下》中,则生动地记述了祖冲之和反对者(太子旅贲中郎将)戴法兴的往复辩论。戴法兴的观点有一些是合理的,但基本指导思想是"古法虽疏,永当循用";又指斥祖冲之是"诬天背经"。祖冲之则依据天文观测的实践,证明自己的新法是经得起检验的。强调"因代而推移",反对"信古而疑今"③。

祖冲之不畏权贵而终于在长达两年的辩论中胜出,然由于孝武帝(世祖)的去世,新历的实施遂告中断:"时法兴为世祖所宠,天下畏其权,既立异议,论者皆附之。唯中书舍人巢尚之是冲之之术,执据宜用。上爱奇慕古,欲用冲之新法,时大明八年也。故须明年改元,因此改历。未及施用,而宫车晏驾也。"④。这一拖便是几十年。直到梁代初年,祖冲之的未竟之业才经由其子之手而得以实现:"父所改何承天历时尚未

①　《隋书》卷78《张胄玄传》言学祖冲之法的张胄玄所为历法事云:"宋祖冲之于岁周之末,创设差分,冬至渐移,不循旧规,每四十六年,却差一度。"

②　《南齐书》卷52《祖冲之传》。

③　《宋书》卷13《律历志下》。

④　同上。

行,梁天监初,暅之更修之,于是始行焉。"[1] 这一时刻已是天监九年(510),距《大明历》的最初编定(大明六年,462)已差不多过去了半个世纪,但总算还是得以施行。

与南朝相比,北朝历法改革的影响虽然较小,但也有自己的特点。《北史·李业兴传》云:

> 以世行赵𤫊历,节气后辰下算。延昌中,业兴乃为《戊子元历》上之。于时屯骑校尉张洪、荡寇将军张龙详等九家,各献新历。宣武诏令共为一历。洪等后遂共推业兴为主,成《戊子历》[2],正光三年,奏行之。业兴以殷历甲寅,黄帝辛卯,徒有积元,术数亡缺。又修之,各为一卷,传于世。[3]

赵𤫊之历虽然一时流行,但李业兴以为不确而另制新历,其《壬子元历》撰于何承天、祖冲之后,既斟酌前人之短长,自当有高明处。但这在曾得祖暅学术的北魏、北齐间学者信都芳看来却是未必。《北史》载其事迹说:

> 又上党李业兴撰新历,自以为长于赵𤫊、何承天、祖冲之三家,芳难业兴五阙。又私撰历书,名曰《灵宪历》,算月频大频小,食必以朔,证据甚甄明。每云:"何承天亦为此法,而不能精。《灵宪》若成,必当百代无异议者。"书未成而卒。[4]

信都芳不满于李业兴历而另撰《灵宪历》。《灵宪历》采用了何承天的定朔法,但何法在信都芳看来尚不精而且最终又被放弃。所以,信都芳若

---

[1] 《南史》卷72《祖暅之传》。

[2] 《北史》标点本卷81《校勘记·二○》云:"成戊子历:按《隋书·经籍志》历数家有《壬子元历》一卷,注云后魏校书郎李业兴撰。章宗源《隋书经籍志考证》,以为业兴所造,初名《戊子元历》,后合九家,共定为《壬子元历》。(章说所据见《魏书律历志》。)此《戊子历》当为《壬子元历》之误。"

[3] 《北史》卷81。

[4] 《北史》卷89《信都芳传》。

能坚守并进一步精确,当然是有胜于何承天法的。然其法未及撰成而卒,也就没有产生实际影响。

2、天说

中国古代的天说体系主要有盖天、浑天和宣夜三家,这三家在汉代都已有了充分的展示。三家之间,从实用的层面讲,浑天说在随后上千年的历史中占据主导的地位。而在理论上,浑、盖二家长期争论,互有优长;宣夜说在哲学上有重要意义,在科学上则基本上没有发生过实际的影响。《晋书·天文志上》云:

> 古言天者有三家,一曰盖天,二曰宣夜,三曰浑天。汉灵帝时,蔡邕于朔方上书,言"宣夜之学,绝无师法。《周髀》术数具存,考验天状,多所违失。惟浑天近得其情,今史官候台所用铜仪则其法也。立八尺圆体而具天地之形,以正黄道,占察发敛,以行日月,以步五纬,精微深妙,百代不易之道也。"①

从三国到南北朝,浑盖二家的研究和争论在继续,并出现了统合二家的浑盖合一说的新的观点。

(1)三国时期的天说。三国时期的天说,是在汉代各天说基础上的进一步完善,主要以吴人王蕃和姚信的观点为代表。

王蕃(228~266),字永元,庐江(今属安徽)人。他虽是"知天知物,处朝忠蹇,斯社稷之重镇,大吴之龙逢也"②,却被暴虐的吴主孙皓斩杀于大殿。《三国志》本传虽未言他之天文历算,但《晋书·天文志上》记载了他"善数术,传刘洪《乾象历》,依其法而制浑仪"的事迹,故是一位学有专长的天文学家。

---

① 《晋书》卷 11。
② 《三国志》卷 65《吴书·王蕃传》。

王蕃首先对前人的浑天说观点进行了归纳。他说:

前儒旧说,天地之体,状如鸟卵,天包地外,犹壳之果黄也;周旋无端,其形浑浑然,故曰浑天也。周天三百六十五度五百八十九分度之百四十五,半覆地上,半在地下。其二端谓之南极、北极。北极出地三十六度,南极入地三十六度,两极相去一百八十二度半强。绕北极径七十二度,常见不隐,谓之上规。绕南极七十二度,常隐不见,谓之下规。赤道带天之纮,去两极各九十一度少强。[①]

王蕃所说的"前儒",应当是包括从东汉张衡到三国吴初学者陆绩在内的浑天家的统称。按照王蕃的概括,浑天的天体结构,是状如鸟卵的天包地的结构,周天的尺度是 $365\frac{145}{589}$,其中作为大地的蛋黄体一分为二,一半显在上,一半隐在下。这个蛋黄体的两极是倾斜状的,北极高出地平面 36 度,南极则低于地平面 36 度,经过北极往上到距地平面 72 度径线处的星辰是常见不隐的,这叫上规;而经过南极往下到距地平面 72 度径线处的星辰却是常隐不见的,这叫下规。赤道带居中维系着天体,距两极距离相等,都是 91 度稍强。

在这里,王蕃不同意陆绩等学者以天体为椭圆鸟卵形的观点,而以天体为正圆。其曰:

分黄赤二道,相兴交错,其间相去二十四度。以两仪推之,二道俱三百六十五度有奇,是以知天体员如弹丸也。而陆绩造浑象,其形如鸟卵,然则黄道应长于赤道矣。绩云"天东西南北径三十五万七千里",然则绩亦以天形正员也,而浑象为鸟卵,则为自相违背。[②]

---

① 《晋书》卷 11《天文志上》。
② 同上。

按照王蕃的数据和推论,既然黄赤交角有 24 度,而这二道又都是 365
度略多,那就可以认定天形正圆。可是陆绩造浑象,如果按天形为鸟
卵,黄道就应该长于赤道;可陆绩又说天东西南北直径都是 35 万 7 千
里,这又显然是以天形为正圆,所以是自相矛盾。而且,由陆绩的 35.7
万里天直径导出的周三径一的圆径比率,亦是王蕃所不同意的,因为王
蕃的圆周率前已说明是 142/45≈3.1556①。

王蕃的浑天象是主张"天体员(圆)如弹丸,地处天之半,而阳城为
中,则日春秋冬夏,昏明昼夜,去阳城皆等,无盈缩矣。故知从日邪射阳
城,为天径之半也。"② 就是说,以阳城观测者为中心,到正圆天体的任
一点都是天的半径,以勾股法求之,得出天的半径为 81394 里,直径
162788 里,天的圆周长为 513687 里。

可以说,王蕃虽是浑天说的倡导者,但他对于浑天结构的鸟卵(或
鸡子)状天体模型,却是持完全否定的态度的。他自己的正圆浑天模
型,可谓浑天说体系中新起的一派。

与王蕃同时或稍晚,吴太常卿姚信提出了一种独特的《昕天论》,其
论云:

> 人为灵虫,形最似天。今人颐前侈临胸,而项不能覆背。
> 近取诸身,故知天之体南低入地,北则偏高。又冬至极低,而
> 天运近南,故日去人远,而斗去人近,北天气至,故冰寒也。夏
> 至极起,而天运近北,故斗去人远,日去人近,南天气至,故蒸
> 热也。极之高时,日行地中浅,故夜短;天去地高,故昼长也。

---

① 王蕃曾引《洛书甄曜度》和《春秋考异邮》说周天为 107.1 万里。按他明确
标注的 $\pi=\frac{142}{45}$ 推算,以里为单位,天直径为 329401 里,但实际应当是 339401 里,故
前数当传抄有误。《晋书》标点本注引《考异》云:"周天一百七万一千里,以径四十
五、周百四十二之率约之,当云三十三万九千四百一里。"见《晋书》卷 11《天文志
上·校勘记》注 12,中华书局标点本第 314 页。

② 《晋书》卷 11《天文志上》。

极之低时,日行地中深,故夜长;天去地下,故昼短也。①
《太平御览·人部》也引用了这同一段话,但最后多出的一句却至关紧要,即:"然则天行,寒依于浑,夏依于盖也。"②

昕天论一般认为仍属于盖天说的系统③。其意是说,拿人头的运动做比喻,下颚可低而靠近胸,脖项却高而不能靠近背,这就是天南高北低的景象。由于天盖在转动中又沿极轴上下滑动,冬至时天极很低,随天运行的太阳靠近南方,离地中人远,故天气寒冷;夏至时天极上升,太阳的运行则接近北方,离地中人近,故天气炎热。同时,由于太阳近南,则低于地中人位置深,故夜长昼短;太阳近北,则低于地中人位置浅,故夜短昼长。按姚信,天象在如此模式下的运行,在冬天靠近浑天说,在夏天靠近盖天说。

李约瑟评论说:"和姚信同时的人一定会向他请教,为什么赤道以南可见的星,夏季并不多于冬季。他最后那句话很含糊,这表明他可能是想把两个主要学派的说法调和起来。"④ 就是说,如果按天夏浅冬深的模型,夏季赤道南可见的星就应当多于冬季,然事实并非如此,所以姚信之说并不准确。但认为姚信想要调和浑盖二说又显得过于大胆,因为姚信明确表达了对浑天图像的尖锐责难。他曰:

若使天裹地如卵含鸡,地何所倚立而自安固? 若有四维

---

① 《北史》卷89《信都芳传》。
② 《太平御览》卷2《天部二·天部下》,中华书局1960年版。第10页。
③ 盖天说自身又有三派之分,祖暅《天文录》云:"盖天之说又有三体,一云天如车盖,游乎八极之中;一云天形如笠,中央高而四边下;亦云天如欹车盖,南高北下。"见《太平御览》卷2《天部二·天部下》,第9页。但是若将王充的"平天说"包括进来,便成为四派。其中第三派的"欹盖"说实际上又与浑天说有所关联。如果不考虑交叉情况而整个论天说体系,又有七家之说。《隋书·天文志上》载刘焯"论浑天"云:"盖及宣夜,三说并驱;平、昕、安、穹,四天沸腾。至当不二,丽唯一揆,岂容天体,七种殊说?"(卷19)
④ 《中国科学技术史》第4卷《天学》第一分册,第104页。

柱石,则天之运转将以相害;使无四维,因水势以浮,则非立性
也。若天经地行于水中,则日月星辰之行,将不得其性。①
即在姚信,以四维柱石支撑地不可能运转,而地若浮于水中,则附着于
天球内壁的日月星辰如何能从水中通过呢?浑天说的这一问题其实早
已存在,也是浑天家以水为天地中介说所难以解释清楚的。

既然浑天架构有如此重大的缺陷,说姚信想调和浑天与盖天,似乎
没有充足的理由。或许姚信只是想说明"天如欹车盖,南高北下"的夏
浅冬深模型,与浑天说的冬季天体运行图像比较相似罢了。

(2)两晋时期的天说。两晋主要是东晋时期的天说,承接三国又有
了新的发展,一个显著的特点是盖天说、宣夜说和浑天说都进行了更新
和变形,而浑天说成为了这一时期天说体系的主流。

先是虞喜族祖、河间相虞耸提出了《穹天论》。其论云:

> 天形穹隆如鸡子,幕其际,周接四海之表,浮于元气之上。
> 譬如覆奁以抑水,而不没者,气充其中故也。日绕辰极,没西
> 而还东,不出入地中。天之有极,犹盖之有斗也。天北下于地
> 三十度,极之倾在地卯酉之北亦三十度,人在卯酉之南十餘万
> 里,故斗极之下不为地中,当对天地卯酉之位耳。日行黄道绕
> 极,极北去黄道百一十五度,南去黄道六十七度,二至之所舍
> 以为长短也。②

对虞耸的《穹天论》,今天文学史家郑文光有具体阐释。他说:

"这里有一些数字。例如,'天北下于地三十度'。东晋都南京,纬
度约32°有奇,所以说天北下于地三十度,是约数。卯、酉即东、西,正东
正西间划一条线,则天球北极在这条线之北,并与地面成三十余度的倾
角。极北去黄道百一十五度,南去黄道六十七度,则据第五章公式,黄

---

①　《太平御览》卷2《天部二·天部下》,第10页。
②　《晋书》卷11《天文志上》。

赤交角：

$$\varepsilon = 1/2(115\,度 - 67\,度) = 24\,度$$

这是中国古度，即一周天分为 $365\frac{1}{4}$ 度，所以比 360° 分法的度数略小，即一度合 0.986°，24 度即合现在 23°39′18″，确是符合当时的黄赤交角值。

但是这个宇宙图式却是认为大地是平的，浮于水上，天像半个鸡蛋壳倒扣于水上。天和地之间充满气，所以不会沉下去；却又是倾斜的，因此北极并不在天顶，而是斜斜地靠着北方。可以看出，穹天论也接受了元气理论。但是它的基本结构，仍然是天圆地方说的体系。"[1]

至于虞耸所云极北、南去黄道的 115° 和 67° 等是从二至点的位置测出的，李约瑟加注说："这是在极下通过北方地平线测得的。此处的极当然是天球北极，而不是黄道极，数字只是近似的，因为 115 加 67 并不等于 $365\frac{1}{4}$ 之半即 $182\frac{5}{8}$ 古度。据我们所知，这一整数数字是公元 85 年贾逵最先计算出来的。"[2]

东晋成帝咸康(335~342)中，会稽虞喜"因宣夜之说"作《安天论》，认为：

> 天高穷于无穷，地深测于不测。天确乎在上，有常安之形；地魄焉在下，有居静之体。当相覆冒，方则俱方，圆则俱圆，无方圆不同之义也。其光曜布列，各自运行，犹江海之有潮汐，万品之有行藏也。[3]

宣夜说的理论基础可以说是元气论，但虞喜的"安天"论虽说是据于宣夜说，却与汉秘书郎郗萌所记之宣夜说"天了无质，仰而瞻之，高远无

① 郑文光：《中国天文学源流》，科学出版社 1979 年版，第 196~197 页。
② 《中国科学技术史》第 4 卷《天学》第一分册，第 94 页注 1。
③ 《晋书》卷 11《天文志上》。

极,……日月众星,自然浮生虚空之中,其行其止皆须气焉"①　是明显有差别的。即虞喜将无质变成了有质,变成了"确乎在上"的常安之形;而且天之与地还是方圆相当。

就前者说,虞喜引入了浑天说的因素,以使原了无质、自然浮生的天体有了一个不变动的"安宅";而此一点实际上又有对盖天说的天地方圆说的择取,即不赞同天圆地方,但却认可方圆统一,保持了宣夜说之流动变化特性的一面。至于其"天高穷于无穷"的规定,则自然是对宣夜说最根本的宇宙无限性性质的进一步阐明。虞喜在这里还附带说明了日月星辰的运行都是有自己的规律的,这就如同江海潮汐的定时涨落和自然万物的生长收藏一样,能够为人们所把握。

虞喜观点的不足,在于天之常形与各自运行的天体间是何关系,没有能得以说明,或者说他未能觉察其中的矛盾。葛洪抓住这一矛盾而讥刺说:"苟辰宿不丽于天,天为无用,便可言无,何必复云有之而不动乎?"②　就是说,星辰若不需要天体来附著,而是各自运行,那又何必设置这么一个无用而不动的天形呢? 葛洪的这一反诘,得到了《晋书》作者的肯定。

不过,葛洪的主要目的还不是批评虞喜的"安天",而是论证他自己所坚守的浑天。东汉王充对浑天说提出了多方面的责难,葛洪则在引证前人浑天说观点的基础上,反驳了王充的责难而阐扬了浑天家的理论。

王充的观点,一般称之为平天说,但总体上也可归入盖天说的系统。他驳议浑天,主要的观点是:一是地表有水,天之运转如何能从水中过? 二是日不入地,只是因远而人不见耳,这就如同火把远去而光暗下来一样;三是日月不圆而远视之圆,又日月即水火,水火不圆而日月

***

① 《晋书》卷 11《天文志上》。
② 同上。

何故圆?[1]

　　葛洪的反驳,首先是引证汉张衡以来的《浑天仪注》和桓谭等前人对盖天说的批评,简捷说明浑天说的观点,然后再逐条反驳王充之说。其一云汉张衡浑天仪模拟天象运行试验的准确性;二云《周易》经典乾坤水火相生之象;三云日月星辰运行是自东"冉冉"入西,而非东南西北像磨石般旋转;四云非火把转远而微,日月经天却不见小,而且日若向北远逝,应先失其光,然日将逝之体反大于星多倍,人反见极北之小星而不见日;五云日将入于西方,如镜剩下横着的半面,倘若是由东南向西北旋转,则先当成竖着的半面了。此外,水火虽出于日月,但日月不等于水火;谓日月因远而视之圆,然日月也有不圆时。葛洪以为,诸如此类,皆可证平天、盖天之不确。反之,"此则浑天之理,信而有征矣"[2]。葛洪的论证虽不完全适用于盖天,但针对王充平天说而言,还是有一定说服力的。

　　(3)南北朝时期的天说。南北朝天说的主要特点是浑天说理论的进一步发展和浑盖合一说的出现,其中也间杂着盖天说对浑天说的批评。

　　何承天是南朝浑天说的一位主要代表。他"详寻前说,因观浑仪,研求其意"而"悟"出了他的"浑天象说"。其基本观点:

　　一是"天形正圆,而水居其半,地中高外卑,水周其下"[3]。这是说在正圆形的天体中,一半是水,"中高外卑"的大地与天行相当,也应当是半浮于水上的正圆。那么,天与地之间,实际是一种平行的曲面关系,这说明他的"浑天象体",也吸收了盖天说天地平行的思想因素。

　　　────────

　　①　王充驳浑天观点,原文见《论衡·说日篇》;亦参见《晋书》卷11《天文志上》的概括引述。

　　②　《晋书》卷11《天文志上》。

　　③　《隋书》卷19《天文志上》。

二是"东曰旸谷,日之所出,西曰濛汜,日之所入";"周天三百六十五度、三百四分之七十五。天常西转,一日一夜,过周一度。南北二极,相去一百一十六度、三百四分度之六十五强,即天经(径)也。"① 即太阳自东至西绕行地球,周天 $365\frac{75}{304}$ 度,天向西转,一天一度,南北两极相距 $116\frac{65}{304}$ 度强,即是天球直径。这标示了浑天天球和太阳的运行图。

三是"从北极扶天而南五十五度强,则居天四维之中,最高处也,即天顶也。其下则地中也。"② 即面对北极的观察者向后 55 度强处即是天之中心和最高处(天顶),天顶之下便是地中。这一点可以说既是浑天说的天球和地貌,也兼通"天如欹车盖,南高北下"的前述第三类盖天说。由此,何承天的"浑天象体"实际上是在总结浑盖二说相争的基础上建立起来的,显示了新的天说发展道路。

祖暅是南朝浑天说的另一位主要代表。首先,他对自古以来论天者"群氏纠纷,至相非毁"的情况进行了总结,并根据自己的天文观测和仪象校验概括说:

> 窃览同异,稽之典经,仰观辰极,傍瞩四维,睹日月之升降,察五星之见伏,校之以仪象,覆之以晷漏,则浑天之理,信而有征。③

但祖暅对于浑天说理论本身的论证未见记载,似乎它也不是这一时期浑天家们考虑的重点。祖暅所关注的,首先是"辄因王蕃天高数,以求冬至、春分日高及南戴日下去地中数"④。他求出的结果是:冬至日高

① 《隋书》卷 19《天文志上》。
② 同上。
③ 同上。
④ 同上。

为 42658 里有余,冬至南戴日下点距地中数 69320 里有余,春秋分日高为 67502 里有余,春秋分南戴日下点距地中数为 45479 里有余。

其次,祖暅对于浑天与气候寒暑的关系进行了分析。他认为,一年四季,日距地中的角度是一样的,但距离却有远近。按照气化论的"地气上腾,天气下降"的气运动结构,结果便是"远日下而寒,近日下而暑,非有远近也。犹火居上,虽远而炎,在傍,虽近而微"。意思是说,地球气候的寒暑冷暖,取决于日光入射的角度如直射或斜射,而与双方距离的远近无关。这一观点是很有见地的,今天人们知道,在北半球是冬季地球距太阳近,夏季距太阳远的。

再次,祖暅进一步分析说,人们之所以会以距日远近言寒暑,其实是由于人的视觉效应或错觉造成的。"故视日在傍而大,居上而小者,仰瞩为难,平观为易也。由视有夷险,非远近之效也。"[①]

祖暅是浑天说的热情倡导者,但采用了祖冲之、祖暅父子《大明历》的梁武帝,却并不认同浑天说,而是一位盖天说的拥护者。"逮梁武帝于长春殿讲义,别拟天体,全同《周髀》之文,盖立新意,以排浑天之论而已。"[②] 不论梁武帝的"讲义"本身如何新,但完全排斥浑天,作为一种学术主张已经属于落后的观点。因为南北朝天说的发展,一个重要的趋势就是浑盖合一。

浑盖合一说的发端,早在东汉末赵爽注《周髀算经》时便已开始。赵爽说:

> 夫高而大者,莫大于天,厚而广者,莫广于地。体恢洪而廓落,形修广而幽清。可以玄象课其进退,然而宏达不可指掌也;可以晷仪验其长短,然其巨阔不可度量也。虽穷神知化不能极其妙,探赜索隐不能尽其微。是以诡异之说出,则两端之

① 《隋书》卷 19《天文志上》。
· ② 同上。

理生,遂有浑天盖天。兼而并之,故能弥纶天地之道,有以见
天地之赜。则浑天有《灵宪》之文,盖天有《周髀》之法,累代存
之,官司是掌。①

那么,赵爽已经看到,由于天高地广的复杂性,任一理论方法都不能完
全无误地解释天象,故浑盖"两端之理生"是有历史的理由的。但也正
因为如此,要全面认识天地变化的微妙,把握其运动规律,浑盖双方就
应该"兼而并之",相互结合。但是,在三国两晋,浑盖合一说并没有发
展起来,直到南北朝时,它才又重新被接续。

南北朝浑盖合一说的肇兴,与祖暅有一定关系。祖暅虽力主浑天
说,但他之测日高等也吸收了《周髀》的数据和方法。同时,他虽生活于
齐、梁,然曾在边境被北兵所俘获而客居于魏安丰王延明家,在那里将
自己的学术传授给同为延明门客的信都芳。

信都芳,字玉琳,河间人,著有《乐书》、《遁甲经》、《四术周髀宗》等。
在《四术周髀宗》序言中,他回顾了汉以来浑盖二说评议之短长。总结
说:

浑天覆观,以《灵宪》为文;盖天仰观,以《周髀》为法。覆
仰难殊,大归是一。古之人制者,所表天效玄象。芳以浑算精
微,术机万首,故约本为之省要,凡述二篇,合六法,名《四术周
髀宗》。②

《四术周髀宗》从其书名看似乎是阐释《周髀》盖天之法的,事实上他的
确也肯定盖天说在有限时日内有存在的理由,但从其序文看还是偏于
浑天家为多,总体上则认为双方应当结合起来。

从统合而非分立的角度看,浑盖之别只是观天测地的角度之异。
所谓"覆"观,就是从上往下的天外看天,观测到的是整体的大地,即浑

---

① 《周髀算经》卷首《周髀算经序》,上海古籍出版社1990年影印本,第2页。
② 《北史》卷89《信都芳传》。

天说的宇宙图像是全;而所谓"仰"观,就是自下而上的天内看天,观测到的是局部的半圆,即盖天说的宇宙图像是半。但相对于各自的观测者来说,说明的都是实在的天象,故双方的宗旨还是一致的。

比信都芳稍早,梁朝崔灵恩提出了自己的浑盖合一说:

> 先是儒者论天,互执浑、盖二义,论盖不合于浑,论浑不合
> 于盖。灵恩立义,以浑、盖为一焉。[①]

但是,崔灵恩的浑盖合一说却没有流传下来,后人亦难以做出恰当的评论。但从总体上说,南北朝中期浑盖合一说某种程度的流行,反映了中国天文学发展的趋势是合而不是分。人们既然已经觉察到二说各有所短长,将其统合而扬长避短,也就是很自然的。这一趋势发展到唐代,著名科学家一行对双方的缺陷有一个更为精炼的总结:

> 其所以重历数之意,将欲恭授人时,钦若乾象,不在于浑、
> 盖之是非。……终以六家之说,迭为矛盾,诚以为盖天邪? 则
> 南方之度渐狭;果以为浑天邪? 则北方之极浸高。此二者,又
> 浑、盖之家尽智毕议,未能有以通其说也。[②]

一行是从实用出发揭示出浑、盖两家之失的。即制定历法是出于遵循天象变化来预告时日、季节的需要,而不在于一定要肯定哪家学说。盖天说的根本缺陷是无法解释从赤道(中衡)往南,每度(经度)的宽度为何越来越狭小;而浑天说的根本缺陷则在于无法解释越向北、则北极极高(出地)越高。问题的关键,在于恰当把握球形的大地。

唐以后的天说研究者自然已经注意到一行的科学观点,但他们讨论的基点,仍是崔、信二人浑盖合一的宇宙图像。宋张行成云:"盖天之学,惟唐一行知其与浑天不异。盖天之法,如绘像,止得其半;浑天之法,如塑像,能得其全。……浑法密于盖天,创意者尚略,述作者愈详

---

① 《梁书》卷48《崔灵恩传》。
② 《新唐书》卷31《天文志一》。

也。"① 明代李之藻作《浑盖通宪图说》,称"假令可浑可盖,讵有两天? 要于截盖緟浑,总归圜度。全圜为浑,割圜为盖,盖笠似天,覆槃拟地。人居地上,不作如是观乎?"②《四库全书总目提要》对此评曰:"浑天为全形,人目自外还视;盖天为半形,人目自内还视。"③ 王夫之虽言盖天说之滞和浑天说所以为胜,但仍主张二说之统一:"乃浑天者,自其全而言之也,盖天者,自其半而言之也。要皆但以三垣二十八宿之天言天,则亦言天者画一之理。"④ 就是说,如果不谈地平线以下的半个天,只论头顶上负载着三垣二十八宿这些星宿之天的话,浑盖二说也就是一致的。

作为传统科学的总结者,阮元在为崔灵恩、信都芳作传记后评论说,李之藻吸取西学而发明的浑盖合一之理,是巧妙而便捷的。然崔灵恩、信都芳都已早有类似的论述:"梁崔灵恩以浑盖为一,(信都)芳亦云覆仰虽殊,盖明于度数者,所见如合一辙矣"⑤。

(4)当代学者对浑盖二说的评价。当代学者对于浑盖二说的评价,一般来说是从两晋南北朝以来中国天文学的实际出发,肯定浑天说较之盖天说具有更多的合理性和实用性,因而也长期占据着古代天说的主导地位。

钱宝琮肯定浑天说较之盖天说的进步性,认为浑天说产生于盖天说之后,"浑天说产生以后,盖天说就相形见绌了"⑥。

---

① 参见王应麟:《玉海》卷4《天文·仪象·总叙浑天》,文渊阁《四库全书》第943册,第132页。
② 李之藻:《浑盖通宪图说·自序》,《丛书集成初编》本,中华书局1985年版,第3~4页。
③ 见《浑盖通宪图说》卷首,第1页。
④ 《思问录·外篇》,《船山全书》第12册,岳麓书社1996年版,第458页。
⑤ 参见阮元:《畴人传》卷9《崔灵恩传》,卷11《信都芳传》,商务印书馆1955年重印(1935年初版)本,第109~110、125~126页。
⑥ 参见《盖天说源流考》,《李俨钱宝琮科学史全集》第9卷,第452~454页。

《中国天文学简史》认为："宇宙结构体系的论争在南北朝主要表现为盖天说和浑天说的斗争。前者以天在上、地在下，大地为平面或拱形；后者以天在外、地在内，大地为球形。'天'或由气托着，或与水接着，'地'浮在水上或浮在气中。两相比较，自然是浑天说宇宙体系比较科学些。"①

崔振华、陈丹《世界天文学史》认为："浑天说与盖天说的本质区别（或者说最显著的进步）是，认为天包着大地，天可以转到地下去。……浑天说尽管在天体测量、宇宙论等方面，均比盖天说来得优越，但浑天说产生后，在相当长的历史时期内，形成浑、盖并存且相互辩驳的局面。……由于浑天说既有浑象（张衡又将它发展为水运浑象），逼真地演示了日、月、星、辰的周日视运动，又有浑仪来实测天体，所以，随着历史的发展，浑天说的影响不断扩大。到唐代一行，他依据实际数据否定了《周髀》所谓'日影千里差一寸'的错误结论以后，浑天说遂成为占统治地位的宇宙学说。"②

在这方面，最有代表性的是郑文光的观点。他说："盖天和浑天只是反映了我国古代宇宙认识史上两个不同的阶段"，"盖天说完全不能用经验去证明，而浑天说则可以用观测事实在相当大的近似程度加以证明，这就是浑天说优于盖天说的地方。因此，浑天说终于成了我国古代正统的天文学体系。"郑文光也承认浑天说有缺点，那就是"它一直保留着盖天说的'凡日景（影）于地，千里而差一寸'这个先验的错误的数据。"这一数据在唐代一行主持的大地子午线测量后破产，它意味着盖天说的宇宙结构体系彻底失败。而"经过这次子午线测量，以大地为球形的浑天说体系终于得到了科学上的证认。"当然，在近代天文学史中，

① 《中国天文学简史》（编写组编写），天津科学技术出版社1979年版，第113页。

② 《世界天文学史》，吉林教育出版社1993年版，第70~71页。

当"哥白尼体系传入我国并逐步取得胜利后,浑天说也就只具有历史的价值了。"①

郑文光观点的重心在大地球形说。他认为古代宇宙论的发展,是由天圆地方的第一次盖天说到"天象盖笠,地法覆槃"的第二次盖天说,再到大地为球形的完整宇宙模型——浑天说②。郑氏并以《球形大地的阐明》为标题专节讨论了以张衡为代表的大地球形思想,并以为这一思想最早开始于战国时期。李约瑟的观点与郑文光相同,亦云:"他(张衡)认为,关于天球的这种臆想远在他以前就已经有了,他还清楚地告诉我们,球形大地(包括对蹠)的概念是如何从天球概念中自然地产生出来的。"③

但是,球形大地说却是唐如川、金祖孟等学者所不同意的。唐如川最早提出,张衡等浑天家的地,不是球体,而是平面。他在引述了陈遵妫《中国古代天文学简史》为代表的"通行的说法""都说张衡(浑天家)认为'地是球体'或'天地俱圆'之后,经过《'浑天'的名称和'鸡子'、'鸡中黄'的比喻都不足作为张衡(浑天家)认为'天地俱圆'或'地是球体'的证明》、《张衡等浑天家认为天圆地平的证据》及《从后人言论中反映出的浑天家对天地形状的看法》三个部分的论证,最后的结论是:"我们可以肯定地说,浑天家包括张衡在内,认为天是一个中空的球体;地是一个处在天体下半部里的上平下圆的半球体。简单地说,就是'天圆地平'。从另一方面说,张衡等浑天家对天地形状的看法,是中国科学史上一个客观存在的事实问题,它的答案只能有一个,而不能更多,事实也证明了这一点。因此,我们又可以肯定地说:浑天家包括张衡在内决

①　《浑天说成为我国古代正统的天文学体系》,《中国天文学源流》,科学出版社1979年版,第223～225页。
②　参见《从天圆地方说到浑天说》,同上书,第203～205页。
③　《中国科学技术史》第4卷《天学》第一分册,第110页。

不是认为'天地俱圆'或'地是球体'的。"①

在唐如川的论证中,他还认为:"应该特别提出的是何承天所说的'地中高外卑',从他自己的解释中,可以看出并不是说'地与天穹隆相随',也不是说地面具有弧度,只是指地平面上局部间的高低起伏,与我们今天所说的地球纬度的高低,有本质的不同。他也是认为'天圆地平',这一点是不容混淆的。而从另一方面说,何承天的说法的积极意义,是对浑天说起到了辟谣的作用。"②

郑文光《试论浑天说》的长文对此有详细答辩③,他的《中国天文学源流》一书的相应章节,便亦是以该论文为基础修改成的。金祖孟则对"浑天说是天圆地平说"和"盖天说优于也晚于浑天说"的观点进行了系统的论证。

金祖孟的论证,是将天圆地方说(第一次盖天说)和盖天说(第二次盖天说)分隔开来,认为将二说都当做盖天说而以为大同小异"是望文生义,是不足为训的"。因为"前者以局部地区的天象观测为根据,是一种地方性的宇宙学说;后者则以广大地区的天象观测为依据,是一种世界性的宇宙学说。特别重要的是,前者以天地相连为特征,而后者则以天地相离为特征。"④

金祖孟对天圆地方说的性质判定,是与他对浑天说的性质判定密切关联的,因为浑天说在他正是一种地方性的宇宙学说,而盖天说则是一种世界性的宇宙学说⑤。浑天家的地是一个圆形平面, 一行虽然主

① 《张衡等浑天家的天圆地平说》,《科学史集刊》第 4 期,科学出版社 1962 年 8 月版,第 47~58 页。

② 同上书,第 56 页。

③ 参见《试论浑天说》,《中国天文学史文集》,科学出版社 1978 年版,第 118 ~ 142 页;又:该文原载《科学通报》1976 年第 6 期。

④ 《古宇宙论研究的歧途》,《中国古宇宙论》,华东师范大学出版社 1991 年版,第 165 页。

⑤ 参见《浑天说的兴起和衰落》,同上书,第 48 页。

持了子午线测量,"但是,令人不解的是,一行明知道北极高的南北差异,却未能得出大地球形的结论。……可以相信,在一行的心目中,浑天说的地还不是球形的。"直到明代科学家徐光启才第一次把西方的地圆说介绍给中国。判定张衡的"地如鸡中黄"的地为浑圆,"很明显,作者们是戴着西洋近代天文学的有色眼镜,观察我国古代的天文史料,以我国文献附会西洋天文学成就。他们并不理解,西洋的'地为浑圆'承认全球性的海面是一个球面,而张衡的比作'鸡中黄'的只是平面海洋上的一片'中高外卑'的陆地。这样看来,在不了解大地为球形的时代,我国古人谁也不曾把张衡的'地如鸡中黄'理解为地圆学说。'张衡地圆说'显然是对张衡原话望文生义和断章取义的结果。"①

董英哲针对金文的观点进行了反驳,认为"这些话是难以服人的"。因为据《元史·天文志》记载,早在徐光启之前三百多年,就已经谈到"外来的"地圆说了。即在元世祖至元四年(1267)"扎马鲁丁造西域仪象"条下记云:"苦来亦阿儿子,汉言地理志也。其制以木为圆球,七分为水,其色绿,三分为土地,其色白。画江河湖海,脉络贯串于其中。画作小方井,以计幅员之广袤、道里之远近。"② 董英哲解释说:"所谓'苦来亦阿儿子',按德国学者哈特纳译出阿拉伯原名为 Kura-i-ard,研究者都认为是地球仪。这是一个木制的圆球,上面画有陆地(白色)和江河湖海(绿色),陆海的比例为三比七。球上还画有小方格,用来计算道里的远近。如果说这也是外来的地圆说,那我们中国传统的地圆说就是张衡首先提出的'地如鸡中黄'。陆绩、王蕃都坚持了这一点,何承天则把它发展为'地中高外卑'。这就不在(再)是个比喻,而成为有明确规定性的大地球形概念。三国两晋南北朝时期,浑天说发展的主要表现之

---

① 参见《试评"张衡地圆说"》,同上书,第 173 页。
② 参见《元史》卷 48。

一就在于此。"①

　　对于何承天的"地中高外卑",金祖孟一直认为,张衡的"地如鸡中黄"很费解,故"特别值得人们重视的是何承天的话。他在张衡以后大约300年,把张衡的'地如鸡中黄'改为'地中高外卑',从而取消了这个令人费解的地方。这就是说,他只是认为'地如鸡中黄'有些费解,并没有把它看成地圆说的文献。"② 然金氏此说,似乎也有先入为主之嫌。因为不同浑天家的文字表述本来就不一样,即便是同一学者,他在不同时间地点发表的言论、著述也常有区别,何以便认定:何承天是因为张衡的"地如鸡中黄有些费解"而将其改为"地中高外卑"呢? 再者说,球形大地本来就可以说是"地中高外卑",这在汉语言中应当没有什么问题,又何以认定它取消了张衡的"令人费解的地方"呢?

　　金祖孟还认为,"张衡的'地如鸡中黄'的比方,是容易引起误解的。事实上,到明代还有人做望文生义的理解,并且以'盛半泡水'的猪尿泡和其中的'大干泥丸'说明天和地的形状。"③ 后者是指明代黄润玉的特殊演示:"予幼时戏将猪尿胞盛半泡水,置一大干泥丸于内,用气吹满胞毕。见水在胞底,泥丸在其中,其运动如云。是即天地之形状也。"④ 郑文光据此认定:"以'泥丸'比之于大地,不是承认大地是球形是什么?"⑤ 唐、金一方的问题在于,"地如鸡中黄"本来很明白,泥丸"运动""即天地之形状"说得一清二楚,何以就是"引起误解"、"令人费解"而不是字面上明明白白的意思呢? 这至关紧要的一点,尚未见到有说服力的解释。

　　与浑盖相争相呼应,还有对浑盖合一说的不同评价。郑文光认为

　　① 参见董英哲:《中国科学思想史》,第304~305页。
　　② 参见《试评"张衡地圆说"》,《中国古宇宙论》,第171~172页。
　　③ 同上。
　　④ 《海涵万象录》,转引自郑文光《试论浑天说》,《中国天文学史文集》,第131页。
　　⑤ 《试论浑天说》,《中国天文学史文集》,第131页。

浑盖合一是无原则地调和二家矛盾的产物,实际上是用盖天说来混淆浑天说。譬如以夹杂浓厚盖天观点的《灵宪》而不是《浑天仪注》来代表浑天说便是其证①。金祖孟亦不赞同浑盖合一说,因为其说在他是肯定浑天说的先进性而无视盖天说的先进性,但又认为浑盖二说在"各就各位"的前提下可以统一,那就是浑天说是地方性、是低层次,盖天说是世界性,是高层次,历史的发展是从浑天说到盖天说,即从其前后相继的关系上肯定二说可以相安无事。

周桂钿则认为浑盖合一是在双方各有其合理性而不能完全取代对方的形势下产生的,但在浑天说占统治地位的情况下则很难实现。直到利玛窦传入西方天文学以后,浑天说才感到相形见绌,这才促进了二说的统一。最终是由清初天文学家梅文鼎对二说做了系统总结,二说统一之后就被西方近代天文学所取代而成为历史。② 但周说的前后递嬗顺序似乎又过于理想化了,因为所引梅文鼎的观点虽然比较系统,但仍然是崔、信等传统的浑盖合一说,看不出因西方天文学而使浑天说相形见绌的新观点。事实上,中国古代天文学的"最终"不是在梅文鼎的统一二说,而是在中国进入近代社会以后才被西方天文学所取代的。

三、地理学与农学

地理学与农学这两个有着天然亲缘关系的学科门类,其学术发展在整个魏晋南北朝时期虽然都有不俗的表现,但十分凑巧的是,集中体

---

① 参见《中国天文学源流》,第 222~223 页。
② 参见所著:《天低奥秘的探索历程》,中国社会科学出版社 1988 年版,第 267~268 页。

现着两科学术发展最重要的成果——郦道元《水经注》和贾思勰《齐民要术》,竟然都是在北魏(包括北魏分裂后短暂的东西魏)朝取得的。这两部名著加上其他方面的科学成就,充分说明这一时期的中国学术发展,在自然科学领域同样表现出浓厚的学术兴趣和具有良好的学术氛围,与人文学科领域的发展是完全相协调的。

1、郦道元与《水经注》

郦道元(? ～527),字善长,范阳涿县(今河北涿县)人。郦道元的籍贯和生平都有不甚确定之处,今人有不同的说法。籍贯在《魏书》和《北史》本传中分别被表述为范阳人和范阳涿鹿人。据辛志贤考证认为,涿鹿在北魏属于广宁郡,故不确,籍贯应当是范阳郡涿县①。而郦氏的生年则有更多的疑问,从公元455年到485年,前后相差30年,由此造成郦道元享年从40多岁到70多岁不等②。

郦道元在《魏书》中被收入《酷吏传》,这在中国古代著名学者中是十分罕见的。按作者魏收的说法,"道元素有严猛之称",曾经因为"威猛为治,蛮民诣阙讼其刻峻,坐免官"③。最后亦是因为他不顾当政的灵太后的敕令,处死汝南王元悦男宠丘念并上书弹劾元悦,激起皇族的恼怒,被遣为关右大使,派去"反状稍露"的雍州刺史宝夤处视察,结果为其所害,成为政敌们阴谋陷害的牺牲品。

至于对付"山蛮",郦道元也并不只是用威猛的一手,他也注重教化,《北史》本传说"后试守鲁阳郡,道元表立黉序,崇劝学教。诏曰:'鲁阳本以蛮人,不立大学。今可听之,以成良守文翁之化。'道元在郡,山

---

①　辛志贤:《郦道元籍贯考辨》,《山西师院学报(社会科学版)》1982年第2期,第12～15页。

②　参见王成祖:《中国地理学史》上册,商务印书馆1982年版,第130页。陈桥驿:《郦道元评传》,南京大学出版社1994年版,第30页。

③　《魏书》卷89《郦道元传》。

蛮伏其威名,不敢为寇。"① 郦道元的仕途总的来说还算顺利,长期担任北魏政府的高级官吏。他的学术活动,《魏书》和《北史》都记载简略,只云"道元好学,历览奇书。撰注《水经》四十卷、《本志》十三篇,又为《七聘》及诸文,皆行于世"②。除《水经注》外,郦氏其他著作早已失传,但幸亏流传下了这样一部《水经注》,为中国学术增添了光彩,也使郦道元得以扬名后世。

(1)《水经》与《水经注》

从《水经注》之书名看,很容易会想到像前面之《三国志注》、《世说新语注》等著作一样,是有本文(经文)有注文。然《三国志》、《世说新语》本文与注文各自的作者与成果都十分清楚,而《水经注》的情况却与此有别,关键的问题就在于,是否存在一部被郦道元所注的前人撰就的独立的《水经》。

《隋书·经籍志二》载"《水经》三卷,郭璞注";"《水经》四十卷,郦善长注"③。那么,似乎是有两种《水经》,一种是晋郭璞注的 3 卷本,一种是郦道元注的 40 卷本。但二者之关系,《隋书》并没有明说。更重要的是,这两种注本的《水经》原作者是谁,完全没有提及。

《唐六典》称:"桑钦《水经》所引天下之水百三十七,江河在焉;郦善长注《水经》,引其枝流一千二百五十二④。"⑤ 按其文意,郦道元注当是

---

① 《北史》卷 27《郦道元传》。
② 《魏书》卷 89《郦道元传》。
③ 《隋书》卷 33。
④ 关于《水经注》所引水道数目问题,罗宏曾《魏晋南北朝文化史》第 752 页汇集不同说为:"按《唐六典》所记为 1252 条,辛志贤说是 1389 条(《〈水经注〉所记水数考》,见《北京师范大学学报》,1981 年 3 月),赵永复认为是 2596 条(《历史地理》第二辑,《〈水经注〉究竟记述多少条水》),而《中国水利史稿》则认为应是 5000 多条。"
⑤ 《大唐六典》卷 7《尚书工部·水部郎中》,西北大学历史系、图书馆 1984 年复印[日]广池学园事业部、横山印刷株式会社 1973 年初版本(广池千九郎训点,内田智雄补订),第 168 页。

以桑钦《水经》为底本。《新唐书·艺文志二》则云:"桑钦《水经》三卷,一作郭璞撰";接着才是"郦道元《水经注》四十卷"[①]。将桑钦与郭璞联系在了一起。到南宋郑樵作《通志》,则称是"《水经》三卷,汉桑钦撰,郭璞注";"《水经》四十卷,郦道元注"[②]。直接申明郭璞注 3 卷本是汉桑钦撰,但郦道元注 40 卷本是不是在郭璞的基础上再详加注解,仍然不得而知。

可以说,汉桑钦有关于诸水的论著是没有问题的。桑钦为西汉末新莽时人,班固《汉书·儒林传》言古文经传授世系时有"(涂恽)子真授河南桑钦君长"语,而涂恽为王莽、刘歆时"贵显"[③]。桑钦论诸水之源流走向,《汉书·地理志》已数次征引,但桑钦所著是否定名为《水经》,则并没有给予证实。郦道元于《水经注》中亦多引桑钦著述,但却均言之为《地理志》而不称《水经》。那《水经》之作与桑钦究竟是何关系、其名究竟从何所起呢? 清人胡渭《禹贡锥指例略》对此的辩说有一定道理。

其云:

> 先儒以其所称多东汉三国时地名,疑非钦作。而愚更有一切证:郦注于漯水引桑钦《地理志》,又于易水、浊漳水并引桑钦,其说与《汉书》无异,乃知(班)固所引即《地理志》,初无《水经》之名。《水经》不知何人所作。注中每举本文,必尊之曰经,使此经果出于钦,无直斥其名之理。或曰,钦作于前,郭、郦附益于后;或曰,东汉地名乃注混于经:并非。盖钦所撰名《地理志》,不名《水经》。《水经》创自东汉,而魏晋人续成之,非一时一手作,故往往有汉后地名,而首尾或不相应,不尽

---

① 《新唐书》卷 58。
② 《通志》卷 66《艺文略四·地理·川渎》,中华书局 1978 年版,第 782 页。
③ 参见《汉书》卷 88。

由经注混淆也。①

那么,桑钦所著为《地理志》,与《水经》并不关联,《水经》乃东汉至魏晋逐步成就。《水经注》正文前有纪昀、陆赐熊、戴震《校上案语》,其言曰:

> 又《水经》作者,《唐书》题曰"桑钦",然班固尝引钦说,与此经文异。道元《注》亦引钦所作《地理志》,不曰《水经》。观其"涪水"条中,称"广汉"已为"广魏",则决非汉时;"钟水"条中,称"晋宁"仍曰"魏宁",则未及晋代。推寻文句,大抵三国时人。今既得道元《原序》,知并无桑钦之文,则据以削去旧题,亦庶几阙疑之义。②

也正因为如此,今传本《水经注》也就只有郦道元一人之署名。

郦道元《水经注》原为40卷,后来有散失错漏。《校上案语》说:

> 至晋以来,注《水经》者凡二家,郭璞注三卷,杜佑作《通典》时犹见之,今惟道元所著存。《崇文总目》称其中已佚五卷,故《元和郡县志》、《太平寰宇记》所引滹沱水、泾水、(北)洛水,皆不见于今书。然今书仍作四十卷,疑后人分析以足原数也。③

《案语》作者的理由应当说是充分的,他书曾征引之水已有不见于传本《水经注》中。同时,假定桑钦为《水经》作者,则当时所引水137条,传本只有123条,14条水之经、注已不存。

但是,如此言的基本前提是经、注为不同作者所撰,所以《案语》作者通过对文字运用的考证,将原来相当部分有所混淆的经文、注文区分开来。如云:

> 至于经文注语,诸本率多混淆,今考验旧文,得其端绪:凡

① 谭家健、李知文:《水经注选注》附录三《水经注评论资料选辑》(李知文辑),中国社会科学出版社1989年版,第502页。
② 见《水经注》,《国学基本丛书》本,商务印书馆1958年重印版,第5页。
③ 《水经注》,第4页。

水道所经之地,经则云"过",注则云"径";经则统举都会,注则
兼及繁碎地名。凡一水之名,经则首句标明,后不重举;注则
文多旁涉,必重举其名以更端。凡书内郡县,经则但举当时之
名,注则兼考故城之迹。皆寻其义例,一一厘定,各以案语附
于下方。①

《案语》的说法不能说没有道理,今日一般学者亦是认同经、注分属的观
点的,当然这并不是否定郦道元的再创作之功。如董英哲云:"《水经
注》名义上是注释《水经》,实际上是以《水经》为蓝本的再创作。"②

不过,另外一部分学者则有不同的看法,即认为经、注同出于一人
之手。其根据是:从《经》与《注》的内在联系尤其是郦道元自序中的口
气看,不像是为他人作注,而像是自行编撰。如郦氏说:

窃以多暇,空倾岁月,辄述《水经》,布广前文。……访渎
搜渠,缉而缀之,经有谬误者,考以附正文所不载,非经水常源
者,不在记述之限。……所以撰证本经,附其枝要者,庶备忘
误之私,求其寻省之意。③

"水经"在这里,是郦道元"访求辑补",利用闲暇"述而广之"的,
即他手中并没有一部现成的《水经》,他书中的经文是他自己"撰证"
出来的。

所以,"从《水经注》的内在特征来衡量,《经》与《注》可能本是郦氏
一家之言",至于《案语》中区分经、注的考证,王成祖《中国地理学史》认
为,"传统观念还查出若干《经》、《注》见解不同的许多例证。说明水道
流向的方式,在《注》中常用经某地,而在《经》中常用过某地。考证家还
据此从旧本的注文中挑出少数用'过'字的文句移补经文的缺漏。但是

---

① 《水经注》,第5页。
② 《中国科学思想史》,第319页。
③ 《水经注原序》,《水经注》卷首,第1页。

这样的差别不足以证明《经》、《注》的来历,具有不同时代与不同作家的意义。实际上在掌握《注》文的详细资料之后再总结出经文的纲领,才是水到渠成。"换句话说,即郦道元利用他所掌握的《汉书·地理志》和《后汉书·郡国志》等有关的参考材料,"在这个基础上,郦氏所收集的各条与水道直接或间接有关的资料,按照沿着各条水道的位置,贯穿成长短不同的《注》文,然后按同一水道的分段写成《经》文,才是合理的程序。"一句话,"全书的经注同出于他一人之手。"①

也许正因为如此,郦道元对包括《水经》在内的前人的地理学著作,给予了几乎是完全否定的评价。他说:

> 昔大禹记著《山海》,周而不备;《地理志》其所录,简而不周;《尚书》、《本纪》与《职方》俱略,都赋所述,裁不宣意;《水经》虽粗缀津绪,又阙旁通,所谓各言其志,而罕能备其宣导者矣。②

前人的著作,可以说是各有利弊,但中心是疏漏简略,辞意难通,不成系统。落实到水道河流,则缺乏发展和整体的眼光。而他自己的创作,自然便是要来弥补前人的缺陷,他为此付出了艰辛的劳动。

郦道元撰著《水经注》的工作量,从与《水经》原文相比较便可以看出:"《水经》仅记载了我国水道一百三十七条,《水经注》所记载的却有一千二百五十二条,大至江河,小至溪流,皆在包罗之列。这里面有当时的河流,也有已湮的水道,较之《水经》增加了八倍还多。全书共四十卷,今存者约三十万字,比原著的文字也增加了二十倍。"③曹氏统计的文字是概数,在他之前,胡适有一个更为具体的统计数,他认为"《水

① 王成祖:《中国地理学史》上册,第131~132页。
② 《水经注原序》,《水经注》卷首,第1页。
③ 曹尔琴:《郦道元和〈水经注〉》,《中国史学史论集(一)》,第348页。原文载《西北大学学报》1978年第3期。

经注》本文约有三十四万五千字"①。

今本《水经》40 卷之体例,是按水道流经的路线分卷,全书 123 条水道,按水道规模和重要程度,或一水几卷,或几水一卷,直接以水道作为各卷标题。对于最著名的黄河、长江,黄河一水便独占 5 卷,长江亦有 3 卷。由于郦道元未到过南方,对于南方水系并不熟悉,这也反映在北南水系的分量和安排上。北方如渭水占 3 卷,济水占 2 卷(后已湮废),汝水 1 卷,淮水 1 卷;南方则除沔水占 2 卷外,余皆多水合 1 卷。由于传世本《水经注》残缺不全,故其编排次序有时比较杂乱。

王成祖云:"郦氏此书撰述水道源流,从现行本的目录来看,河、济、淮、沔(汉)、江五大水系,加上大河以北、山东和南方诸水,体系相当分明。但是在(黄)河的一系中,偏偏先夹进济水和大河以北诸水,而河的支流中应当列在汾水等山西支流之次的渭水,竟然放到洛水等之后。淮水一系,先有几卷叙述入淮诸水,插上其它好几卷,才讲到淮水干流,尤其本末倒置。沔水最后一段与江水合流而仍称沔水,支流中又夹有入江的潜水。江水与入江诸水比较集中,只有少数支流散在别卷。但是江、汉之间穿插其它水道,而又用沔的名称总括汉水,都很失当。至于先沔后江,可以认为具有由北而南的顺序。郦氏原稿可能稍有杂乱,而未经整理。"②

《水经注》的结构形式,与通常的经、注文献相似,即以经带注,以注随经,当然二者的比例相差悬殊。许多注文实际上都可以单独成篇,有不少还是优美的游记散文。当然,如果以为经、注同出于郦氏一人之手,则二者的区分便成了文章内部结构的分段,而在内容编排上,就构成"经随注转,而不单纯是注以释经,而两者都是由他一手编成。汇集

----

① 转引自陈桥驿:《郦道元评传》,第 111 页。所引胡适原文见《胡适手稿》二集中册《所谓先世之遗闻其实都是谢山先生自己的见解》。
② 《中国地理学史》上册,第 133～134 页。

'天下'许多水道从发源到注入的终点所流经的路线,以及中途汇合的支流,编成《水经》"。至于上下源流两边的起终点,"上源大多数还说明发源在某一山,惟有边疆的水道只说明发源的地区。下端说明在某地入海,或入于某一大水。中途所经过的郡县,往往说明它的某一方位"①。

那么,郦道元要将全国如此众多的水道源流(有的还涉及到域外的朝鲜、印度等地)及流经地区的历史地理情况描述清楚,可以说是十分困难的。加之当时南北对峙,交通不便,郦道元又身为北魏高官,不可能有多余时间专职从事实地考察工作,这都使得《水经注》的编写,必须以尽可能详尽地占有资料为第一步的工作。

(2)访渎搜渠与资料缀辑

《水经注》的资料收集,总体上分为实地考察和前人文献征引,这也是一切地理学著作的共同特征。从道理上来说,前者的经验应当是更为重要。可对此而言,郦道元似乎并无热情,他说他"少无寻山之趣,长违问津之性",为什么? 因为他对寻访考察的价值评价不高:"今寻图访赜者,极聆州域之说,而涉土游方者,寡能达其津照。纵仿佛前闻,不能不犹深屏营也。"② 即寻访不过是尽力倾听他人之说,考察则不可能处处与河口相对照,纵然仿佛与所闻相类,总还是感到有很多谜团。所以关键的工作还是广泛利用各种资料并进行认真地分析思考。

从而,郦道元所谓"脉其枝流之吐纳,诊其沿路之所躔,访渎搜渠,缉而缀之"③,固然包括野外的实地考察,但更多地还是指对前人资料的广积博搜和详加考订。至于他之无考察寻访之兴趣,也说明他并不愿将主要精力花费于此,而多是利用官职任上和随帝王巡狩途中对各

<hr/>

① 《中国地理学史》上册,第137、134页。
② 《水经注原序》,《水经注》卷首,第1页。
③ 同上。

地的山川地貌、水道源流的留心与造访,当然也包括他直接组织的实地考察活动。

譬如,对《经》云"(河水)又东过桢陵县南、又东过沙南县北、从县东屈南过沙陵县西"一段,郦道元在多达千字的注文中,两次提及他随北魏高祖(孝文帝元宏)北巡事:先是太和十八年(494),后则为太和(477~499)中,即在太和十八年以前,这说明郦道元的记叙并未按照时间的顺序,但或许有助于解释他大概充分利用了在官职任上的便利,顺道进行考察。在这里,郦道元或者印证或者纠正了前人的记载。他说:

> 萦带长城背山面泽,谓之白道城。自城北出有高阪,谓之白道岭。沿路惟土穴出泉,挹之不穷。余每读琴操,见琴慎相和,雅歌录云:"饮马长城窟。"及其爬陟斯途,远怀古事,始知信矣,非虚言也。顾瞻左右,山椒之上,有垣若颓基焉。沿溪亘岭,东西无极,疑赵武灵王之所筑也。①

《饮马长城窟》为汉乐府名诗,相传为蔡邕作,收入萧统《文选》。郦道元虽早能唱和,但对长城北是否有泉可饮,并无亲身体验,以致有疑。及至他"跋涉斯途",亲眼所见沿路土穴出泉,挹之不穷,才肯信其辞不虚,同时也间接证实了词曲反映的历史②。不过,清泉洌洌可证饮马不虚,然城垣若颓基、东西无极虽像赵武灵王所筑,但毕竟无法参证,所以只能存疑。这体现出郦道元实事求是的科学态度。

同在这一时期,他又有《注》说:

> 余以太和中为尚书郎,从高祖北巡,亲所径涉,县在山南,

---

① 《水经注》第1册卷3,第45~46页。
② 郦道元这里所谓"远怀古事,始知信矣",可能也包括秦始皇筑长城所带来的惨痛传闻在内。如他在同卷前注"(河水)屈东过九原县南"中记述说:"杨泉《物理论》曰:'秦始皇使蒙恬筑长城,死者相属。'民歌曰:'生男慎无举,生女哺用脯,不见长城下,尸骸相支拄。'其冤痛如此矣!"亦请参见前《文学》章传陈琳作此诗的相关论述。

王莽之槙陆也。北去云中城一百二十里,县南六十许里,有东
西大山,山西枕河,河水南流,脉水寻经,殊乖川去之次,似非
关就也。(戴震《案》云:"驳正经文东过槙陵、沙南之误。")①
郦道元通过他的"亲所迳涉",订正了经文原来的讹误。

又如,《经》云:"比水出比阳东北太胡山,东南流过其县南,泄水从
南来注之。"郦道元《注》称:

应劭曰:"比水出比阳县,东入蔡。"《经》云:"泄水从南来
注之。"然比阳无泄水,盖误引寿春之沘泄耳。余以延昌四年,
蒙除东荆州刺史,州治比阳县故城,城南有蔡水,出南磐石山,
故亦曰磐石川,西北留注于比,非泄水也。②

郦道元在这里对前人的误传进行了纠正。但对于蔡水的源头和流向,
他究竟是身临其境考察还是指派、组织他人前往,文中无法找到确切的
答案。但在其他一些注文中,他对此是有所说明的。

比方,对《经》云"泗水出鲁卞县北山",郦道元《注》云:

《地理志》曰:"出济阴乘氏县",又云"出卞县北"。经言北
山,皆为非矣。《山海经》曰:"泗水出鲁东北"。余昔因公事,
沿历徐沇,路径洙泗,因令寻其源流,水出卞县故城东南桃墟
西北。③

对于泗水的源头,《水经》、《地理志》和《山海经》记载各异,郦道
元通过考察,确认先前文献所载不实,订正了长期以来的讹误。在这
里,"因令寻其源流"一句值得注意,按文意是说他指派人前去探寻,
非为亲自前往。

再如,对《经》云"汝水出河南梁县勉乡西天息山",他《注》说:

①　《水经注》第 1 册卷 3,第 47 页。
②　《水经注》第 5 册卷 29,第 61 页。
③　《水经注》第 4 册卷 25,第 90 页。

> 余以永平中,蒙除鲁阳太守,会上台下列山川图,以方志
> 参差,遂令寻其源流。此等既非学徒,难以取悉,既在迳见,不
> 容不述。①

郦道元说明,由于原有的山川地图和地方志说法不一,因而需要实地勘察,"遂令寻其源流",即指派和组织人员前往探寻。但因这些考察者不是专业人员,无法全面搞清水源的来龙去脉。然而毕竟他们是亲眼所见,所以不得不把情况讲述清楚。

就全部《水经注》来说,实地考察、包括郦道元亲临其境和组织人员考察,在总体上是不多的。他作为北魏朝的高级官吏,在地方亦是最高行政首长,本不可能有太多的时间跋山涉水、亲身考察,即便只是组织策划和指导实施专门考察的任务也是不容易的,因为这些均本非他分内之事。也正因为如此,郦道元的撰著,主要就还是旁征博引、参证考订各相关文献资料。

郦道元到底占有、征引了多少文献资料,后人有不同的统计。陈桥驿的整理统计数较为详尽,按他所说:

> 明嘉靖黄省曾校本《水经注》卷首所列为一百六十四种;
> 上海人民出版社一九八四年排印出版的王国维校明刊本卷首
> 所列为一百六十九种;中华书局一九六○年出版的马念祖编
> 《水经注等八种古籍引用书目汇编》所列《水经注》引书共三百
> 七十五种;科学出版社一九六三年出版侯仁之主编的《中国地
> 理学简史》一书中,有"《水经注》注文所引用的书籍多至四百
> 三十种"之语,侯仁之所引的这个数字,很可能是从哈佛燕京
> 学社一九三四年出版的郑德坤《水经注引得》一书得来。……
> 继郑德坤之后,我也仔细地整理了《水经注》列名引用的文献,
> 计得四百八十种,编成《水经注文献录》一种。在郑氏《水经注

---

① 《水经注》第4册卷21,第13页。

引书考》中,若干碑铭也包括在内,我则另外又整理此书所引碑铭,计得三百五十七种,另编《水经注金石录》一种。从两种拙编合计,《水经注》列名引用的文献和金石资料,共达八百三十四种。①

正是在收集占有大量资料的基础上,郦道元才可能对水道源流和相关历史地理状况进行细致地分析辩证,从而超越了他的前人而做出了重要的理论贡献。

(3)主要学术贡献

《水经注》一书的学术贡献是多方面的。"《水经注》虽是注释《水经》,但是它的成就远远超过了《水经》。郦道元以水道为纲,记述城池与湖泊的分布与变迁,也涉及土壤、植被、气候、水文和社会经济、风俗民习等各方面,兼容并蓄,做了较为全面地总结,对地理学做出卓越的贡献。"②

陈桥驿则具体将《水经注》的历史贡献分列为八个方面:一是《水经注》是公元4到6世纪中国"地理大交流"时代一切地理著作、即所谓"六朝地志"中的代表作,意义最为重要;二是它是我国地理史上最著名的河流水文地理著作;三是它也是一部以河流为纲的区域地理名著;四是在它以前的地理著作,都没有实地考察的基础,而《水经注》却包括了大量野外实地考察成果;五是《水经注》描写河流流域文字生动、内容多变,使人百读不厌;六是它不仅是一部地理学著作,同时也是一部地名学著作;七是《水经注》还是一部感情丰富、具有强大感染力的爱国主义读物;八是由于《水经注》包罗宏富,牵涉广泛,从而形成"郦学"这门内容浩瀚的学问。③

---

① 《郦道元评传》,第 111～112 页。又按:480 种加 357 种,当为 837 种。

② 曹尔琴:《郦道元和〈水经注〉》,《中国史学史论集(一)》,第 357 页。

③ 参见《郦道元评传》,第 137～140 页。

　　在《水经注》的多方面贡献中,其作为历史地理资料的价值相比之下更为突出。王成祖总结说:

　　其一,在我国城镇居民点的发展史上,除去通航水道迟早不等发生通航的作用以外,丘陵地区的河谷是水路运输集中的地带,平原上水道的弯曲以及架桥和津渡,都会支配陆路的走向。山岭两侧水道上源的谷道,往往成为翻越山脊的路线。由于这许多作用,城镇居民点的布局,自然在大小水道附近形成带状。在缺少经纬度观念标明方位的条件下,郦氏采用水道沿线郡县的部位作为一种替代方法,彼此参照,相得益彰。对于这方面的大量资料,《水经注》一书构成一部方便的手册。

　　其二,经文依据东汉的郡县建置,提供一个划时代的标准。……至于注文中的历史地理资料,更是无比丰富。部分郡县都联系到东汉以后历代建置的沿革,一直到北魏,比较少一些也推前到西汉以至周秦。其中关于王莽时期改变地名的情况,也是罕见的资料。关于历代的沿革,虽则是局限于郦氏在注文中引用或申论的条文,也还是一种最早的创作。

　　其三,《水经注》在许多地名之下,还提供另外几项具有历史地理意义的史料。最重要的,一是周、秦、汉、魏等历朝的故都以及分裂时期各国统治中心发展的规模和重要建筑;二是从部分水道开渠引水,或是发展农田灌溉,或是疏通粮运;三是关于历代帝王陵墓,注中也有不少记载。这都可以说明《水经注》在历史地理方面的独特贡献。①

　　下面通过一些具体事例来加以阐发:

　　首先,对黄河泛滥原因及发生季节的认识。黄河泛滥一直是古代社会重大的自然人文灾害。其原因在于泥沙的淤积。郦道元引资料说:

　　《物理论》曰:"河色黄者,众川之流,盖浊之也。百里一小

---

①　参见王成祖:《中国地理学史》上册,第149～150页。

曲,千里一曲一直矣。"汉大司马张仲议曰:"河水浊,清澄一石水,六斗泥。而民竞引河灌田,令河不通利,至三月桃花水至,则河决。以其噎不泄也。禁民无复引河,是黄河兼浊河之名矣。"①

郦道元从其记载说明,黄河混浊,源于它是众多支流浊水的汇集,而河道弯曲,流通不畅,泥沙大量淤积于河床,以致一石水中含泥沙量达六斗,加之民竞引河水灌溉,致使水量减少,泥沙沉淀,一到阳春三月桃花水发,淤积的河道一下容纳和排泄不了如此众多和迅疾的水量,从而造成河水决口泛滥。这对今天的治黄仍然是一条宝贵的历史经验。

其次,对碣石入海传说与黄河出海口改道的历史变迁的认识。关于碣石山的传说历来很多,郦道元亦有专门记载②。但碣石山出没之地理价值,在于它与黄河入海口的改道密切相关。郦道元说:

《尚书·禹贡》曰:"(河水支流)夹右碣石入于河。"《山海经》曰:"碣石之山,绳水出焉,东流注于河。"河之入海,旧在碣石,今川流所导,非禹渎也。周定王五年,河徙故渎,故班固曰:商碣,周移也。又以汉武帝元光二年,河又徙东郡,更注渤海。是以汉司空掾王璜言曰:往者天常连雨,东北风,海水溢西南,出侵数百里,故张折云:碣石在海中,盖沦于海水也。昔燕、齐辽旷,分置营州,今城届海滨,海水北侵,城垂沦者半。王璜之言,信而有征。碣石入海,非无证矣。③

郦道元的记载及其评说,对后人认识黄河入海口的历史变迁和海水浸灌的情况,是很有意义的。

第三,对于水道与地名相互关系的认识。一般说来,我国居民依山

①　《水经注》第 1 册卷 1,第 3 页。
②　参见《水经注》第 3 册卷 14,第 40 页:《濡水·由东南过海阳县西南入于海》。
③　《水经注》第 1 册卷 5,第 102～103 页。

傍水而居,故地名有不少是因水名而得。如颍阳,郦道元引应劭曰:"县在颍水之阳,故邑氏之";① 营阳:"营水又东北径营浦县南,营阳郡治也。魏咸熙二年,吴孙皓分零陵置,在荣水之阳,故以名郡矣。"② 但与此相反,在历史上也有因地名而得之水名,这既有自然因素,也有人文因素。

例如,金城河之名,郦道元引应劭曰:"初,筑城得金,故曰金城也。"又引《汉书集注·薛瓒》云:"金者,取其坚固也。"那么,阚骃所云:"河至金城县,谓之金城河,随地为名也。"③ 也就好理解了。黄河水流经金城而谓之金城河,显系先有城名,再因城名而随地取水名。

又如鱼池水之得名:"渭水右径新丰县故城北,东与鱼池水会,水出丽山东北,本导源北流,后秦始皇葬于山北,水过而曲行,东注北转。始皇造陵取土,其地汙深,水积成池,谓之鱼池也。"④ 鱼池水原本无其名,只是由于人文地理环境的变化,形成了曲行汙深而像鱼形的池水,于是有鱼池水之名。由此,说明水名并不是从来就有或固定不变的,它与人的活动密切相关,有其发展演变的缘由可寻。

第四,兴修水利,改善自然条件,造福百姓。中华民族的文明史,在确定规范的意义上是从大禹治水开始的,如何利用水利而防止水害,一直是几千年历史发展的重要课题。郦道元记载了多项古代人民在水利方面的发明创造。著名的,如西门豹治邺:

> 昔魏文侯以西门豹为邺令也,引漳以溉邺,民赖其用。其后至魏襄王以史起为邺令,又堰漳水以灌邺田,咸成沃壤,百姓歌之。⑤

① 《水经注》第4册卷21,第28页。
② 《水经注》第6册卷38,第81页。
③ 《水经注》第1册卷2,第35~36页。
④ 《水经注》第3册卷19,第118页。
⑤ 《水经注》第2册卷10,第87页。

郦道元还生动地记述了李冰修都江堰的相关情况,并据《益州记》说明:

> 江至都安,堰其右,捡其左,其正流遂东,郫江之右也。因
> 山颓水,坐致竹木以溉诸郡。又穿羊摩江、灌江,西于玉女房
> 下白沙邮,作三石人,立水中,刻要江神,水竭不至足,盛不没
> 肩。是以蜀人旱则藉以为溉,雨则不遏其流。故《记》曰:“水
> 旱从人,不知饥馑,沃野千里,世号‘陆海’,谓之‘天府’也。”①

都江堰与“天府之国”的关系,跃然纸上。

第五,对于与水道有关的历史事件的再认识。《论语》中有鲁定公
问孔子是否有“一言可以丧邦”之事,孔子虽没有直接肯定,但认可在一
定情况下确会如此。而他们所谈论的来由,便是春秋时智伯亡国之事。
郦氏记述说:

> 《史记》称智伯率韩、魏引水灌晋阳,不没者三版②。智氏
> 曰:“吾始不知水可以亡人国,今乃知之。汾水可以浸安邑,绛
> 水可以浸平阳。”时韩居平阳,魏都安邑。魏桓子肘韩康子,韩
> 康子履魏桓子,肘足接于车上,而智氏以亡。鲁定公问:“一言
> 可以丧邦,有诸?”孔子以为“几乎”! 余睹智氏之谈矣:汾水灌
> 安邑,或亦有之;绛水灌平阳,未识所由也。③

郦道元没有驳正孔子的言谈本身,但他据水道源流走向的地理知识,对
故事本身的真实性提出了质疑,这说明了郦道元实事求是的科学精神。

郦道元的学术贡献是多方面的,上面只是试举一些事例予以发明。
同时,《水经注》不仅在水道源流、历史地理等方面有突出贡献,还因为
他的语言洗练简洁,又讲究技巧,其文学价值也历来受到人们的赞赏。

如注《夷水东入于江》云:“(夷水)所经皆石山,略无土岸。其水虚

---

① 《水经注》第6册卷33,第2页。
② 《史记正义》引何休注云:“八尺曰版”。
③ 《水经注》第2册卷6,第12页。

映,俯视游鱼,如乘空也。浅处多五色石,冬夏激素飞清,傍多茂木空岫,静夜听之,恒有清响,百鸟翔禽,哀鸣相和。巡颓浪者,不觉疲而忘归矣。"① 郦道元提供了一幅山水自然交融的和谐美景。游鱼乘空,激素飞清,空岫静夜,鸟禽鸣和,人进入其中,只觉动中藏静,静中有动,一切都是那么协调相配,完全是一部立体的乐章。

又注《江水·又过巫县南、盐水从县东南流注之》云:

自三峡七百里中,两岸连山,略无阙处,重岩叠嶂,隐天蔽日,自非停午夜分,不见曦月,至于夏水襄陵,沿溯阻绝,或王命急宣,有时朝发白帝,暮到江陵,其间千二百里,虽乘奔御风,不以疾也。春冬之时,则素湍绿潭,回清倒影,绝巘多生怪柏,悬泉瀑布,飞漱其间,清荣峻茂,良多趣味。每至晴初霜旦,林寒涧肃,常有高猿长啸,属引凄异,空谷传响,哀转久绝。

故渔者歌曰:"巴东三峡巫峡长,猿鸣三声泪沾裳。"②

三峡之险峻,江流之迅疾,四季景致斑斓,空谷猿声传响,将一个隽永传神的活脱脱的三峡美景展现在世人面前,后李白脍炙人口的《朝发白帝城》便系从中脱出。

郦道元足迹虽未到过南方水系,但他收集的资料之广,亦可以供他在其中遨游联想。在他那个时代,南方的齐、梁,散文日渐衰微,故《水经注》的文学成就、尤其是郦氏的山水散文,实际上体现了那一时期散文以至整个文学发展的水平,因而成为后来唐宋游记文学的先导,同时也对诗歌发展有重要影响。明代文学家杨慎在他的《丹铅总录》中评论说:

柳子厚《小石潭记》:"潭中鱼可百许头,皆若空游无所依。"此语本之郦道元《水经注》。(卷七)

《水经注》所载事多他书传未有者。其叙山水奇胜,文藻

---

① 《水经注》第6册卷37,第68页。
② 《水经注》第6册卷34,第18页。

骈丽,比之宋人《卧游录》,今之《玉壶冰》,岂不天渊? 予尝欲抄出其山水佳胜为一帙,以洗宋人《卧游录》之陋,惜未暇也。又其中载古歌谣,如三峡歌云:"巴东三峡巫峡长,猿鸣三声泪沾裳。"又云:"朝见黄牛,暮见黄牛,三朝三暮,黄牛如故。"又云:"滩头白勃坚相持,倏忽沦没别无期。"记㶟道谣云:"楢溪赤水,盘蛇七曲。盘羊乌栊,势(气)与天通。"皆可以入诗才。(卷八)①

今谭家健更认为:"《水经注》这部书不仅在我国地理学、考古学、水利学上具有重要地位,在文学上也取得了卓越的成就,它是魏晋南北朝时期山水散文的集锦,神话传说的荟萃,名胜古迹的导游图,风土民情的采访录。它的出现,标志着我国古典散文进入了一个新的历史阶段。"②

郦道元《水经注》由于多方面的学术成就,在中国学术史上占有重要地位,历来研究者甚多,成果也颇丰,以致形成所谓"郦学"的专门学问,其受研究者注目由此可见一斑。近代以来,对于历代《水经注》的研究,郑德坤作于 1934 年初的《水经注引得序》最早作了系统的梳理③,今则有陈桥驿《民国以来研究〈水经注〉之总成绩》和《近代郦学家与郦学研究》继作详细发明④。而当代《水经注》研究之深度和广度更是前所未有,有待于做出新的更加全面地概括。

2、贾思勰与《齐民要术》

如果说郦道元的生年和籍贯存在不确定性的话,晚于他而生活于

---

① 参见《水经注选注》附录三《水经注评论资料选辑》(李知文辑),第 491～492 页。

② 参见《试论〈水经注〉的文学成就》,《水经注选注》,第 1 页,原文载《文学遗产》1982 年第 4 期。

③ 《水经注引得序》,载《水经注引得》卷首(洪业、聂崇岐等编纂),上海古籍出版社 1987 年版,第 1～13 页。

④ 参见陈桥驿:《水经注研究四集》,杭州出版社 2003 年版,第 209～258 页。

北魏末期的贾思勰的生平事迹和籍贯，就更是一个谜团了。迄今人们可以确知的，只是作为《齐民要术》作者署名的"后(北)魏高阳太守贾思勰"这几个字。根据缪启愉的考查，贾思勰应当是山东益都(今寿光)人，《齐民要术》是他在北魏末到东魏初、约为公元6世纪30~40年代这一时期的作品①。

《齐民要术》的含义，在《齐民要术序》开篇有注云：

> 《史记》曰："齐民无盖藏。"如淳注曰："齐，无贵贱，故谓之齐民者，若今言平民也。"

在序文中又说：

> 今采捃经传，爰及歌谣，询之老成，验之行事，起自耕农，终于醯、醢，资生之业，靡不毕书，号曰《齐民要术》。②

那么，《齐民要术》便是一部源自平民百姓的关于农业生产知识和经验总结的著作，具体包括儒家、诸子、史传等多种经传资料，世代相传的农谚，老农的生产经验和他自己的实践考察等方面。其中经传资料比例最大，约占全书的一半篇幅，涉及到150多种不同的古籍③。而"圣贤之智"所未达的"老农"的农业生产经验，亦占相当大的比重。《齐民要术》成书至今约1500年，其中除个别字句略有缺失外，全书可以说是完整地保存了下来，所以它是一部现存最早的完整的农业科学典籍。

(1)《齐民要术》的概貌

《齐民要术》全书10卷，共92篇，加上卷首的《序》和《杂说》，共约

---

① 参见缪启愉：《〈齐民要术〉导读》，巴蜀书社1988年版，第1~4页。

② 《齐民要术序》，《齐民要术校释》(下简称《校释》，缪启愉校释，缪桂龙参校)，农业出版社1982年版，第1、5页。

③ 董英哲引胡立初《〈齐民要术〉引用书目考》说，贾思勰采集的经传，计经部30种，史部65种，子部41种，集部19种，共155种；又引石声汉《从〈齐民要术〉看中国古代的农业科学知识》统计，按同一书不同注家分别计算，引书共164种，如果归入本书不重复计算，则是157种。见《中国科学思想史》，第344页。

11万5千余字①。贾思勰的撰写,是在广泛采摘收集农业生产资料的基础上进行的,可以说是"靡不毕书",但又始终贯彻着他自己的选裁标准,经过了他自己的整理、验证。他说:

> 其有五谷、果、蓏非中国所殖者,存其名目而已;种莳之法,盖无闻焉。舍本逐末,贤哲所非,日富岁贫,饥寒之渐,故商贾之事,阙而不录。花草之流,可以悦目,徒有春花,而无秋实,匹诸浮伪,盖不足存。②

就是说,他所著述的主要是中国北方地区五谷、瓜果的生产加工,重在考量民之生计,故不录专门的商业经营活动和花草种植。

贾思勰书中论述涉及的农业生产地区,主要限于他所生活的北魏的版图内,南方地区的农作物,集中在最后一卷,即为"记其怪异"而将"非中国物产者""聊以存其目",至于"非人力所种"的野生植物亦一并附记于此。而前九卷则是他论述的重点所在,其中主要包括四种情况:

一是关系到农作物和蔬菜栽培的地区,二是关系到用材树木栽培的地区,这两种情况所涉及到的郡县,主要在今山东、山西以及河北、河南境内,其中犹以今山东境内最多;三是关系到畜牧方面的地区,如沙漠以北、长城以外的北魏边区,属于当时的畜牧地区;四是关系到加工利用的方面,这里曾提到不在北魏版图内的江南的情况。

在这四种情况中,第一种情况的资料都谈到了农业生产技术,说明作者对这些地区的农业生产技术了解得比较深入;而其他三种情况中涉及到的地域,多限于一般的情况介绍。"根据这样的分析,因此,我们初步假定:《齐民要术》一书讨论农业生产的地区范围,主要在黄河中下游,大概包括山西东南部、河北的中南部、河南的黄河北岸和山东"。③

---

① 《〈齐民要术〉导读》,第14页。

② 《齐民要术序》,《校释》,第5页。

③ 中国农业科学院、南京农学院中国农业遗产研究室编注:《中国农学史(初稿)》,科学出版社1959年版,第238页。

　　《齐民要术》所涵盖的农业生产门类和规模,贾思勰在他的撰述中,实际上囊括了今日所谓农、林、牧、副、渔业的整个范围及其相应的加工工业,表现出了贾思勰大农业观的宏观视野。具体而言,在农作物生产方面:"涉及到谷类作物,纤维作物,油料作物,染料作物,香料作物,绿肥作物,饲料作物等等的生产,水生植物以及蔬菜、瓜类、果树、用材树木等等的栽培;动物饲养方面兼及家禽、家畜,还有蚕、鱼的生产;在加工方面,则更为复杂,有农产品、蔬菜、果品、畜产品等的加工,甚至包括了日用品和化妆品等的制造,可谓它包罗万象。"①

　　全书的篇章结构,首先是《序》文,点明《齐民要术》的缘起、写作的目的和选材的范围标准,重在发明以农为本的思想,是全书的入门向导;其次是《杂说》,简洁勾勒了不同季节、不同农作物的耕种栽培技术,所讨论的农业生产技术在方言和技术水平上与正文部分有差异,双方在时间和地区上的表述亦不完全一致。因而,研究者多认为该《杂说》不出于贾思勰之手。譬如,缪启愉认为:"这个放在卷前的《杂说》,非贾思勰原作,已为研究《要术》者所公认。"② 石声汉亦称:"《齐民要术》前面的这一篇'杂说',自从清代以来,不断有人怀疑它不是贾思勰原著中的一部分,我们也有同样的怀疑。"③

　　但是,《中国农学史(初稿)·齐民要术》章撰写人李长年也有另外一种意见,他认为《杂说》与正文部分固然存在不一致的情况,如其讨论的栽培技术"和正文部分在时间上地区上有些差异,但二者的精神和技术,基本上是一致的,并不妨碍我们分析研究"。例如,"从卷端《杂说》所述的生产技术来看,所述的地区是黄河流域。所论的粮食作物是粟、黍、大豆、油麻、小麦等等,而以粟为主要;在耕地上,要求在'干湿得所'

---

　　① 　《中国农学史(初稿)》,第235页。
　　② 　参见《校释》,第18页注1。
　　③ 　石声汉校释:《〈齐民要术〉今释》第一分册《〈杂说〉注解00.1.—》,科学出版社1957年版,第16页。

的情况下进行。这些都同正文精神一致。"①

《杂说》以下,便是10卷正文,结合各卷的分工看,大体可归并为四个板块:第一个板块是1~5卷,包括粮食、油料、纤维、染料作物,蔬菜、桑柘(附养蚕)等的栽培技术;第二个板块是第6卷,论述有关禽畜和鱼类的养殖;第三个板块是7~9卷,论述农副产品的加工、储藏,包括酿造、腌藏、果品加工、烹饪、饼饵、饮浆、制糖,旁及煮胶和制笔墨;第四个板块是第10卷,记载了主要出产于南方的各类植物资源的品性和利用价值,可以说是现存最早的南方植物志。②

(2)《齐民要术》的农学思想

《齐民要术》的农学思想,作为基础的仍然是传统的以农为本思想,对于中国农业社会来说,以农为本也是必然的选择。贾思勰在《齐民要术序》的开篇,便通过先圣后圣相传而强调了"食为政首"和"要在安民,富而教之"的思想。"富而后教"③ 是孔子的重要观点,而社会主要是民众的安定则是孔子考虑的首要问题。因为孔子是以"不患寡而患不安"④ 作为国家治理的根本指导的,所以安定的价值又要高于富足。

在贾思勰,则吸收了诸子的思想来予以补正,以解决吃饭问题为为政的第一要务,将"富而后教"作为安民的手段,更为合理地解决了安定与富足的矛盾。他并将孔子的"吾不如老农"正面发挥为"圣贤之智犹有所未达"⑤,阐明农业科学并不是不需要学习的低级经验,农业科学知识的发展和经济管理政策的改进,体现为一个不断发展和向前推进的过程,它是值得专门去研究和探求的。

贾思勰说:"故赵过始为牛耕,实胜耒耜之利;蔡伦立意造纸,岂方

---

① 参见《中国农学史(初稿)》,第239页。
② 参见《校释说明》,《校释》,第1~2页。
③ 参见《论语·子路》。
④ 参见《论语·季氏》。
⑤ 《齐民要术序》,《校释》,第2页。

縑、牍之烦？且耿寿昌之常平仓,桑弘羊之均输法,益国利民,不朽之术也。谚曰:'智如禹、汤,不如尝更。'"[1] 赵过改进推广牛耕之法,大大提高了生产效率;蔡伦用植物纤维造出了纸张,使得写作更为便捷;耿寿昌修建了平抑粮价的常平仓;桑弘羊则实施了平抑物价的均输法,这些都是有益于国计民生的措施和主张。就农业生产自身而论,农事活动最重要的就是如何处理天时地利的关系,即便是同样的农作物,它们在不同的天时地利条件下,会产生不同的结果,即遗传中又有变异。如果想要求得人所需要的变异即最佳的结果,就必须要遵循农作物生长的规律。他说:

> 凡谷成熟有早晚,苗杆有高下,收实有多少,质性有强弱,
> 米味有美恶,粒实有息耗,山泽有异宜。顺天时,量地利,则用
> 力少而成功多,任情返(反)道,劳而无获。[2]

不论同一种作物还是不同的作物,都有适宜自己生长的天时地利条件,如果不是认识和尊重这些条件,主观随意而定,结果不但不能事半功倍,反而只能是劳而无功。

比方:

> 早熟者苗短而收多,晚熟者苗长而收少。强苗者短,黄谷
> 之属是也;弱苗者长,清、白、黑是也。收少者美而耗,收多者
> 恶而息也。……良田宜种晚,薄田亦种早。良地非独宜晚,早
> 亦无害;薄地宜早,晚必不成实也。……山田种强苗,以避风
> 霜;泽田种弱苗,以求华实也。[3]

就是说,按照贾思勰对北方地区庄稼生长规律的把握,早熟品种苗短壮而结实多,晚熟品种苗长弱而结实少,而且早熟品种籽粒也比晚熟品种

---

① 《齐民要术序》,《校释》,第2页。
② 《齐民要术》卷1《种谷第三》,《校释》,第43页。
③ 同上。

饱满。但到底早种还是晚种,又要考虑土壤条件和地理位置,如良田肥沃,苗发育快,可以晚种;薄田贫瘠,苗长得慢,就须早种。山田易遭风霜侵害,应当种茎秆粗壮的禾苗;泽田地势低洼又有水可依托,柔弱的禾苗也照样有果实。

因而,在尊重客观规律的前提下,人是可以发挥自己的能动作用的。"顺"天时"量"地利,本来也正是人的作为。人可以根据不同的土壤和季节条件,选择进行与此相适应的农业生产活动:

> 肥、墝、高、下,各因其宜。丘陵、阪险不生五谷者,树以竹
> 木。春伐枯槁,夏取果、蓏,秋畜蔬、食,冬伐(筹)薪、蒸,以为
> 民资。是故生无乏用,死无转(弃)尸。①

因地因时制宜是人主动选择的结果,"民资"的丰厚,靠的是认识把握了农业生产规律而正确地加以运用的人的努力。

又如,"凡田欲早晚相杂。有闰之岁,节气近后,宜晚田。然大率欲早,早田倍多于晚。"② 从"防岁道有所宜"即预防气候变化和病虫害出发,农田种植不能都是早种或晚种,而应当是早晚都有。有闰月的年份,由于节气的变动,种植的时间亦要相应向后靠。可以说,在一般情况下,早种比晚种收益要多,但在特殊情况下也不妨晚种。而从谷物的品质来说,"然早谷皮薄,米实而多;晚谷皮厚,米少而虚也"③。早种的谷物在品质上要好于晚种,但早晚种的目的却都是一个,即在产量和品质上都取得最佳的收效。

那么,对于主观和客观、一般和特殊的关系,贾思勰已有自觉的认识和辩证的把握,并且注意具体问题具体分析。例如耕田,有燥田和湿田,"凡耕高下田,不问春秋,必须燥湿得所为佳。若水旱不调,宁燥不

---

① 《齐民要术》卷1《种谷第三》,《校释》,第47页。
② 同上书,第44页。
③ 同上。

湿"①。如果排除春秋季节不同这一考虑,一般的情况是干湿比例恰
当,既不过干又不过潮的土壤状况是最好的。但倘若遇到水旱不调的
特殊年份,则宁可干耕而不湿耕。因为干耕后土壤虽然是硬块,但一遇
雨便松软散成粉末状;而湿耕的土壤干燥后则会板结,"数年不佳",几
年都缓不过来。所以他引农谚说:"湿耕泽锄,不如归去。"② 即与其湿
耕,还不如不耕。

在这里,人的主动性的发挥,是受到客观规律制约的,人不能企望
改变干田或湿田的土质,但人却可以根据干湿不等的情况,决定耕与不
耕或如何耕种。当然,如果万一已经湿耕,则当等到土壤干得发白时赶
快耙细,还可以补救。贾思勰对于干耕与湿耕、耕与不耕关系的把握,
是在充分尊重土壤特性和耕种规律的前提下,对农耕活动的科学认识。

贾思勰强调,不论是耕田还是种谷,都必须要考虑对象的"质性",
这是人力施加影响的前提。但是质性本身并不是一成不变的,在环境
的作用下,变异实际上是无处不在的。比如蜀椒:

> 此物性不耐寒,阳中之树,冬需草裹,不裹即死。其生小
> 阴中者,少禀寒气,则不用裹。所谓"习与性成"。一木之性,
> 寒暑异容;若朱、蓝之染,能不易质? 故观邻识士,见友知人
> 也。③

蜀椒从四川引种到山东,本是不耐寒的,但这椒之原有质性却是可以变
化的。那些生长在"小阴"而非"阳中"之地的椒株,由于从小适应了寒
冷的气候,冬天不用草裹也能挺得过去。同样的蜀椒品种由此出现了
耐寒的变异,原因就在于植株的适应和环境的选择。《尚书·太甲上》论
人性变化的"习与性成",被贾思勰创造性地用来解释生物质性随环境

---

① 《齐民要术》卷1《耕田第一》,《校释》,第24页。
② 同上。
③ 《齐民要术》卷4《种椒第四十三》,《校释》,第225页。

而变化,并在遗传中获得新质。虽然说人事的朱赤墨黑、见友知人与生物遗传不在一个层面上,但因环境的因素而改变了原来的质性,却也有相似的一面。

农作物种植是这样,畜牧业饲养也是这样。贾思勰说:

> 服牛乘马,量其力能;寒温饮饲,适其天性;如不肥充繁息者,未之有也。谚曰:"羸牛劣马寒食下。"务在充饱调适而已。①

根据牛马的不同生理特点和生活习性,并考虑到季节的差异,科学合理地加以调理和饲养,就一定能使牛马膘肥体壮,并顺利地适应环境的选择而得以繁殖生息。

在这里,"力能"属于"天性"的范畴,而"天性"则是由于"充饱调适"地饲养,一代代地遗传保存下来的。相反,瘦弱的牛马则捱不过冬天而被自然所淘汰。那么,"充饱调适"就是牛马种群所得以保存的最根本的条件。

具体到日常的饲养,则需要注意所谓"三刍""三时":"饮食之节,食有三刍,饮有三时。何谓也? 一曰恶刍,一曰中刍,一曰善刍。何谓三时? 一曰朝饮,少之;二曰昼饮,则胸餍水;三曰暮,极饮之。夏即不汗,冬即不寒,汗而极干。"② 饲养牲畜必须始终把握一个科学的量度即"节","三刍""三时"便是一个最基本的"节":饲料有粗、中、精,饮水有早、中、晚,都要合理调配,既不能不够,又不能过量,牛马的体质才会健壮。夏能抗暑热,冬不会受冻害,从而培养出优良的牲畜。

不止是饲养牛马,饲养羊也是同样的道理。对于后者,贾思勰尤其注意了良种的选育和季节的影响。譬如留种,"常留腊月、正月生羔为

---

① 《齐民要术》卷6《养牛马驴骡第五十六》,《校释》,第277页。
② 同上书,第285页。

种者,上;十一月、二月生者次之。"① 为什么? 贾思勰做了精彩生动地论述。他说:

> 非此月数生者,骨骼细小。所以然者,是逢寒遇热故也。
> 其八、九、十月生者,虽值秋肥,然比至冬暮,母乳已竭,春草未
> 生,是故不佳。其三、四月生者,草虽茂美,而羔小未食,常引
> 热乳,所以亦恶。五、六、七月生者,两热相仍,恶中之甚。其
> 十一月及二月生者,母既含重(乳量丰足),肤躯充满,草虽枯,
> 亦不羸瘦;母乳适尽,即得春草,是以极佳也。②

后又有云:

> 所留之种,率皆精好,与世间绝殊,不可同日而语之。③

贾思勰在这里以及其他各处所提出的关于人工选择的卓越思想,后来得到了广泛传播,近代生物进化论创始人达尔文,亦可能对此有所了解。达氏曾说:"我看到一部中国古代的百科全书清楚地记载着选择原理。"而这部百科全书,据潘吉星考证就是《齐民要术》④。刘民壮亦云:"达尔文在谈到羊的人工选择时指出:改良它们的品种在于特别细心地选择那些预定作为繁殖之用的羊羔,给予它们丰富的营养,保持羊群的隔离。这与《齐民要术》所说'常留腊月、正月生羔羊为种者,上';'所留

---

① 《齐民要术》卷6《养羊第五十七》,《校释》,第312页。
② 同上。
③ 同上书,第319页。
④ 参见达尔文:《物种起源(修订本)》,商务印书馆1995年版,第44页。出版者在该页注释说:潘吉星考证,早在1840~1850年达尔文起草《物种起源》时,就已看到了全面介绍中国情况的法文原著《中国纪要》(Memoires concernanr les Chinois),该书1776~1814年出齐,共16巨册。达尔文阅读了其中有关中国科学技术的一些卷,并通过此书了解了贾思勰著的《齐民要术》中关于人工选择的思想,而且予以引用和高度评价。潘氏通过研究《中国纪要》法文原著、达尔文著作的英文原著及《齐民要术》汉文原著后,加以综合对比,从而肯定了达尔文此处所谓的《中国古代百科全书》即为《齐民要术》。参阅潘吉星:《达尔文与〈齐民要术〉》,《农业考古》1990年第2期。

之种,率皆精好,与世间绝殊'等说法十分吻合。"①

在这里,贾思勰对于牲畜饲养培育的知识与他的整个农业科学知识一样,主要来自于他对前人经验的系统总结。但与其他方面有所差别的是,他曾亲自养过200头羊,有关于羊群饲养的直接经验,当然他的经验主要是失败的教训。他记述说:

> 余昔有羊二百口,茭豆既少,无以饲,一岁之中,饿死过半。假有在者,疥瘦羸弊,与死不殊,毛复浅短,全无润泽。余初谓家自不宜,又疑岁道疫病,乃饥饿所致,故[无]② 他故也。人家八月收获之始,多无庸暇,宜卖羊雇人,所费既少,所存者大。《传》曰:"三折臂,知为良医。"又曰:"亡羊治牢,未为晚也。"世事略皆如此,安可不存意哉?③

贾思勰对自家养羊失败教训的总结,从最初的以为自家不宜养羊,到怀疑是遇上疫病,最后才发觉是越冬没有备足草料,导致羊饥饿而死。故贮存充分的干饲料以备越冬之需,便成为贾氏论牲畜养殖特别强调的问题。而从一般的道理说,尽管贾思勰养羊的经历是失败的,但"三折臂,知为良医"的经验采集和"亡羊补牢"的科学态度,最终促使他在农学研究上获得丰硕的成果。

(3)《齐民要术》的贡献及对它的研究

《齐民要术》作为第一部系统完整的综合性农书,规模大,范围广,内容丰富多彩,是以前从未有过的。对于其农学成就,《中国农学史》从精耕细作、优良品种、轮作和绿肥、因时因地制宜等四个方面给予了高度评价。首先,认为《齐民要术》通过指示生产环节,

---

① 参见刘民壮:《〈齐民要术〉选注》,《自然辩证法杂志》1975 年第 1 期,第152 页。刘民壮的"评注"引用了潘吉星:《达尔文和我国生物科学》一文的考证,潘文见《生物学通报》1959 年第 11 期。

② "故他故也"不通,《〈齐民要术〉导读》作"无他故也",据此改。

③ 《齐民要术》卷 6《养羊第五十七》,《校释》,第 314 页。

提出具体的技术要求，并结合北方抗旱保墒的实践，总结出了一整套技术措施，为农业生产奠定了精耕细作的信念；其次，介绍优良品种并指出其地区适应性，总结出不断进行良种繁殖的方法，为后人增强了农业不断发展的信念；再次，肯定合适的轮作方式和绿肥作物的栽培技术，使地力的恢复提高有了新的方法；最后，对不同农作物的适宜播种期，与不同土壤结合做出了辩证的认识。强调综合考量天时地利诸生产因素，打破机械强调时宜的方法，以确保"用力少而成功多"。这一点可以说也正是农业生产的要诀。当然，《齐民要术》也有它的缺点的方面，但这并不妨碍它是"中国的一部伟大的古农书"①。

比起以前的农业文献来说，《齐民要术》的特点是非常突出的。缪启愉概括说：一是以前的农业文献规模狭小，如《氾胜之书》、《四民月令》存世者只有几千字，且从来没有涉及到大农业的各门类；二是《齐民要术》的科学成就，如在观察的周密、结论的合理、科学技术的创新、实践的批判验证等方面，都体现了"前无古人"的新的时代水平；三是文献记述详细系统，浅近易懂，体裁独具匠心；四是《齐民要术》是保存至今的最完整的划时代农书。②

缪氏总结认为：中国作为农业大国，农业科学的研究一直是领先的，农书自然也不少见。但在《齐民要术》之后，能够与其规模相似的农书，只有四种。在这四种中，"《农桑辑要》以农桑并重为特色，王祯《农书》突出农具图谱，《农政全书》强调水利与荒政，《授时通考》重视作物品种，各有其特点。但是，它们的中心内容无不接受《要术》包括农、林、牧、副、渔的成规，以《要术》的规模为规模，并且以《要术》的材料为首要材料。《要术》的创举成为以后农书的楷模，这充分说明《要术》在古代

---

① 参见《中国农学史（初稿）》，第274～275页。
② 参见《〈齐民要术〉导读》，第40页。

农书中的地位,它的影响极为深远。"①

《齐民要术》在古代社会一直受到人们的推崇,进入20世纪后半期以后,由于国家对民族传统文化和古代农业科技的重视,对《齐民要术》的研究取得了许多新的成果。就学术层面而言,主要包括三方面的内容:一是对贾思勰其人其书的考订,包括作者原籍、成书年代、活动地区及其思想认识等。二是从现代科学知识出发,对全书进行条分缕析的深入研究,在充分肯定成就的基础上也指出其不足。三是利用《要术》涉及学科门类广、专业细的特点,进行分科分项的专门研究。这本身也给科研教学工作者提供了广阔的研究领域②。

《齐民要术》不仅在国内、在国外也有广泛的影响。在近邻日本,由于中日地理条件和农业生产状况比较相似,所以日本学者对《齐民要术》也十分重视。在中国早已失传的十分珍贵的北宋崇文院刻本,在日本便保留有残卷。日本不仅有多部《齐民要术》的抄本和刻本,还有现代的译注本《校订译注齐民要术》上下册。早在18世纪上半叶,《齐民要术》便被译成了日文,当代日本则成立有"技术史研究会",对包括《齐民要术》在内的中国农书进行深入地研究,并将对该书的研究称之为"贾学",提高到"专学"的高度。《齐民要术》至迟在19世纪传到欧洲,达尔文可能参阅过《齐民要术》,李约瑟《中国科学技术史》给予了专门分析。中国传统的农学,在今天依然散发着迷人的光彩③。

四、医学及炼丹术

中国医学是世界医学的瑰宝, 经过几千年的发展, 在当代社会更

---

① 《〈齐民要术〉导读》,第41页。
② 同上书,第47~48页。
③ 同上书,第49~53页。

显示出它独特的魅力和价值。萌芽于传说中的神农尝百草之时的中国医学，发展到汉代已经有了非常高的水平，尤其是汉末名医华佗和张机（仲景），更是名扬千古。进入到魏晋南北朝这个特殊的时代，医学并没有停止发展的步伐，在疾病认识和医疗实践方面，积累了丰富的经验和学术成果；而化学的鼻祖——炼丹术也经由道教思想家之手而有了大的飞跃，为人类科学地认识物质世界变化的规律，铺下了最初的基石。

1、医学发展的概貌

魏晋南北朝时期的医学学术，是在分裂动荡、战争频仍、疫疠流行的社会背景下向前推进的，医疗实践方面的经验积累也就成为这一时期医学发展的最为突出的现象。"因此在疾病认识、医方创制、新药发现等方面，都有了较大的进步。特别是大批方书的出现，形成这一时期医学发展的主要特色。"[1] 而在这其中，由于社会和宗教原因牵动的医学发展，表现得特别明显。

例如，由于"魏尚书何晏首获神效，由是大行于世，服者相寻也"[2]的服石之风，导致了一系列新的疾病，于是"解石散"一类的药方便应时而生；由于晋室南渡、大批士大夫阶层的人士到了江南，一种新的疾病——脚气病发生，于是这方面的专方专书就随之出现；再者，由于中外文化的交流，西域、印度的医学和药物传入中国，而朝鲜、日本则又把中国的医学移植了过去[3]。

贾得道将这一时期的医学发展概貌，概括为疾病认识方面的进步、治疗方面的方剂和经验积累、药物方面的进步、服石和炼丹的流行、基

————————

① 参见贾得道：《中国医学史略》，山西人民出版社1979年版，第100页。

② 《世说新语》上卷上《言语》刘孝标注引秦丞相《寒食散论》，《世说新语笺疏》，第74页。

③ 参见《中国医学史略》，第101页。

本理论中个别的新看法等五个方面①。如疾病认识方面，葛洪的《肘后方》记载了漆疮、马鼻疽；陈延之《小品方》强调了"天行瘟疫"与"伤寒"的不同。疾病治疗的实际效果方面，《肘后方》用槟榔治寸白虫，海藻治瘿瘤（甲状腺肿）、狂犬脑治狂犬病等的记载；龚庆宣的《刘涓子鬼遗方》关于痈疽切开排脓法及用水银膏治疗癣疥恶疮的记载。在针灸治疗方面，则有皇甫谧以身体部位分科的《甲乙经》和秦承祖以经脉为纲领而类附孔穴等成果。而药物方面的进步相对来讲更为显著，这主要表现在本草著作的大量出现、药物品种的增多和药理学说的进步上。如梁阮孝绪《七录》关于本草的著作便收录有27部115卷之多，并载有《杂戎狄方》和《摩诃出胡国方》两种专记外来药方的著作，北齐徐之才着重讨论了药物的"佐使相须"，创立系统的以药效分类的方剂分类法等。

但是，贾得道对这一时期医学发展的总体评价是不高的，其根据主要是在诊断及基本理论方面没有什么显著的进展。例如在诊断方面除了王叔和的《脉经》把中医的脉诊方法固定下来以外，看不到更大的发展。贾氏以为《隋书·经籍志》所载医书目录便是一个明显的证据：《隋书》共收医书256部4510卷，但除去养生、炼丹、食经、疗马等以外，真正的医书共计3953卷，其中医方类又达3714卷，占94%弱；而有关基本理论的仅9部51卷，其中除《五脏论》和《巢氏病源》两种以外，都是《内经》、《难经》等过去时代的著作；有关诊断方面的著作也仅10部29卷。贾氏的统计包括隋代在内，故若再将隋代的《巢氏病源》(《论病源候论》)等著作除掉的话，则不但谈不上显著，恐连一般的进展都成了问题。

为什么会是这样？贾得道认为原因除了科学方面的限制之外，这一时期宗教迷信风气很盛与此是有直接关系的。至于服石、炼丹的流

---

① 参见《中国医学史略》，第102～111页。

行,则是那时医学发展出现的两股逆流。当然他也肯定炼丹在促进化学发展和中药外用药的制炼上的积极作用。但总体上看,发展"是比较缓慢的"①。

俞慎初的总结比起贾得道来要更为积极。他将魏晋南北朝的医学发展概括为古医籍的整理、炼丹术的盛行、中外医药交流、医事制度、药学研究的新发展、医学状况与对疾病的认识共六个方面。他虽也提到炼丹、服石带来的沉疴痼疾和宗教色彩的浓厚对医学发展造成了恶劣的影响,但也肯定文化南迁和佛道二教的兴盛,直接间接地促进了科学文化和医学的发展。这一时期的医学家们在各自领域里的努力,"都对祖国医药学的发展做出卓越的贡献"②。

按照俞慎初的看法,这一时期对古代医家典籍的整理,虽然主要是注解前人的著作,如对《内经》、《难经》、《伤寒论》和《神农本草经》四部典籍的注解,但也在理论上做了进一步阐述,在医学发展史上是有重大意义的。而药学研究也有了新的发展,著作非常丰富。如各种本草类著作就有 18 种,药学著作 9 种,其中陶弘景的《神农本草经》七卷对本草进行总结整理,是对中国药物进行了第二次大总结。而在制药专书方面,徐之才《雷公药对》根据药物效能,将药物分为宣、通、补、泄、涩、滑、燥、湿、轻、重等十剂,这是最早的药剂分类法(一说"十剂"法为唐代陈藏器所创);雷敩《雷公炮炙论》对药物的采集、修治、加工经验等进行总结,一千多年来一直指导着各种药物的加工炮制,是中国医学史上最早的制药专书。而在对内外疾病、伤患的认识和治疗上,俞氏不但肯定了在这一方面的发展,更着重指出这一时期对疾病的认识有了显著的进步,对许多疾病的症状、症候的描述,已相当详细和准确,对疾病的病因和发病机理的描述也比较详尽。此外,病理解剖也在这一时期出

①　参见《中国医学简史》,第 100～111 页。
②　参见俞慎初:《中国医学简史》,第 68～69、89 页。

现①。

俞慎初不同于贾得道的,还在于将"医事(政)制度"单列作为魏晋南北朝医学的进步表现之一。因为医学发展的一个标志应当是医学管理机构和人员设置的专门化。而这一点又与刘伯骥的观点是一致的。刘伯骥《两晋南北朝医学》章第一节便是讲"医政制度",而晋之制度又是从魏沿袭而来的。历朝医政制度虽不完全相同,但大都设有太医令、太医令丞等职官,以掌管医政。"又宋元嘉二十年(443),太医令秦承祖奏置医学,以广教授,此为官方置医学之始。北魏及隋继之。"② 从今日科学之分科来说,医学可能是中国历史上第一个独立设置并具有官方身分的科学学科,它的倡导人秦承祖则可以说是中国医学教育的创始者③。

就医学学科与人文学科的关系来说,医学与元嘉十五年(438)朝廷"并建"的儒学、玄学、史学、文学"四学"不同,"四学"的目的都在影响人的心灵,医学的目的却在挽救人的物质生命。也正因为如此,它与政权稳定的意义有时更为迫切,譬如在全国性的大灾大疫暴发之时。但从最高统治者的角度来推行医学,各朝皇帝的认知程度却有不同:"医政上供应人民医药治疗,明令施行者,以北魏为最著";"君主明文劝人求医与习医者,始于梁简文帝(550~551)④。同时,"四学"虽各有特点,但又共同维护儒家的伦常和礼法制度,而医学的发展却可能与后者发生冲突,最典型的事例就是病理解剖。

《宋书》卷81《顾觊之传》记载说:

> 时沛郡相县唐赐,往比村朱起母彭家饮酒还,因得病,吐

---

① 参见《中国医学简史》,第69~74页。

② 参见刘伯骥:《中国医学史》上册,台湾华岗出版社1974年版,第151~152页。

③ 参见俞慎初:《中国医学简史》,第87页。

④ 参见刘伯骥:《中国医学史》上册,第152~153页。

蛊虫十余枚。临死语妻张，死后刳腹出病。后张手自破视，五藏悉糜碎。郡县以张忍行刳剖，赐子副又不禁驻，事起赦前，法不能决。律：伤死人，四岁刑；妻伤夫，五岁刑；子不孝父母，弃市，并非科例。三公郎刘颙议："赐妻痛往遵言，儿识谢及理，考事原心，非存忍害，谓宜哀矜。"觊之议曰："法移路尸，犹为不道，况在妻子，而忍行凡人所不行。不宜曲通小情，当以大理为断，谓副为不孝，张同不道。"诏如觊之议。

尽管在所谓"大理"与"小情"的冲突中，维护孝的"大理"否定和战胜了科学进步的"小情"，但毕竟唐赐夫妇走出了勇敢的一步。

当然，此时对仁孝大理的维护，也不全是传统儒家的作用，它与南朝佛教信仰的进一步浸润也有一定关系。如梁武帝天监十六年（517）三月，"赐太医不得以生类为药；公家织官文锦饰，并断仙人鸟兽之行，以为褒衣，剪裁有乖仁恕。"① 刘伯骥以为，"此又因梁武帝佞佛，戒杀生故也。"②

医政制度之必要，与抗击疫疠、维护公共卫生有重大干系。即它与看病疗伤针对的是每一个个体不同，医政面对的是人民的全体。刘伯骥在《疫疠与杂病之流行》一节中说："疫疠流行，历代有之。或起于京都，或传于郡国。兵燹水旱饥馑荒灾之余，疫疠常因而至，死亡枕藉，比间绝户。朝廷遇此凶灾，遣使存问，赠医馈药，瘗尸掩骸，亦为重要医政之一也。"③ 因而，医政的推进和完善，亦是医学发展的重要标志之一。

2、主要医家及其著作

魏晋南北朝时期的主要医药学家及其著作，可以说以王叔和《脉

---

① 《南史》卷6《梁本纪上》。
② 刘伯骥：《中国医学史》上册，第152页。
③ 同上书，第154页。

经》、皇甫谧《针灸甲乙经》、葛洪《肘后备急方》和陶弘景《本草经集注》最为有名。

(1)王叔和与《脉经》

王叔和，名熙，以字行，生卒年和生平事迹不详，大致生活于魏晋之际，高平(今山西高平或山东济宁)人，曾担任魏或西晋的太医令。相传他与汉末名医张仲景有师生关系，但尚难认定。他的主要医学贡献，一是整理改编张仲景的《伤寒杂病论》为《伤寒论》和《金匮要略》二书，二是总结前人的脉学经验而编成《脉经》一书。

就前者言，张仲景的《伤寒杂病论》历经几十年动乱，多有散失错杂，经王叔和之手而重新整理编订，并得以流传至今。陈振孙云：

> (《金匮要略》三卷)张仲景撰，王叔和集，林亿等校正。此
> 书王洙于馆阁简中得之，曰《金匮玉函要略方》，上卷论伤寒，
> 中论杂病，下载其方，并疗妇人，乃录而传之。今书以逐方次
> 于证候之下，以便检用。所论伤寒，文多节略，故但取《杂病》
> 以下，止《服食禁忌》二十五篇二百六十二方，而仍其旧名。①

《四库总目提要》在引述陈振孙言后归结说："则此书叔和所编，本为三卷，洙钞存其后二卷，后又以方一卷散附于二十五篇内，盖已非叔和之旧。"② 由此，《伤寒论》与《金匮要略》已分为二书。

但王叔和整理编次《伤寒杂病论》是按照自己的见解来进行的，并将自己的观点夹杂于其中，使本文注文相混，故对他之功过，后人评说不一。刘伯骥以为："虽然，仲景《伤寒论》散亡之际，得叔和衰辑而整编，其功诚不可没。后代名医，言其得失，不乏持平之论。"③ 并为之详细引证他人评说。如引王安道(王履)《医经溯洄集·仲景伤寒立法考》

---

① 《直斋书录解题》卷13《医书类》，上海古籍出版社1987年版，第384页。

② 《四库全书总目提要》卷103《子部十三·医家类一·金匮要略论注二十四卷》，河北人民出版社2000年版，第2595~2596页。

③ 参见《中国医学史》上册，第159页。

曰："叔和收集仲景旧论之散落者以成书，功莫大矣。但惜其既以自己之说，混于仲景所言之中；又以杂脉杂病，纷纭并载于卷首，故使玉石不分，主客相乱。若先备仲景之言，而次附己说，明书其名，则不致惑于后人而累仲景矣。昔汉儒收拾残编断简于秦火之馀，加以传注，后之议者，谓其功过相等。叔和其亦未免后人之议欤？"

又引吕震名《伤寒寻源》上集《论王叔和》云："仲景《伤寒论》，本散亡之馀，王叔和编辑成帙，观其《序例》云：'搜采旧论，录其对病真方，拟防世急，此非仲景原本可知矣。然则仲景之书，赖叔和而传；叔和之名，亦赖仲景而传。后之编次《伤寒》者，不下数十家，徒相争于篇次之间，纷如聚讼。……然以余平心而论，叔和传书之功，诚不可没。其《序例》之可议者，内如所陈温热异气，拉杂不清。至如以时论病，以日分经，与夫先汗后下之法，实与本论多相矛盾，反将仲景之圆机活法，说成呆相。余非敢轻诋前贤，乃沿此说者，其祸至今而未有已，故不得不为之辨。"刘伯骥据此评论说："叔和既有传书之功，而有窜乱之过，瑜难掩瑕，摘之者盖所以惜之也。"[1]

王叔和自己的医学贡献，主要在他编成的《脉经》一书。《脉经》编撰的原则，他在自序中说：

今撰集岐伯以来，逮于华佗，经论要诀，合为十卷，百病根源，各以类例相从，声色证候，靡不该备。[2]

《脉经》全书共有 10 卷 98 篇，书中例举和详细说明了浮、芤、洪、滑、数、促、弦、紧、沉、伏、革、实、微、涩、细、软、弱、虚、散、缓、迟、结、代、动共24 种脉象的变化，对每一种脉象的特点都作了简要的理论概括。而在王叔和以前，《内经》记载了 10 多种脉象，《伤寒论》则有近 20 种，后还有 27、28 甚至 30 余脉象的，医家或裁并或增添，并不一律，但最常见的

---

① 　参见《中国医学史》上册，第 159 页。
② 　《脉经序》，《脉经》卷首，人民卫生出版社 1962 年版，第 1 页。

脉象不出这24种范围。

刘伯骥总结说:"夫自《素》、《难》、《伤寒论》而下,虽有诊脉以治病,而未明脉之理;凭脉以审证,而未讲脉之法。叔和根据《素问》、《难经》,参考古代脉法,著《脉经》十卷,此为第一部专门讲求脉法之书。"① 王叔和对于脉诊有突出的承前启后之功。

脉诊最为关键的,是手部寸关尺三部位的定位诊断,左右手共六脉,主五脏六腑:左手寸部主心与小肠,关部主肝与胆;右手寸部主肺与大肠,关部主脾与胃;左右手尺部同主肾和膀胱②。

当然,寸关尺三部的脉诊不是一个孤立的诊断过程,它与人的十二经络、三焦等其他的人体部位系统密切相关,一气贯通。如"诸浮诸沉,诸滑诸涩,诸弦诸紧,若在寸口,膈以上病;若在关上,胃以下病;若在尺中,肾以下病。"③ 然而,大小人等,性气各别,其诊治也就需要因人而异,灵活变化:"凡诊脉当视其人大小、长短,及性气缓急、脉之迟速、大小、长短,皆如其人形性者则吉,反之者则为逆也。"④

与此同时,脉象要能够准确诊断,不仅要考虑人本身的病症,也要注意外在的环境季节:"何以知春得病,无肝脉也;无心脉,夏得病;无肺脉,秋得病;无肾脉,冬得病;无脾脉,四季之月得病。"⑤

王叔和认识到,脉诊是一个复杂的过程,而病候又不单纯是某种脉象,诊治也就不得不综合全盘,考校求验。他说:

> 脉理精微,其体难辨。弦紧浮芤,辗转相类。在心易了,指下难明。谓沉为浮,则方治永乖。以缓为迟,则危殆立至。

---

① 参见《中国医学史》上册,第161页。
② 参见《脉经》卷1《两手六脉所主五脏六腑阴阳逆顺第七》,第5~6页;又参见贾得道:《中国医学史略》第114页的概括。
③ 《脉经》卷4《辨三部九候脉诊第一》,第48页。
④ 《脉经》卷1《平脉视人大小长短男女顺逆法第五》,第5页。
⑤ 《脉经》卷1《平人得病所起第十四》,第12页。

况有数候俱见,异病同脉者乎!夫医药为用,性命所系,和、鹊
至妙,犹或加思;仲景明审,亦候形证。一毫有疑,则考校以求
验。①

《脉经》作为我国现存最早的脉学专著,对后世有重要影响。《中国医籍
提要》总结该书在学术上的主要贡献是:"集西晋以前脉学之大成,使脉
学成为医林中一门独立的分枝,促进了后世脉学的研究和发展;首次系
统描绘了临床常见的实用价值较大的二十四种病脉的体象,丰富了中
医诊断学内容;王氏对寸口脉的寸关尺三部分法,较《难经》更为明确;
书中保存了大量古籍内容,对研究古代医家学术思想(如扁鹊、华佗)和
考证古代医学典籍均有价值。故本书为学习研究中医脉学的重要文
献。"②

然贾得道对王叔和《脉经》的评价较低。他称:"考其内容,大
部分为摘录《内经》、《难经》以及扁鹊、华佗、张仲景等人的有关文
献,实际上是编纂而不是著述。而且编纂的体例也很混乱:有的说明
出处,大部分则未加说明;选材不严,书名《脉经》,但有些只言诊
治,根本不谈脉的资料也选了进去;编排无系,常把同类性质的问
题先后分置;自相矛盾之处也不加说明;特别是一些荒诞不经的东西
如所谓王脉、相脉、囚脉等的名称以及⋯⋯解说也都选录进去。总之
本书的实用价值除关于 24 种脉象的说明,和寸关尺三部的定位诊断
等一小部分内容为后世医家所继承以外,大部分都没有什么实际意
义。但作为保存了三国以前一部分有关中医诊断的资料来说,还是有
一定价值的。"③

(2)皇甫谧与《针灸甲乙经》

① 《脉经序》,《脉经》卷首,第 1 页。
② 中国医籍提要编写组:《中国医籍提要(上)·脉经》,吉林人民出版社 1984
年版,第 83 页。
③ 《中国医学史略》,第 113 页。

皇甫谧(215~282),字士安,幼名静,自号玄晏先生,安定朝那(今宁夏固原东南)① 人。皇甫谧青少年时并不好学,"游荡无度,或以为痴",直到20岁时受叔母针砭才开始发愤。因家贫,"躬自稼穑,带经而农,遂博综典籍百家之言。沈静寡欲,始有高尚之志"②。其后皇甫谧声名远播,朝廷亦多次征召,但他终隐居不仕。皇甫谧学问广博,"所著诗赋诔颂论难甚多",但他最为倾心者还是医学。

其云:

> 若黄帝创制于九经,岐伯剖腹以蠲肠,扁鹊造虢而尸起,文挚徇命于齐王,医和显术于秦、晋,仓公发秘于汉皇,华佗存精于独识,仲景垂妙于定方。徒恨生不逢乎若人,故乞命诉乎明王。求绝编于天录,亮我躬之辛苦,冀微诚之降霜,故俟罪而穷处。③

皇甫谧对医学的贡献主要是他的《针灸甲乙经》,该书全称是《黄帝三部针灸甲乙经》,即他采撷《黄帝内经素问》、《针经》(《灵枢》)和《明堂孔穴针灸治要》三部经典的内容撰集而成。他述此书撰集之缘起说:

> 按《七略·艺文志》,《黄帝内经》十八卷,今有《针经》九卷,《素问》九卷,二九一十八卷,即《内经》也。……又有《明堂孔穴针灸治要》,皆黄帝、岐伯选事也。三部同归,文多重复,错互非一。甘露中,吾病风加苦聋百日,方治要皆浅近,乃撰集三部,使事类相从,删其浮辞,除其重复,论其精要,至为十

---

① 晋安定朝那为今何地,由于行政区划的不确定性而有不同的说法:(1)甘肃灵台,如《中国医学史略》、《中国医学简史》、《中国科学思想史》;(2)甘肃平凉西北,如1979年版《辞海》(1980年缩印本)、《魏晋南北朝文化史》;(3)宁夏固原西北,如1999年版《辞海》(2002年缩印音序本)。今取新版《辞海》说。

② 《晋书》卷51《皇甫谧传》。

③ 《释劝论》,载《晋书》卷51《皇甫谧传》。

二卷。①

就是说,通过他之"删其浮辞,除其重复,论其精要"等整理编撰工作,最后完成了这部在中医学史上有重要意义的著作。

《甲乙经》全书 12 卷 128 篇,"句中夹注,多引杨上达《太素经》、孙思邈《千金方》、王冰《素问注》、王惟德《铜人图》,参考异同。其书皆在谧后,盖宋高保衡、孙奇、林亿等校正所加,非谧之旧也。"② 皇甫谧各卷之主要内容是:"卷一,主要论述人体的生理功能,包括五脏六腑、营卫气血、精气血精液、神志活动等。卷二,论述十二经脉、七经八脉之循行、主病以及骨度分寸。卷三,列全身六百五十四俞穴,主治并检穴法。卷四,论诊法。卷五,言针灸大法,详述九针形状、长度、作用及针刺补泻手法、禁穴、禁忌症等。卷六,以阴阳五行学说论述人体的生理、病理等有关问题。卷七至卷十二,为临床医疗部分,包括内、外、妇、儿各科。其中内科四十三篇,外科三篇,妇儿科各一篇。总结了晋以前针灸临床的宝贵经验。"③

由此, 则此书虽名为《针灸甲乙经》,但实际上包括了生理、病理、诊断和治疗等整个中医的基本理论。譬如,《内经》的主要内容基本上被本书所收录, 故其相关部分, 也可以看做是一部《内经》的校勘本④。

《甲乙经》的理论基础仍是元气论,元气流布于天地之间,也运行于人体之内,而气运所在,便是人体之穴。"皇帝问曰:'四时之气,各不同形,百病之起,皆有所生。灸刺之道,何者为宝?'岐伯对曰:'四时之气,

①　《黄帝三部针灸甲乙经·序》(下简称《甲乙经》),《丛书集成初编》卷首,中华书局 1991 年版,第 1~2 页。

②　《四库全书总目提要》卷 103《子部十三·医家类一·甲乙经八卷》,第 259 页。

③　《中国医籍提要(上)·针灸甲乙经》,第 409 页。

④　同上书,第 410 页。

各有所在,灸刺之道,气穴为宝'。"① 元气的运行使人身构成为一个整体的系统,而经络和部位便是天地运行规律在人身的反应,这可以说是针灸疗法的主要生理基础。故云:"营气之道,内谷为宝,谷入于胃,气传之肺,流溢于中,布散于外,精专者行于经隧,常营无已,终而复始,是谓天地之纪。"②

针灸治疗的特点是不用吃药,而通过针刺、火灸的方式来治病,故行针刺、火灸之道,必须首先弄清就诊者的寒热虚实,有的放矢。《甲乙经》云:

> 曰:持针纵舍奈何? 曰:必先明知十二经之本末、皮肤之寒热、脉之盛衰滑涩。
>
> 曰:持针纵舍,余未得其意也。曰:持针之道,欲端以正,安以静,先知虚实,而行疾徐。③

针灸治疗既然以天地气化流行为根据,调虚实、通经脉便是最重要的原则。

又有雷公问:"禁脉之言,凡刺之理,经脉为始,愿闻其道。黄帝曰:经脉者,所以决生死,处百病,调虚实,不可不通也。"④ 但针刺也如别的任何治病手段一样,不是百病包医,而是有治有不治:

> 曰:其可治者奈何? 曰:经病者治其经,络病者治其络,身有痛者治其经络。其病者在奇邪,奇邪之脉则缪刺之,留瘦不移,节而刺之;上实下虚,切而顺之。索其结络脉,刺出其学,以通其气。……比绝死生之要,不可不察也。⑤

尽管经络和穴位在解剖学上很难证明,但这始终没有妨碍古代医家基

---

①　《甲乙经》卷 5《针灸禁忌第一上》,第 107 页。

②　《甲乙经》卷 1《营气篇》,第 16 页。

③　《甲乙经》卷 5《针道外揣纵舍第七》,第 127 页。

④　《甲乙经》卷 2《十二经脉络脉支别第一上》,第 29 页。

⑤　《甲乙经》卷 4《三部九候第三》,第 106 页。

于经验做出理论的描述。《中国医籍提要》说:"《针灸甲乙经》在总结前人经验的基础上多有发明,如分部依线检穴法就是皇甫谧提出的。即将头、面、项、胸、腹、四肢等划分为三十五条线路。这对《内经》之十二经循经取穴是一个重大改革。这一改革给针灸取穴带来了方便。故后世唐代甄权《明堂图》、孙思邈《千斤方》均宗其例。明代《针灸大成》、清代《针灸集成》等著作也均以此为准。"①

贾得道将《甲乙经》与《脉经》的学术价值进行比较后认为:"总之,本书(《甲乙经》)不论就其提炼、整理和保存了三部古书的意义来讲,还是就临床针灸的实用意义来讲,其价值都远较《脉经》为高。所以后世一直把本书看做是中医针灸之祖,不是没有道理的。"②

俞慎初则以为,《甲乙经》的价值不但在一般医学理论之上,而且在中医内部针灸疗法与其他疗法相比较的地位和关系上,也有重要的作用。因为"针灸是祖国医学宝库中一份最可宝贵、最有价值、而且历史最为悠久的遗产。自汤液剂型出现后,针灸在医疗上逐渐失去了主要地位而几被汤液所取代。晋代杰出的针灸学家皇甫谧,总结了上古医家长期实践的丰富经验,吸取了《素问》、《灵枢》、《明堂孔穴针灸治要》三书的基本精神,整理了西晋以前针灸的穴位,而撰著了《针灸甲乙经》行世,使针灸这门古老的医术重新崭露出它的光辉,发挥它的作用。"③

(3)葛洪与《肘后备急方》

葛洪事迹前已介绍,《晋书》本传说他"博闻深洽,江左绝伦,著述篇章富于班马,又精辩玄赜,析理入微"④,可以说是东晋时期一位百科全书式的学者。葛洪著作门类和数量甚多,他之医学著作,本传载有"《金

① 《中国医籍提要(上)·针灸甲乙经》,第410页。
② 《中国医学史略》,第116页。
③ 《中国医学简史》,第76~77页。
④ 《晋书》卷72《葛洪传》。

匮药方》一百卷，《肘后要急方》四卷"①。《金匮药方》（又名《（金匮）玉
函方》）与《肘后要急方》（又名《肘后救急方》、《肘后救卒方》等）之间，实
际上是一个繁与简的关系。所谓《肘后要急方》，从书名上即可看出：
"本书名为'肘后'，就是随身常备的意义，以表示重要。"② 葛洪在该书
的自序中，说明写作本书的缘起，首先在于前辈医家遗留的典籍卷帙浩
繁，混杂繁重，于是：

> （他）周流华夏九州之中，收拾奇异，捃拾遗逸，选而集之，
> 使种类殊分，缓急易简，凡为百卷，名曰《玉函》。然非有力不
> 能尽写。又见周甘唐阮诸家各作《备急》，既不能穷诸病状，兼
> 多珍贵之药，岂贫家野居所能立办？又使人用针，自非究习医
> 方、素识明堂流注者，则身中荣卫尚不知其所在，安能用针以
> 治之哉？……余今采其要约，以为《肘后救卒》三卷，率多易得
> 之药，其不获已须买之者，亦皆贱价草石，所在皆有。兼之以
> 灸，灸但言其分寸，不名孔穴，凡人览之，可了其所用，或不出
> 乎垣篱之内，顾眄可具。苟能信之，庶免横祸焉。③

葛洪一方面在各地周游中广泛收集各种民间疗法和方药，另一方面则
对各种方剂药物按照缓急易简的原则，进行分类整理，选择鉴别，编纂
成《（金匮）玉函方》一百卷。但这部书的分量仍嫌过大，难以用作救急。
其他医家虽有"备急"之方，可又有新的问题，这一是诊治上的片面性和
用药上的贵族化，贫家无力置办所需药物；二是不知荣卫经脉而盲目用
针。葛洪于是以无处不具、但又能备急救之用的"贱价草石"为采集编
纂的对象，并兼之以灸，集成《肘后救卒方》3卷，宗旨是易懂和实用。

《肘后救卒方》原本86首（篇），到梁陶弘景时合并7首而为79首，

---

① 《晋书》卷72《葛洪传》。
② 《肘后备急方·内容简介》，《肘后备急方》卷首，人民卫生出版社1956年
版。
③ 《肘后备急方·序》，《肘后备急方》，第3～4页。

又新增 22 首,共为 101 首。陶氏叙其增并缘由说:

> 抱朴此制,实为深益。然尚阙漏未尽,辄更采集补阙,凡
> 一百一首,以朱书甄别,为《肘后百一方》,于杂病单治略为周
> 遍矣。昔应璩为百一诗,以箴规心行,今余撰此,盖欲卫辅我
> 躬。且佛经云:人用四大成身,一大辄有一百一病。是故深宜
> 自想,上自通人,下达众庶,莫不各加缮写而究扩之。余又别
> 撰《效验方》五卷,具论诸病证候,因药变通而并是大治,非穷
> 居所资。若华轩鼎室,亦宜修省耳。①

即在陶弘景看来,葛方虽有"深益"但却"未尽",所以还需要调整补充。
但他将葛洪的 81 首扩展为 101 首,则不仅在满足葛洪的"救急",还在
于要求完备。而作为完备的量的标准,便是佛经的"一百一病"之数。
所以他为此又别撰《效验方》5 卷,以做详细发明。同时,也将葛洪重点
面向的"贫家野居"扩充为包括"搢绅君子","故备论证候,使晓然不
滞"②。

这 101 首方、论,在陶弘景看来都是十分珍贵的:"凡此诸方,皆是
撮其枢要,或名医垂记,或累世传良,或博闻有验,或自用得力,故复各
题秘要之说,以避文繁。"③ 仍然体现了少而精的特色。至于其内容,
陶氏将这 101 首分为内上、外中、他下的三类:"今以内疾为上卷,外发
为中卷,他犯为下卷,具列之,云:上卷三十五首治内病,中卷三十五首
治外发病,下卷三十一首治为物所苦病。"④

从葛洪到陶弘景历 170 余年,此后又过了 600 多年,到金代杨用道
时,"又得唐慎微《证类本草》,其所附方,皆洽见精取,切于救治,而卷帙
尤为繁重,且方随药著,检用卒难,乃复摘录其方,分以类例,而附于《肘

---

① 陶弘景:《华阳陶隐居补阙肘后百一方序》,见《肘后备急方》,第 4~5 页。
② 同上。
③ 同上书,第 5~6 页。
④ 同上书,第 7 页。

后》随证之下，目之曰《附广肘后方》"①。然杨用道只是将自己所附方增列于原方之后，对于葛、陶二家之方则未做分别，后来葛方与陶方遂混同为一体，再难以区分，其书名亦定为今名《肘后备急方》。

《肘后备急方》在杨用道以后历代均有刻本，然此书流传恐仍有葛本、陶本两个系统。《隋书·经籍志三》记载："《肘后方》六卷（葛洪撰。梁二卷，陶弘景《补阙肘后百一方》九卷，亡）。"② 由此，则唐初陶弘景《百一方》本已不存。《宋史·艺文志六》则载"葛洪《肘后备急百一方》三卷"③，虽挂有"百一方"之名，然此"三卷"本显然已无陶氏原本之实。故元初段成己序中所述陶氏本之获得由来④，并不一定可靠。《四库全书总目提要》评论说："是陶书在隋已亡，不应元时复出。又陶书原目九卷，而此本合杨用道所附只有八卷，篇帙多寡，亦不相合。疑此书本无'百一方'在内，特后人取宏（弘）景原序冠之耳。书凡分五十一类，有方无论，不用难得之药，简要易明。虽颇经后来增损，而大旨精切，犹未尽失其本意焉。"⑤

在《肘后方》现存的8卷中，第1～4卷属于陶氏所说的"内病"，包括中恶（尸注、鬼注）、心腹痛、霍乱、伤寒、中风、大腹水病、黄疸等多种急性病；第5～6卷叙述"外发病"，包括痈疽、癣疥、目赤、耳聋、食噎等病；第七卷则是"他犯病"，即被野兽、毒虫所伤及食物中毒等；第8卷备列"百病备急丸散膏诸方"和牲畜、疫疬诸病。贾得道评论说："（今本）体例大抵和陶氏整理的原则相符。内容所举各病，主要是卒发急病；治疗方法除简单易得的方药外，也用灸法，但不用针法。其精神也基本符

① 杨用道：《附广肘后方序》，见《肘后备急方》，第9页。

② 《隋书》卷34。

③ 《宋史》卷207。

④ 段成己：《葛仙翁肘后备急方序》，见《肘后备急方》，第2～3页。

⑤ 《四库全书总目提要》卷103《子部十三·医家类一·肘后备急方八卷》，第2598页。

合葛氏原来著书的意图。"①

《肘后备急方》对中国医学的贡献,人民卫生出版社在出版该书的《内容简介》中概括说:

> (本书)不但详论病症,而且略记病源,如称结核病为"尸注"、"鬼注",说是"鬼邪气"所染,而可传给旁人;说天花的病源为"恶毒气",并能够发展为流行病(时行),描写天花症状尤为详尽,在一千六百年前,对天花有这样正确的认识和记载,实为世界第一;说"伤寒"、"时行"可以预先服药以防"染易",也足说明我国医学早有预防医学的概念。此外又把"砂虱"、"狂犬病"说成凶险的传染病,也是值得重视的。至于药疗方面,如常山治疟,麻黄治喘,莨菪子治癫狂,松节油治关节炎,雄黄、朱砂用作消毒药等,都是符合现代科学的。又因本书所引"病候名",至为丰富,对整理祖国医学遗产极有研究价值。
>
> 　　所以本书不仅是一部实用的方书,而且是我国医学上一部宝贵的医学文献。为目前中西医学习和研究祖国医学的重要参考书。②

(4)陶弘景与《本草经集注》

陶弘景与葛洪一样,都是道教的主要代表人物,二人前后相继,在医学主要是药学上都做出了自己的贡献,陶弘景对葛洪《肘后方》的整理扩充便是一例。陶弘景"性好著述","尤明阴阳五行、风角星算、山川地理、方图产物、医术本草"③。"医术本草"的研究和成果也因之成为他在医学上最为重要的贡献。

《本草经》是我国第一部中药学典籍,因相传出于神农,故通称《神

---

① 《中国医学史略》,第118页。
② 见《肘后备急方》卷首。
③ 《南史》卷76《陶弘景传》。

农本草经》："旧说皆称《神农本草经》，余以为信然。"①　对于此书，陶弘景根据自己的研究考证，叙述了它的流传和整理过程。他说：

> 秦皇所焚，医方卜术不预，故犹得全录。而遭汉献迁徙，晋怀奔迸，文籍焚靡，千不遗一。今之所存，有此四卷，是其《本经》。生出郡县，乃后汉时制，疑仲景、元化等所记。又有《桐君采药录》，说其华叶形色。药对四卷，论其佐使相须。魏晋以来，吴普、李当之等，更复损益，或五百九十五，或四百三十一，或三百一十九。或三品混糅，冷热舛错，草石不分，虫兽无辨。且所主治，互有多少，医家不能备见，则识致（智）浅深。今辄苞综诸经，研括烦省，以《神农本经》三品，合三百六十五为主。又进《名医别品》，亦三百六十五，合七百三十种。精粗皆取，无复遗落，分别科条，区畛（畛）物类，兼注诏世用土地及仙经道术所须，并此《序录》，合为三（七）卷。虽未足追踵卷前良，盖亦一家撰制。②

按陶弘景所说，到他的时候《本草经》还有 4 卷，当属于汉张仲景等传下的系统。其间又有《桐君采药录》专论药用植物形色而为其辅佐。魏晋以后，华佗弟子吴普、李当之等已对前人成果进行了损益增删，但这在陶弘景看来，却颇为混乱，很不利于疾病的治疗，所以他要来重新进行整理，纠错补偏。

　　陶弘景将原《神农本草经》上中下三品所收药物整理成 365 种（主要药物），同时又从魏晋以来名医新纪录药物而编成的《名医别品》中选择出 365 种，以与本经药物相配，称之曰《名医别录》。二者合为一体，共收药物 730 种。即他所收药物，比原《本草经》增加了一倍。所有这

---

　　①　陶弘景：《本草经集注序》，《本草经集注》，（上海）群联出版社 1955 年版，第 1 页。

　　②　同上书，第 2～4 页，并参唐慎微《证类本草》所载《梁陶隐居序》校正，括号内文字均见唐本。文见《四库全书》本《证类本草》第 740 册，第 12 页。

730种药物,既是"精粗皆取,无复遗落",同时又"分别科条,区畛物类",再加上前面的《序录》,撰成新的《本草经集注》一书,一共是7卷。所以他说"他的《本草经集注》七卷一书,是合《神农本草经》和陶氏《名医别录》二书①,更加以注释而成的。"②

《本草经集注》7卷本的内容,首先是序录,序药性本源和诠病名形迹,随后是玉石(矿物)、草木、虫兽、果、菜、米食及有名无实(未实用)之药。由此便是七类。此七类由于是经原上中下三品分类法重新调整而来,故玉石、草木类属于原《本草经》卷中(卷上即序录),共356种;虫兽、果、菜、米食类为195种,有名无实类为179种,均属于原《本草经》卷下,共374种。二者合计即为730种,各自分别新列出目录③。

《本草经集注》的特点,按《中国医籍提要》的概括是:"第一,改进了药物的一般分类。从三品分类发展到玉石、草木、虫兽、果、菜、米食、有名无用等七种分类,这是药物分类的一大进步;第二,对于药物的性味、产地、采集、形态和鉴别诸方面的论述有显著提高;第三,提出了一个'诸病通用药'一览表。如治风通用药有防风、防己、秦艽、芎䓖等;治黄疸通用药有茵陈、栀子、紫草等……。"④

《中国医籍提要》又总结陶氏书的贡献说:"此书距今已一千五百多年了,但其中大多数药物至今在临床上仍为常用之品。书中所载药物比《神农本草经》增加了一倍。所增药物中除有常用的药物如枇杷叶、芦根、豆豉等,还有花槟榔、葱、蒜、檀香、乳香、苏合香等外来药品。另外,在药物的辨别上,也较过去有所提高。如对硝石与朴硝的辨别,陶氏说:硝石强烧之则紫青烟起。后来,西洋化学家辨别硝酸盐的方法,

① 此二书,《隋书·经籍志三》在"《神农本草》八卷"条下注明:梁时有"陶隐居《本草》十卷",又有陶氏撰"《名医别录》三卷"。见《隋书》卷34。
② 范行准:《本草经集注·跋》,《本草经集注》卷首,第1页。
③ 参见《本草经集注》第5页正文及注。
④ 《中国医籍提要》(上),第105~106页。

与此无二。由此可见,陶氏不仅重视本国药物的研究,同时还注意收集国外有效的药物。这对后世药学的丰富和发展,起到了一定的作用。"①

至于《本草经集注》的缺陷方面,刘伯骥提出了自己的看法。他说:"此书颇有功于'本草',然言药性与《本经》亦不尽同,如人参,《本经》载为甘微寒,而弘景谓能疗肠胃中冷,显然性温。宋人谓用神农之品无不效,而弘景所增,已不甚效,盖弘景不至东北,故论药每有误,'江南偏方,不周晓药石,往往纰缪四百余物'②。因其为南人,时南北隔绝,故不识北药者,亦事之常也。"③

陶弘景《本草经集注》原书早已失传,现仅存有敦煌残卷,属于第1卷《序录》部分,有上海群联出版社影印本。不过,因其主要内容已被辑录在唐宋明诸《本草》类著作中,故后人能得以一窥。

归结起来,魏晋南北朝医学的发展,其成就是多方面的。按俞慎初的总结:"王叔和总结脉学、撰写《脉经》、整理《伤寒论》,皇甫谧整理针灸穴位、撰著《甲乙经》,葛洪的炼丹术和制药化学,陶弘景审定本草,秦承祖创办医学教育,徐之才首创方剂分类,雷敩的药物炮制和秦庆宣撰《刘涓子鬼遗方》等等,都对祖国医药学的发展做出卓越的贡献。"④

3、炼丹术的发展

炼丹术与医学的发展是密切相关的,炼丹的目的是炼得长生不死

---

① 《中国医籍提要》(上),第106页。

② 此句为摘引唐于志宁观点。《新唐书》卷104《于志宁传》云:"初,志宁与司空李勣修定《本草》并图,合五十四篇。帝曰:'《本草》尚矣,今复修之,何所异邪?'对曰:'昔陶弘景以《神农经》合杂家《别录》注铭之,江南偏方,不周晓药石,往往纰缪,四百余物,今考正之,又增后世所用百余物,此以为异。'"

③ 《中国医学史》上册,第175页。

④ 《中国医学简史》,第89页。

药,这自然是一条死胡同,但救死扶伤之药作为炼丹的副产品而发展了起来。在力求掌握自然规律的前提下,炼丹术开辟了一条通过人工手段改变自然物质性能并使其为人类自身目的服务的道路。

炼丹术的起源可以上溯到战国后期,秦汉时进一步得以推进,东汉末魏伯阳的《周易参同契》是世界上现存最古老的一部炼丹学专著,被称为"丹经之祖"。到魏晋南北朝,炼丹术的发展达到了一个高峰,葛洪的《抱朴子内篇》集前代丹学之大成而成为炼丹水平的集中体现。王明先生比较《参同契》与《抱朴子》的特点说,在《参同契》中,魏伯阳对于炼丹"已经作了理论性的概括和描述。但是《参同契》里缺乏炼丹的具体方法和实验,在科学技术上,《抱朴子》确比《参同契》优胜得多。像《金丹》和《黄白》两篇那样具体地介绍多种炼丹的方法,尤其是像《黄白篇》记录以武都雄黄作黄金的方法已经这样详密,这(是)在葛洪以前的任何道书里所没有的。"[①]

炼丹术区别于其他任何"术"的特点,就在于它的"炼",要"炼"才有"丹"。而炼就需要有炼之对象即原材料。作为炼之对象的各种原材料或药物,包括多种矿物、植物以及动物产品,其中又以矿物唱主角。按照张子高的统计,"以《金丹篇》为例,它所涉及的药物有铜青、丹砂、水银、雄黄、矾石、戎盐、牡蛎、赤石脂、滑石、胡粉、赤盐、曾青、慈石、雌黄、石流黄、太乙余粮、黄铜、珊瑚、云母、铅丹、丹阳铜、淳苦酒等二十二种,显然较魏伯阳《参同契》里提到的要多得多。"[②] 而在葛洪以至整个魏晋南北朝时期的道教著作中提到的药物就更多了。

在用作炼丹对象的原材料药物之中,丹砂(硫化汞)可以说是最重要的一种。炼丹活动使人们对丹砂这种药物的认识和应用,实际上出

---

① 王明:《抱朴子内篇·序言》,《抱朴子内篇校释(增订本)》(下简称《校释》)卷首,中华书局 1985 年版,第 12～13 页。

② 张子高编著:《中国化学史稿(古代之部)》,科学出版社 1964 年版,第 69 页。

现了两条道路:

第一条是求取"金丹"灵药和黄金白银的道路,这可以说是一切炼丹家最直接的动机和目的,其中也渗透着他们的理念和信仰。从其哲学基础来看,它表现为炼丹家们对世界变化的普遍性的执著。葛洪云:"至于高山为渊,深谷为陵,此亦大物之变化。变化者,乃天地之自然,何为嫌金银之不可以异物作乎?"① 葛洪的前提可以由历史和经验加以证实,但这一证实本身又是需要前提的,即变化的普遍性暗含着条件的支持,它不是无条件的。金银由异物而作是在漫长的地质年代中,经由时间、温度、压力和复杂的化学反应等多种条件综合作用的结果,不可能在相对简单的炼丹过程中实现,事实上它在古代社会是不可能办到的。这里还不谈代价的高昂。至于因金丹"毕天不朽"而推论人服之能"不老不死"②,由于混淆了两个不同序列的问题,是不合逻辑的。相反,从其有毒、伤身到害命的推演,反倒是顺理成章。所以,尽管炼丹家们前赴后继上千年,也不可能产生出真实的效果。那么,这一条道路实际上只能是一条死胡同。

第二条道路是从第一条孕育脱胎而来,走向的是今日化学研究的途径。葛洪作为一名虔诚的道教思想家,终其一生都在探索第一条道路;但他同时又具有面向实际的科学精神,强调尊重自然,所以他又是第二条道路的一位杰出的代表。例如他"不但提到许多炼丹药物的品种和详细记录了炼制金丹的方法,而且从实验中观察到硫化汞加热后所发生的化学变化。"③

化学变化有纯自然的变化,也有人工主导的变化,后者虽然是炼丹家之努力所在,但它不能违背自然物本身的特性。葛洪说:"凡草木烧

---

① 《抱朴子内篇·黄白》,《校释》,第284页。
② 《抱朴子内篇·金丹》,《校释》,第71页。
③ 王明:《抱朴子内篇·序言》,《校释》卷首,第13页。

之即尽,而丹砂烧之成水银,积变又还成丹砂,其去凡草木亦远矣。"①
人工变化是有前提的,草木由于烧之即尽,决定了它不可能往返变化。
而丹砂则不同,按王明引述黄国安的解释说:

> "将丹砂煅烧,其中所含的硫变成二氧化硫,而游离出金
> 属汞(水银)"。再使水银和硫黄化合,"便生成硫化汞,呈黑
> 色;放在密闭器中调节温度,便升华为晶体的硫化汞,呈赤红
> 色。它的反应是:
>
> $$HgS + O_2 \rightarrow Hg + SO_2 ;$$
>
> $$Hg + S \rightarrow HgS(黑色) \rightarrow HgS(赤红色)"。$$

可见葛洪对于还丹总括的话,是可以用化学实验的反映公式表达出来
的。②

　　除丹砂外,铅也是炼丹非常重要的原材料之一。"道家称以铅炼成
之丹为铅丹,以铅及汞入鼎炼丹之事则称为铅汞。我国铅的化合物出
现较早,大约在汉以前,人们就已经使用铅粉——胡粉,即碱式碳酸铅。
炼丹家把金属铅或铅粉加热,制成黄丹,将黄丹再进一步以猛火焙烧,
就成为红色铅丹。"③

　　从汉到魏晋,炼丹家对这些化学变化的认识进一步加深。葛洪说:
"铅性白也,而赤之以为丹。丹性赤也,而白之而④ 为铅。"⑤ 在这里,
"前一白字应指铅能化作白色胡粉这一化学性质说,后一白字应作漂白
之白(即去色)的意义来解。如果把黄丹投入火中,它将跟胡粉一样,
'色坏还为铅'也。"⑥ 这说明葛洪对于铅的化学变化有深刻的认识。

---

① 《抱朴子内篇·金丹》,《校释》,第 72 页。
② 参见《抱朴子内篇·序言》,《校释》卷首,第 13 页。
③ 郭金彬:《中国传统科学思想史论》,第 158～159 页。
④ 此"而"字,王明前《序言》引作"以",恐当为"以"。
⑤ 《抱朴子内篇·黄白》,《校释》,第 284 页。
⑥ 张子高编著:《中国化学史稿(古代之部)》,第 73 页。

王明继续张子高解释发挥说：

> "铅性白也"，是说铅经过化学变化可以变成铅白，即胡粉，也就是白色的碱性碳酸盐。铅白加热后经过化学变化，可以变成铅丹，即赤色的四氧化三铅，这就是所谓"赤之以为丹"。赤色的四氧化三铅再加热分解后，可以变成铅白，这叫做"丹性赤也，而白之以为铅"。[①]

这无疑是葛洪在对铅的化学变化进行系统研究之后，所总结出的规律性认识。

化学变化不论是纯自然的还是人工主导的，都有整体变化和部分变化之别。丹砂与水银之变属于整体变化，即原物整体地发生化学反应。而部分变化则如："诈者谓以曾青涂铁，铁赤色如铜；以鸡子白化银，银黄如金，而皆外变而内不化也。"[②]

对于这段话的前半段，即"以曾青涂铁，铁赤色如铜"，袁翰青解释说："曾青大概是指的蓝铜矿[$Cu(OH)_2 \cdot 2CuCO_2$]或孔雀石[$Cu(HO)_2 \cdot CuCO_2$]。这表示出，葛洪已经实验过铁与铜盐的取代作用"[③]。王明认可袁翰青的解释并予以引用。

张子高则对全段做了更为具体的分析。他以为，曾青又有空青、白青、石胆、胆矾等名称，其实都是天然的硫酸铜，它是天然的辉铜矿（Cu_2S）或黄铜矿（$CuFeS_2$）与潮湿空气接触所形成的。葛洪的"这一说法具有两方面的意义：一方面他比前人观察得更为仔细些，描述得更为清楚些；但另一方面，由于采用了涂抹的方法，没有采用浸渍的方法，从而使所用的铁得不到足够的铜离子来完成它的作用，他便得出了错误

---

① 《抱朴子内篇·序言》，《校释》卷首，第14页。
② 《抱朴子内篇·黄白》，《校释》第287页。
③ 袁翰青：《中国化学史论文集》，生活·读书·新知三联书店1956年版，第190页。

的结论,以为是外变而内不化。"① 不过,从一般的道理说,表面涂抹的方法由于只引起物质表层的化学反应而导致部分质的变化,物质内部的化学性质并没有改变,所以说外变而内不化也是可以的。

魏晋时期炼丹术的另一个进展是对于药物溶解方法的认识。"在可能成书于晋以前的《三十六水法》中,记述有 34 种矿物和 2 种非矿物的 54 个方子,这些方子还见之于《抱朴子·金丹篇》等丹经之中"②。譬如所谓"金液"方,实际上也提出了溶解黄金的方法。葛洪云:"金液……合之用古秤黄金一斤,并用玄明龙膏、太乙旬首中石、冰石、紫游女、玄水液、金化石、丹砂,封之成水"③。葛洪这里提到的药物,王明以为,玄明龙膏即水银,太乙旬首中石即雄黄,疑水石一名冰石,戎盐一名紫女,酢一名玄水(水银亦名玄水),消石一名化金石,再加上丹砂(朱砂),便构成为一混合溶解液,而能使固体黄金液化成水,这在今天仍然是有一定道理的。

又如服食云英、云珠、云液、云母和云沙的"五云"之法,其中便有"或以露于铁器中,以玄水熬之为水,或以硝石合于筒中,埋之为水"④等溶解法。郭金彬说:"考察我国炼丹家的药物溶解法,发现有显著的特点,即很有意识地将硝石和醋酸组成混合液,用它来溶解金属或矿物。消石也叫硝石,即天然硝酸钾。……我国炼丹家对于硝石在化学溶解中所起的作用,具有充分的认识。据有关丹经记载,统计硝石能'消七十二种石',可谓多矣。"⑤

对于葛洪炼丹术科学价值的揭示,王明总结说:"现代科学家注意到'金丹'这个名词始见于《抱朴子内篇》,炼制金丹的屋类似现在的实

①　《中国化学史稿(古代之部)》,第 74 页。
②　郭金彬:《中国传统科学思想史论》,第 162～163 页。
③　《抱朴子内篇·金丹》,《校释》,第 82 页。
④　《抱朴子内篇·仙药》,《校释》,第 202—203 页。
⑤　《中国传统科学思想史论》,第 163 页。

验室，又泥法用六一泥，这些都是最早记录在《抱朴子》里。用戎盐、卤盐、礜石、牡蛎、赤石脂、滑石、胡粉七种材料作成六一泥（六加一为七。以后又有用不同的方剂合成六一泥），其用处有二：一是以之涂密接合处使无漏气，二是热的绝缘体或使温度的变化不急骤，有时泥也参加化学的反应。可见六一泥的作用不小，是炼制金丹所必需的[①]。

总的来说，葛洪在炼丹史上的贡献有以下几点值得注意：(1)第一次记载了许多现已失传的炼丹的著作；(2)第一次具体记述了许多炼丹的方法，《金丹》《黄白》两篇中有许多方法是经过实验的，记录得很详细；(3)通过这些炼丹法的叙述，知道一些炼丹的主要材料是什么，它的化学反应是怎样的。"[②]

葛洪之后炼丹家的主要代表是陶弘景，陶弘景有关丹学著作本有不少，如《太清诸丹集要》、《合丹药诸法式节度》、《太清玉石丹药集》、《集金丹药(黄)白药方》、《炼化杂书》、《服饵方》、《服云母诸石药消化三十六水法》等，但后均已失传[③]。

陶弘景在茅山从事炼丹几十年，一次次的失败反倒使他意志更坚，在梁武帝的大力支持下，传说他经过不懈努力终于得到了报偿，最后炼成了"神丹"。《南史》本传云："弘景既得神符秘诀，以为神丹可成，而苦无药物。帝给黄金、朱砂、曾青、雄黄等。后合飞丹，色如霜雪，服之体轻。及帝服飞丹有验，益敬重之。"[④] 这种所谓"有验"，显然只能是在养身祛病而非长生不老的意义上。陶弘景精通医术和药学，故他的"丹药"多半还是强身健体之类的世俗药物，而非成仙之药。本传说他"年逾八十而有壮容"，或许有助于此道的说明。

---

① 《抱朴子内篇·序言》,《校释》卷首，第15页，王明之论引自曹元宇：《中国古代金属化学及金丹术·中国古代金丹家的设备及方法》一文。
② 《抱朴子内篇·序言》,《校释》卷首，第15页。
③ 参见任继愈主编：《中国道教史》，第178页。
④ 《南史》卷76《陶弘景传》。

陶氏炼丹据称不断有收获,说他在"天监(502~519)中,献丹于武帝。中大通(529~534)初,又献二刀,其一名善胜,一名威胜,并为佳宝。"[①] 这些所谓"佳宝",无疑是在陶弘景实事求是的科学态度和对药物化学性质的认识基础上取得的。陶弘景的丹学著作虽然没有流传下来,但从后人著作的引用中可以看出他对于炼丹术的重要贡献。譬如对于硝石及其性质变化的认识。

李时珍引陶氏曰:

> 消石疗病与朴消相似,仙经用此消化诸石,今无真识者。或云与朴消同山,所以朴消一名消石朴也。又云一名芒消,今芒消乃是炼朴消作之,并未核研其验。有人得一种物,色与朴消大同小异,朏朏如握盐雪不冰,烧之紫青烟起,云是真消石也。今宕昌以北诸山有碱土处皆有之。[②]

陶弘景对于仙经和传言均能抱有科学而不盲从的态度,客观地记载了当时人们对于消石的认识。其中对于"真消石"鉴别方法的记载并指明其产地,说明陶弘景本人也直接参与了实践。

曹元宇说:"中国第一个提出纯硝石(硝酸钾)的可能是晋朝的皇甫士安((251~282),到了陶弘景,再重复他的方法,分出硝酸钾,又为了与硫酸钠相区别,特别唤它'真硝石'。真硝石撒在赤热的炭上,就促进急速燃烧,这是陶弘景鉴定真硝石的方法。硫酸钠就不能促进燃烧。……硝石是一种氧化剂,无论是硝石被加热,还是在硝石的水溶液中(加了醋),都常常能起氧化作用。氧化作用是重要的化学反应之一。有了硝石,金丹家的办法就多了。"[③] 张子高更强调说:"这简直是近代

---

① 《南史》卷76《陶弘景传》。又:这里之"二刀",各本多作"二丹",参见《南史》卷76《校勘记》注17,中华书局标点本第1910页。

② 李时珍:《本草纲目·石部》卷11《消石》注引,人民卫生出版社1977年校点本第一册,第650页。

③ 曹元宇编著:《中国化学史话》,江苏科学技术出版社1979年版,第261页。

分析化学所用以鉴别钾盐和钠盐的火焰实验法,而当时却正用以鉴别消石与芒硝(硫酸钠又有朴消、玄明粉等名)也。……炼丹家在炼丹摸索实验中有认清真消石之必要,才会把这一科学的鉴定方法纪录而传播下来。"①

又如对于水银的炼制和特性,陶弘景也有明确的认识:

> 今水银有生熟。此云生符陵平土者,是出朱砂腹中,亦有别出沙地者,青白色,最胜。出于丹砂者,是今烧粗末朱砂所得,色小白浊,不及生者。甚能消化金银,使成泥,人以镀物是也。烧时飞着釜上灰,名汞粉,最能去虱。②

水银的品质与产地有关,也与炼制有关,水银有生熟,性质也有明显差别。水银的重要功能是溶解金银而用以镀物,这可以说是第一次关于水银能镀金银的记载。而对于作为副产物的汞粉,指出杀灭虱子有良好疗效。

葛洪对于曾青涂铁、鸡子白化银等现象,做出了外变而内不化的判断。陶弘景对此类变化也提出了自己的观点。他注"矾石"说:

> 今出益州北部西川,从河西来,色青白,生者名马齿矾,炼成纯白名白矾,蜀人以当消石。其黄黑者名鸡屎矾,不入药用,惟堪镀作以合熟铜。投苦酒中,涂铁皆作铜色。外虽铜色,内质不变。③

矾石同样有生熟的不同。炼制成纯白色者即白矾,可以当消石使用;而炼成黄黑色者即鸡屎矾,可用于镀物。由于镀物只涉及表面的化学变化,故内在质地并不变。

张子高分析认为:"鸡屎矾也许是碱性硫酸铜或碱性碳酸铜,它们

---

① 《中国化学史稿(古代之部)》,第74页。
② 李时珍:《本草纲目·石部》卷9《水银》注引,第523页。
③ 李时珍:《本草纲目·石部》卷11《矾石》注引,第669页。

是难溶于水的东西,所以要加醋酸使其溶解。陶弘景的方法和结论犯了与葛洪同样的错误。但所作的实验扩充了以前的范围,即不限于硫酸铜一物,只要是可溶的铜盐就会与铁起置换作用。这一现象的发现和注意,流传到宋元,归还到劳动人民掌握之中,便成为湿法炼铜的胆铜法。"①

总起来,以葛洪和陶弘景为代表的魏晋南北朝时期的炼丹家们,是有着自己的执著的信念和相当的科学实验经验的。他们的炼丹实践当然也有过错,他们的最高目的虽然是炼、服丹药以求长生不死,但其客观效果却无疑也触发着科学思维的萌发。丹尼尔在总结亚历山大里亚的炼金术士们的实践活动时评价说:"他们既不是傻子,也不是骗子。他们是按照当时最好的哲学进行实验的;过错不在他们,而在于那种哲学。"②

中国炼丹家信奉的哲学不是柏拉图的而是他们自己的,他们中的许多人比方葛洪本身就是他所在时代的著名哲学家。但如果借用丹尼尔的思路即从哲学上找原因的话,那葛洪等人的过错的基点,就在于混淆了不同事物的质的界限,不能正确处理普遍性与特殊性的相互关系。譬如葛洪的著名推论:

> 夫五谷犹能活人,人得之则生,绝之则死,又况于上品之神药,其宜人岂不万倍于五谷耶? 夫金丹之为物,烧之愈久,变化愈妙。黄金入火,百炼不消,埋之,毕天不朽。服此二物,炼人身体,故能令人不老不死。③

在这里,"神药"与五谷不论在质性还是功用上都是不同类的,不可以类比;金丹黄金毕天不朽并不等于人身肉体能从中受益,为人的生命甚至

---

① 《中国化学史稿(古代之部)》,第74页。
② 丹尼尔:《科学史》,商务印书馆1975年版,第97页。
③ 《抱朴子内篇·金丹》,《校释》,第71页。

长生所需；金丹黄金固然能"炼"人身体，但只能是违反生命本性而加速人的死亡，等等。

然而，尽管有这些缺陷或过错，并不因此而抹煞他们科学探索的光辉。"炼丹术是近代化学的先驱，无论在实验操作技术的发明方面或是无机药物的应用方面，都替科学的化学做了一些开路的工作。虽然它的理论是幼稚的，它的实验记录却是人类文化史上可重视的文献。"①一句话，"真正的科学化学"正是从"炼金术中脱颖而出"的②。

① 袁翰青：《中国化学史论文集》，第218页。
② 丹尼尔：《科学史》，第97页。

结语　分裂动荡时代的学术发展

魏晋南北朝在中国历史上是一个十分特殊的时期,延续始终的分裂动荡成为这一时期国家政治状态的最为突出的特点。之所以如此,则有所谓"清谈误国"之说,学术思想和相应的风俗文化承受了国家赢弱和政权沦亡的历史重责。侯外庐等著《中国思想通史》云:"按清以前各家对清谈的评价,有一点是共同的,即多不究其学术内容,而将之与所谓内乱外患相系在一起,以明因果。"①　如此之因果,从晋士到唐人,可以说是一脉相承。

还在裴頠作《崇有论》时,便深感世风日下,社会的价值导向已完全错位。故他不得不奋起而辟之:

> 頠深患时俗放荡,不尊儒术,何晏、阮籍素有高名于世,口谈浮虚,不遵礼法,尸禄耽宠,仕不事事;至王衍之徒,声誉太盛,位高势重,不以物务自婴,遂相放效,风教陵迟,乃著"崇有"之论以释其蔽。②

在这里,所谓放荡不遵礼法、风教陵迟等等,可以说都属于现实的存在,导致如此时俗的原因,则在于"口谈浮虚"、"不尊儒术",二者又是相互发明:浮虚不过是欣慕老庄,老庄胜则儒术衰,礼法名教必然遭到无情的抛弃,社会也就难免会是江河日下。

----

① 《中国思想通史》第 3 卷《魏晋南北朝思想》,第 36 页。
② 《晋书》卷 35《裴頠传》。

　　但裴頠之倡"崇有"并未对世人起到警醒作用,与他同时代而为风流"称首"①者的王衍兵败石勒,在被杀死前曾哀叹说:"呜呼! 吾曹虽不如古人,向若不祖尚浮虚,戮力以匡天下,犹可不至今日。"② 这被视为对清谈误国的最为有力的控诉。王衍"名盖四海,身居重任",亦曾尽其心智、财力以卫晋,可推他为元帅以领军御敌本非他所能,他以"非才"③ 推辞应当属于实情,故其失败也就是必然的。虽然对王衍之败,士人也有不同意见,如袁宏便以为"运自有废兴,岂必诸人之过"? 却当即遭到桓温的斥责而被免官④,这说明,清谈名士们为王衍的抱屈,在当权者眼中同样是应被革除的虚浮无用之言。

　　从而,虚浮本来只是一种学风或流俗,但此学风或流俗要为国家沦亡和抛弃礼法负责;儒术本来是讲经,但因言必谈礼法,故成为了务实的代表,并由此形成为学术浮虚与务实的尖锐对立。桓温所云"遂使神州陆沉,百年丘墟,王夷甫诸人,不得不任其责!"⑤ 实际上已成为历史定评。体现唐代国家对于晋王朝兴衰历史经验总结的《晋书·儒林传序》说:

　　　　有晋始自中朝,迄于江左,莫不崇饰华竞,祖述虚玄,摈阙里之典经,习正始之余论,指礼法为流俗,目纵诞以清高,遂使宪章弛废,名教颓毁,五胡乘间而竞逐,二京继踵以沦胥,运极道消,可为长叹息者矣。⑥

不尊儒术简单地被代换为亵渎礼法,而亵渎礼法正是魏晋以降国家危

---

　　① 《晋书》卷43《乐广传》云:"广与王衍俱宅心事外,名重于时。故天下言风流者,谓王、乐为称首焉。"
　　② 《晋书》卷43《王衍传》。
　　③ 同上。
　　④ 参见《世说》之《轻诋》、《文学》相应条,《世说新语笺疏》,第834、273页。
　　⑤ 同上(834页)。
　　⑥ 《晋书》卷91。

乱之祸根。那么,历史朝代的兴衰更替的缘由似乎又变得十分地简单。

但是,"宪章弛废,名教颓毁"到底是儒术本身不济所带来的必然后果,还是因为人们主观轻弃儒术所造就,这两个虽有联系但又有区别的问题,在这里却被混同为一体,并以对后者的激情痛斥代替了对前者的理智分析。不过,其所谓"运极道消"又与袁宏的"运自有废兴"有了某种程度的联系,认可历史朝代更替有自身的规律在发挥着作用。

明清之际,对明朝覆亡的经验总结总是归结于王学的"空疏",而这又颇有类似于晋世的虚浮,有感于此的思想家们于是又结合明亡的教训,总结魏晋名士风流之遗祸云:

> (正始)一时名士风流,盛于雒下,乃其弃经典而尚老庄,蔑礼法而崇放达,视其主之颠危若路人然,即此诸贤为之倡也。自此以后,竞相祖述。……以至国亡于上,教沦于下,羌戎互僭,君臣屡易,非林下诸贤之咎而谁咎哉?①

换言之,在顾炎武看来,名士风流之自由放达,是顾自不顾他甚至抛弃君主、国家的祸首,其必然的结局就是君易而国亡。

与顾炎武同时,王夫之从社会国家动乱与民族矛盾的关系的分析出发,否定了这一时期的文化发展。他认为:"魏晋以降,刘、石之滥觞,中国之文,乍明乍灭,他日者必且陵蔑以至于无文,而人之反乎轩辕以前,蔑不夷矣。"② 这虽然不是直接批评魏晋南北朝的文人和学风,但对社会文化的整体否定实际上表明了王夫之的鲜明立场。

然而,古人对魏晋南北朝学风的批评,"到了清代汉学家,便起了反动,多为魏晋学者辩诬。"③ 这起初之辩诬,主要在王弼、何晏所治为《易》和《论语》,本为儒家自身义理之学。到清末,章太炎给予了系统的

---

① 顾炎武:《日知录集释》卷 13《正始》。
② 《思问录·外篇》,《船山全书》第 12 册,第 467 页。
③ 《中国思想通史》第 3 卷《魏晋南北朝思想》,第 36 页。

辩解,直陈历来对玄学虚浮的评判,其实并不恰当。因为玄学家虽然其言尚虚,但虚与实并非截然对立,像礼乐、律令、算术、药石这些实际学术,本来都出于五朝名士之手,说明实之学术亦有赖于虚之精神。"故玄学常与礼律相扶,自唐以降,玄学绝,六艺方技亦衰。"①

章氏以无玄学亦无六艺方技的历史,论证他提出的虚玄与实艺相扶助之论,二者虽无必然之逻辑,但从历史的层面看,唐宋以后理学肇兴,见闻之知被贬,六艺方技确乎被唱衰。所以,明末清初颜元批判理学,要重倡务实之六艺,提出"只因废失六艺,无以习熟义理,……盖圣人知人不习义理便习闲事,所以就义理作用处制为六艺,使人日习熟之"②。颜元的观点是六艺与义理本相互促发,这也正是章太炎想要着力论证的。故他又说:

> 夫经莫穷乎礼乐,政莫要乎律令,技莫微乎算术,形莫急乎药石,五朝诸名士皆综之。其言循虚,其艺控实,故可贵也。③

> 世人见五朝在帝位日浅,国又削弱,因遗其学术行义弗道。五朝所以不竞,由任世贵,又以言貌举人,不在玄学。顾炎武组织王朝遗绪,以矜流品为善,即又过差。④

章太炎的驳论,实际上展现了一个如何看待和评价学术的新的视角。事实上,学术本身之虚并不能说明问题,问题在于它是否能以虚而控实。正是在后者,他以为五朝名士是做到了的,所以他对顾炎武的观点明显表示不赞同。至于说玄谈风教瓦解了帝位朝政的根基,这更是把玄谈的作用夸大了。其实,学术文化并无力承担起那样大的社会作用。

---

① 《章太炎全集》第4册,《太炎文录初编·文录卷一·五朝学》,上海人民出版社1985年版,第76页。

② 《存学编》卷4,《颜元集》,中华书局1987年版,第98页。

③ 同上书,第75页。

④ 同上书,第77页。

国政的不济有它自身的原因,不能把什么都归于玄学。

章太炎立足虚实相扶来重新评价魏晋六朝的尚虚之风,其立论虽然不尽全面,但以他为代表的 20 世纪初期的学者对于魏晋六朝学术的正面评价,毕竟成为了新时代玄学研究的新的起点。自此之后,冯友兰等在"中国哲学史"的范畴内重新梳理和肯定了魏晋玄学的理论价值,汤用彤等更根据自己的系统研究,将魏晋玄学的学术地位提高到一个前所未有的水平。侯外庐等著《中国思想通史》,虽然在评价玄学的思想和历史价值上与汤用彤等有不同意见,但仍肯定这一时期的思想家作为"非常"人物在"非常"时代的所做出的贡献。

一、儒不独尊与学术的转型

魏晋时代的学术,在中国学术发展史上,以其哲学模型的转换和理论创新为一大特色。一大批魏晋名士中的风流人物,力图从哲学思辨的角度去观察和解释现实的社会,为直接维持社会秩序运转的社会政治原则和伦理规范做出理论的说明。如此的说明和论证,与思想家们各自的生活背景和理论素养密切相关,故尽管他们关注的是同一类的问题,其答案却是非常的不同。集中体现魏晋时期学术发展特色的思想大辩论,不论是反映哲学与社会政治伦理关系的名教与自然之辩,还是构成哲学理论自身发展阶段的贵无、崇有、独化之辩,可以说都是如此。魏晋玄学的走向高潮,正是以这不同学术观点的充分展开为标志的。

玄学与儒术是相对立的,玄学的兴盛意味着儒术的衰微,这是在裴颜一辈人就已经看到的不争的事实。但包括裴颜在内的思想家们,虽然看到了名士们不尊儒术、抛弃礼法所反映的学术和社会的变革,并依据儒家的基本理念对之予以批判,但问题是历史毕竟选择了这样一条由独尊儒术到儒不独尊的学术发展的道路。

从后人的角度来看待魏晋南北朝的学术发展,斑斓多彩是它的最大特色。在打破长期独尊儒术所形成的对学术全面发展的禁锢之后,不同学术领域呈现出一种令人目不暇接的多样性和丰富性。尽管与先秦诸子百家争鸣相比,它的规模不像那样宏大,但它展现的学术空间范围和思想深度却是前所未有。

学术思想的丰富多样,并不意味着没有发展的主线,正如汉代学术的主线是儒术占统治地位一样,魏晋南北朝学术发展的主线是玄学的兴衰。这一主线当然不是谁最先规划好的结果,而是为诸子学术变化发展的合力所造就。那么,不是杂乱无章、而是变化致一成为了汉魏晋学术变革的一般的走向。

还在汉末学术由一统走向分裂,由同一走向多样,并激起了新一波的诸子各家的争鸣的同时,思想家、政治家们又不约而同地做出了新的由多致一的选择。当然,时代毕竟在发展,汉魏之际的学术发展,已与先前的独尊儒术、一家统众家不同,它不再执著于从各家之中选择和推行某一家的学术,而是发出了不同理论都需要有一个共同的根基的呼吁,要求寻求一个将各种理论贯通起来的最终的本体。故百家之统合不在于学派的门户,而在于是否能够从理论上说明致极归一、以一会众的道理。只有符合如此要求的理论,才能为时代所选择而得到发展。各派学者的这一共识,正是玄学兴起所担负的历史使命。

而从儒家学术自身来说,它之所以不得不将学术发展的主导权拱手让出,源于它本身已成为学术变革的首要对象。汉代经学家由于缺乏创造性的探求学问的精神,只是固守自己熟悉的旧套,对于不熟悉的则妄加毁伤,就必然使得学术的发展越来越陷入了死胡同。那么,中国学术自汉代经学向魏晋玄学、汉代象数学向魏晋义理学转化的一个关键理由,就是烦琐的经典注解及其意义钩沉,已经严重地阻碍了人们钻研学术的积极性。传统学术的目的,本来是学者,学为圣人。《周易·蒙卦·象辞》称:"蒙以养正,圣功也。"可是,如果这种"圣功"沉陷于长年累月的经典研习而难以自拔,实际就束缚了人们走向圣人境界的手脚。所以,学术思想发展的必然要求,就是尽可能探索出一条化繁就简的道路。

在这里,传统经学道路出现的危机,其正面表现就是历史提出的变革的要求。随着章句训释由繁杂向简明的转化、由单纯章句向发挥义理的转轨,社会的风向,是经学注疏的证实逐步代换为玄学研究的尚虚,删繁就简不仅仅是个别学者注经风格的变化,它已经成为整个学术发展的一般的趋势。

同时,学术的发展,离不开学者思想的解放和学识的创新。汉学失败的深刻教训,不但在于它导致了儒学的沉沦和于事无补,而且由于人的心灵的扭曲造成了对于学术发展的动力的窒息。要想推动学术的发展,供社会选择的人才的标准,就不应当再执著于儒家的纲常,而必须更多地将人的才识考虑在内。学术的传承,也就不能仅以一般的连续性来考量,而是也应将后来者对先前者的反叛和断裂行为包容于其中。完全的循规蹈矩是不会有学术的发展的,断裂和创新是学术发展的内在灵魂。

建安曹氏集团在政治上和学术上的登台,正是这一必然性的真实的写照。老庄、申韩上下一以贯之反对仁义教化,使得曹氏父子贵刑名法术,在客观上也呼应了自汉末以来的道家思想的流行。换句话说,道家的因循自然、适时变化能够被历史所看中,在于它既是一种人生的价值选择,也在于它为统治者提供了一种便于驾驭各家学术的方便的治国谋略。

在语言概念上,谈论形名、名理对汉魏之际的学术转向具有重要的推动作用,但这又与先秦的名辨不同,思想内容的方面越来越具有举足轻重的作用。魏晋名士之中,重名理的一方固然在概念的清晰性上发挥了所长,一时名理之学亦蔚为壮观,可最终却敌不过玄谈一方。根本的原因,就在于名言与所表达的意蕴往往不是一种直接的对应关系。日常语言概念固然可以通过辩论而走向清晰,但对于"可道非常道"的大道,对于"不可得而闻"的性与天道,对于与有名有形对立的无名无形,清晰的要求事实上已变得不可能。但从另一方面讲,"可道"虽非"常道",但"常道"又离不开"可道"。一种理论、学术,如果完全"可道",固然不能充作为本体,同时也使人失去了做进一步理论追寻的兴趣;但倘若完全"不可道",则又在否定它之认识的可能的基础上,消解了它存在的目的和价值。

表现在人之情性、情理关系上,王弼为圣人有情辩护,并不等于倡导情之本身,他与何晏派的基本点并没有根本性的不同,即都认定圣人不能"累物"。但何晏等据此将理与情分割开来,却无助于说明圣人不能无哀乐的现实,反而会使圣人之理、之神明变得难以理解,违背了"自然"的本性。所以,正确的道路是既承认圣人有情应物,又坚持神明通无、无累于物的原则,使有与无双方在遵循"自然"的前提下沟通起来。

统合有无的学术思辨,反映的是儒道和合的历史需求,但尽管如此,相互间的关系却不能不分出主次。王弼以儒家圣人体无而标明了其崇高,给出了孔高于老的儒道排序,但在实质上,名士们之儒道和合仍是以抑儒崇道为指向的,以致儒生们都改换门庭去投奔老庄。之所以如此,在于不言性、道本体,就不能适应学术理论发展对形上根据的探求。圣人"体无"如果换一个角度,也就是圣人只言有,故"性与天道不可得而闻",这在理论层次上便不可能高于讲以无为本、玄之又玄的老庄。所以,能够满足学术发展要求的慕道谈玄成为了新时代学术的主体,也就是顺理成章的。在这里,所谓论儒道同异离合的"四本"或四派,可以说都不是指儒、道的平等搀和或以儒为主,而是以道家取代儒家、玄学取代儒学(儒家经学)成为时代思潮的标志物的。

结合文本的阐释,学术发展主流由儒家经学到玄学的转变,意味着经典的高不可攀其实只是人为崇信的结果，当人们以怀疑的眼光来审视这些经典的时候，他们发现所谓经典，其实只是意味着它们是与圣人相分离、没有随圣人而逝去的空壳、糠秕，人们对它大可不必抱持着那样一种神圣不可侵犯的态度，而可以充分发挥自己的批判再造精神。

由此，人们不论是注《周易》、《论语》，还是释《老子》、《庄子》，都不是还原原版的孔子和老庄，而是按照著作者自己的理解和意图，塑造出新的孔子和老庄。注疏和阐释经典变成了新的思想理论的创造。从何晏、王弼注《论语》、《周易》和《老子》开始，到向秀、郭象《庄子注》的完成和风行，他们所代表的新的学术思想和风气，满足了人们对"玄之又玄"的境界亦即形上本体追寻的需要，使不满于传统经学研究的繁杂肤浅的知识阶层，终于感受到了精神的充实和相当程度的自足。"儒墨之迹见鄙，道家之言遂盛焉"①，从而完成了魏晋学术思潮由儒家经学向玄学的转型。

这一转型在学术史、思想史的意义是巨大的。玄学取代经学，后来再有佛学取代玄学，理学取代佛学，都说明了学术史的发展是连续性和断裂性的统一，在其中必然存在有学术自身运作变化的规定性和规律性。当嵇康质疑向秀注《庄子》的必要性时，他所担心的，是注解的结果恐会导致《庄子》文义的歧解和妨碍达生任性的人生态度。这样的担心，实际上预示着对经典原著的重新阐释，必然会带来对原来习以为常的固有理解和认知模式的冲击，并促使人们思想换位和学术转轨。事实上，当向秀坚持注《庄》并将自己的成果展示给嵇康看时，他自信自己终于成功地阐释了《庄子》的"旨统"。向秀是可以感到宽慰的，因为他已经站在了学术发展的前列，引领着时代的风向了。

---

① 《晋书》卷49《向秀传》。

二、学术正统与三教论争

中国学术中的正统意识历史悠久。先秦时期的华夏中心论是它的原始根据。秦的天下一统是法家学术思想的胜利,法家是名副其实的惟一的正统。其后,"汉承秦制"并不只表现在社会政治架构上,"春秋大一统"的理想的落实,将作为正统的代表的"法术"改换成了"儒术",以儒术为独尊。但是,由于缺乏对先秦各家学术的系统的总结,汉武帝、董仲舒的"独尊儒术"主要基于政治的而非学术的理由。总结先秦学术的任务,历史地落到了与他同时的史学家司马谈之手。

司马谈不是从政治标准而是从学术标准来判定各家的优劣的。但他虽论各家之短长,却并未有正统专属之意识,他的基本点是《易大传》的"天下一致而百虑,同归而殊途",即只有"一统"而没有正统。司马迁继承了乃父的学术旨趣而将《论六家之要旨》发表了出来,这显然与尊儒的学术气氛是相抵触的。故班固作《汉书》,尽管全文照转了《论六家之要旨》,但却给出了"是非颇谬于圣人,论大道则先黄老而后六经"的评价。

班固有明确的儒家正统观,但他又不赞同董仲舒的"抑黜百家"、"勿使并进",因为各家学术并不就是"孔子之术"与"邪僻之说"的简单对立,而是要复杂得多。班固不仅是历史学家,也是学术史家,作了流传千古的《汉书·艺文志》,其中各家学术都有自己合法的存在地位。正因为如此,他所注重的不是董仲舒的惟一性、独尊性,而是正统性和主干性,即在承认各家的基础上再区分先后主从。这一做法影响深远,后来中国学术的各家各派,都是以正统意识的担当者自居的。从而,三教及各家之间的争论,也就不再是争一统,而是争正统。

在整个魏晋南北朝时期,三教异同一直是学术发展的中心课题和最引人注目的文化现象。这既有儒家与道教、儒家与佛教、佛教与道教的关系，也有佛教或道教分别拉拢儒家以攻击第三方的关系。而从其发展的大势来说，则表现为三教为维护论证各自的合法性、正统性和主干性地位而展开的论争，其间含摄着本末先后之辨和夷夏之辨等。正是在这些争辩之中，三教的学者学会了一定程度的容忍和折中，三教学术开始了初步的融合交汇。

　　三教论争是一个总的话题，结合具体情形而言，儒家学术在汉代具有的"独尊"的地位，虽然进入魏晋以后已基本丧失，但作为社会国家管理的思想基础和内含于玄学中的基本理论构成，使其仍具有当然的正统的地位。正因为如此，新起的道教和佛教首先都是与儒家发生纠葛，并力图在与儒家的颉颃中找到与自身学术的契合点和自己理论的生长点。在这里，道教、佛教为自身争取生存权和合法性的斗争可以说是积极主动的，而儒家学者往往只是被动地响应，相对于道、佛二教的理论创新，儒家基本上是安于守成或者疲于应付，所以在学术发展的潮流中明显处于下风，这在整个魏晋南北朝时期可以说都是如此。

　　在佛教一方，先前玄学由贵无转向崇有的学术发展轨迹，事实上已经为以空释无的佛教理论思辨给予了启示，那就是它亦应当在破除了执因缘流变为真实的世俗见解之后，召唤佛性的真实，解决佛性之有的问题。学术发展有自己内在的动力，中国人需要和接受佛教，不是为了破除一切，而是为了获得安身立命的依托并以之为精神追求的境界。佛教在中国的发展，正是受到这一民族传统和思维特性的制约的。从而，以空无为导向的否定性思维转向了对有的重塑的肯定性思维，转向了对涅槃佛性和西方净土的追寻。

　　如果说，佛性的本有和成佛的可能，在佛教学术圈内还需要为自身的合法性进行论证的话，对于在圈外感受佛性论的中国固有学术传统来说，却是最容易理解的。作为儒家人性论主体的性善论和由此导出的"人皆可以为尧舜"成圣的可能性，早就从世俗的角度为佛性的本有和成佛的可能准备好了土壤。

当然，佛性与人性、宗教与世俗之间的矛盾用不着回避，也需要认真对待。人性的范畴是建立在人的真实存在基础上的，是人之为人的本质属性，这一规定在中国哲学已为各家各派所公认，而佛性是什么则显然要更为复杂。开初是心和境，后来则有吉藏概括的十二家。但是，如果不拘泥于宗教层面的特定理解，从总体趋势上看是向儒家人性概念靠近还是可以成立的。当然，这种靠近实际上是双向的。东晋慧远提出的"至极"和"不变"的本体，是玄学以无为本思维的继续和深化。因为玄学的本无只涉及客观层面的宇宙本体，慧远的"至极"则引向了主观层面的精神追求。在此意义上，可以说佛教超越了原始的儒、道。慧远之叹"儒、道九流，皆糠秕耳"也有历史的理由。

在这之前，当汉魏之际荀粲称六经为圣人之"糠秕"而推出"性与天道"时，实际上意味着一种新的思维方式——玄学思辨的来临，它可以说是中国学术对于形上追求的第一次自觉呼唤。而慧远在玄学影响遍及中土再论"糠秕"，则与以玄学领其风骚的中国学术自身的反省不同，它反映的是一百多年后外来文化作为触媒冲击本土学术的结果。慧远的感悟，除了立于佛教而贬低儒、道两家的宗教立场外，同时也说明了一个道理，那就是要求从"糠秕"中解脱而返求本性，不仅是儒道的追求，也更是佛学的宗旨。

慧远坚守不变法性，僧肇则大讲"非真非假"，以"不真空"的观点统一真假二谛，成功地对般若空宗各派的思想进行了总结，使其最终超越了玄学的思维框架。但从另一角度说，没有玄学打下的基础，般若学的广泛传播也是难以想象的。可以说，"魏晋玄理玄智可为中国吸收佛教而先契其般若一义之桥梁，……尽管教义下的无与证空的般若各有其教义下的专属意义之不同，然而其运用表现底形态本质上是相同的。是共僧肇得用老庄词语诠表'不真空'与'般若无知'而亦不丧失其佛家之立场而为'解空第一'也。"①

再往前走,竺道生则对佛性进行了更适合中国传统思想的改造。佛性在他由仅限于主体的成佛的可能,向宇宙本体和人的性善本质转化,成佛实际上意味着主体和性善本质的合一。如果说,僧肇解"空"注重于澄清佛教的本来面目,慧远、道生论"有"(性)则更为强调适应中国社会的需要。二者不仅在佛教学术本身是一种互动互补的关系,对于中国大众接受佛教也有相得益彰之功。实际上,佛教学术主要地也就是分为这样两大部分,所以自然地成为中国学者关注的中心。

在道教一方,葛洪在学理上证明道之为本是得心应手的,在他这里,道本儒末说第一次在理论上得到了系统的阐发。葛洪辩术的机巧,是将所要论证的道家道教与儒家之间作为学派的本末,代换为哲学范畴的大道与仁义之间的本末。在此前提下,道既然为"百家之君长,仁义之祖宗",道教也就顺理成章地成为了儒家之根源。葛洪充分地利用了"道"字的模糊性来做文章,将道之"学"与道之"教"混同为一体。在这里,道之与儒,同一在人道,超越则在天(仙)道。所以,道本儒末实在是很正常的。而且,道为宇宙之本是无条件的,仁义则是比较鉴别的产物,是有条件的,本来就低了一个层次。"由此观之,儒道之先后,可得定矣"。

从东晋到南朝,道教的问题主要还不在于处理与儒家的关系,而在于如何抵御佛教势力的增长。道佛两家多次发生正面的交锋,但正是在这交锋中,道与佛双方都更深刻地认识到了各自学术之所长,从而在更广泛的层面产生了道佛折中调和的需要。

从有形之神仙到无形之空无,道教的仙境与佛教的涅槃已经合而为一,这就难怪顾欢虽要分道、佛高下、却又并不否定佛教,而是要

---

① 牟宗三:《〈才性与玄理〉三版自序》,《才性与玄理》卷首,台湾学生书局2002年修订版(九刷),第1页。

求二教同道同源。佛教在他，已不是殊死的对头，而是有用的工具；利用佛教，可以补道教之不足，可以使神仙理论精致化。从学理上说，"道"只有证明自己具有最大的普遍性和适应性，才能居于万流归宗的地位，享有统一其他各派的正统和权威的资格。反之，如果它不能济包括天竺在内的"天下"，则所谓"道体"便不稳，所以，援佛以补道、从学术思想上消融二教对立的锋芒，成为了他著《夷夏论》的真实意图。

"夷夏"之辩长期以来是儒家和道教抵御佛教的共同武器。由于佛教系由西域少数民族地区传入中原，故夷夏之辩的兴起，在汉地维护的是根深蒂固的华夏、汉族正统观念；北方地区的统治者之认同佛教，则反映了他们欲以之与汉族儒家正统相抗衡并取而代之的意图。后赵时中书著作郎王度上奏，要求遵循儒家正统立场，禁绝佛道以回归夏礼，皇帝石虎却下诏说："度议云：佛是外国之神，非天子诸华所可宜奉。朕生自边壤，忝当期运，君临诸夏。至于飨祀，应兼从本俗。佛是戎神，正所应奉。"[1] 石虎自觉认同"本俗"、"戎神"，而不以华夏之礼为然，乃是从其"君临诸夏"、以"边壤"为正统的德运更替观出发的。但如此的德运更替，已经加进了佛教的因果报应、轮回转世观的新内容，即佛图澄所谓"此主人命尽当受鸡生，后王晋地"。[2] 石虎能于晋地称王、入主华夏乃是前世善德因果所报，也正因为如此，以夷主夏在他本来就是一条正道。

那么，夷夏之辩虽然缘起于排佛御外的狭隘民族心理，但随着讨论的逐步深入，已经扩展为对原有的中"外"文化视野、学术传统和民族关系的全面审查。先前被认为理所当然的华夏文化正统观受到根本性的冲击，从而促使民族文化的平等交流和民族融合的进程加快，是即所谓

① 慧皎:《高僧传》卷九《佛图澄传》，第352页；又参《晋书》卷95《佛图澄传》。
② 同上书，第350~351页。

"殊类同规,华戎一族"① 也。在这里,宋帝下诏禅齐虽属无奈,但其间却反映了南方地区同样存在的民族交流融合的实情,而这之所以可能,与佛教学术文化的传入和流行是分不开的。

在思想领域内,三教调和折中开始逐渐成为社会普遍接受的共识。至于调和的目的和诉求,虽因各自的立场不同而有异,但各家共持的性善说无疑是最后的基础。这可以说是人性论上的殊途同归、由多致一说。颜之推发明,入善之道非仅儒家一途,儒家经籍不可能穷尽天下智慧。颜之推以他教育者的身份,着重说明了佛教思想在帮助世俗教育和使人归心于仁义善德方面的积极作用。在总体上,虽然三教学者继续争主流、争正统,力求发挥本宗本教的更大作用,但随着对各自学术及其相互关系认识的深入,三教乃至教内各派在学术思想上互相吸纳已是历史的大势。中国学术的发展,正是通过这不同学派、教派之间的争精争优、相互借鉴和吸收融合走向新阶段的。

三、经、文、史、科"四学"并立

经学:玄学的兴起和佛教、道教学术的繁荣,构成了魏晋南北朝学术最引人注目的景象并主导了这一时期学术的发展。儒学在三教中处于守势,对玄学也是劣势,但儒家学术在整体上的低潮和边缘化,并不等于儒家学术就完全消沉。一方面,玄学固然超胜于儒学,可儒学却是玄学的成分,玄学家之虚无玄远离不开现实的学术土壤,玄学的开山何晏、王弼可以说都是如此。在此意义上,儒学是通过作为玄学的思想来源和对名教政治的维护曲折地表达着自身的理论诉求。另一方面,作为儒学根基的经学,又力图通过经学自身的变革而摆脱汉末以来的危

---

① 《南史》卷4《齐本纪上》。

机,在挫折中逐步摸索出新的发展方向,跟上时代的步伐。这在经学史上主要的表现,就是汉末郑玄经学一统的打破与王肃新经学的产生,以及随后的郑、王之争和南、北学的并立。

王肃经学的肇兴是魏晋经学发展最重要的事件。王学取代郑学犹如当年郑学一统汉学一样,在经学史上的意义深远。它打破了郑学的天下一统,它的流行预示着经学发展迎来了新的生机。这虽然并不能动摇玄学在学术文化中的中心地位,但却促使经学自身在这一时期仍保持了发展的势头。如两晋被收入《十三经注疏》的学术成果,便有韩康伯续《周易注》、杜预《左传集解》、范宁《穀梁传集解》、梅赜所献《古文尚书》及《孔安国传》,郭璞《尔雅注》等。所以,以两晋为"经学中衰时代",实际上并不恰当。

南北朝儒家经学因南北朝分立而形成南学与北学。南朝儒学在多数时候不及北学兴盛,但其原因,并非是因为"南方玄学"流行而阻碍了经术,而是在于佛教学术的日益繁盛,这是南北双方儒学发展共同遇到的挑战。但从谈玄到辩佛,其中确又贯穿着一条义理思辨的主线。这就促使儒家学者意识到,只有从义理的角度为自己开辟道路,在思想上说服论敌,才能求得学术的发展。同时,儒佛的对立虽然无处不在,但又不是处处森严壁垒,而往往杂糅了各家学术。范缜"博通经术"而"盛称无佛",但他与佛教信众论辩"神灭",运用的却既有儒家的忠孝伦常、人生日用,更有道家、玄学的自然无为和精深的义理思辨,由此使形神关系跃进到新的水平。从此角度说,儒学与其他学术的融通交汇,并不就意味着儒学的衰微,而是从更高的层面揭示了学术发展的必然。

文学:"中国文学,自两汉、魏、晋而大盛,然斯时文学,未尝别为一科(故史书亦无《文苑传》),故儒生学士,莫不工文。其以文学特立一科者,自刘宋始"。文学独立地位确立的标志,一是文学与其他各学"并建","此均文学别于众学之征也。故《南史》各传,恒以'文史'、'文义'并词,而'文章志'诸书,亦以当时为最甚";二是从"文章"到"文翰"再到

"文集",真切地体现了文学的自主和发展,"而'文集录'中,又区楚辞、别集、总集、杂文为四部,此亦文学别为一部之证也。"① 魏晋南北朝学术变革自文学开端。文学虽然是与众学"并建",但与经学发展的不畅有别,文学的自觉正是从此时开始。

文学是以浪漫夸张的言辞来抒发和渲染人的情趣的,但是,从建安时代开始,这些言辞与作者想要表达的内在义蕴是否一致,却成为哲学家和文学家们共同面临的问题。欧阳建是从哲学上阐发"言尽意"论,陆机则立足文学提出了文必"逮意"和"诗缘情"的同样的思想。但"言不尽意"论毕竟是主流的观点,意有出于言外和忘言会意本身亦成为文学创作的追求。陶渊明读书"不求甚解",这是从文学创作出发对汉代经学"求甚解"原则的自觉背离。从庄子到王弼、嵇康都讲"得鱼忘筌",但在陶渊明,"言"之被忘不是因为它已无用,而是根本就不需要,"真意"是在心境交融中自然呈现。

从东晋到南北朝,玄言诗和山水诗相继兴起。玄言与山水的划分,并不仅仅是在写作特点和艺术风格上,更重要的是它们与时代联系了起来,并成为时代文学划分的标志。东晋玄言诗的兴起和流行,是东晋玄佛合流、儒释道折中的大势在文学上的反映。而当诗人文士们发现自然山水也具有内在的生命,抽象的说教和对宇宙精神的解悟,可以通过山水自然的美景来映射之时,就促使他们主动积极地进行思想换位,从山水自然中吸取灵感,从而呼唤唯美主义的山水美学时代的到来。

南北朝文学发展的巨大成就尤其表现在文学理论上。刘勰《文心雕龙》作为划时代的巨著,注重从"道心"的角度讲"文心",提出作文之情深、风清、事信、义直、体约、文丽的"六义"。要求解决酌奇、玩华与"真实"的关系,以便能创生出传世的作品。文学创作的灵魂在于心物双方的交互作用或神与物游,其神思、风骨、知音等说,既强调鉴赏和评

① 刘师培:《中国中古文学史讲义》,《刘师培中古文学论集》,第 66～67 页。

价的准确,又带有强烈的理想色彩。钟嵘不像刘勰那样重视诗的教化功能,以曹植为核心的"建安之风",是钟嵘诗论的理想境界和评价标准,也是后来诗歌发展的基本轴线。他所关心的是词采的华美而不是思想内容,玄言诗把抒情诉怨的诗歌,当成了说理教化的工具,"平典似《道德论》",所以他明确提出了批评;同时又反对诗之"用事",而主张"自然英旨"。《诗品》思深意远,将诗文流别与《诗经》和《楚辞》相联系,并认为可以由此去体验天地的纯美、古风之真性,在诗学发展史上有深远影响。

可以说,以《文心雕龙》、《诗品》等为代表的一批重大学术成果,不仅在南北朝、而且在整个中国文学史上意义非凡、影响深远,并由此将魏晋以来中国文论的发展推向了一个前所未有的高峰。

史学:中国的悠久历史传统在一定程度上依赖于历代史学家孜孜不倦的努力。魏晋南北朝时期存留至今的正史,便在二十四史中占据五席之多。史学研究所以能够取得如此的成果,是与社会环境、学术氛围和史学群体的努力联系在一起的。

魏晋南北朝史学的一个显著特点是当朝人编当朝史。除范晔《后汉书》外,其余诸史作者对于所撰朝代,都有过亲身的体验,如何协调"实录"史实与维护统治者自身权益及朝政的需要,始终是一个十分棘手的问题,崔浩被灭族便是这方面最为极端的例证。但是,在大多数情况下,修史者还是有表达意见的权利的。他们对本朝开国治国经验和前朝政权兴衰得失进行的自觉总结,有利于维护朝廷的统治,这也是各朝统治者重视修史的最根本的原因。

在制度的层面,从魏开始有了专掌史任的职官,表现出国家对于修史的空前的注重。后赵皇帝石勒设置经学、律学、史学、门臣四祭酒和门生主书,这是史学独立和学术分科的最早记载,一百多年后,南朝宋文帝"并建"儒、玄、史、文四学,在学术史上更是影响深远。随后经、史、子、集四部分类,史籍亦不再依附于经籍而成为独立的部类。

在这一时期所编撰的四部正史中,以纪、传为主导的原则和风格得到进一步的确认,无论史家为何、撰写多么不易,本纪和列传都是绝不可少的。"表"则不是必须的部分,故尽管四史均无表,却未有人觉得不妥。如《三国志》无表,可以解释为陈寿掌握的材料不足;但范晔作《后汉书》,虽计划跟《汉书》相应,却只有十纪、十志、八十列传,根本没有考虑"表"的问题,可见"表"的地位实在是可有可无。

"志"则与"表"完全不同,无"志"必然被认为是一大缺陷。因为"纪、传固然重要,但只记一人的始末;志则关系一代之始末"①,沈约《宋书》还纂辑了汉魏以来之旧章,弥补了《三国志》等三国史书无志所带来的缺憾。但从《后汉书》到《宋书》、《南齐书》均无《食货志》,要了解当时的经济制度,只能从分散的纪、传中去寻找,魏收《魏书》则根本改观,其所撰《食货志》记载的北魏的均田制、租调制等,为了解北魏及以后的土地制度、赋税制度的演变提供了最基本的史料;而他的《释老志》所提供的佛、道二教尤其是佛教发展的材料,使后人对佛教发展与国家经济政治利益的关系能够有更清楚的认识。

在正史之外,《世说新语》及《注》为研究汉末魏晋时期的人物风貌、社会习俗和学术发展,提供了正史所未载或已失传的宝贵材料,为中国学术的发展,增添了更加生动丰富的内涵。

科学:中国古代社会是十分看重如今被统归为科学的这一部分学术的,在史书各志中,《律历》、《天文》等专志历来是社会国家关注的重点。魏晋南北朝的科学发展是多方面的,但最主要的成果表现在数学、天文学、地理学、农学和医学上。

数学是自然科学的基础,魏晋南北朝时期的数学,是获得充分发展而又居于世界领先水平的学术,所产生的一大批成果,至今为人们所自豪。刘徽的割圆术和祖冲之的圆周率便是其中的代表。刘徽通过对圆

---

①　张孟伦:《中国史学史》上册,第238页。

周的无限分割和数学推导,说明原来性质不一的空间形式,经过一系列的分割转换,最终可以联系起来。这可以说是从科学的角度对事物的普遍联系和转化的哲学观点的证明。祖冲之将圆周率计算到小数点后第七位,并且提出"正数在盈朒二限之间",实际上控制了圆周率误差的范围,是非常卓越的思想,并且保持了长达一千年的世界纪录。

天文学和数学关系密切,这尤其表现在历法的制定上。何承天制《元嘉历》主张采用定朔法,尽管当时没有得到支持和采用,但它的提出毕竟是历法制订的一大进步。祖冲之的《大明历》注意到历代闰法的缺陷,提出修改旧"章"而采用新法,并在历法的制订中第一次引入岁差的概念,被称为我国历法史上继汉《太初历》之后的第二次大改革。

在天说即中国古宇宙论方面,三国晋时形成了盖天、浑天和宣夜"三说"与平天、昕天、安天、穹天的"四天"论的七家,然"四天"终究又归结于"三说"。"三说"作为中国古代天说体系的主要代表,都有了进一步的发展。但浑天为主、浑、盖二家之争及浑盖合一说某种程度的流行这三大趋势,主导了这一时期中国天文学的发展。

从晋到南北朝,如果说数学和天文学的发展,南朝成果最丰的话,地理学与农学的发展,代表者显然是北朝。北魏朝后期(包括东西魏),出现了郦道元的《水经注》和贾思勰的《齐民要术》这两部具有重大影响的科学成果。《水经注》是我国地理史上最著名的河流水文地理和历史地理著作。由于郦道元语言洗练简洁,又讲究技巧,其文学价值也历来受到人们的赞赏。《齐民要术》是我国现存最早的完整的农业科学典籍。贾思勰将孔子的"吾不如老农"正面发挥为"圣贤之智犹有所未达",阐明农业科学并不是不需要学习的低级经验,农业科学知识的发展和经济管理政策的改进,体现为一个不断发展和向前推进的过程。

魏晋南北朝时期的医学发展,表现在古医籍的整理、治疗方剂和经验的积累、药学研究的深入、炼丹术的盛行、中外医药交流、医事(政)制度的完善、针灸学的整理、对疾病病因和发病机理的新认识以及病理解剖的出现等多个方面。就其著作论,则以王叔和《脉经》、皇甫谧《针灸甲乙经》、葛洪《肘后备急方》和陶弘景《本草经集注》最为有名。

在魏晋南北朝学术发展史中,科学作为整体虽未成为独立的学术门类,但其中之医学由于与人的生命直接关联,所以其发展不但在各科学分支中最为早熟,而且也是第一个独立设置并具有官方身分的科学学科。在宋元嘉十五年(438)儒、玄、史、文"四学并建"后五年,便有太医令秦承祖奏置医学,以广教授,此为官方置医学之始。

炼丹术与医学的发展密切相关,炼丹家们孜孜以求长生不死药,在这必定失败的企图中,却迸发出化学科学的最初火花。炼丹家们虽然执著于自己的宗教信仰,但同时又具有面向实际的科学精神,强调尊重自然,他们开辟的是一条曲折的科学发展的道路。尽管有缺陷或过错,但却为人类科学地认识物质世界变化的规律,铺下了最初的基石。

纵观魏晋南北朝的学术发展,除了玄学兴衰、佛道学术繁荣成为时代的主题及哲学家、文学家、史学家、科学家、宗教家层出不穷的理论创造外,一个重要的现象就是古代学人的博学兼通。例如:阮籍、嵇康、向秀与陶渊明在文学和哲学,沈约、刘义庆、刘孝标、郦道元在史学和文学,王蕃、何承天、祖冲之和祖暅父子在数学和天文学,葛洪、陶弘景在宗教、医学和化学等,他们都在所兼通的领域做出了重要贡献,引领着时代学术发展的潮流。至于稍微狭义的经学和玄学、玄学和佛学、儒释道三教之间的兼容互通,则是更为普遍的现象。在这之中,尤其是葛洪和何承天,可以说是那一时期百科全书式的学者,在人文科学方面,葛洪与何承天,既都重儒术,又或主道教仙学,或反对佛教神不灭;在自然科学方面,二人在天文学上都是浑天说的代表;葛洪在医学和化学上取得了重要成就,何承天则在数学和历法制定上做出了杰出的贡献。在他们的身上,可以看出学术的综合性与先进性密切联系,体现了那一时代学术发展的重要特色。它说明中国学术的发展,在自然科学领域同样表现出浓厚的兴趣并具有良好的学术氛围,与人文学科领域的发展是完全相协调的。

一句话,按其历史长度,魏晋南北朝只占中华文明史短暂的一瞬,但论其学术繁荣,则可媲美于其他任何强盛的朝代。

主要参考文献

班固:《汉书》,中华书局标点本。

司马迁:《史记》,中华书局标点本。

陈寿:《三国志》,中华书局标点本。

范晔:《后汉书》,中华书局标点本。

房玄龄等:《晋书》,中华书局标点本。

沈约:《宋书》,中华书局标点本。

萧子显:《南齐书》,中华书局标点本。

姚思廉:《梁书》,中华书局标点本。

姚思廉:《陈书》,中华书局标点本。

魏收:《魏书》,中华书局标点本。

李百药:《北齐书》,中华书局标点本。

令狐德棻等:《周书》,中华书局标点本。

李延寿:《南史》,中华书局标点本。

李延寿:《北史》,中华书局标点本。

魏徵等:《隋书》,中华书局标点本。

刘昫等:《旧唐书》,中华书局标点本。

欧阳修、宋祁等:《新唐书》,中华书局标点本。

脱脱等:《宋史》,中华书局标点本。

[日]广池千九郎训点、内田智雄补订:《大唐六典》,西北大学历史系、图
书馆1984年复印[日]汙池学园事业部、横山印刷株式会社1973年
初版本。

司马光编著、"标点资治通鉴小组"校点:《资治通鉴》,中华书局1956年版。

《二十五史》,上海古籍出版社、上海书店1986年影印本。

杨伯峻编著:《春秋左传注》,中华书局1981年版。

上海师范大学古籍整理研究所校点:《国语》,上海古籍出版社1988年版。

荆门市博物馆:《郭店楚墓竹简》,文物出版社,北京,1998年版。

《老子》。

《论语》。

《孟子》。

《庄子》。

《周易》。

《荀子》。

刘安等:《淮南子》。

董仲舒:《春秋繁露》,上海古籍出版社1989年影印本。

扬雄:《太玄校释》,郑万耕校释,北京师范大学出版社1989年版。

王充:《论衡》,上海人民出版社1974年版。

王符:《潜夫论笺》,中华书局1979年版。

刘劭:《人物志》,李子焘《中国识人学——人物志全译》本,河北人民出版社1995年版。

徐幹:《中论》,台湾商务印书馆《四部丛刊·正编》第18册。

何晏:《论语集解》,中华书局影印《十三经注疏》本。

何晏、皇侃等:《四部要籍注疏丛刊·论语》,中华书局1998年版。

王弼:《王弼集校释》(楼宇列校释),中华书局1980年版。

阮籍:《阮籍集校注》(陈伯君校注),中华书局1987年版。

嵇康:《嵇康集译注》(夏明钊译注),黑龙江人民出版社1987年版。

张湛:《列子集释》(杨伯峻集释),中华书局 1979 年版。

刘义庆著、刘孝标注:《世说新语笺疏(修订本)》(余嘉锡笺疏,周祖谟、余淑宜、周士琦整理),上海古籍出版社 1993 年版。

朱熹:《周易本义》(苏勇校注),北京大学出版社 1992 年版。

叶适:《习学记言序目》,中华书局 1977 年版。

顾炎武:《日知录集释》(黄汝成集释),上海古籍出版社 1985 年版。

《四库全书总目提要》,河北人民出版社 2000 年版。

郭庆藩:《庄子集释》,中华书局 1961 年版。

章太炎:《章太炎全集》第 4 册,上海人民出版社 1985 年版。

鲁迅:《鲁迅全集》,人民文学出版社 1981 年版。

中国哲学史教学资料汇编编选组:《中国哲学史教学资料·两汉部分》,中华书局 1963 年版。

中国社科院哲学所中国哲学研究室:《中国哲学史资料汇编·两汉之部》,中华书局 1960 年版。

中国社科院哲学所中国哲学研究室:《中国哲学史资料汇编·魏晋隋唐之部》,中华书局 1990 年版。

侯外庐等:《中国思想通史》第 3 卷,人民出版社 1957 年版。

曹聚仁:《中国学术思想史随笔》,生活·读书·新知三联书店 1986 年版。

王志平:《中国学术史·三国两晋南北朝卷》,江西教育出版社 2001 年版。

冯友兰:《中国哲学史新编》中册,人民出版社 1998 年版。

任继愈主编:《中国哲学发展史(魏晋南北朝卷)》,人民出版社 1998 年重印本。

朱伯崑:《易学哲学史》上册,北京大学出版社 1986 年版。

贺昌群:《魏晋清谈思想论》,商务印书馆 1999 年版。

刘大杰:《魏晋思想论》(林东海导读),上海古籍出版社 1998 年版。

汤用彤:《魏晋玄学论稿》(汤一介等导读),上海古籍出版社 2001 年版。

牟宗三:《才性与玄理》,台湾学生书局 2002 年修订版。

王葆铉:《正始玄学》,齐鲁书社 1987 年版。

孔繁:《魏晋玄谈》,辽宁教育出版社 1991 年版。

许抗生:《三国两晋玄佛道简论》,齐鲁书社 1991 年版。

罗宗强:《玄学与魏晋士人心态》,浙江人民出版社 1991 年版。

汤一介:《郭象与魏晋玄学(修订本)》,北京大学出版社 2000 年版。

徐斌:《魏晋玄学新论》,上海古籍出版社 2000 年版。

《大正新修大藏经》。

《续藏经》,1923 年上海含芬楼影印本。

僧祐:《出三藏记集》(苏晋仁、萧錬子点校),中华书局 1995 年版。

僧祐:《弘明集》,《大正藏》本;台湾商务印书馆《四部丛刊》本。

慧皎:《高僧传》(汤用彤校注,汤一介整理),中华书局 1992 年版。

颜之推:《颜氏家训集解(增补本)》(王利器集解),中华书局 1993 年版。

道宣:《广弘明集》,《大正藏》本;台湾商务印书馆《四部丛刊》本。

道宣:《续高僧传》,《大正藏》本。

道世:《法苑珠林》,《大正藏》本。

石峻等编:《中国佛教思想资料汇编》第一卷,中华书局 1981 年版。

郭朋:《〈坛经〉对勘》,齐鲁书社 1981 年版。

牟钟鉴、张践:《中国宗教通史》上册,社会科学文献出版社 2000 年版。

汤用彤:《汉魏两晋南北朝佛教史》,北京大学出版社 1997 年版。

陈垣:《中国佛教史籍概论》,上海书店出版社 2001 年版。

吕澂:《中国佛教源流略讲》,中华书局 1979 年版。

任继愈主编:《中国佛教史》第 1～3 卷,中国社会科学出版社 1981、
　　1985、1988 年版。

方立天:《魏晋南北朝佛教论丛》,中华书局 1982 年版。

方立天:《慧远及其佛学》,中国人民大学出版社 1984 年版。

方立天:《佛教哲学》,中国人民大学出版社 1986 年版。

赖永海:《中国佛性论》,上海人民出版社 1988 年版。

魏承思:《中国佛教文化论稿》,上海人民出版社 1991 年版。

石峻:《肇论思想研究》,《国故新知:中国传统文化的再诠释》,北京大学
　　出版社 1993 年版。

《正统道藏》,台湾艺文印书馆 1977 年版。

张君房辑:《云笈七签》,齐鲁书社 1988 年影印本。

《太平经合校》(王明编),中华书局 1960 年版。

袁珂:《中国古代神话》,中华书局 1960 年新 1 版。

葛洪:《抱朴子内篇校释(增订本)》(王明校释),中华书局 1985 年第 2
　　版。

陈国符:《道藏源流考》,中华书局 1962 年版。

任继愈主编:《中国道教史》,上海人民出版社 1990 年版。

卿希泰主编:《中国道教史》第一卷,四川人民出版社 1988 年版。

王明:《道家和道教思想研究》,中国社会科学出版社 1984 年版。

汤一介:《魏晋南北朝时期的道教》,陕西师范大学出版社 1988 年版。

黄钊主编:《道家思想史纲》,湖南师范大学出版社 1991 年版。

卢国龙:《道教哲学》,华夏出版社 1998 年版。

王肃注:《孔子家语》,上海古籍出版社 1990 年影印本。

陆德明:《经典释文》(黄焯断句),中华书局 1983 年版;上海古籍出版社
　　1985 年(据北京图书馆藏宋刻本影印)版;(黄坤尧、邓仕樑编校),台
　　湾学海出版社 1988 年版。

孔颖达:《五经正义》,中华书局 1980 年《十三经注疏》本。

孙星衍:《尚书今古文注疏》(陈抗、盛冬铃点校),中华书局 1986 年版。

朱骏声:《说文通训定声》,中华书局 1984 年版。

陈澧:《东塾读书记(外一种)》,三联书店 1998 年版。

唐晏:《两汉三国学案》(吴东民点校),中华书局 1986 年版。

皮锡瑞:《经学通论》,中华书局 1954 年版。

皮锡瑞:《经学历史》(周予同注释),中华书局 1959 年版。

马宗霍:《中国经学史》,商务印书馆 1998 年影印(1936 年)版。

蒙文通:《经史抉原》,《蒙文通文集》第 3 卷,巴蜀书社 1995 年版。

[日]本田成之:《中国经学史》(孙俍工译),上海书店出版社 2001 年版。

吴雁南、秦学颀、李禹阶主编:《中国经学史》,福建人民出版社 2001 年版。

章权才:《魏晋南北朝隋唐经学史》,广东人民出版社 1996 年版。

陈梦家:《尚书通论(增订本)》,中华书局 1985 年版。

蒋善国:《尚书综述》,上海古籍出版社 1988 年版。

李学勤:《当代学者自选集·李学勤卷》,安徽教育出版社 1999 年版。

李学勤:《简帛佚籍与学术史》,江西教育出版社 2001 年版。

严可均校辑:《全上古三代秦汉三国六朝文》,中华书局 1958 年版。

董浩等编:《全唐文》,中华书局 1983 年影印本。

李昉等:《太平御览》,中华书局 1960 年版。

逯钦立辑校:《先秦汉魏晋南北朝诗》中,中华书局 1983 年版。

郁沅、张明高编选:《魏晋南北朝文论选》,人民文学出版社 1996 年版。

曹操、曹丕、曹植:《三曹集》(张溥辑评,宋效永校点),岳麓书社 1992 年版。

《建安七子诗文集校注译析》(韩格平校注译析),吉林文史出版社 1991 年版。

陶渊明:《陶渊明集校注》(孙钧锡校注),中州古籍出版社 1986 年版。

俞剑华、罗子、温肇桐编著:《顾恺之研究资料》,人民美术出版社 1962 年版。

王伯敏点注：《古画品录》，人民美术出版社1959年版。

冯武编著：《书法正传·纂言上》（崔尔平点校），上海书画出版社1985年版。

谢灵运：《谢灵运诗选》（叶笑雪选注），（上海）古典文献出版社1957年版。

萧统编、李善注：《文选》，中华书局1977年影印本。

刘勰：《文心雕龙注》（范文澜注），人民文学出版社1958年版。

钟嵘：《诗品集注》（曹旭集注），上海古籍出版社1994年版。

李德裕：《李文饶集》，《四部丛刊·正编》第36册。

苏轼：《苏轼文集》，中华书局1986年版。

王士禛：《古夫于亭杂录》，台湾商务印书馆影印文渊阁《四库全书》本，第870册。

刘师培：《刘师培中古文学论集》（陈引驰编校），中国社会科学出版社1997年版。

游国恩等主编：《中国文学史》，人民文学出版社1963年版。

曹道衡：《魏晋文学》，安徽教育出版社2001年版。

徐公持编著：《魏晋文学史》，人民文学出版社1999年版。

骆玉明、张宗原：《南北朝文学》，安徽教育出版社1991年版。

王运熙、杨明：《魏晋南北朝文学批评史》，上海古籍出版社1989年版。

罗宗强：《魏晋南北朝文学思想史》，中华书局1996年版。

吴云主编：《20世纪中国文学研究·魏晋南北朝文学研究》，北京出版社2001年版。

张少康编：《20世纪中国学术文存·文心雕龙研究》，湖北教育出版社2002年版。

刘知几：《史通笺注》，张振珮笺注，贵州人民出版社1985年版。

杜佑：《通典》，中华书局1984年版。

陈振孙:《直斋书录解题》,上海古籍出版社 1987 年版。

晁公武:《(衢本)郡斋读书志》,江苏古籍出版社 1988 年版。

赵翼:《廿二史劄记校证》,王树民校证,中华书局 2001 年重印(订补)本。

章学诚:《文史通义》,中华书局 1956 年版。

梁启超:《中国历史研究法》,东方出版社 1996 年版。

金毓黻:《中国史学史》,中华书局 1962 年。

张孟伦:《中国史学史》上册,甘肃人民出版社 1983 年版。

尹达主编、《中国史学发展史》编写组编写:《中国史学发展史》,中州古籍出版社 1985 年版。

吴泽主编,袁英光编选:《中国史学史论集(一)》,上海人民出版社 1980 年版。

陈寅恪:《陈寅恪文集之二·金明馆丛稿初编》,上海古籍出版社 1980 年版。

陈寅恪:《陈寅恪魏晋南北朝史讲演录》(万绳南整理),黄山书社 1987 年版。

万绳楠:《魏晋南北朝史论稿》,安徽教育出版社 1983 年版。

万绳楠:《魏晋南北朝文化史》,黄山出版社 1989 年版。

罗宏曾:《魏晋南北朝文化史》,四川人民出版社 1989 年版。

周一良:《魏晋南北朝史论集》,中华书局 1963 年版。

周一良:《魏晋南北朝史论集续编》,北京大学出版社 1991 年版。

周一良:《周一良集》第 2 卷,辽宁教育出版社 1998 年版。

吴金华:《三国志校诂》,江苏古籍出版社 1990 年版

李纯蛟:《三国志研究》,巴蜀书社 2002 年版。

赵爽注:《周髀算经》,上海古籍出版社 1990 年影印本(与《九章算术注》合刊)。

刘徽:《九章算术注》,上海古籍出版社 1990 年影印本(与《周髀算经》合刊)。

沈括:《元刊梦溪笔谈》,文物出版社 1975 年版。

丹尼尔:《科学史》,商务印书馆 1975 年版。

李俨、钱宝琮:《李俨钱宝琮科学史全集》第 3、5、9、10 卷,辽宁教育出版社 1998 年版。

董英哲:《中国科学思想史》,陕西人民出版社 1990 年版。

郭金彬:《中国传统科学思想史论》,知识出版社 1993 年版。

李约瑟:《中国科学技术史》第 3 卷《数学》,科学出版社 1978 年版。

中外数学简史编写组:《中国数学简史》,山东教育出版社 1986 年版。

曲安京:《〈周髀算经〉新议》,陕西人民出版社 2002 年版。

王应麟:《玉海》卷 4《天文·仪象·总叙浑天》,文渊阁《四库全书》第 943 册。

李之藻:《浑盖通宪图说·自序》,《丛书集成初编》本,中华书局 1985 年版。

王夫之:《思问录·外篇》,《船山全书》第 12 册,岳麓书社 1996 年版。

阮元:《畴人传》第 1 册,商务印书馆 1955 年重印(1935 年初版)本。

陈遵妫:《中国天文学史》第一册,上海人民出版社 1980 年版。

李约瑟:《中国科学技术史》第 4 卷《天学》第一分册,科学出版社 1975 年版。

郑文光:《试论浑天说》,《中国天文学史文集》,科学出版社 1978 年版。

郑文光:《中国天文学源流》,科学出版社 1979 年版。

《中国天文学简史》编写组:《中国天文学简史》,天津科学技术出版社 1979 年版。

崔振华、陈丹:《世界天文学史》,吉林教育出版社 1993 年版。

唐如川:《张衡等浑天家的天圆地平说》,《科学史集刊》第 4 期,科学出版社 1962 年 8 月版。

金祖孟:《中国古宇宙论》,华东师范大学出版社 1991 年版。

周桂钿:《天地奥秘的探索历程》,中国社会科学出版社 1988 年版。

王成祖:《中国地理学史》上册,商务印书馆 1982 年版。

郦道元:《水经注》,《国学基本丛书》本,商务印书馆 1958 年重印本。

洪业、聂崇岐等编纂:《水经注引得》,上海古籍出版社 1987 年版。

谭家健、李知文:《水经注选注》,中国社会科学出版社 1989 年版。

陈桥驿:《郦道元评传》,南京大学出版社 1994 年版。

陈桥驿主译:《〈水经注〉全译》,山西人民出版社 1995 年版。

陈桥驿:《水经注研究四集》,杭州出版社 2003 年版。

中国农业科学院、南京农学院中国农业遗产研究室编著:《中国农学史
　　(初稿)》,科学出版社 1959 年版。

贾思勰:《齐民要术校释》(缪启愉校释,缪桂龙参校),农业出版社 1982
　　年版。

缪启愉:《〈齐民要术〉导读》,巴蜀书社 1988 年版。

石声汉校释:《〈齐民要术〉今释》,科学出版社 1957 年版。

刘民壮:《〈齐民要术〉选注》,《自然辩证法杂志》1975 年第 1 期。

王叔和:《脉经》,人民卫生出版社 1962 年版。

皇甫谧:《黄帝三部针灸甲乙经》,《丛书集成初编》,中华书局 1991 年
　　版。

葛洪:《肘后备急方》,人民卫生出版社 1956 年版。

陶弘景:《本草经集注》,(上海)群联出版社 1955 年版。

李时珍:《本草纲目》第一册,人民卫生出版社 1977 年校点本。

中国医籍提要编写组:《中国医籍提要(上)》,吉林人民出版社 1984 年版。

贾得道:《中国医学史略》,山西人民出版社 1979 年版。

俞慎初:《中国医学简史》,福建科学技术出版社 1983 年版。

刘伯骥:《中国医学史》上册,台湾华岗出版社 1974 年版。

袁翰青:《中国化学史论文集》,生活·读书·新知三联书店 1956 年版。

张子高编著:《中国化学史稿(古代之部)》,科学出版社 1964 年版。

曹元宇编著:《中国化学史话》,江苏科学技术出版社 1979 年版。

责任编辑:乔还田　陈鹏鸣
装帧设计:徐　晖
版式设计:卢永勤

图书在版编目(CIP)数据

中国学术通史(魏晋南北朝卷)/张立文主编　向世陵著.
-北京:人民出版社,2004.12
ISBN 7 - 01 - 004543 - 7

Ⅰ.中… 　Ⅱ.张… 　Ⅲ.学术思想-思想史-中国-魏晋南北朝时代
Ⅳ.B2

中国版本图书馆 CIP 数据核字(2004)第 096307 号

中国学术通史(魏晋南北朝卷)
ZHONGGUO XUESHU TONGSHI

张立文　主编

向世陵　著

人民出版社 出版发行
(100706　北京朝阳门内大街 166 号)

北京中科印刷有限公司印刷　新华书店经销

2004 年 12 月第 1 版　2004 年 12 月北京第 1 次印刷
开本:635 毫米×927 毫米 1/16　印张:49.75
字数:640 千字　印数:0,001 - 6,000 册

ISBN 7 - 01 - 004543 - 7　定价:99.00 元

邮购地址 100706　北京朝阳门内大街 166 号
人民东方图书销售中心　电话 (010)65250042　65289539